디딤돌수학 개념기본 중학 2-2

펴낸날 [초판 1쇄] 2022년 1월 1일 [초판 3쇄] 2023년 3월 20일
펴낸이 이기열
펴낸곳 (주)디딤돌 교육
주소 (03972) 서울특별시 마포구 월드컵북로 122 청원선와이즈타워
대표전화 02-3142-9000
구입문의 02-322-8451
내용문의 02-336-7918
팩시밀리 02-335-6038
홈페이지 www.didimdol.co.kr
등록번호 제10-718호
구입한 후에는 철회되지 않으며 잘못 인쇄된 책은 바꾸어 드립니다.

[2291250]

수학은 개념이다!

디딤돌수학

개념기본

중2 / 2 개념북

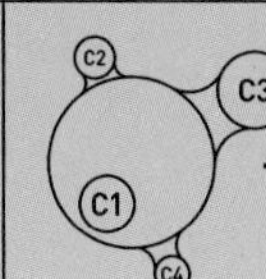

중학 수학은 개념의 연결과 확장이다.

디딤돌

올바른 **개념학습**을 통한 **중학수학 완성!**

1 꼭 알아야 할 핵심개념!

Think Way

올바른 개념학습의 길을 열어줍니다.

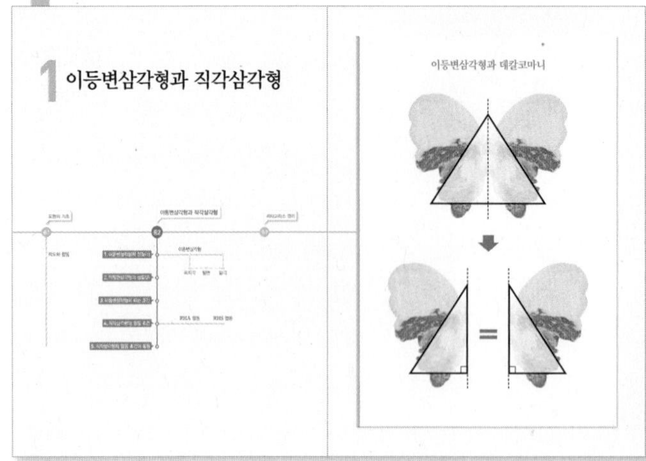

개념을 연결하고 핵심개념 포인트로 생각을 열어주고, 개념특강을 통해 개념을 마무리 정리해줍니다.

중단원 도입

이전 학습개념, 이 단원에서 배울 개념, 이후 학습개념의 연결고리를 통해 개념의 연결성을 이끌어주고, 단원의 핵심개념을 통해 생각을 열어줍니다.

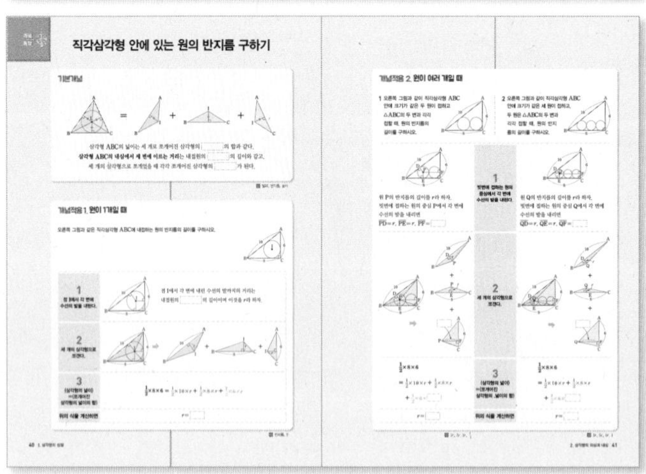

개념특강

이 단원의 중요한 개념, 설명이 필요한 개념, 공식화되는 과정 등 필요한 단원의 마무리 개념을 정리하는 길을 열어줍니다.

2 사례 중심으로 쉽게 설명하는 개념 정리!

Think Way

왜?라는 궁금증을 해결합니다.

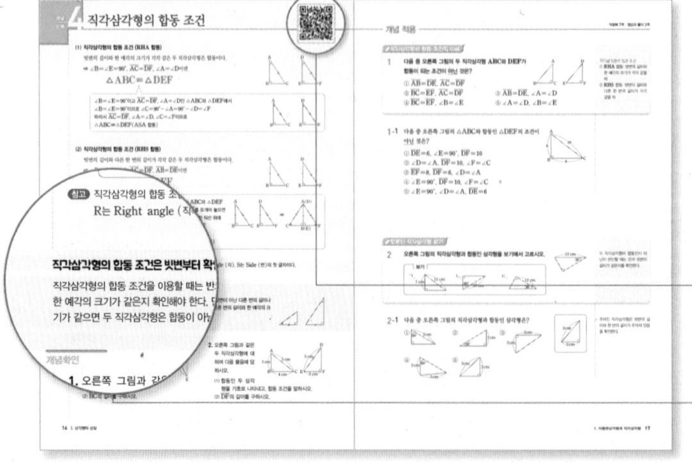

수학적 개념을 이해하는 데 꼭 필요한 '왜?'라는 궁금증을 해결해줍니다.

주제별 개념

외우지 않아도 개념을 한눈에 이해할 수 있게 정리해줍니다.

▶ 개념강의 동영상

왜 개념이 필요한지, 그 원리 등을 설명해주어 개념 학습의 이해를 도와줍니다.

Think Way

문제를 통해
개념정리를 도와줍니다.

3 5 Part의 문제 훈련을 통한 개념완성!

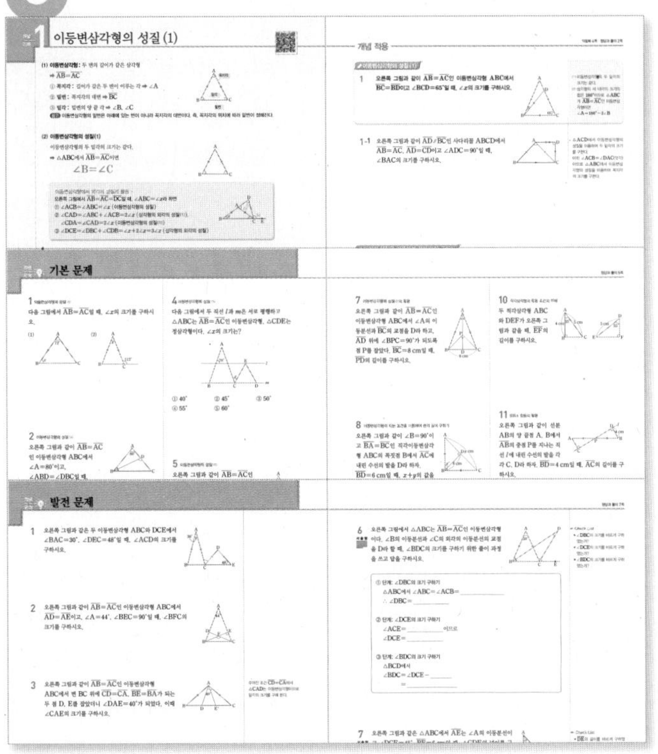

머릿속에 정리된 개념을 문제 학습 5개 Part를 통해 확실하게 내 개념으로 만들수 있습니다.

개념북

Part 1 개념적용

배운 개념을 개념적용 파트를 통해 문제에 적용하여 개념을 정리합니다.

Part 2 기본문제

개념적용 파트에서 정리한 개념을 기본 문제 파트를 통해 다시 한 번 반복! 머릿속에 꼭꼭 담아줍니다.

Part 3 발전문제

기본 문제 파트보다 조금 더 발전된 문제를 통해 문제해결력을 키워줍니다.

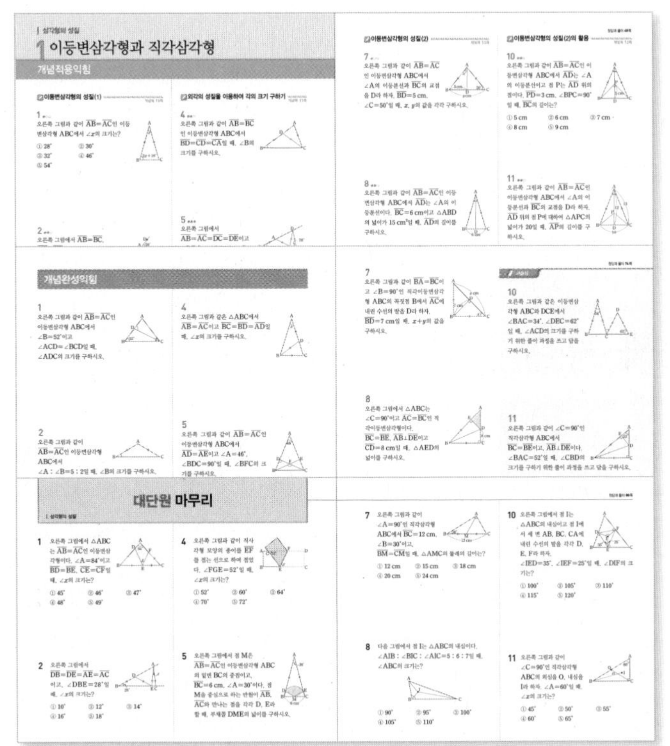

익힘북

Part 4 개념적용익힘

개념북의 개념적용 파트와 **1:1매칭 문제**로 구성되어 좀 더 다양한 개념적용 문제를 학습하며, 반복학습을 통해 개념을 완성시켜줍니다.

Part 5 개념완성익힘+대단원 마무리

배운 개념을 응용단계 학습까지 연결할 수 있도록, 그리고 최종 해당 단원의 평가까지 확인하며 마무리 할 수 있도록 구성하였습니다.

디딤돌수학 개념기본 중학편은 반복학습으로 개념을 이해하고
확장된 문제를 통해 응용단계 학습의 발판을 만들어 줍니다.

4 단계별 학습을 통한 서술형완성!

Think Way

서술형 학습의
올바른 길을 열어줍니다.

정답과 풀이 7쪽

6 오른쪽 그림에서 △ABC는 $\overline{AB}=\overline{AC}$인 이등변삼각형이다. ∠B의 이등분선과 ∠C의 외각의 이등분선의 교점을 D라 할 때, ∠BDC의 크기를 구하기 위한 풀이 과정을 쓰고 답을 구하시오.

서술형

① 단계: ∠DBC의 크기 구하기
△ABC에서 ∠ABC=∠ACB=______
∴ ∠DBC=______

② 단계: ∠DCE의 크기 구하기
∠ACE=______이므로
∠DCE=______

③ 단계: ∠BDC의 크기 구하기
△BCD에서
∠BDC=∠DCE−______
=______

Check List
- ∠DBC의 크기를 바르게 구하였는가?
- ∠DCE의 크기를 바르게 구하였는가?
- ∠BDC의 크기를 바르게 구하였는가?

정답과 풀이 74쪽

7
오른쪽 그림과 같이 $\overline{BA}=\overline{BC}$이고 ∠B=90°인 직각이등변삼각형 ABC의 꼭짓점 B에서 $\overline{AC}$에 내린 수선의 발을 D라 하자. $\overline{BD}$=7 cm일 때, $x+y$의 값을 구하시오.

8
오른쪽 그림에서 △ABC는 ∠C=90°이고 $\overline{AC}=\overline{BC}$인 직각이등변삼각형이다. $\overline{BC}=\overline{BE}$, $\overline{AB}\perp\overline{DE}$이고 $\overline{CD}$=8 cm일 때, △AED의 넓이를 구하시오.

서술형

10
오른쪽 그림과 같은 이등변삼각형 ABC와 DCE에서 ∠BAC=34°, ∠DEC=62°일 때, ∠ACD의 크기를 구하기 위한 풀이 과정을 쓰고 답을 구하시오.

11
오른쪽 그림과 같이 ∠C=90°인 직각삼각형 ABC에서 $\overline{BC}=\overline{BE}$이고, $\overline{AB}\perp\overline{DE}$이다. ∠BAC=52°일 때, ∠CBD의 크기를 구하기 위한 풀이 과정을 쓰고 답을 구하시오.

서술형 학습

- **개념북**에서는 서술형 훈련을 단계별로 학습 할 수 있게 빈칸 넣기로 구성되어 있습니다.
- **익힘북**에서는 실전을 대비하여 실전처럼 서술형 훈련을 할 수 있게 구성되어 있습니다.

5 문제 이해도를 높인 정답과 풀이!

Think Way

문제 이해도를
높여줍니다.

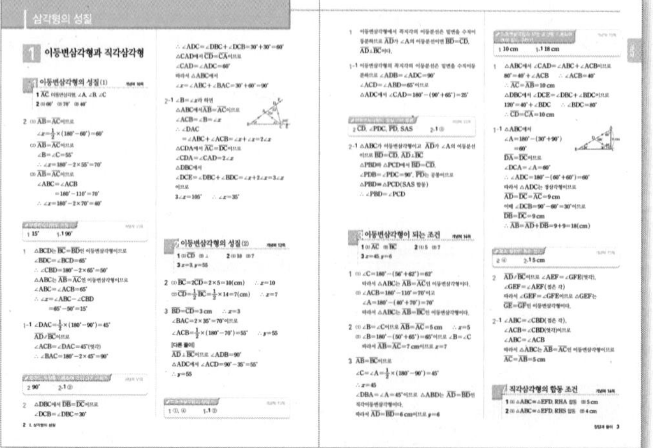

정답과 풀이

학생 스스로 정답과 풀이를 통해 충분히 이해 및 학습 할 수 있도록 정답과 풀이를 친절하게 구성하였습니다.

차례

I 삼각형의 성질

1 이등변삼각형과 직각삼각형

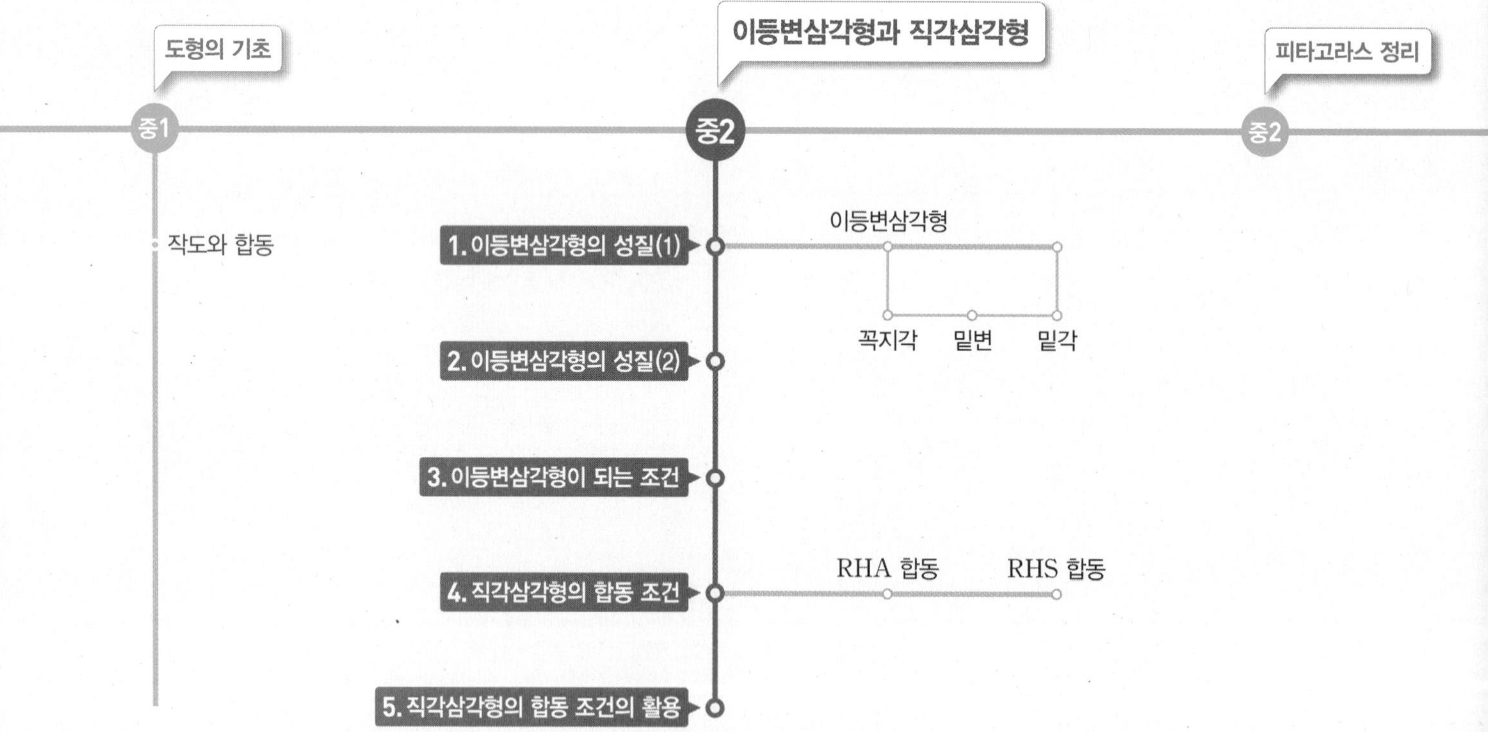

이등변삼각형과 데칼코마니

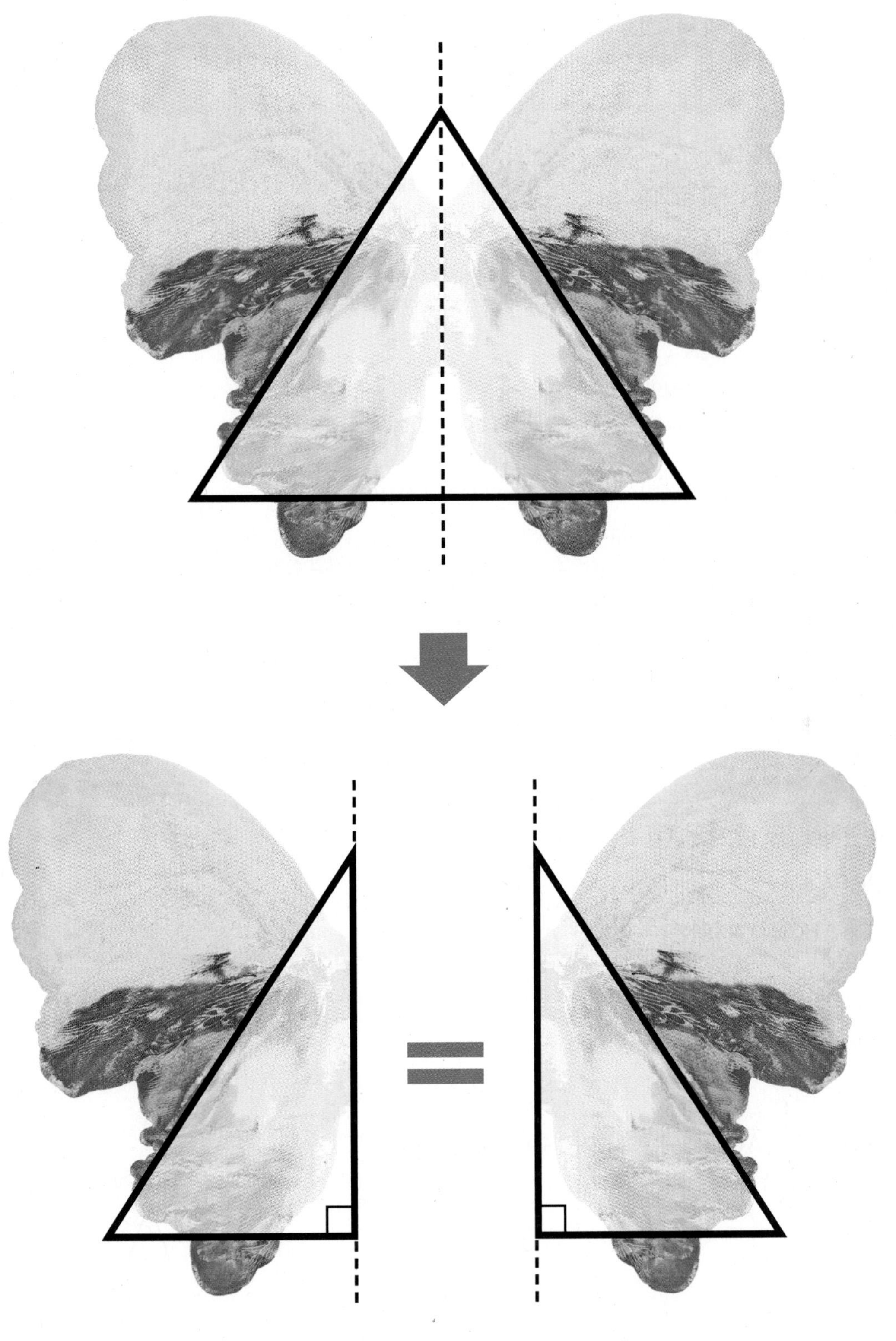

개념 이해

2 이등변삼각형의 성질 (2)

이등변삼각형의 꼭지각의 이등분선은 밑변을 수직이등분한다.

➡ △ABC에서

$\overline{AB}=\overline{AC}$이고 ∠BAD=∠CAD이면

$$\overline{BD}=\overline{CD},\ \overline{AD}\perp\overline{BC}$$

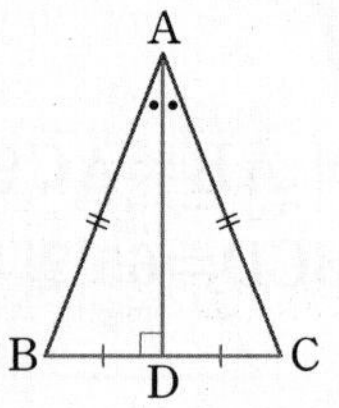

오른쪽 그림과 같이 $\overline{AB}=\overline{AC}$인 △ABC에서
∠A의 이등분선과 $\overline{BC}$의 교점을 D라 하면 △ABD와 △ACD에서
$\overline{AB}=\overline{AC}$, ∠BAD=∠CAD, $\overline{AD}$는 공통이다.
따라서 △ABD≡△ACD(SAS 합동)이므로 $\overline{BD}=\overline{CD}$ ······ ㉠
또, ∠ADB=∠ADC이고 ∠ADB+∠ADC=180°이므로
∠ADB=∠ADC=90° ∴ $\overline{AD}\perp\overline{BC}$ ······ ㉡
㉠, ㉡에 의하여 $\overline{AD}$는 $\overline{BC}$를 수직이등분한다.

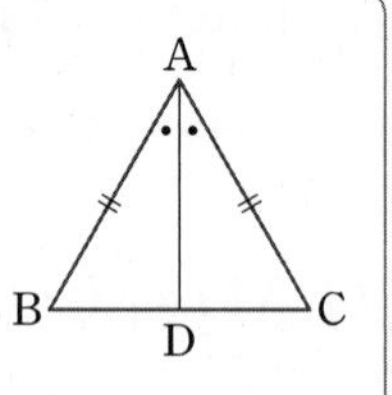

참고 이등변삼각형에서 다음은 모두 같은 선분이다.

① 꼭지각의 이등분선 ② 밑변의 수직이등분선 ③ 꼭짓점에서 밑변에 내린 수선 ④ 꼭짓점과 밑변의 중점을 잇는 선분

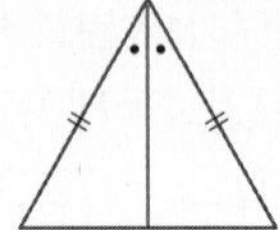
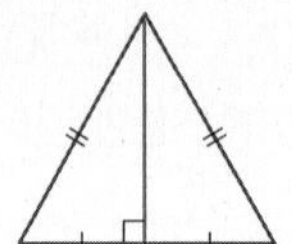
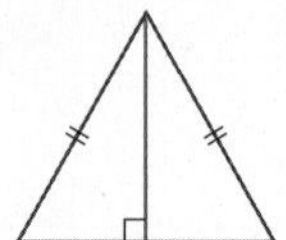
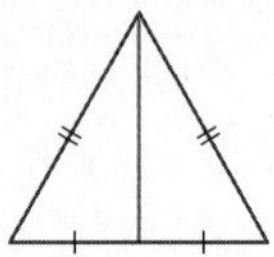

개념확인

1. 오른쪽 그림과 같이 $\overline{AB}=\overline{AC}$인 이등변삼각형 ABC에서 $\overline{AD}$가 ∠A의 이등분선일 때, 다음 □ 안에 알맞은 것을 써넣으시오.

(1) $\overline{BD}=$□

(2) $\overline{AD}$ □ $\overline{BC}$

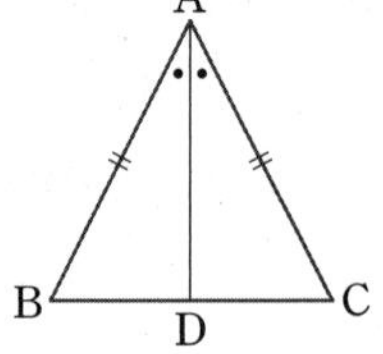

2. 다음 그림에서 △ABC는 $\overline{AB}=\overline{AC}$인 이등변삼각형이다. $\overline{AD}$가 ∠A의 이등분선일 때, x의 값을 구하시오.

(1)

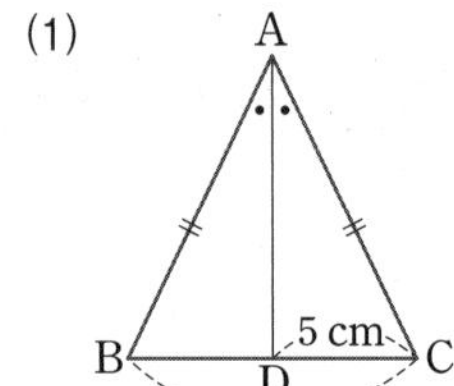

(2)

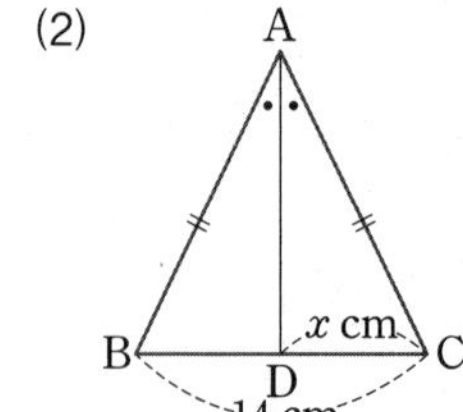

3. 오른쪽 그림과 같이 $\overline{AB}=\overline{AC}$인 이등변삼각형 ABC에서 $\overline{AD}$는 ∠A의 이등분선이다. ∠BAD=35°, $\overline{CD}$=3 cm일 때, x, y의 값을 각각 구하시오.

❗ ∠BAC=2∠BAD임을 이용하여 △ABC에서 ∠ACB의 크기를 구한다.

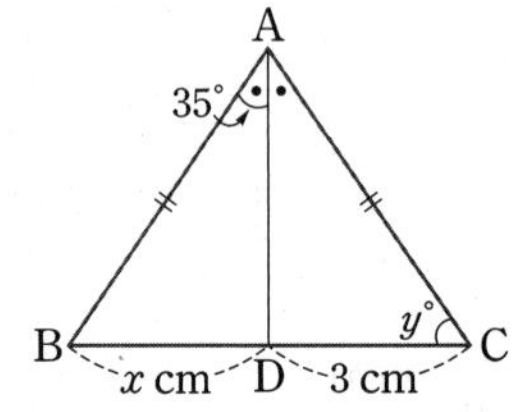

개념 적용

이등변삼각형의 성질 (2)

1 **오른쪽 그림과 같이 $\overline{AB}=\overline{AC}$인 이등변삼각형 ABC에서 $\overline{AD}$가 ∠A의 이등분선일 때, 다음 중 옳은 것을 모두 고르면? (정답 2개)**

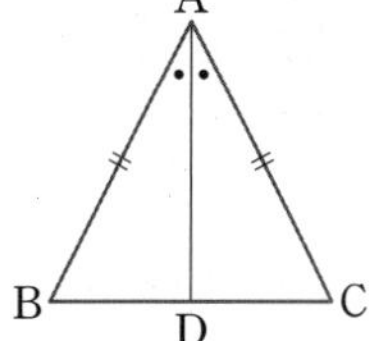

① $\overline{BD}=\overline{CD}$ ② $\overline{AD}=\overline{BC}$
③ $\overline{AB}=\overline{AD}$ ④ $\overline{AD}\perp\overline{BC}$
⑤ $\angle A=\angle B=\angle C$

△ABC에서 $\overline{AB}=\overline{AC}$, $\angle BAD=\angle CAD$이면 $\overline{BD}=\overline{CD}$이고, $\overline{AD}\perp\overline{BC}$이다.

1-1 오른쪽 그림과 같이 $\overline{AB}=\overline{AC}$인 이등변삼각형 ABC에서 $\angle ABD=65°$일 때, ∠CAD의 크기는?

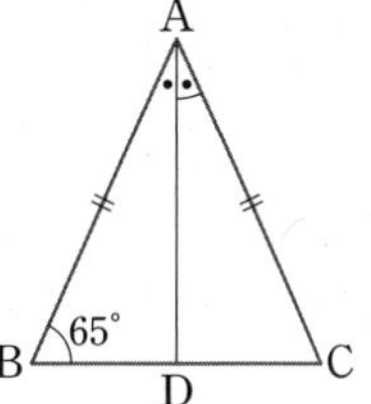

① 20° ② 25° ③ 30°
④ 35° ⑤ 40°

이등변삼각형의 성질 (2)의 활용

2 **다음은 오른쪽 그림과 같이 $\overline{AB}=\overline{AC}$인 이등변삼각형 ABC에서 ∠A의 이등분선 위의 한 점 P에 대하여 $\overline{PB}=\overline{PC}$임을 설명하는 과정이다. □ 안에 알맞은 것을 써넣으시오.**

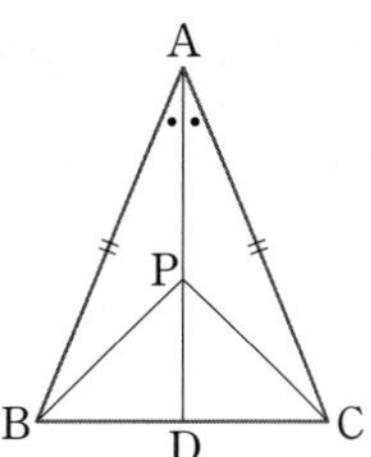

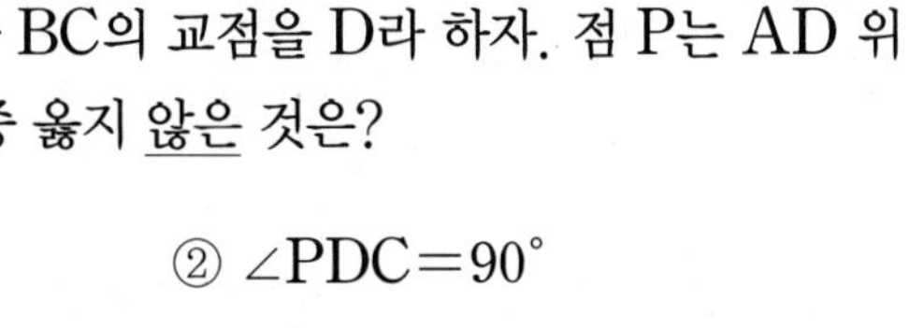

△PBD와 △PCD에서
$\overline{BD}=$□, ∠PDB=□, □는 공통이므로
△PBD≡△PCD(□ 합동) ∴ $\overline{PB}=\overline{PC}$

선분의 양 끝 점과 그 선분의 수직이등분선 위의 한 점을 각각 이은 두 선분의 길이는 같다.

2-1 오른쪽 그림과 같이 $\overline{AB}=\overline{AC}$인 이등변삼각형 ABC에서 ∠A의 이등분선과 $\overline{BC}$의 교점을 D라 하자. 점 P는 $\overline{AD}$ 위의 점일 때, 다음 중 옳지 않은 것은?

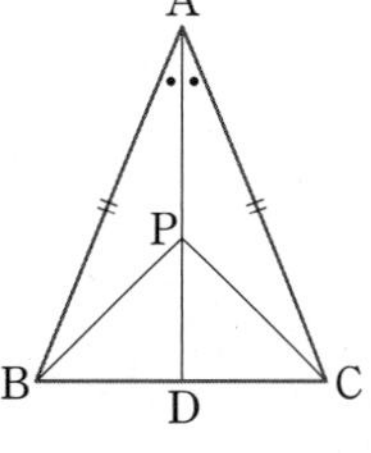

① $\overline{BD}=\frac{1}{2}\overline{BC}$ ② ∠PDC=90°
③ $\overline{AP}=\overline{CP}$ ④ ∠PBD=∠PCD
⑤ △PBD≡△PCD

개념 이해 3

이등변삼각형이 되는 조건

두 내각의 크기가 같은 삼각형은 이등변삼각형이다.

➡ $\triangle ABC$에서 $\angle B = \angle C$이면

$$\overline{AB} = \overline{AC}$$

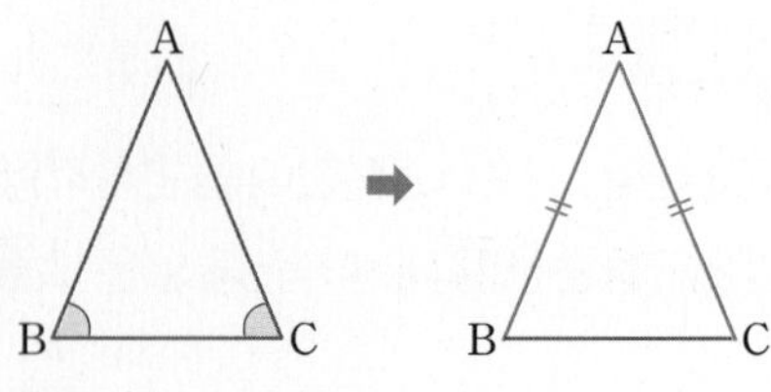

오른쪽 그림과 같이 $\angle B = \angle C$인 $\triangle ABC$에서 $\angle A$의 이등분선과 밑변 BC의 교점을 D라 하면

$\triangle ABD$와 $\triangle ACD$에서

$\angle B = \angle C$, $\angle BAD = \angle CAD$ …… ㉠

이므로

$\angle ADB = \angle ADC$ …… ㉡

이고, $\overline{AD}$는 공통이므로 …… ㉢

㉠, ㉡, ㉢에 의하여 $\triangle ABD \equiv \triangle ACD$(ASA 합동)

$\therefore \overline{AB} = \overline{AC}$

참고 어떤 삼각형이 이등변삼각형인지 알아보려면 두 변의 길이가 같거나 두 내각의 크기가 같음을 확인한다.

개념확인

1. 다음 그림에서 $\overline{AB}$와 길이가 같은 선분을 구하시오.

(1)

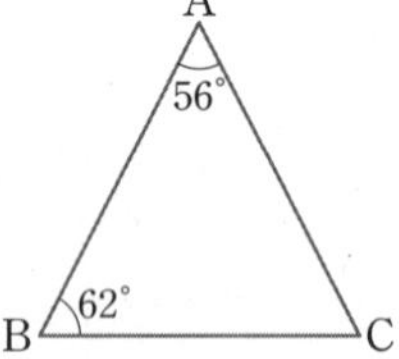

(2)

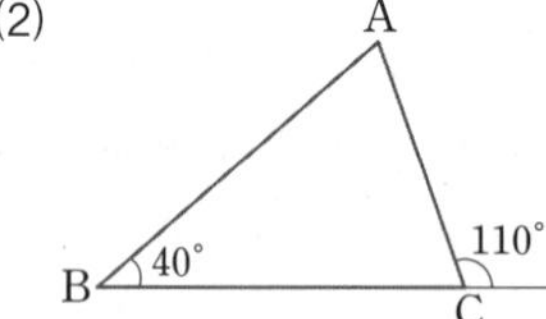

2. 다음 그림과 같은 $\triangle ABC$에서 x의 값을 구하시오.

(1)

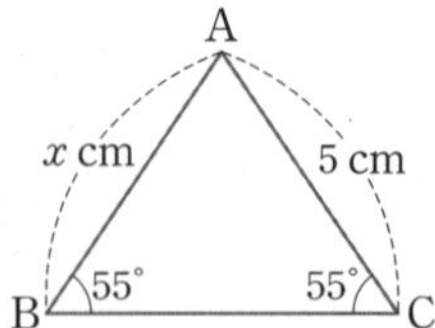

(2)

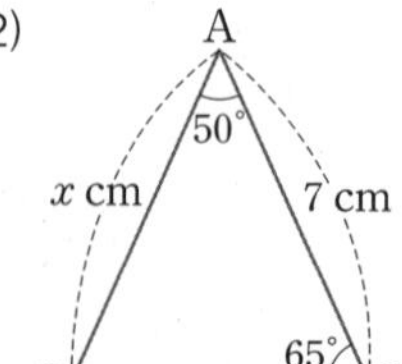

3. 오른쪽 그림과 같이 $\overline{AB} = \overline{BC}$이고 $\angle B = 90°$인 직각이등변삼각형 ABC에서 $\overline{BD} = 6$ cm, $\overline{AC} \perp \overline{BD}$일 때, x, y의 값을 각각 구하시오.

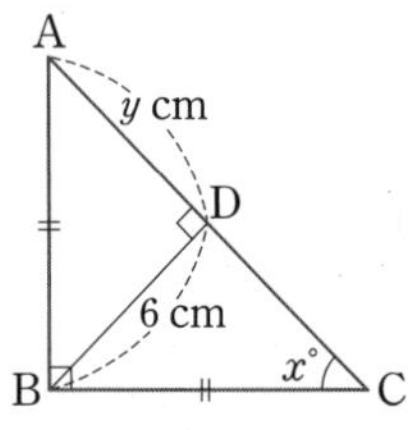

개념 적용

이등변삼각형이 되는 조건을 이용하여 변의 길이 구하기

1 **오른쪽 그림에서 $\angle ABC=40^\circ$, $\angle DAC=80^\circ$, $\angle DCE=120^\circ$이고 $\overline{AB}=10$ cm일 때, $\overline{CD}$의 길이를 구하시오.**

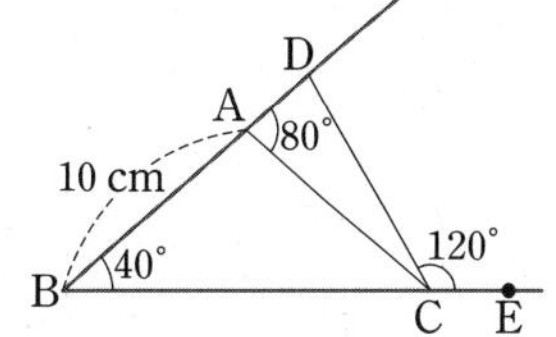

(1) 삼각형의 한 외각의 크기는 그와 이웃하지 않는 두 내각의 크기의 합과 같다.
(2) 두 내각의 크기가 같은 삼각형은 이등변삼각형이다.

1-1 오른쪽 그림과 같이 $\angle C=90^\circ$인 직각삼각형 ABC에서 $\overline{DA}=\overline{DC}$이고 $\angle B=30^\circ$, $\overline{AC}=9$ cm일 때, $\overline{AB}$의 길이를 구하시오.

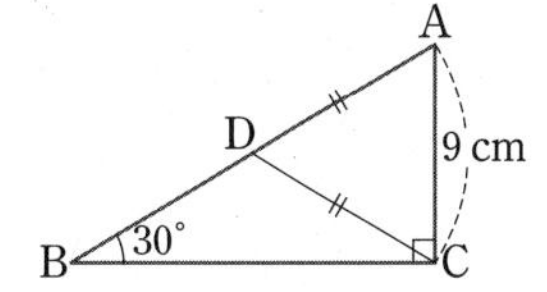

폭이 일정한 종이 접기

2 **오른쪽 그림과 같이 직사각형 모양의 종이를 $\overline{EF}$를 접는 선으로 하여 접었을 때, 다음 중 옳지 <u>않은</u> 것은?**

① $\angle AEF=\angle GFE$ ② $\angle GEF=\angle AEF$
③ $\angle GEF=\angle GFE$ ④ $\angle FEG=\angle FGE$
⑤ $\overline{GE}=\overline{GF}$

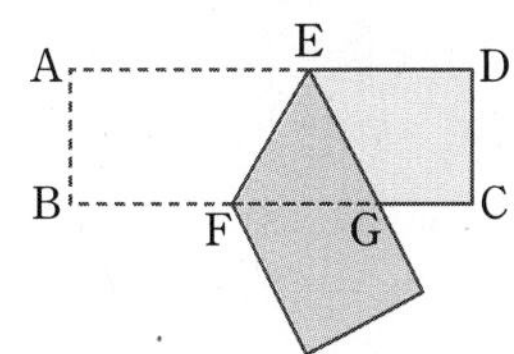

폭이 일정한 종이 접기

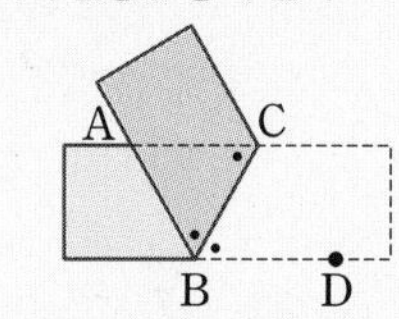

위의 그림과 같은 $\triangle ABC$에서
$\angle ABC=\angle CBD$(접은 각)
$\angle ACB=\angle CBD$(엇각)
$\therefore \angle ABC=\angle ACB$
따라서 $\triangle ABC$는 $\overline{AB}=\overline{AC}$인 이등변삼각형이다.

2-1 폭이 일정한 종이를 오른쪽 그림과 같이 접었을 때, $\overline{AC}$의 길이를 구하시오.

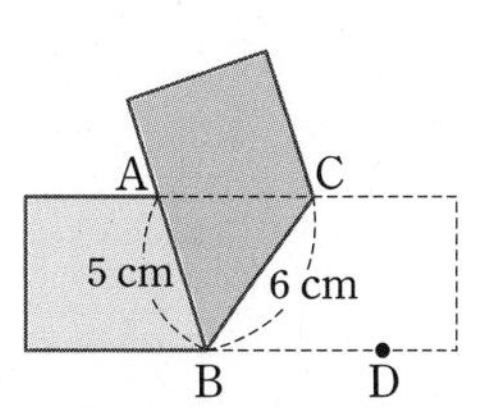

개념 이해 4

직각삼각형의 합동 조건

(1) 직각삼각형의 합동 조건 (RHA 합동)

빗변의 길이와 한 예각의 크기가 각각 같은 두 직각삼각형은 합동이다.

➡ $\angle B=\angle E=90°$, $\overline{AC}=\overline{DF}$, $\angle A=\angle D$이면

$$\triangle ABC \equiv \triangle DEF$$

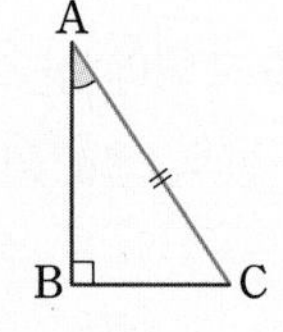

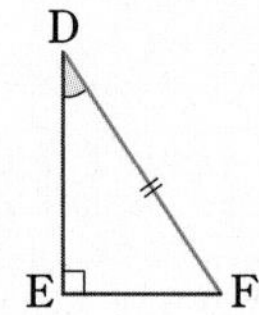

$\angle B=\angle E=90°$이고 $\overline{AC}=\overline{DF}$, $\angle A=\angle D$인 $\triangle ABC$와 $\triangle DEF$에서
$\angle B=\angle E=90°$이므로 $\angle C=90°-\angle A=90°-\angle D=\angle F$
따라서 $\overline{AC}=\overline{DF}$, $\angle A=\angle D$, $\angle C=\angle F$이므로
$\triangle ABC \equiv \triangle DEF$(ASA 합동)

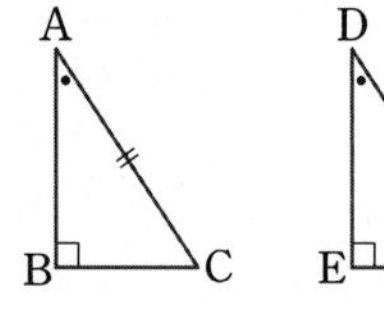

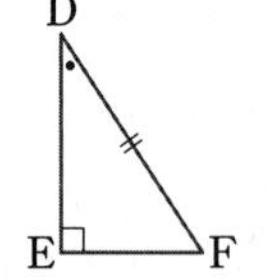

(2) 직각삼각형의 합동 조건 (RHS 합동)

빗변의 길이와 다른 한 변의 길이가 각각 같은 두 직각삼각형은 합동이다.

➡ $\angle B=\angle E=90°$, $\overline{AC}=\overline{DF}$, $\overline{AB}=\overline{DE}$이면

$$\triangle ABC \equiv \triangle DEF$$

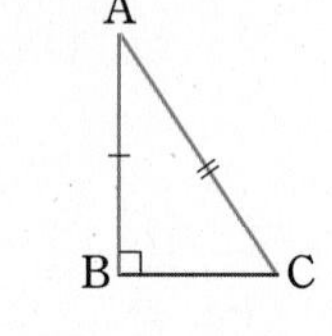

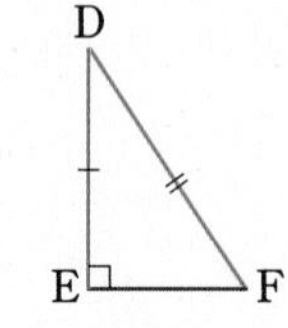

$\angle B=\angle E=90°$이고 $\overline{AC}=\overline{DF}$, $\overline{AB}=\overline{DE}$인 $\triangle ABC$와 $\triangle DEF$에서 $\triangle ABC$를 뒤집어 오른쪽 그림과 같이 $\overline{AB}$와 $\overline{DE}$를 포개어 놓으면 $\angle ABC+\angle DEF=180°$이므로 세 점 C, B(E), F는 한 직선 위에 있게 되어 $\triangle ACF$는 이등변삼각형이 된다. $\therefore \angle C=\angle F$
따라서 $\angle B=\angle E=90°$인 $\triangle ABC$와 $\triangle DEF$에서
$\overline{AC}=\overline{DF}$, $\angle C=\angle F$이므로 $\triangle ABC \equiv \triangle DEF$(RHA 합동)

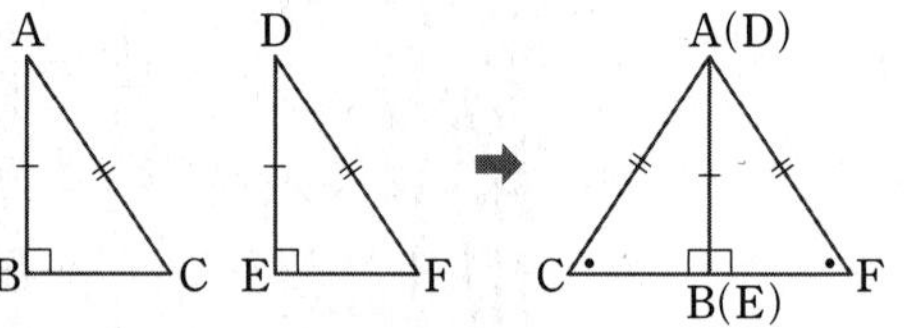

참고 직각삼각형의 합동 조건에서
R는 Right angle (직각), H는 Hypotenuse (빗변), A는 Angle (각), S는 Side (변)의 첫 글자이다.

직각삼각형의 합동 조건은 빗변부터 확인해!

직각삼각형의 합동 조건을 이용할 때는 반드시 빗변의 길이가 같은지 확인한 후 빗변이 아닌 다른 변의 길이나 한 예각의 크기가 같은지 확인해야 한다. 만약 오른쪽 그림과 같이 빗변이 아닌 다른 변의 길이와 한 예각의 크기가 같으면 두 직각삼각형은 합동이 아닐 수도 있다.

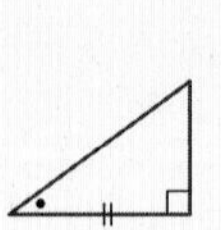

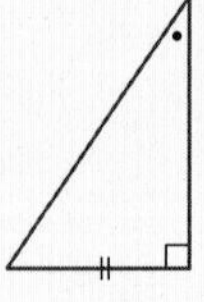

개념확인

1. 오른쪽 그림과 같은 두 직각삼각형에 대하여 다음 물음에 답하시오.

(1) 합동인 두 삼각형을 기호로 나타내고, 합동 조건을 말하시오.

(2) $\overline{BC}$의 길이를 구하시오.

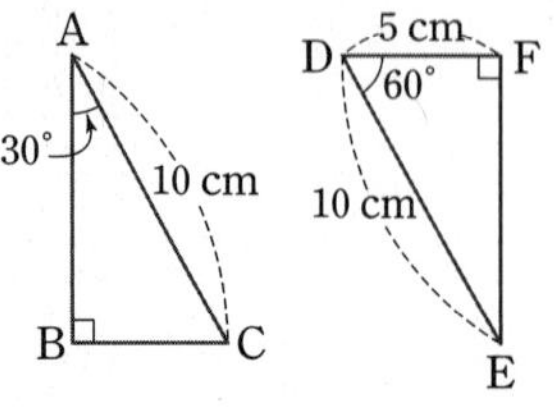

2. 오른쪽 그림과 같은 두 직각삼각형에 대하여 다음 물음에 답하시오.

(1) 합동인 두 삼각형을 기호로 나타내고, 합동 조건을 말하시오.

(2) $\overline{DF}$의 길이를 구하시오.

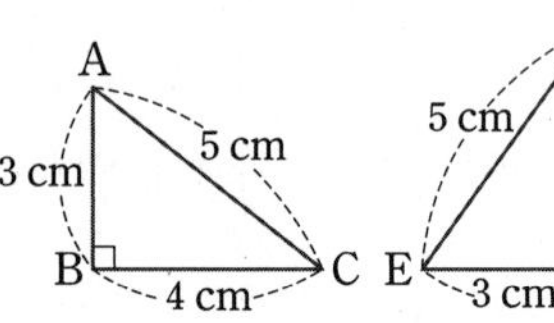

개념 적용

직각삼각형의 합동 조건의 이해

1 **다음 중 오른쪽 그림의 두 직각삼각형 ABC와 DEF가 합동이 되는 조건이 아닌 것은?**

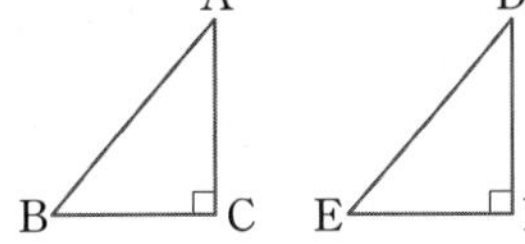

① $\overline{AB}=\overline{DE}$, $\overline{AC}=\overline{DF}$
② $\overline{BC}=\overline{EF}$, $\overline{AC}=\overline{DF}$
③ $\overline{AB}=\overline{DE}$, $\angle A=\angle D$
④ $\overline{BC}=\overline{EF}$, $\angle B=\angle E$
⑤ $\angle A=\angle D$, $\angle B=\angle E$

직각삼각형의 합동 조건
① RHA 합동: 빗변의 길이와 한 예각의 크기가 각각 같을 때
② RHS 합동: 빗변의 길이와 다른 한 변의 길이가 각각 같을 때

1-1 다음 중 오른쪽 그림의 $\triangle ABC$와 합동인 $\triangle DEF$의 조건이 아닌 것은?

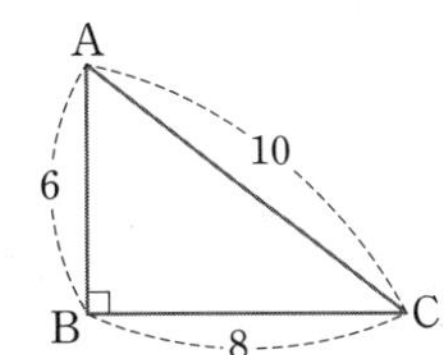

① $\overline{DE}=6$, $\angle E=90°$, $\overline{DF}=10$
② $\angle D=\angle A$, $\overline{DF}=10$, $\angle F=\angle C$
③ $\overline{EF}=8$, $\overline{DF}=6$, $\angle D=\angle A$
④ $\angle E=90°$, $\overline{DF}=10$, $\angle F=\angle C$
⑤ $\angle E=90°$, $\angle D=\angle A$, $\overline{DE}=6$

합동인 직각삼각형 찾기

2 **오른쪽 그림의 직각삼각형과 합동인 삼각형을 보기에서 고르시오.**

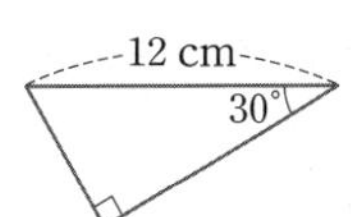

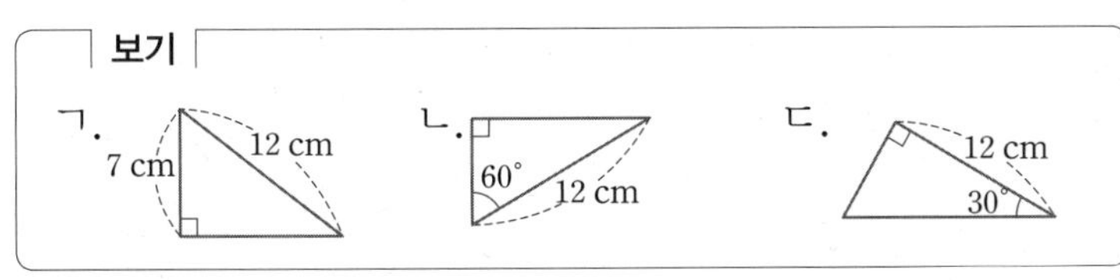

두 직각삼각형이 합동인지 아닌지 판단할 때는 먼저 빗변의 길이가 같은지를 확인한다.

2-1 다음 중 오른쪽 그림의 직각삼각형과 합동인 삼각형은?

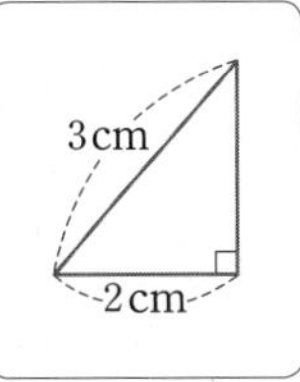

①
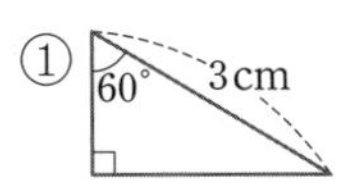

②
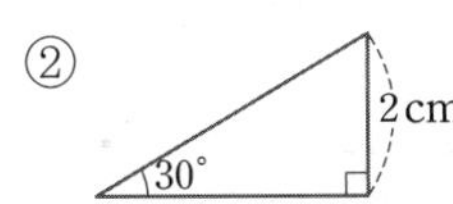

③
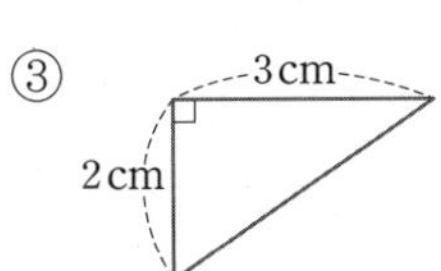

④
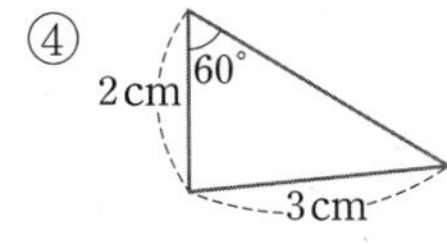

⑤
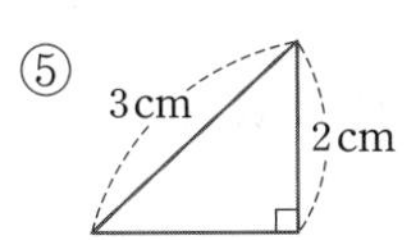

▶ 주어진 직각삼각형은 빗변의 길이와 한 변의 길이가 주어져 있음을 확인한다.

개념 이해 5

직각삼각형의 합동 조건의 활용

(1) RHA 합동의 활용

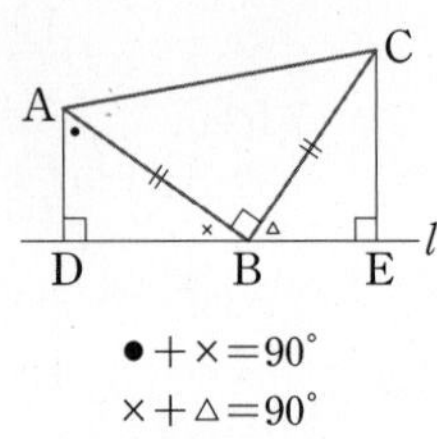

$\bullet+\times=90^\circ$
$\times+\triangle=90^\circ$
➡ $\bullet=\triangle$

$\triangle ADB$와 $\triangle BEC$에서 $\angle ADB=\angle BEC=90^\circ$,
$\overline{AB}=\overline{BC}$, $\angle BAD=\angle CBE$ ($\bullet=\triangle$)
즉, $\triangle ADB\equiv\triangle BEC$(RHA 합동)이므로 다음이 성립한다.
① $\overline{AD}=\overline{BE}$, $\overline{BD}=\overline{CE}$
② $\overline{DE}=\overline{BD}+\overline{BE}=\overline{CE}+\overline{AD}$

(2) RHS 합동의 활용

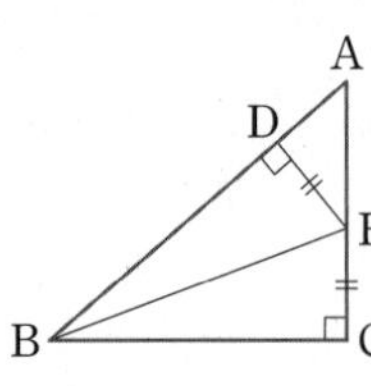

$\triangle EBC$와 $\triangle EBD$에서 $\angle ECB=\angle EDB=90^\circ$,
$\overline{BE}$는 공통, $\overline{EC}=\overline{ED}$
즉, $\triangle EBC\equiv\triangle EBD$(RHS 합동)이므로 다음이 성립한다.
① $\angle EBC=\angle EBD$, $\angle BEC=\angle BED$
② $\overline{BC}=\overline{BD}$

각의 이등분선의 성질

(1) 각의 이등분선 위의 한 점에서 그 각의 두 변에 이르는 거리는 같다.
➡ $\angle AOP=\angle BOP$이면 $\overline{PQ}=\overline{PR}$

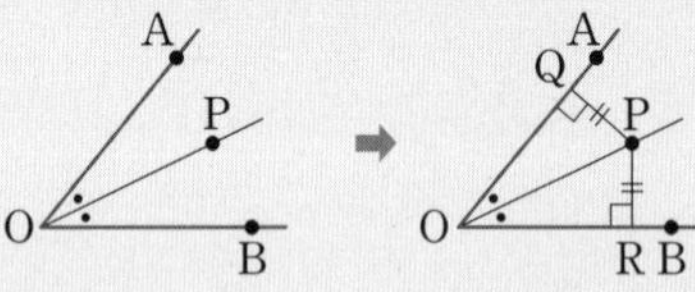

(2) 각의 두 변에서 같은 거리에 있는 점은 그 각의 이등분선 위에 있다.
➡ $\overline{PQ}=\overline{PR}$이면 $\angle AOP=\angle BOP$

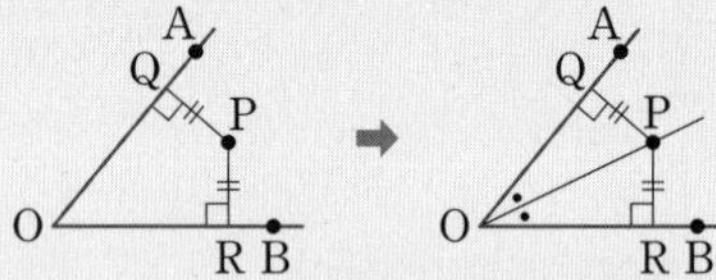

개념확인

1. 오른쪽 그림과 같이 $\angle B=90^\circ$이고 $\overline{AB}=\overline{BC}$인 직각이등변삼각형 ABC의 두 꼭짓점 A, C에서 점 B를 지나는 직선 l에 내린 수선의 발을 각각 D, E라 할 때, 다음은 $\triangle ADB$와 $\triangle BEC$가 합동임을 설명하는 과정이다. □ 안에 알맞은 것을 써넣으시오.

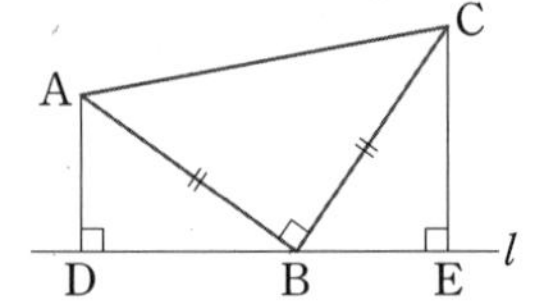

$\triangle ADB$와 $\triangle BEC$에서
$\angle ADB=\angle BEC=$ □ …… ㉠, $\overline{AB}=$ □ …… ㉡
$\angle ABC=90^\circ$이므로 $\angle ABD+\angle CBE=90^\circ$
또, $\triangle ADB$에서 $\angle ABD+\angle BAD=90^\circ$ ∴ $\angle BAD=$ □ …… ㉢
㉠, ㉡, ㉢에 의하여 $\triangle ADB\equiv\triangle BEC$ (□ 합동)

2. 오른쪽 그림과 같이 $\angle C=90^\circ$인 직각삼각형 ABC에서 $\overline{AB}\perp\overline{DE}$이고 $\overline{BC}=\overline{BE}$일 때, 다음 중 옳지 않은 것은?

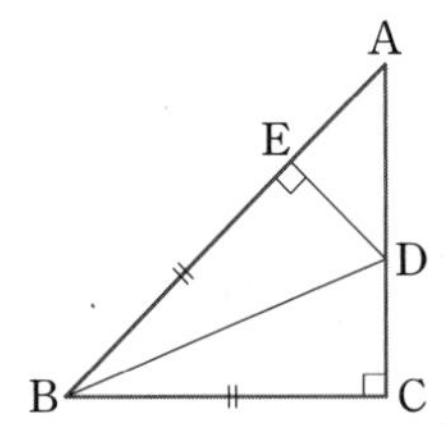

① $\angle BDC=\angle BDE$ ② $\overline{AE}=\overline{DE}$ ③ $\overline{DC}=\overline{DE}$
④ $\angle DBC=\angle DBE$ ⑤ $\triangle DBC\equiv\triangle DBE$

개념 적용

RHA 합동의 활용

1 **오른쪽 그림에서 $\triangle ABC$는 $\angle A=90°$이고 $\overline{AB}=\overline{AC}$인 직각이등변삼각형이다. $\overline{BD}\perp\overline{DE}$, $\overline{CE}\perp\overline{DE}$이고 $\overline{DB}=8$ cm, $\overline{EC}=5$ cm일 때, $\overline{DE}$의 길이를 구하시오.**

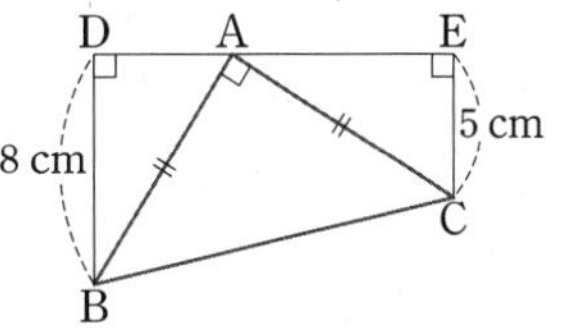

① 두 삼각형이 직각삼각형이고
② 빗변의 길이가 같고
③ 직각을 제외한 나머지 각 중 어느 한 각의 크기가 같으면
직각삼각형의 합동 조건에 의하여 두 삼각형은 합동이다.

1-1 오른쪽 그림과 같이 $\overline{CD}=\overline{CE}$인 직각이등변삼각형 CED에서 꼭짓점 C를 지나는 직선 l을 긋고, 두 꼭짓점 D, E에서 직선 l에 내린 수선의 발을 각각 A, B라 하자. $\overline{AD}=6$ cm, $\overline{BE}=4$ cm일 때, □ABED의 넓이를 구하시오.

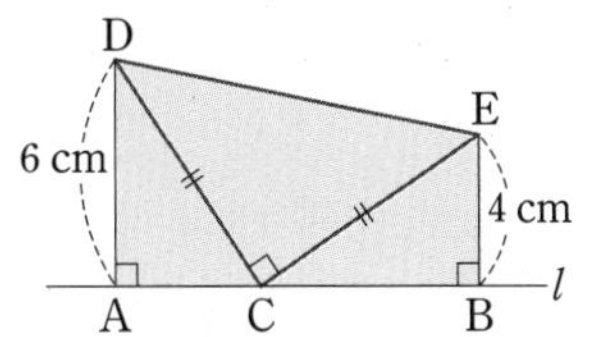

▸ $\overline{AD}\,/\!/\,\overline{BE}$이므로 □ABED는 사다리꼴이다.

1-2 오른쪽 그림의 $\triangle ABC$에서 $\overline{AB}=\overline{AC}$이고 두 꼭짓점 B, C에서 $\overline{AC}$, $\overline{AB}$에 내린 수선의 발을 각각 D, E라 하자. $\overline{AB}=17$ cm, $\overline{AD}=8$ cm일 때, $\overline{BE}$의 길이를 구하시오.

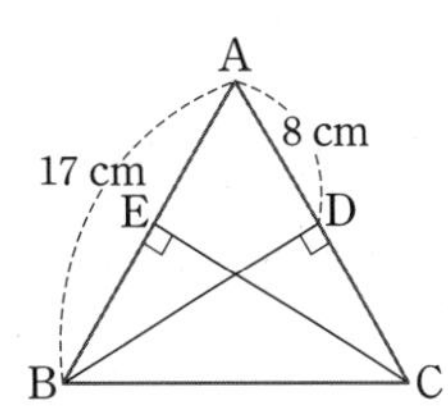

RHS 합동의 활용

2 **오른쪽 그림과 같이 $\angle C=90°$이고 $\overline{AC}=\overline{BC}$인 직각이등변삼각형 ABC에서 $\overline{AB}\perp\overline{DE}$, $\overline{DE}=\overline{CE}$일 때, $\angle DBE$의 크기를 구하시오.**

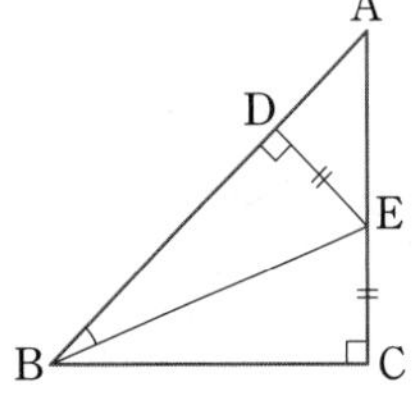

① 두 삼각형이 직각삼각형이고
② 빗변의 길이가 같고
③ 빗변을 제외한 나머지 변 중 어느 한 변의 길이가 같으면
직각삼각형의 합동 조건에 의하여 두 삼각형은 합동이다.

2-1 오른쪽 그림과 같이 ∠C=90°인 직각삼각형 ABC에서 $\overline{BC}=\overline{BD}$, $\overline{ED}\perp\overline{AB}$, ∠A=50°일 때, ∠BEC의 크기를 구하시오.

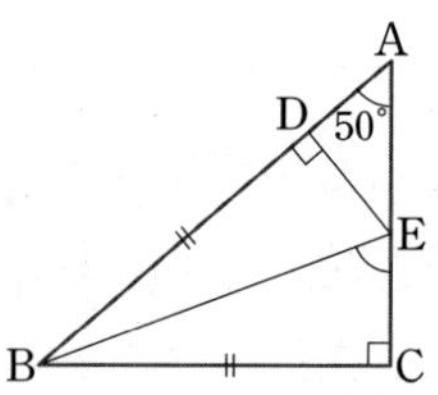

2-2 오른쪽 그림과 같이 ∠A=58°인 △ABC의 변 BC의 중점 M에서 변 AB, 변 AC에 내린 수선의 발을 각각 D, E라 하자. $\overline{MD}=\overline{ME}$일 때, ∠BMD의 크기를 구하시오.

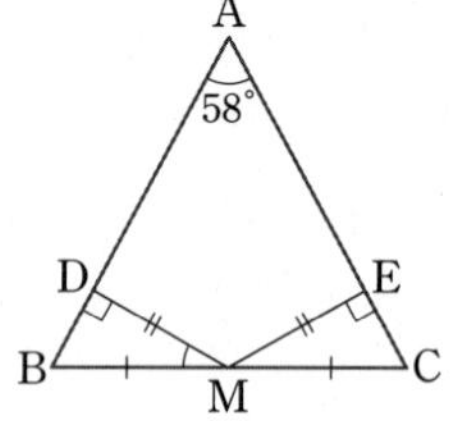

각의 이등분선의 성질의 이해

3 **다음은 각의 이등분선 위의 한 점에서 그 각의 두 변에 이르는 거리가 같음을 설명하는 과정이다. (가)~(마)에 알맞은 것을 써넣으시오.**

> △COP와 △DOP에서
> ∠PCO=∠PDO= (가) ,
> (나) 는 공통, ∠COP= (다)
> 따라서 △COP≡△DOP((라) 합동)이므로
> $\overline{PC}$= (마)

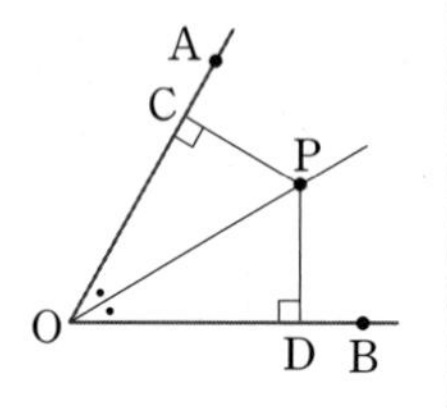

(1) 각의 이등분선 위의 한 점에서 그 각의 두 변에 이르는 거리는 같다.
(2) 각의 두 변에서 같은 거리에 있는 점은 그 각의 이등분선 위에 있다.

3-1 오른쪽 그림에서 ∠PQO=∠PRO=90°, $\overline{PQ}=\overline{PR}$일 때, 다음 중 옳지 <u>않은</u> 것은?

① $\overline{OQ}=\overline{OR}$　② ∠QOP=∠ROP
③ $\overline{OA}=\overline{OB}$　④ ∠QPO=∠RPO
⑤ △QOP≡△ROP

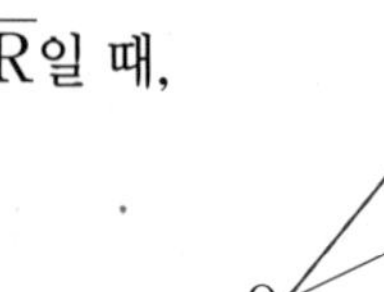

각의 이등분선의 성질의 활용

4 **오른쪽 그림과 같이 ∠C=90°인 직각삼각형 ABC에서 ∠A의 이등분선이 $\overline{BC}$와 만나는 점을 D라 하자. $\overline{AB}$=16 cm, $\overline{CD}$=5 cm일 때, △ABD의 넓이를 구하시오.**

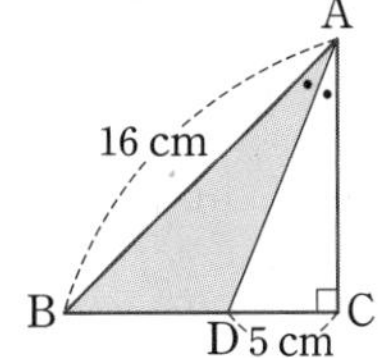

∠C=90°인 직각삼각형 ABC에서 $\overline{AB}\perp\overline{DE}$일 때

(1) ∠DBC=∠DBE이면
➡ △DBC≡△DBE (RHA 합동)
➡ $\overline{DC}=\overline{DE}$

(2) $\overline{DC}=\overline{DE}$이면
➡ △DBC≡△DBE (RHS 합동)
➡ ∠DBC=∠DBE

4-1 오른쪽 그림에서 △ABC는 ∠C=90°이고 $\overline{AC}=\overline{BC}$인 직각이등변삼각형이다. $\overline{AD}$는 ∠A의 이등분선이고, 점 D에서 $\overline{AB}$에 내린 수선의 발을 E라 할 때, $\overline{BE}$의 길이를 구하시오.

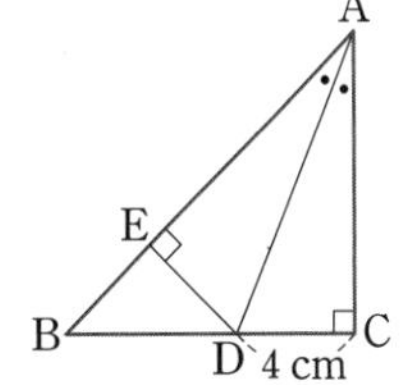

4-2 오른쪽 그림과 같이 ∠C=90°인 직각삼각형 ABC에서 ∠A의 이등분선이 $\overline{BC}$와 만나는 점을 D라 하자. $\overline{AB}$=20 cm이고 △ABD의 넓이가 64 cm^2일 때, $\overline{CD}$의 길이를 구하시오.

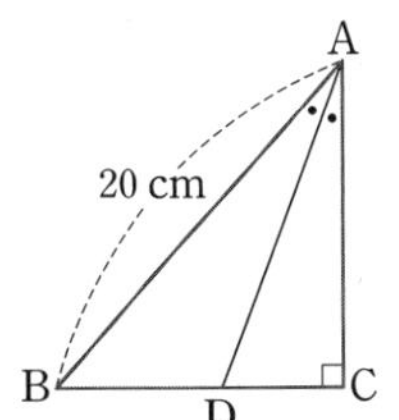

▶ 점 D에서 선분 AB에 수선의 발을 내려 합동인 두 삼각형을 찾는다.

4-3 오른쪽 그림과 같이 ∠C=90°인 △ABC에서 ∠A의 이등분선과 $\overline{BC}$가 만나는 점을 D라 하고, 점 D에서 $\overline{AB}$에 내린 수선의 발을 M이라 하자. 점 M이 $\overline{AB}$의 중점일 때, ∠B의 크기를 구하시오.

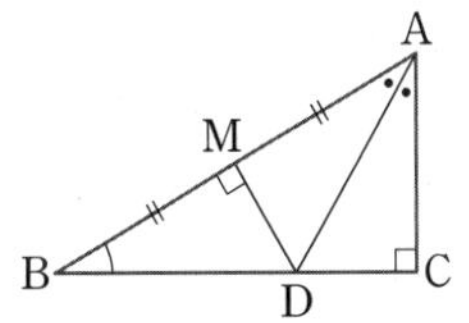

발전 문제

1 오른쪽 그림과 같은 두 이등변삼각형 ABC와 DCE에서 $\angle BAC=30^\circ$, $\angle DEC=48^\circ$일 때, $\angle ACD$의 크기를 구하시오.

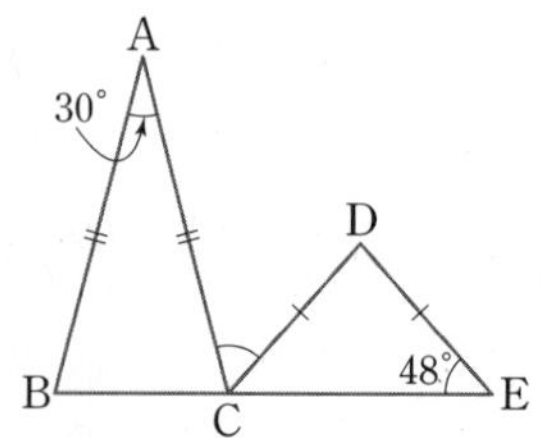

2 오른쪽 그림과 같이 $\overline{AB}=\overline{AC}$인 이등변삼각형 ABC에서 $\overline{AD}=\overline{AE}$이고, $\angle A=44^\circ$, $\angle BEC=90^\circ$일 때, $\angle BFC$의 크기를 구하시오.

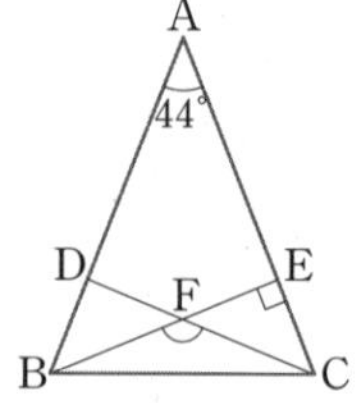

3 오른쪽 그림과 같이 $\overline{AB}=\overline{AC}$인 이등변삼각형 ABC에서 변 BC 위에 $\overline{CD}=\overline{CA}$, $\overline{BE}=\overline{BA}$가 되는 두 점 D, E를 잡았더니 $\angle DAE=40^\circ$가 되었다. 이때 $\angle CAE$의 크기를 구하시오.

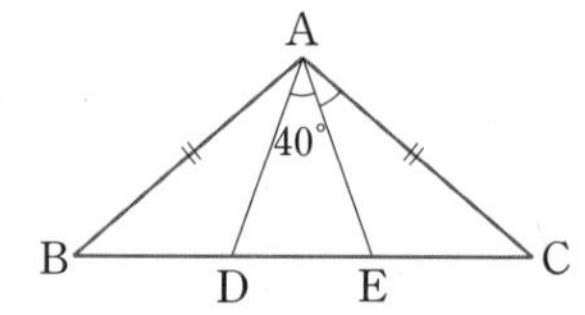

주어진 조건 $\overline{CD}=\overline{CA}$에서 $\triangle CAD$는 이등변삼각형이므로 밑각의 크기를 구해 본다.

4 오른쪽 그림과 같이 $\angle C=90^\circ$인 직각이등변삼각형 ABC의 두 꼭짓점 A, B에서 점 C를 지나는 직선 l에 내린 수선의 발을 각각 D, E라 하자. $\overline{AD}=14$ cm, $\overline{BE}=7$ cm일 때, $\overline{DE}$의 길이를 구하시오.

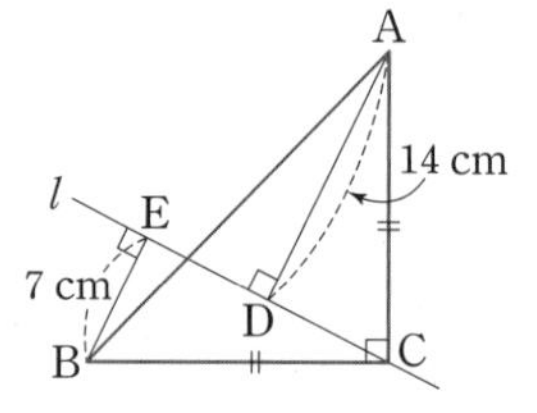

5 오른쪽 그림의 $\triangle ABC$에서 $\angle A$의 외각의 이등분선과 $\angle C$의 외각의 이등분선의 교점을 O라 하고, 점 O에서 $\overline{AC}$에 내린 수선의 발을 D, $\overline{BA}$, $\overline{BC}$의 연장선에 내린 수선의 발을 각각 E, F라 하자. $\overline{BE}=20$ cm일 때, $\triangle ABC$의 둘레의 길이를 구하시오.

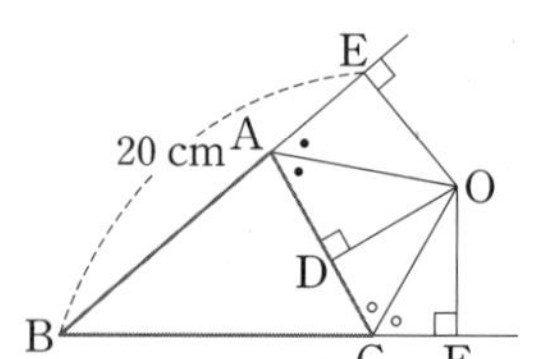

$\overline{BO}$를 그어서 합동인 세 쌍의 직각삼각형을 찾는다.

6 서술형

오른쪽 그림에서 $\triangle ABC$는 $\overline{AB}=\overline{AC}$인 이등변삼각형이다. $\angle B$의 이등분선과 $\angle C$의 외각의 이등분선의 교점을 D라 할 때, $\angle BDC$의 크기를 구하기 위한 풀이 과정을 쓰고 답을 구하시오.

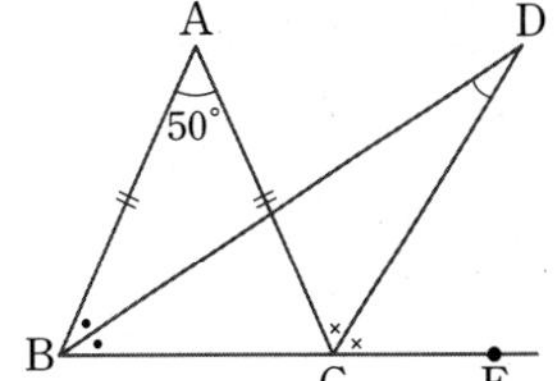

① 단계: $\angle DBC$의 크기 구하기
$\triangle ABC$에서 $\angle ABC=\angle ACB=$ ________
$\therefore \angle DBC=$ ________

② 단계: $\angle DCE$의 크기 구하기
$\angle ACE=$ ________ 이므로
$\angle DCE=$ ________

③ 단계: $\angle BDC$의 크기 구하기
$\triangle BCD$에서
$\angle BDC=\angle DCE-$ ________
$=$ ________

Check List
- $\angle DBC$의 크기를 바르게 구하였는가?
- $\angle DCE$의 크기를 바르게 구하였는가?
- $\angle BDC$의 크기를 바르게 구하였는가?

7 서술형

오른쪽 그림과 같은 $\triangle ABC$에서 $\overline{AE}$는 $\angle A$의 이등분선이고 $\angle DCE=45°$, $\overline{BE}=6$ cm일 때, $\triangle CDE$의 넓이를 구하기 위한 풀이 과정을 쓰고 답을 구하시오.

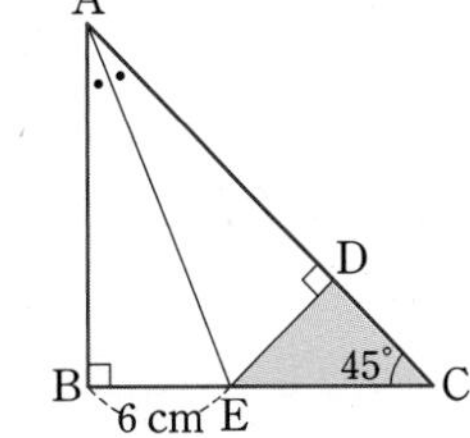

① 단계: $\overline{DE}$의 길이 구하기

____

② 단계: $\overline{DC}$의 길이 구하기

____

③ 단계: $\triangle CDE$의 넓이 구하기

____

Check List
- $\overline{DE}$의 길이를 바르게 구하였는가?
- $\overline{DC}$의 길이를 바르게 구하였는가?
- $\triangle CDE$의 넓이를 바르게 구하였는가?

2 삼각형의 외심과 내심

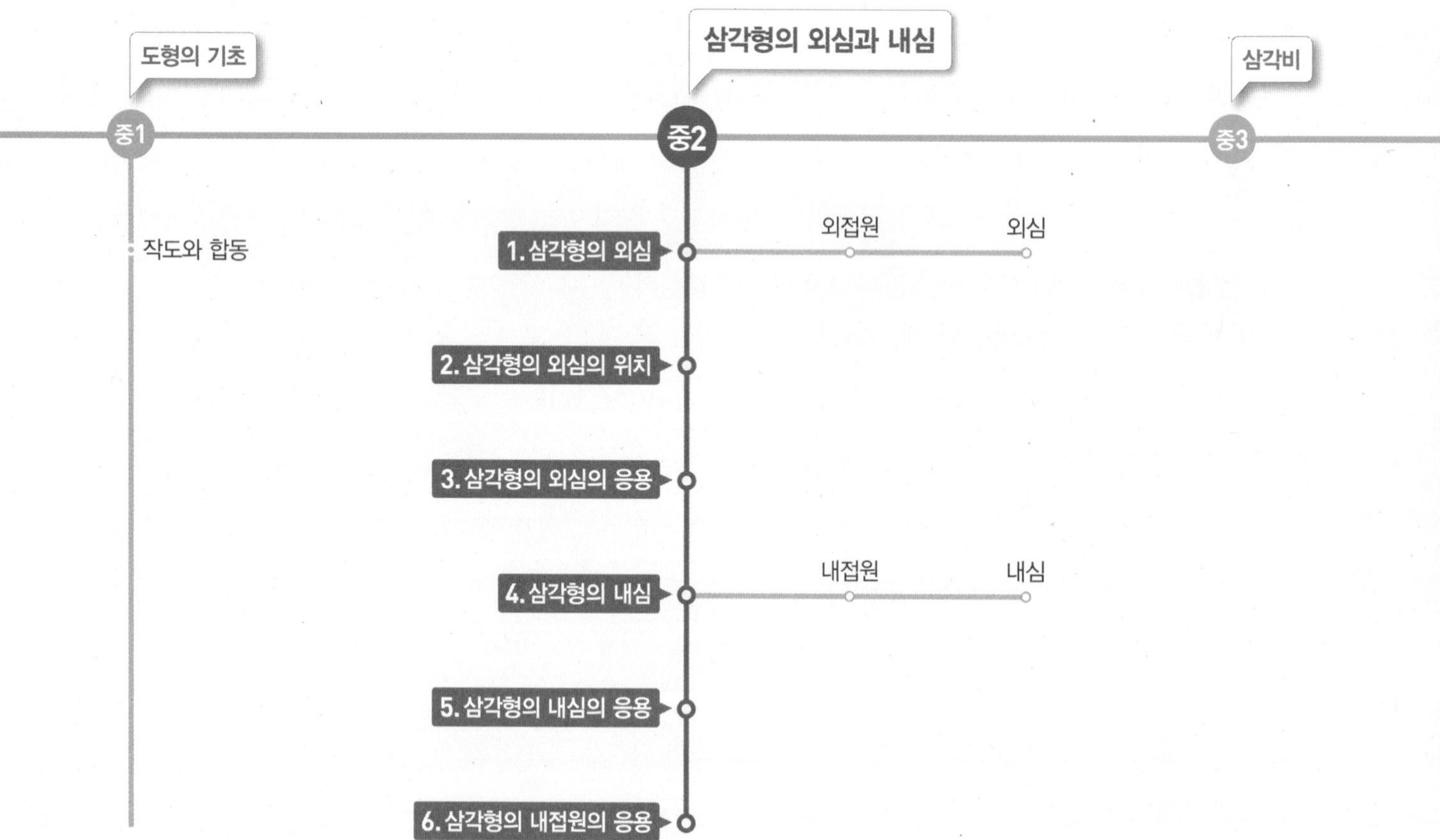
도형의 기초
삼각형의 외심과 내심
삼각비
중1
중2
중3
작도와 합동
1. 삼각형의 외심
외접원
외심
2. 삼각형의 외심의 위치
3. 삼각형의 외심의 응용
4. 삼각형의 내심
내접원
내심
5. 삼각형의 내심의 응용
6. 삼각형의 내접원의 응용

삼각형이 원을 만날 때 주목해야 할 2개의 원

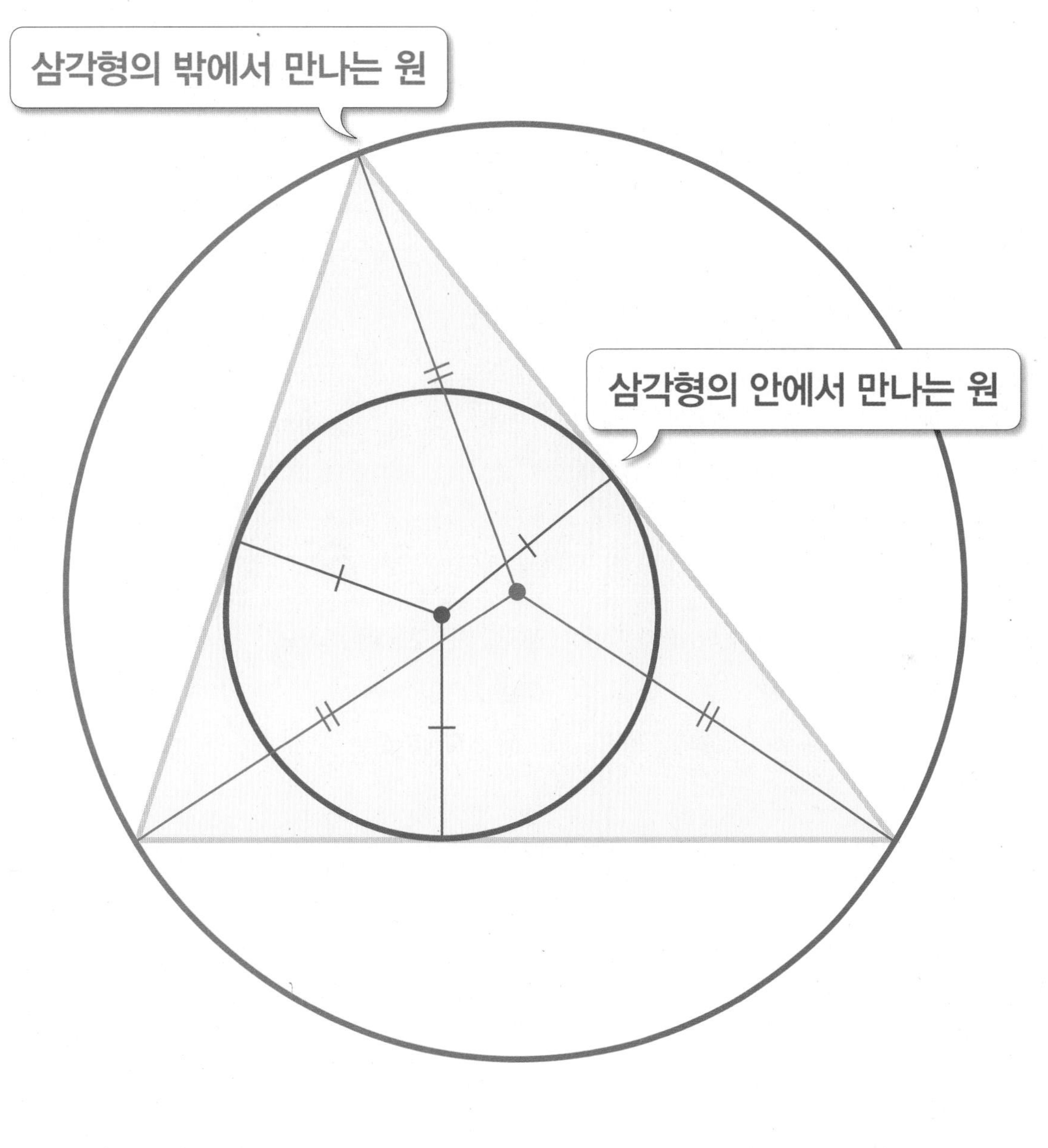

개념 이해 1

삼각형의 외심

(1) 외접원과 외심 : 한 다각형의 모든 꼭짓점이 한 원 위에 있을 때, 이 원을 다각형의 외접원이라 하고, 외접원의 중심을 외심이라 한다.

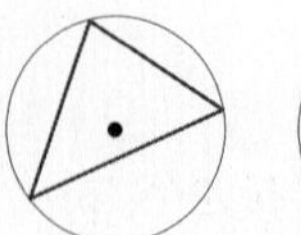 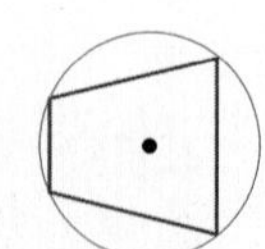 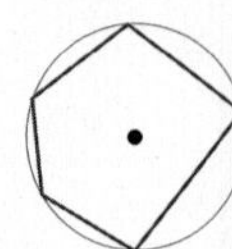

(2) 삼각형의 외심 : 삼각형의 세 변의 수직이등분선의 교점

(3) 삼각형의 외심의 성질 : 삼각형의 외심에서 세 꼭짓점에 이르는 거리는 같다.

➡ $\overline{OA}=\overline{OB}=\overline{OC}$ (외접원의 반지름의 길이)

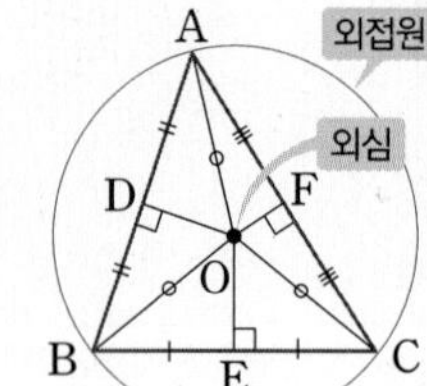

삼각형의 세 변의 수직이등분선은 한 점에서 만날까?

(1) $\triangle ABC$에서 $\overline{AB}$, $\overline{BC}$의 수직이등분선의 교점을 O라 하고 점 O에서 삼각형의 각 변에 내린 수선의 발을 D, E, F라 하면

$\triangle ADO \equiv \triangle BDO$(SAS 합동)이므로 $\overline{OA}=\overline{OB}$

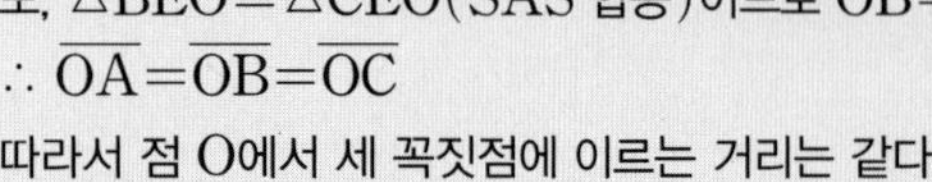

또, $\triangle BEO \equiv \triangle CEO$(SAS 합동)이므로 $\overline{OB}=\overline{OC}$

$\therefore \overline{OA}=\overline{OB}=\overline{OC}$

따라서 점 O에서 세 꼭짓점에 이르는 거리는 같다.

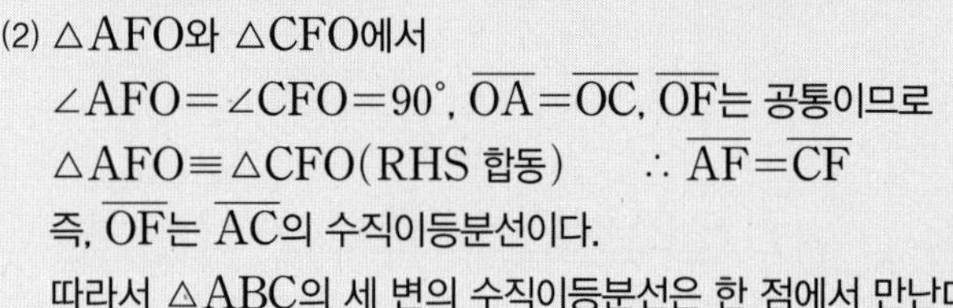

(2) $\triangle AFO$와 $\triangle CFO$에서

$\angle AFO=\angle CFO=90^\circ$, $\overline{OA}=\overline{OC}$, $\overline{OF}$는 공통이므로

$\triangle AFO \equiv \triangle CFO$(RHS 합동) $\quad \therefore \overline{AF}=\overline{CF}$

즉, $\overline{OF}$는 $\overline{AC}$의 수직이등분선이다.

따라서 $\triangle ABC$의 세 변의 수직이등분선은 한 점에서 만난다.

개념확인

1. 오른쪽 그림에서 점 O는 $\triangle ABC$의 외심이다. 다음 □ 안에 알맞은 것을 써넣으시오.

(1) $\overline{OA}=\overline{OB}=$□ (2) $\angle OBE=$□

(3) $\overline{AF}=$□ (4) $\triangle OAF \equiv$□

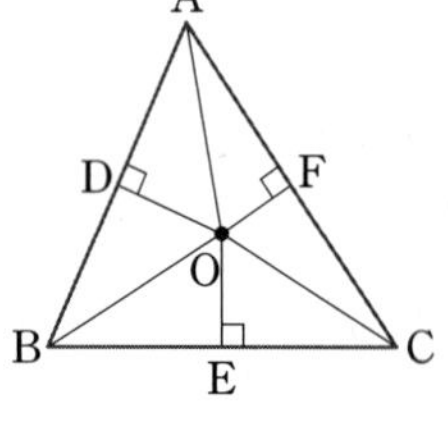

2. 다음 **보기**에서 점 O가 $\triangle ABC$의 외심인 것을 모두 고르시오.

보기

ㄱ. 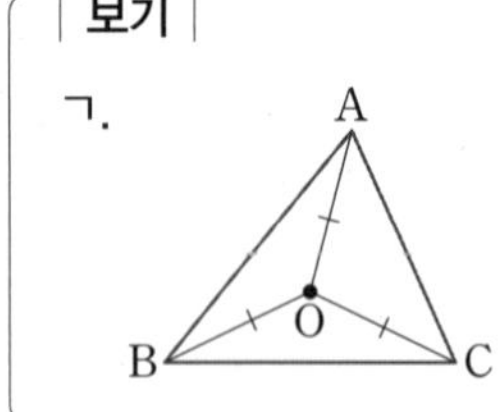

ㄴ. 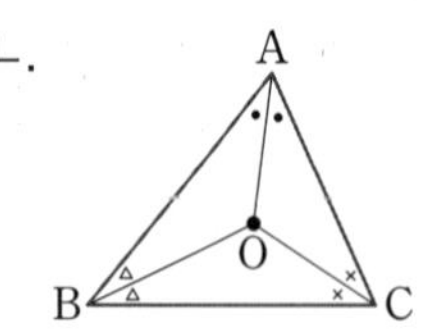

ㄷ. 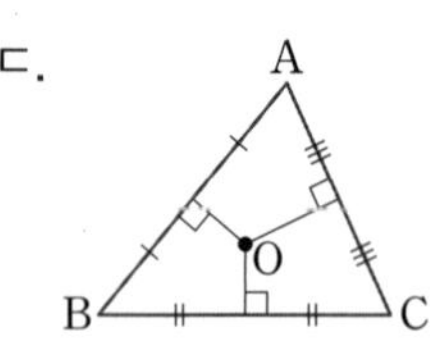

ㄹ. 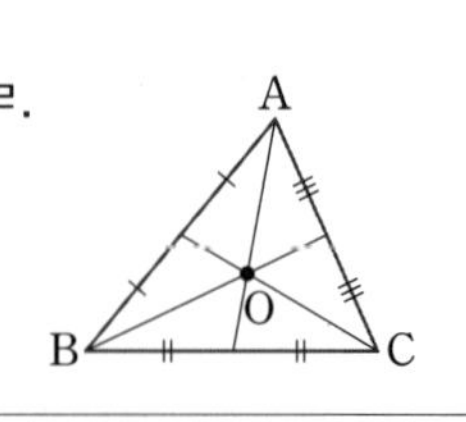

3. 다음 그림에서 점 O가 $\triangle ABC$의 외심일 때, x의 값을 구하시오.

(1) 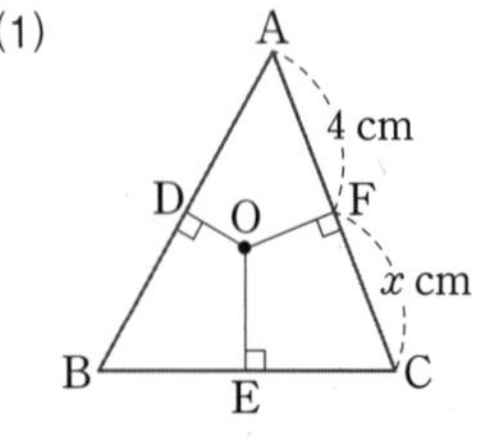

(2) 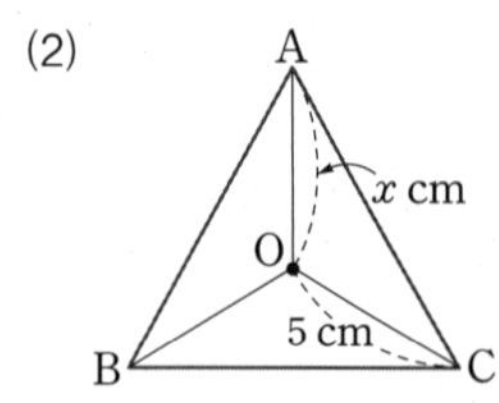

(3) 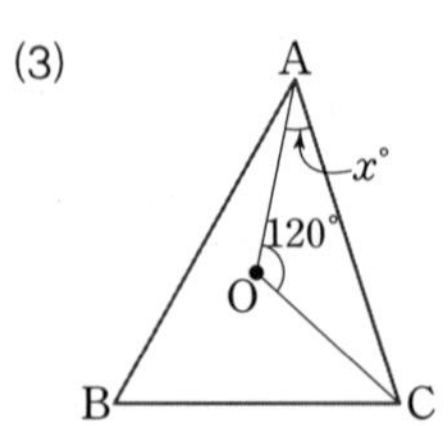

개념 적용

삼각형의 외심의 이해

1 **다음 중 △ABC의 외심을 작도한 것으로 옳은 것은?**

①

② 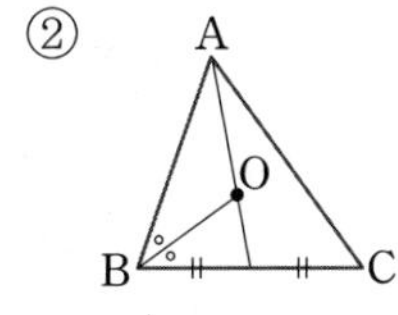

③ 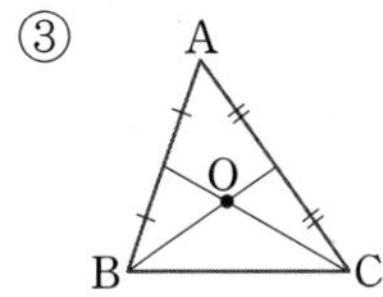

④

⑤ 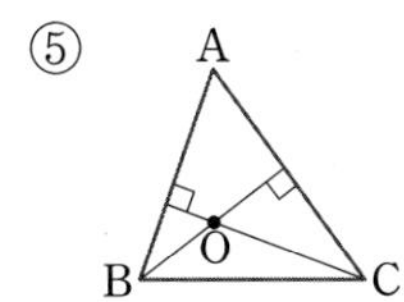

삼각형의 외심은 삼각형의 세 변의 수직이등분선의 교점이다.

1-1 오른쪽 그림에서 점 O가 △ABC의 외심일 때, 다음 중 옳지 않은 것은?

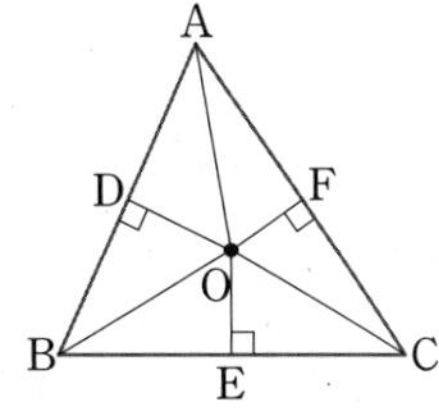

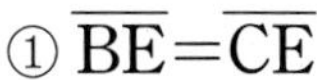
① $\overline{BE}=\overline{CE}$ ② $\overline{OD}=\overline{OE}$
③ $\angle OBC=\angle OCB$ ④ $\overline{OA}=\overline{OB}=\overline{OC}$
⑤ $\triangle OCF\equiv\triangle OAF$

삼각형의 외심의 성질의 이해

2 **오른쪽 그림에서 점 O는 △ABC의 외심이고 ∠AOC=134° 일 때, ∠OAC의 크기를 구하시오.**

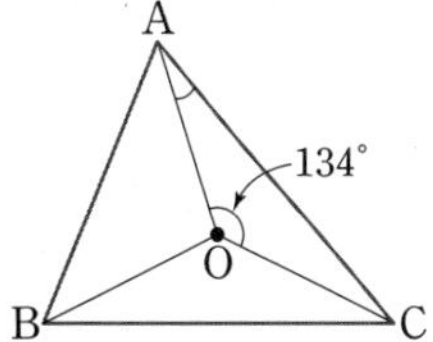

$\overline{OA}=\overline{OB}=\overline{OC}$이므로 △OAB, △OBC, △OCA는 모두 이등변삼각형이다.

2-1 오른쪽 그림에서 점 O는 △ABC의 외심이고 $\overline{OB}=7$ cm, $\overline{BC}=12$ cm일 때, △OBC의 둘레의 길이를 구하시오.

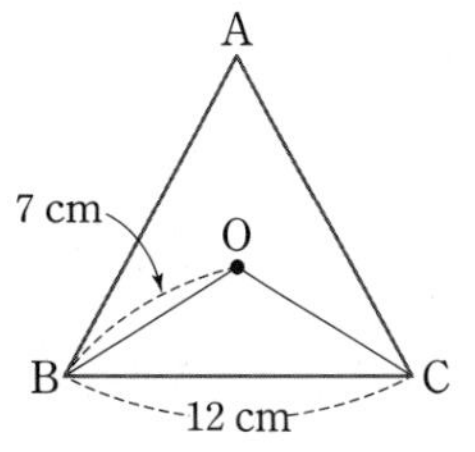

개념 이해 2

삼각형의 외심의 위치

삼각형의 외심은 삼각형의 종류에 따라 그 위치가 다르다.

(1) 예각삼각형

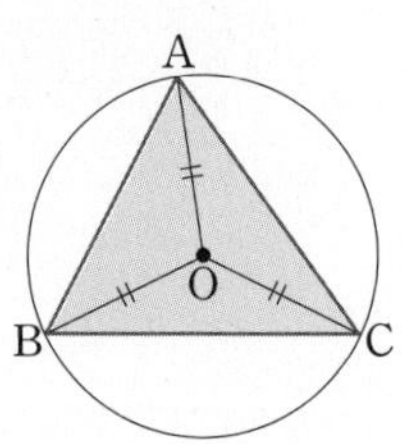

➡ 삼각형의 내부

(2) 직각삼각형

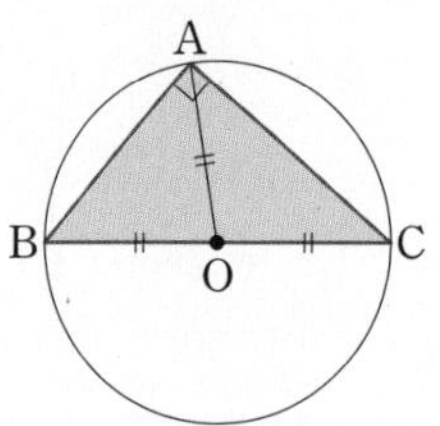

➡ 빗변의 중점

(3) 둔각삼각형

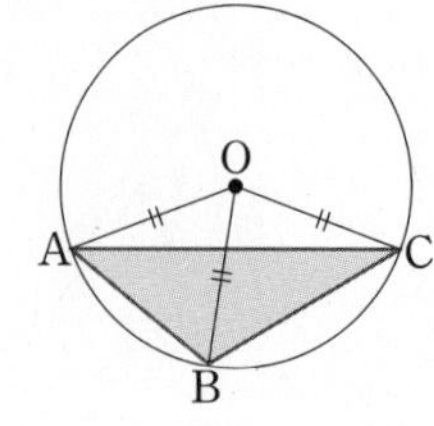

➡ 삼각형의 외부

이등변삼각형의 외심의 위치

이등변삼각형의 꼭지각의 이등분선이 밑변을 수직이등분하므로 이등변삼각형의 외심은 꼭지각의 이등분선 위에 있다.

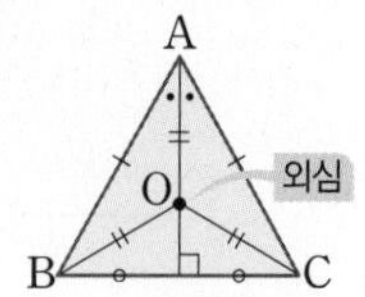

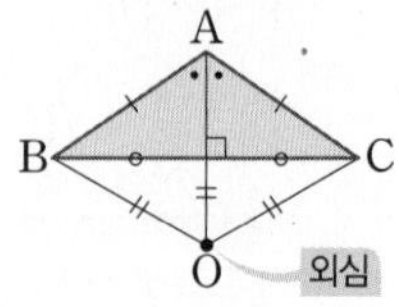

직각삼각형의 외심

(1) 직각삼각형의 외심은 빗변의 중점이므로

(직각삼각형의 외접원의 반지름의 길이) $=\frac{1}{2}\times$(빗변의 길이) $=\overline{OA}=\overline{OB}=\overline{OC}=\frac{1}{2}\overline{BC}$

(2) $\triangle OAB$, $\triangle OCA$는 이등변삼각형이므로

$\angle OAB=\angle OBA$, $\angle OAC=\angle OCA$

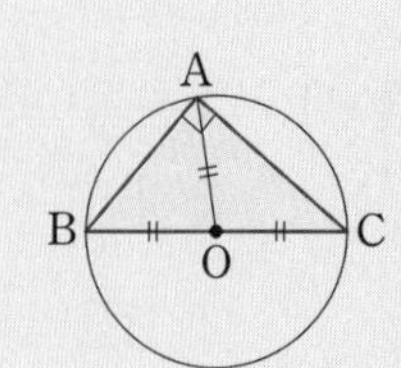

수직이등분선은 '선분'이 아니라 '직선'이다!

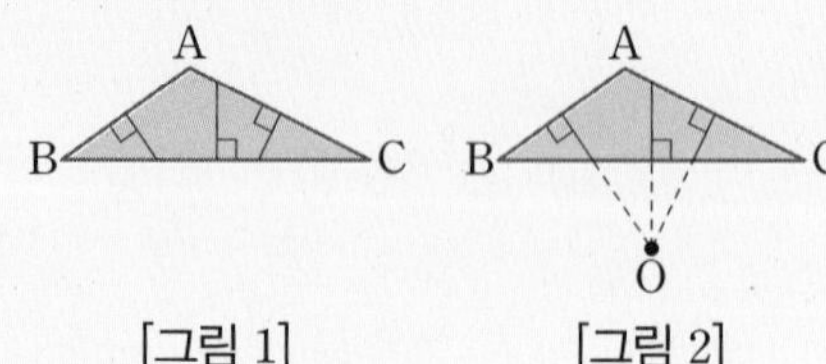

[그림 1] [그림 2]

삼각형의 외심은 삼각형의 세 변의 수직이등분선의 교점이다. 그런데 [그림 1]과 같은 둔각삼각형의 경우 세 변의 수직이등분선의 교점이 생기지 않는 것처럼 보인다. 그렇다면 둔각삼각형의 외심은 존재하지 않을까? 그렇지 않다.

수직이등분선은 '선분'이 아니라 무한히 뻗어나가는 '직선'이므로 [그림 2]와 같이 연장하여 생각하면 세 변의 수직이등분선의 교점이 만들어지고 $\overline{OA}=\overline{OB}=\overline{OC}$이다. 즉, 점 O는 둔각삼각형 ABC의 외심이다. 이와 같이 둔각삼각형의 외심은 삼각형의 외부에 위치한다.

개념확인

1. 다음 삼각형의 외심의 위치를 말하시오.

(1) 예각삼각형 (2) 둔각삼각형 (3) 직각삼각형

2. 오른쪽 그림에서 점 O는 직각삼각형 ABC의 외심일 때, 다음 □ 안에 알맞은 것을 써넣으시오.

(1) $\overline{OA}=$ □ $=\overline{OC}$

(2) $\angle OAB=$ □

(3) $\angle OAC=$ □

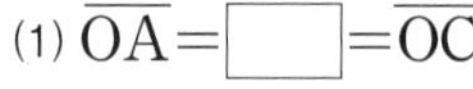

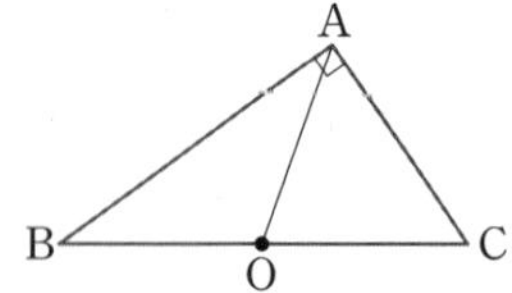

3. 오른쪽 그림에서 점 O는 $\angle C=90°$인 직각삼각형 ABC의 외심이다. $\angle B=36°$, $\overline{AB}=10$ cm일 때, 다음을 구하시오.

(1) 외접원의 반지름의 길이

(2) $\angle BOC$의 크기

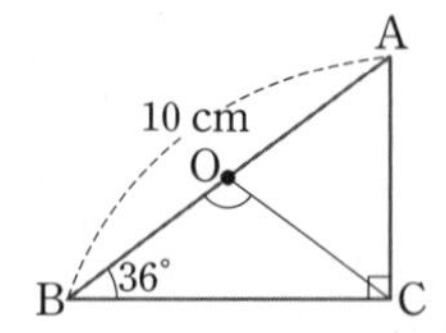

개념 적용

익힘북 13쪽 | 정답과 풀이 8쪽

직각삼각형의 외심 (1) - 변의 길이 구하기

1 **오른쪽 그림과 같이 $\angle C=90°$인 직각삼각형 ABC에서 점 O는 $\triangle ABC$의 외심이다. $\angle B=30°$, $\overline{AC}=5$ cm일 때, $\overline{AB}$의 길이를 구하시오.**

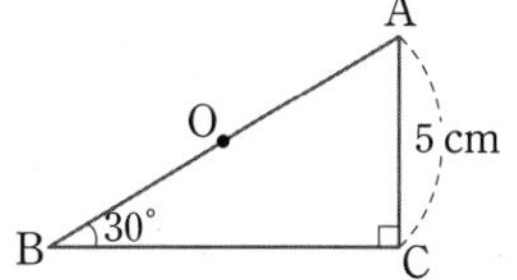

$\angle C=90°$인 직각삼각형 ABC에서 점 O가 빗변 AB의 중점일 때
(1) $\overline{OA}=\overline{OB}=\overline{OC}$
(2) $\angle OBC=\angle OCB$
(3) $\angle OAC=\angle OCA$

1-1 오른쪽 그림과 같이 $\angle C=90°$인 직각삼각형 ABC에서 $\overline{AB}=10$ cm, $\overline{BC}=6$ cm, $\overline{AC}=8$ cm일 때, $\triangle ABC$의 외접원의 둘레의 길이를 구하시오.

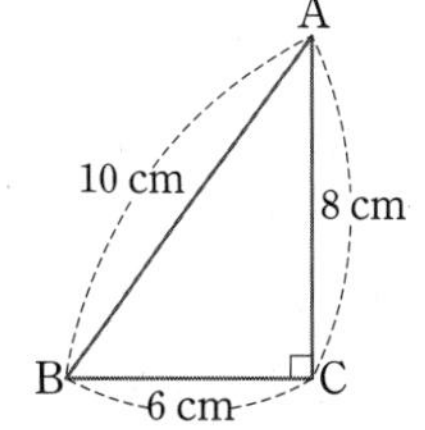

▸ 직각삼각형의 외접원의 중심은 빗변의 중점에 위치한다.

직각삼각형의 외심 (2) - 각의 크기 구하기

2 **오른쪽 그림과 같이 $\angle A=90°$인 직각삼각형 ABC에서 점 O는 $\triangle ABC$의 외심이다. $\angle B=42°$일 때, $\angle AOC$의 크기를 구하시오.**

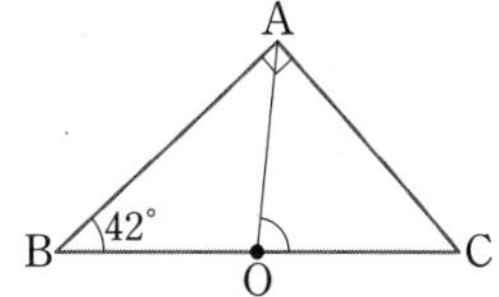

삼각형의 한 외각의 크기는 그와 이웃하지 않는 두 내각의 크기의 합과 같다.

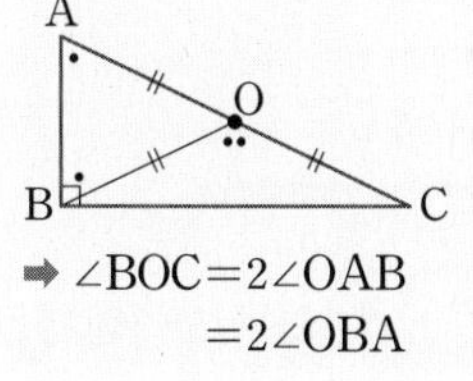

➡ $\angle BOC=2\angle OAB$
$=2\angle OBA$

2-1 오른쪽 그림과 같이 $\angle B=90°$인 직각삼각형 ABC에서 점 O는 빗변 AC의 중점이다. $\angle AOB=50°$일 때, $\angle C$의 크기를 구하시오.

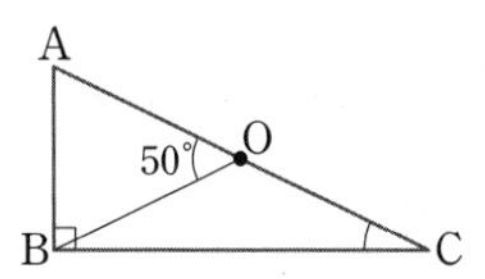

개념 이해 3

삼각형의 외심의 응용

점 O가 △ABC의 외심일 때

참고
△ABC의 외심 O가 주어지면 다음의 성질을 이용한다.
① $\overline{OA}=\overline{OB}=\overline{OC}$ (외접원의 반지름)
② △OAB, △OBC, △OCA는 모두 이등변삼각형이므로 두 밑각의 크기가 각각 같다.

(1)

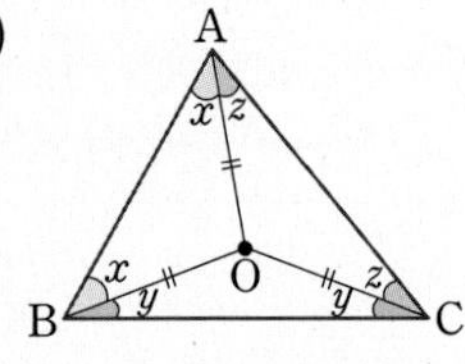
➡
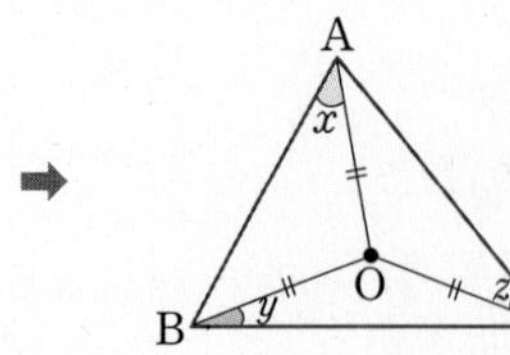

$$\angle x+\angle y+\angle z=90^\circ$$

$\overline{OA}=\overline{OB}=\overline{OC}$이므로

$\angle A+\angle B+\angle C=(\angle x+\angle z)+(\angle x+\angle y)+(\angle y+\angle z)$

$=2(\angle x+\angle y+\angle z)=180^\circ$

$\therefore \angle x+\angle y+\angle z=90^\circ$

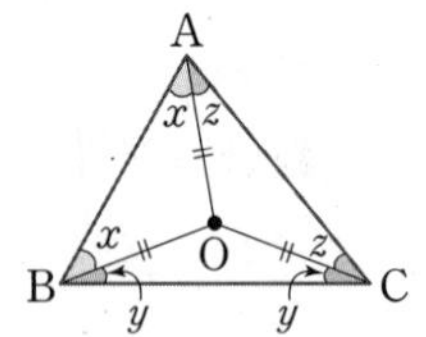

(2)

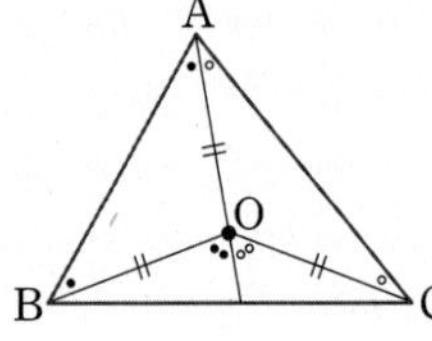
➡
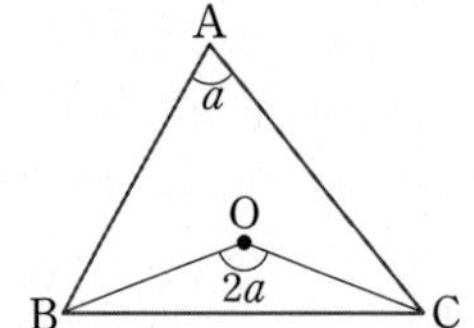

$$\angle BOC=\angle 2a$$

오른쪽 그림과 같이 $\overline{AO}$의 연장선과 $\overline{BC}$의 교점을 D라 하면

$\angle BOC=\angle BOD+\angle COD$

$=(\angle OAB+\angle OBA)+(\angle OAC+\angle OCA)$

$=(\angle x+\angle x)+(\angle y+\angle y)$

$=2(\angle x+\angle y)=2\angle A$

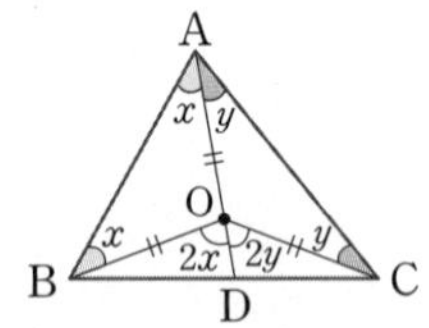

개념확인

1. 다음 그림에서 점 O가 △ABC의 외심일 때, $\angle x$의 크기를 구하시오.

(1)
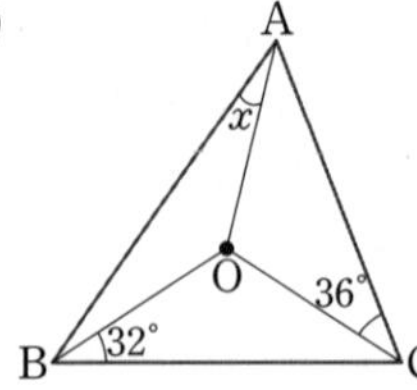

(2)
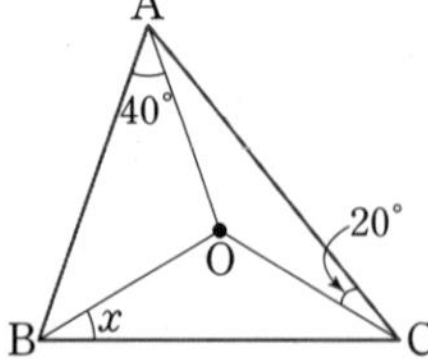

(3)
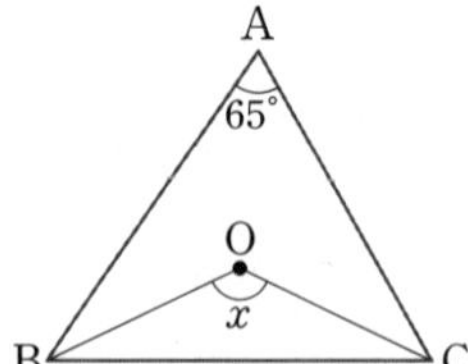

(4)
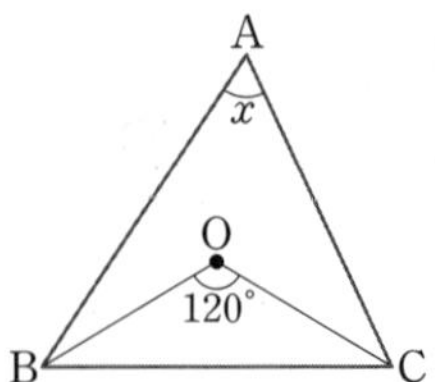

2. 오른쪽 그림에서 점 O는 △ABC의 외심이다. $\angle ABO=20^\circ$, $\angle ACO=30^\circ$일 때, $\angle x$, $\angle y$의 크기를 각각 구하시오.

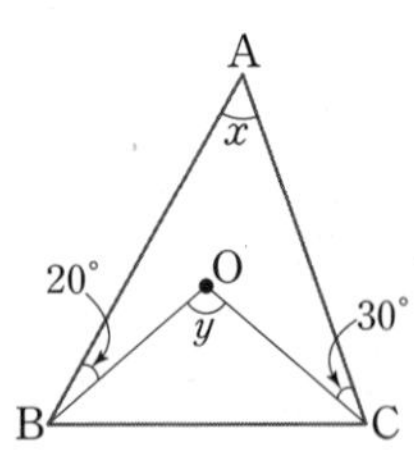

개념 적용

삼각형의 외심의 응용 (1)

1 **오른쪽 그림에서 점 O는 △ABC의 외심이다. $\angle OAC=36^\circ$, $\angle BOC=124^\circ$일 때, $\angle x$의 크기를 구하시오.**

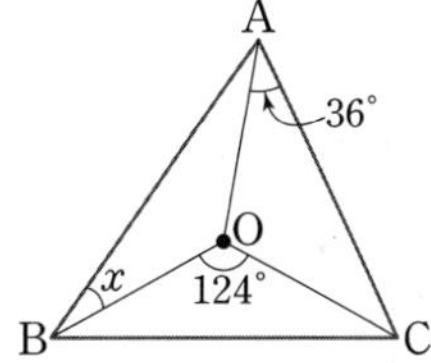

점 O가 △ABC의 외심일 때

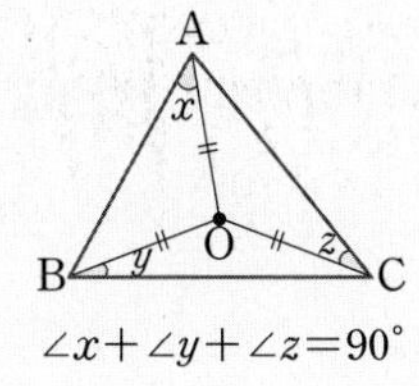

$\angle x+\angle y+\angle z=90^\circ$

1-1 오른쪽 그림에서 점 O는 △ABC의 외심이다. $\angle OCB=32^\circ$일 때, $\angle x+\angle y$의 크기를 구하시오.

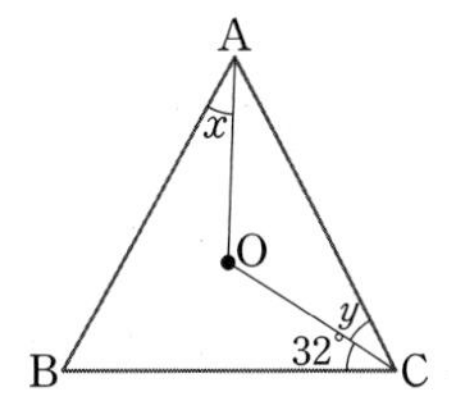

▸ $\overline{OB}$를 그어 삼각형의 외심의 성질을 이용한다.

삼각형의 외심의 응용 (2)

2 **오른쪽 그림에서 점 O는 △ABC의 외심이다. $\angle ABO=30^\circ$, $\angle OAC=34^\circ$일 때, $\angle BOC$의 크기를 구하시오.**

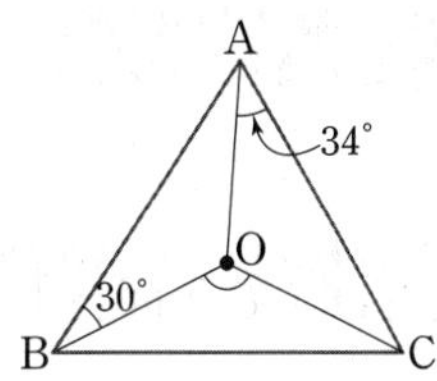

점 O가 △ABC의 외심일 때

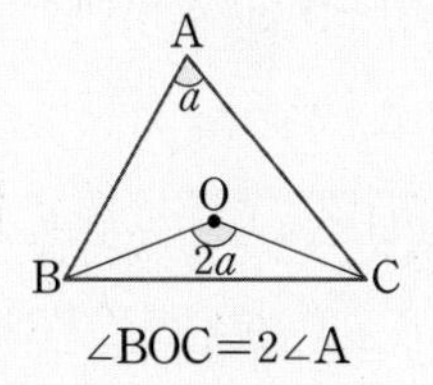

$\angle BOC=2\angle A$

2-1 오른쪽 그림에서 점 O는 △ABC의 외심이고 $\angle OCB=40^\circ$일 때, $\angle A$의 크기를 구하시오.

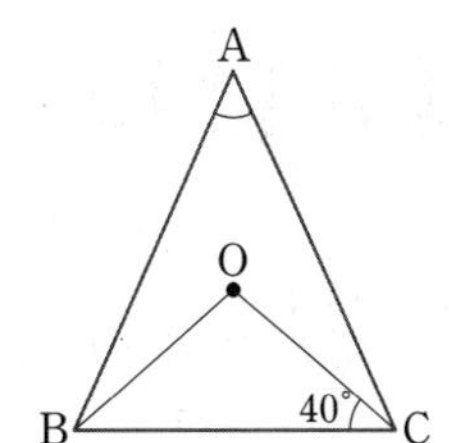

▸ 점 O가 △ABC의 외심일 때, $\angle BOC=2\angle A$이므로 $\angle A=\frac{1}{2}\angle BOC$

삼각형의 내심

(1) 내접원과 내심 : 한 다각형의 모든 변이 한 원에 접할 때, 이 원을 다각형의 내접원이라 하고, 내접원의 중심을 내심이라 한다.

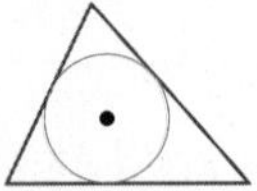
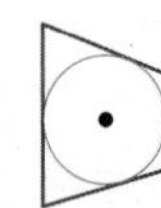
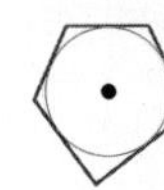

(2) 삼각형의 내심 : 삼각형의 세 내각의 이등분선의 교점

(3) 삼각형의 내심의 성질 : 삼각형의 내심에서 세 변에 이르는 거리는 같다.

➡ $\overline{ID}=\overline{IE}=\overline{IF}$ (내접원의 반지름의 길이)

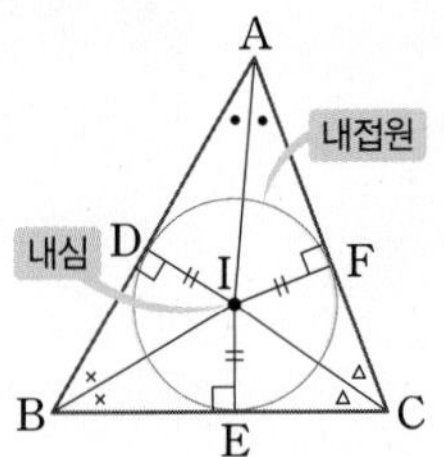

(4) 내심의 위치 : 모든 삼각형의 내심은 삼각형의 내부에 있다.

참고 ① 직선 l이 원 O와 한 점에서 만날 때, 직선 l을 원 O의 접선, 만나는 점 T를 접점이라 한다.
② 원의 접선은 접점을 지나는 반지름에 수직이다. 즉, $\overline{OT}\perp l$

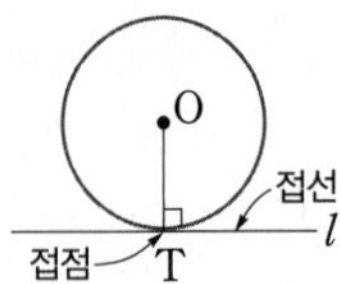

삼각형의 세 내각의 이등분선은 한 점에서 만날까?

(1) $\triangle ABC$에서 $\angle A$와 $\angle B$의 이등분선의 교점을 I라 하고 점 I에서 삼각형의 각 변에 내린 수선의 발을 D, E, F라 하면
$\triangle ADI\equiv\triangle AFI$(RHA 합동)이므로 $\overline{ID}=\overline{IF}$ 또, $\triangle BDI\equiv\triangle BEI$(RHA 합동)이므로 $\overline{ID}=\overline{IE}$

$\therefore\ \overline{ID}=\overline{IE}=\overline{IF}$
따라서 점 I에서 세 변에 이르는 거리는 같다.

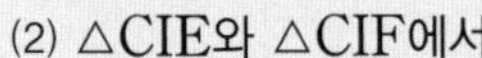
(2) $\triangle CIE$와 $\triangle CIF$에서
$\angle IEC=\angle IFC=90^\circ$, $\overline{CI}$는 공통, $\overline{IE}=\overline{IF}$이므로 $\triangle CIE\equiv\triangle CIF$(RHS 합동)

$\therefore\ \angle ICE=\angle ICF$
즉, $\overline{IC}$는 $\angle C$의 이등분선이다.
따라서 $\triangle ABC$의 세 내각의 이등분선은 한 점 I에서 만난다.

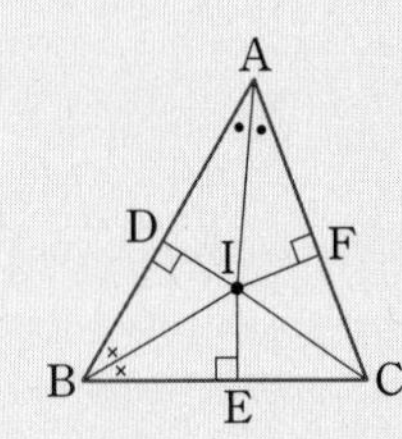

개념확인

1. 오른쪽 그림에서 점 I는 $\triangle ABC$의 내심이다. 다음 □ 안에 알맞은 것을 써넣으시오.

(1) $\overline{ID}=\overline{IE}=$ □　　　　(2) $\angle ICE=$ □

(3) $\overline{AD}=$ □　　　　(4) $\triangle BID\equiv$ □

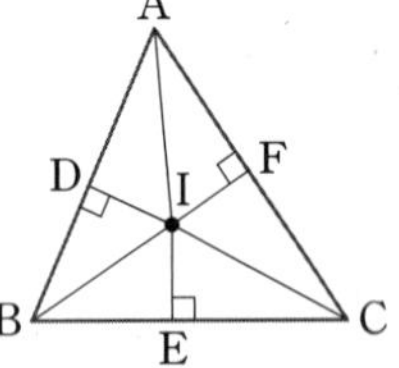

2. 다음 **보기**에서 점 I가 $\triangle ABC$의 내심인 것을 모두 고르시오.

보기

ㄱ.

ㄴ. 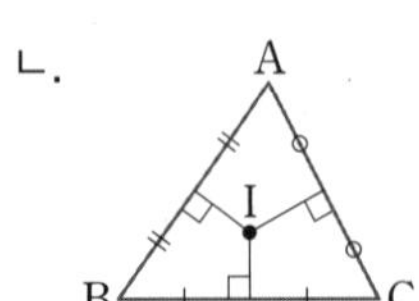

ㄷ. 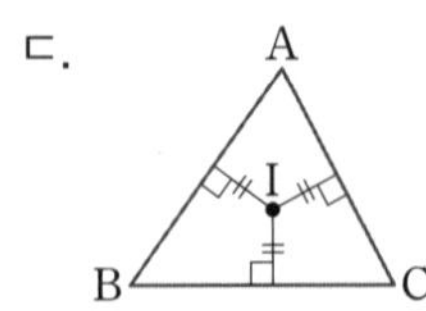

ㄹ. 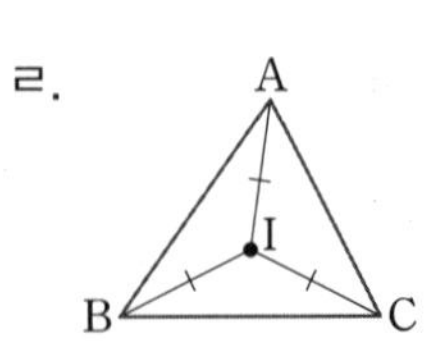

3. 오른쪽 그림에서 점 I는 $\triangle ABC$의 내심이다. $\angle ABI=20^\circ$, $\angle BIC=120^\circ$일 때, $\angle x$의 크기를 구하시오.

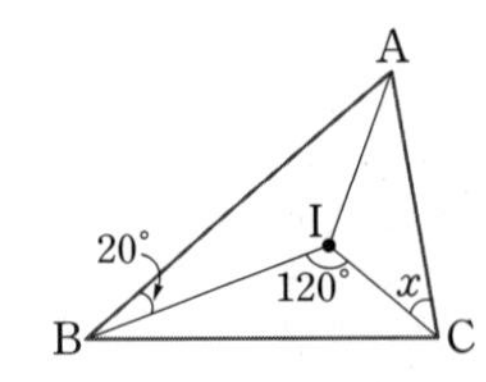

개념 적용

삼각형의 내심의 이해

1 **오른쪽 그림에서 점 I가 △ABC의 내심일 때, 다음 중 옳은 것을 모두 고른 것은? (정답 2개)**

① ∠EBI=∠ECI ② $\overline{ID}=\overline{IE}=\overline{IF}$
③ $\overline{BE}=\overline{CE}$ ④ ∠AIF=∠CIF
⑤ △IAD≡△IAF

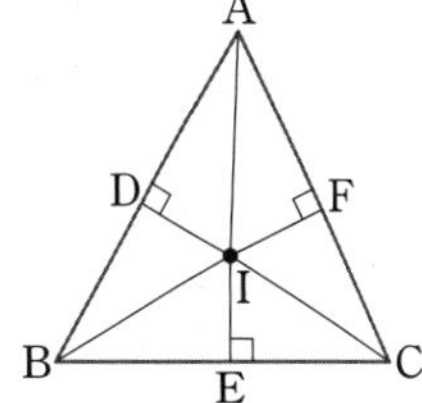

(1) 삼각형의 내심은 삼각형의 세 내각의 이등분선의 교점이다.
(2) 삼각형의 내심에서 세 변에 이르는 거리는 같다.

1-1 오른쪽 그림과 같은 △ABC에서 ∠A, ∠B의 이등분선의 교점을 I라 할 때, 다음 중 옳지 않은 것은?

① $\overline{ID}=\overline{IE}=\overline{IF}$ ② ∠ICE=∠ICF
③ △ICE≡△ICF ④ $\overline{IA}=\overline{IB}=\overline{IC}$
⑤ 점 I는 △ABC의 내접원의 중심이다.

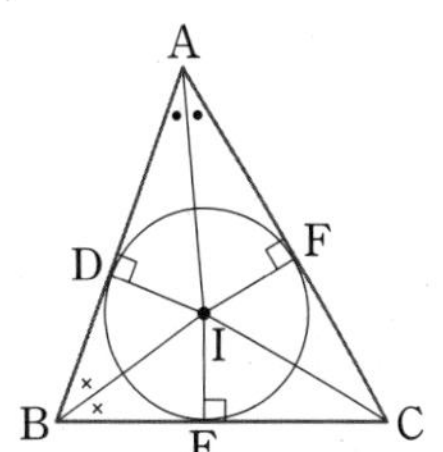

삼각형의 내심과 평행선

2 **오른쪽 그림에서 점 I는 △ABC의 내심이고 $\overline{AD}$=7 cm, $\overline{AE}$=6 cm, $\overline{DE}$=5 cm이다. $\overline{DE}$∥$\overline{BC}$일 때, $\overline{AB}+\overline{AC}$의 길이를 구하시오.**

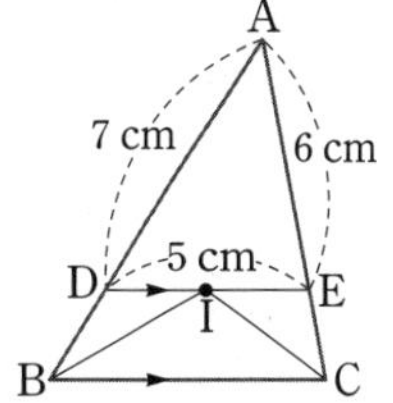

점 I가 △ABC의 내심이고 $\overline{DE}$∥$\overline{BC}$일 때

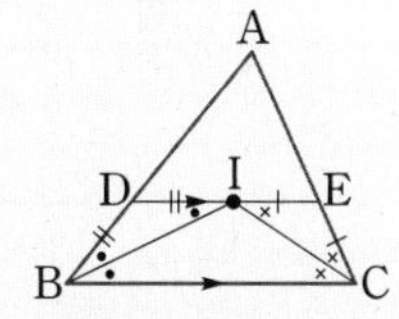

(1) △DBI, △EIC는 이등변 삼각형이다.
(2) (△ADE의 둘레의 길이) $=\overline{AB}+\overline{AC}$

2-1 오른쪽 그림에서 점 I는 △ABC의 내심이고 $\overline{AD}$=10 cm, $\overline{DB}$=5 cm, $\overline{AE}$=8 cm, $\overline{EC}$=4 cm이다. $\overline{DE}$∥$\overline{BC}$일 때, △ADE의 둘레의 길이를 구하시오.

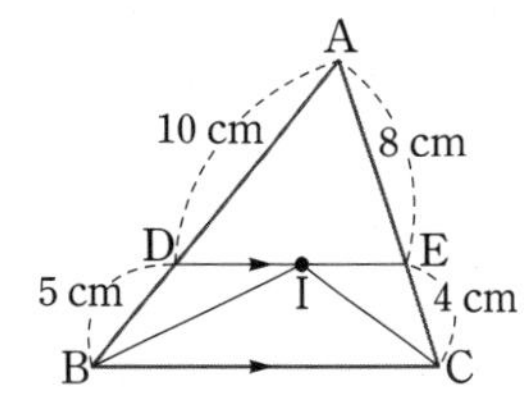

개념 이해

5 삼각형의 내심의 응용

점 I가 △ABC의 내심일 때

(1)

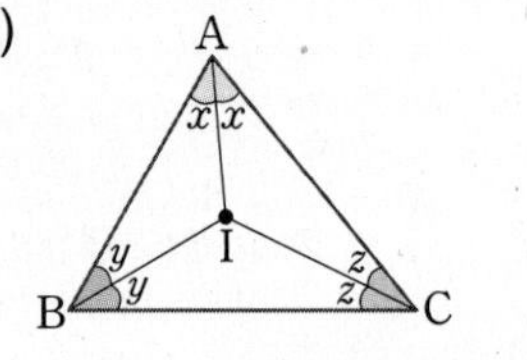

➡

$\angle A+\angle B+\angle C$
$=2\angle x+2\angle y+2\angle z$
$=180^\circ$
$\therefore\ \angle x+\angle y+\angle z=90^\circ$

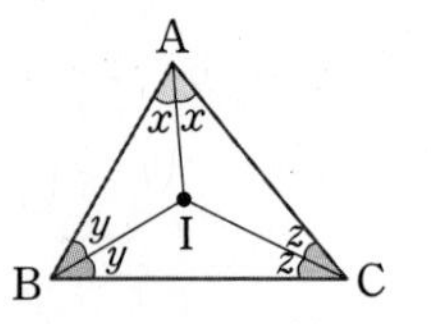

$$\angle x+\angle y+\angle z=90^\circ$$

(2)

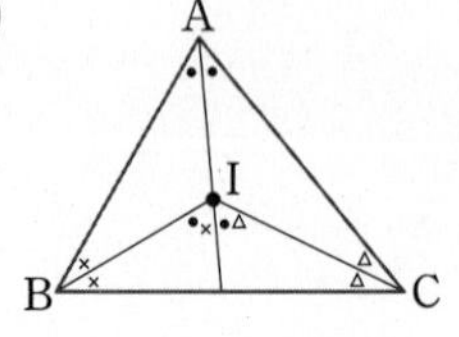

➡

오른쪽 그림과 같이 $\overline{AI}$의 연장선과

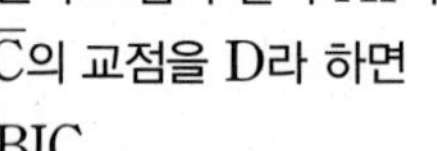

$\overline{BC}$의 교점을 D라 하면

$\angle BIC$

$=\angle BID+\angle CID$

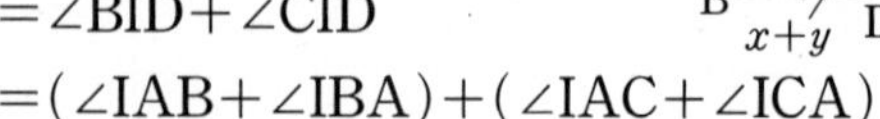

$=(\angle IAB+\angle IBA)+(\angle IAC+\angle ICA)$
$=(\angle x+\angle y)+(\angle x+\angle z)$
$=(\angle x+\angle y+\angle z)+\angle x$
$=90^\circ+\frac{1}{2}\angle A$

$$\angle BIC=90^\circ+\frac{1}{2}\angle A$$

개념확인

1. 다음 그림에서 점 I는 △ABC의 내심일 때, $\angle x$의 크기를 구하시오.

(1)

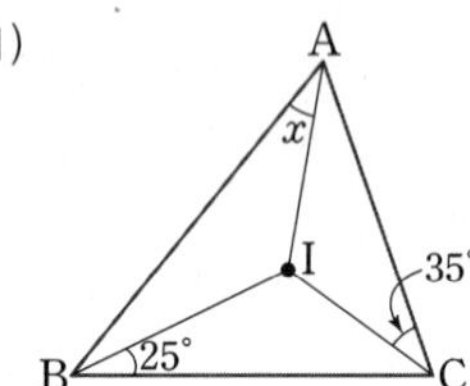

(2)

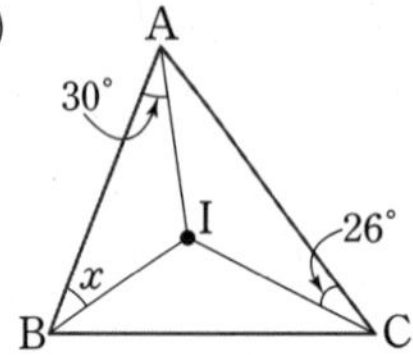

(3)

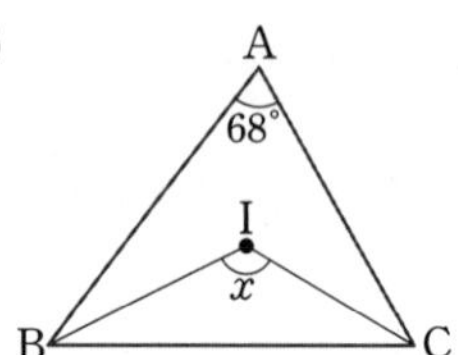

(4)

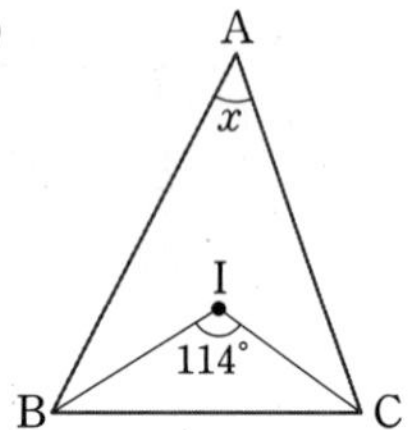

2. 오른쪽 그림에서 점 I는 △ABC의 내심이다. $\angle IBC=30^\circ$, $\angle ICA=32^\circ$일 때, $\angle x$, $\angle y$의 크기를 각각 구하시오.

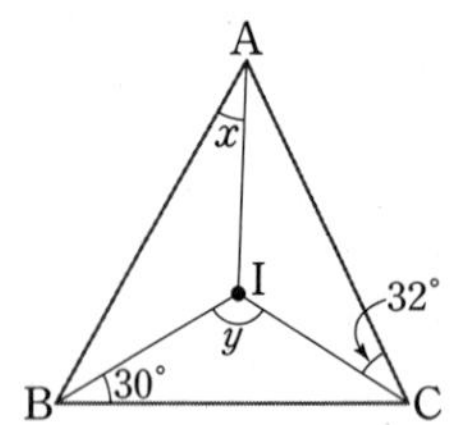

개념 적용

삼각형의 내심의 응용 (1)

1 **오른쪽 그림에서 점 I는 △ABC의 내심이다. ∠ABC=60°, ∠IAB=24°일 때, ∠x의 크기를 구하시오.**

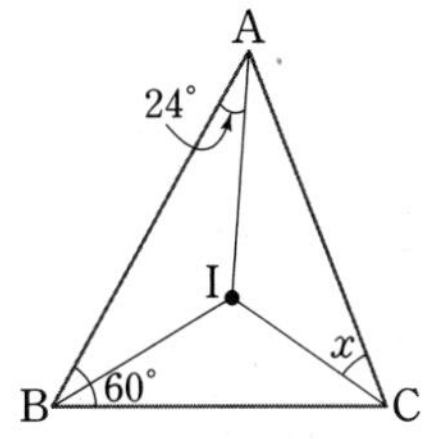

점 I가 △ABC의 내심일 때

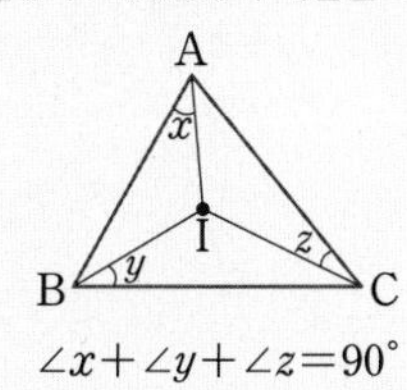

$\angle x+\angle y+\angle z=90°$

1-1 오른쪽 그림에서 점 I는 $\overline{AC}=\overline{BC}$인 이등변삼각형 ABC의 내심이다. ∠IBC=32°일 때, ∠ICA의 크기를 구하시오.

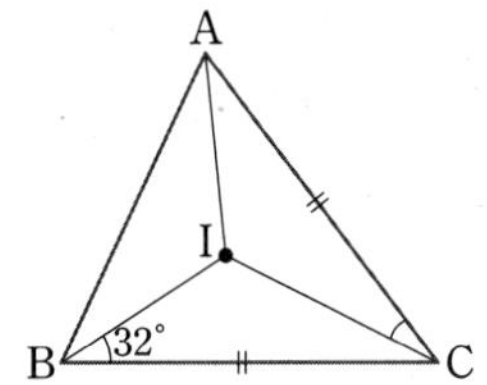

▶ 이등변삼각형의 성질(두 밑각의 크기가 같다.)과 내심의 뜻(삼각형의 세 내각의 이등분선의 교점)을 이용하여 각의 크기를 구한다.

삼각형의 내심의 응용 (2)

2 **오른쪽 그림에서 점 I는 △ABC의 내심이다. ∠IAB=30°, ∠B=76°일 때, ∠ICA의 크기를 구하시오.**

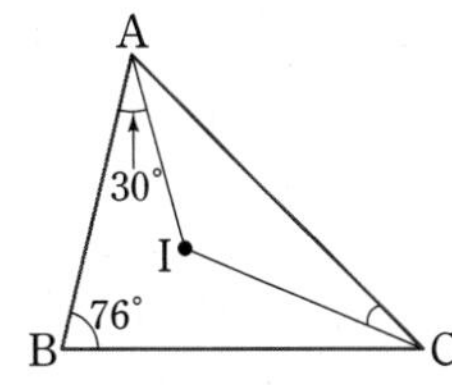

점 I가 △ABC의 내심일 때

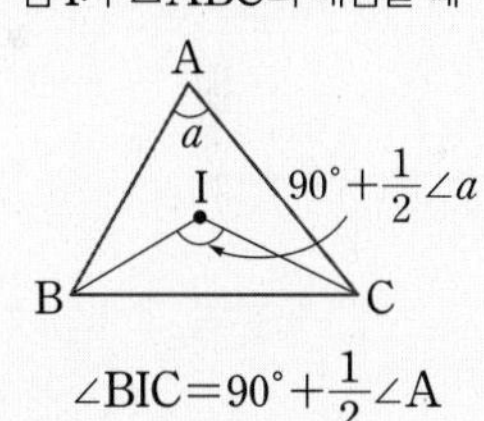

$\angle BIC=90°+\frac{1}{2}\angle A$

2-1 오른쪽 그림에서 점 I는 △ABC의 내심이다. ∠BIC=118°일 때, ∠x의 크기를 구하시오.

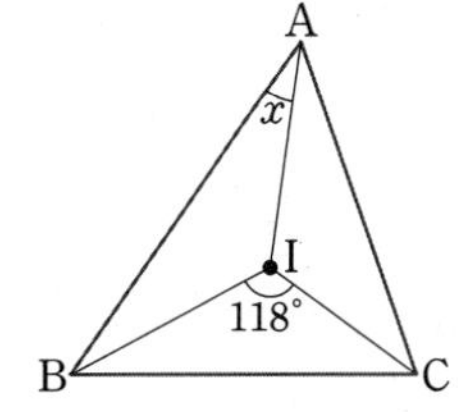

삼각형의 내접원의 응용

점 I가 △ABC의 내심일 때

(1)

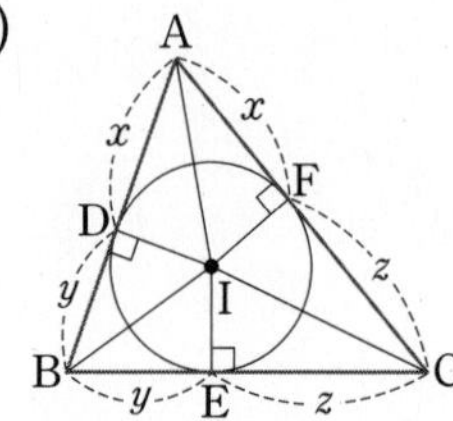

➡ $\overline{AD}=\overline{AF}$, $\overline{BD}=\overline{BE}$, $\overline{CE}=\overline{CF}$

(1) △IAD≡△IAF(RHA 합동)
∴ $\overline{AF}=\overline{AD}=x$

(2) △IBD≡△IBE(RHA 합동)
∴ $\overline{BD}=\overline{BE}=y$

(3) △ICE≡△ICF(RHA 합동)
∴ $\overline{CE}=\overline{CF}=z$

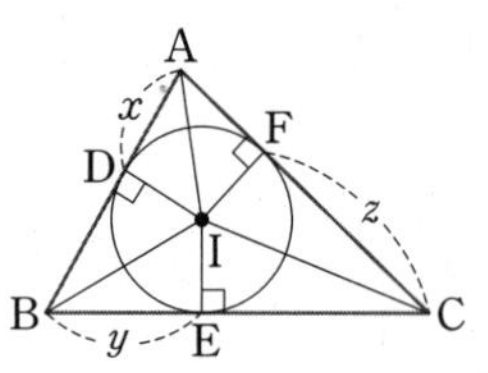

(2)

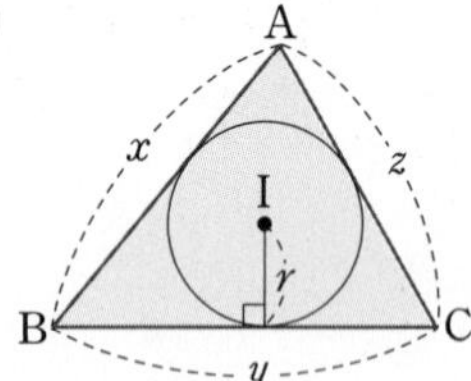

➡ $\triangle ABC=\frac{1}{2}r(x+y+z)$

$\triangle ABC=\triangle IAB+\triangle IBC+\triangle ICA$
$=\frac{1}{2}xr+\frac{1}{2}yr+\frac{1}{2}zr$
$=\frac{1}{2}r(x+y+z)$

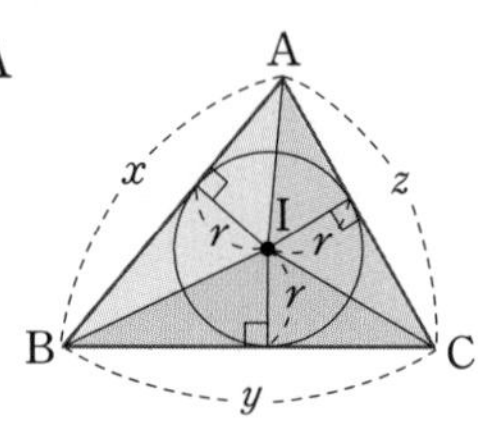

참고 삼각형의 넓이, 내접원의 반지름의 길이, 삼각형의 둘레의 길이 중 두 값을 알면 나머지 값을 알 수 있다.

개념확인

1. 오른쪽 그림에서 점 I는 △ABC의 내심이고, 세 점 D, E, F는 내접원의 접점일 때, 다음 □ 안에 알맞은 것을 써넣으시오.

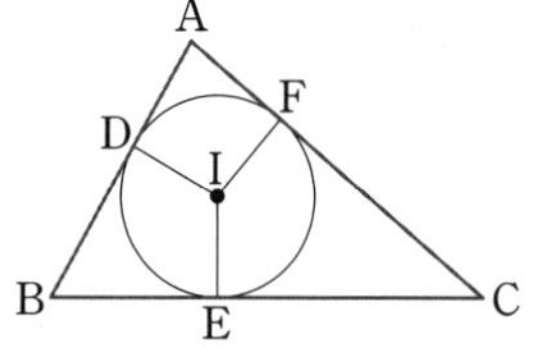

(1) $\overline{AD}=$□

(2) $\overline{CE}=$□

(3) (△ABC의 둘레의 길이)
$=$□$(\overline{AD}+\overline{BE}+\overline{CF})$

2. 오른쪽 그림에서 점 I는 △ABC의 내심이다. $\overline{AB}=8$ cm, $\overline{BC}=10$ cm, $\overline{CA}=12$ cm이고 △ABC의 넓이가 60 cm²일 때, 다음 □ 안에 알맞은 것을 써넣으시오.

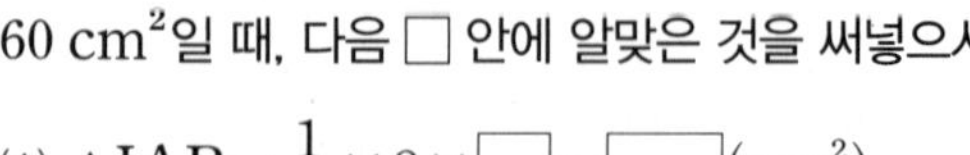

(1) $\triangle IAB=\frac{1}{2}\times 8\times$□$=$□$(\text{cm}^2)$

(2) $\triangle IBC=\frac{1}{2}\times 10\times$□$=$□$(\text{cm}^2)$

(3) $\triangle ICA=\frac{1}{2}\times 12\times$□$=$□$(\text{cm}^2)$

(4) △ABC=△IAB+△IBC+△ICA이므로
□$r=$□　　∴ $r=$□

❗ △ABC의 내접원의 반지름의 길이를 r cm라 할 때
➡ $\triangle ABC=\frac{1}{2}r\times$(△ABC의 둘레의 길이)

개념 적용

삼각형의 내접원과 접선

1 **오른쪽 그림에서 원 I는 △ABC의 내접원이고 세 점 D, E, F는 접점이다. $\overline{AB}=13$ cm, $\overline{BC}=9$ cm, $\overline{AC}=12$ cm일 때, $\overline{BE}$의 길이를 구하시오.**

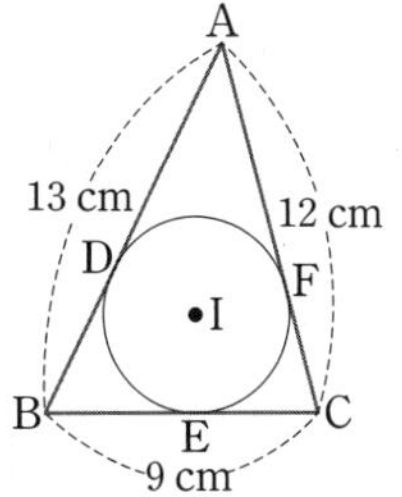

점 I가 △ABC의 내심일 때

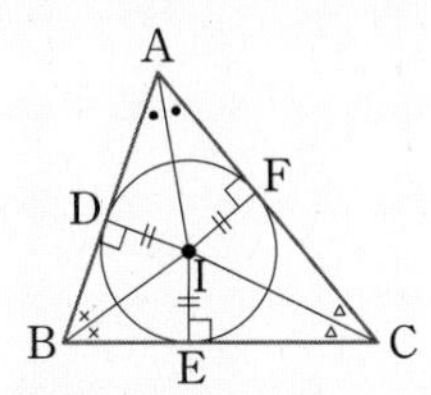

△IAD≡△IAF, △IBD≡△IBE, △ICE≡△ICF이므로 $\overline{AD}=\overline{AF}$, $\overline{BD}=\overline{BE}$, $\overline{CE}=\overline{CF}$

1-1 오른쪽 그림에서 원 I는 △ABC의 내접원이고 세 점 D, E, F는 접점이다. $\overline{AD}=4$ cm, $\overline{AB}=9$ cm, $\overline{AC}=8$ cm일 때, $\overline{BC}$의 길이를 구하시오.

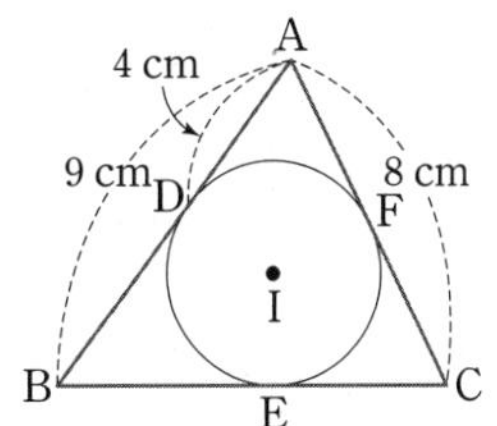

삼각형의 내접원의 반지름의 길이와 넓이

2 **오른쪽 그림에서 점 I는 ∠B=90°인 직각삼각형 ABC의 내심이다. $\overline{AB}=5$ cm, $\overline{BC}=12$ cm, $\overline{CA}=13$ cm일 때, △ABC의 내접원의 반지름의 길이를 구하시오.**

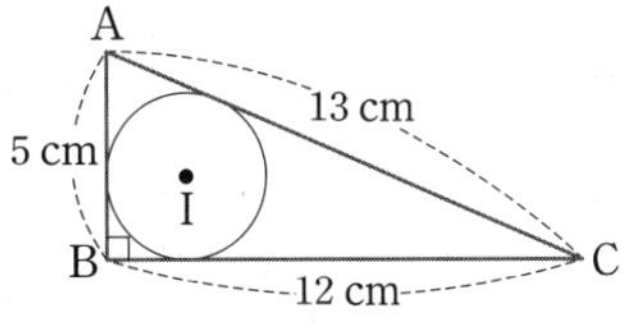

점 I가 직각삼각형 ABC의 내심이고 내접원의 반지름의 길이가 r일 때

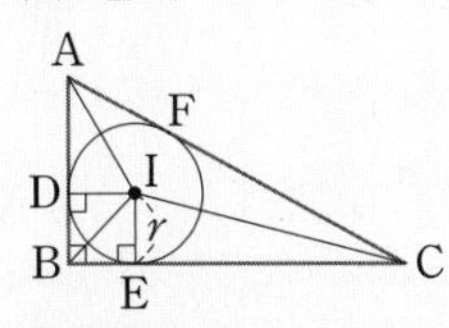

➡ □DBEI는 한 변의 길이가 r인 정사각형이다.

➡ △ABC
$=$△IAB$+$△IBC$+$△ICA
$=\frac{1}{2}r(\overline{AB}+\overline{BC}+\overline{CA})$

2-1 오른쪽 그림에서 점 I는 ∠B=90°인 직각삼각형 ABC의 내심이다. $\overline{AB}=9$ cm, $\overline{BC}=12$ cm, $\overline{CA}=15$ cm일 때, △IBC의 넓이를 구하시오.

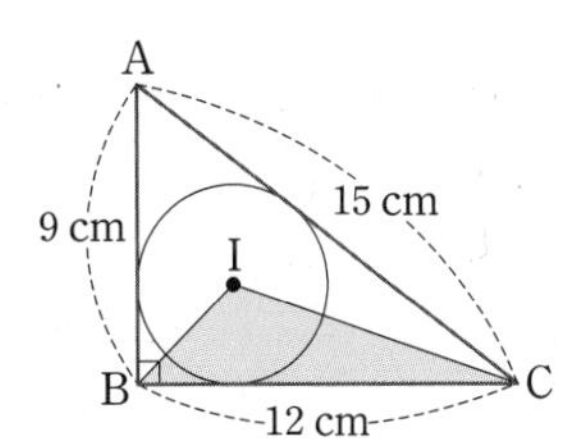

▸ △ABC의 넓이에 대한 식을 이용하여 내접원의 반지름의 길이를 구한다.

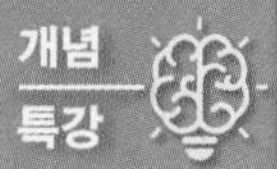

직각삼각형 안에 있는 원의 반지름 구하기

기본개념

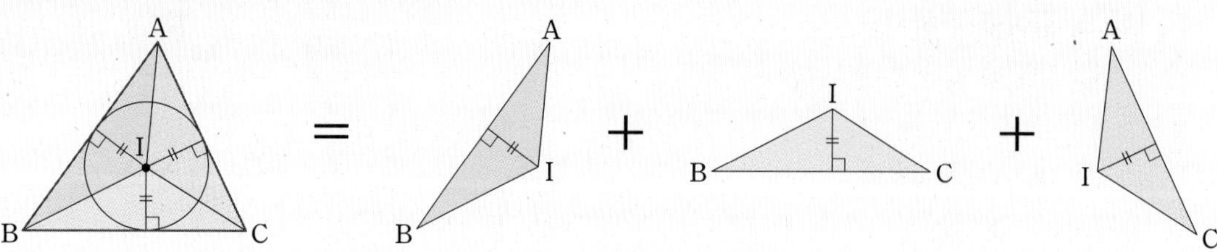

삼각형 ABC의 넓이는 세 개로 쪼개어진 삼각형의 [   ]의 합과 같다.
삼각형 ABC의 내심에서 세 변에 이르는 거리는 내접원의 [   ]의 길이와 같고,
세 개의 삼각형으로 쪼개었을 때 각각 쪼개어진 삼각형의 [   ]가 된다.

답 넓이, 반지름, 높이

개념적용 1. 원이 1개일 때

오른쪽 그림과 같은 직각삼각형 ABC에 내접하는 원의 반지름의 길이를 구하시오.

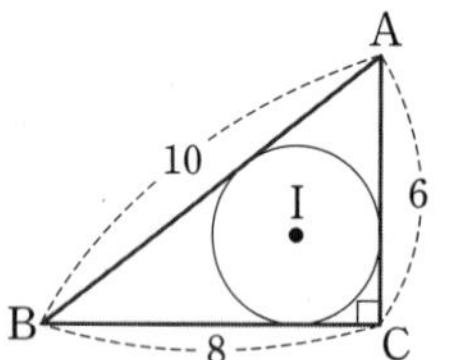

1
점 I에서 각 변에 수선의 발을 내린다.

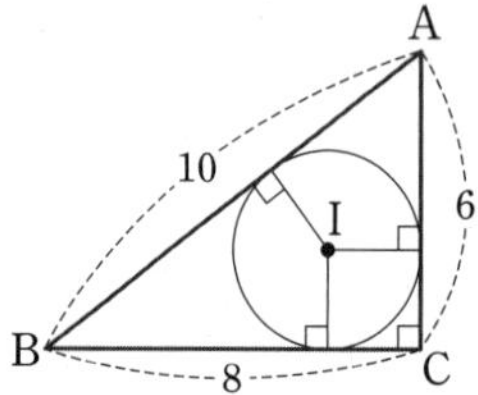

점 I에서 각 변에 내린 수선의 발까지의 거리는 내접원의 [   ]의 길이이며 이것을 r라 하자.

2
세 개의 삼각형으로 쪼갠다.

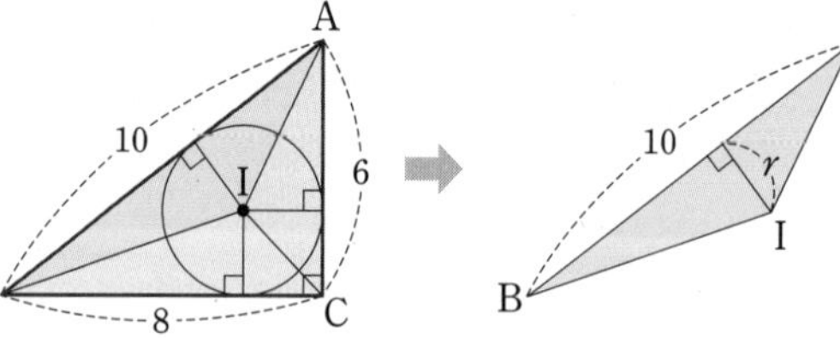

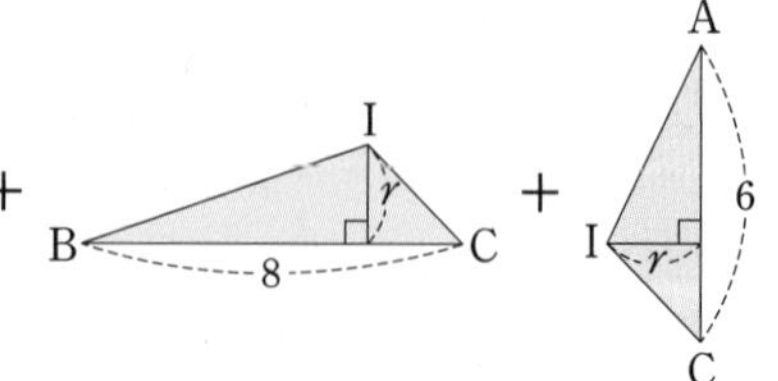

3
(삼각형의 넓이) =(쪼개어진 삼각형의 넓이의 합)

$$\frac{1}{2}\times 8\times 6=\frac{1}{2}\times 10\times r+\frac{1}{2}\times 8\times r+\frac{1}{2}\times 6\times r$$

위의 식을 계산하면 $r=$ [   ]

답 반지름, 2

개념적용 2. 원이 여러 개일 때

1 오른쪽 그림과 같이 직각삼각형 ABC 안에 크기가 같은 두 원이 접하고 △ABC의 두 변과 각각 접할 때, 원의 반지름의 길이를 구하시오.

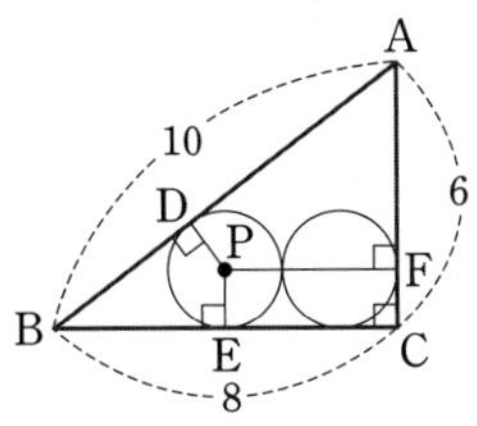

2 오른쪽 그림과 같이 직각삼각형 ABC 안에 크기가 같은 세 원이 접하고, 두 원은 △ABC의 두 변과 각각 접할 때, 원의 반지름의 길이를 구하시오.

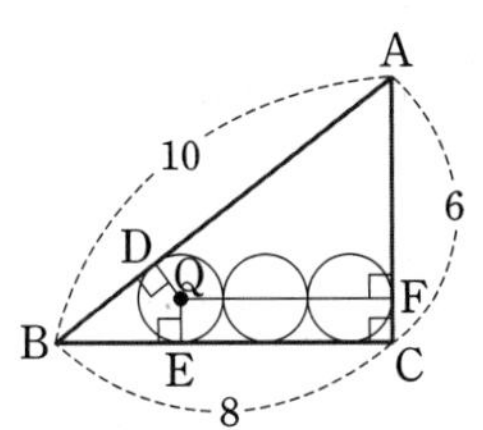

1 빗변에 접하는 원의 중심에서 각 변에 수선의 발을 내린다.

(문제 1) 원 P의 반지름의 길이를 r라 하자.
빗변에 접하는 원의 중심 P에서 각 변에 수선의 발을 내리면
$\overline{PD}=r$, $\overline{PE}=r$, $\overline{PF}=$ ☐

(문제 2) 원 Q의 반지름의 길이를 r라 하자.
빗변에 접하는 원의 중심 Q에서 각 변에 수선의 발을 내리면
$\overline{QD}=r$, $\overline{QE}=r$, $\overline{QF}=$ ☐

2 세 개의 삼각형으로 쪼갠다.

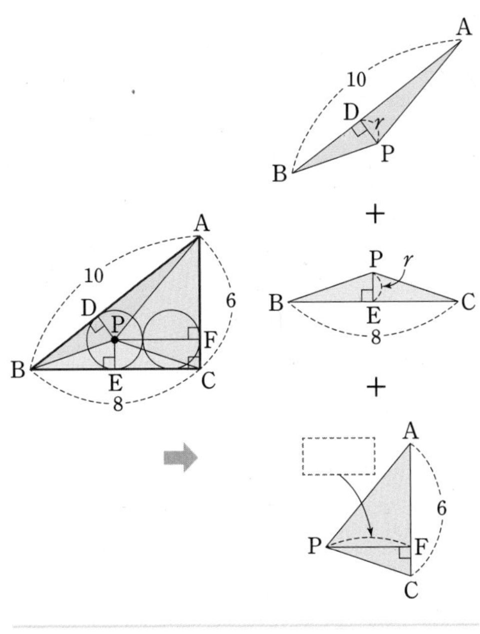

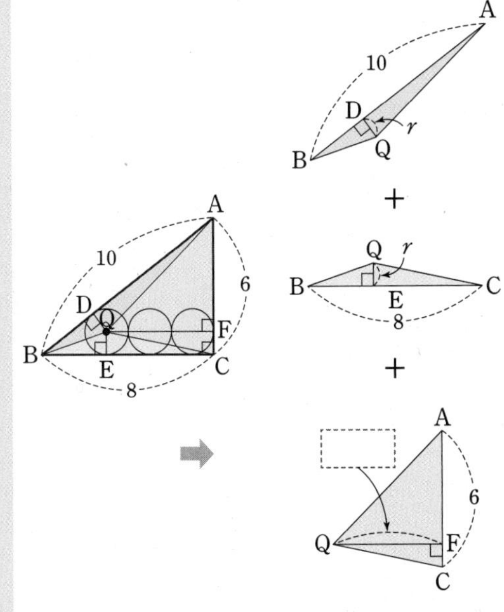

3 (삼각형의 넓이) =(쪼개어진 삼각형의 넓이의 합)

(문제 1)
$\frac{1}{2}\times8\times6$
$=\frac{1}{2}\times10\times r+\frac{1}{2}\times8\times r$
$+\frac{1}{2}\times6\times$ ☐

(문제 2)
$\frac{1}{2}\times8\times6$
$=\frac{1}{2}\times10\times r+\frac{1}{2}\times8\times r$
$+\frac{1}{2}\times6\times$ ☐

위의 식을 계산하면

(문제 1) $r=$ ☐

(문제 2) $r=$ ☐

답 $3r$, $3r$, $3r$, $\frac{4}{3}$

답 $5r$, $5r$, $5r$, 1

개념 완성

기본 문제

1 삼각형의 외심의 이해

다음 중 삼각형의 외심에 대한 설명으로 옳지 <u>않은</u> 것은?

① 삼각형의 세 변의 수직이등분선의 교점이다.
② 삼각형의 세 변에 이르는 거리가 모두 같다.
③ 예각삼각형의 외심은 삼각형의 내부에 있다.
④ 둔각삼각형의 외심은 삼각형의 외부에 있다.
⑤ 직각삼각형의 외심은 빗변의 중점과 일치한다.

2 삼각형의 외심의 성질의 이해

오른쪽 그림에서 점 O는 $\triangle ABC$의 외심이다. $\angle BOC=30^{\circ}$, $\angle AOC=50^{\circ}$일 때, $\angle BCA$의 크기는?

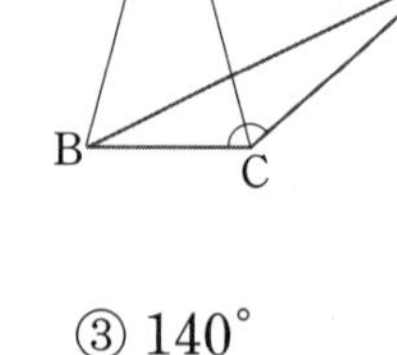

① 120° ② 130° ③ 140°
④ 150° ⑤ 160°

3 삼각형의 외심의 성질의 이해

오른쪽 그림에서 점 O는 $\triangle ABC$의 외심이다. $\overline{OA}+\overline{OB}+\overline{OC}=12$일 때, $\triangle ABC$의 외접원의 넓이는?

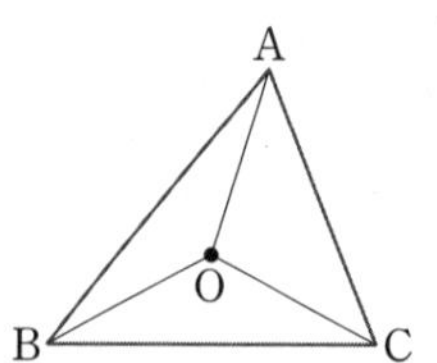

① 4π ② 9π ③ 16π
④ 25π ⑤ 36π

4 삼각형의 외심의 성질의 이해

오른쪽 그림에서 점 O가 $\triangle ABC$의 외심이고 $\angle CAB=30^{\circ}$, $\angle OCA=25^{\circ}$일 때, $\angle x$의 크기는?

① 20° ② 25° ③ 30°
④ 35° ⑤ 40°

5 직각삼각형의 외심 (1) – 변의 길이 구하기

오른쪽 그림과 같이 $\angle C=90^{\circ}$인 직각삼각형 ABC에서 $\overline{AB}=12$ cm일 때, $\triangle ABC$의 외접원의 넓이를 구하시오.

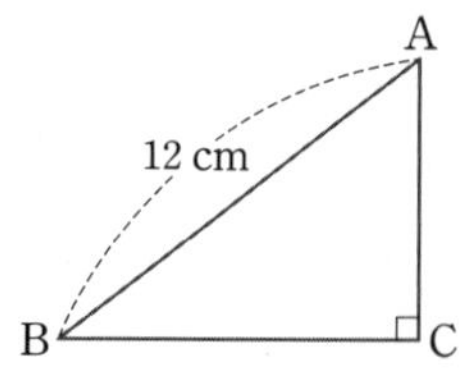

6 직각삼각형의 외심 (2) – 각의 크기 구하기

오른쪽 그림의 $\triangle ABC$에서 $\overline{AD}=\overline{BD}=\overline{CD}$일 때, $\angle BAC$의 크기는?

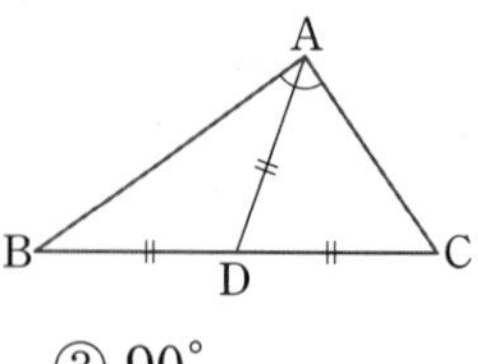

① 70° ② 80° ③ 90°
④ 100° ⑤ 110°

7 삼각형의 외심의 응용 (1)

오른쪽 그림에서 점 O는 △ABC의 외심이다. ∠OBC=42°, ∠OCA=14°일 때, ∠x의 크기를 구하시오.

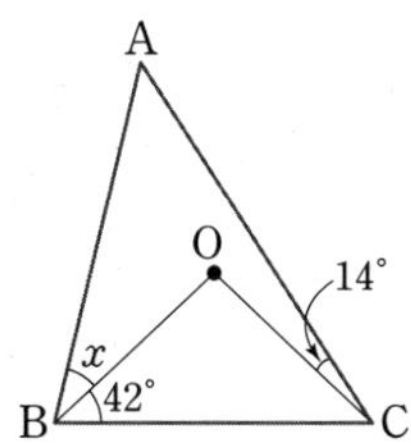

8 삼각형의 외심의 응용 (2)

오른쪽 그림에서 점 O는 △ABC의 외심이고, ∠OBC=25°, ∠OCA=35°일 때, ∠AOB의 크기는?

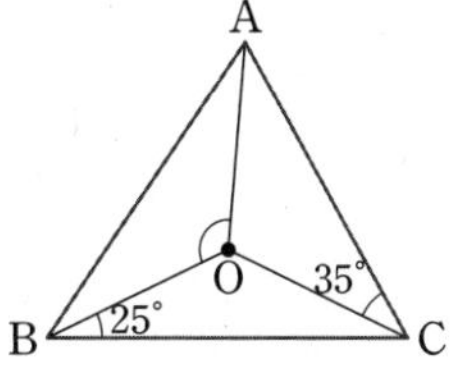

① 120° ② 125° ③ 130°
④ 135° ⑤ 140°

9 삼각형의 외심의 응용 (2)

오른쪽 그림에서 점 O는 △ABC의 외심이다.
∠AOB : ∠BOC : ∠COA =2 : 3 : 4
일 때, ∠ABC의 크기를 구하시오.

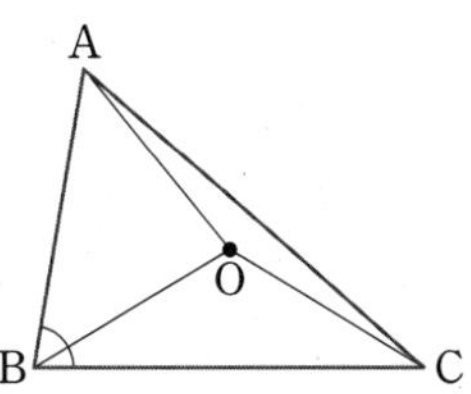

10 삼각형의 내심의 이해

오른쪽 그림에서 점 I는 △ABC의 내심이다.
∠IAC=36°, ∠IBC=24°일 때, ∠x의 크기를 구하시오.

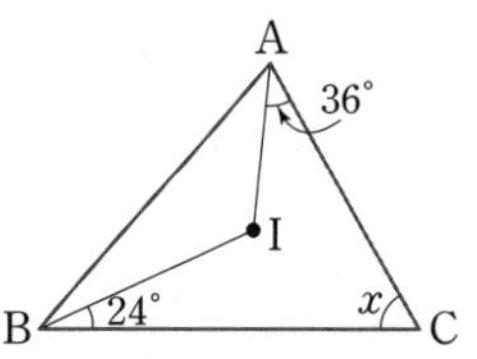

11 삼각형의 내심의 이해

오른쪽 그림에서 점 I는 △ABC의 내심이다. $\overline{AB}=\overline{AC}$이고, ∠A=50°일 때, ∠IBC의 크기는?

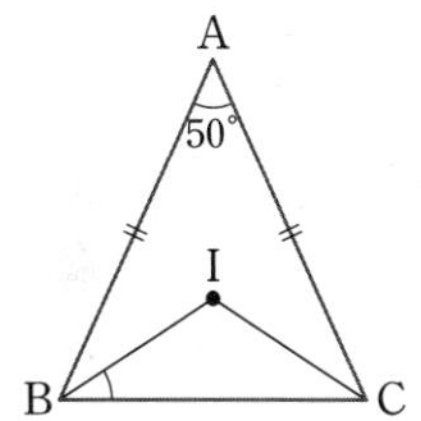

① 31.5° ② 32°
③ 32.5° ④ 33°
⑤ 33.5°

12 삼각형의 내심의 응용 (1)

오른쪽 그림에서 점 I는 △ABC의 내심이다.
∠A=78°, ∠ICA=25°일 때, ∠IBA의 크기를 구하시오.

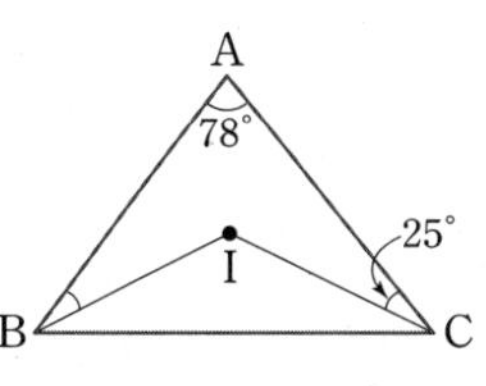

13 삼각형의 내심의 응용 (2)

오른쪽 그림의 △ABC에서 점 I는 ∠B, ∠C의 이등분선의 교점이다. ∠BIC=120°일 때, ∠A의 크기를 구하시오.

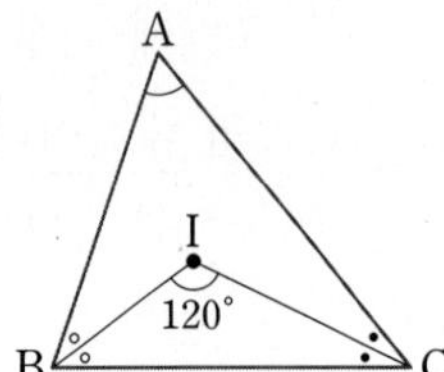

14 삼각형의 내심의 응용 (2)

오른쪽 그림에서 점 I는 △ABC의 내심이고, ∠AIB : ∠BIC : ∠AIC =11 : 12 : 13 일 때, ∠ABC의 크기는?

① 70° ② 75° ③ 80°
④ 85° ⑤ 90°

15 삼각형의 내심의 응용 (2)

오른쪽 그림에서 점 I는 △ABC의 내심이고, ∠IBC=30°, ∠ACB=70°일 때, ∠x+∠y의 크기를 구하시오.

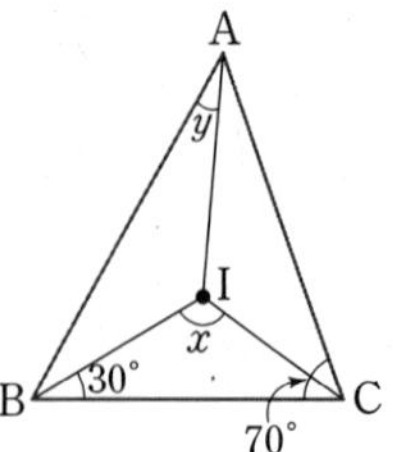

16 삼각형의 내접원과 접선

오른쪽 그림에서 원 I는 ∠B=90°인 직각삼각형 ABC의 내접원이고, 세 점 D, E, F는 접점이다. $\overline{AB}$=3 cm, $\overline{BC}$=4 cm, $\overline{AC}$=5 cm일 때, $\overline{BD}$의 길이를 구하시오.

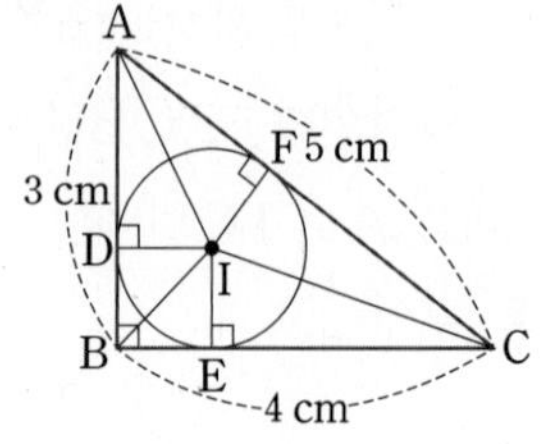

17 삼각형의 내접원의 반지름의 길이와 넓이

오른쪽 그림에서 점 I는 △ABC의 내심이다. 내접원의 반지름의 길이가 2 cm이고 △ABC의 넓이가 20 cm²일 때, △ABC의 둘레의 길이를 구하시오.

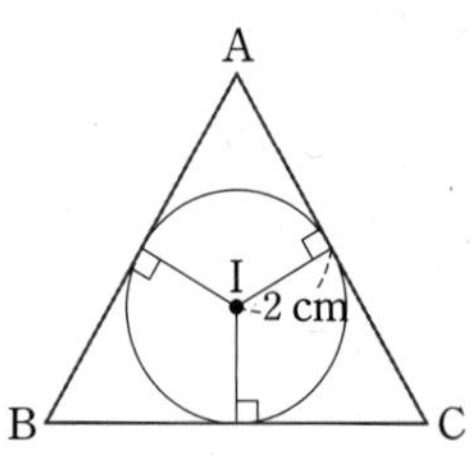

18 삼각형의 내접원의 반지름의 길이와 넓이

오른쪽 그림에서 점 I는 ∠B=90°인 직각삼각형 ABC의 내심이고, 원 I는 △ABC와 세 점 D, E, F에서 접한다. $\overline{AB}$=5 cm, $\overline{BC}$=12 cm, $\overline{CA}$=13 cm일 때, △IBC의 넓이는?

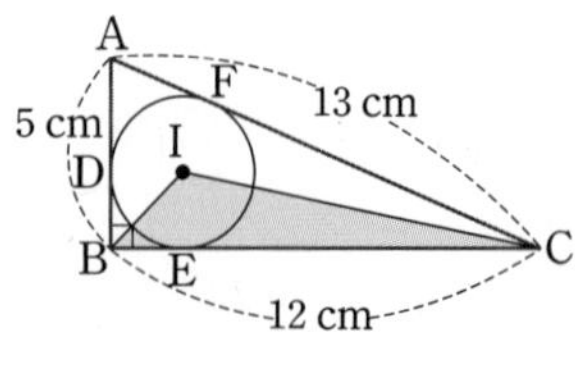

① 10 cm² ② 11 cm² ③ 12 cm²
④ 13 cm² ⑤ 14 cm²

개념 완성

발전 문제

1 오른쪽 그림과 같이 $\angle B=90^\circ$인 직각삼각형 ABC에서 점 O는 $\overline{AC}$의 중점이고, 점 B에서 $\overline{AC}$에 내린 수선의 발을 H라 하자. $\angle A=60^\circ$일 때, $\angle x$의 크기를 구하시오.

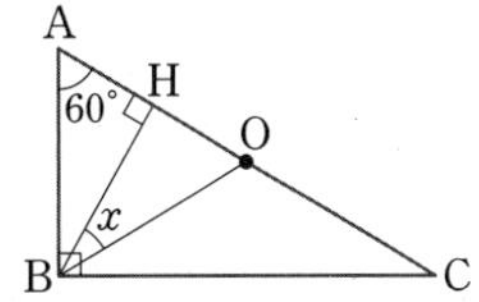

2 오른쪽 그림과 같이 반지름의 길이가 2 cm인 원 O에서 $\angle ACB=45^\circ$일 때, 부채꼴 OAB의 넓이를 구하시오.

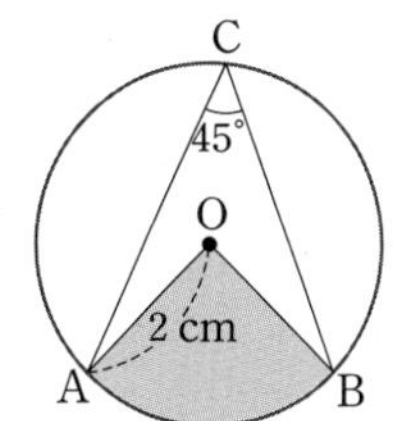

부채꼴의 중심각의 크기를 구하기 위해 $\angle AOB$와 $\angle ACB$의 관계를 이용한다.

3 오른쪽 그림에서 점 I는 $\triangle ABC$의 내심이다. $\angle C=60^\circ$일 때, $\angle x+\angle y$의 크기를 구하시오.

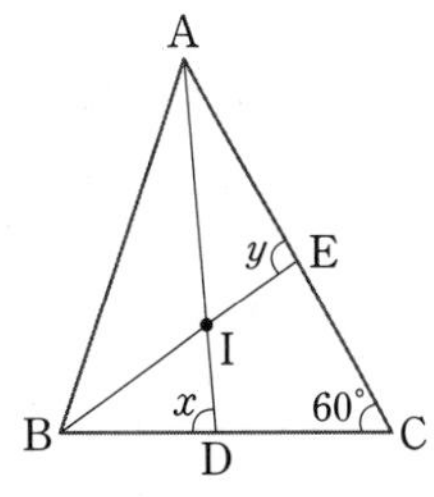

$\angle x$는 $\triangle ADC$의 한 외각이고, $\angle y$는 $\triangle BCE$의 한 외각이므로 삼각형의 외각의 성질을 이용하기 위해 $\angle CAD$와 $\angle CBE$의 크기를 먼저 구한다.

4 오른쪽 그림과 같이 $\overline{AB}=\overline{AC}$인 이등변삼각형 ABC에서 두 점 O, I는 각각 $\triangle ABC$의 외심과 내심이다. $\angle A=44^\circ$일 때, $\angle OBI$의 크기를 구하시오.

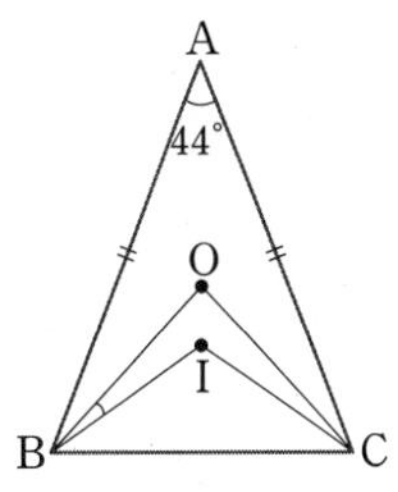

점 I가 내심이므로 $\angle ABI=\angle IBC$, 점 O가 외심이므로 $\angle OBC=\angle OCB$임을 이용한다.

5 오른쪽 그림과 같은 직사각형 ABCD에서 $\overline{AC}=10$ cm, $\overline{BC}=8$ cm, $\overline{CD}=6$ cm이고, 점 I, I′는 $\triangle ABC$와 $\triangle ACD$의 내심이다. $\triangle ABC$와 $\triangle ACD$의 내접원이 $\overline{AC}$와 접하는 점을 각각 E, F라 할 때, $\overline{EF}$의 길이를 구하시오.

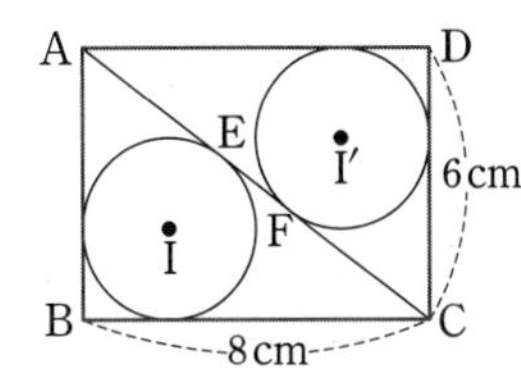

6 서술형

오른쪽 그림에서 두 원 O, I는 각각 직각삼각형 ABC의 외접원과 내접원이다. $\overline{AB}=10$ cm, $\overline{BC}=8$ cm, $\overline{AC}=6$ cm일 때, 색칠한 부분의 넓이를 구하기 위한 풀이 과정을 쓰고 답을 구하시오.

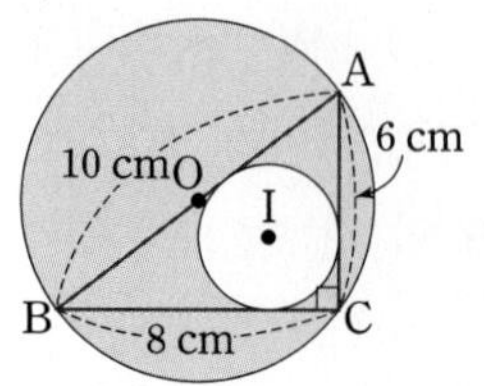

① 단계: 외접원의 넓이 구하기

외접원의 반지름의 길이를 R cm라 하면

$R=$ ________

즉, 외접원의 반지름의 길이는 ________이므로

외접원의 넓이는 ________

② 단계: 내접원의 넓이 구하기

내접원의 반지름의 길이를 r cm라 하면

$\frac{1}{2}\times8\times6=$ ________ $\therefore r=$ ________

즉, 내접원의 반지름의 길이는 ________이므로

내접원의 넓이는 ________

③ 단계: 색칠한 부분의 넓이 구하기

(색칠한 부분의 넓이)= ________

Check List
- 외접원의 넓이를 바르게 구하였는가?
- 내접원의 넓이를 바르게 구하였는가?
- 색칠한 부분의 넓이를 바르게 구하였는가?

7 서술형

오른쪽 그림에서 점 I는 $\triangle ABC$의 내심이다. $\overline{DE}/\!/\overline{BC}$이고 $\overline{DB}=8$ cm, $\overline{DE}=14$ cm일 때, $\overline{CE}$의 길이를 구하기 위한 풀이 과정을 쓰고 답을 구하시오.

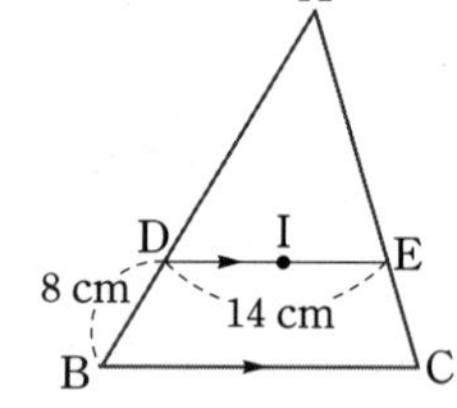

① 단계: $\overline{DI}$의 길이 구하기

② 단계: $\overline{CE}$의 길이 구하기

Check List
- $\overline{DI}$의 길이를 바르게 구하였는가?
- $\overline{CE}$의 길이를 바르게 구하였는가?

1 평행사변형

1 평행사변형의 성질 (1)
2 평행사변형의 성질 (2), (3)
3 평행사변형이 되는 조건 (1)
4 평행사변형이 되는 조건 (2)
5 평행사변형과 넓이

2 여러 가지 사각형

1 직사각형
2 마름모
3 정사각형
4 사다리꼴
5 여러 가지 사각형 사이의 관계
6 사각형의 각 변의 중점을 연결하여 만든 사각형
7 평행선과 삼각형의 넓이
8 높이가 같은 삼각형의 넓이의 비

사각형의 성질

1 평행사변형

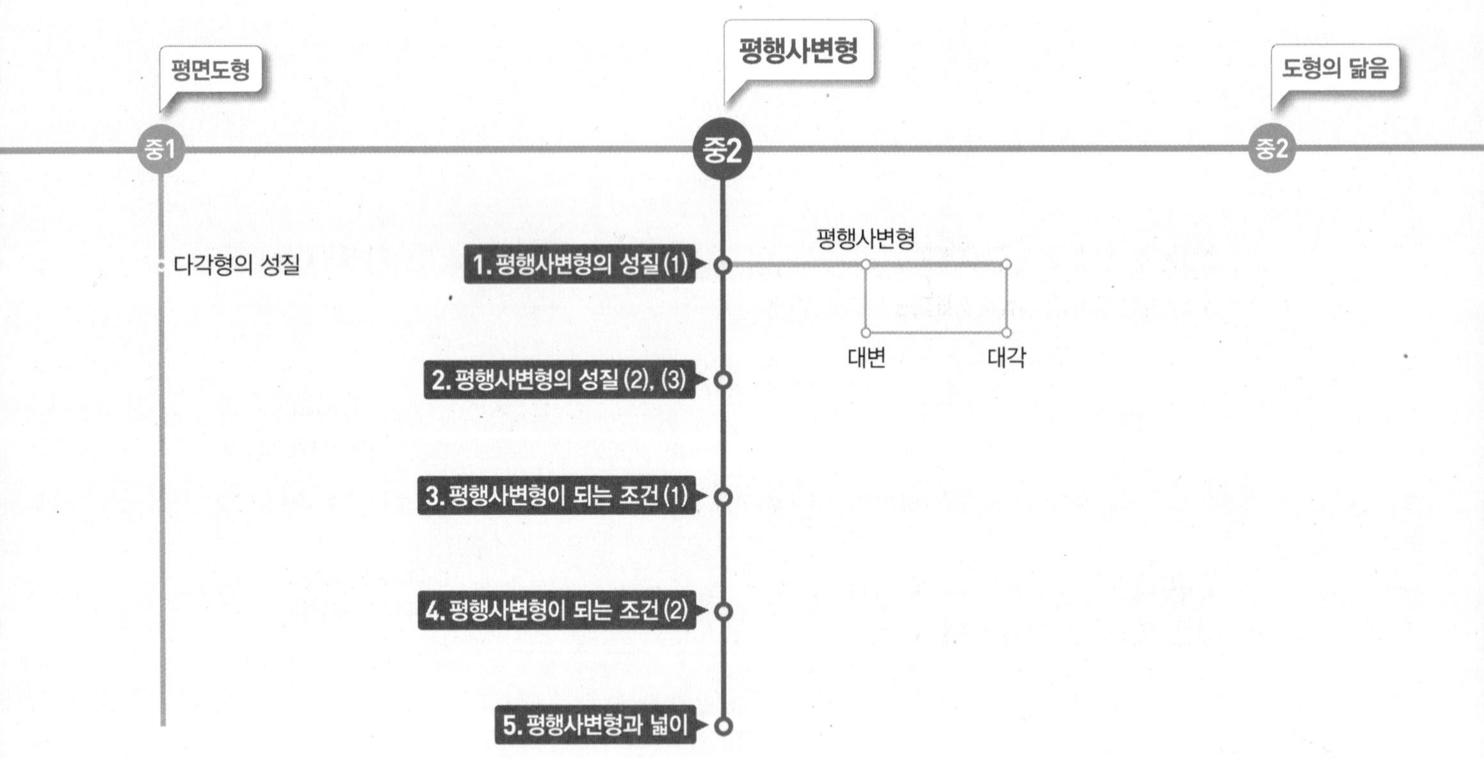

평면도형
평행사변형
도형의 닮음
중1
중2
중2
다각형의 성질
1. 평행사변형의 성질 (1)
평행사변형
대변
대각
2. 평행사변형의 성질 (2), (3)
3. 평행사변형이 되는 조건 (1)
4. 평행사변형이 되는 조건 (2)
5. 평행사변형과 넓이

두 쌍의 평행선이 만나서 생긴 도형, 평행사변형

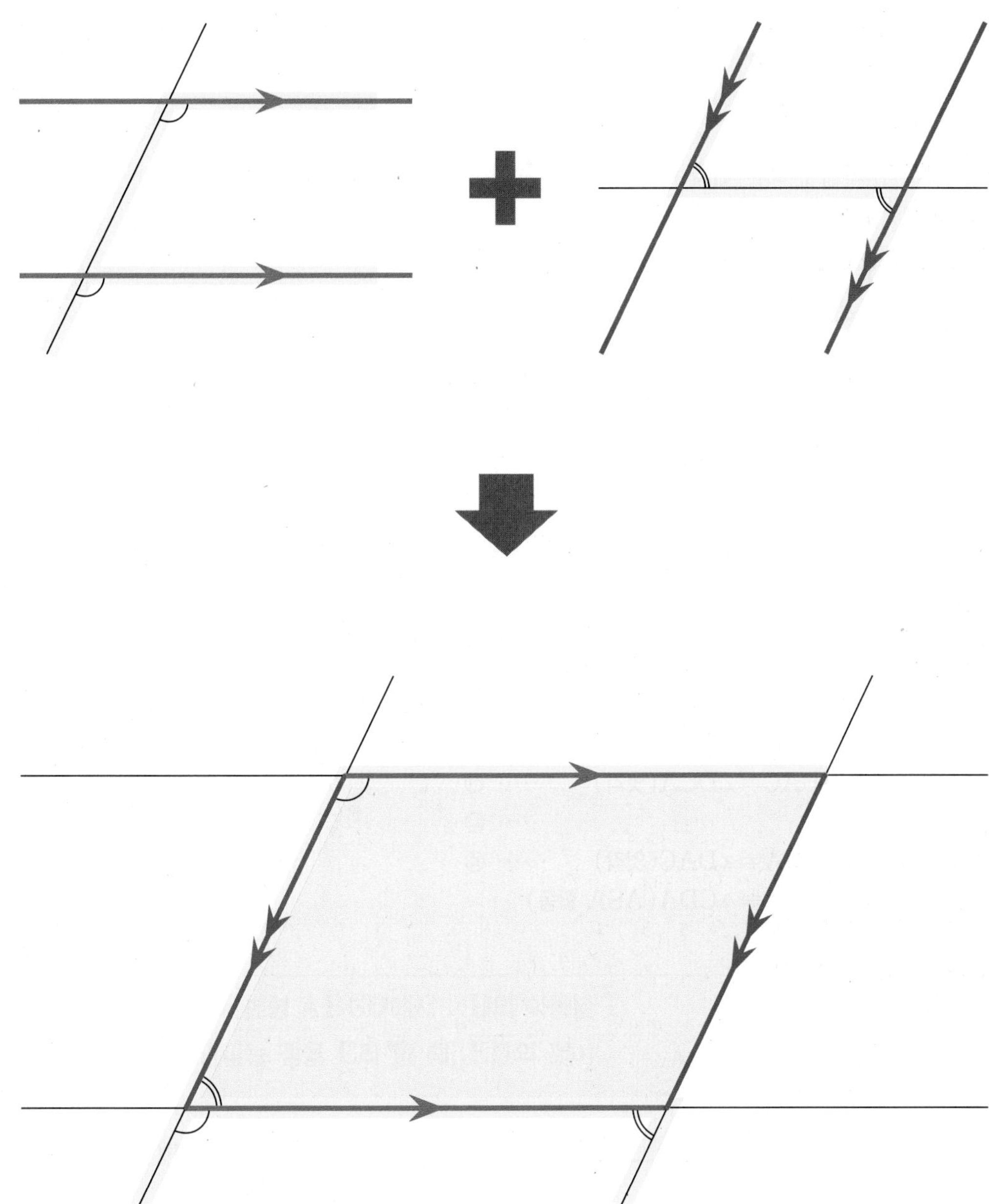

평행사변형은 평행선의 성질을 품고 있다.

평행사변형의 성질 (2), (3)

(1) 평행사변형의 성질 (2)

평행사변형의 두 쌍의 대각의 크기는 각각 같다.

➡ □ABCD에서

$\overline{AB} /\!/ \overline{DC}$, $\overline{AD} /\!/ \overline{BC}$이면

$\angle A = \angle C$, $\angle B = \angle D$

참고 평행사변형에서 이웃하는 두 내각의 크기의 합은 180°이다.

➡ 평행사변형 ABCD에서 두 쌍의 대각의 크기는 각각 같으므로

$\angle A = \angle C = \angle x$, $\angle B = \angle D = \angle y$라 하면

$2\angle x + 2\angle y = 360°$　　$\therefore \angle x + \angle y = 180°$

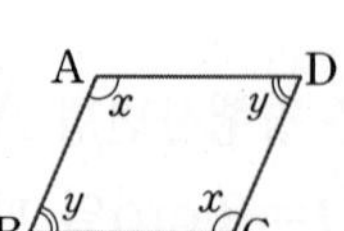

(2) 평행사변형의 성질 (3)

평행사변형의 두 대각선은 서로 다른 것을 이등분한다.

➡ □ABCD에서 두 대각선의 교점을 O라 할 때,

$\overline{AB} /\!/ \overline{DC}$, $\overline{AD} /\!/ \overline{BC}$이면

$\overline{AO} = \overline{CO}$, $\overline{BO} = \overline{DO}$

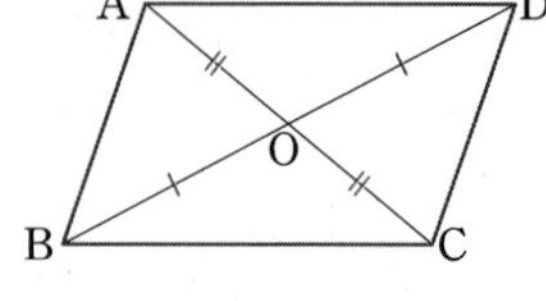

오른쪽 그림과 같은 평행사변형 ABCD에서 두 대각선 AC, BD의 교점을 O라 하면

△OAB와 △OCD에서

$\overline{AB} = \overline{CD}$(평행사변형의 대변) ······ ㉠

$\overline{AB} /\!/ \overline{DC}$이므로 $\angle OAB = \angle OCD$(엇각) ······ ㉡

$\angle OBA = \angle ODC$(엇각) ······ ㉢

㉠, ㉡, ㉢에 의해 △OAB≡△OCD(ASA 합동)

$\therefore \overline{AO} = \overline{CO}$, $\overline{BO} = \overline{DO}$

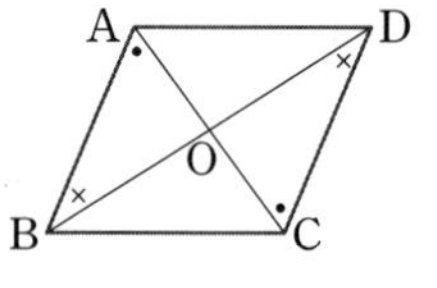

개념확인

1. 다음 그림과 같은 □ABCD가 평행사변형일 때, $\angle x$, $\angle y$의 크기를 각각 구하시오.

(1)

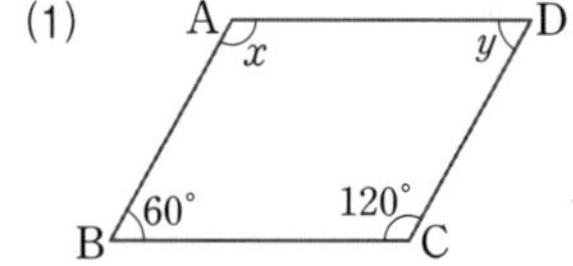

(2)

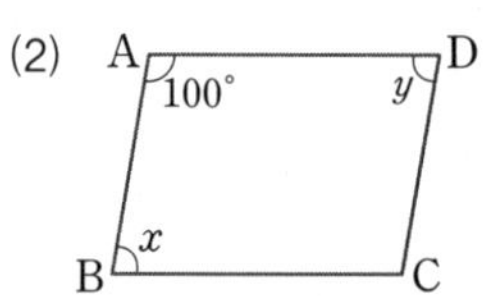

2. 오른쪽 그림과 같은 □ABCD가 평행사변형일 때, x, y의 값을 각각 구하시오. (단, 점 O는 두 대각선의 교점이다.)

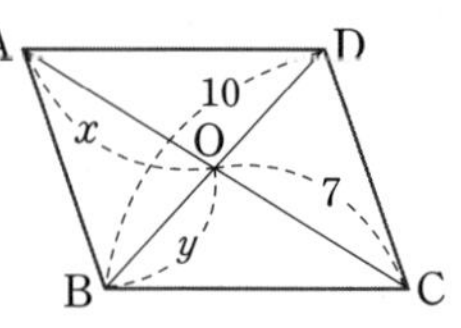

개념 적용

평행사변형의 성질 (2)

1 **오른쪽 그림과 같은 평행사변형 ABCD에서 $\angle A=2\angle B$일 때, $\angle C$의 크기를 구하시오.**

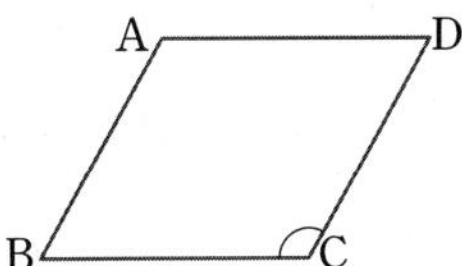

평행사변형에서
(1) 두 쌍의 대각의 크기는 각각 같다.
(2) 이웃하는 두 내각의 크기의 합은 180°이다.

1-1 오른쪽 그림과 같은 평행사변형 ABCD에서 $\angle BAC=55°$, $\angle ACB=60°$일 때, $\angle D$의 크기를 구하시오.

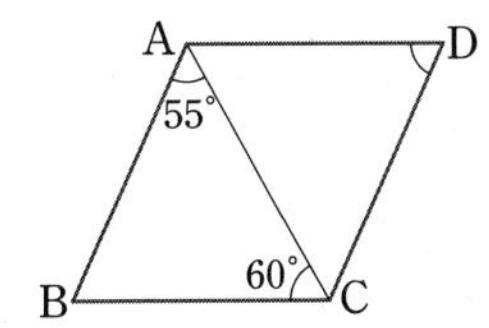

1-2 오른쪽 그림과 같은 평행사변형 ABCD에서 $\angle A : \angle B=3:1$일 때, $\angle C$의 크기를 구하시오.

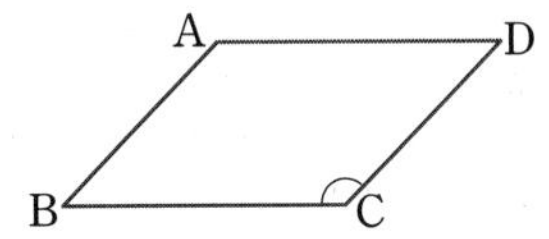

평행사변형의 성질 (2) 응용

2 **오른쪽 그림과 같은 평행사변형 ABCD에서 $\angle D$의 이등분선이 $\overline{BC}$와 만나는 점을 E, 꼭짓점 A에서 $\overline{DE}$에 내린 수선의 발을 F라 하자. $\angle B=70°$일 때, $\angle x$의 크기를 구하시오.**

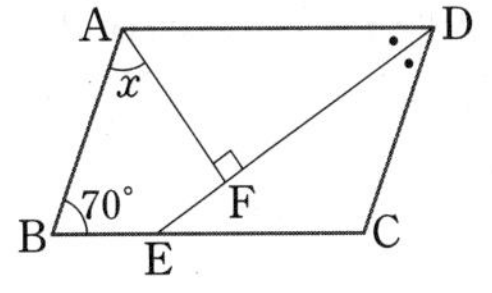

평행사변형 ABCD에서 $\overline{AE}$가 $\angle A$의 이등분선일 때

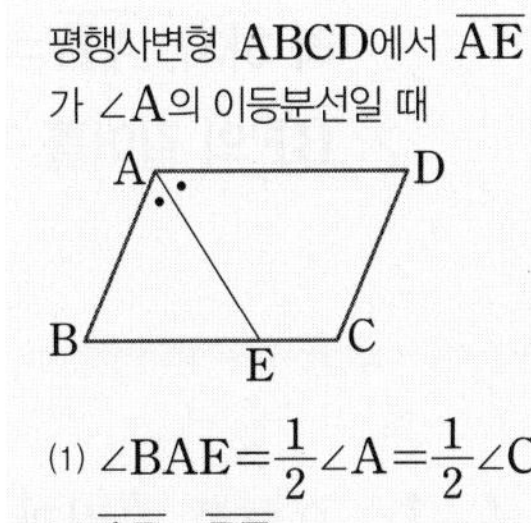

(1) $\angle BAE=\frac{1}{2}\angle A=\frac{1}{2}\angle C$
(2) $\overline{AB}=\overline{BE}$

2-1 오른쪽 그림과 같은 평행사변형 ABCD에서 $\overline{AE}$는 $\angle A$의 이등분선이고 $\angle AEB=50°$일 때, $\angle D$의 크기를 구하시오.

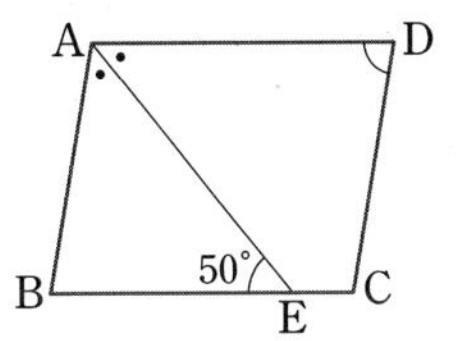

평행사변형이 되는 조건 (1)

1 **오른쪽 그림과 같은 □ABCD가 평행사변형이 되도록 하는 x, y의 값을 각각 구하시오.**

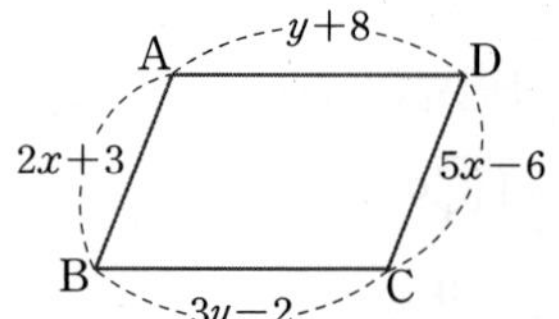

(1) 두 쌍의 대변이 각각 평행한 사각형은 평행사변형이다.
(2) 두 쌍의 대변의 길이가 각각 같은 사각형은 평행사변형이다.
(3) 두 쌍의 대각의 크기가 각각 같은 사각형은 평행사변형이다.

1-1 오른쪽 그림과 같은 □ABCD가 평행사변형이 되도록 하는 $\angle x$, $\angle y$의 크기를 각각 구하시오.

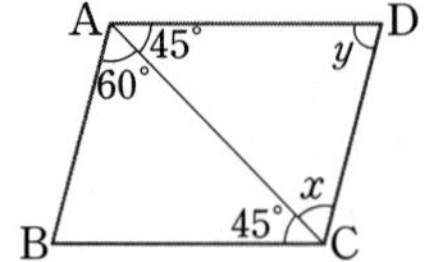

평행사변형이 되는 조건 (1) 응용

2 **다음은 오른쪽 그림과 같이 평행사변형 ABCD의 각 변의 중점을 각각 E, F, G, H라 할 때, □EFGH가 평행사변형임을 설명하는 과정이다. □ 안에 알맞은 것을 써넣으시오.**

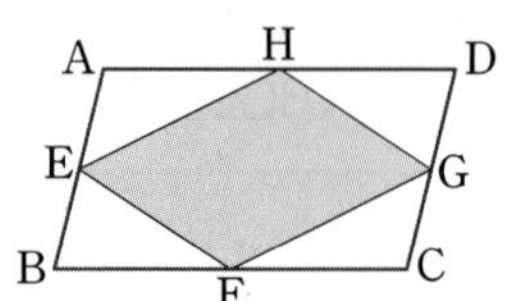

합동인 삼각형을 찾아 길이가 같은 변 또는 크기가 같은 각을 표시한 후 평행사변형이 되는 조건을 생각한다.

> △AEH와 △CGF에서
> $\overline{AE}=\frac{1}{2}\overline{AB}=\frac{1}{2}\overline{DC}=\overline{CG}$, $\overline{AH}=\frac{1}{2}\overline{AD}=\frac{1}{2}\overline{BC}=$ □,
> $\angle A=\angle C$이므로 $\triangle AEH \equiv \triangle CGF$(SAS 합동) $\therefore \overline{EH}=$ □
> 같은 방법으로 $\triangle BFE \equiv \triangle DHG$(SAS 합동)이므로 $\overline{EF}=$ □
> 따라서 □EFGH는 □ 가 각각 같으므로 평행사변형이다.

2-1 다음은 오른쪽 그림과 같은 평행사변형 ABCD에서 $\angle B$, $\angle D$의 이등분선이 $\overline{AD}$, $\overline{BC}$와 만나는 점을 각각 P, Q라 할 때, □PBQD가 평행사변형임을 설명하는 과정이다. □ 안에 알맞은 것을 써넣으시오.

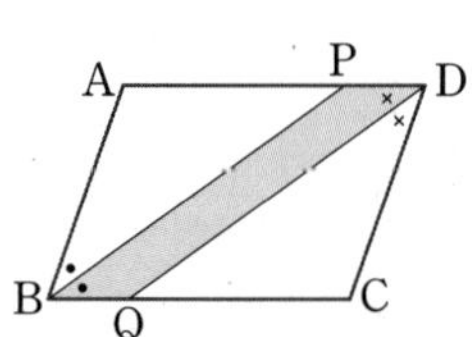

> $\angle B=\angle D$이므로 $\frac{1}{2}\angle B=\frac{1}{2}\angle D$, 즉 $\angle PBQ=$ □
> $\angle APB=\angle PBQ$(엇각), $\angle DQC=\angle PDQ$(엇각)이므로
> $\angle APB=\angle DQC$ $\therefore \angle DPB=$ □
> 따라서 □PBQD는 □ 가 각각 같으므로 평행사변형이다.

개념 이해 4

평행사변형이 되는 조건 (2)

다음의 어느 한 조건을 만족하는 사각형은 평행사변형이다.

① 두 대각선이 서로 다른 것을 이등분한다.

➡ 두 대각선의 교점을 O라 할 때, $\overline{OA}=\overline{OC}$, $\overline{OB}=\overline{OD}$이면 □ABCD는 평행사변형이다.

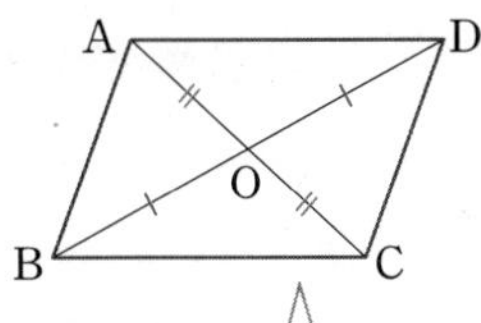

② 한 쌍의 대변이 평행하고, 그 길이가 같다.

➡ $\overline{AD}/\!/\overline{BC}$, $\overline{AD}=\overline{BC}$이면 □ABCD는 평행사변형이다.

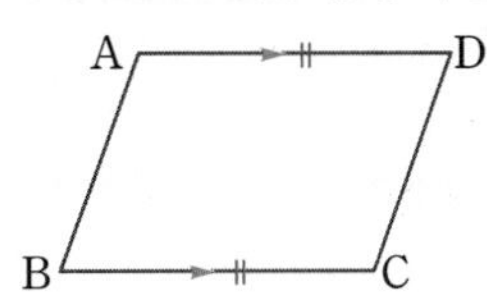

오른쪽 그림과 같이 □ABCD에서 두 대각선 AC, BD의 교점을 O라 할 때, $\overline{AO}=\overline{CO}$, $\overline{BO}=\overline{DO}$이면
△AOB와 △COD에서
$\overline{AO}=\overline{CO}$, $\overline{BO}=\overline{DO}$, ∠AOB=∠COD(맞꼭지각)이므로
△AOB≡△COD(SAS 합동)

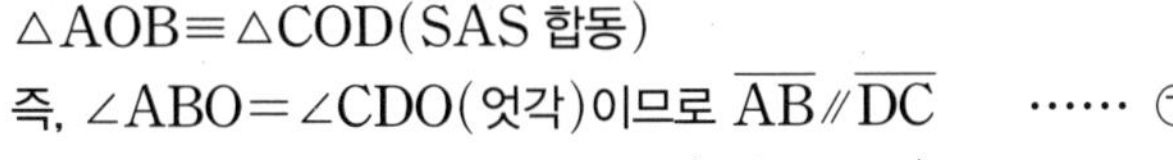

즉, ∠ABO=∠CDO(엇각)이므로 $\overline{AB}/\!/\overline{DC}$ ...... ㉠
같은 방법으로 △ODA≡△OBC(SAS 합동)
즉, ∠ADO=∠CBO(엇각)이므로 $\overline{AD}/\!/\overline{BC}$ ...... ㉡
㉠, ㉡에서 □ABCD는 두 쌍의 대변이 각각 평행하므로 평행사변형이다.

주의 조건 (2)의 ②는 다음의 경우와 헷갈리지 않도록 주의한다.
오른쪽 그림과 같이 $\overline{AD}/\!/\overline{BC}$이고 $\overline{AB}=\overline{DC}$이면 □ABCD가 반드시 평행사변형이 되는 것은 아니다. 따라서 □ABCD가 평행사변형이 되기 위해서는 $\overline{AD}/\!/\overline{BC}$, $\overline{AD}=\overline{BC}$, 즉 평행한 두 변이 길이도 같을 때임을 주의한다.

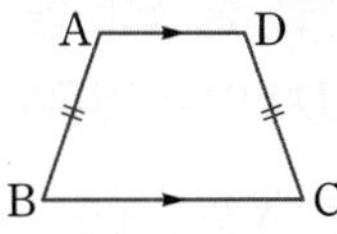

개념확인

1. 다음은 한 쌍의 대변이 평행하고, 그 길이가 같은 사각형은 평행사변형임을 설명하는 과정이다. □ 안에 알맞은 것을 써넣으시오.

오른쪽 그림과 같이 $\overline{AD}/\!/\overline{BC}$, $\overline{AD}=\overline{BC}$인 □ABCD에서 대각선 AC를 그으면
△ABC와 △CDA에서
$\overline{BC}=\overline{DA}$, ∠BCA=□(엇각),
$\overline{AC}$는 공통인 변이므로
△ABC≡△CDA(□ 합동)
즉, ∠BAC=∠DCA(엇각)이므로 $\overline{AB}/\!/$□
따라서 □ABCD는 □
하므로 평행사변형이다.

2. 다음 그림과 같은 □ABCD가 평행사변형이 되도록 하는 x, y의 값을 각각 구하시오.
(단, 점 O는 두 대각선의 교점이다.)

(1)

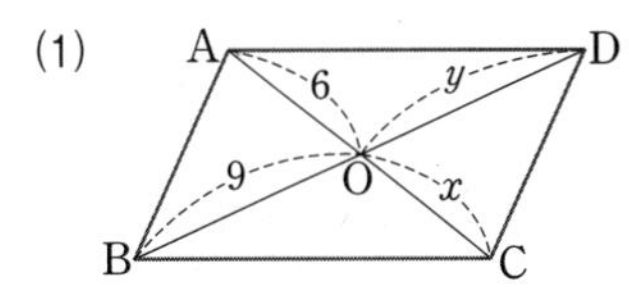

(2)

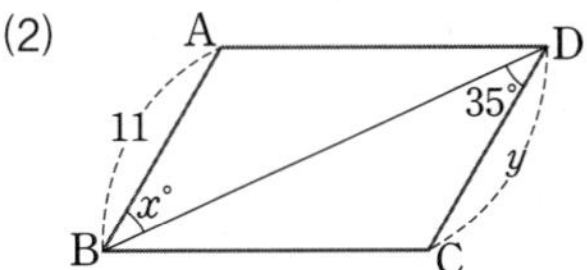

개념 이해

5 평행사변형과 넓이

(1) 평행사변형의 넓이는 한 대각선에 의해 이등분된다.

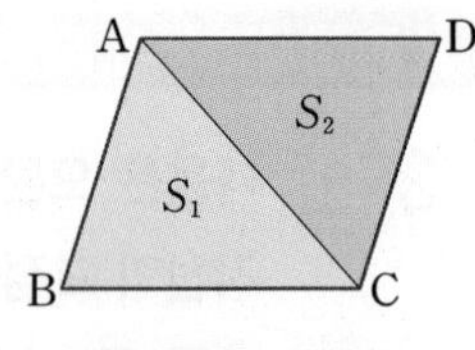

➡ □ABCD가 평행사변형이면 $S_1=S_2=\frac{1}{2}$□ABCD

참고 밑변의 길이와 높이가 각각 같은 두 삼각형의 넓이는 같다. 평행사변형 ABCD에서 $\overline{AD}/\!/\overline{BC}$이고 $\overline{AD}=\overline{BC}$이므로 △ABC=△CDA

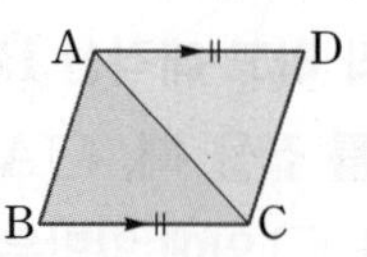

(2) 평행사변형의 넓이는 두 대각선에 의해 사등분된다.

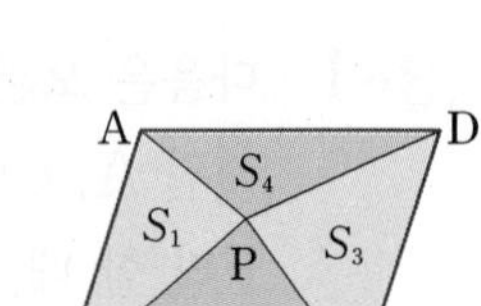
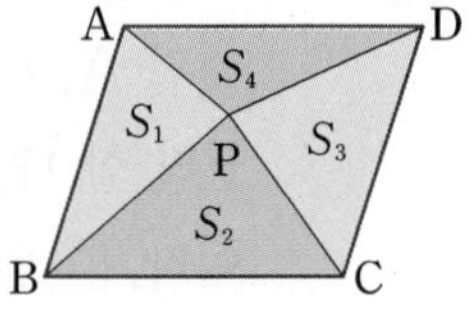

➡ □ABCD가 평행사변형이면 $S_1=S_2=S_3=S_4=\frac{1}{4}$□ABCD

평행사변형 ABCD에서 두 대각선의 교점 O를 지나고 $\overline{AB}$, $\overline{BC}$에 각각 평행한 선분을 그으면

△OAB=△OBC=△OCD=△ODA=①+②=$\frac{1}{4}$□ABCD

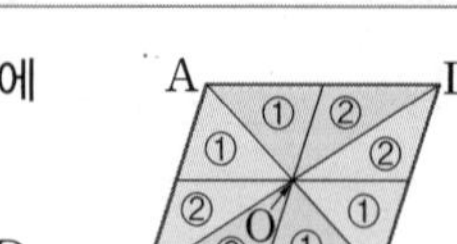
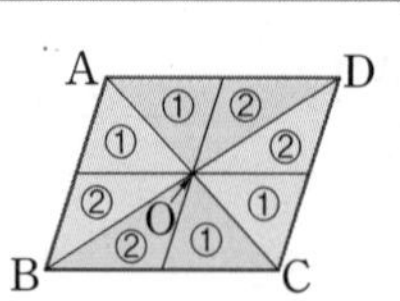

(3) 평행사변형의 내부의 한 점 P에 대하여 다음이 성립한다.

➡ □ABCD가 평행사변형이면 $S_1+S_3=S_2+S_4=\frac{1}{2}$□ABCD

평행사변형 ABCD의 내부의 한 점 P를 지나고 $\overline{AB}$, $\overline{BC}$에 각각 평행한 선분을 그으면

△PAB+△PCD=①+②+③+④=②+③+①+④

=△PBC+△PDA=$\frac{1}{2}$□ABCD

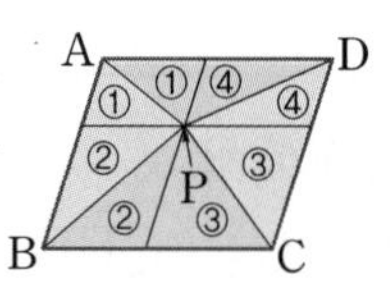

평행사변형에서 대각선의 교점을 지나는 선분은 넓이를 이등분한다.

[초등: 점대칭도형]

한 도형을 어떤 점을 중심으로 180° 돌렸을 때 처음 도형과 완전히 겹쳐지는 도형을 점대칭도형이라 하고, 대칭의 중심은 대응점을 이은 모든 선분들이 만나는 점이다.

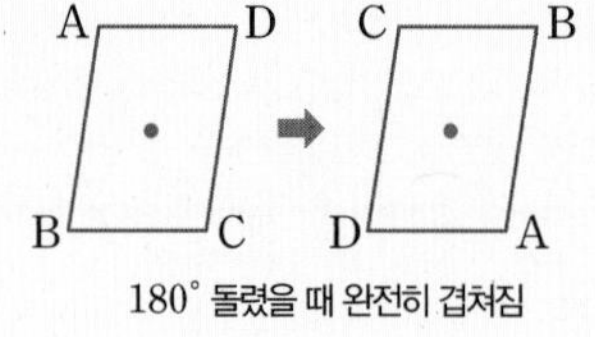

180° 돌렸을 때 완전히 겹쳐짐

[중등: 평행사변형]

평행사변형에서 두 대각선의 교점은 대칭의 중심이다. 이때 대칭의 중심을 지나는 선분은 무수히 많고, 그 선분은 항상 평행사변형의 넓이를 이등분한다.

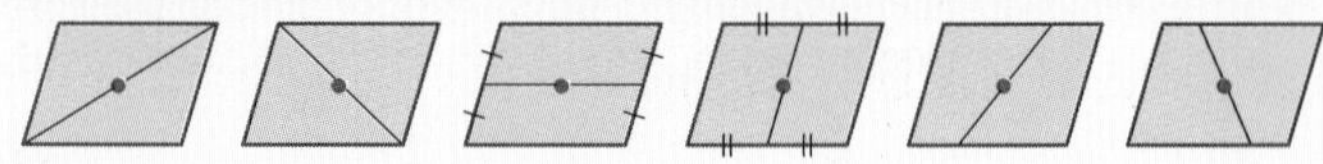

개념확인

1. 오른쪽 그림의 □ABCD는 평행사변형이고, 점 O는 두 대각선의 교점이다. △ABO의 넓이가 4 cm^2일 때, 다음 도형의 넓이를 구하시오.

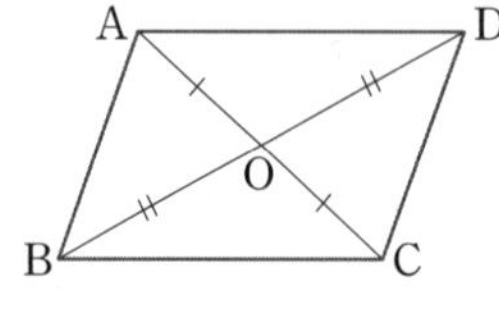

(1) △BCO (2) △ACD (3) □ABCD

❗ 평행사변형의 넓이는 두 대각선에 의해 사등분된다.

2. 오른쪽 그림과 같은 평행사변형 ABCD의 넓이가 60 cm^2이고, 내부에 임의의 한 점 P를 잡을 때, 다음을 구하시오.

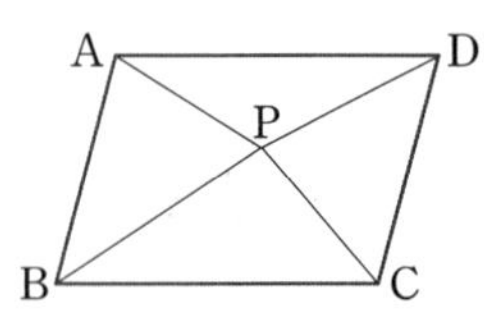

(1) △PAB와 △PCD의 넓이의 합

(2) △PBC의 넓이가 18 cm^2일 때, △PDA의 넓이

개념 적용

평행사변형과 넓이

1 **오른쪽 그림과 같은 평행사변형 ABCD에서 $\overline{BC}$와 $\overline{DC}$의 연장선 위에 $\overline{BC}=\overline{CE}$, $\overline{DC}=\overline{CF}$가 되도록 두 점 E, F를 잡았다. △BCD의 넓이가 12 cm²일 때, □BFED의 넓이를 구하시오.**

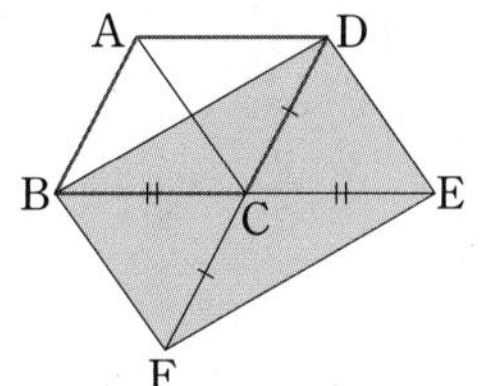

평행사변형의 넓이는
(1) 한 대각선에 의해 이등분된다.
(2) 두 대각선에 의해 사등분된다.

1-1 오른쪽 그림과 같은 평행사변형 ABCD의 넓이가 44 cm²이고 두 대각선의 교점을 O라 할 때, 다음을 구하시오.

(1) △ABC의 넓이　　(2) △OCD의 넓이

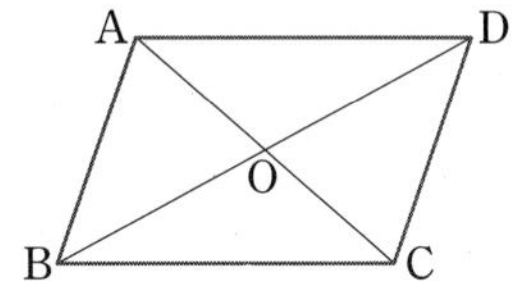

1-2 오른쪽 그림과 같은 평행사변형 ABCD에서 $\overline{BC}$, $\overline{DC}$의 연장선 위에 $\overline{BC}=\overline{CE}$, $\overline{DC}=\overline{CF}$가 되도록 두 점 E, F를 잡았다. □ABCD의 넓이가 40 cm²일 때, △CFE의 넓이를 구하시오.

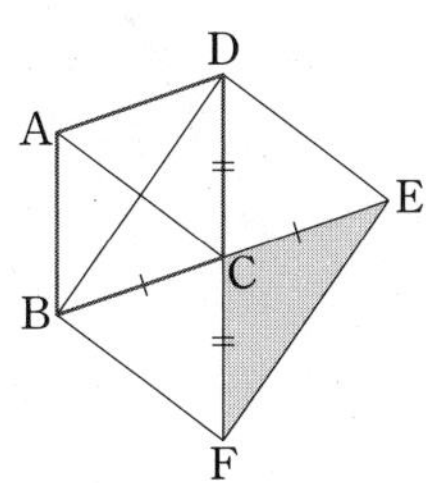

평행사변형의 내부의 한 점에 의해 나누어진 도형의 넓이

2 **오른쪽 그림과 같은 평행사변형 ABCD의 내부의 한 점 P에 대하여 △ABP=14 cm², △DPC=16 cm², △APD=12 cm²일 때, △PBC의 넓이를 구하시오.**

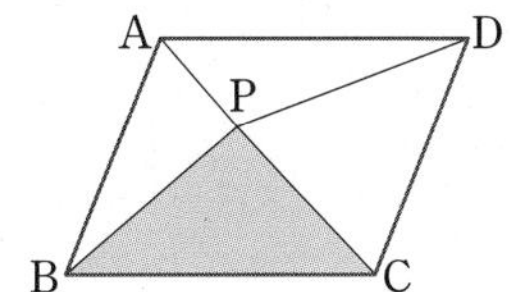

평행사변형 ABCD에서

A, D, P, B, C

△APD+△PBC
=△ABP+△DPC
$=\frac{1}{2}$□ABCD

2-1 오른쪽 그림과 같은 평행사변형 ABCD의 내부에 한 점 P를 잡을 때, 색칠한 부분의 넓이를 구하시오.

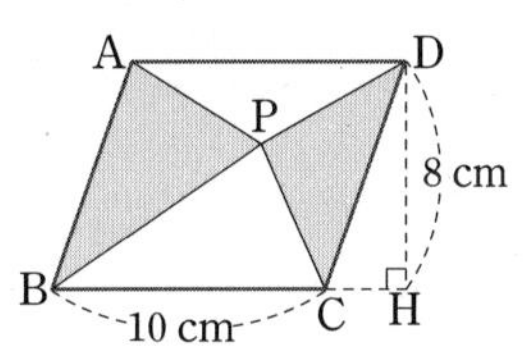

개념 완성

기본 문제

1 평행사변형의 성질 (1)

오른쪽 그림과 같은 평행사변형 ABCD에서 $x+y$의 값을 구하시오.

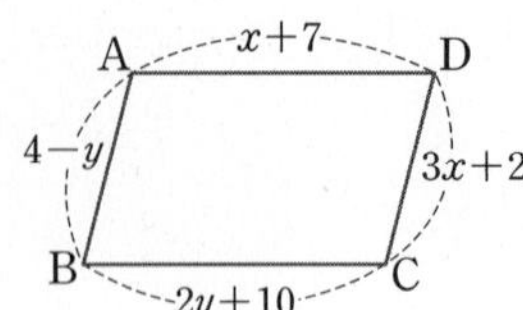

2 평행사변형의 성질 (1) 응용

오른쪽 그림과 같은 평행사변형 ABCD에서 $\angle A$, $\angle B$의 이등분선이 $\overline{CD}$의 연장선과 만나는 점을 각각 E, F라 하자. $\overline{AB}=5\,\text{cm}$, $\overline{AD}=9\,\text{cm}$일 때, $\overline{EF}$의 길이를 구하시오.

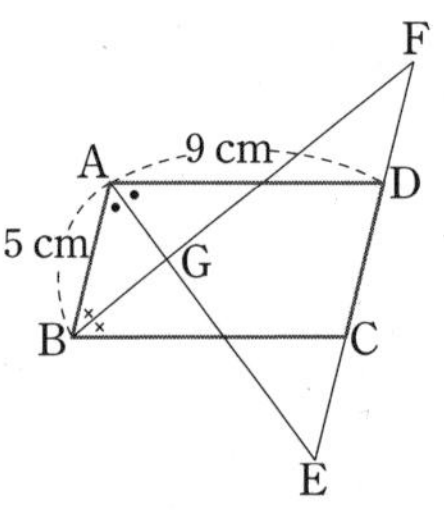

3 평행사변형의 성질 (2)

오른쪽 그림과 같은 평행사변형 ABCD에서 $\angle ACD=20^\circ$일 때, $\angle x+\angle y$의 크기는?

① 130° ② 140° ③ 150°
④ 160° ⑤ 170°

4 평행사변형의 성질 (2) 응용

오른쪽 그림과 같은 평행사변형 ABCD에서 $\angle D=72^\circ$이고, 평행사변형의 내부의 한 점 P에 대하여 $\angle APB=90^\circ$, $\angle BAP=\angle DAP$일 때, $\angle x$의 크기를 구하시오.

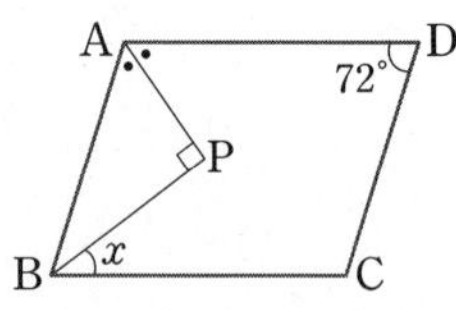

5 평행사변형의 성질 (3)

오른쪽 그림과 같은 평행사변형 ABCD에서 $\overline{AD}=4x$, $\overline{AO}=3x-2$, $\overline{BC}=2x+10$일 때, $\overline{AC}$의 길이를 구하시오.
(단, 점 O는 두 대각선의 교점이다.)

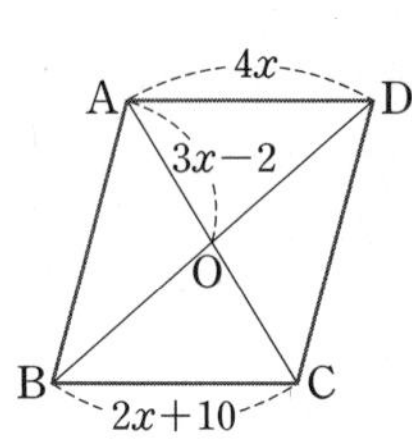

6 평행사변형이 되는 조건 (2)

오른쪽 그림과 같은 □ABCD가 평행사변형이 되도록 하는 x, y의 값을 각각 구하시오.

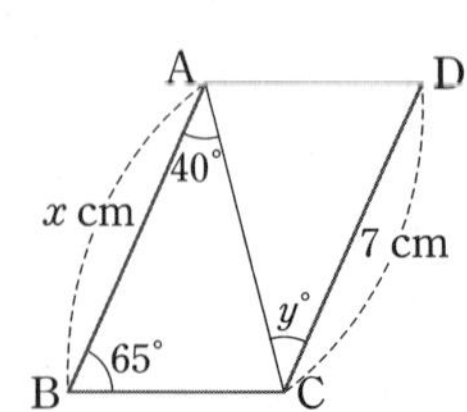

7 평행사변형이 되는 조건 (1) 응용

오른쪽 그림에서 $\triangle ADB$, $\triangle ACF$, $\triangle BCE$는 $\triangle ABC$의 각 변을 한 변으로 하는 정삼각형이다. 다음은 $\square DAFE$가 평행사변형임을 설명하는 과정이다.

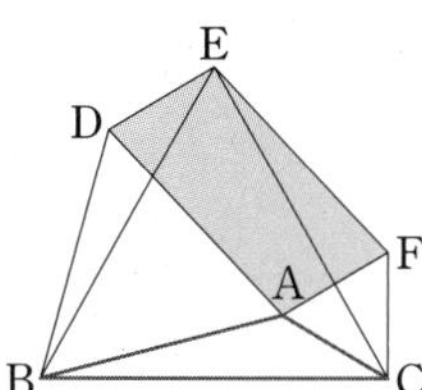

> $\triangle ABC$와 $\triangle DBE$에서
> $\triangle ADB$는 정삼각형이므로 $\overline{AB}=\overline{DB}$ ...... ㉠
> $\triangle BCE$는 정삼각형이므로 $\overline{BC}=\overline{BE}$ ...... ㉡
> $\angle ABC+\angle EBA=60^\circ=$ (가) $+\angle EBA$
> 따라서 $\angle ABC=$ (가) ...... ㉢
> ㉠, ㉡, ㉢에 의해 $\triangle ABC\equiv\triangle DBE$(SAS 합동)
> 따라서 $\overline{AC}=\overline{DE}$이므로 $\overline{DE}=$ (나) ...... ㉣
> 마찬가지 방법으로 $\triangle ABC\equiv\triangle FEC$
> 따라서 $\overline{AB}=\overline{FE}$이므로 $\overline{FE}=\overline{AD}$ ...... ㉤
> 그러므로 ㉣, ㉤에 의해 $\square DAFE$는 평행사변형이다.

위의 과정에서 (가), (나)에 알맞은 것을 **보기**에서 찾아 각각 그 기호를 쓰시오.

> **보기**
> ㄱ. $\angle DBE$ ㄴ. $\angle DEB$
> ㄷ. $\overline{AD}$ ㄹ. $\overline{AF}$

8 평행사변형이 되는 사각형 찾기

다음 중 $\square ABCD$가 평행사변형이 아닌 것은? (단, 점 O는 두 대각선의 교점이다.)

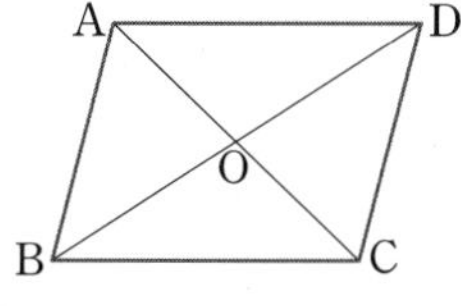

① $\overline{AB}=\overline{DC}=4$ cm, $\overline{AD}=\overline{BC}=7$ cm
② $\overline{OA}=\overline{OB}=5$ cm, $\overline{OC}=\overline{OD}=8$ cm
③ $\overline{AD}=\overline{BC}=6$ cm, $\angle DAC=\angle ACB$
④ $\overline{AB}/\!/\overline{DC}$, $\overline{AD}/\!/\overline{BC}$
⑤ $\angle A=\angle C=115^\circ$, $\angle B=65^\circ$

9 평행사변형이 되는 조건 (2) 응용

오른쪽 그림과 같은 평행사변형 ABCD의 각 변의 중점을 각각 E, F, G, H라 하고, $\overline{AF}$와 $\overline{EC}$의 교점을 P, $\overline{AG}$와 $\overline{HC}$의 교점을 Q라 하자. 다음 중 $\square APCQ$가 평행사변형이 되기 위한 조건으로 가장 알맞은 것은?

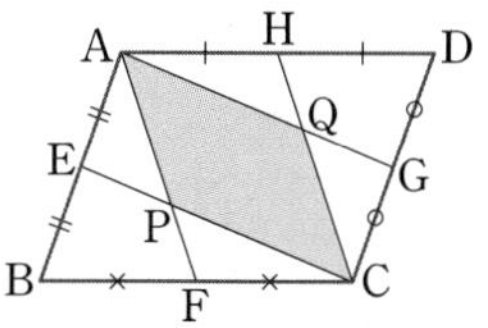

① 두 쌍의 대변이 각각 평행하다.
② 두 쌍의 대변의 길이가 각각 같다.
③ 두 쌍의 대각의 크기가 각각 같다.
④ 두 대각선이 서로 다른 것을 이등분한다.
⑤ 한 쌍의 대변이 평행하고, 그 길이가 같다.

10 평행사변형과 넓이

오른쪽 그림과 같은 평행사변형 ABCD에서 $\overline{AD}$, $\overline{BC}$의 중점을 각각 E, F라 하고, $\square ABFE$, $\square EFCD$의 대각선의 교점을 각각 P, Q라 하자. $\square ABCD$의 넓이가 48 cm^2일 때, $\square EPFQ$의 넓이를 구하시오.

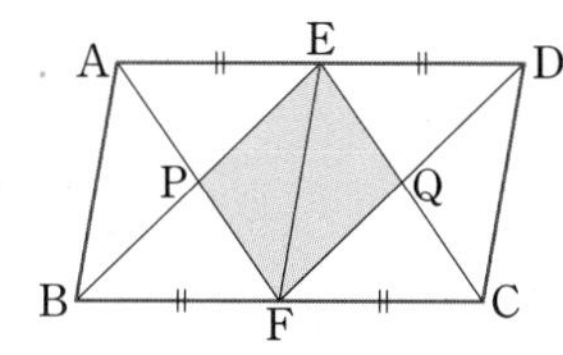

11 평행사변형의 내부의 한 점에 의해 나누어진 도형의 넓이

오른쪽 그림과 같은 평행사변형 ABCD에서 $\triangle PAB$, $\triangle PCD$의 넓이가 각각 18 cm^2, 21 cm^2일 때, $\square ABCD$의 넓이를 구하시오.

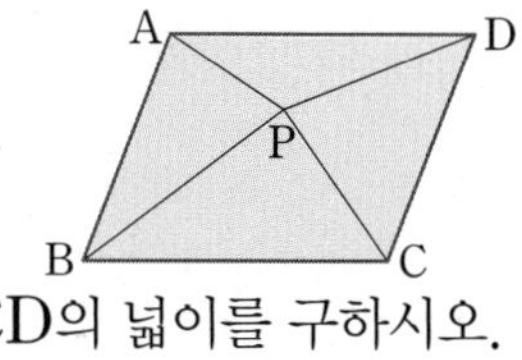

발전 문제

1 오른쪽 그림과 같은 평행사변형 ABCD에서 $\overline{DC}$의 중점을 E, 꼭짓점 A에서 $\overline{BE}$에 내린 수선의 발을 F라 하자. $\overline{AB}=6$ cm, $\overline{AD}=8$ cm일 때, $\overline{DF}$의 길이를 구하시오.

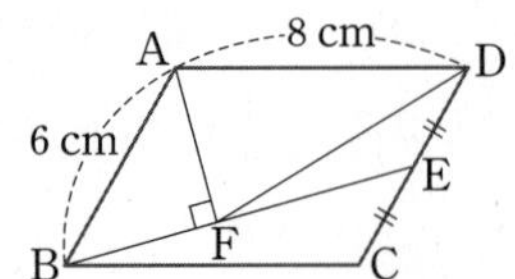

2 오른쪽 그림과 같은 평행사변형 ABCD에서 $\overline{AF}$와 $\overline{DE}$는 각각 ∠A와 ∠D의 이등분선이고 $\overline{AB}=6$ cm, $\overline{AD}=9$ cm일 때, $\overline{EF}$의 길이를 구하시오.

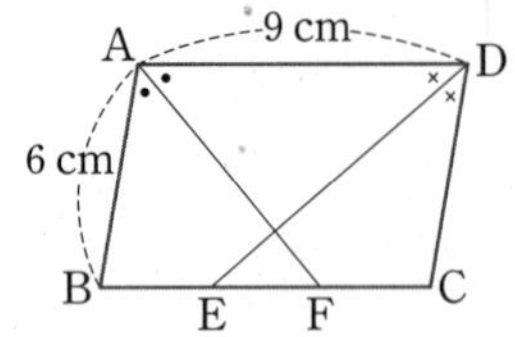

3 오른쪽 그림과 같은 평행사변형 ABCD에서 $\overline{AE}$, $\overline{CF}$가 각각 ∠A, ∠C의 이등분선이고 $\overline{AB}=8$ cm, $\overline{AD}=12$ cm, ∠B$=60°$일 때, □AECF의 둘레의 길이를 구하시오.

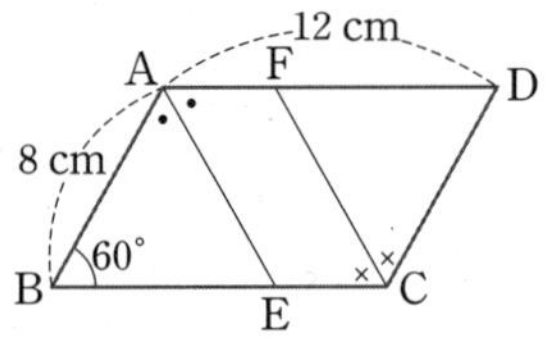

4 오른쪽 그림과 같이 $\overline{AB}=\overline{AC}=9$ cm인 이등변삼각형 ABC에서 $\overline{BC}$ 위의 점 D에 대하여 $\overline{AB}/\!/\overline{ED}$, $\overline{AC}/\!/\overline{FD}$인 두 점 E, F를 잡을 때, $\overline{ED}+\overline{FD}$의 길이를 구하시오.

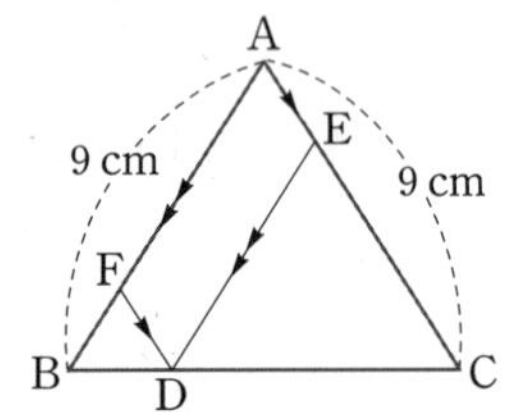

□AFDE가 평행사변형임을 이용한다.

5 오른쪽 그림과 같은 평행사변형 ABCD에서 색칠한 부분의 넓이가 15 cm^{2}일 때, 다음을 구하시오.

(단, 점 O는 두 대각선의 교점이다.)

(1) △ODE와 합동인 삼각형

(2) □ABCD의 넓이

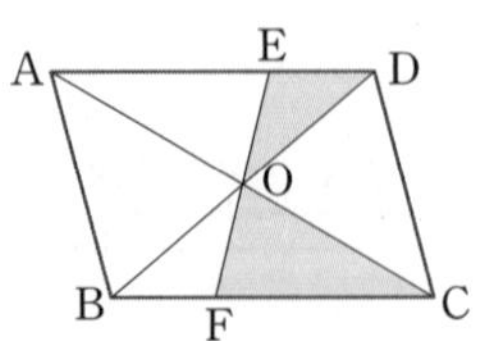

6 서술형

오른쪽 그림과 같은 평행사변형 ABCD에서 $\angle DAC$의 이등분선과 $\overline{BC}$의 연장선의 교점을 E라 하자. $\angle B=70°$, $\angle ACD=42°$일 때, $\angle x$의 크기를 구하기 위한 풀이 과정을 쓰고 답을 구하시오.

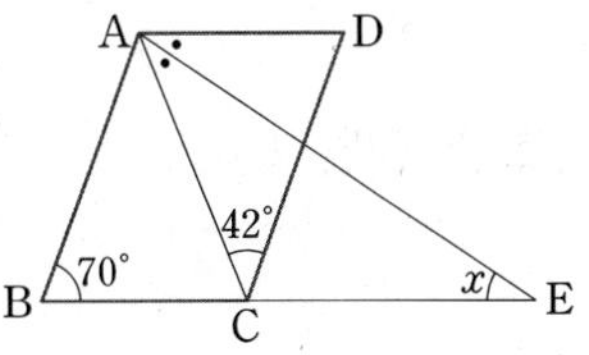

① 단계: $\angle DAC$의 크기 구하기

□ABCD는 평행사변형이므로 $\angle D=$ ______ $=$ ______

△ACD에서 $\angle DAC=$ ______ $-(42°+$ ______ $)=$ ______

② 단계: $\angle BAC$의 크기 구하기

$\overline{AB}/\!/\overline{DC}$이므로 $\angle BAC=$ ______ $=$ ______(엇각)

③ 단계: $\angle x$의 크기 구하기

$\angle EAC=\frac{1}{2}\angle DAC=$ ______ $=$ ______

$\angle BAE=\angle BAC+\angle EAC=$ ______ $=$ ______

따라서 △ABE에서 $\angle x=$ ______ $=$ ______

Check List
- $\angle DAC$의 크기를 바르게 구하였는가?
- $\angle BAC$의 크기를 바르게 구하였는가?
- $\angle x$의 크기를 바르게 구하였는가?

7 서술형

오른쪽 그림과 같은 평행사변형 ABCD의 두 꼭짓점 B, D에서 대각선 AC에 내린 수선의 발을 각각 E, F라 하자. $\angle EDF=40°$일 때, $\angle x$의 크기를 구하기 위한 풀이 과정을 쓰고 답을 구하시오.

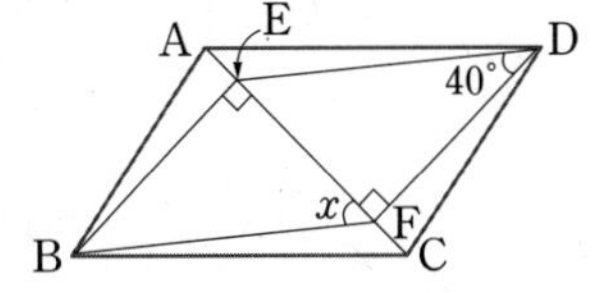

① 단계: 길이가 같은 두 선분 찾기

______

② 단계: 평행한 두 선분 찾기

______

③ 단계: □EBFD가 어떤 사각형인지 구하기

______

④ 단계: $\angle x$의 크기 구하기

______

Check List
- 길이가 같은 두 선분을 바르게 찾았는가?
- 평행한 두 선분을 바르게 찾았는가?
- □EBFD가 어떤 사각형인지 바르게 구하였는가?
- $\angle x$의 크기를 바르게 구하였는가?

2 여러 가지 사각형

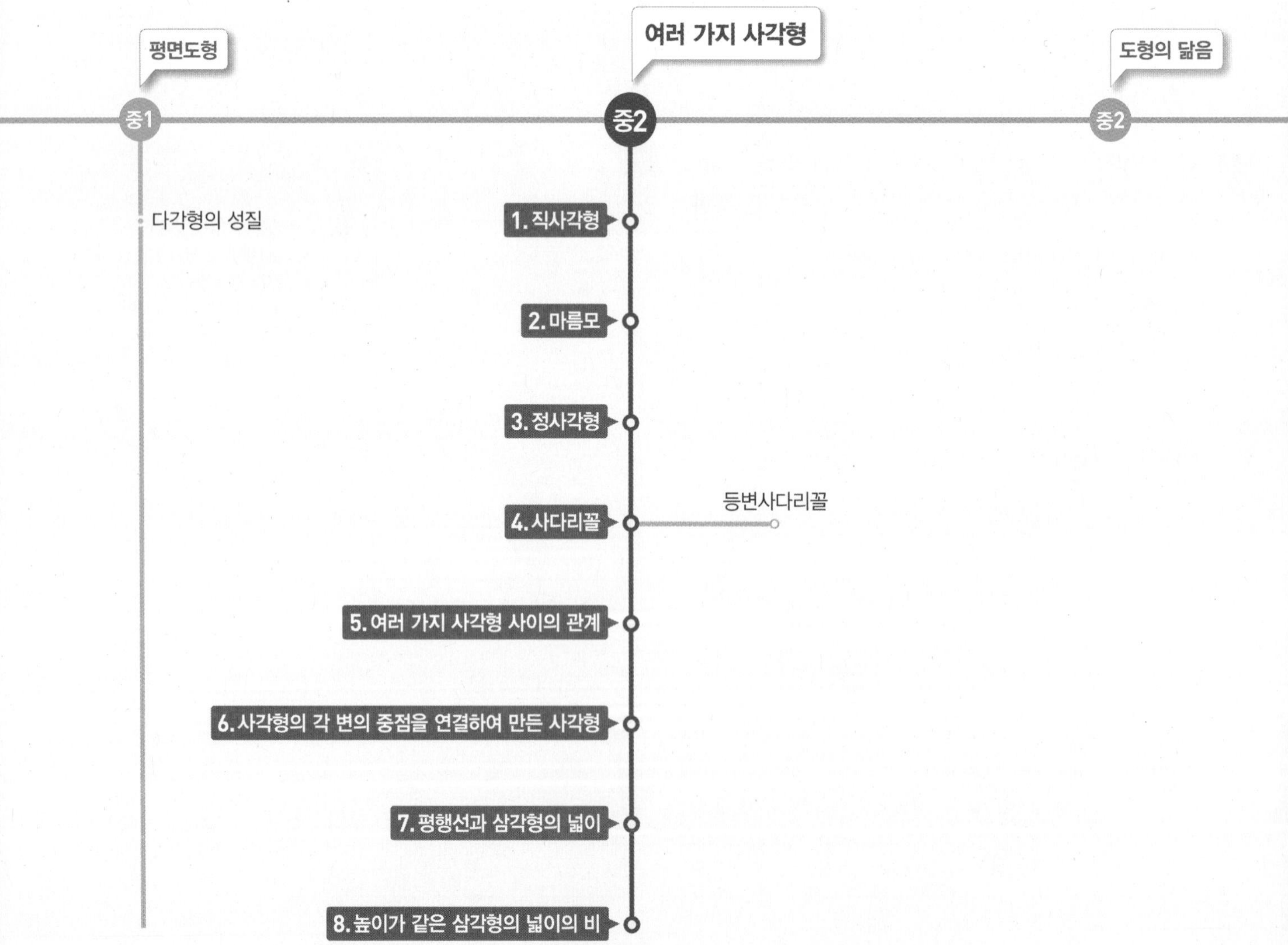

평면도형
여러 가지 사각형
도형의 닮음
중1
중2
중2
다각형의 성질
1. 직사각형
2. 마름모
3. 정사각형
4. 사다리꼴
등변사다리꼴
5. 여러 가지 사각형 사이의 관계
6. 사각형의 각 변의 중점을 연결하여 만든 사각형
7. 평행선과 삼각형의 넓이
8. 높이가 같은 삼각형의 넓이의 비

조건이 더해질수록 사각형의 범위가 줄어든다.

4개의 변으로 이루어짐

4개의 변으로 이루어짐
한 쌍의 대변이 평행

4개의 변으로 이루어짐
한 쌍의 대변이 평행
다른 한 쌍의 대변이 평행

4개의 변으로 이루어짐
한 쌍의 대변이 평행
다른 한 쌍의 대변이 평행
네 각의 크기가 같음

4개의 변으로 이루어짐
한 쌍의 대변이 평행
다른 한 쌍의 대변이 평행
네 각의 크기가 같음
네 변의 길이가 같음

4개의 변으로 이루어짐
한 쌍의 대변이 평행
다른 한 쌍의 대변이 평행
네 변의 길이가 같음

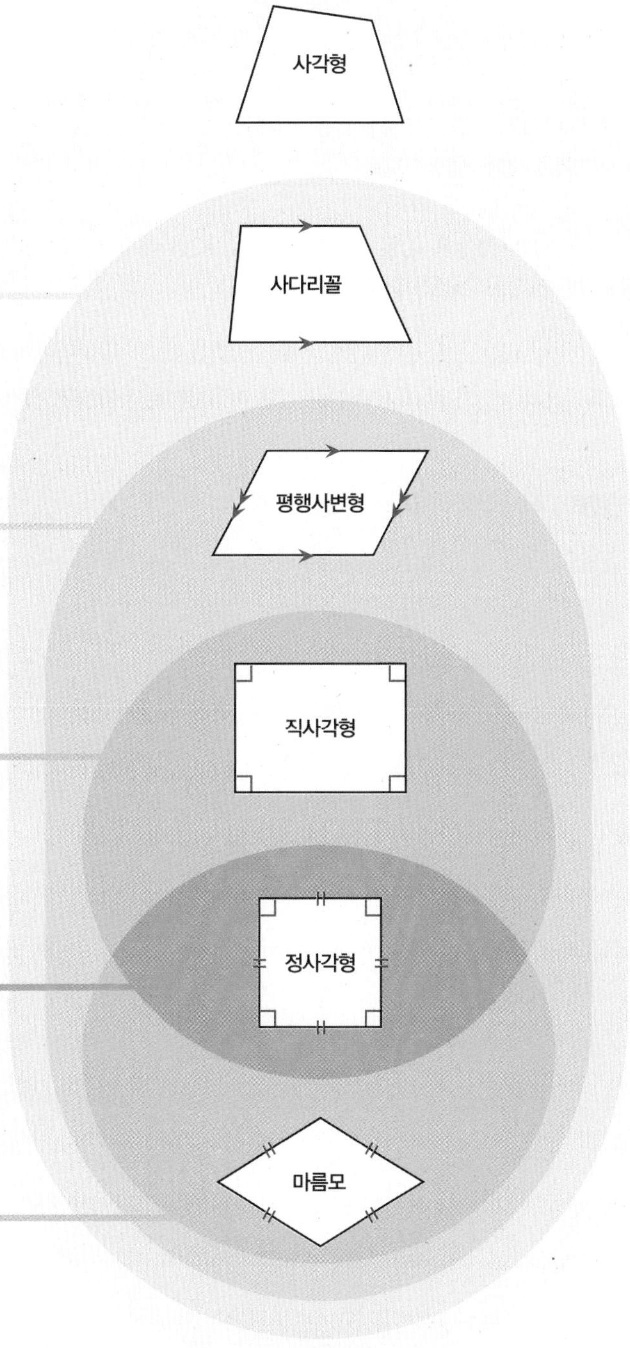

사각형을 결정하는 조건

사각형의 범위

개념 이해 1

직사각형

(1) 직사각형: 네 내각의 크기가 모두 같은 사각형

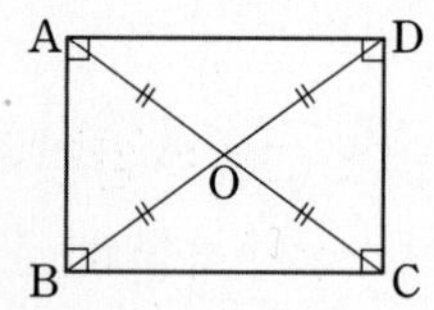

➡ $\angle A = \angle B = \angle C = \angle D = 90°$

참고 사각형의 네 내각의 크기의 합은 360°이므로 직사각형의 한 내각의 크기는 90°이다.

(2) 직사각형의 성질: 두 대각선은 길이가 같고, 서로 다른 것을 이등분한다.

➡ $\overline{AC} = \overline{BD}$, $\overline{AO} = \overline{BO} = \overline{CO} = \overline{DO}$

직사각형은 네 내각의 크기가 모두 같은 사각형이므로 두 쌍의 대각의 크기가 각각 같다.
즉, 직사각형은 평행사변형이므로
$\triangle ABC$와 $\triangle DCB$에서
$\overline{AB} = \overline{DC}$ (평행사변형의 성질), $\angle ABC = \angle DCB = 90°$, $\overline{BC}$는 공통인 변이므로
$\triangle ABC \equiv \triangle DCB$ (SAS 합동)
$\therefore \overline{AC} = \overline{BD}$

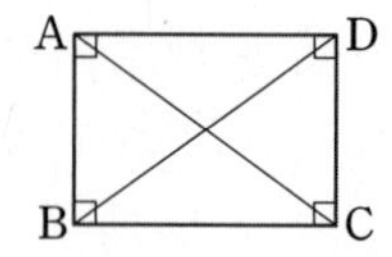

참고 두 대각선의 길이가 같고 서로 다른 것을 이등분하는 사각형은 직사각형이다.

(3) 평행사변형이 직사각형이 되는 조건

평행사변형이 다음 중 어느 한 조건을 만족하면 직사각형이 된다.

① 한 내각이 직각이다.

② 두 대각선의 길이가 같다.

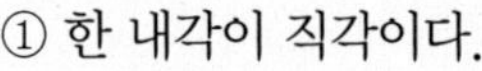

참고 평행사변형의 한 내각이 직각이면 평행사변형의 성질에 의하여 네 내각이 모두 직각이 된다.

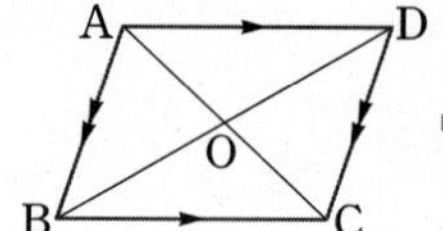

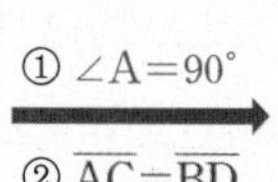

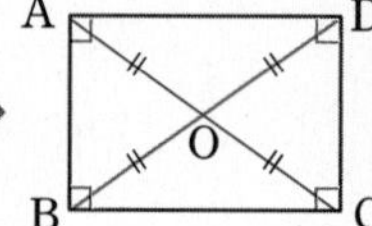

개념확인

1. 오른쪽 그림과 같은 직사각형 ABCD에서 $\angle ACB = 30°$일 때, 다음을 구하시오.

(1) $\angle BAC$의 크기

(2) $\angle ABO$의 크기

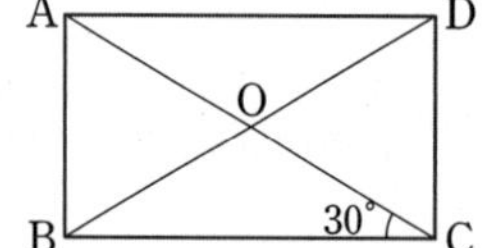

2. 오른쪽 그림과 같은 직사각형 ABCD에서 $\overline{AO} = 6$ cm일 때, 다음을 구하시오.

(1) $\overline{AC}$의 길이

(2) $\overline{BD}$의 길이

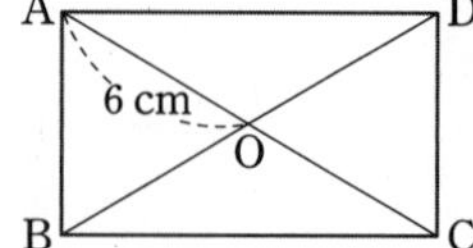

개념 적용

직사각형의 성질

1 **오른쪽 그림과 같은 직사각형 ABCD에서 $\angle BDC=60°$, $\overline{CD}=5$ cm일 때, $\triangle ABO$의 둘레의 길이를 구하시오.**

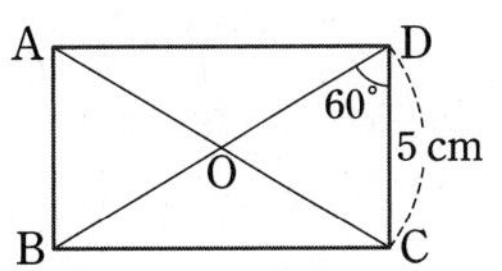

직사각형 ABCD에서

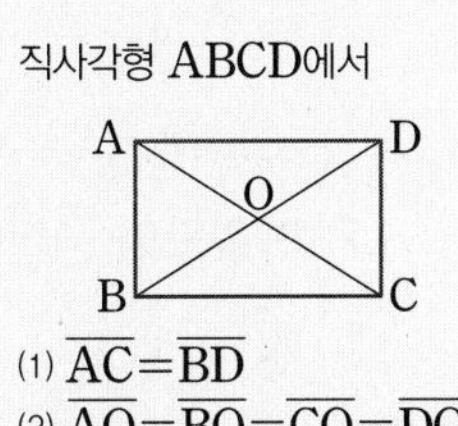

(1) $\overline{AC}=\overline{BD}$
(2) $\overline{AO}=\overline{BO}=\overline{CO}=\overline{DO}$

1-1 오른쪽 그림과 같은 직사각형 ABCD에서 $\overline{BO}=2x+6$, $\overline{CO}=5x-9$일 때, $\overline{AC}$의 길이를 구하시오.

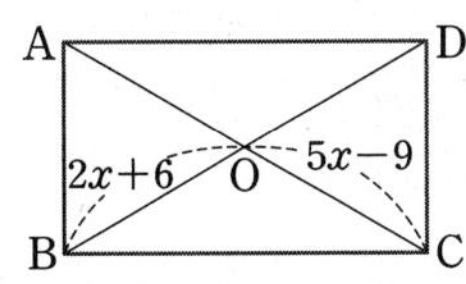

1-2 오른쪽 그림과 같은 □ABCD가 직사각형일 때, 다음 **보기**에서 옳은 것을 모두 고르시오.

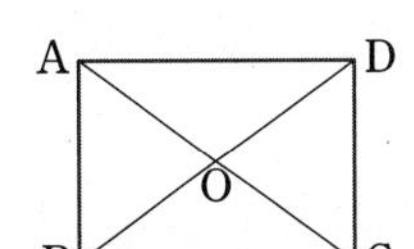

보기

ㄱ. $\overline{OA}=\overline{OD}$　　ㄴ. $\angle ABC=90°$
ㄷ. $\angle ACB=\angle ACD$　　ㄹ. $\triangle AOD\equiv\triangle BOC$

평행사변형이 직사각형이 되는 조건

2 **오른쪽 그림과 같은 평행사변형 ABCD가 직사각형이 되는 조건을 다음 보기에서 모두 고르시오.**

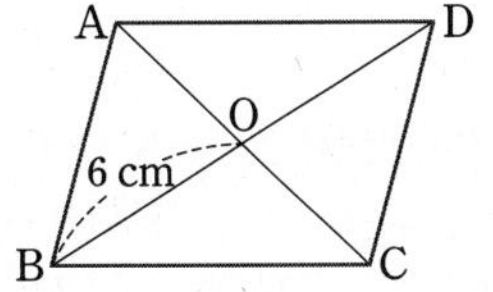

보기

ㄱ. $\overline{AB}=6$ cm　　ㄴ. $\overline{AC}=12$ cm
ㄷ. $\angle BAD=90°$　　ㄹ. $\angle AOD=90°$

평행사변형 ABCD에서

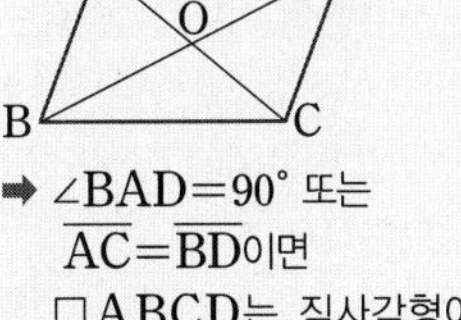

➡ $\angle BAD=90°$ 또는 $\overline{AC}=\overline{BD}$이면 □ABCD는 직사각형이다.

2-1 다음 중 오른쪽 그림과 같은 평행사변형 ABCD가 직사각형이 되는 조건을 모두 고르면? (정답 2개)

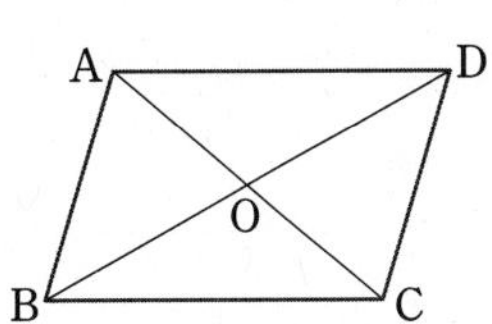

① $\angle BAD=\angle BCD$　② $\angle BAD=\angle ABC$
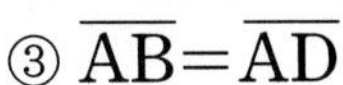
③ $\overline{AB}=\overline{AD}$　④ $\overline{AO}=\overline{BO}$
⑤ $\overline{AO}=\overline{CO}$

마름모

(1) **마름모:** 네 변의 길이가 모두 같은 사각형

➡ $\overline{AB}=\overline{BC}=\overline{CD}=\overline{DA}$

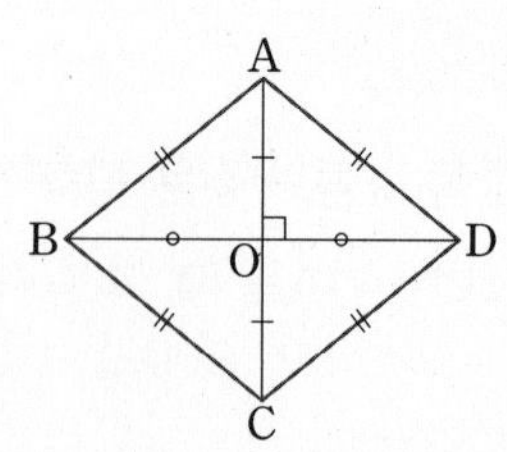

(2) **마름모의 성질:** 두 대각선은 서로 다른 것을 수직이등분한다.

➡ $\overline{AO}=\overline{CO}$, $\overline{BO}=\overline{DO}$, $\overline{AC}\perp\overline{BD}$

마름모는 네 변의 길이가 모두 같은 사각형이므로 두 쌍의 대변의 길이가 각각 같다.
즉, 마름모 ABCD는 평행사변형이므로 두 대각선의 교점을 O라 하면
△ABO와 △ADO에서
$\overline{BO}=\overline{DO}$ (평행사변형의 성질), $\overline{AB}=\overline{AD}$, $\overline{AO}$는 공통인 변이므로
△ABO≡△ADO (SSS 합동)　　∴ ∠AOB=∠AOD
이때 ∠AOB+∠AOD=180°이므로 ∠AOB=∠AOD=90°
∴ $\overline{AC}\perp\overline{BD}$

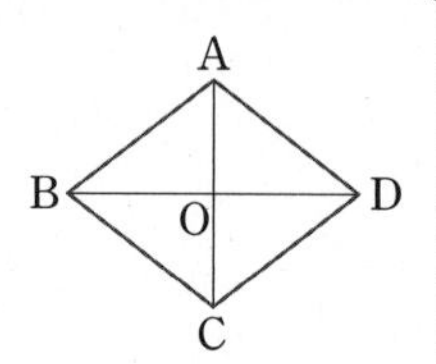

참고 두 대각선이 서로 다른 것을 수직이등분하는 사각형은 마름모이다.

(3) **평행사변형이 마름모가 되는 조건**

평행사변형이 다음 중 어느 한 조건을 만족하면 마름모가 된다.

① 이웃하는 두 변의 길이가 같다.

② 두 대각선이 서로 직교한다. ┌ 수직으로 만난다.

참고 이웃하는 두 변의 길이가 같으면 평행사변형의 성질에 의하여 네 변의 길이가 모두 같아진다.

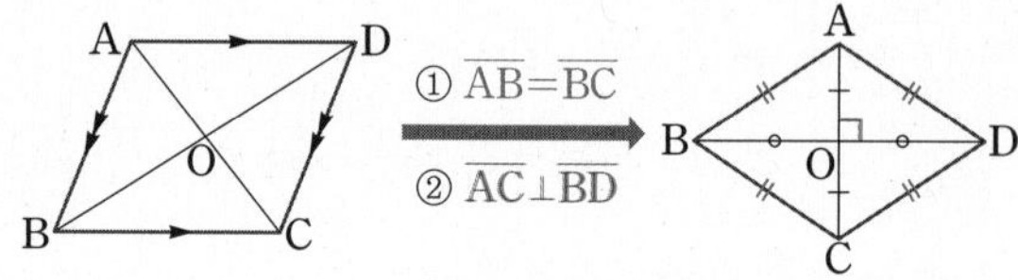

'마름'처럼 생긴 마름모

사다리꼴, 부채꼴과 같은 도형의 이름은 실제 사다리의 모양과 부채의 모양에서 유래되었다. 이처럼 도형의 이름 중에는 실제로 있는 물체와 비슷한 모양에서 따오는 경우가 있는데, 마름모는 마름의 모양이라는 뜻으로 '마름'이라는 식물의 이름에서 유래되었다. 마름은 부레옥잠이나 개구리밥처럼 물 위에 떠서 살아가는 식물 중 하나이고, 잎의 모양이 오른쪽 사진과 같다.

마름

개념확인

1. 오른쪽 그림과 같은 마름모 ABCD에서 $\overline{AD}=5$ cm, $\overline{DO}=4$ cm일 때, 다음을 구하시오.

(1) $\overline{CD}$의 길이

(2) $\overline{BO}$의 길이

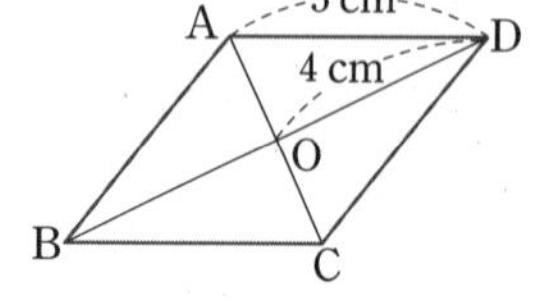

2. 오른쪽 그림과 같은 마름모 ABCD에서 ∠ACB=65°일 때, 다음을 구하시오.

(1) ∠BAC의 크기

(2) ∠ABD의 크기

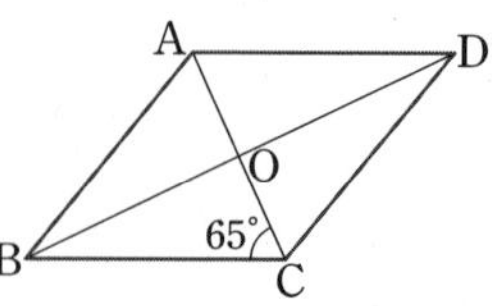

개념 적용

마름모의 성질

1 오른쪽 그림과 같은 마름모 ABCD에서 $x+y$의 값을 구하시오.

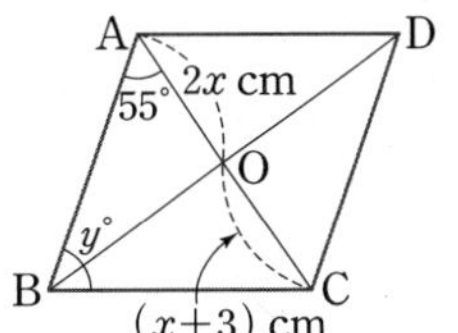

마름모 ABCD에서

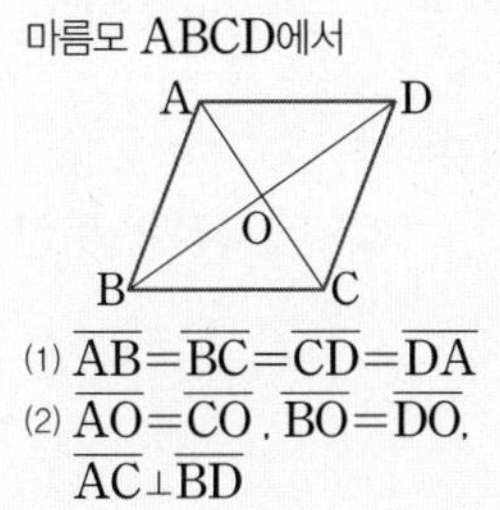

(1) $\overline{AB}=\overline{BC}=\overline{CD}=\overline{DA}$
(2) $\overline{AO}=\overline{CO}$, $\overline{BO}=\overline{DO}$, $\overline{AC}\perp\overline{BD}$

1-1 오른쪽 그림과 같은 마름모 ABCD에서 $\angle ABD=40°$일 때, $\angle C$의 크기를 구하시오.

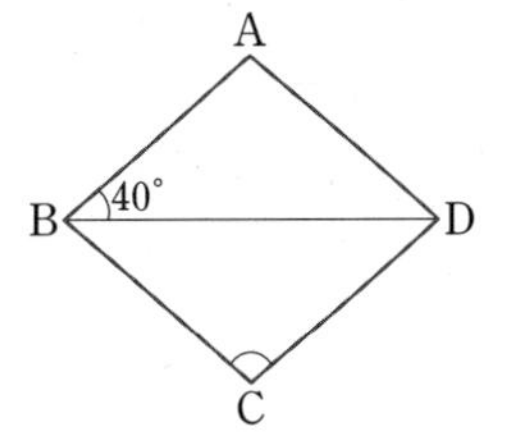

▶ 마름모는 평행사변형이므로 평행사변형의 성질을 만족한다.

평행사변형이 마름모가 되는 조건

2 다음 중 오른쪽 그림과 같은 평행사변형 ABCD가 마름모가 되는 조건을 모두 고르면? (정답 2개)

① $\overline{AB}=\overline{AD}$　② $\overline{AO}=\overline{CO}$
③ $\overline{AC}=\overline{BD}$　④ $\angle AOB=\angle AOD$
⑤ $\angle BAO=\angle DCO$

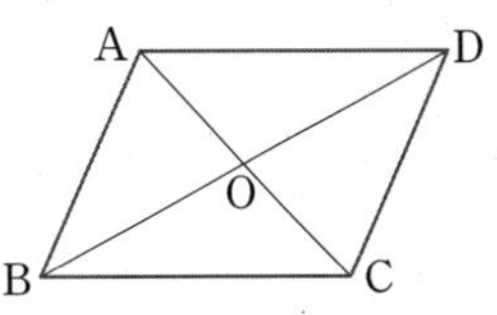

평행사변형 ABCD에서

A D O B C

➡ $\overline{AB}=\overline{BC}=\overline{CD}=\overline{DA}$이거나 $\overline{AC}\perp\overline{BD}$이면 □ABCD는 마름모이다.

2-1 오른쪽 그림과 같은 평행사변형 ABCD가 마름모가 되도록 하는 x, y에 대하여 $x+2y$의 값을 구하시오.

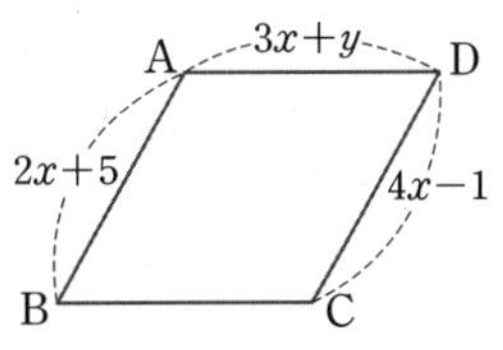

2-2 오른쪽 그림과 같은 평행사변형 ABCD에서 $\angle DAC=53°$, $\angle DBC=37°$일 때, $\angle BDC$의 크기를 구하시오.

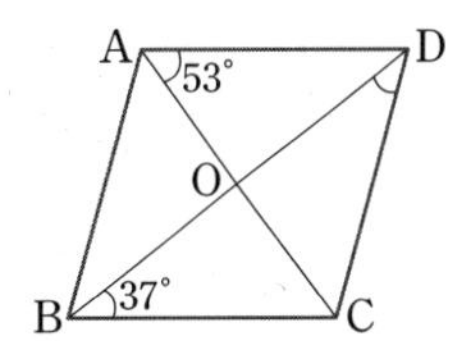

▶ △OBC의 세 내각의 크기를 모두 구해 본다.

개념 이해 3

정사각형

(1) 정사각형: 네 변의 길이가 모두 같고 네 내각의 크기가 모두 같은 사각형

➡ $\overline{AB}=\overline{BC}=\overline{CD}=\overline{DA}$, $\angle A=\angle B=\angle C=\angle D$

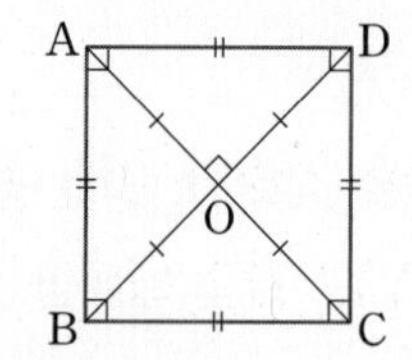

(2) 정사각형의 성질: 두 대각선은 길이가 같고, 서로 다른 것을 수직이등분한다.

➡ $\overline{AC}=\overline{BD}$, $\overline{AO}=\overline{BO}=\overline{CO}=\overline{DO}$, $\overline{AC}\perp\overline{BD}$

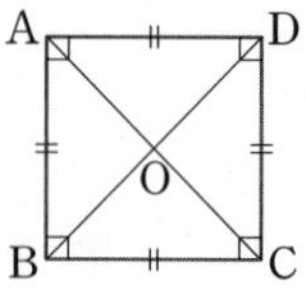

오른쪽 그림과 같이 정사각형 ABCD의 두 대각선 AC, BD의 교점을 O라 하자.
□ABCD는 네 내각의 크기가 같으므로 직사각형이다.
∴ $\overline{AO}=\overline{BO}=\overline{CO}=\overline{DO}$ (직사각형의 성질) ······ ㉠
또, □ABCD는 네 변의 길이가 같으므로 마름모이다.
∴ $\overline{AC}\perp\overline{BD}$ (마름모의 성질) ······ ㉡
㉠, ㉡에 의해 정사각형 ABCD의 두 대각선은 길이가 같고, 서로 다른 것을 수직이등분한다.

참고 정사각형 ABCD에서 △OAB, △OBC, △OCD, △ODA는 모두 직각이등변삼각형이다.

(3) 직사각형이 정사각형이 되는 조건

직사각형이 다음 중 어느 한 조건을 만족하면 정사각형이 된다.

① 이웃하는 두 변의 길이가 같다.

② 두 대각선이 서로 직교한다.

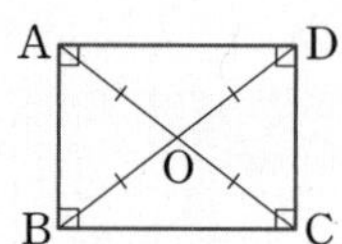

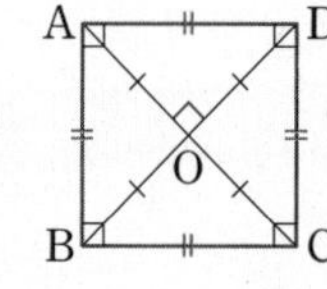

(4) 마름모가 정사각형이 되는 조건

마름모가 다음 중 어느 한 조건을 만족하면 정사각형이 된다.

① 한 내각이 직각이다.

② 두 대각선의 길이가 같다.

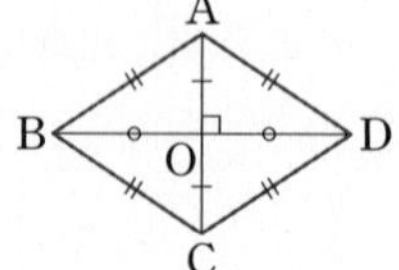

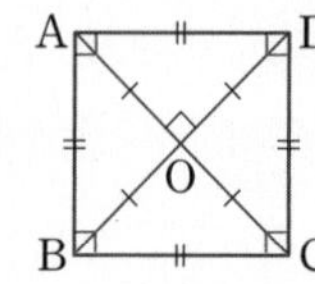

참고 정사각형은 직사각형의 성질과 마름모의 성질을 모두 만족시킨다.

개념확인

1. 오른쪽 그림과 같은 정사각형 ABCD에서 $\overline{OB}=6$ cm일 때, 다음 물음에 답하시오.

(1) x, y의 값을 각각 구하시오.

(2) △OBC는 어떤 삼각형인지 말하시오.

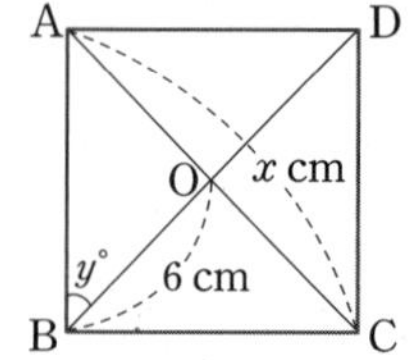

개념 적용

정사각형의 성질

1 **오른쪽 그림과 같은 정사각형 ABCD에서 $\overline{BD}=10$ cm일 때, □ABCD의 넓이를 구하시오.**

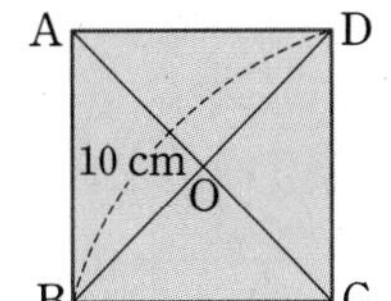

정사각형 ABCD에서

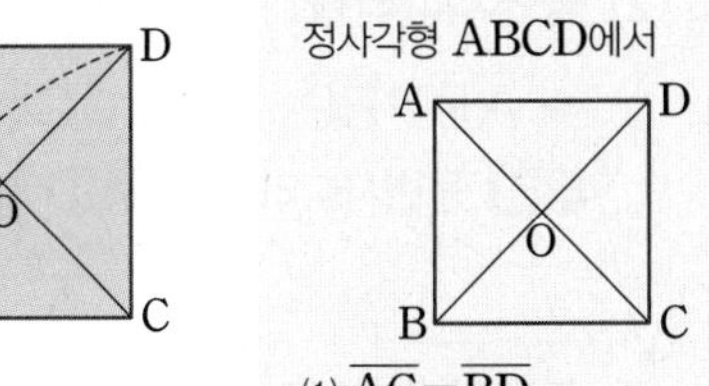

(1) $\overline{AC}=\overline{BD}$
(2) $\overline{AO}=\overline{BO}=\overline{CO}=\overline{DO}$
(3) $\overline{AC}\perp\overline{BD}$

1-1 오른쪽 그림에서 □ABCD는 정사각형이고 $\overline{AD}=\overline{AE}$, $\angle ADE=70^\circ$일 때, $\angle ABE$의 크기를 구하시오.

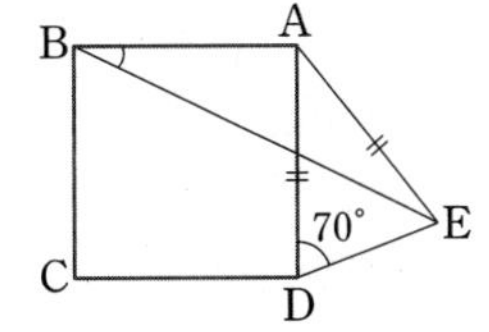

▸ 이등변삼각형과 정사각형의 성질을 이용하여 각의 크기를 구한다.

정사각형이 되는 조건

2 **다음 중 오른쪽 그림의 평행사변형 ABCD가 정사각형이 되는 조건을 모두 고르면? (정답 2개)**

① $\overline{AC}=\overline{BD}$, $\overline{AC}\perp\overline{BD}$　② $\overline{AC}\perp\overline{BD}$
③ $\overline{AB}=\overline{DC}$, $\angle A=90^\circ$　④ $\overline{AC}=\overline{BD}$
⑤ $\overline{AB}=\overline{AD}$, $\angle A=90^\circ$

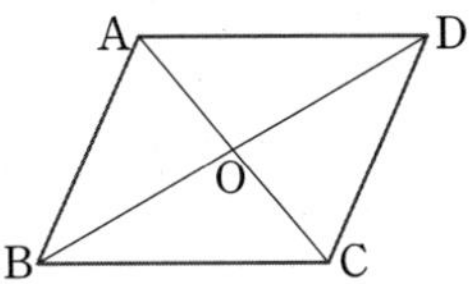

평행사변형이
➡ 직사각형이 되는 조건
　＋마름모가 되는 조건
을 동시에 만족하면 정사각형이 된다.

2-1 다음 중 오른쪽 그림의 직사각형 ABCD가 정사각형이 되기 위한 조건을 모두 고르면? (정답 2개)

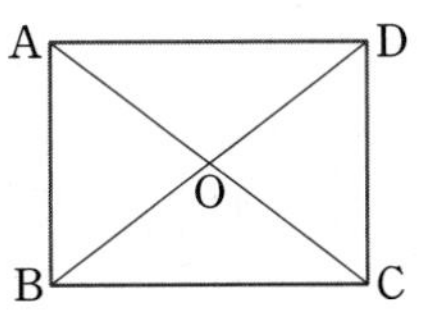

① $\overline{BC}=\overline{CD}$　② $\overline{OA}=\overline{OC}$
③ $\angle DOC=90^\circ$　④ $\overline{AC}=\overline{BD}$
⑤ $\angle BCD=90^\circ$

2-2 다음 **보기** 중 □ABCD가 정사각형인 것을 모두 고르시오.

보기
ㄱ. $\angle A=90^\circ$인 마름모 ABCD
ㄴ. $\angle A=90^\circ$, $\overline{AB}=\overline{BC}$인 평행사변형 ABCD
ㄷ. $\overline{AC}\perp\overline{BD}$, $\overline{AB}=\overline{AD}$인 평행사변형 ABCD
ㄹ. $\overline{AC}=\overline{BD}$인 직사각형 ABCD

여러 가지 사각형 사이의 관계

(1) 여러 가지 사각형 사이의 관계

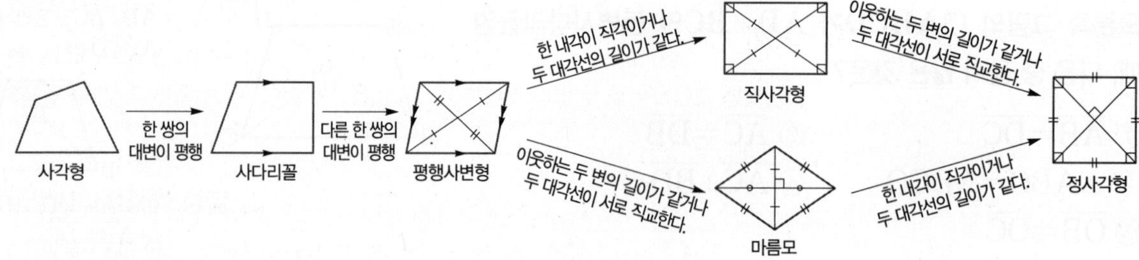

(2) 여러 가지 사각형의 대각선의 성질

① **평행사변형**: 두 대각선이 서로 다른 것을 이등분한다.

② **직사각형**: 두 대각선은 길이가 같고, 서로 다른 것을 이등분한다.

③ **마름모**: 두 대각선이 서로 다른 것을 수직이등분한다.

④ **정사각형**: 두 대각선은 길이가 같고, 서로 다른 것을 수직이등분한다.

⑤ **등변사다리꼴**: 두 대각선의 길이가 같다.

두 대각선의 성질 / 사각형	길이가 같다.	서로 다른 것을 이등분한다.	서로 수직이다.
평행사변형	×	○	×
직사각형	○	○	×
마름모	×	○	○
정사각형	○	○	○
등변사다리꼴	○	×	×

두 대각선이 직교하는 사각형은 마름모이거나 정사각형뿐일까?

마름모와 정사각형은 각각 두 대각선이 서로 수직이다. 그렇다면 두 대각선이 직교하는 사각형은 마름모와 정사각형만 있을까? 오른쪽 그림과 같이 변의 길이는 같지만 높이는 서로 다른 2개의 이등변삼각형의 밑변을 붙여 사각형을 만들면 대각선은 직교하지만 마름모도 정사각형도 아니다. 이처럼 특정 사각형의 성질을 가지고 있다고 해서 모두 그 사각형인 것은 아니다.

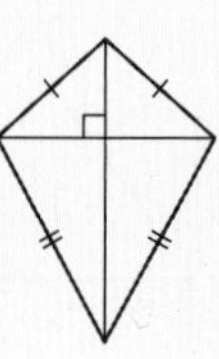

개념확인

1. 오른쪽 그림과 같은 평행사변형 ABCD가 다음 조건을 만족하면 어떤 사각형이 되는지 말하시오.

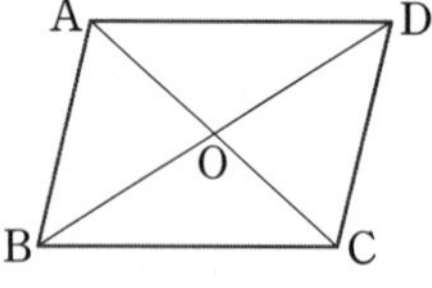

(1) $\angle B=90°$
(2) $\overline{AB}=\overline{BC}$
(3) $\overline{OA}=\overline{OB}$
(4) $\angle AOB=\angle AOD$
(5) $\angle A=90°$, $\overline{AB}=\overline{AD}$

2. 다음 **보기** 중 두 대각선의 길이가 같은 것을 모두 고르시오.

보기

ㄱ. 평행사변형　ㄴ. 직사각형　ㄷ. 마름모
ㄹ. 정사각형　ㅁ. 등변사다리꼴

개념 적용

여러 가지 사각형 사이의 관계 (1)

1 **다음 그림의 (1)~(6)에 알맞은 조건을 보기에서 각각 고르시오.**

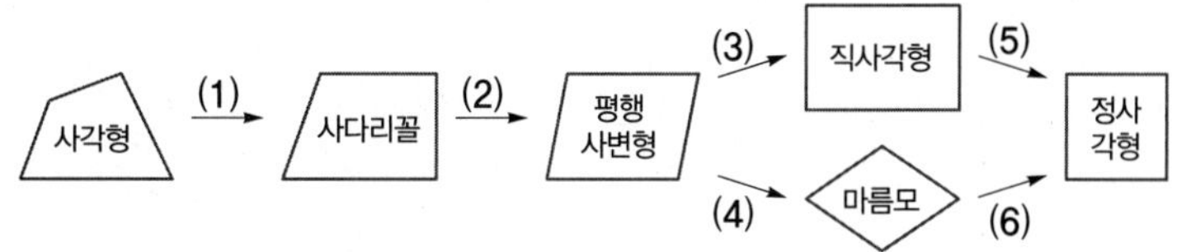

보기

ㄱ. 다른 한 쌍의 대변이 평행하다.
ㄴ. 한 내각의 크기가 $90°$이다.
ㄷ. 이웃하는 두 변의 길이가 같다.
ㄹ. 한 쌍의 대변이 평행하다.

(1) 평행사변형이 마름모가 되는 조건과 직사각형이 정사각형이 되는 조건은 같다.
➡ 이웃하는 두 변의 길이가 같다.
(2) 평행사변형이 직사각형이 되는 조건과 마름모가 정사각형이 되는 조건은 같다.
➡ 한 내각의 크기가 $90°$이다.

1-1 오른쪽 그림의 평행사변형 ABCD에 대하여 다음 **보기**에서 옳은 것을 모두 고르시오.

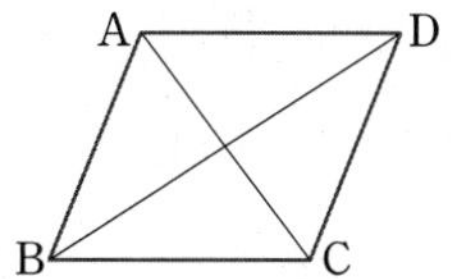

보기

ㄱ. $\overline{AC}=\overline{BD}$이면 평행사변형 ABCD는 마름모이다.
ㄴ. $\angle A=90°$이면 평행사변형 ABCD는 직사각형이다.
ㄷ. $\overline{AC}\perp\overline{BD}$이면 평행사변형 ABCD는 마름모이다.

평행사변형이 직사각형이 되는 조건과 마름모가 되는 조건을 정확하게 구별하여야 한다.

여러 가지 사각형 사이의 관계 (2)

2 **다음 조건을 모두 만족하는 □ABCD는 어떤 사각형인지 말하시오.**

조건

(가) $\overline{AB}/\!/\overline{DC}$　(나) $\overline{AB}=\overline{DC}$
(다) $\overline{AB}=\overline{BC}$　(라) $\overline{AC}=\overline{BD}$

(1) 한 쌍의 대변이 평행하고, 그 길이가 같으면 평행사변형이다.
(2) 평행사변형에서 이웃하는 두 변의 길이가 같으면 마름모이다.
(3) 평행사변형에서 두 대각선의 길이가 같으면 직사각형이다.
(4) 평행사변형에서 이웃하는 두 변의 길이가 같고, 두 대각선의 길이가 같으면 정사각형이다.

2-1 다음 조건을 모두 만족하는 □ABCD는 어떤 사각형인지 말하시오.

조건

(가) $\overline{AB}/\!/\overline{DC}$　(나) $\overline{AD}/\!/\overline{BC}$　(다) $\overline{AC}\perp\overline{BD}$

개념 적용

여러 가지 사각형 사이의 관계 (3)

3 **다음 설명 중 옳은 것을 모두 고르면? (정답 2개)**

① 두 대각선의 길이가 같은 평행사변형은 마름모이다.
② 한 내각의 크기가 90°인 평행사변형은 직사각형이다.
③ 두 대각선이 직교하는 마름모는 정사각형이다.
④ 이웃하는 두 변의 길이가 같은 직사각형은 정사각형이다.
⑤ 두 대각선이 서로 다른 것을 수직이등분하는 평행사변형은 정사각형이다.

사각형의 성질과 여러 가지 사각형 사이의 관계를 이용하여 어떤 사각형이 다른 사각형이 되는 조건을 생각한다.

3-1 다음 설명 중 옳지 않은 것은?

① 직사각형은 평행사변형이다.
② 직사각형이고 마름모인 사각형은 정사각형이다.
③ 정사각형, 마름모, 직사각형은 평행사변형이다.
④ 평행사변형은 사다리꼴이다.
⑤ 등변사다리꼴은 평행사변형이다.

여러 가지 사각형의 대각선의 성질

4 **다음 보기의 사각형 중 두 대각선이 서로 다른 것을 이등분하는 사각형의 개수를 a개, 두 대각선의 길이가 같은 사각형의 개수를 b개라 할 때, $a+b$의 값을 구하시오.**

보기
ㄱ. 등변사다리꼴　ㄴ. 평행사변형　ㄷ. 직사각형
ㄹ. 마름모　ㅁ. 정사각형

여러 가지 사각형의 대각선의 성질
- 평행사변형: 두 대각선이 서로 다른 것을 이등분한다.
- 직사각형: 두 대각선은 길이가 같고, 서로 다른 것을 이등분한다.
- 마름모: 두 대각선은 서로 다른 것을 수직이등분한다.
- 정사각형: 두 대각선은 길이가 같고, 서로 다른 것을 수직이등분한다.
- 등변사다리꼴: 두 대각선의 길이가 같다.

4-1 다음 사각형 중 두 대각선이 서로 다른 것을 수직이등분하는 것을 모두 고르면? (정답 2개)

① 등변사다리꼴　② 평행사변형　③ 마름모
④ 직사각형　⑤ 정사각형

개념 이해 6

사각형의 각 변의 중점을 연결하여 만든 사각형

사각형과 그 각 변의 중점을 연결하여 만든 사각형은 다음과 같다.

(1) 평행사변형 ➡ 평행사변형

(2) 직사각형 ➡ 마름모

(3) 마름모 ➡ 직사각형

(4) 정사각형 ➡ 정사각형

□ABCD	평행사변형	직사각형	마름모	정사각형
도형				
□EFGH	평행사변형	마름모	직사각형	정사각형

참고 일반 사각형의 각 변의 중점을 연결하면 평행사변형이 되고, 등변사다리꼴의 각 변의 중점을 연결하면 마름모가 된다.

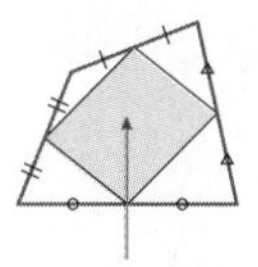

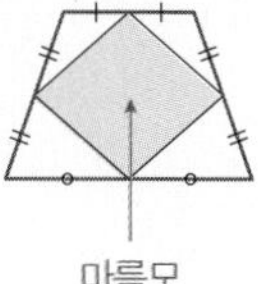

개념확인

1. 다음은 오른쪽 그림과 같은 평행사변형 ABCD의 각 변의 중점을 E, F, G, H라 할 때, □EFGH는 어떤 사각형인지 설명하는 과정이다. □ 안에 알맞은 것을 써넣으시오.

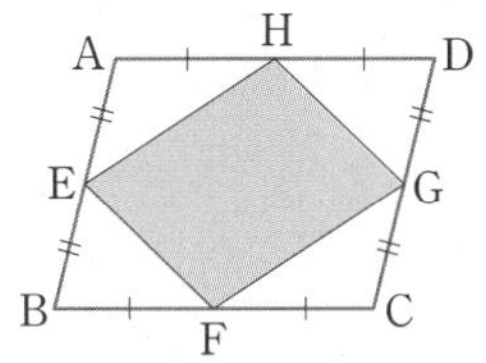

△AEH≡△CGF(□ 합동)이므로

$\overline{HE}$=□

△EBF≡△GDH(□ 합동)이므로

$\overline{EF}$=□

즉, 두 쌍의 대변의 길이가 각각 같으므로

□EFGH는 □이다.

2. 다음은 오른쪽 그림과 같은 직사각형 ABCD의 각 변의 중점을 E, F, G, H라 할 때, □EFGH는 어떤 사각형인지 설명하는 과정이다. □ 안에 알맞은 것을 써넣으시오.

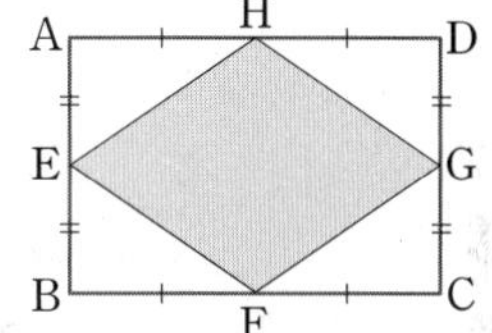

△AEH≡△BEF≡△CGF≡△DGH

(□ 합동)이므로

$\overline{HE}=\overline{FE}=\overline{FG}$=□

즉, □EFGH는 네 변의 길이가 모두 같으므로

□이다.

개념 적용

사각형의 각 변의 중점을 연결하여 만든 사각형

1 **다음 중 사각형과 그 사각형의 각 변의 중점을 연결하여 만든 사각형을 짝 지은 것으로 옳지 않은 것은?**

① 평행사변형 – 평행사변형 ② 직사각형 – 마름모
③ 마름모 – 직사각형 ④ 정사각형 – 정사각형
⑤ 등변사다리꼴 – 직사각형

사각형의 각 변의 중점을 연결하여 만든 사각형
일반 사각형 ⟶ 평행사변형
평행사변형 ⟶ 평행사변형
직사각형 ⟶ 마름모
마름모 ⟶ 직사각형
정사각형 ⟶ 정사각형
등변사다리꼴 ⟶ 마름모

1-1 오른쪽 그림과 같은 마름모 ABCD의 각 변의 중점을 연결하여 만든 □EFGH에 대하여 다음 중 옳지 않은 것을 모두 고르면? (정답 2개)

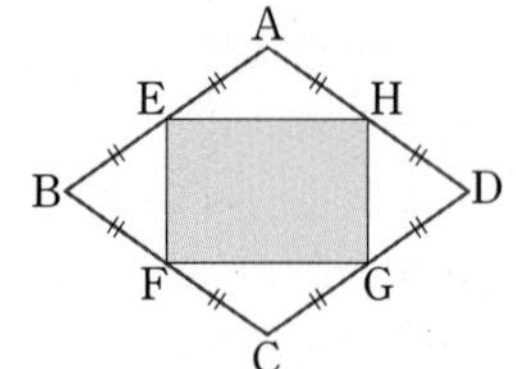

① 네 내각의 크기가 모두 같다.
② 네 변의 길이가 모두 같다.
③ 두 대각선이 서로 직교한다.
④ 두 대각선이 서로 다른 것을 이등분한다.
⑤ 두 쌍의 대변이 각각 평행하다.

사각형의 각 변의 중점을 연결하여 만든 사각형의 활용

2 **오른쪽 그림과 같은 직사각형 ABCD의 각 변의 중점을 E, F, G, H라 할 때, □EFGH의 넓이를 구하시오.**

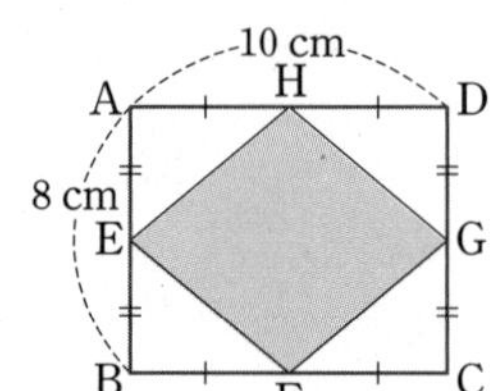

(마름모의 넓이)
$=\frac{1}{2}\times$(한 대각선의 길이)
$\times$(다른 대각선의 길이)

2-1 오른쪽 그림에서 □PQRS는 정사각형 ABCD의 각 변의 중점을 연결하여 만든 사각형이다. $\overline{PS}=7$ cm일 때, □PQRS의 넓이를 구하시오.

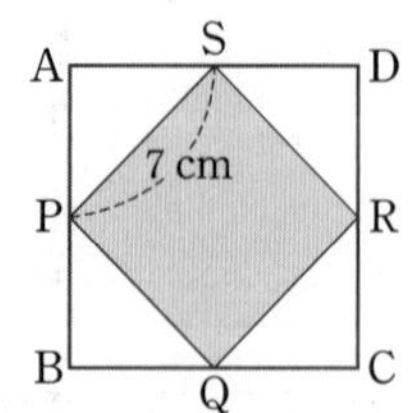

개념 이해 7

평행선과 삼각형의 넓이

두 직선 l과 m이 평행할 때, 평행한 두 직선 사이의 거리 h는 일정하므로 밑변이 공통이고, 밑변에 평행한 직선 위에 꼭짓점이 있는 삼각형의 넓이는 모두 같다.

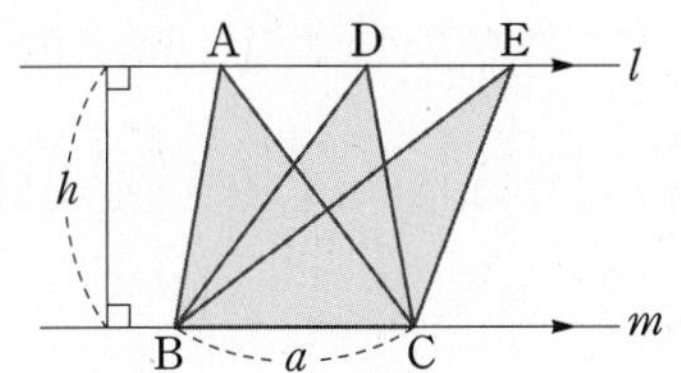

즉, $l /\!/ m$이면

$\triangle ABC = \triangle DBC = \triangle EBC = \frac{1}{2}ah$

참고 밑변의 길이가 일정할 때, 평행선에서는 높이가 변하지 않으므로 모양은 다르지만 넓이가 같은 삼각형을 여러 개 만들 수 있다.

사각형을 넓이가 같은 삼각형으로 만들 수 있을까?

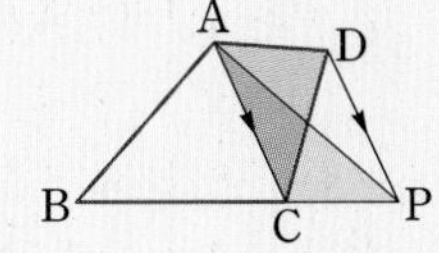

오른쪽 그림과 같은 □ABCD에서 점 D를 지나고 $\overline{AC}$에 평행한 직선이 $\overline{BC}$의 연장선과 만나는 점을 P라 하자.
이때 △ACD와 △ACP에서 밑변은 $\overline{AC}$이고, $\overline{AC} /\!/ \overline{DP}$이므로 높이가 일정하다.

∴ △ACD=△ACP

∴ □ABCD=△ABC+△ACD
=△ABC+△ACP
=△ABP

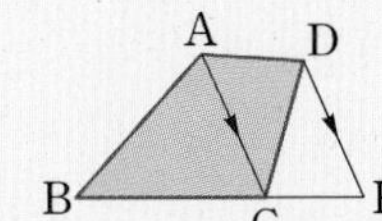

=

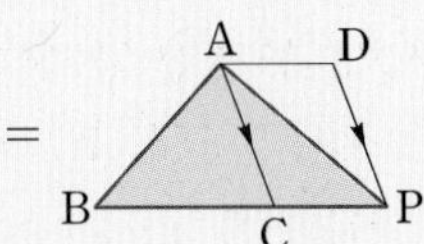

이처럼 평행선을 이용하면 사각형과 넓이가 같은 삼각형을 찾을 수 있다.

개념확인

1. 오른쪽 그림과 같은 평행사변형 ABCD의 넓이가 30 cm^2일 때, $\overline{AD}$ 위의 한 점 P에 대하여 △PBC의 넓이를 구하시오.

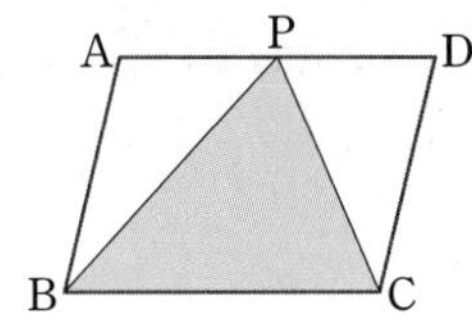

2. 오른쪽 그림과 같은 사다리꼴 ABCD에서 △DBC의 넓이가 70 cm^2, △ABO의 넓이가 30 cm^2일 때, 다음 도형의 넓이를 구하시오.

(1) △ABC (2) △OBC

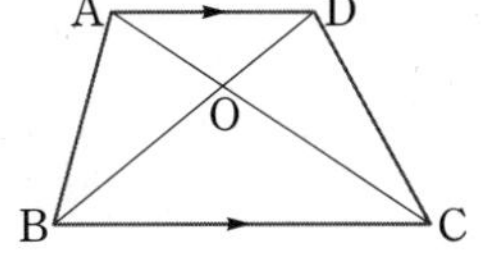

3. 오른쪽 그림과 같은 □ABCD에서 점 D를 지나고 $\overline{AC}$에 평행한 직선을 그어 $\overline{BC}$의 연장선과 만나는 점을 E라 하자. □ABCD의 넓이가 10 cm^2일 때, 다음을 구하시오.

(1) △ACD와 넓이가 같은 삼각형

(2) △ABE의 넓이

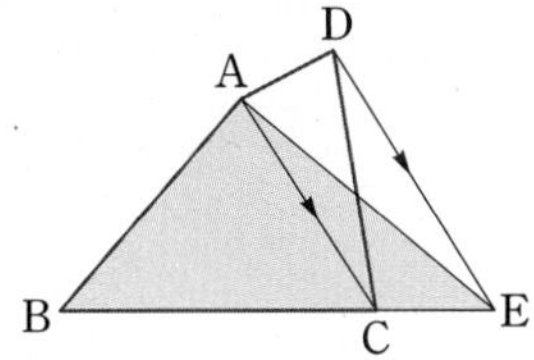

개념 적용

평행선 사이의 넓이가 같은 삼각형

1 **오른쪽 그림에서 $\overline{AC} /\!/ \overline{DE}$이고 $\triangle ABC$의 넓이가 10 cm^2, $\triangle ACE$의 넓이가 12 cm^2일 때, $\square ABCD$의 넓이를 구하시오.**

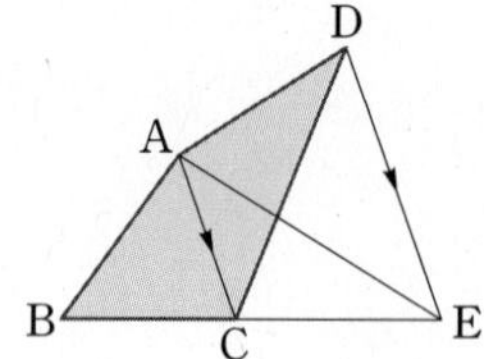

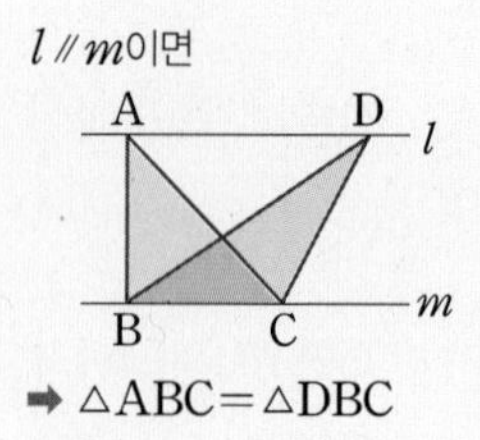

1-1 오른쪽 그림에서 $\overline{AC} /\!/ \overline{DE}$이고 $\triangle ABC$의 넓이가 15 cm^2, $\triangle ABE$의 넓이가 26 cm^2일 때, $\triangle ACD$의 넓이를 구하시오.

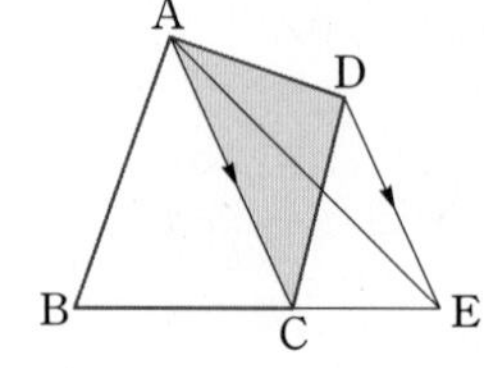

1-2 오른쪽 그림에서 $\overline{AC} /\!/ \overline{DE}$이고 $\overline{AF}=6\text{ cm}$, $\overline{FB}=4\text{ cm}$, $\overline{FE}=12\text{ cm}$일 때, $\square ABCD$의 넓이를 구하시오.

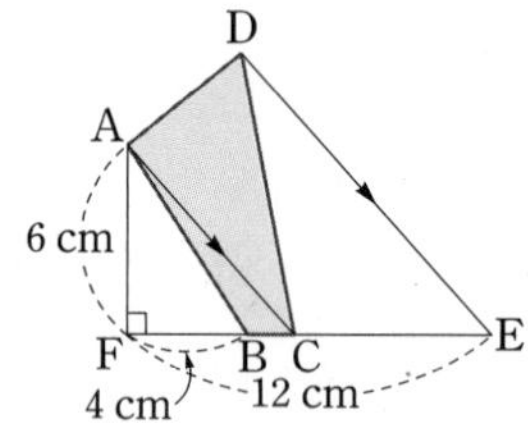

평행사변형에서 평행선 사이의 넓이가 같은 삼각형

2 **오른쪽 그림과 같은 평행사변형 ABCD에서 $\overline{BC}$, $\overline{CD}$ 위의 두 점 E, F에 대하여 $\overline{BD} /\!/ \overline{EF}$일 때, $\triangle ABE$와 넓이가 같은 삼각형을 모두 말하시오.**

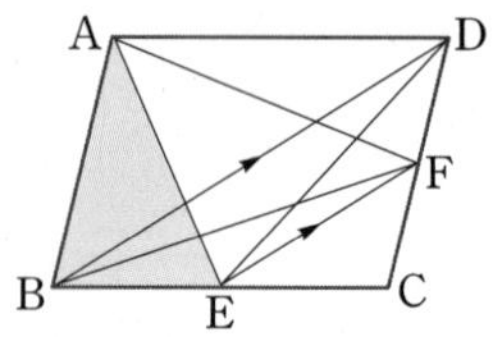

$\square ABCD$는 평행사변형이므로 $\overline{AB} /\!/ \overline{DC}$, $\overline{AD} /\!/ \overline{BC}$

2-1 오른쪽 그림과 같은 평행사변형 ABCD에서 $\overline{BD} /\!/ \overline{EF}$이고 $\triangle AFD$의 넓이가 12 cm^2일 때, $\triangle DBE$의 넓이를 구하시오.

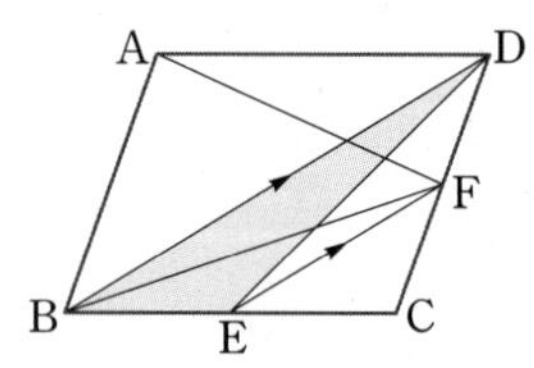

▸ $\triangle DBE$와 넓이가 같은 삼각형을 찾아본다.

개념 이해

8 높이가 같은 삼각형의 넓이의 비

높이가 같은 두 삼각형의 넓이의 비는 밑변의 길이의 비와 같다.

➡ 오른쪽 그림과 같은 △ABC와 △ACD에서

$\overline{BC}:\overline{CD}=m:n$이면

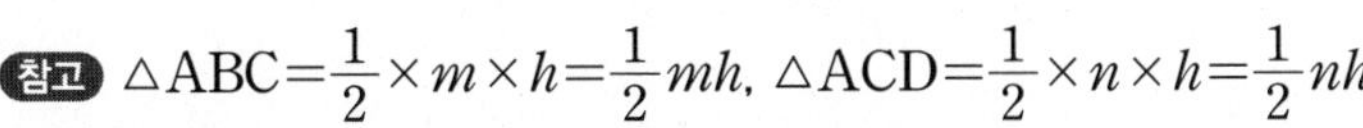

$\triangle ABC:\triangle ACD=m:n$

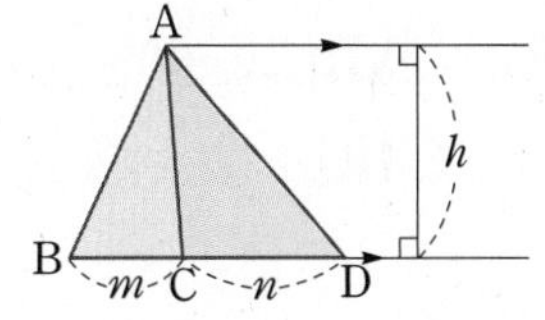

참고 $\triangle ABC=\frac{1}{2}\times m\times h=\frac{1}{2}mh$, $\triangle ACD=\frac{1}{2}\times n\times h=\frac{1}{2}nh$

$\therefore \triangle ABC:\triangle ACD=\frac{1}{2}mh:\frac{1}{2}nh=m:n$

사각형에서 높이가 같은 삼각형의 넓이의 비

$\overline{AD}/\!/\overline{BC}$일 때

① 넓이가 같은 삼각형

$\triangle ABC=\triangle DBC$, $\triangle ABD=\triangle ACD$, $\triangle OAB=\triangle OCD$

② 두 삼각형의 넓이의 비

$\triangle ABO:\triangle AOD=\triangle BCO:\triangle CDO=m:n$

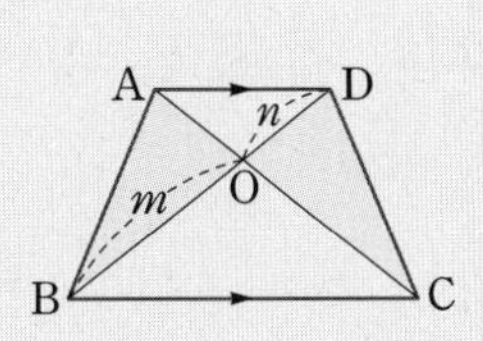

개념확인

1. 오른쪽 그림과 같은 △ABC의 넓이가 60 cm^2이고 $\overline{BP}:\overline{PC}=2:1$일 때, △ABP의 넓이를 구하시오.

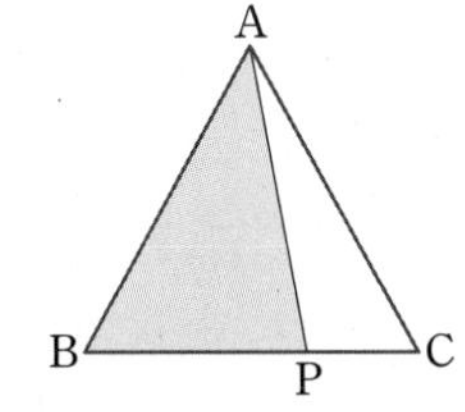

2. 오른쪽 그림과 같은 평행사변형 ABCD에서 $\overline{BP}:\overline{PC}=3:2$일 때, 다음 삼각형의 넓이를 구하시오.

(1) △ABC (2) △ABP

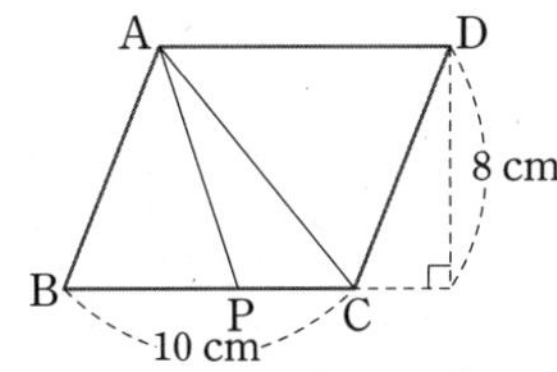

3. 오른쪽 그림과 같이 $\overline{AD}/\!/\overline{BC}$인 사다리꼴 ABCD에서 $\overline{BO}:\overline{DO}=2:1$이고 △ABO의 넓이가 24 cm^2일 때, 다음 삼각형의 넓이를 구하시오.

(1) △AOD (2) △CDO (3) △ACD

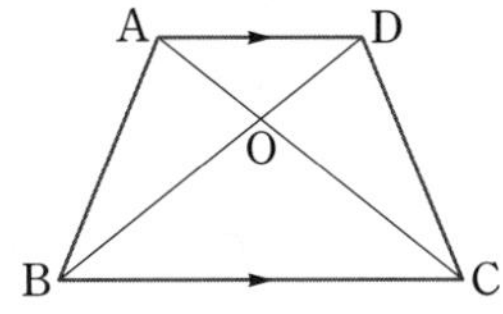

개념 적용

높이가 같은 삼각형의 넓이의 비

1 **오른쪽 그림에서 △ABC의 넓이는 36 cm^2이다. $\overline{AP}:\overline{PC}=2:1$, $\overline{BQ}:\overline{QC}=1:2$일 때, 다음을 구하시오.**

(1) △AQC의 넓이

(2) △PQC의 넓이

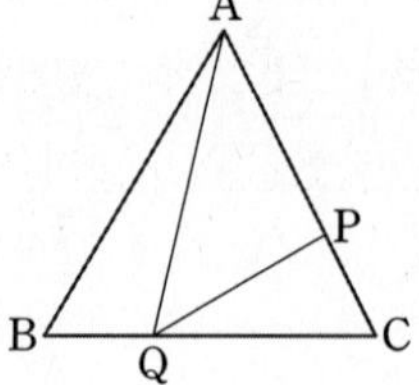

(높이가 같은 두 삼각형의 넓이의 비)
=(밑변의 길이의 비)

1-1 오른쪽 그림에서 점 M은 $\overline{BC}$의 중점이고, $\overline{AP}:\overline{PM}=1:2$이다. △ABC=54 cm^2일 때, △PBM의 넓이를 구하시오.

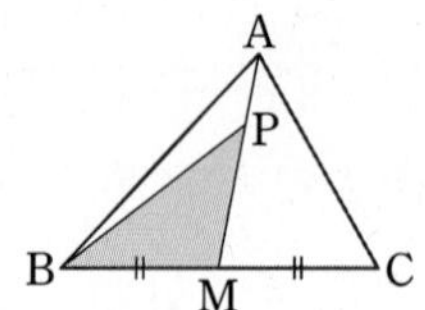

▸ 점 M이 $\overline{BC}$의 중점이므로
△ABM=△ACM

1-2 오른쪽 그림과 같은 △ABC에서 $\overline{BD}:\overline{DC}=3:2$, $\overline{AE}:\overline{EC}=5:2$이고 △ABC=70 cm^2일 때, △ADE의 넓이를 구하시오.

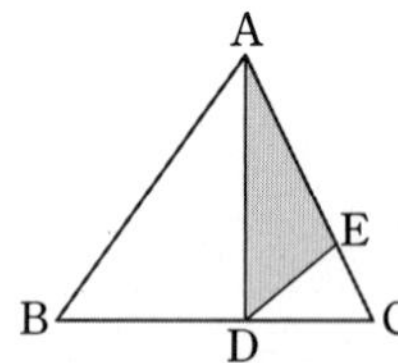

1-3 오른쪽 그림에서 $\overline{AP}:\overline{PC}=3:1$, $\overline{BQ}:\overline{QC}=1:2$이고 △PQC의 넓이가 10 cm^2일 때, △ABC의 넓이를 구하시오.

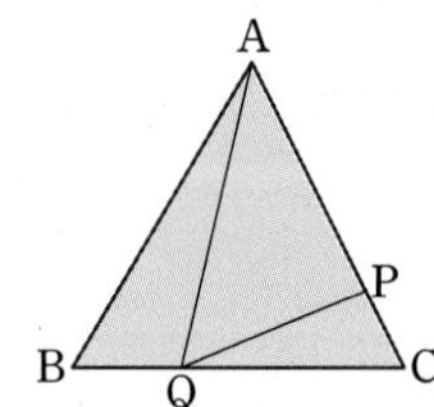

▸ △PQC의 넓이를 이용하여 △AQC의 넓이를 구한 후 △ABC의 넓이를 구한다.

사각형에서 높이가 같은 삼각형의 넓이의 비

2 **오른쪽 그림과 같은 평행사변형 ABCD에서 $\overline{BC}$ 위의 한 점 P에 대하여 $\overline{BP}$: $\overline{PC}$=2 : 3이다. △ABP의 넓이가 16 cm^2일 때, □ABCD의 넓이를 구하시오.**

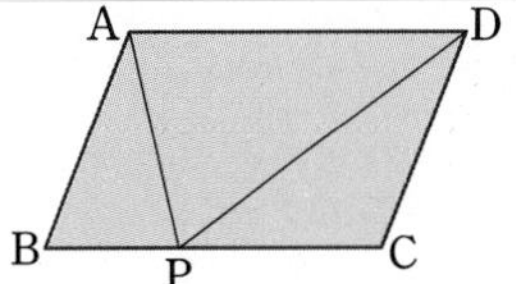

평행사변형 ABCD에서
(1) △ABP : △DPC
=$\overline{BP}$: $\overline{PC}$
(2) △DBP=△ABP
(3) □ABCD=2△DBC

2-1 오른쪽 그림과 같은 평행사변형 ABCD에서 $\overline{AD}$의 연장선 위에 임의의 점 E를 잡고 $\overline{BE}$와 $\overline{DC}$의 교점을 F라 하자. □ABCD=120 cm^2, △FBC=40 cm^2, △DCE=30 cm^2일 때, △DFE의 넓이를 구하시오.

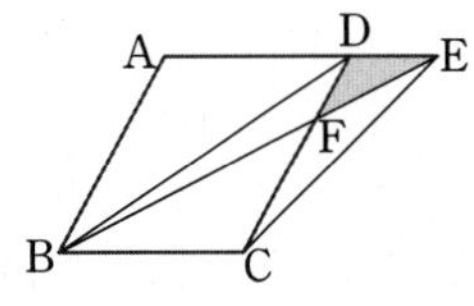

2-2 오른쪽 그림과 같이 $\overline{AD}$ // $\overline{BC}$인 사다리꼴 ABCD에서 △OAD=3 cm^2, $\overline{OA}$: $\overline{OC}$=1 : 2일 때, □ABCD의 넓이는?

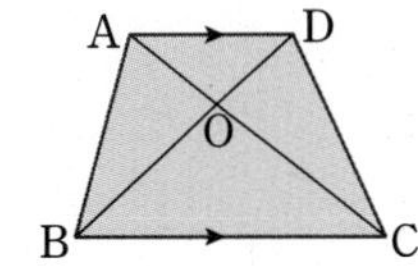

① 27 cm^2 ② 30 cm^2 ③ 33 cm^2
④ 36 cm^2 ⑤ 39 cm^2

2-3 오른쪽 그림과 같은 사다리꼴 ABCD에서 △ABC의 넓이가 30 cm^2, △OBC의 넓이가 20 cm^2일 때, △AOD의 넓이를 구하시오.

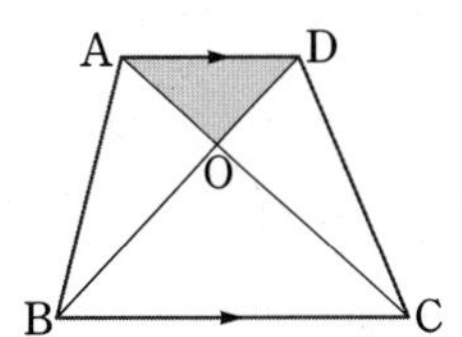

▶ 높이가 같은 두 삼각형의 넓이의 비는 밑변의 길이의 비와 같다.

개념 특강

평행선과 넓이

밑변이 공통이고, 그 밑변에 평행한 직선 위의 한 점으로 이루어진 모든 삼각형의 넓이는 같다.

기본개념

다음 그림과 같이 평행한 두 직선 l, m에서 밑변의 길이가 $\overline{DE}$로 일정한 삼각형 세 개를 그려 보자.

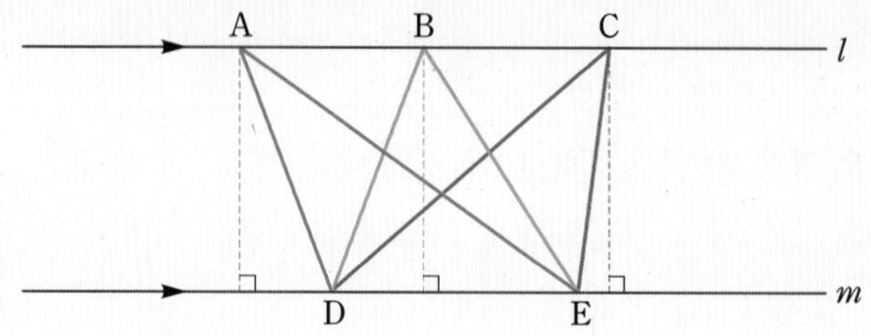

❶ 평행선 사이의 거리는 항상 일정하므로 세 삼각형의 높이는 모두 [ ].

❷ 세 삼각형은 모두 밑변이 일정하고 높이가 같으므로 삼각형의 모양과 관계없이 넓이가 모두 [ ].

❸ 즉, △ADE=△BDE=[ ]

답 같다, 같다, △CDE

개념적용 1. 선을 그어 넓이 나누기

오른쪽 그림과 같이 직사각형 모양의 땅이 꺾여진 경계선에 의해 **가**와 **나**의 두 부분으로 나뉘어져 있다. 두 땅의 넓이는 변하지 않도록 하면서 점 A를 지나는 직선으로 새 경계선을 그리는 방법을 설명하시오.

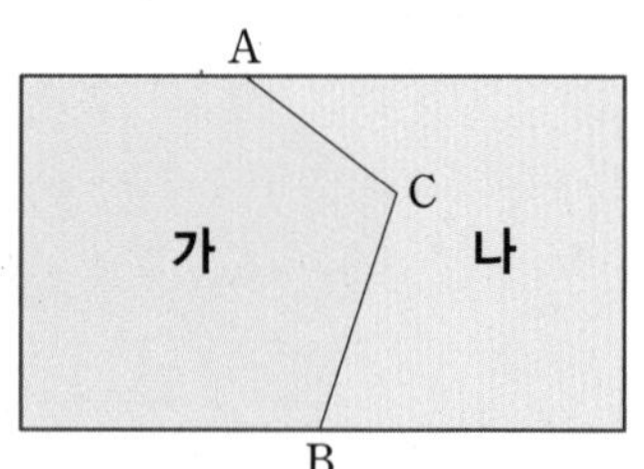

❶ 오른쪽 그림과 같이 $\overline{AB}$를 긋는다.

❷ 점 C를 지나면서 $\overline{AB}$와 평행한 $\overline{DE}$를 긋는다.

❸ 즉, $\overline{AB} /\!/ \overline{DE}$이므로 △ABC=[ ]

❹ 따라서 새 경계선은 [ ]이다.

|참고| 같은 방법으로 점 B를 지나는 경계선도 그릴 수 있다.

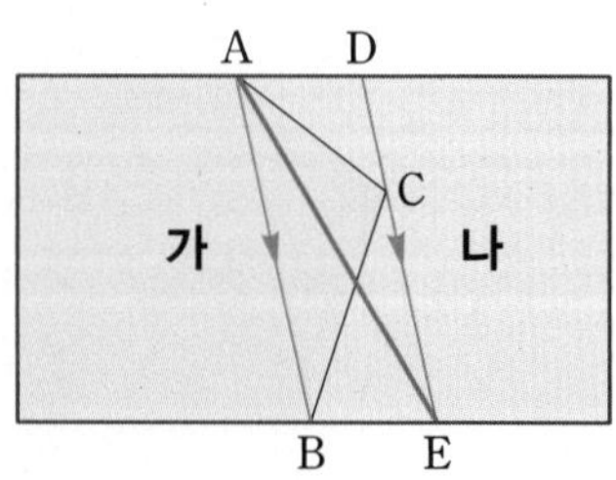

답 △ABE, $\overline{AE}$

개념적용 2. 넓이가 같은 삼각형으로의 변형

1 오른쪽 그림과 같은 □ABCD와 넓이가 같은 삼각형을 그리는 방법을 설명하시오.

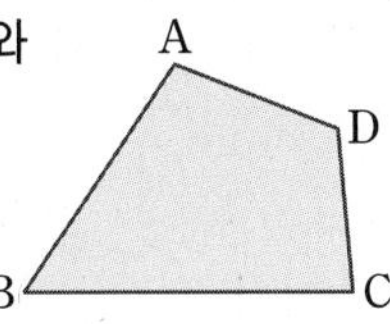

2 오른쪽 그림과 같은 오각형 ABCDE와 넓이가 같은 삼각형을 그리는 방법을 설명하시오.

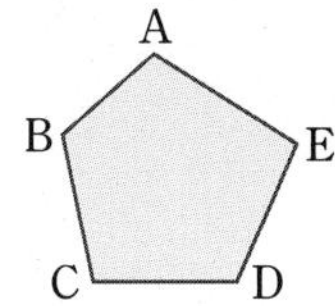

1
두 꼭짓점을 잇는 직선을 긋는다.

❶ □ABCD의 두 꼭짓점 A, C를 잇는 직선 l을 긋는다.

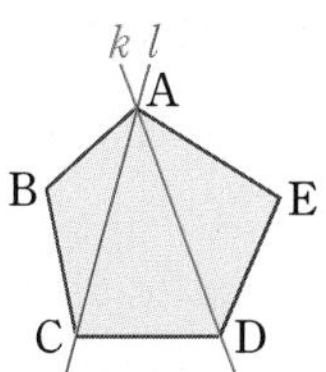

❶ 두 꼭짓점 A, D를 잇는 직선 k와 두 꼭짓점 A, C를 잇는 직선 l을 긋는다.

2
한 꼭짓점을 지나면서 1의 직선과 평행한 직선을 긋는다.

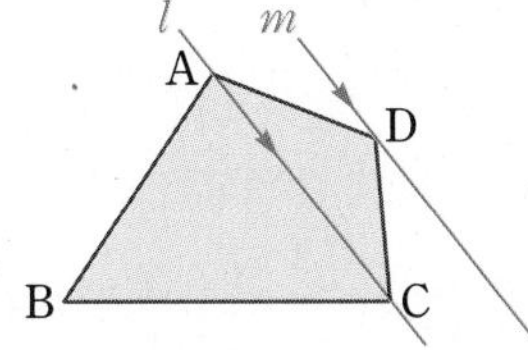

❷ 꼭짓점 D를 지나면서 직선 l과 평행한 직선 m을 긋는다.

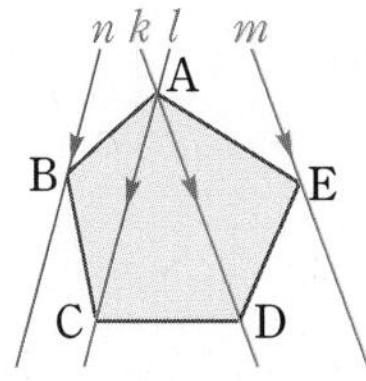

❷ 꼭짓점 E를 지나면서 직선 k와 평행한 직선 m, 꼭짓점 B를 지나면서 직선 l과 평행한 직선 n을 긋는다.

3
두 평행선 사이에서 밑변의 길이가 같은 삼각형을 만든다.

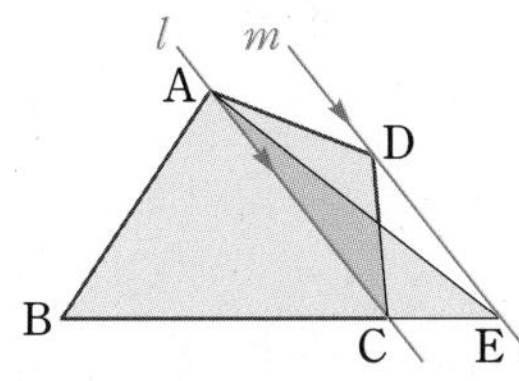

❸ $\overline{BC}$의 연장선과 직선 m의 교점을 E라 하면

△ACD= $\boxed{}$

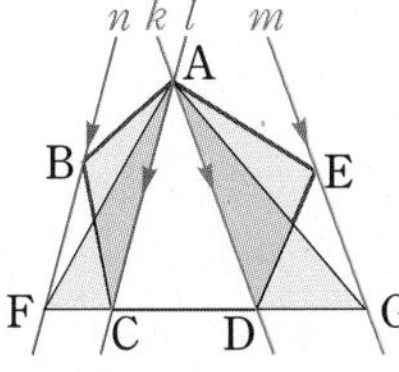

❸ $\overline{CD}$의 연장선과 직선 m, n의 교점을 각각 G, F라 하면

△ADE= $\boxed{}$, △ABC= $\boxed{}$

4
주어진 도형과 넓이가 같은 삼각형을 만든다.

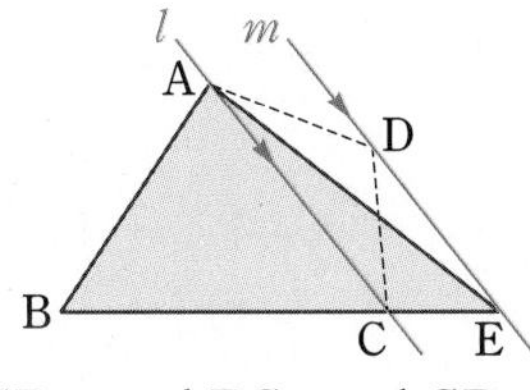

❹ □ABCD =△ABC+△ACD

=△ABC+ $\boxed{}$ = $\boxed{}$

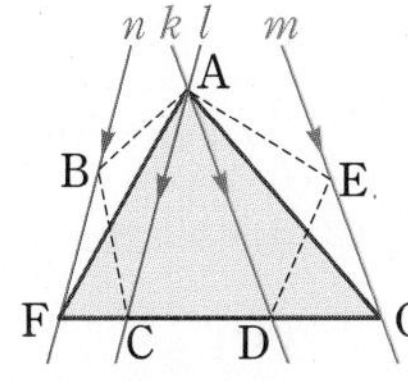

❹ (오각형 ABCDE의 넓이)

=△ABC+△ACD+△ADE

= $\boxed{}$ +△ACD+ $\boxed{}$ = $\boxed{}$

|참고| 같은 방법으로 넓이가 같고, 모양이 다른 여러 개의 삼각형을 그릴 수 있다.

답 좌 △ACE, △ACE, △ABE,
우 △ADG, △AFC, △AFC, △ADG, △AFG

기본 문제

1 직사각형의 성질

오른쪽 그림과 같은 직사각형 ABCD에서 $\angle DBC=40^\circ$이고 $\overline{BD}=8$ cm일 때, $x+y$의 값을 구하시오.

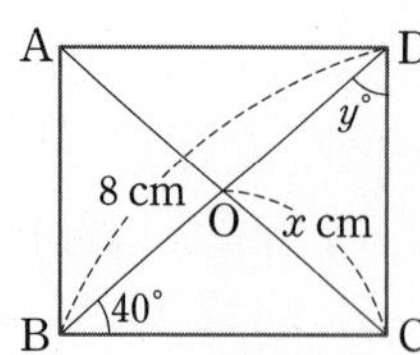

2 평행사변형이 직사각형이 되는 조건

다음 **조건**을 모두 만족하는 □ABCD는 어떤 사각형인가?

> **조건**
> (가) $\overline{AB}=\overline{DC}=6$ cm
> (나) $\overline{AD}=\overline{BC}=8$ cm
> (다) $\angle B=90^\circ$

① 평행사변형　② 직사각형
③ 마름모　④ 정사각형
⑤ 등변사다리꼴

3 마름모의 성질

오른쪽 그림과 같은 마름모 ABCD에서 $\overline{AH}\perp\overline{BC}$이고, $\angle C=110^\circ$일 때, $\angle x$의 크기는?

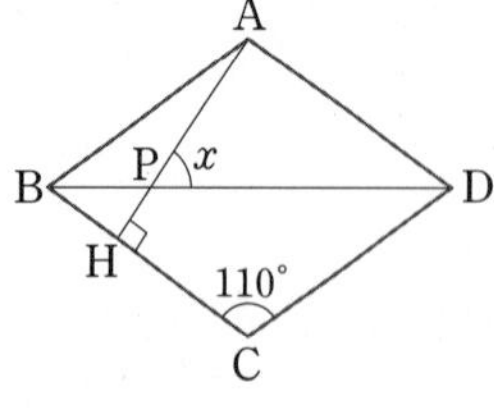

① 40°　② 45°　③ 50°
④ 55°　⑤ 60°

4 평행사변형이 마름모가 되는 조건

오른쪽 그림과 같은 평행사변형 ABCD의 두 대각선의 교점을 O라 할 때, 평행사변형 ABCD가 마름모가 되도록 하는 조건으로 알맞은 것은?

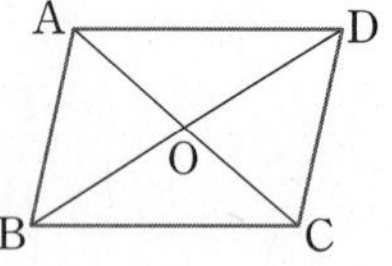

① $\overline{OA}=\overline{OD}$　② $\overline{AC}=\overline{BD}$
③ $\angle OAD=\angle ODA$　④ $\angle DAB=\angle ABC$
⑤ $\overline{AC}\perp\overline{BD}$

5 정사각형의 성질

오른쪽 그림과 같은 정사각형 ABCD에서 대각선 BD 위에 $\angle DAP=35^\circ$가 되도록 점 P를 잡을 때, $\angle x$의 크기를 구하시오.

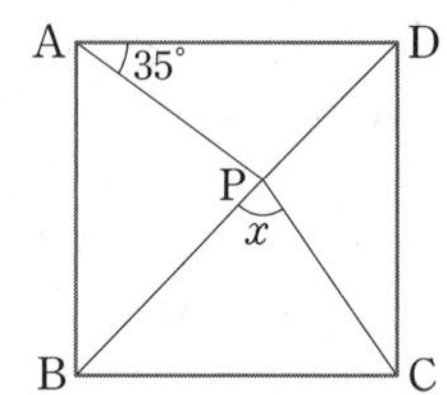

6 정사각형이 되는 조건

□ABCD에서 두 대각선의 교점을 O라고 할 때, 다음 **조건**을 모두 만족하는 사각형으로 알맞은 것은?

> **조건**
> (가) $\overline{OA}=\overline{OB}=\overline{OC}=\overline{OD}$
> (나) $\overline{AC}\perp\overline{BD}$

① 직사각형　② 정사각형
③ 마름모　④ 평행사변형
⑤ 등변사다리꼴

7 등변사다리꼴의 성질

오른쪽 그림과 같이 $\overline{AD}/\!/\overline{BC}$이고, $\overline{AB}=\overline{AD}=\overline{DC}$인 등변사다리꼴 ABCD에서 $\overline{BC}=2\overline{AD}$일 때, $\angle C$의 크기를 구하시오.

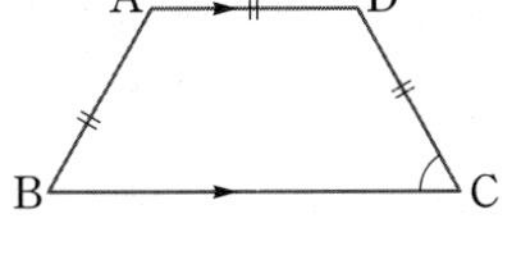

8 등변사다리꼴의 변의 길이

오른쪽 그림과 같이 $\overline{AD}/\!/\overline{BC}$인 등변사다리꼴 ABCD에서 $\angle A=2\angle B$, $\overline{AB}=5$ cm, $\overline{AD}=3$ cm일 때, $\overline{BC}$의 길이는?

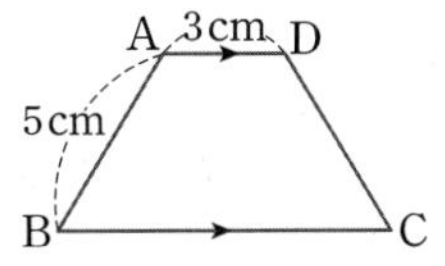

① 7 cm　② 8 cm　③ 9 cm
④ 10 cm　⑤ 11 cm

9 여러 가지 사각형 사이의 관계 (1)

다음은 여러 가지 사각형 사이의 관계를 나타낸 것이다. (가) ~ (라)에 알맞은 것을 **보기**에서 찾아 차례로 쓰시오.

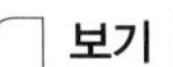

보기
ㄱ. $\angle A=90°$　ㄴ. $\overline{AB}=\overline{BC}$
ㄷ. $\overline{AC}=\overline{BD}$　ㄹ. $\overline{AC}\perp\overline{BD}$

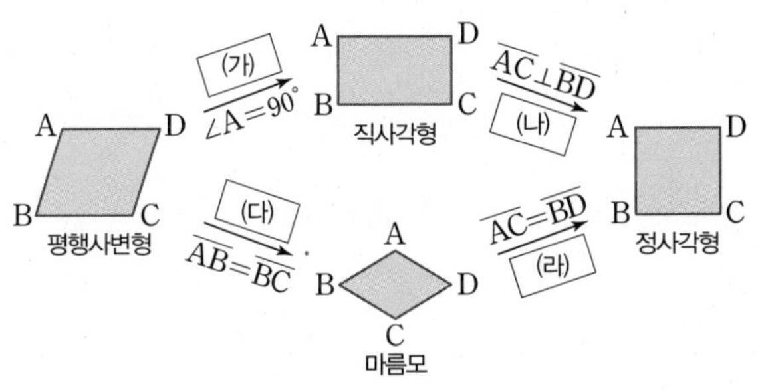

10 여러 가지 사각형 사이의 관계 (2)

오른쪽 그림과 같은 평행사변형 ABCD에서 $\angle OBC=\angle OCB$이면 □ABCD는 어떤 사각형인가?
(단, 점 O는 두 대각선의 교점이다.)

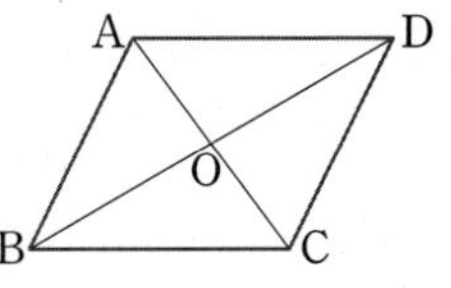

① 사다리꼴　② 평행사변형　③ 직사각형
④ 마름모　⑤ 정사각형

11 여러 가지 사각형 사이의 관계 (3)

다음 중 옳지 않은 것은?

① 마름모는 평행사변형이다.
② 마름모는 정사각형이다.
③ 정사각형은 마름모이다.
④ 정사각형은 사다리꼴이다.
⑤ 직사각형은 사다리꼴이다.

12 여러 가지 사각형의 대각선의 성질

다음 **보기**의 사각형 중 두 대각선의 길이가 같은 것을 모두 고른 것은?

보기
ㄱ. 정사각형　ㄴ. 마름모
ㄷ. 직사각형　ㄹ. 평행사변형
ㅁ. 등변사다리꼴

① ㄱ, ㄴ　② ㄱ, ㄷ　③ ㄴ, ㄹ
④ ㄱ, ㄷ, ㅁ　⑤ ㄴ, ㄷ, ㄹ

13 사각형의 각 변의 중점을 연결하여 만든 사각형

오른쪽 그림과 같이 직사각형 ABCD의 네 변의 중점을 각각 E, F, G, H라고 할 때, 다음 중 옳지 않은 것을 모두 고르면? (정답 2개)

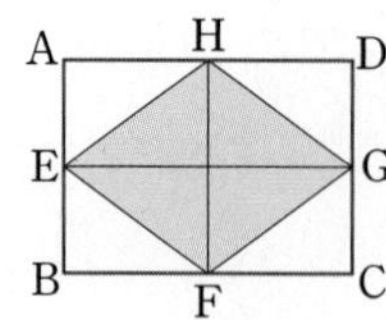

① $\overline{EF}=\overline{EH}$ ② $\overline{EG}=\overline{HF}$
③ $\overline{EG}\perp\overline{HF}$ ④ $\angle HEG=\angle FEG$
⑤ $\angle HEF=\angle EFG$

14 사각형의 각 변의 중점을 연결하여 만든 사각형의 활용

오른쪽 그림과 같은 □ABCD의 네 변의 중점을 각각 E, F, G, H라 하자. $\overline{EF}=6$ cm, $\overline{FG}=10$ cm, $\angle EFG=70°$일 때, $x+y$의 값을 구하시오.

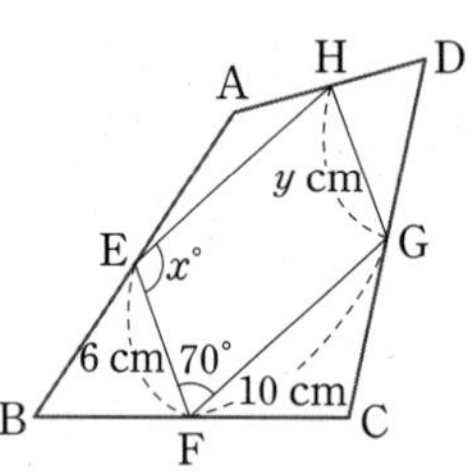

15 평행선 사이의 넓이가 같은 삼각형

오른쪽 그림에서 $\overline{AC}/\!/\overline{DE}$일 때, 다음 중 옳지 않은 것은?

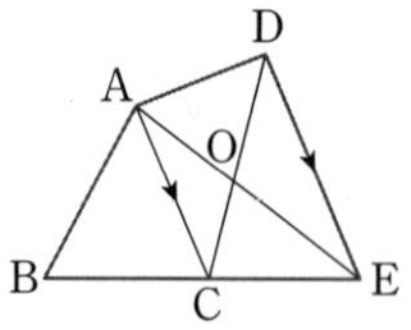

① △ACE=△ACD
② △AED=△DCE
③ △ACO=△OCE
④ △AOD=△OCE
⑤ △ABE=□ABCD

16 평행선 사이의 넓이가 같은 삼각형

오른쪽 그림과 같은 △ABC에서 $\overline{BA}$, $\overline{BC}$의 연장선 위에 $\overline{AC}/\!/\overline{DE}$가 되도록 점 D, E를 잡고 $\overline{DE}$를 그었다. △ABC의 넓이가 32 cm^2, △ABE의 넓이가 54 cm^2일 때, △ACD의 넓이를 구하시오.

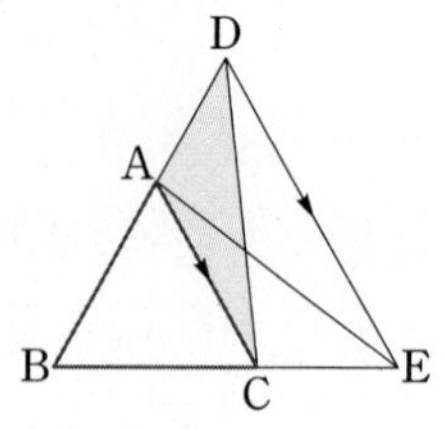

17 높이가 같은 삼각형의 넓이의 비

오른쪽 그림에서 점 M은 $\overline{BC}$의 중점이고 $\overline{AP}:\overline{PM}=1:2$이다. △ABC의 넓이가 42 cm^2일 때, △PBM의 넓이를 구하시오.

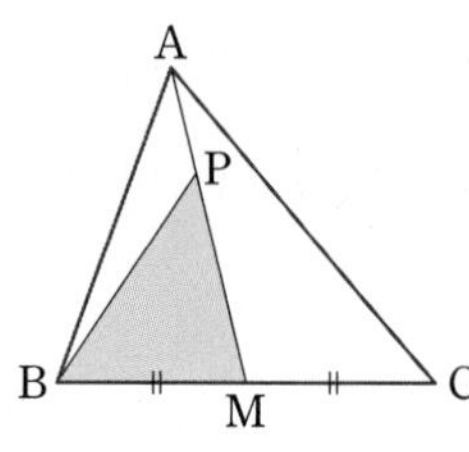

18 사각형에서 높이가 같은 삼각형의 넓이의 비

오른쪽 그림과 같은 평행사변형 ABCD에서 $\overline{AQ}:\overline{DQ}=2:1$이다. □ABCD의 넓이가 36 cm^2일 때, △PDQ의 넓이를 구하시오.

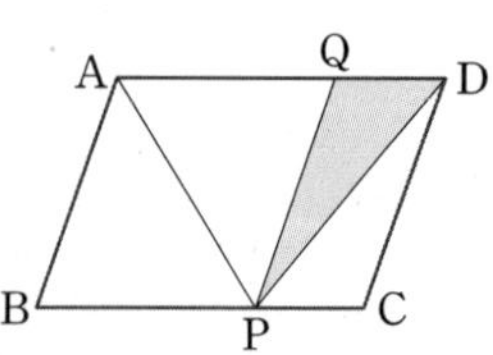

개념 완성

발전 문제

1 오른쪽 그림과 같이 평행사변형 ABCD의 네 내각의 이등분선의 교점을 각각 E, F, G, H라 할 때, 다음 중 □EFGH에 대한 설명으로 옳지 않은 것은?

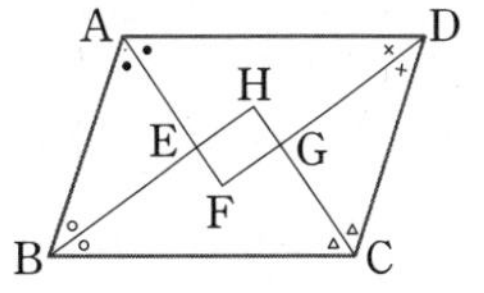

① $\overline{EH}=\overline{FG}$
② $\angle HEF=\angle FGH=90^\circ$
③ $\overline{EG}\perp\overline{HF}$
④ $\overline{EG}=\overline{HF}$
⑤ $\overline{EF}/\!/\overline{HG}$

$\angle A+\angle B=180^\circ$임을 이용하여 $\triangle ABE$에서 $\angle AEB$의 크기를 구해 본다.

2 오른쪽 그림에서 □ABCD는 평행사변형이고 $\overline{AD}=2\overline{AB}$이다. $\overline{CD}$를 연장하여 $\overline{FD}=\overline{DC}=\overline{CE}$가 되도록 두 점 E, F를 잡고, $\overline{AE}$와 $\overline{BF}$를 그어 ABCD와 만나는 점을 각각 G, H라 할 때, $\angle HPG$의 크기를 구하시오.

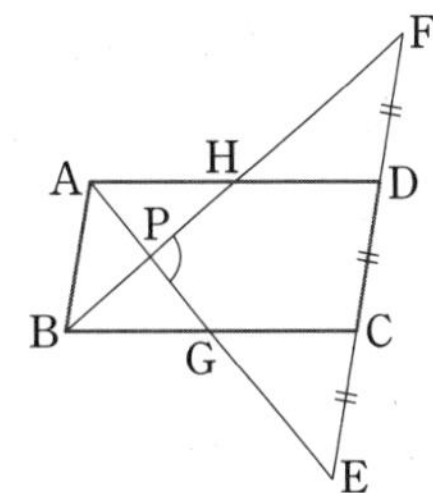

3 오른쪽 그림과 같이 합동인 두 정사각형 ABCD, OEFG를 포개었을 때, 겹쳐진 부분인 □OPCQ의 넓이를 구하시오.

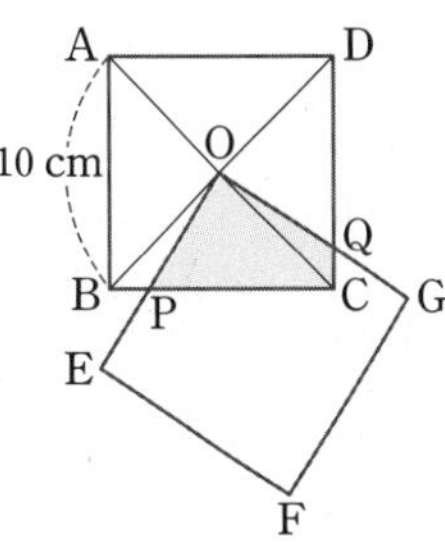

4 오른쪽 그림과 같이 반지름의 길이가 6 cm인 원 O에서 $\overline{AB}/\!/\overline{CD}$이고, $\overset{\frown}{CD}$의 길이가 원주의 $\frac{1}{6}$일 때, 색칠한 부분의 넓이를 구하시오.

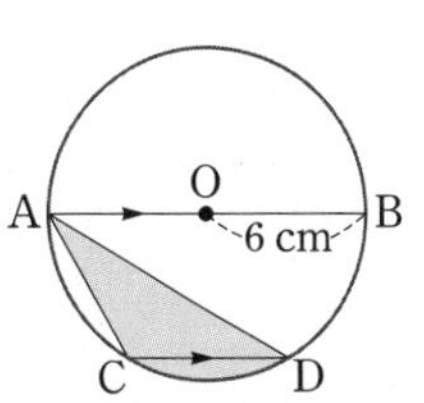

호의 길이와 부채꼴의 넓이는 각각 중심각의 크기에 정비례함을 이용한다.

5 오른쪽 그림과 같이 $\overline{AD}/\!/\overline{BC}$인 사다리꼴 ABCD에서 $\overline{AO}:\overline{CO}=2:3$이고 □ABCD의 넓이가 100 cm^2일 때, $\triangle DOC$의 넓이를 구하시오.

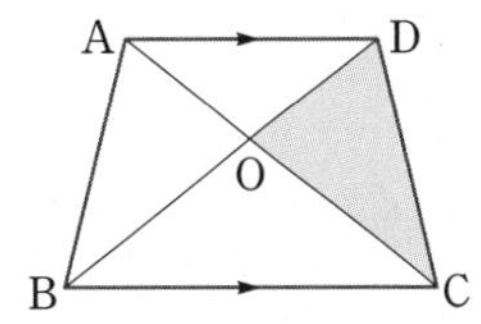

6 오른쪽 그림과 같이 직사각형 ABCD가 중심각의 크기가 90°인 부채꼴 속에 꼭 맞게 들어 있다. 점 A의 위치에 관계없이 대각선 BD의 길이가 일정함을 설명하시오.

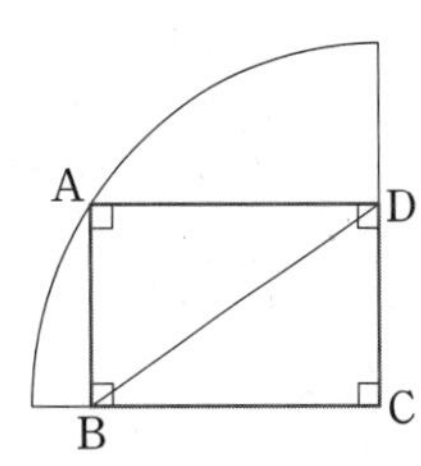

직사각형의 두 대각선의 길이 사이의 관계를 이용한다.

7 서술형

오른쪽 그림과 같이 $\overline{AD}/\!/\overline{BC}$인 등변사다리꼴 ABCD에서 $\angle B=60°$이고 $\overline{AB}=12$ cm, $\overline{AD}=8$ cm일 때, $\overline{BC}$의 길이를 구하기 위한 풀이 과정을 쓰고 답을 구하시오.

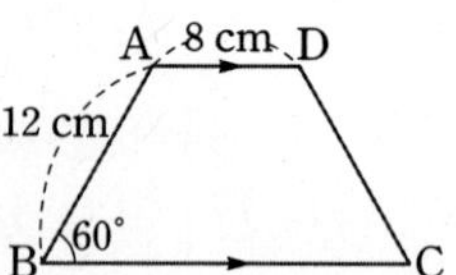

① 단계: △ABE가 어떤 삼각형인지 알기

오른쪽 그림과 같이 점 A에서 $\overline{DC}$에 평행한 직선을 그어 $\overline{BC}$와 만나는 점을 E라 하자.

등변사다리꼴의 두 밑각의 크기는 같으므로

$\angle C=\angle B=$ ____

$\overline{AE}/\!/\overline{DC}$이므로 $\angle AEB=$ ______ $=60°$(동위각)

따라서 △ABE에서 $\angle BAE=180°-($ ___ $+$ ___ $)=$ ___

이므로 △ABE는 ______ 이다.

② 단계: $\overline{BE}$, $\overline{EC}$의 길이를 각각 구하기

△ABE는 ______ 이므로 $\overline{BE}=\overline{AB}=$ ____

□AECD는 ________ 이므로 $\overline{EC}=\overline{AD}=$ ____

③ 단계: $\overline{BC}$의 길이 구하기

$\overline{BC}=\overline{BE}+\overline{EC}=$ ____________

Check List
- △ABE의 세 내각의 크기를 구하고, △ABE가 어떤 삼각형인지 구하였는가?
- $\overline{BE}$와 $\overline{EC}$의 길이를 각각 바르게 구하였는가?
- $\overline{BC}$의 길이를 바르게 구하였는가?

8 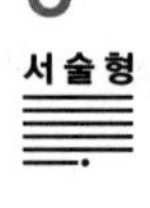

오른쪽 그림과 같은 평행사변형 ABCD에서 $\overline{CE}:\overline{ED}=2:3$이다. □ABCD의 넓이가 50 cm^2일 때, △AOE의 넓이를 구하기 위한 풀이 과정을 쓰고 답을 구하시오. (단, 점 O는 두 대각선의 교점이다.)

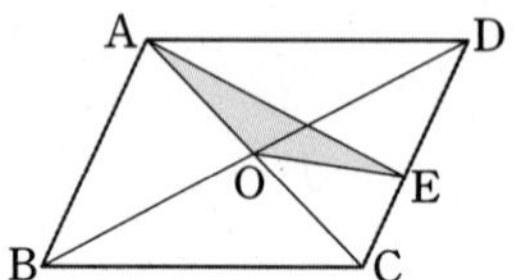

① 단계: △ACE의 넓이를 △ACD를 이용하여 나타내기

② 단계: △ACE의 넓이 구하기

③ 단계: △AOE의 넓이 구하기

Check List
- △ACE의 넓이를 △ACD를 이용하여 바르게 나타내었는가?
- △ACE의 넓이를 바르게 구하였는가?
- △AOE의 넓이를 바르게 구하였는가?

도형의 닮음과 피타고라스 정리

1 도형의 닮음

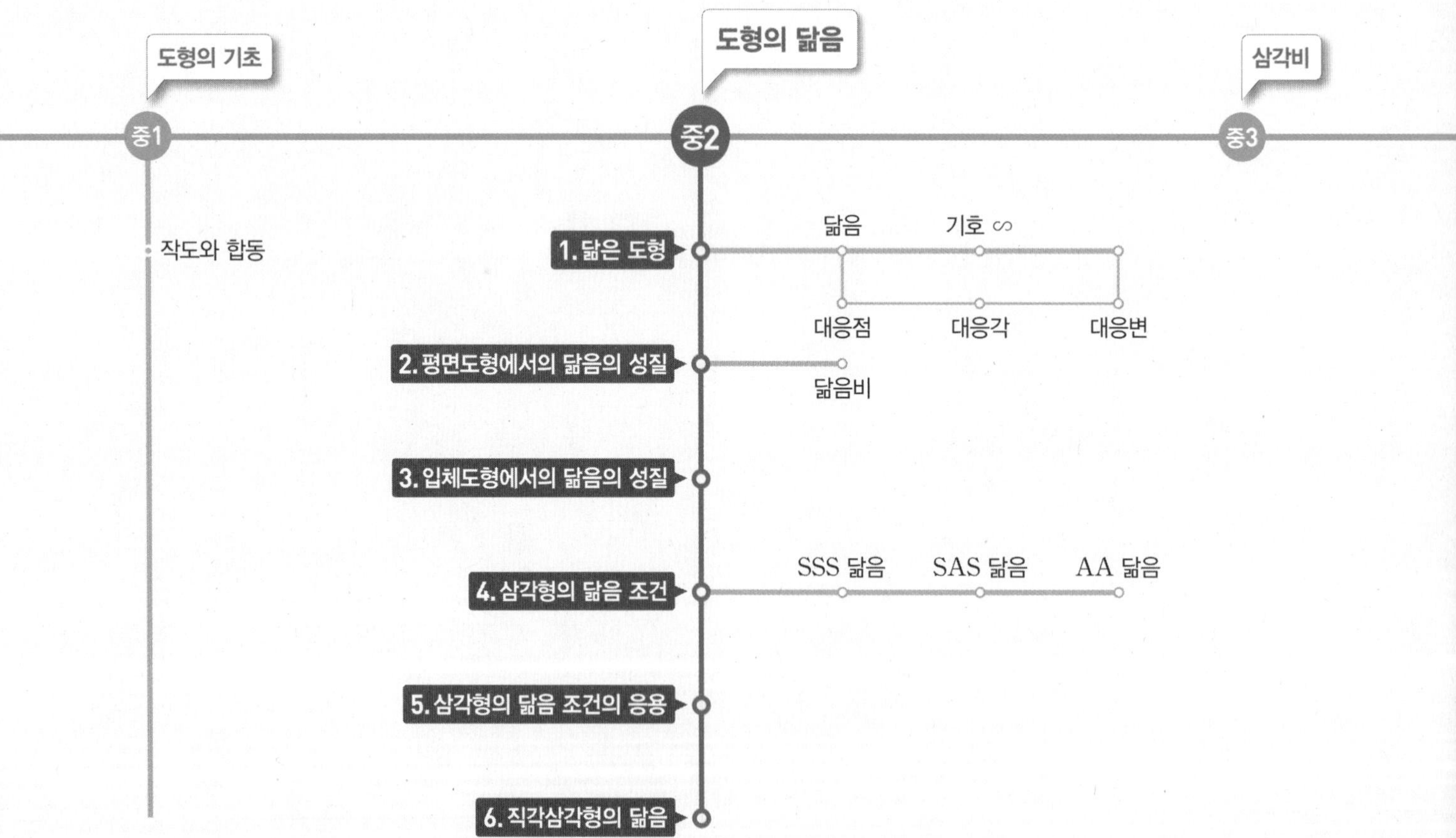

도형의 기초
도형의 닮음
삼각비
중1
중2
중3
작도와 합동
1. 닮은 도형
닮음
기호 ∽
대응점
대응각
대응변
2. 평면도형에서의 닮음의 성질
닮음비
3. 입체도형에서의 닮음의 성질
4. 삼각형의 닮음 조건
SSS 닮음
SAS 닮음
AA 닮음
5. 삼각형의 닮음 조건의 응용
6. 직각삼각형의 닮음

닮음비는 대응하는 선분의 "길이의 비"

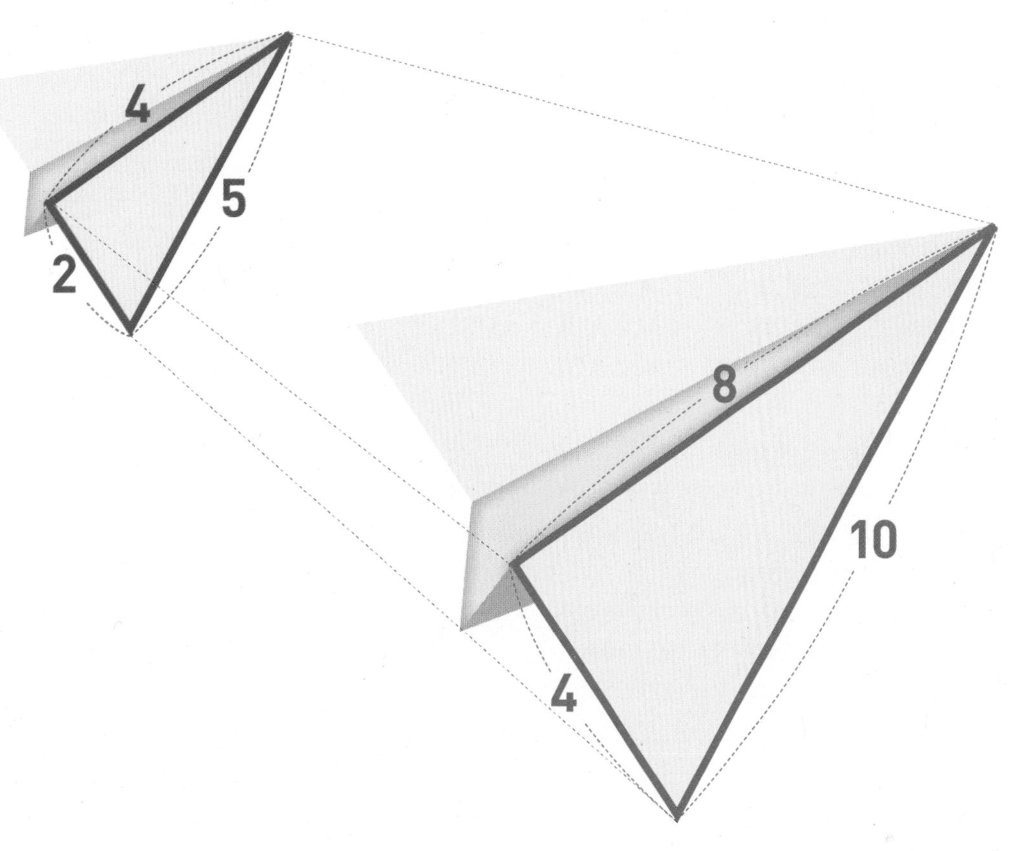

선분의 길이의 비

2 : 4

4 : 8

5 : 10

닮음비

1 : 2

개념 이해 1

닮은 도형

(1) 닮은 도형: 한 도형을 일정한 비율로 확대 또는 축소한 도형이 다른 도형과 합동일 때, 이 두 도형은 서로 닮음인 관계에 있다고 하고, 닮음인 관계에 있는 두 도형을 서로 닮은 도형이라 한다.

(2) 닮음 기호: △ABC와 △A′B′C′이 닮은 도형일 때, 기호 ∽를 사용하여 △ABC∽△A′B′C′과 같이 나타낸다.
└ 대응점의 순서가 같도록 나타낸다.

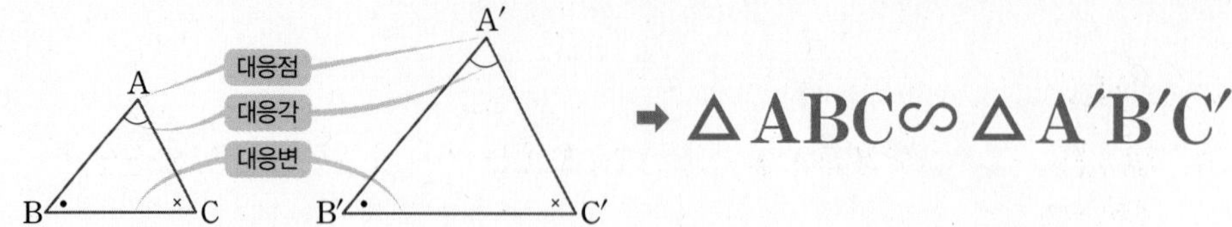

➡ △ABC∽△A′B′C′

참고 닮음 기호 ∽는 닮음을 뜻하는 라틴어 similis(영어의 similar)의 첫 글자 S를 기호화한 것이다.

주의 △ABC와 △DEF에서
① 두 삼각형이 닮음일 때 ➡ △ABC∽△DEF
② 두 삼각형이 합동일 때 ➡ △ABC≡△DEF
③ 두 삼각형의 넓이가 같을 때 ➡ △ABC=△DEF

닮은 도형에서 대응점, 대응변, 대응각

오른쪽 그림에서 삼각형 DEF는 삼각형 ABC의 각 변의 길이를 2배 확대하여 그린 것이다. 즉, 삼각형 ABC와 삼각형 DEF는 닮은 도형이고, 이것을 기호로 △ABC∽△DEF와 같이 나타낸다.
이때 점 A와 D, 점 B와 E, 점 C와 F는 각각 대응점,
$\overline{AB}$와 $\overline{DE}$, $\overline{BC}$와 $\overline{EF}$, $\overline{CA}$와 $\overline{FD}$는 각각 대응변,
∠A와 ∠D, ∠B와 ∠E, ∠C와 ∠F는 각각 대응각이다.

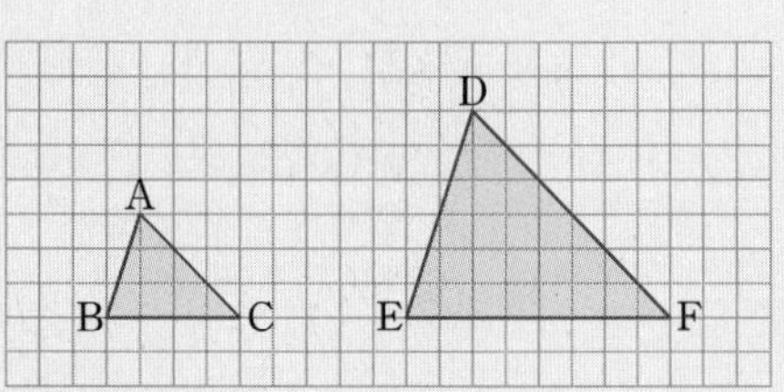

개념확인

1. 아래 그림에서 △ABC∽△DEF일 때, 다음을 구하시오.

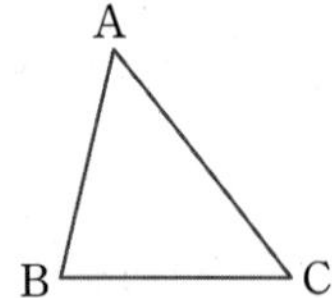

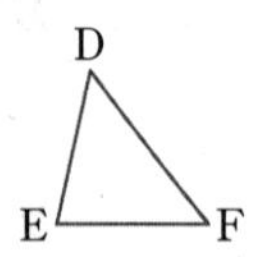

(1) 점 A의 대응점
(2) $\overline{BC}$의 대응변
(3) ∠C의 대응각

2. 아래 그림에서 □ABCD∽□EFGH일 때, 다음을 구하시오.

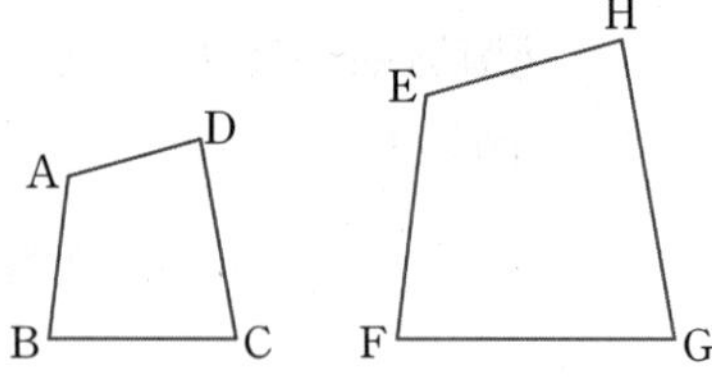

(1) 점 G의 대응점
(2) $\overline{DC}$의 대응변
(3) ∠H의 대응각

개념 적용

닮은 도형에서 대응점, 대응변, 대응각 구하기

1 **오른쪽 그림에서 $\triangle ABC \backsim \triangle DFE$일 때, $\overline{AC}$의 대응변과 $\angle D$의 대응각을 차례로 구하면?**

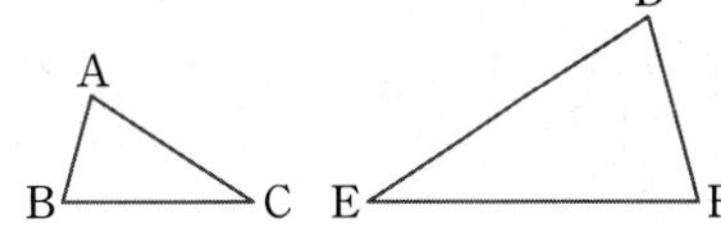

① $\overline{DE}$, $\angle A$ ② $\overline{EF}$, $\angle B$
③ $\overline{DE}$, $\angle C$ ④ $\overline{DF}$, $\angle A$
⑤ $\overline{DF}$, $\angle B$

닮은 도형
한 도형을 일정한 비율로 확대 또는 축소한 도형이 다른 도형과 합동일 때, 이 두 도형을 닮은 도형이라 한다.

1-1 오른쪽 그림에서 두 삼각뿔 A−BCD와 E−FGH는 닮은 도형이다. $\overline{AB}$에 대응하는 모서리가 $\overline{EF}$일 때, 다음을 구하시오.

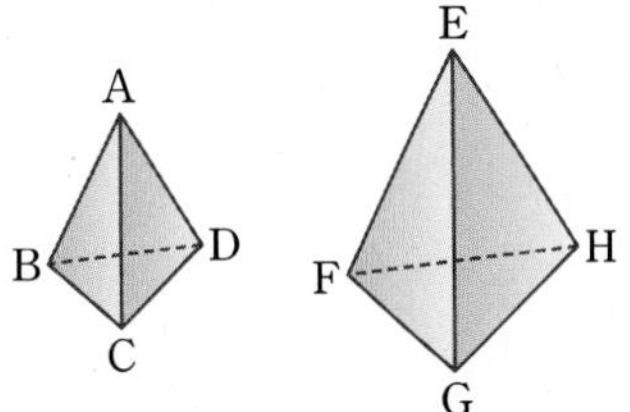

(1) 점 B의 대응점
(2) 모서리 BD에 대응하는 모서리
(3) 면 ACD에 대응하는 면

항상 닮은 도형 찾기

2 **다음 보기의 입체도형 중 항상 닮은 도형인 것을 모두 고르시오.**

보기
ㄱ. 두 원뿔 ㄴ. 두 원기둥 ㄷ. 두 정십이면체
ㄹ. 두 정사면체 ㅁ. 두 구 ㅂ. 두 정오각뿔

항상 닮은 도형
(1) 항상 닮은 평면도형
① 변의 개수가 같은 정다각형
② 모든 원
③ 모든 직각이등변삼각형
④ 꼭지각의 크기가 같은 이등변삼각형
⑤ 중심각의 크기가 같은 부채꼴
(2) 항상 닮은 입체도형
① 면의 개수가 같은 정다면체
② 모든 구

2-1 다음 평면도형 중 항상 닮은 도형이 아닌 것을 모두 고르면? (정답 2개)

① 두 정사각형 ② 두 마름모 ③ 두 부채꼴
④ 두 원 ⑤ 두 직각이등변삼각형

개념 이해

2 평면도형에서의 닮음의 성질

(1) 평면도형에서의 닮음의 성질

서로 닮은 두 평면도형에서

① 대응변의 길이의 비는 일정하다.

➡ $\overline{AB}:\overline{A'B'}=\overline{BC}:\overline{B'C'}=\overline{AC}:\overline{A'C'}$

② 대응각의 크기는 각각 같다.

➡ $\angle A=\angle A'$, $\angle B=\angle B'$, $\angle C=\angle C'$

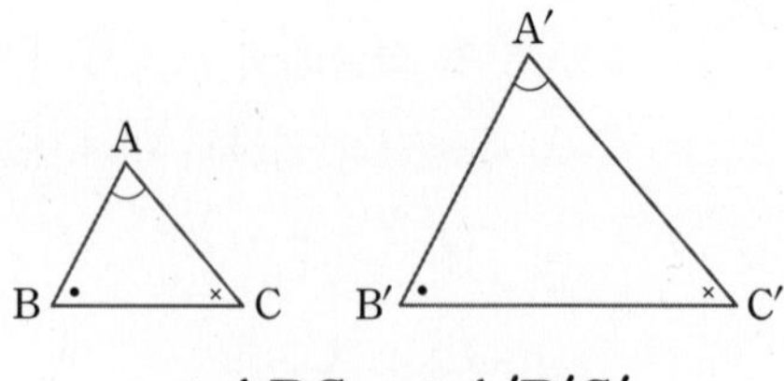

$\triangle ABC \backsim \triangle A'B'C'$

(2) 닮음비: 서로 닮은 두 도형에서 대응변의 길이의 비

참고 ① 닮음비는 가장 간단한 자연수의 비로 나타낸다.
② 원에서는 반지름의 길이의 비가 닮음비이다.
③ 합동인 두 도형의 닮음비는 1 : 1이다.

닮은 평면도형의 닮음비

오른쪽 그림에서 $\triangle DEF$는 $\triangle ABC$의 각 변의 길이를 2배 확대하여 그린 것이므로 $\triangle ABC \backsim \triangle DEF$이다.

이때 닮은 두 삼각형의 대응변의 길이의 비는

$\overline{AB}:\overline{DE}=\overline{BC}:\overline{EF}=\overline{CA}:\overline{FD}=1:2$

로 대응변의 길이의 비가 같음을 알 수 있다.

따라서 두 도형의 닮음비는 1 : 2이다.

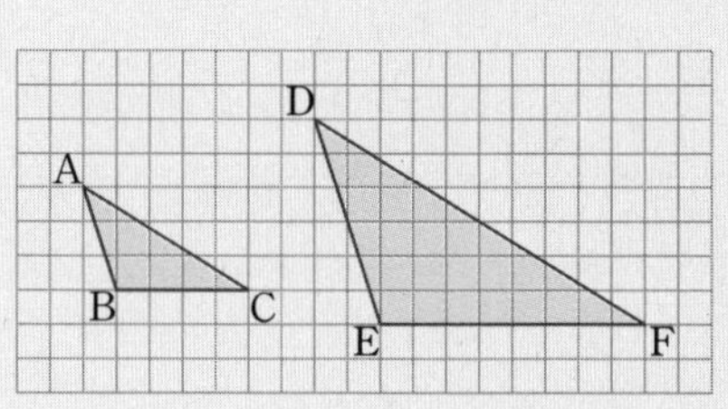

모든 변의 길이의 비가 같으면 항상 닮은 도형일까?

사각형의 경우 모든 변의 길이의 비가 같아도 닮은 도형이 아닐 수도 있다.

오른쪽 그림에서 두 사각형의 각 변의 길이의 비는 모두 1 : 2로 같다. 하지만 하나는 정사각형이고 하나는 마름모이므로 서로 닮은 도형이 아니다.

두 도형이 닮음이기 위해서는 모든 변의 길이의 비가 같아야 할 뿐만 아니라 대응각의 크기도 각각 같아야 한다.

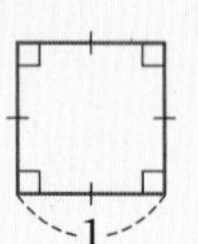

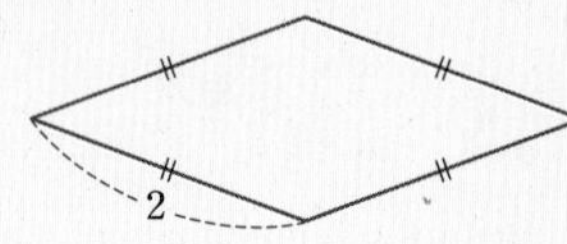

개념확인

1. 아래 그림에서 $\triangle ABC \backsim \triangle DEF$일 때, 다음을 구하시오.

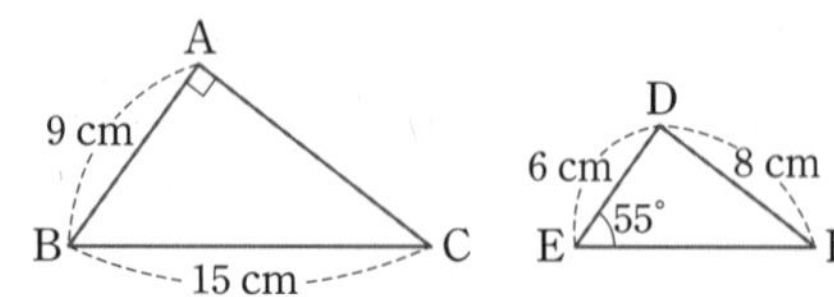

(1) $\triangle ABC$와 $\triangle DEF$의 닮음비
(2) $\overline{AC}$의 길이
(3) $\angle F$의 크기

2. 아래 그림에서 $\square ABCD \backsim \square EFGH$일 때, 다음을 구하시오.

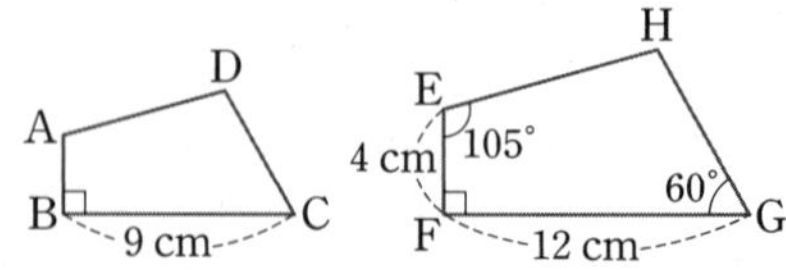

(1) $\square ABCD$와 $\square EFGH$의 닮음비
(2) $\overline{AB}$의 길이
(3) $\angle D$의 크기

개념 적용

닮은 평면도형에서 변의 길이, 각의 크기 구하기

1 **오른쪽 그림에서 □ABCD∽□EFGH일 때, x, y의 값을 각각 구하시오.**

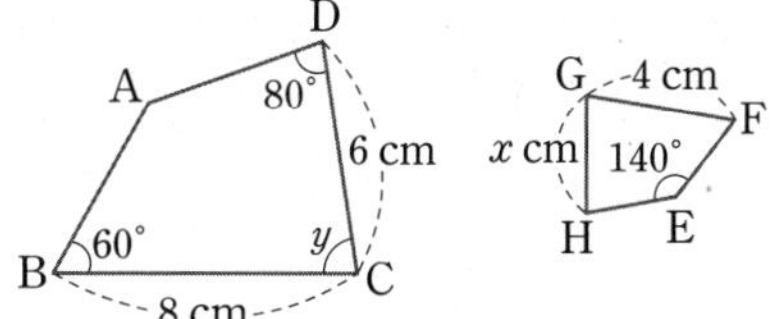

서로 닮은 두 평면도형에서
(1) 대응변의 길이의 비는 일정하다.
(2) 대응각의 크기는 각각 같다.

1-1 오른쪽 그림에서 △ABC∽△DEF이고, 닮음비가 2 : 3일 때, △ABC의 둘레의 길이를 구하시오.

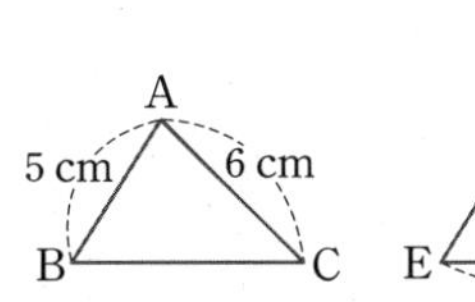

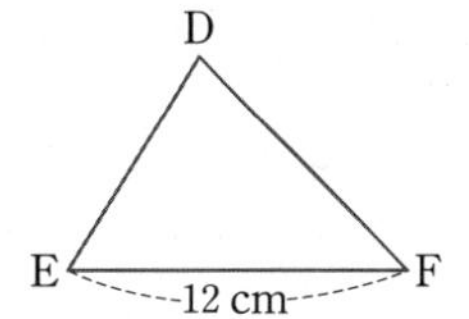

평면도형에서 닮음의 성질의 이해

2 **오른쪽 그림에서 △ABC∽△DEF일 때, 다음 중 옳지 않은 것은?**

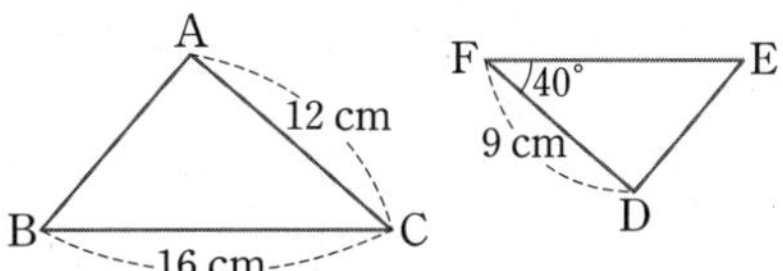

① ∠C=40°
② $\overline{AC}$의 대응변은 $\overline{DF}$이다.
③ $\overline{AB}$: $\overline{DE}$=4 : 3
④ $\overline{BC}$: $\overline{EF}$=4 : 3
⑤ $\overline{EF}$=10 cm

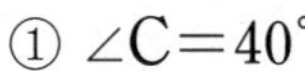

△ABC∽△DEF일 때

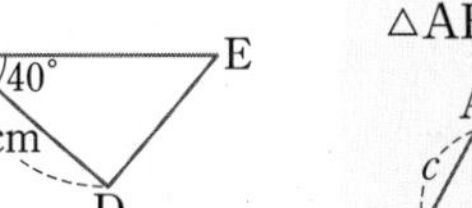

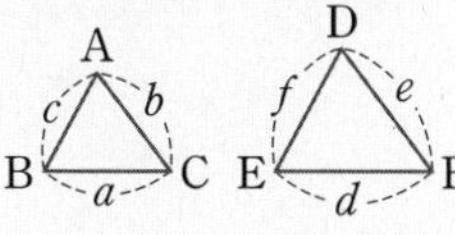

(1) $a : d = b : e = c : f$
(2) ∠A=∠D, ∠B=∠E, ∠C=∠F

2-1 오른쪽 그림에서 □ABCD∽□EFGH일 때, 다음 **보기** 중 옳은 것을 모두 고르시오.

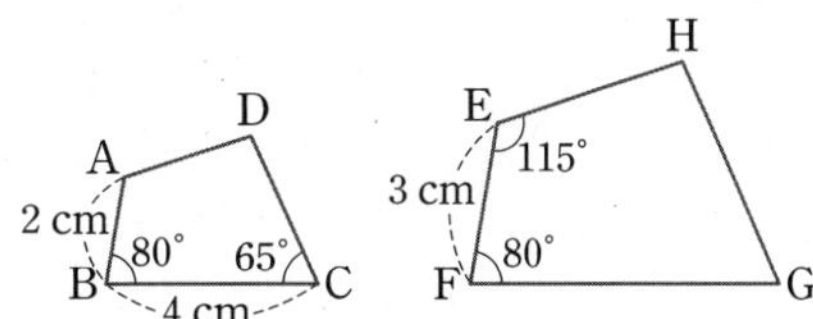

보기
ㄱ. $\overline{DC}$: $\overline{HG}$=3 : 4
ㄴ. ∠H=80°
ㄷ. $\overline{FG}$=6 cm
ㄹ. □ABCD와 □EFGH의 닮음비는 2 : 3이다.

개념 이해 3

입체도형에서의 닮음의 성질

서로 닮은 두 입체도형에서

(1) 대응하는 모서리의 길이의 비는 일정하다.

➡ $\overline{AB}:\overline{A'B'}=\overline{AC}:\overline{A'C'}$
$=\overline{AD}:\overline{A'D'}$

참고 ① 입체도형의 닮음비: 대응하는 모서리의 길이의 비
② 구에서는 반지름의 길이의 비가 닮음비이다.

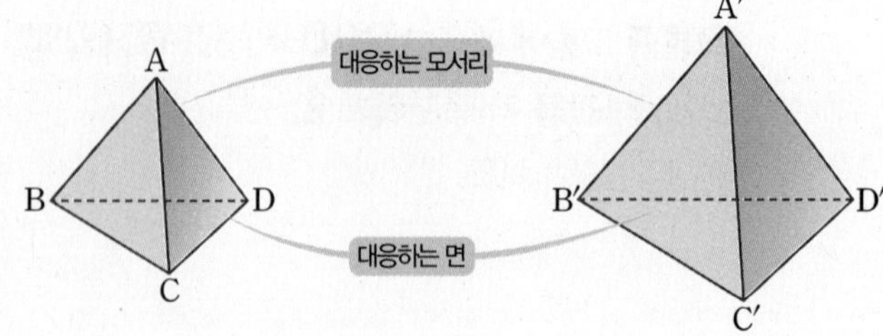

닮음비 ➡ $\overline{AB}:\overline{A'B'}$

(2) 대응하는 면은 서로 닮은 도형이다.

➡ $\triangle ABC \backsim \triangle A'B'C'$, $\triangle ACD \backsim \triangle A'C'D'$, ⋯

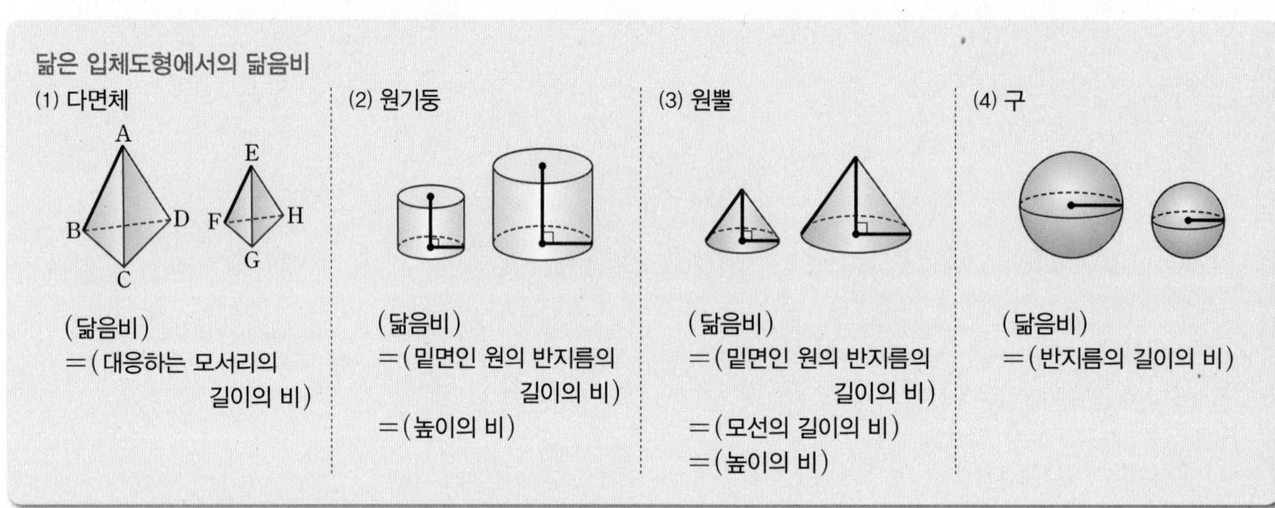

닮은 입체도형에서의 닮음비

(1) 다면체
(닮음비)
=(대응하는 모서리의 길이의 비)

(2) 원기둥
(닮음비)
=(밑면인 원의 반지름의 길이의 비)
=(높이의 비)

(3) 원뿔
(닮음비)
=(밑면인 원의 반지름의 길이의 비)
=(모선의 길이의 비)
=(높이의 비)

(4) 구
(닮음비)
=(반지름의 길이의 비)

개념확인

1. 아래 그림의 두 직육면체는 서로 닮은 도형이다. $\overline{FG}$에 대응하는 모서리가 $\overline{F'G'}$일 때, 다음을 구하시오.

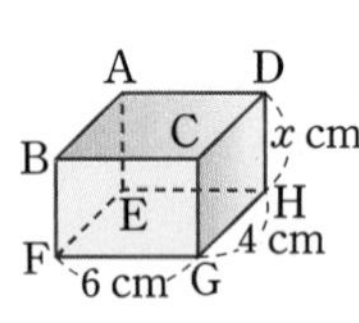

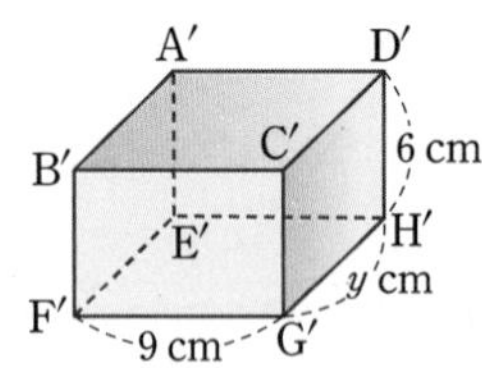

(1) 두 직육면체의 닮음비
(2) 면 ABFE에 대응하는 면
(3) x, y의 값

2. 아래 그림의 두 삼각뿔 A−BCD와 E−FGH는 서로 닮은 도형이다. $\overline{AD}$에 대응하는 모서리가 $\overline{EH}$일 때, 다음을 구하시오.

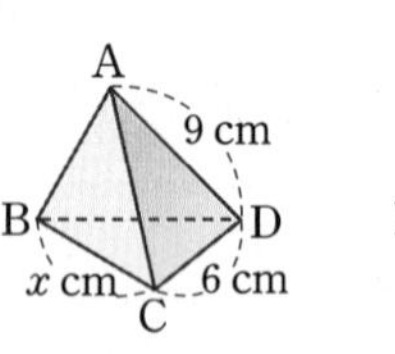

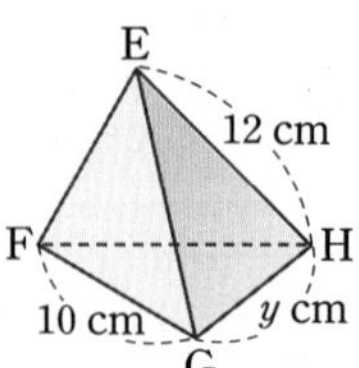

(1) 두 삼각뿔의 닮음비
(2) 면 ACD에 대응하는 면
(3) $x+y$의 값

개념 적용

닮은 입체도형에서 선분의 길이 구하기

1 **오른쪽 그림의 두 사각뿔은 서로 닮은 도형이다. $\overline{DE}$와 $\overline{D'E'}$이 대응하는 모서리일 때, x, y의 값을 각각 구하시오.**

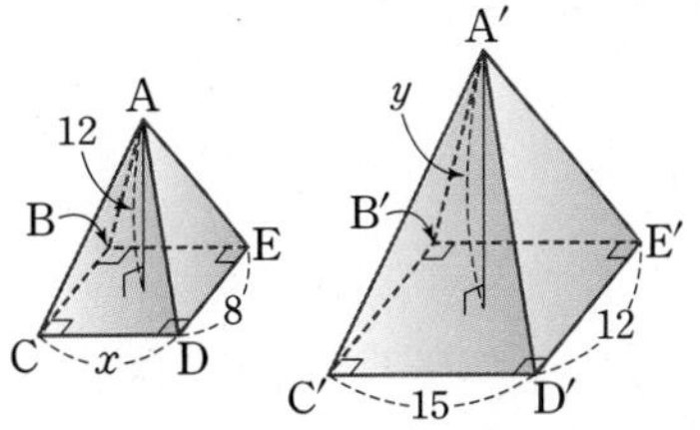

서로 닮은 두 입체도형에서
(1) 대응하는 모서리의 길이의 비는 일정하다.
(2) 대응하는 면은 각각 닮은 도형이다.

1-1 오른쪽 그림에서 두 원기둥 (가), (나)가 서로 닮은 도형일 때, 원기둥 (가), (나)의 밑면의 둘레의 길이의 비를 가장 간단한 자연수의 비로 나타내시오.

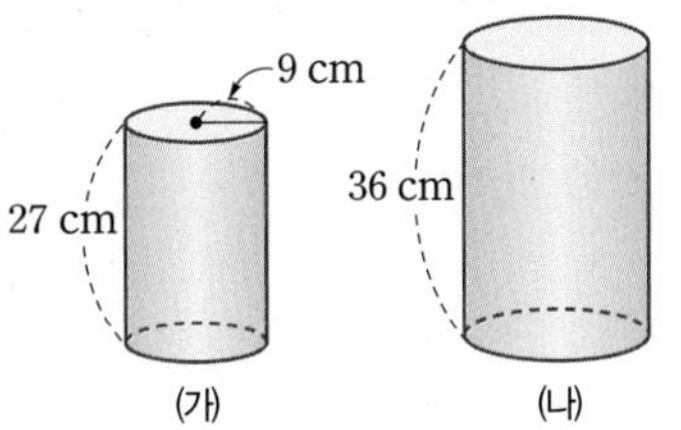

(서로 닮은 두 원기둥 또는 원뿔의 닮음비)
=(밑면의 반지름의 길이의 비)
=(밑면의 둘레의 길이의 비)
=(높이의 비)
=(모선의 길이의 비)

입체도형에서 닮음의 성질의 이해

2 **오른쪽 그림의 두 삼각기둥은 서로 닮은 도형이다. $\triangle ABC \backsim \triangle A'B'C'$일 때, 다음 보기 중 옳지 않은 것을 모두 고르시오.**

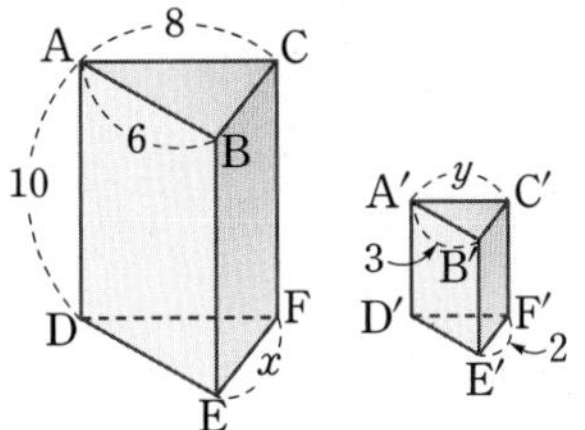

보기

ㄱ. 닮음비는 4 : 3이다.
ㄴ. $x+y=7$
ㄷ. 면 ADEB에 대응하는 면은 면 A′D′E′B′이다.

서로 닮은 두 입체도형에서
(닮음비)
=(대응하는 모서리의 길이의 비)

2-1 오른쪽 그림의 두 사각뿔대는 서로 닮은 도형이다. $\overline{FG}$와 $\overline{NO}$가 대응하는 모서리일 때, 다음 **보기** 중 옳은 것을 모두 고르시오.

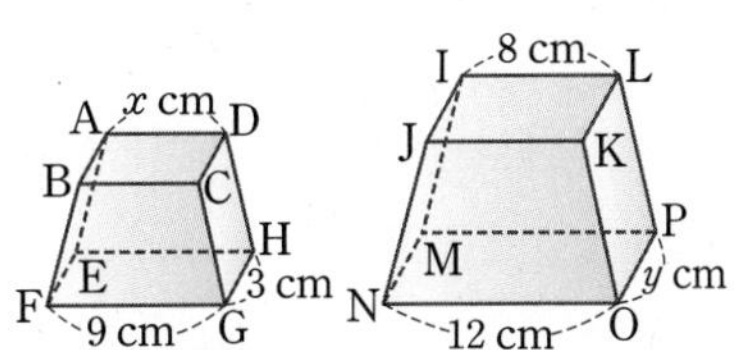

보기

ㄱ. 닮음비는 3 : 2이다.
ㄴ. $x+y=10$
ㄷ. 면 ABFE에 대응하는 면은 면 IJNM이다.

개념 이해

4 삼각형의 닮음 조건

두 삼각형은 다음의 각 경우에 서로 닮음이다.

(1) 세 쌍의 대응변의 길이의 비가 같을 때 (SSS 닮음)

➡ $a:a'=b:b'=c:c'$

(2) 두 쌍의 대응변의 길이의 비가 같고, 그 끼인각의 크기가 같을 때 (SAS 닮음)

➡ $a:a'=c:c'$, $\angle B=\angle B'$

(3) 두 쌍의 대응각의 크기가 각각 같을 때 (AA 닮음)

➡ $\angle B=\angle B'$, $\angle C=\angle C'$

삼각형의 합동 조건과 닮음 조건

삼각형의 합동 조건	삼각형의 닮음 조건
대응하는 세 변의 길이가 각각 같다. (SSS 합동)	세 쌍의 대응변의 길이의 비가 같다. (SSS 닮음)
대응하는 두 변의 길이가 각각 같고, 그 끼인각의 크기가 같다. (SAS 합동)	두 쌍의 대응변의 길이의 비가 같고, 그 끼인각의 크기가 같다. (SAS 닮음)
대응하는 한 변의 길이가 같고, 그 양 끝 각의 크기가 각각 같다. (ASA 합동)	두 쌍의 대응각의 크기가 각각 같다. (AA 닮음)

대응변의 길이의 비만 같은 두 삼각형은 왜 닮은 도형일까?

두 다각형이 서로 닮은 도형이 되려면 대응변의 길이의 비가 같고, 대응각의 크기도 같아야 한다. 그런데 삼각형에서는 대응각의 크기와 상관없이 세 쌍의 대응변의 길이의 비만 같아도 닮은 도형이 된다.

중1 과정에서 학습한 것처럼 삼각형의 세 변의 길이가 주어지면 삼각형의 모양은 유일하게 결정되므로 세 각의 크기도 하나로 결정된다. 마찬가지로 닮은 두 삼각형에서 세 변의 길이의 비가 일정하면 세 각의 크기는 변하지 않고 정해지기 때문에 대응각의 크기도 같게 된다.

이것은 삼각형에서만 볼 수 있는 특징이다.

개념확인

1. 다음 삼각형 중 서로 닮은 삼각형을 찾고, 닮음 조건을 말하시오.

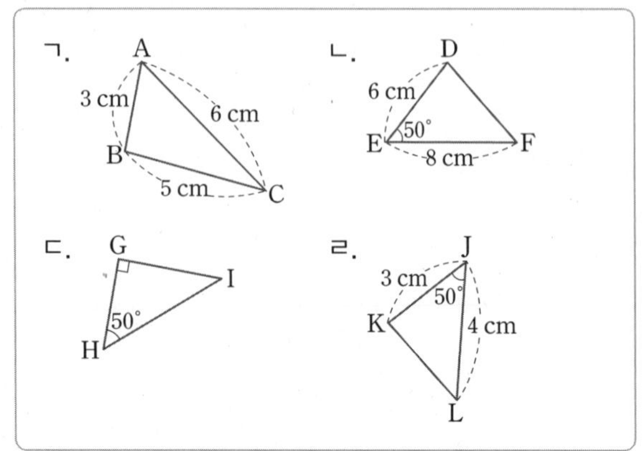

2. 다음 그림에서 닮은 삼각형을 찾아 기호 ∽로 나타내고, 닮음 조건을 말하시오.

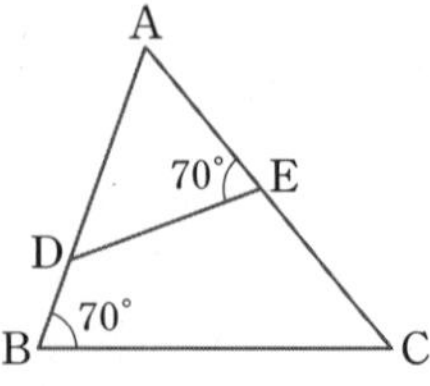

개념 적용

삼각형의 닮음 조건

1 **다음 중 오른쪽 그림의 $\triangle ABC$와 닮은 삼각형을 모두 고르면? (정답 2개)**

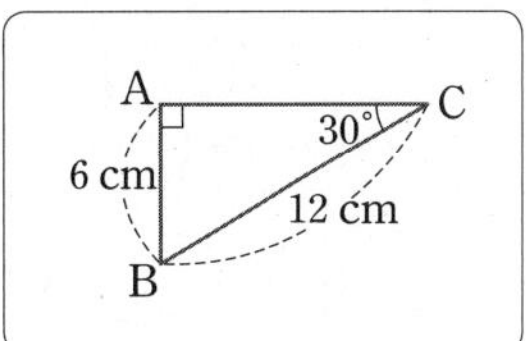

① 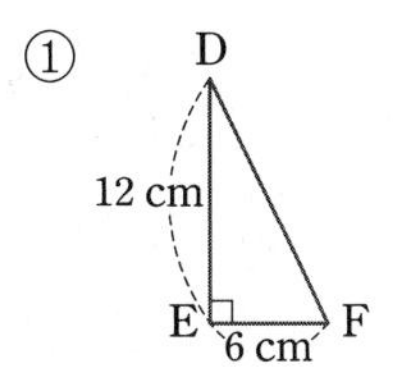

② 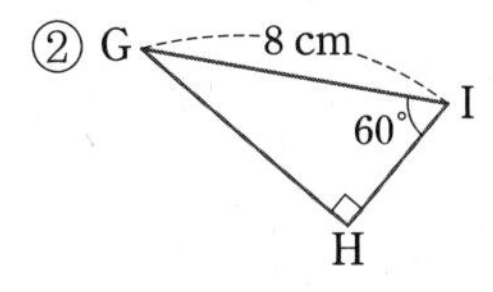

③ 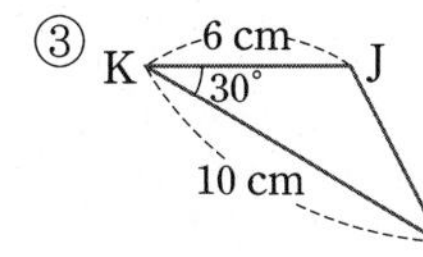

④ 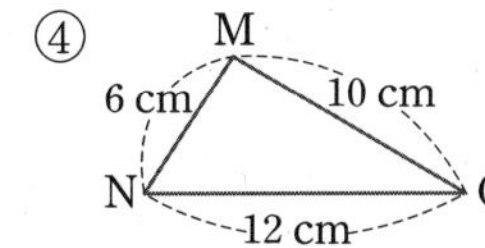

⑤ 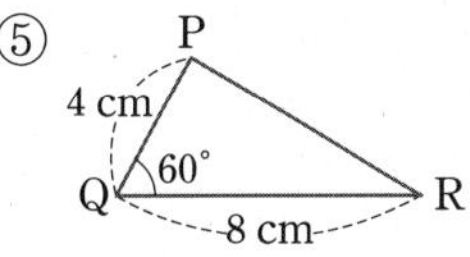

닮은 삼각형을 찾는 방법
① 세 변의 길이가 주어진 경우에는 세 변의 길이의 비를 살핀다.
② 두 변의 길이의 비가 같고 그 끼인각의 크기가 같은지 살핀다.
③ 크기가 각각 같은 두 각이 있는지 살핀다.

1-1 다음 중 $\triangle ABC$와 $\triangle DEF$에 대하여 $\triangle ABC \backsim \triangle DEF$가 아닌 것은?

① $\angle A=\angle D$, $\angle B=\angle E$
② $\angle B=\angle E$, $\angle C=\angle F$
③ $\overline{AB}:\overline{DE}=2:1$, $\angle A=\angle D$, $\overline{AC}:\overline{DF}=2:1$
④ $\overline{BC}=2\overline{EF}$, $\overline{AC}=2\overline{DF}$, $\angle B=\angle E$
⑤ $\dfrac{\overline{AB}}{\overline{DE}}=\dfrac{\overline{BC}}{\overline{EF}}=\dfrac{\overline{CA}}{\overline{FD}}$

1-2 오른쪽 그림의 $\triangle ABC$와 $\triangle DEF$가 닮은 도형이 되려면 다음 **보기** 중 어느 조건이 추가로 필요한지 고르시오.

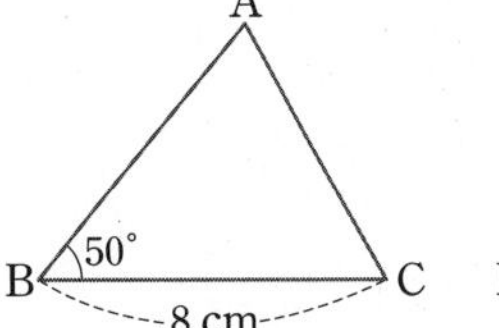

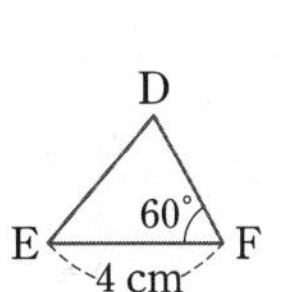

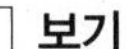

ㄱ. $\overline{AB}=14$ cm, $\overline{DE}=7$ cm
ㄴ. $\angle A=70^\circ$, $\angle E=50^\circ$
ㄷ. $\overline{AC}=6$ cm, $\overline{DF}=3$ cm
ㄹ. $\angle C=65$, $\angle D=65$
ㅁ. $\overline{AC}=12$ cm, $\overline{DE}=6$ cm

▸ $\triangle ABC$와 $\triangle DEF$에서 $\overline{BC}:\overline{EF}=2:1$이므로
(1) $\overline{AB}:\overline{DE}=\overline{AC}:\overline{DF}=2:1$ 이면 $\triangle ABC \backsim \triangle DEF$ (SSS 닮음)
(2) $\overline{AB}:\overline{DE}=2:1$, $\angle B=\angle E$이면 $\triangle ABC \backsim \triangle DEF$ (SAS 닮음)
(3) $\overline{AC}:\overline{DF}=2:1$, $\angle C=\angle F$이면 $\triangle ABC \backsim \triangle DEF$ (SAS 닮음)
(4) $\angle B=\angle E$, $\angle C=\angle F$이면 $\triangle ABC \backsim \triangle DEF$ (AA 닮음)

삼각형의 닮음 조건의 응용

(1) SAS 닮음의 응용

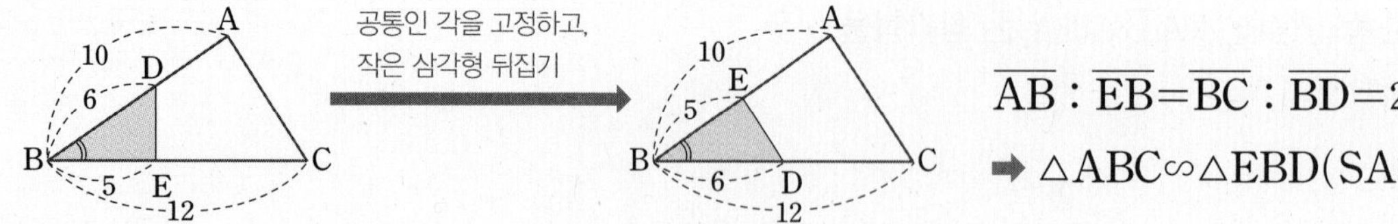

$\overline{AB}:\overline{EB}=\overline{BC}:\overline{BD}=2:1$, $\angle B$는 공통

➡ $\triangle ABC \backsim \triangle EBD$(SAS 닮음)

(2) AA 닮음의 응용

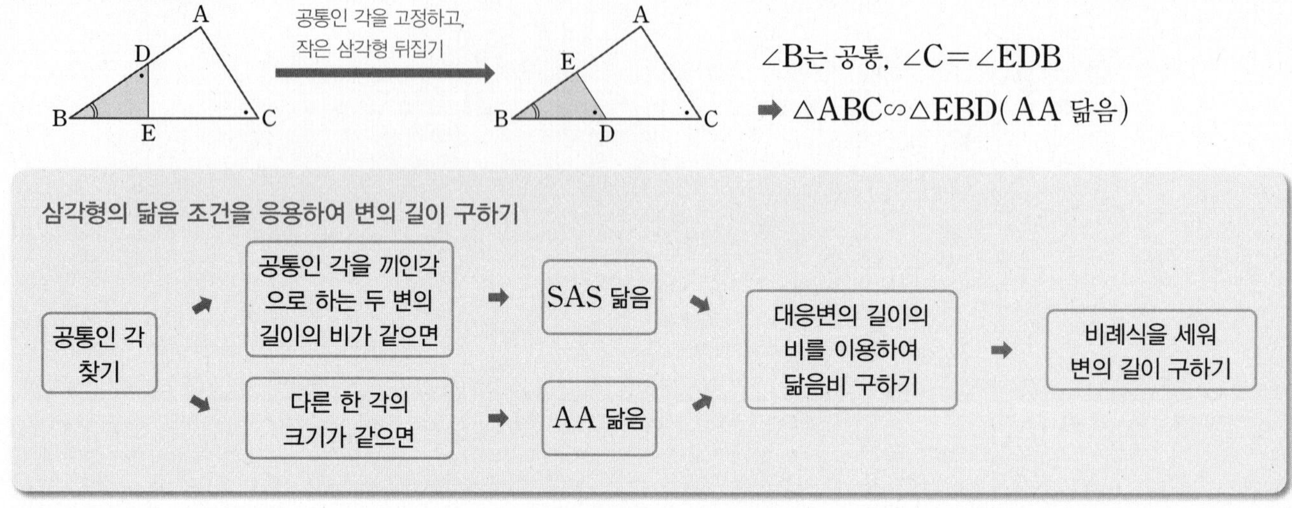

$\angle B$는 공통, $\angle C=\angle EDB$

➡ $\triangle ABC \backsim \triangle EBD$(AA 닮음)

개념확인

1. 아래 그림과 같은 $\triangle ABC$에 대하여 다음 물음에 답하시오.

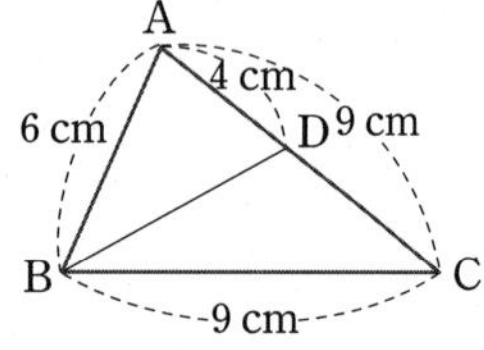

(1) 닮은 삼각형을 찾아 기호 $\backsim$로 나타내고, 닮음 조건을 말하시오.

(2) $\overline{BD}$의 길이를 구하시오.

2. 아래 그림과 같은 $\triangle ABC$에 대하여 다음 물음에 답하시오.

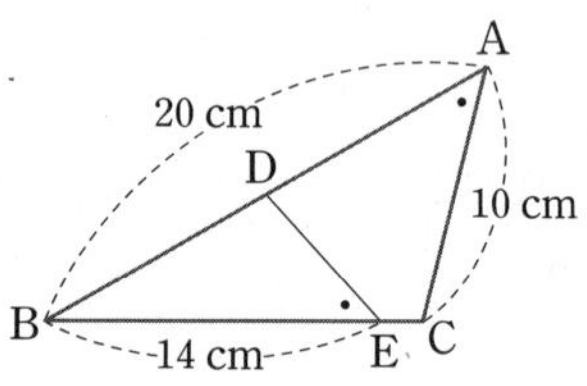

(1) 닮은 삼각형을 찾아 기호 $\backsim$로 나타내고, 닮음 조건을 말하시오.

(2) $\overline{DE}$의 길이를 구하시오.

개념 적용

삼각형의 닮음 조건의 응용 (1) – SAS 닮음

1 **다음 그림에서 x의 값을 구하시오.**

(1) 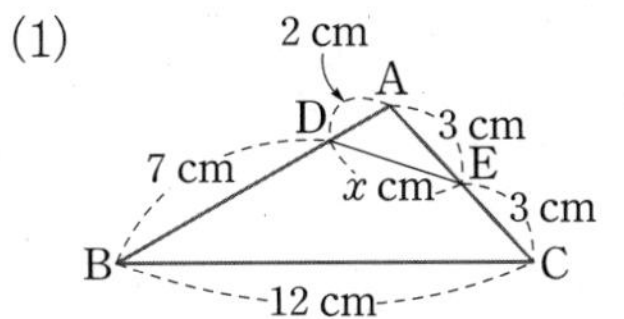

(2) 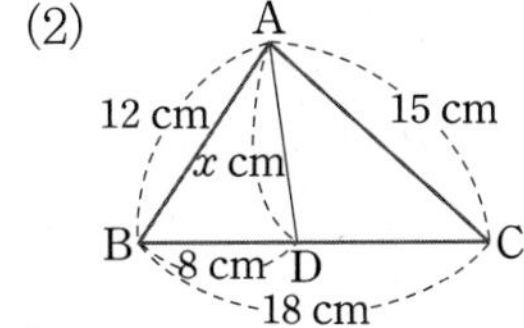

포개진 두 삼각형의 공통인 각과 그 각을 이루는 두 변의 길이의 비가 같을 때: SAS 닮음

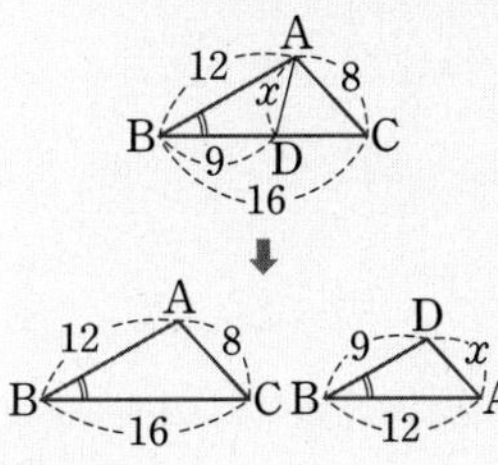

1-1 오른쪽 그림에서 $\overline{AC}$와 $\overline{BD}$의 교점을 E라 할 때, $\overline{AB}$의 길이를 구하시오.

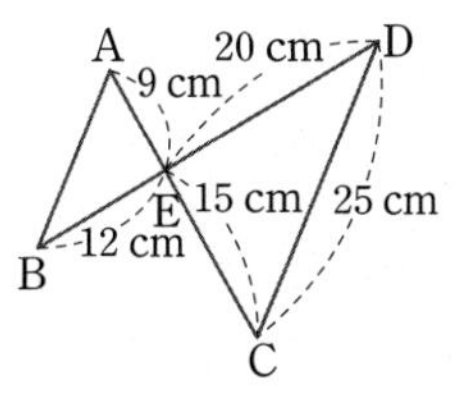

▸ 맞꼭지각의 크기가 같으므로 맞꼭지각을 이루는 두 변의 길이의 비를 알아본다.

삼각형의 닮음 조건의 응용 (2) – AA 닮음

2 **다음 그림에서 x의 값을 구하시오.**

(1) 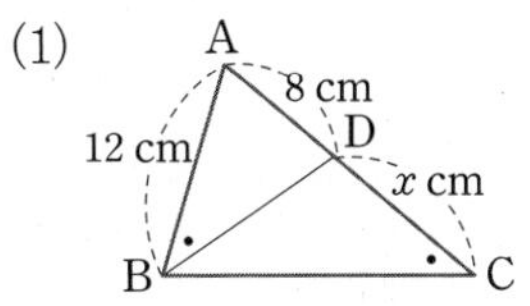

(2) 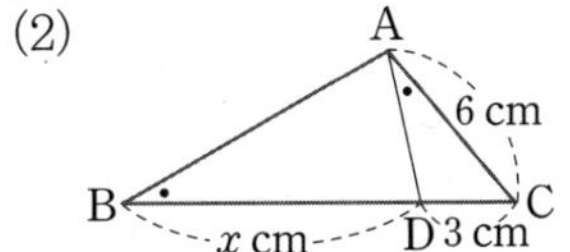

포개진 두 삼각형의 공통인 각과 다른 한 각의 크기가 같을 때: AA 닮음

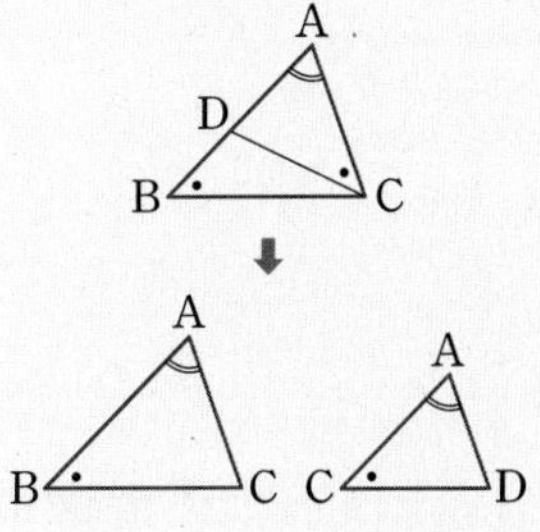

2-1 오른쪽 그림에서 $\overline{AB} /\!/ \overline{DE}$, $\overline{AD} /\!/ \overline{BC}$이고, $\overline{AB}=9$ cm, $\overline{AE}=8$ cm, $\overline{DE}=6$ cm일 때, $\overline{EC}$의 길이를 구하시오.

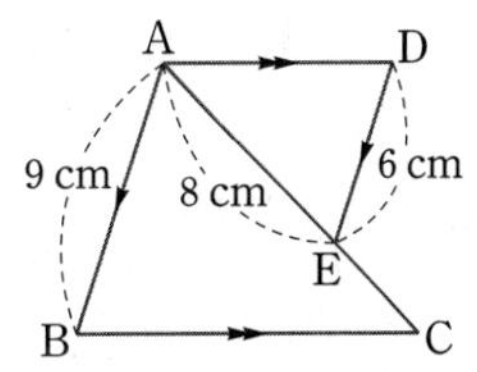

▸ 두 직선이 평행하면 동위각, 엇각의 크기가 각각 같음을 이용한다.

개념 이해

6 직각삼각형의 닮음

$\angle A=90°$인 직각삼각형 ABC의 꼭짓점 A에서 빗변 BC에 내린 수선의 발을 H라 하면

➡ **△ABC∽△HBA∽△HAC (AA 닮음)**

└ 한 내각이 직각으로 같고, 한 예각의 크기가 같으므로 AA 닮음이다.

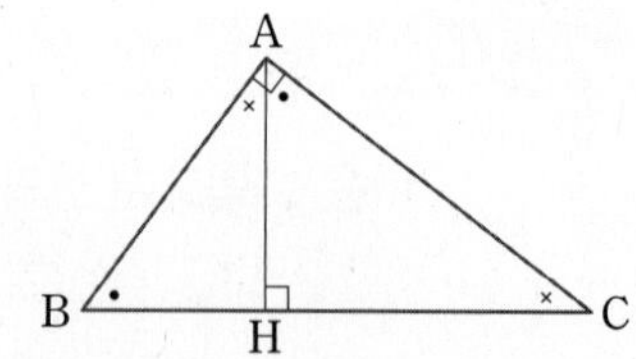

(1)

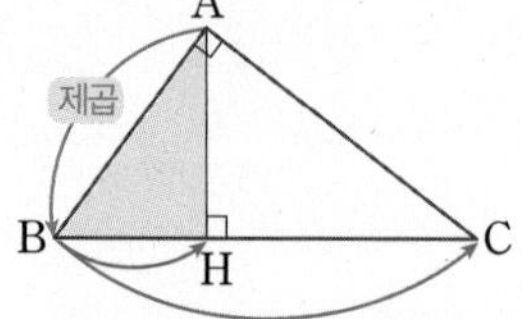

$\overline{AB}^2=\overline{BH}\times\overline{BC}$

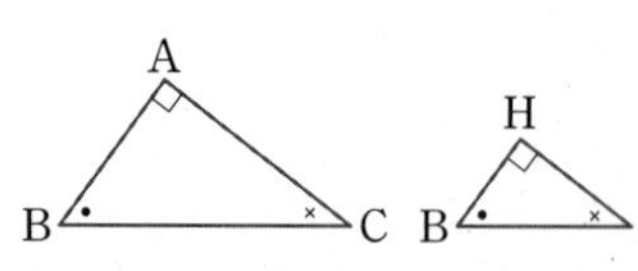

△ABC∽△HBA(AA 닮음)
이므로
$\overline{AB}:\overline{HB}=\overline{BC}:\overline{BA}$
$\therefore \overline{AB}^2=\overline{BH}\times\overline{BC}$

(2)

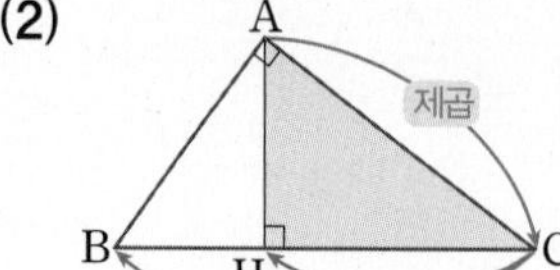

$\overline{AC}^2=\overline{CH}\times\overline{CB}$

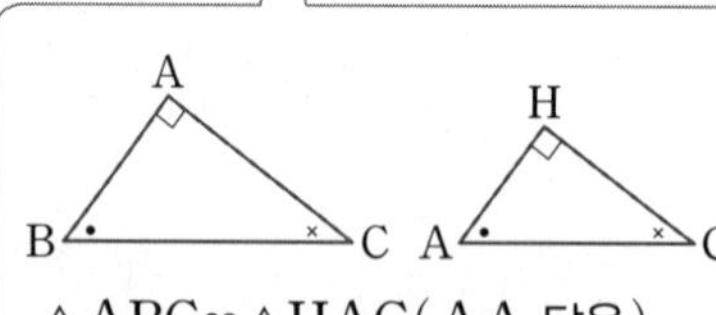

△ABC∽△HAC(AA 닮음)
이므로
$\overline{AC}:\overline{HC}=\overline{BC}:\overline{AC}$
$\therefore \overline{AC}^2=\overline{CH}\times\overline{CB}$

(3)

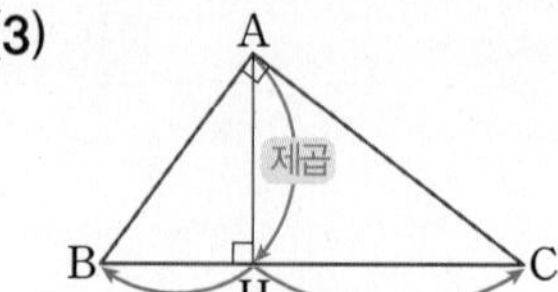

$\overline{AH}^2=\overline{HB}\times\overline{HC}$

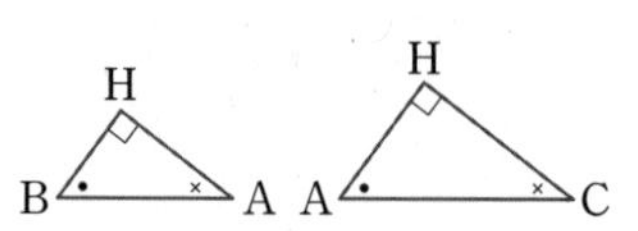

△HBA∽△HAC(AA 닮음)
이므로
$\overline{HB}:\overline{HA}=\overline{HA}:\overline{HC}$
$\therefore \overline{AH}^2=\overline{HB}\times\overline{HC}$

참고

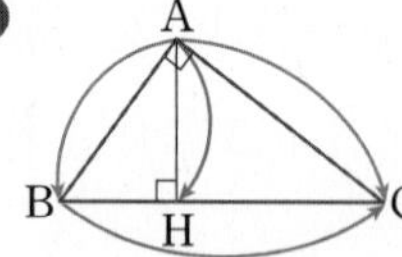

$\overline{AB}\times\overline{AC}=\overline{BC}\times\overline{AH}$

└ $\triangle ABC=\frac{1}{2}\times\overline{AB}\times\overline{AC}=\frac{1}{2}\times\overline{BC}\times\overline{AH}$

개념확인

1. 다음 그림에서 x의 값을 구하시오.

(1)

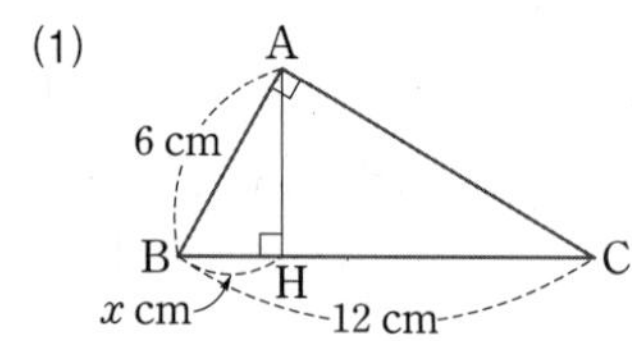

(2)

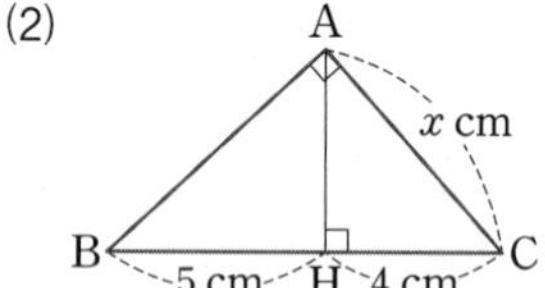

(3)

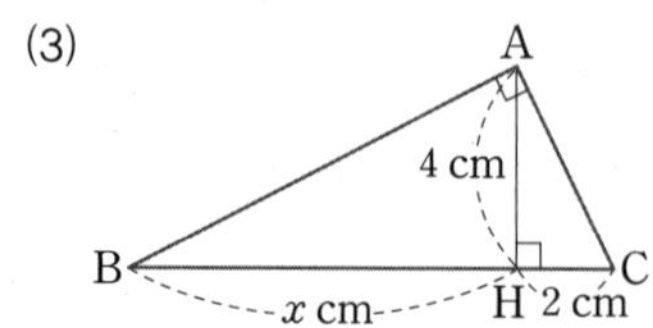

(4)

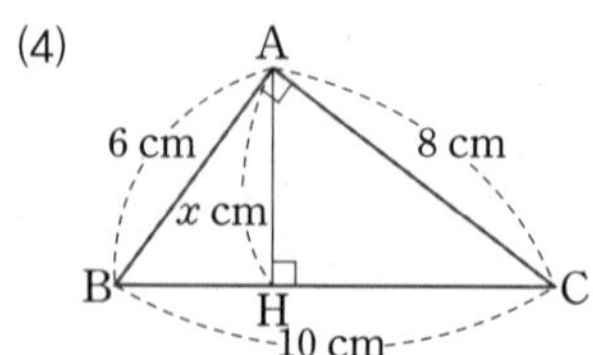

개념 적용

직각삼각형의 닮음

1 **오른쪽 그림과 같이 $\triangle ABC$의 두 꼭짓점 B, C에서 $\overline{AC}$, $\overline{AB}$에 내린 수선의 발을 각각 D, E라 하자. $\overline{AB}=15$, $\overline{AC}=12$, $\overline{CD}=7$일 때, $\overline{AE}$의 길이를 구하시오.**

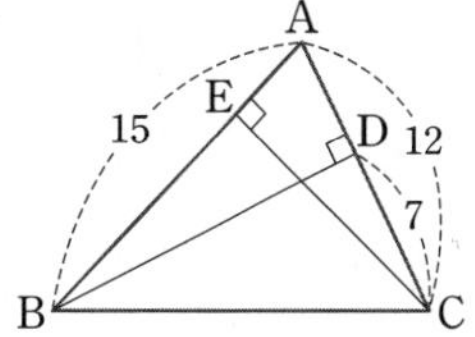

두 직각삼각형에서 직각이 아닌 다른 한 각의 크기가 같으면 두 직각삼각형은 닮음이다.
➡ AA 닮음

1-1 오른쪽 그림에서 $\angle A=\angle DEB=90°$이고 $\overline{AD}=4$ cm, $\overline{BD}=8$ cm, $\overline{BC}=16$ cm일 때, $\overline{BE}$의 길이를 구하시오.

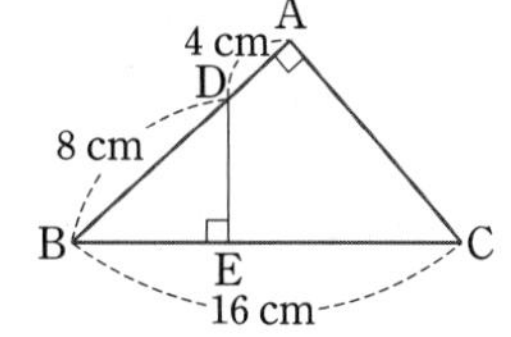

직각삼각형의 닮음의 응용

2 **오른쪽 그림과 같이 $\angle A=90°$인 직각삼각형 ABC의 꼭짓점 A에서 $\overline{BC}$에 내린 수선의 발을 H라 하자. $\overline{AH}=12$ cm, $\overline{HC}=16$ cm일 때, x, y, z의 값을 각각 구하시오.**

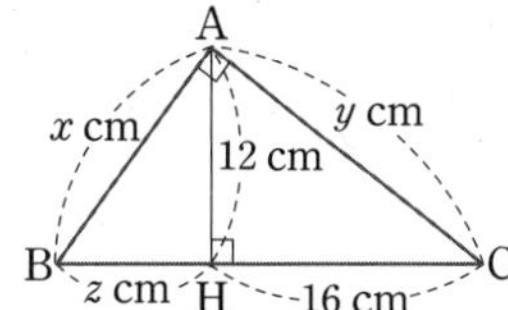

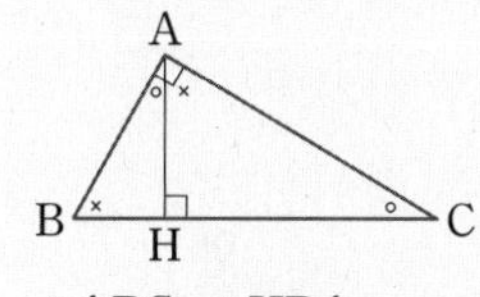

$\triangle ABC \backsim \triangle HBA$
$\backsim \triangle HAC$(AA 닮음)

(1) $\overline{AB}^2=\overline{BH}\times\overline{BC}$
(2) $\overline{AC}^2=\overline{CH}\times\overline{CB}$
(3) $\overline{AH}^2=\overline{HB}\times\overline{HC}$
(4) $\overline{AB}\times\overline{AC}=\overline{BC}\times\overline{AH}$

2-1 오른쪽 그림과 같이 $\angle A=90°$인 직각삼각형 ABC에서 $\overline{AH}\perp\overline{BC}$이고 $\overline{AH}=12$ cm, $\overline{CH}=8$ cm일 때, $\triangle ABC$의 넓이를 구하시오.

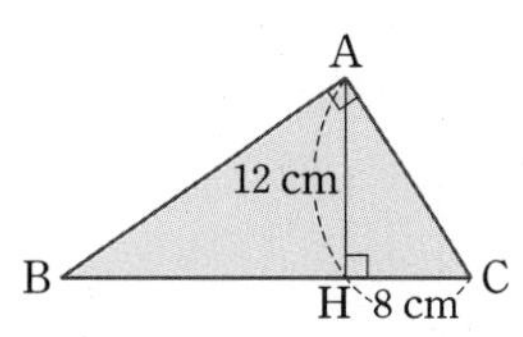

기본 문제

1 닮음의 성질의 이해

다음 중 닮은 도형에 대한 설명으로 옳지 않은 것은?

① 닮은 두 평면도형에서 대응변의 길이의 비는 일정하다.
② 합동인 두 도형은 닮은 도형이며 그 닮음비는 $1:1$ 이다.
③ 넓이가 같은 두 평면도형은 서로 닮음이다.
④ 한 도형을 일정한 비율로 확대 또는 축소한 것이 다른 도형과 합동일 때, 이 두 도형은 닮음인 관계에 있다고 한다.
⑤ 닮은 두 입체도형에서 대응하는 면은 서로 닮은 도형이다.

2 항상 닮은 도형 찾기

다음 중 항상 닮은 도형인 것을 모두 고르면? (정답 2개)

① 두 직사각형 ② 두 정삼각형
③ 두 삼각기둥 ④ 두 이등변삼각형
⑤ 두 정이십면체

3 닮은 평면도형에서 변의 길이, 각의 크기 구하기

다음 그림에서 □ABCD∽□EFGH일 때, $\overline{EF}$의 길이와 ∠H의 크기를 각각 구하시오.

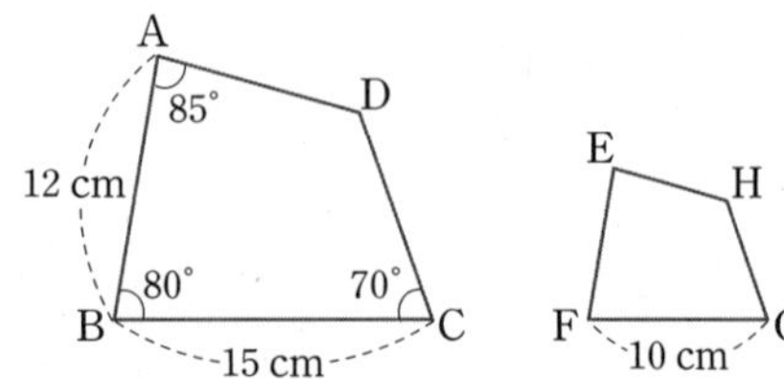

4 닮은 입체도형에서 선분의 길이 구하기

다음 그림의 두 원뿔이 서로 닮은 도형일 때, 큰 원뿔의 부피를 구하시오.

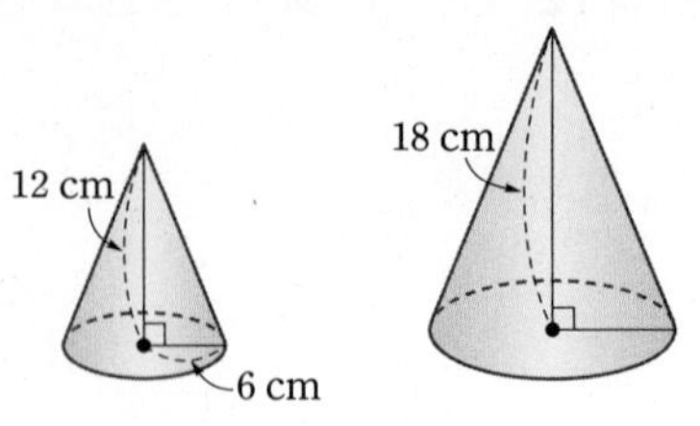

5 삼각형의 닮음 조건

다음 **보기**에서 두 삼각형이 서로 닮은 도형으로 바르게 짝 지어진 것을 모두 고르시오.

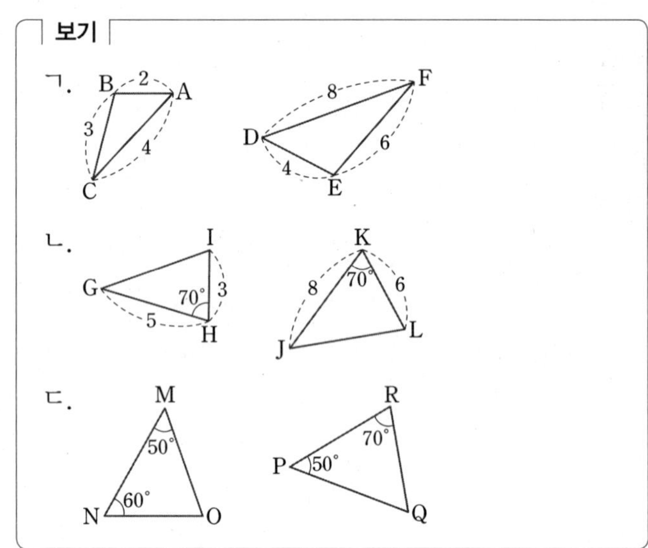

6 삼각형의 닮음 조건의 응용 (1) – SAS 닮음

오른쪽 그림에서 점 E는 $\overline{AC}$와 $\overline{BD}$의 교점이다. 이때 $\overline{CD}$의 길이는?

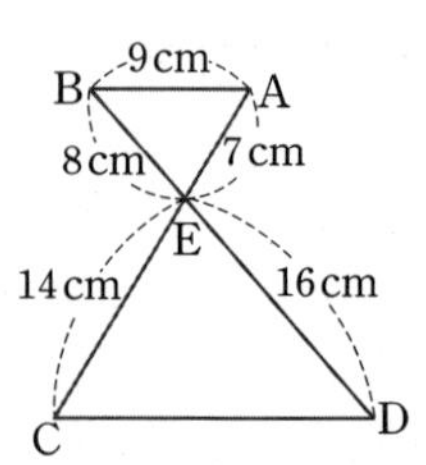

① 16 cm ② 17 cm
③ 18 cm ④ 19 cm
⑤ 20 cm

7 삼각형의 닮음 조건의 응용 (1) – SAS 닮음

오른쪽 그림과 같은 △ABC에서 $\overline{AD}$의 길이는?

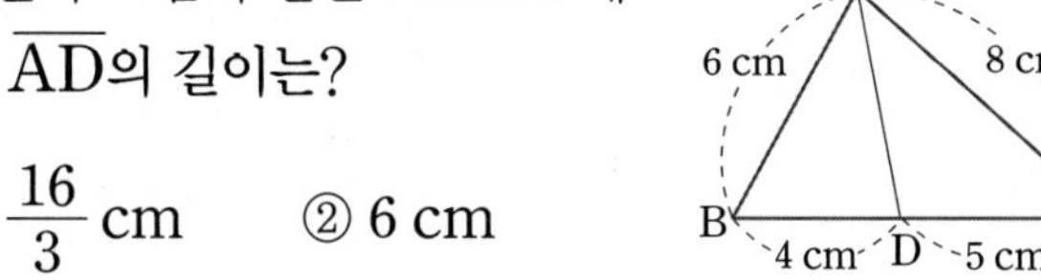

① $\frac{16}{3}$ cm　② 6 cm
③ $\frac{13}{2}$ cm　④ $\frac{27}{4}$ cm
⑤ 7 cm

8 삼각형의 닮음 조건의 응용 (2) – AA 닮음

오른쪽 그림에서 $\angle A=\angle DEC$이고 $\overline{AD}=2$ cm, $\overline{DC}=4$ cm, $\overline{EC}=3$ cm일 때, $\overline{BE}$의 길이는?

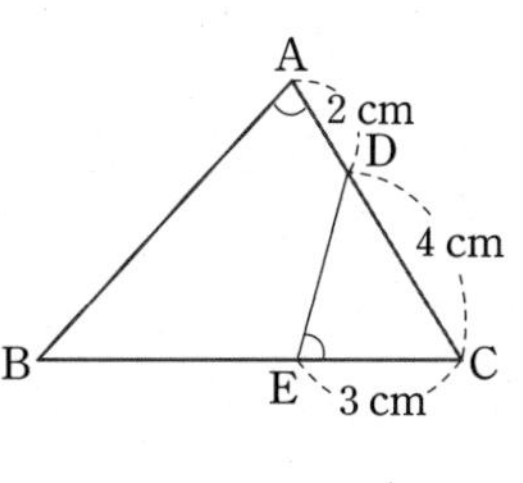

① 4 cm　② $\frac{9}{2}$ cm　③ 5 cm
④ $\frac{17}{3}$ cm　⑤ 6 cm

9 삼각형의 닮음 조건의 응용 (2) – AA 닮음

다음 그림에서 $\overline{AD}/\!/\overline{BC}$, $\overline{AB}/\!/\overline{DE}$일 때, $\overline{CE}$의 길이를 구하시오.

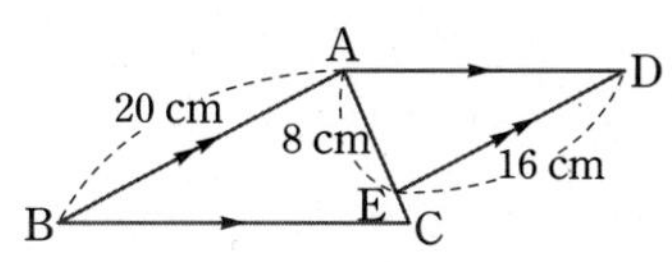

10 직각삼각형의 닮음

오른쪽 그림에서 $\overline{AB}\perp\overline{FD}$, $\overline{AC}\perp\overline{BD}$이고, $\overline{AC}$와 $\overline{DF}$가 만나는 점을 E라 할 때, 다음 중 옳지 않은 것은?

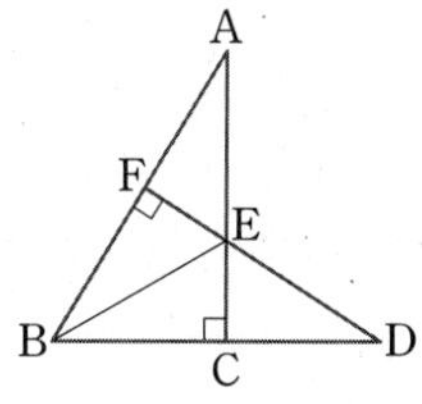

① △ACB∽△AFE
② △ACB∽△DCE
③ △AFE∽△DCE
④ △CBE∽△FBE
⑤ △DCE∽△DFB

11 직각삼각형의 닮음의 응용

오른쪽 그림과 같이 $\angle A=90°$인 직각삼각형 ABC의 꼭짓점 A에서 $\overline{BC}$에 내린 수선의 발을 H라 할 때, 다음 중 옳지 않은 것은?

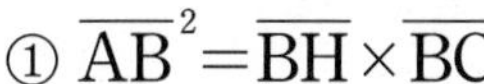

① $\overline{AB}^2=\overline{BH}\times\overline{BC}$
② $\overline{AB}\times\overline{AC}=\overline{BC}\times\overline{AH}$
③ $\angle ABC=\angle HAC$
④ $\overline{AC}^2=\overline{CH}\times\overline{HB}$
⑤ △HBA∽△HAC

12 직각삼각형의 닮음의 응용

오른쪽 그림과 같이 $\angle A=90°$인 직각삼각형 ABC의 꼭짓점 A에서 $\overline{BC}$에 내린 수선의 발을 H라 하자. $\overline{AC}=5$ cm, $\overline{CH}=4$ cm일 때, $\overline{AH}$의 길이를 구하시오.

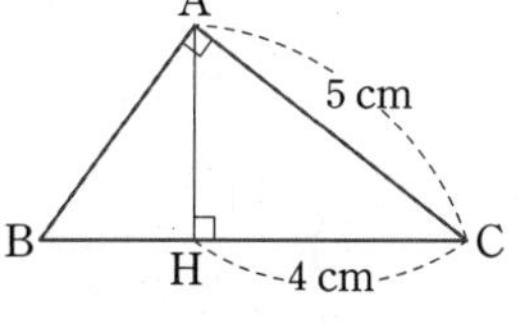

발전 문제

1 오른쪽 그림과 같이 A4 용지를 반으로 접을 때마다 만들어지는 용지의 크기를 각각 A5, A6, A7, ⋯이라 할 때, 이 용지들은 A4 용지와 모두 닮은 도형이다. A4 용지와 A8 용지의 닮음비는?

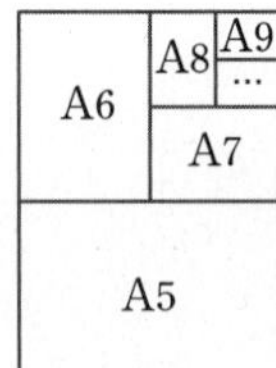

① 2 : 1　② 4 : 1　③ 6 : 1
④ 8 : 1　⑤ 16 : 1

2 오른쪽 그림에서 $\angle BAE = \angle CBF = \angle ACD$이고 $\overline{AB} = 6$ cm, $\overline{BC} = 7$ cm, $\overline{CA} = 5$ cm일 때, $\overline{DE} : \overline{EF} : \overline{FD}$를 가장 간단한 자연수의 비로 나타내시오.

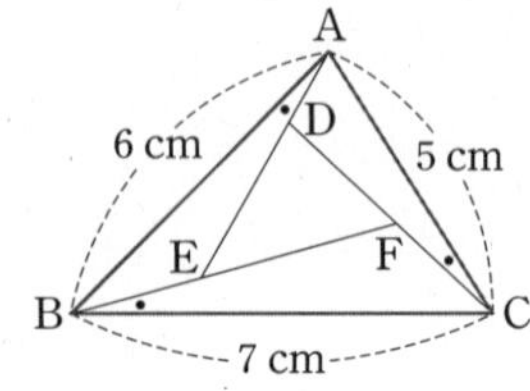

△ABE의 한 외각이 △DEF의 한 내각임을 이용한다.

3 오른쪽 그림과 같이 정삼각형 ABC를 접어서 꼭짓점 B가 $\overline{AC}$ 위의 점 B′에 오도록 하였다. $\overline{AB'} = 4$ cm, $\overline{BD} = 7$ cm, $\overline{BC} = 12$ cm일 때, $\overline{AE}$의 길이를 구하시오.

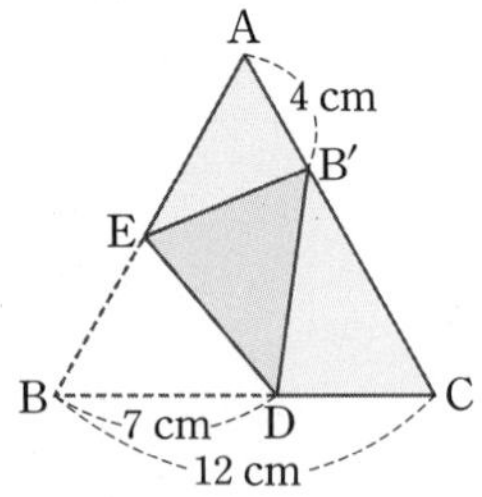

4 오른쪽 그림과 같은 △ABC에서 $\overline{AD} \perp \overline{BC}$, $\overline{AC} \perp \overline{BE}$이고, $\overline{AD}$와 $\overline{BE}$가 만나는 점을 O라 하자. 점 D가 $\overline{BC}$의 중점이고, $\overline{BC} = 12$ cm, $\overline{OD} = 3$ cm일 때, $\overline{AO}$의 길이를 구하시오.

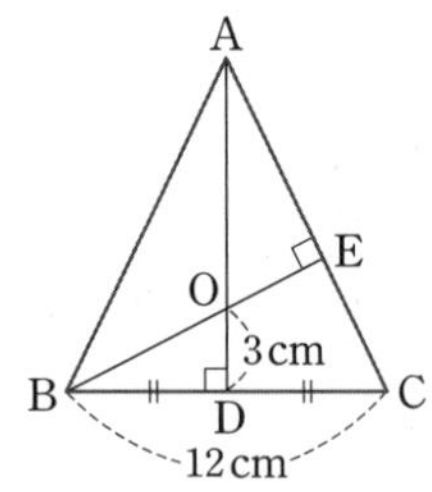

$\overline{OD}$의 길이가 주어졌으므로 $\overline{OD}$를 한 변으로 하는 △OBD와 △CAD의 닮음 조건을 차근차근 따져 본다.

5 오른쪽 그림과 같은 평행사변형 ABCD에서 $\overline{AE}$와 $\overline{DC}$의 연장선의 교점을 F라 하자. $\overline{AB} = 6$ cm, $\overline{AD} = 10$ cm이고 $\overline{BE} : \overline{EC} = 3 : 2$일 때, $\overline{CF}$의 길이를 구하시오.

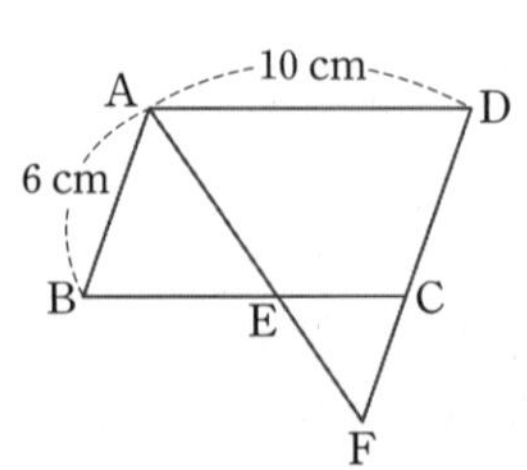

평행사변형의 뜻을 이용하여 크기가 같은 각을 찾는다.

6 서술형

오른쪽 그림과 같이 직사각형 ABCD를 $\overline{CE}$를 접는 선으로 하여 꼭짓점 B가 $\overline{AD}$ 위의 점 B′에 오도록 접었다. $\overline{AE}=3\text{ cm}$, $\overline{AB'}=4\text{ cm}$, $\overline{CD}=8\text{ cm}$일 때, $\overline{B'D}$의 길이를 구하기 위한 풀이 과정을 쓰고 답을 구하시오.

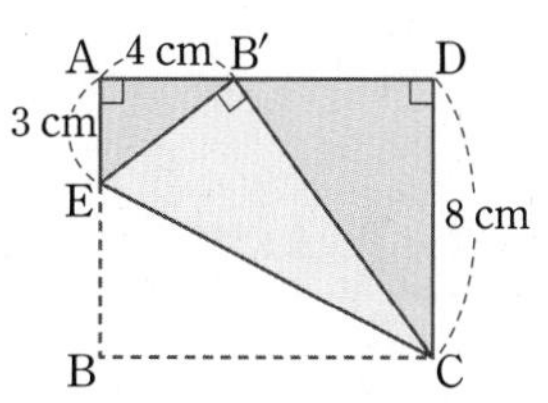

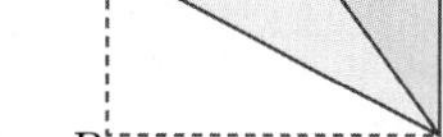

① 단계: 닮은 두 삼각형을 찾아 기호로 나타내기

△AEB′과 △DB′C에서

∠B′AE= ______ = ______

∠B′EA+∠AB′E=90°이고 ∠CB′D+∠AB′E=90°이므로

∠B′EA= ______

∴ △AEB′∽△DB′C(______ 닮음)

② 단계: 닮음의 성질을 이용하여 $\overline{B'D}$의 길이 구하기

$\overline{AB'}:\overline{DC}=\overline{AE}:\overline{DB'}$이므로

____

∴ $\overline{B'D}=$ ______

► Check List
- 닮은 두 삼각형을 찾아 기호로 바르게 나타내었는가?
- 닮음의 성질을 이용하여 $\overline{B'D}$의 길이를 바르게 구하였는가?

7 서술형

오른쪽 그림과 같이 ∠A=90°인 직각삼각형 ABC에서 $\overline{BC}$의 중점을 M이라 하고, 꼭짓점 A에서 $\overline{BC}$에 내린 수선의 발을 D, 점 D에서 $\overline{AM}$에 내린 수선의 발을 E라 하자. $\overline{BD}=6\text{ cm}$, $\overline{DC}=2\text{ cm}$일 때, $\overline{AE}$의 길이를 구하기 위한 풀이 과정을 쓰고 답을 구하시오.

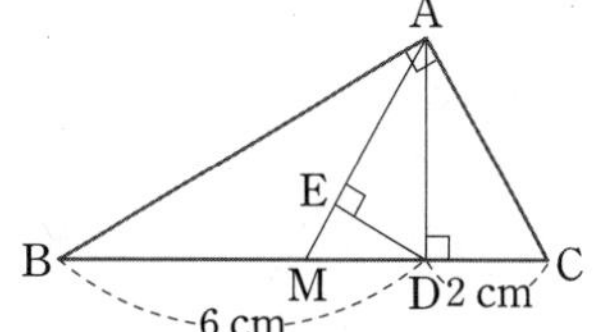

① 단계: $\overline{MD}$의 길이 구하기

____

② 단계: $\overline{ME}$의 길이 구하기

____

③ 단계: $\overline{AE}$의 길이 구하기

____

► Check List
- $\overline{MD}$의 길이를 바르게 구하였는가?
- $\overline{ME}$의 길이를 바르게 구하였는가?
- $\overline{AE}$의 길이를 바르게 구하였는가?

2 평행선과 선분의 길이의 비

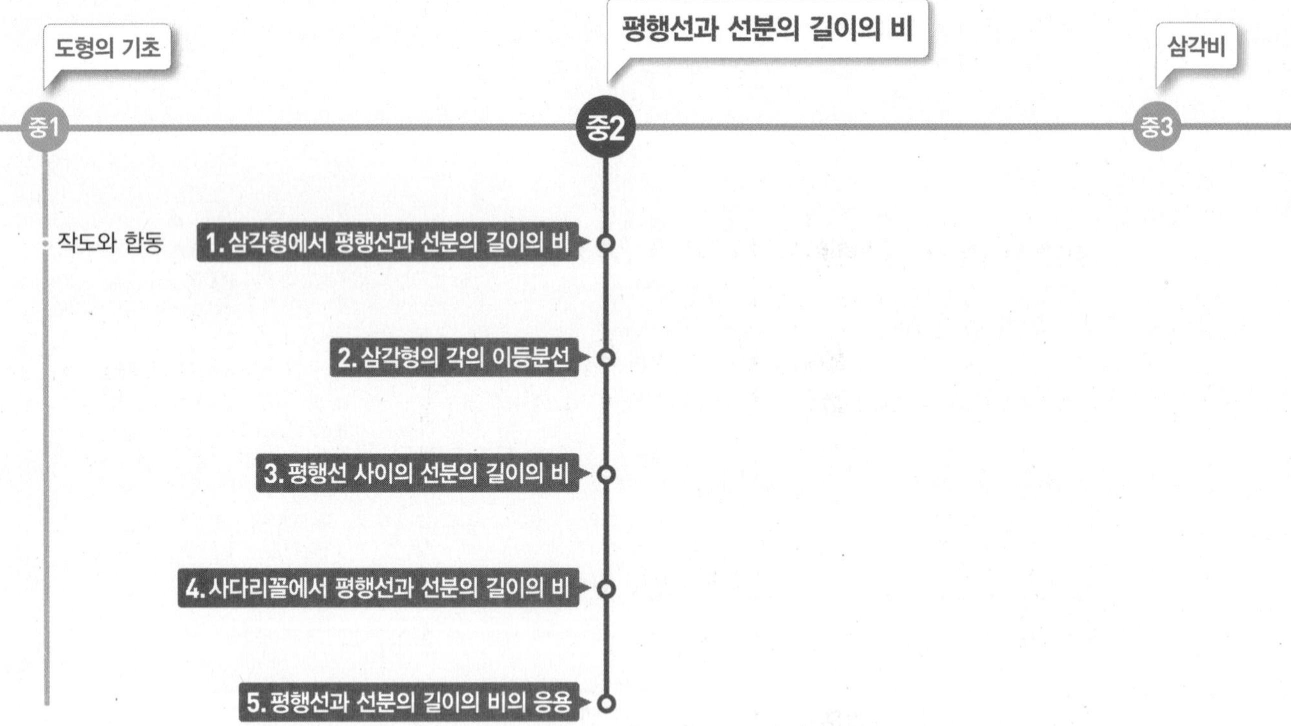

세 평행선을 지나는 직선의 관계

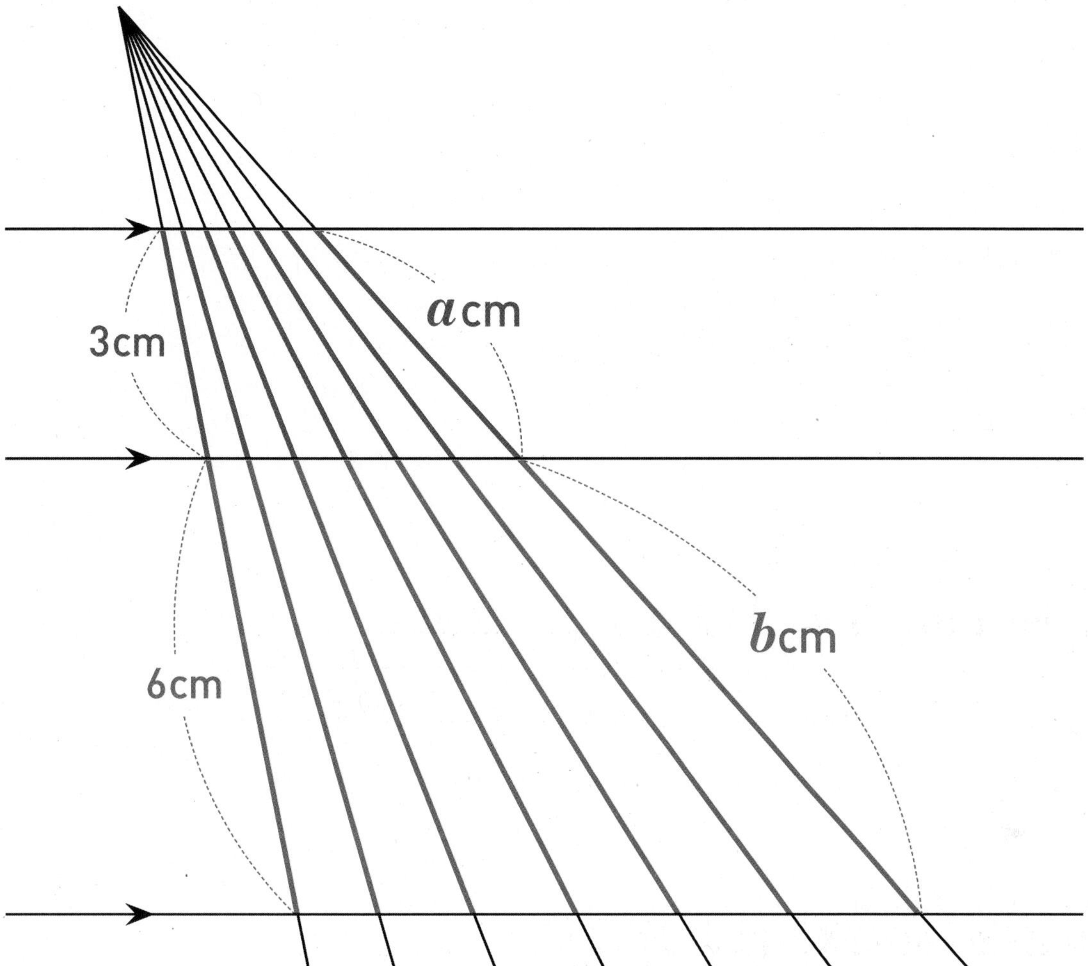

$$a : b = ? : ?$$

평행선 사이의 모든 선분의 길이의 비는 같다.

삼각형에서 평행선과 선분의 길이의 비

(1) $\triangle$ABC에서 $\overline{AB}$, $\overline{AC}$ 또는 그 연장선 위의 점을 각각 D, E라 할 때,

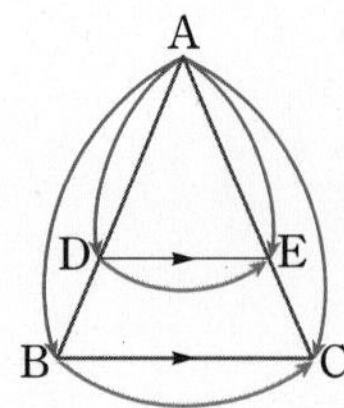

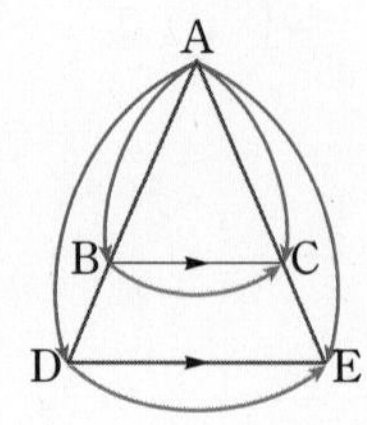

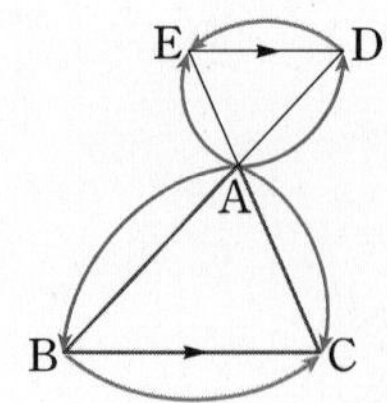

① $\overline{BC} /\!/ \overline{DE}$이면

$\overline{AB} : \overline{AD} = \overline{AC} : \overline{AE} = \overline{BC} : \overline{DE}$

> $\overline{DE} /\!/ \overline{BC}$이면
> $\triangle$ABC와 $\triangle$ADE에서
> $\angle ABC = \angle ADE$, $\angle ACB = \angle AED$
> $\therefore$ $\triangle ABC \backsim \triangle ADE$(AA 닮음)
> 닮은 두 삼각형에서 대응변의 길이의 비가 같으므로
> $\overline{AB} : \overline{AD} = \overline{AC} : \overline{AE} = \overline{BC} : \overline{DE}$

② $\overline{AB} : \overline{AD} = \overline{AC} : \overline{AE}$이면

$\overline{BC} /\!/ \overline{DE}$

> $\overline{AB} : \overline{AD} = \overline{AC} : \overline{AE}$이면
> $\triangle$ABC와 $\triangle$ADE에서
> $\overline{AB} : \overline{AD} = \overline{AC} : \overline{AE}$, $\angle A$는 공통
> $\therefore$ $\triangle ABC \backsim \triangle ADE$(SAS 닮음)
> 따라서 $\angle ABC = \angle ADE$(동위각),
> $\angle ACB = \angle AED$(동위각)이므로
> $\overline{BC} /\!/ \overline{DE}$

(2) $\triangle$ABC에서 $\overline{AB}$, $\overline{AC}$ 또는 그 연장선 위의 점을 각각 D, E라 할 때,

① $\overline{BC} /\!/ \overline{DE}$이면

$\overline{AD} : \overline{DB} = \overline{AE} : \overline{EC}$

② $\overline{AD} : \overline{DB} = \overline{AE} : \overline{EC}$이면

$\overline{BC} /\!/ \overline{DE}$

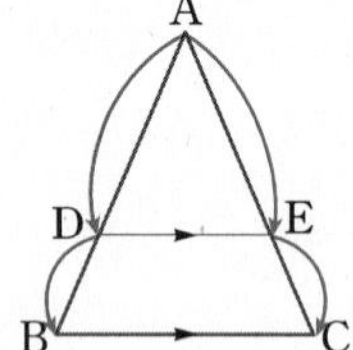

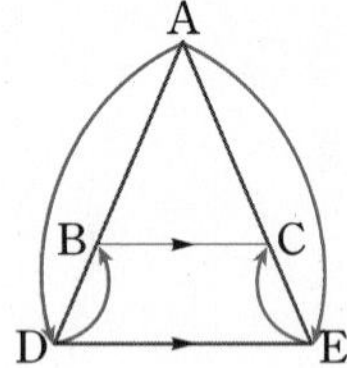

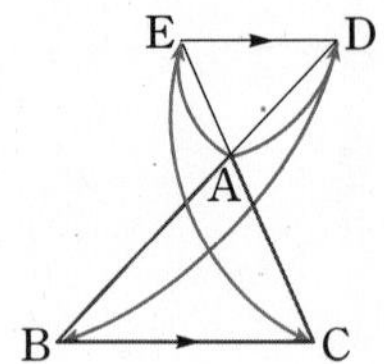

주의 [그림 1]을 [그림 2]와 같이 고쳐서 생각하면 $a : a' = b : b'$임을 알 수 있다.
이때 [그림 1]에서 $b : a' = a : b'$과 같이 계산하지 않도록 주의한다.

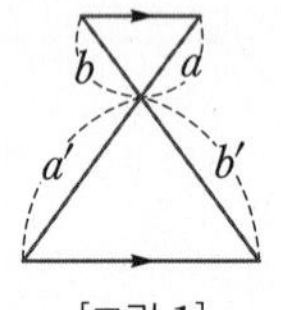

[그림 1]

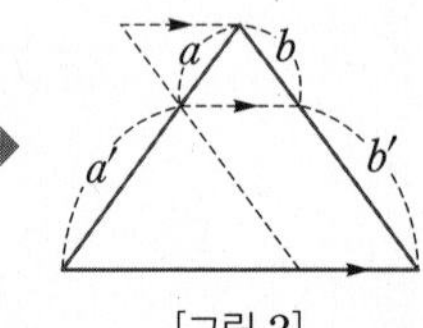

[그림 2]

개념확인

1. 다음 그림에서 $\overline{BC} /\!/ \overline{DE}$일 때, x의 값을 구하시오.

(1)

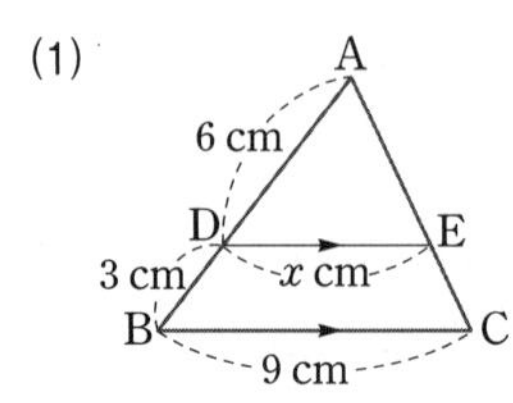

(2)

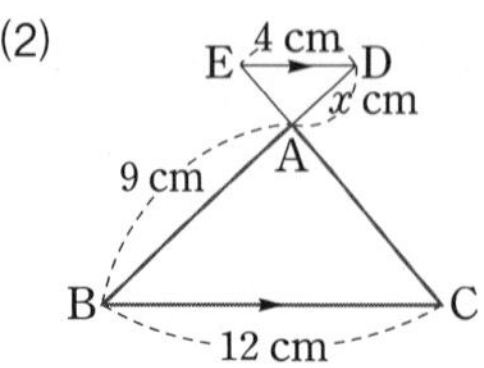

2. 다음 그림에서 $\overline{BC} /\!/ \overline{DE}$일 때, x의 값을 구하시오.

(1) (2)

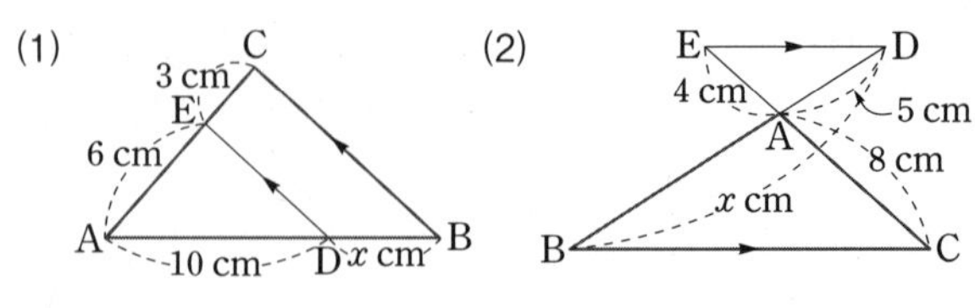

개념 적용

삼각형에서 평행선과 선분의 길이의 비

1 **다음 그림에서 $\overline{BC}/\!/\overline{DE}$일 때, x, y의 값을 각각 구하시오.**

(1)

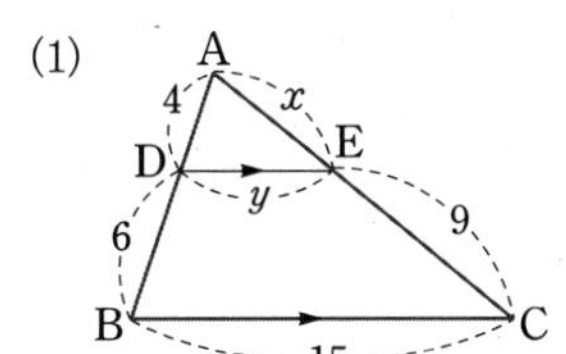

(2)

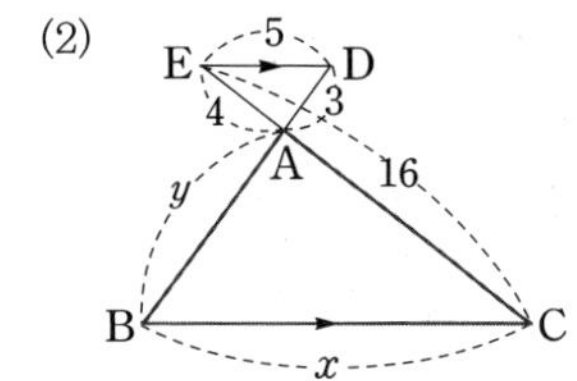

$\overline{BC}/\!/\overline{DE}$일 때

$\overline{AB} : \overline{AD} = \overline{AC} : \overline{AE}$
$= \overline{BC} : \overline{DE}$

[주의] $\overline{BC}/\!/\overline{DE}$일 때, 다음이 성립하지 않는 것에 주의한다.

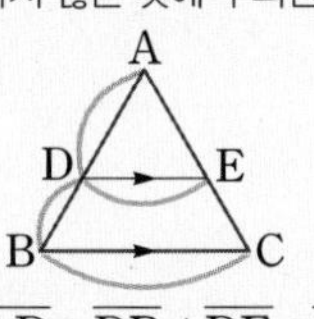

$\overline{AD} : \overline{DB} \neq \overline{DE} : \overline{BC}$

1-1 오른쪽 그림에서 $\overline{BC}/\!/\overline{DE}/\!/\overline{FG}$일 때, $x+y$의 값을 구하시오.

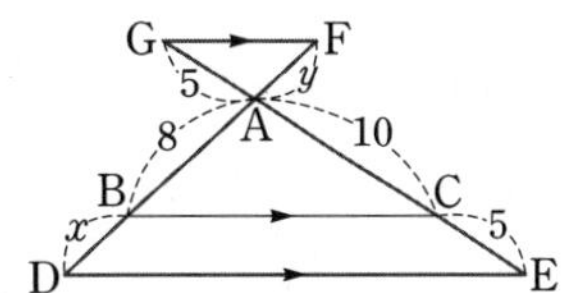

삼각형에서 평행선과 선분의 길이의 비의 응용

2 **오른쪽 그림의 △ABC에서 $\overline{BC}/\!/\overline{DE}$이고 $\overline{DF}=4$, $\overline{BG}=6$, $\overline{GC}=10$일 때, $\overline{FE}$의 길이를 구하시오.**

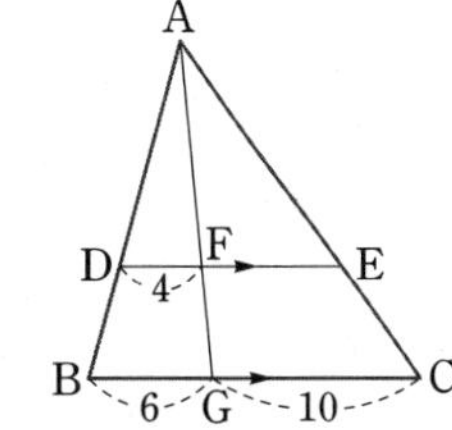

$\overline{BC}/\!/\overline{DE}$일 때

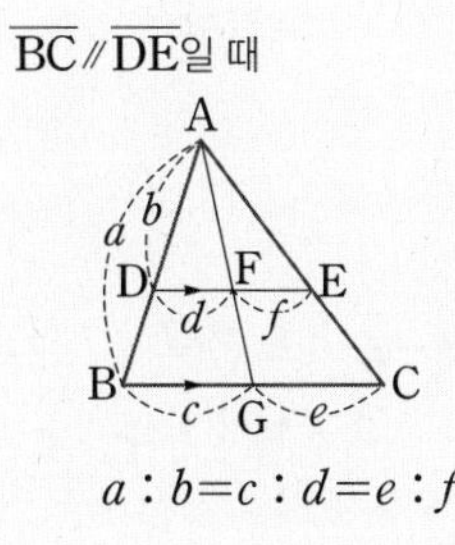

$a : b = c : d = e : f$

2-1 오른쪽 그림의 △ABC에서 $\overline{BC}/\!/\overline{DE}$일 때, $x+y$의 값을 구하시오.

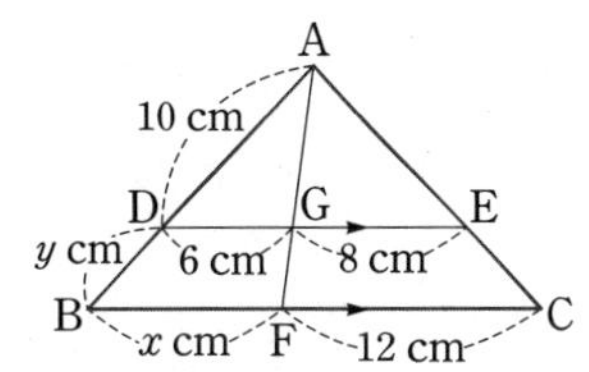

선분의 길이의 비를 이용하여 평행선 찾기

3 △ABC에서 두 점 D, E가 각각 $\overline{AB}$, $\overline{AC}$ 또는 그 연장선 위의 점일 때, 다음 중 $\overline{BC} /\!/ \overline{DE}$인 것은?

① 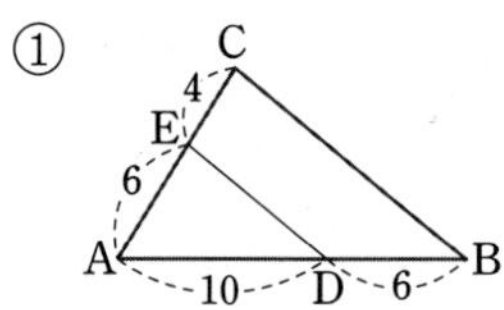

② 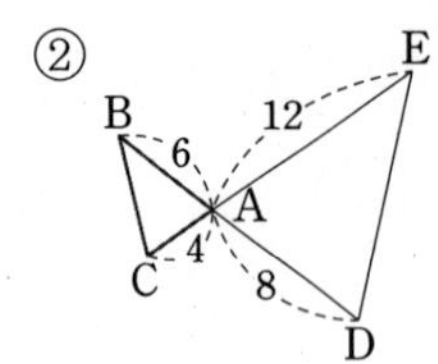

③ 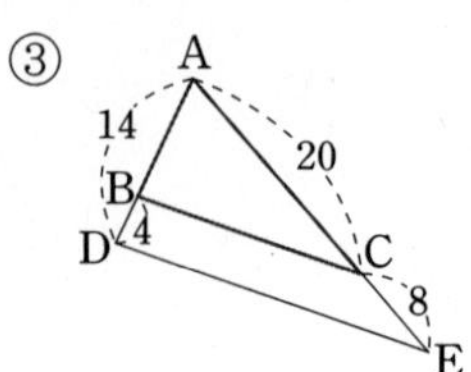

④ 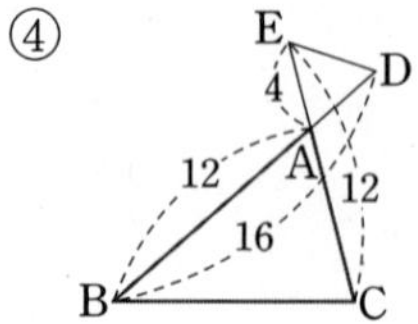

⑤ 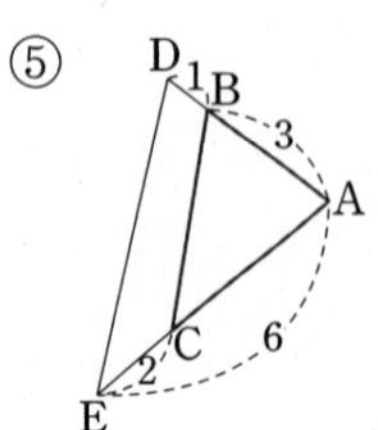

△ABC에서 두 점 D, E가 각각 $\overline{AB}$, $\overline{AC}$ 또는 그 연장선 위의 점일 때

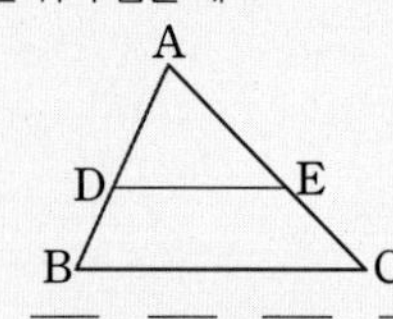

(1) $\overline{AB} : \overline{AD} = \overline{AC} : \overline{AE}$ 이면 $\overline{BC} /\!/ \overline{DE}$

(2) $\overline{AD} : \overline{DB} = \overline{AE} : \overline{EC}$ 이면 $\overline{BC} /\!/ \overline{DE}$

3-1 다음 그림에서 $\overline{BC} /\!/ \overline{DE}$가 되도록 하는 x의 값을 구하시오.

(1) 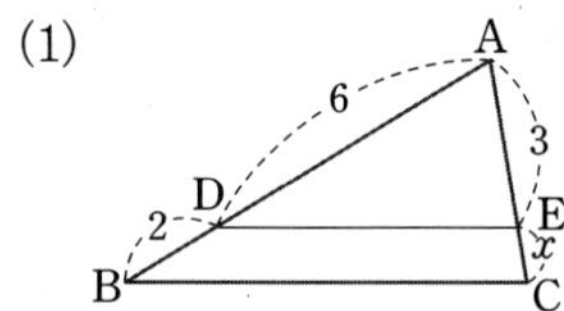

(2) 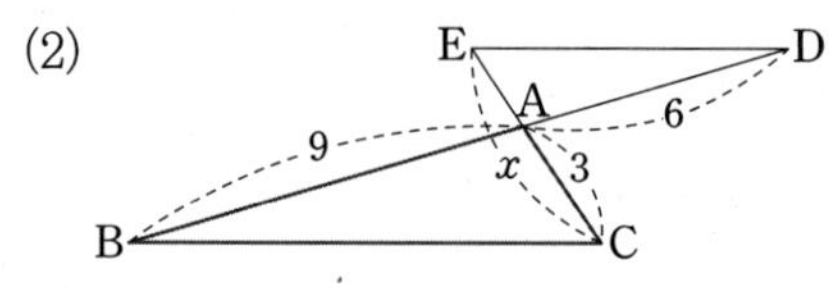

3-2 오른쪽 그림과 같은 △ABC에서 $\overline{AB}$, $\overline{BC}$, $\overline{CA}$ 위의 세 점 D, E, F에 대하여 다음 중 옳은 것을 모두 고르면? (정답 2개)

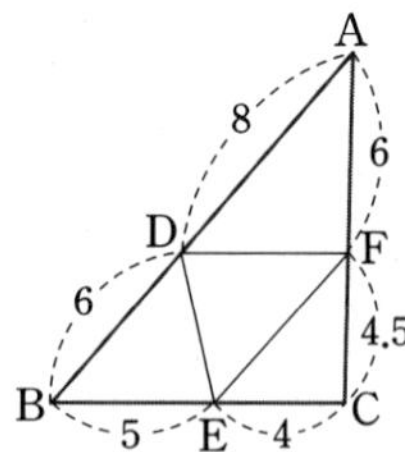

① $\overline{DE} /\!/ \overline{AC}$
② $\overline{DF} /\!/ \overline{BC}$
③ $\overline{EF} /\!/ \overline{AB}$
④ $\angle ADF = \angle ABC$
⑤ $\angle BED = \angle BCA$

(i) $\overline{DE}$와 $\overline{AC}$의 평행
➡ $\overline{BD} : \overline{DA}$, $\overline{BE} : \overline{EC}$를 비교

(ii) $\overline{DF}$와 $\overline{BC}$의 평행
➡ $\overline{AD} : \overline{DB}$, $\overline{AF} : \overline{FC}$를 비교

(iii) $\overline{EF}$와 $\overline{AB}$의 평행
➡ $\overline{CF} : \overline{FA}$, $\overline{CE} : \overline{EB}$를 비교

개념 이해 2

삼각형의 각의 이등분선

(1) 삼각형의 내각의 이등분선의 성질

$\triangle$ABC에서 $\angle$A의 이등분선과 $\overline{BC}$의 교점을 D라 하면

$\overline{AB}:\overline{AC}=\overline{BD}:\overline{CD}$

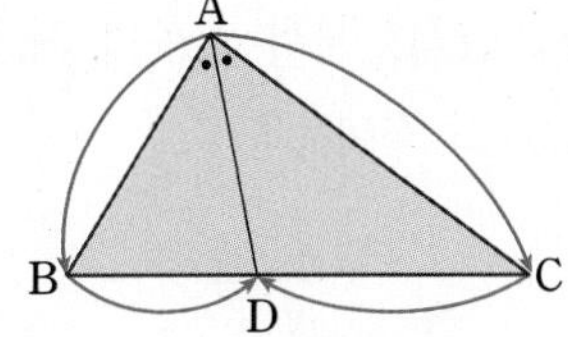

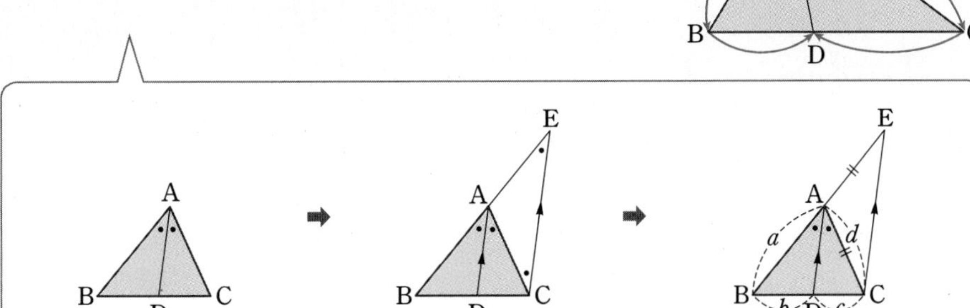
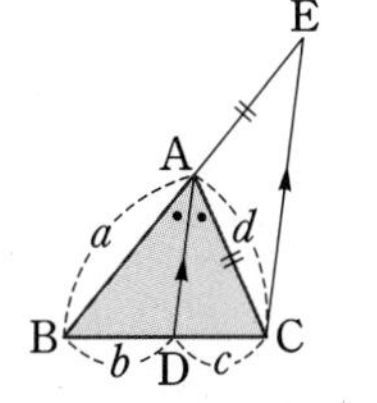

$\angle$BAD$=\angle$CAD

$\angle$ACE$=\angle$AEC
➡ $\triangle$ACE는 이등변삼각형
$\therefore \overline{AC}=\overline{AE}$

$\triangle$BCE에서
$\overline{BA}:\overline{AE}=\overline{BD}:\overline{DC}$
➡ $a:d=b:c$

> **참고**
> 삼각형의 내각의 이등분선과 삼각형의 넓이의 비
> $\triangle$ABC에서 $\angle$BAD$=\angle$CAD이면
>
> 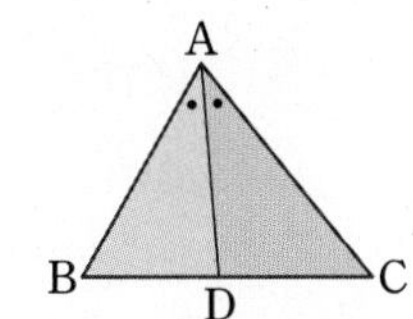
>
>
> $\triangle ABD:\triangle ACD=\overline{BD}:\overline{CD}$
> $=\overline{AB}:\overline{AC}$

(2) 삼각형의 외각의 이등분선의 성질

$\triangle$ABC에서 $\angle$A의 외각의 이등분선과 $\overline{BC}$의 연장선의 교점을 D라 하면

➡ $\overline{AB}:\overline{AC}=\overline{BD}:\overline{CD}$

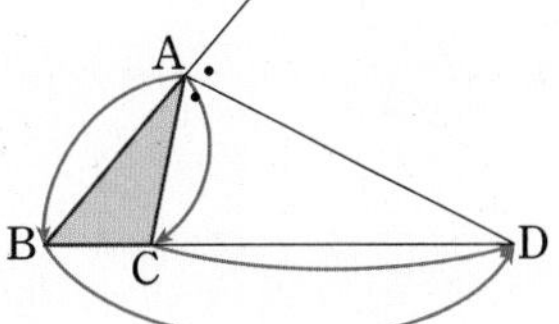

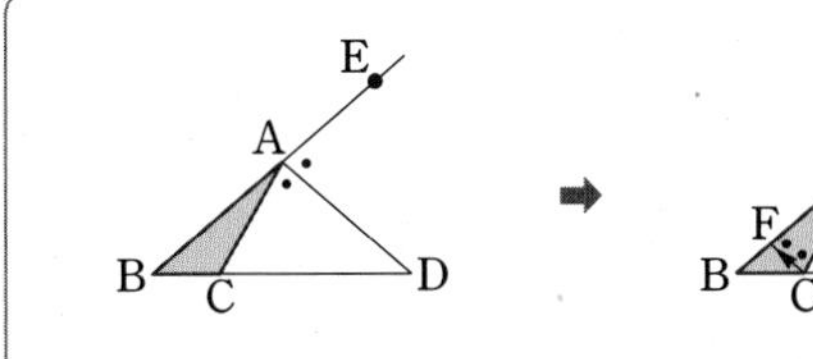
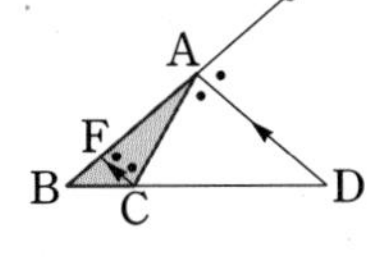
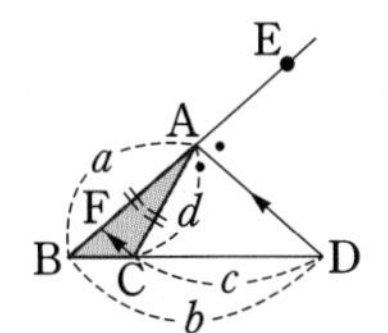

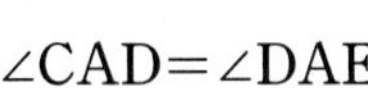

$\angle$CAD$=\angle$DAE

$\angle$ACF$=\angle$AFC
➡ $\triangle$AFC는 이등변삼각형
$\therefore \overline{AF}=\overline{AC}$

$\triangle$BDA에서
$\overline{BA}:\overline{FA}=\overline{BD}:\overline{CD}$
➡ $a:d=b:c$

개념확인

1. 다음 그림의 $\triangle$ABC에서 $\overline{AD}$가 $\angle$A 또는 $\angle$A의 외각의 이등분선일 때, x의 값을 구하시오.

(1)
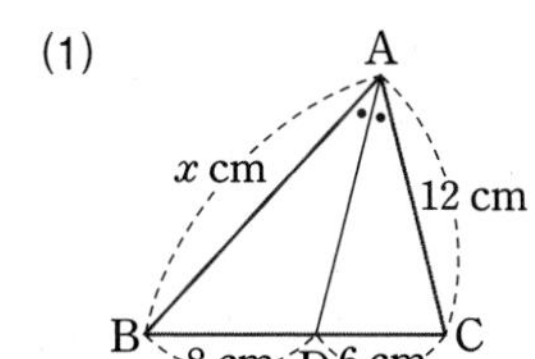

(2)
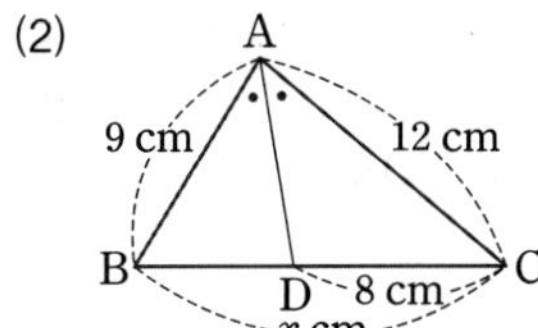

(3)
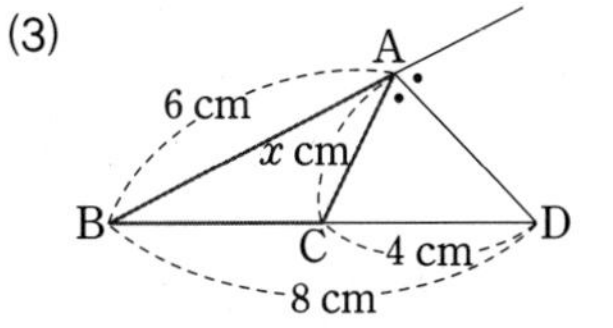

(4)
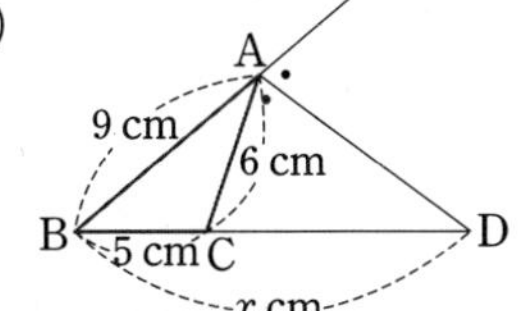

개념 적용

삼각형의 내각의 이등분선

1 **오른쪽 그림과 같은 $\triangle ABC$에서 $\angle A$의 이등분선과 $\overline{BC}$의 교점을 D라 할 때, $\overline{CD}$의 길이는?**

① 3 cm ② 4 cm
③ 5 cm ④ 6 cm
⑤ 7 cm

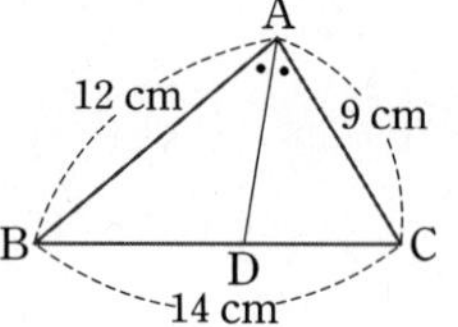

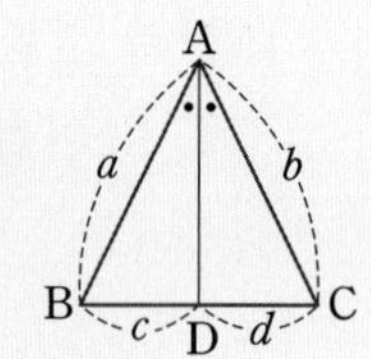

$\triangle ABC$에서
$\angle BAD=\angle CAD$이면
$a:b=c:d$

1-1 오른쪽 그림과 같은 $\triangle ABC$에서 $\overline{AD}$는 $\angle A$의 이등분선이고 $\overline{AB}=8$ cm, $\overline{AC}=10$ cm, $\overline{DC}=4$ cm일 때, $\overline{BD}$의 길이를 구하시오.

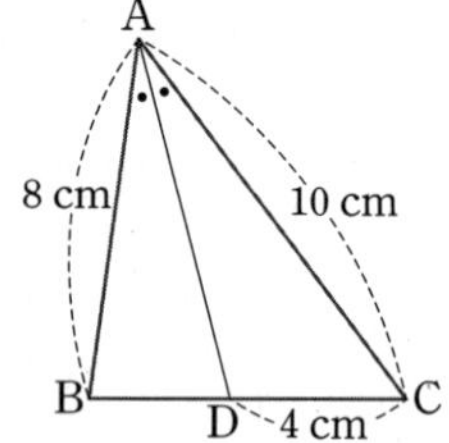

삼각형의 외각의 이등분선

2 **오른쪽 그림의 $\triangle ABC$에서 $\overline{AD}$가 $\angle A$의 외각의 이등분선일 때, $\overline{CD}$의 길이를 구하시오.**

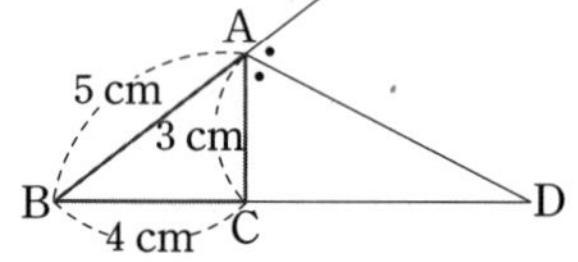

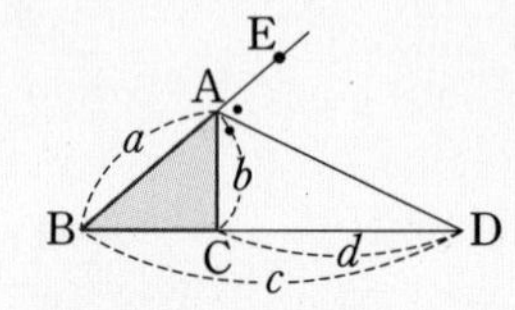

$\triangle ABC$에서
$\angle CAD=\angle EAD$이면
$a:b=c:d$

2-1 오른쪽 그림의 $\triangle ABC$에서 $\overline{AD}$가 $\angle A$의 외각의 이등분선일 때, $\triangle ABC$의 둘레의 길이를 구하시오.

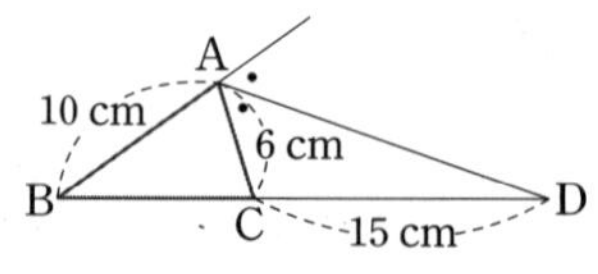

삼각형의 각의 이등분선과 넓이

3 **오른쪽 그림과 같은 $\triangle ABC$에서 $\overline{AD}$는 $\angle A$의 이등분선이다. $\triangle ABC$의 넓이가 56 cm^2일 때, $\triangle ADC$의 넓이를 구하시오.**

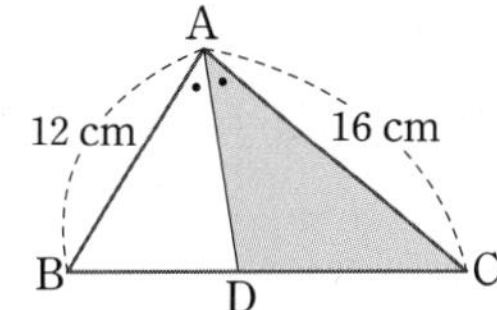

$\angle BAD=\angle CAD$이면

$\triangle ABD : \triangle ADC$
$=\overline{BD} : \overline{CD}=a : b$

3-1 오른쪽 그림과 같이 $\triangle ABC$에서 $\angle A$의 외각의 이등분선이 $\overline{BC}$의 연장선과 만나는 점을 D라 하자. $\triangle ABC$의 넓이가 42 cm^2일 때, $\triangle ACD$의 넓이를 구하시오.

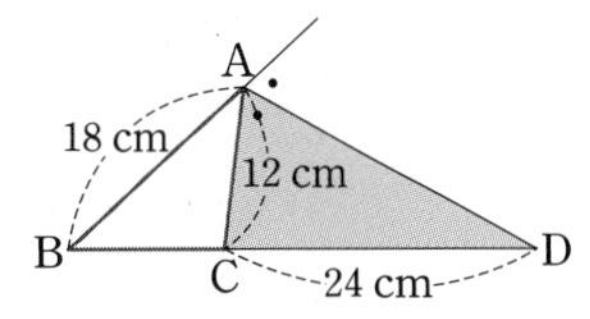

▶ 삼각형의 외각의 이등분선의 성질을 이용하여 $\overline{BC} : \overline{CD}$를 구한 후, $\triangle ABC : \triangle ACD=\overline{BC} : \overline{CD}$임을 이용하여 삼각형의 넓이를 구한다.

삼각형의 내각과 외각의 이등분선

4 **오른쪽 그림과 같은 $\triangle ABC$에서 $\overline{AD}$, $\overline{AE}$는 각각 $\angle A$의 내각과 외각의 이등분선이다. $\overline{AB}=8\text{ cm}$, $\overline{BC}=4\text{ cm}$, $\overline{CA}=6\text{ cm}$일 때, $\overline{DE}$의 길이를 구하시오.**

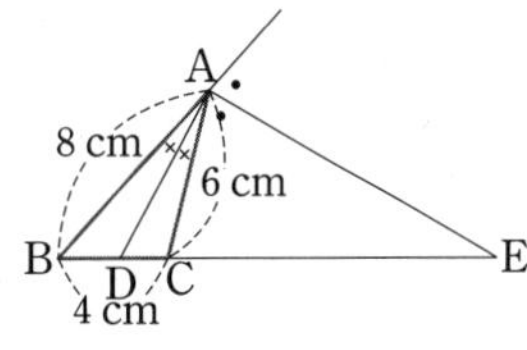

$\angle BAD=\angle CAD$,
$\angle CAE=\angle EAF$이면

(1) $a : b=c : d$
(2) $a : b=(c+d+e) : e$

4-1 오른쪽 그림의 $\triangle ABC$에서 $\angle A$의 외각의 이등분선과 $\overline{BC}$의 연장선이 만나는 점을 D라 하고, $\angle B$의 이등분선과 $\overline{AD}$가 만나는 점을 E라 할 때, $\overline{DE} : \overline{AE}$는?

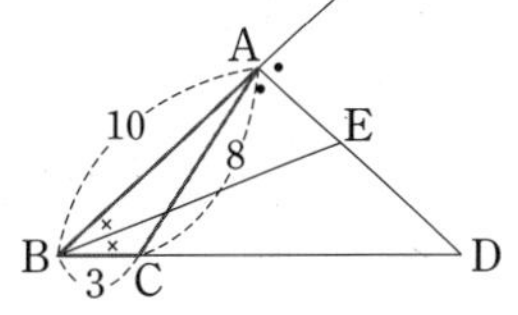

① 2 : 1　　② 3 : 2　　③ 4 : 3
④ 5 : 4　　⑤ 6 : 5

▶ $\triangle ABC$에서 $\angle A$의 외각의 이등분선의 성질을 이용하여 $\overline{CD}$의 길이를 먼저 구한다.

개념 이해 3

평행선 사이의 선분의 길이의 비

평행한 세 직선이 다른 두 직선과 만날 때 평행선 사이의 선분의 길이의 비는 같다.

➡ $l /\!/ m /\!/ n$이면

$a:b=c:d$ 또는 $a:c=b:d$

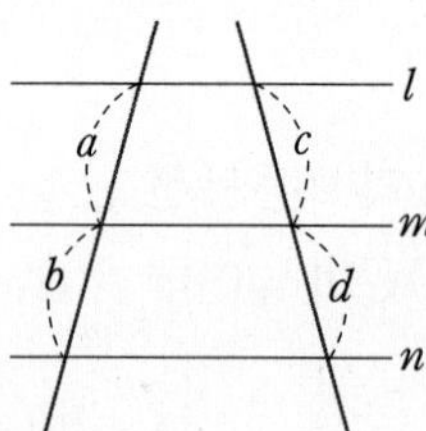

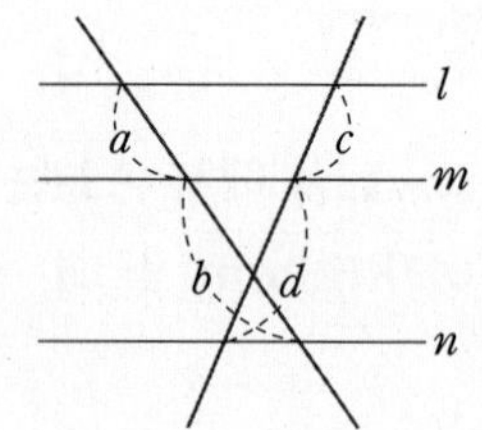

참고

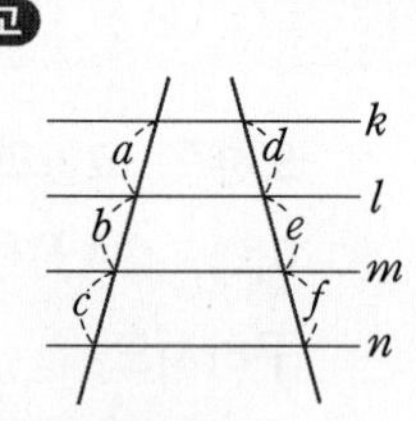

위의 그림에서

$k /\!/ l /\!/ m /\!/ n$이면

$a:b:c=d:e:f$

또는

$a:d=b:e=c:f$

오른쪽 그림을 이용하여 평행선 사이의 선분의 길이의 비를 설명할 수 있다.

➡ $l /\!/ m /\!/ n$일 때, $\triangle ACC'$과 $\triangle C'A'A$에서

$\overline{AB}:\overline{BC}=\overline{AP}:\overline{PC'}$, $\overline{AP}:\overline{PC'}=\overline{A'B'}:\overline{B'C'}$

$\therefore \overline{AB}:\overline{BC}=\overline{A'B'}:\overline{B'C'}$

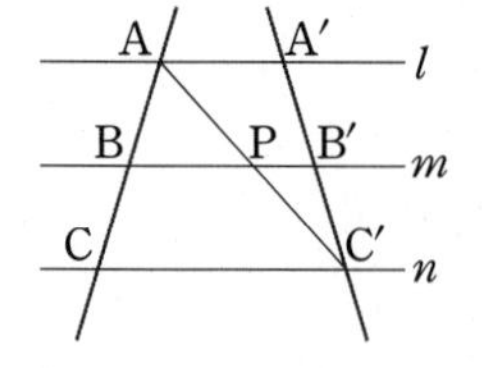

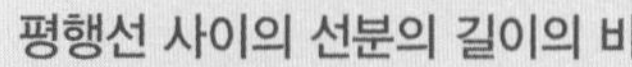

평행선 사이의 선분의 길이의 비

$l /\!/ m /\!/ n$이면

(1)

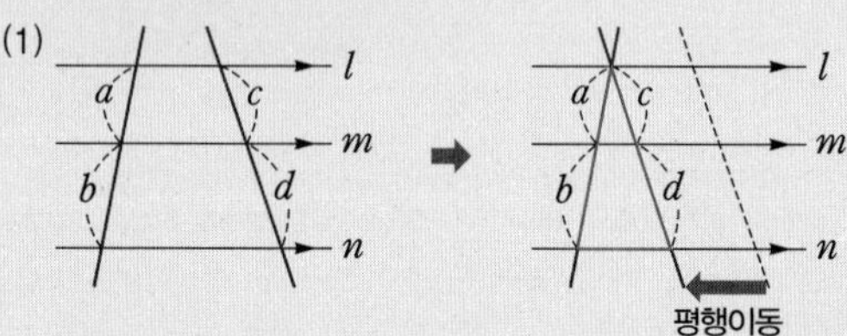

$a:b=c:d$

(2)

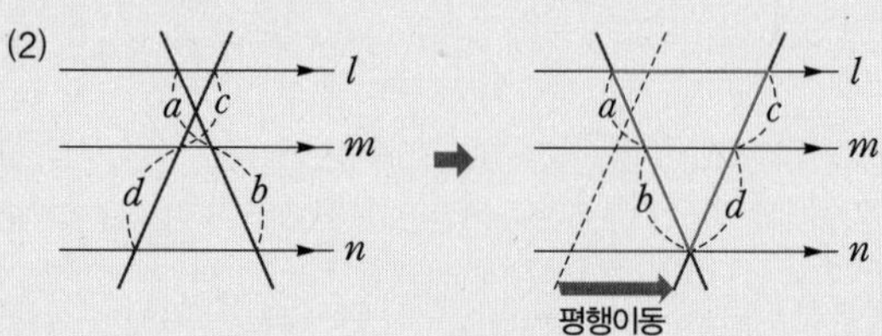

$a:b=c:d$

개념확인

1. 다음 그림에서 $l /\!/ m /\!/ n$일 때, $a:b$를 가장 간단한 자연수의 비로 나타내시오.

(1)

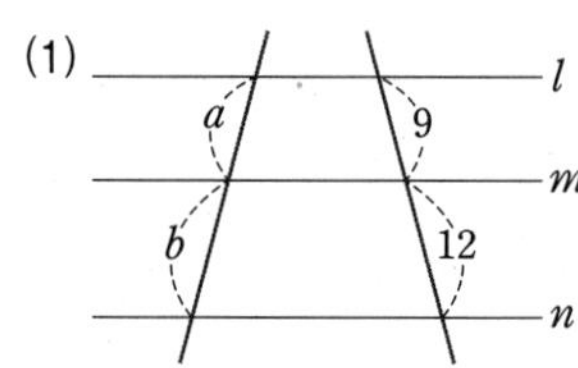

(2)

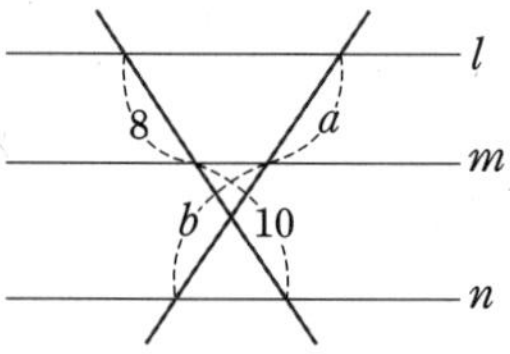

2. 다음 그림에서 $l /\!/ m /\!/ n$일 때, x의 값을 구하시오.

(1)

(2)

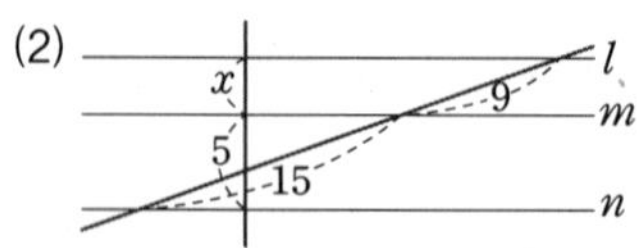

(3)

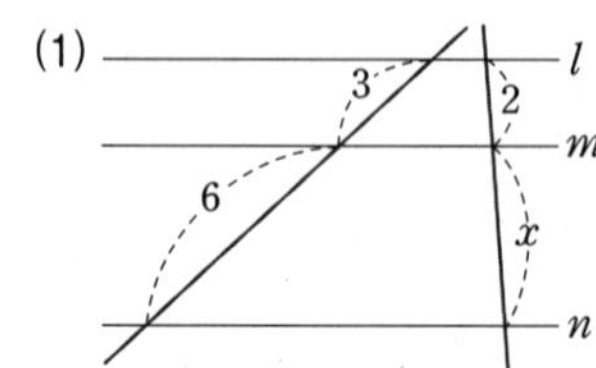

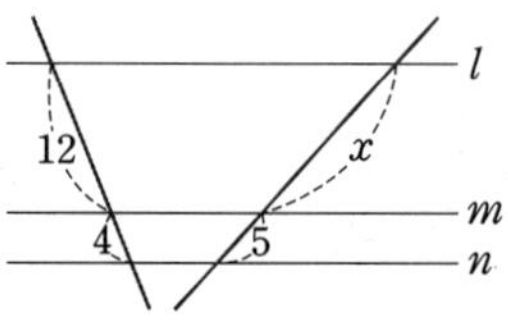

(4)

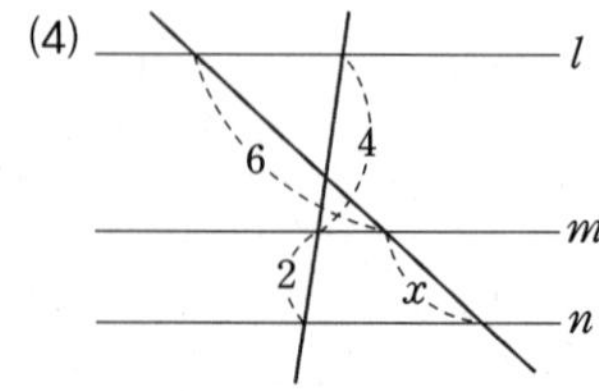

개념 적용

평행선 사이의 선분의 길이의 비

1 다음 그림에서 $l /\!/ m /\!/ n$일 때, x, y의 값을 각각 구하시오.

(1)
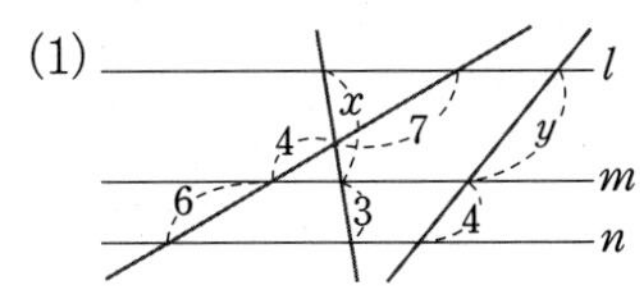

(2)
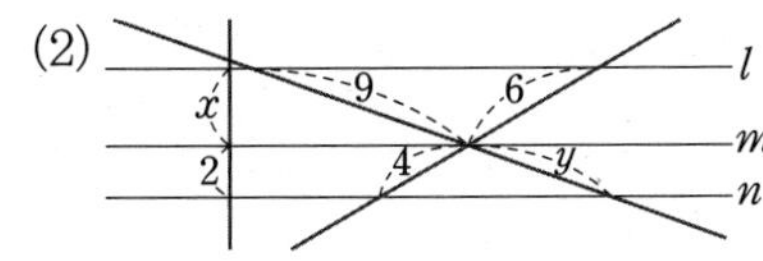

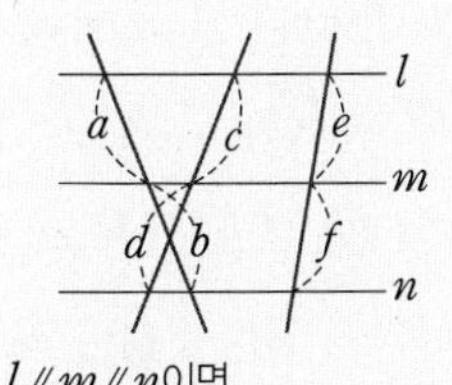

$l /\!/ m /\!/ n$이면
➡ $a : b = c : d = e : f$

1-1 다음 그림에서 $l /\!/ m /\!/ n$일 때, $x+y$의 값을 구하시오.

(1)
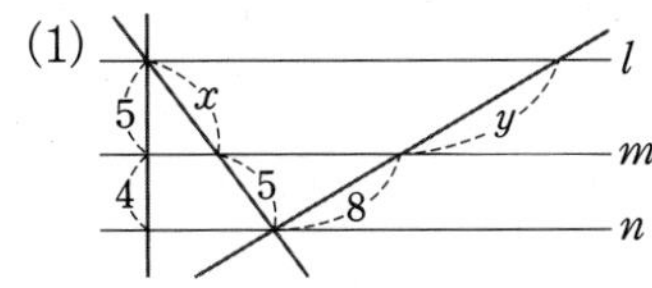

(2)
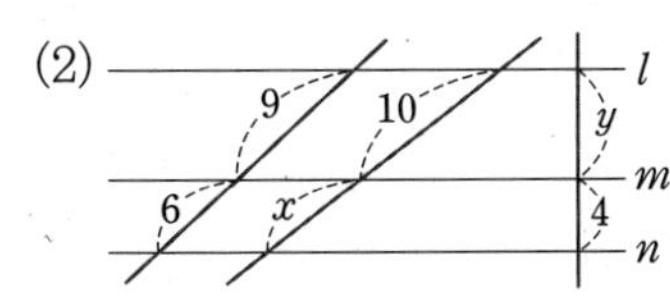

1-2 오른쪽 그림에서 $k /\!/ l /\!/ m /\!/ n$일 때, x, y의 값을 각각 구하시오.

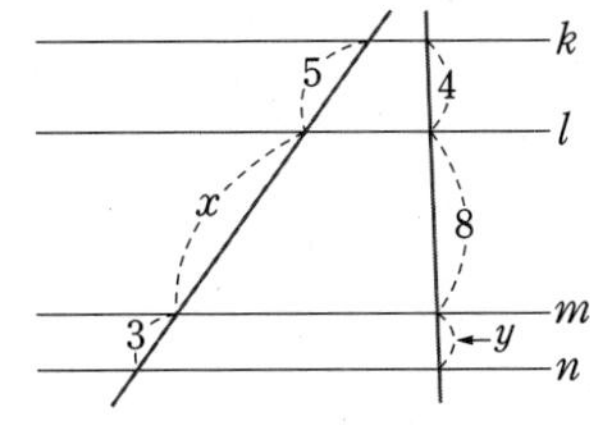

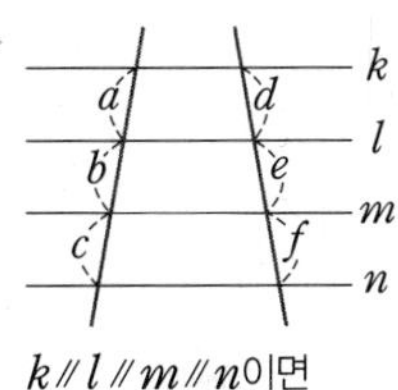

$k /\!/ l /\!/ m /\!/ n$이면
➡ $a : b = d : e$
$a : c = d : f$
$b : c = e : f$

1-3 오른쪽 그림에서 $k /\!/ l /\!/ m /\!/ n$일 때, x, y의 값을 각각 구하시오.

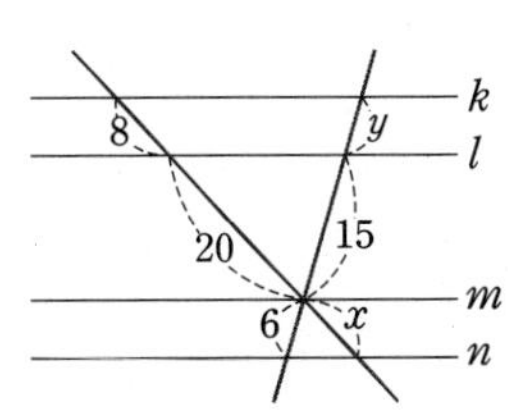

개념 이해

4 사다리꼴에서 평행선과 선분의 길이의 비

사다리꼴 ABCD에서 $\overline{AD}/\!/\overline{EF}/\!/\overline{BC}$일 때, $\overline{EF}$의 길이를 구하는 방법은 다음과 같다.

[방법 1] $\overline{DC}$에 평행한 선분 AH 긋기

① $\overline{GF}=\overline{AD}=\overline{HC}$

② △ABH에서

$\overline{EG}:\overline{BH}=m:(m+n)$

➡ $\overline{EF}=\overline{EG}+\overline{GF}$

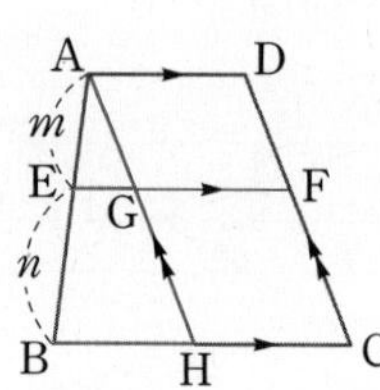

[방법 2] 대각선 AC 긋기

① △ABC에서

$\overline{EG}:\overline{BC}=m:(m+n)$

② △CDA에서

$\overline{GF}:\overline{AD}=n:(m+n)$

➡ $\overline{EF}=\overline{EG}+\overline{GF}$

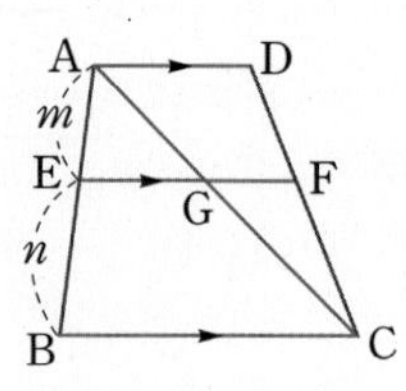

사다리꼴 ABCD에서 $\overline{EF}$의 길이 구하기

[방법 1] $\overline{DC}$에 평행한 선분 AH를 긋는다.

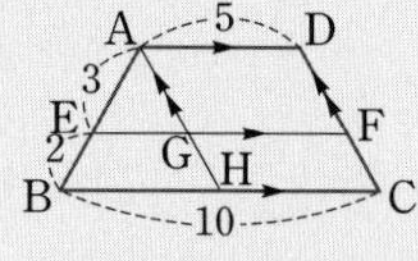

$\overline{GF}=\overline{AD}=5$

➡

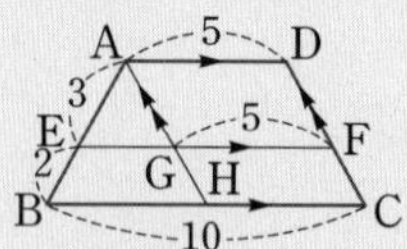

$\overline{BH}=\overline{BC}-\overline{CH}$

$=10-5=5$

➡

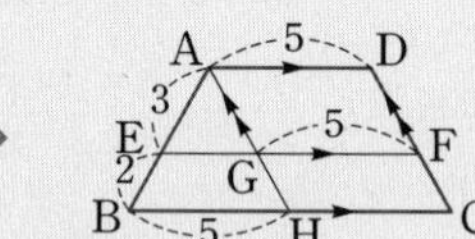

$\overline{AE}:\overline{AB}=\overline{EG}:\overline{BH}$

이므로

$3:5=\overline{EG}:5$

$\therefore\ \overline{EG}=3$

➡

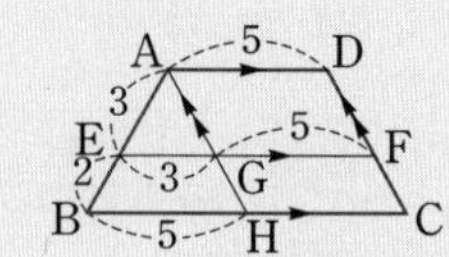

$\overline{EF}=\overline{EG}+\overline{GF}$

$=3+5=8$

[방법 2] 대각선 AC를 긋는다.

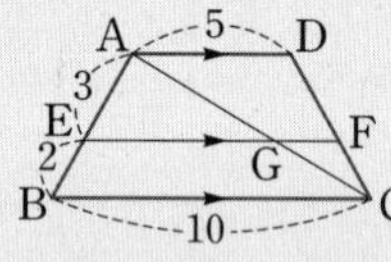

$\overline{AE}:\overline{AB}=\overline{EG}:\overline{BC}$이므로

$3:5=\overline{EG}:10$ $\quad\therefore\ \overline{EG}=6$

➡

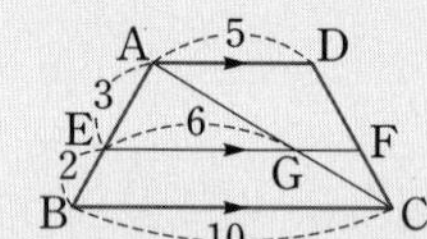

$\overline{CF}:\overline{CD}=\overline{GF}:\overline{AD}$이므로

$2:5=\overline{GF}:5$ $\quad\therefore\ \overline{GF}=2$

➡

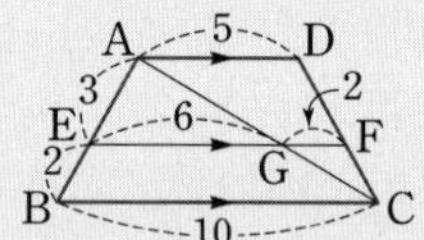

$\overline{EF}=\overline{EG}+\overline{GF}$

$=6+2=8$

개념확인

1. 아래 그림과 같은 사다리꼴 ABCD에서 $\overline{AD}/\!/\overline{EF}/\!/\overline{BC}$, $\overline{AH}/\!/\overline{DC}$일 때, 다음 선분의 길이를 구하시오.

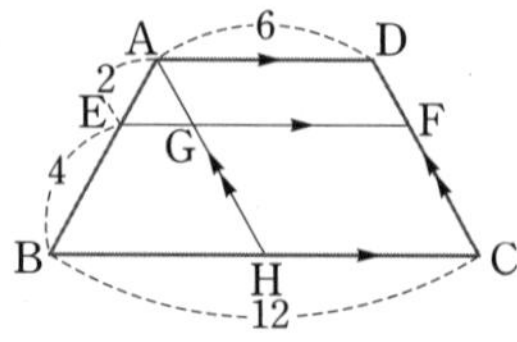

(1) $\overline{GF}$ (2) $\overline{BH}$

(3) $\overline{EG}$ (4) $\overline{EF}$

2. 아래 그림과 같은 사다리꼴 ABCD에서 $\overline{AD}/\!/\overline{EF}/\!/\overline{BC}$일 때, 다음을 구하시오.

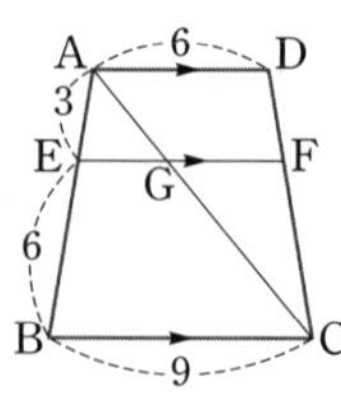

(1) $\overline{EG}$의 길이

(2) $\overline{CF}:\overline{CD}$ (단, 가장 간단한 자연수의 비)

(3) $\overline{GF}$의 길이

(4) $\overline{EF}$의 길이

개념 적용

사다리꼴에서 평행선과 선분의 길이의 비

1 **오른쪽 그림과 같은 사다리꼴 ABCD에서 $\overline{AD} /\!/ \overline{EF} /\!/ \overline{BC}$일 때, $\overline{EF}$의 길이를 구하시오.**

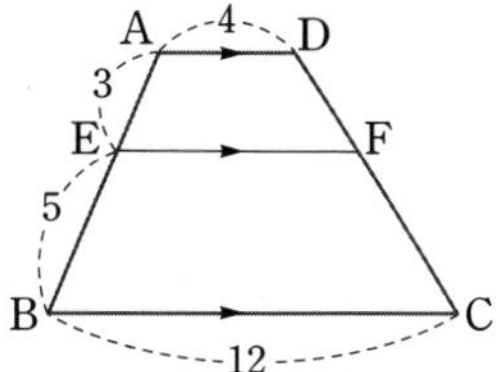

사다리꼴 ABCD에서

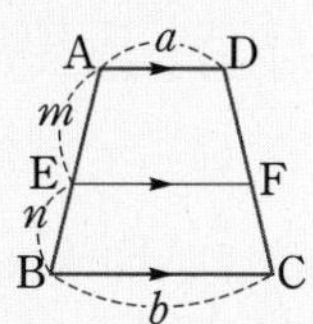

$\overline{EF}$의 길이를 구하려면
① $\overline{DC}$에 평행한 선분 AH를 긋거나
② 대각선 AC를 긋고
평행선과 선분의 길이의 비를 이용한다.

1-1 오른쪽 그림과 같은 사다리꼴 ABCD에서 $\overline{AD} /\!/ \overline{EF} /\!/ \overline{BC}$일 때, $\overline{BC}$의 길이를 구하시오.

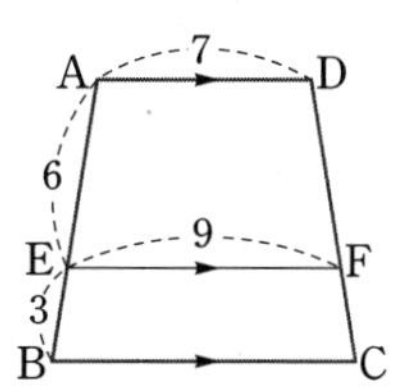

사다리꼴에서 평행선과 대각선

2 **오른쪽 그림과 같은 사다리꼴 ABCD에서 $\overline{AD} /\!/ \overline{EF} /\!/ \overline{BC}$일 때, x, y의 값을 각각 구하시오.**

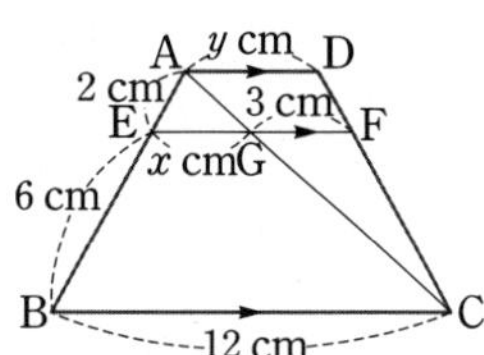

사다리꼴 ABCD에서

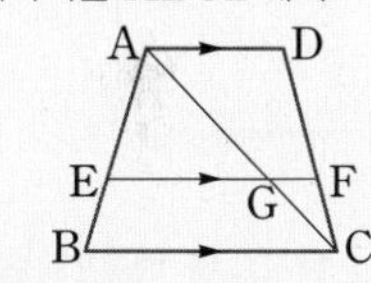

$\overline{AE} : \overline{AB} = \overline{AG} : \overline{AC}$
$\overline{AG} : \overline{AC} = \overline{DF} : \overline{DC}$
➡ $\overline{AE} : \overline{AB} = \overline{DF} : \overline{DC}$

2-1 오른쪽 그림과 같은 사다리꼴 ABCD에서 $\overline{AD} /\!/ \overline{EF} /\!/ \overline{BC}$이고 $\overline{AE} : \overline{EB} = 2 : 1$일 때, $\overline{MN}$의 길이를 구하시오.

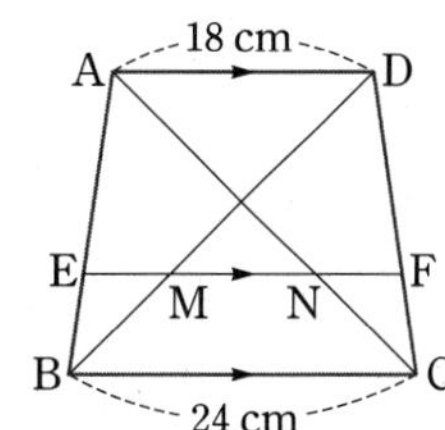

사다리꼴 ABCD에서

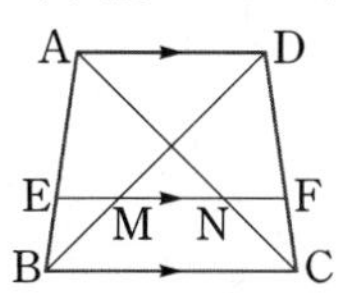

① △ABC에서 $\overline{EN}$의 길이를 구한다.
② △ABD에서 $\overline{EM}$의 길이를 구한다.
③ $\overline{MN} = \overline{EN} - \overline{EM}$

개념 이해

5 평행선과 선분의 길이의 비의 응용

$\overline{AC}$와 $\overline{BD}$의 교점을 E라 할 때,

$\overline{AB} /\!/ \overline{EF} /\!/ \overline{DC}$이고 $\overline{AB}=a$, $\overline{CD}=b$이면

$\overline{AE} : \overline{EC}=\overline{BE} : \overline{ED}=\overline{BF} : \overline{FC}=a : b$

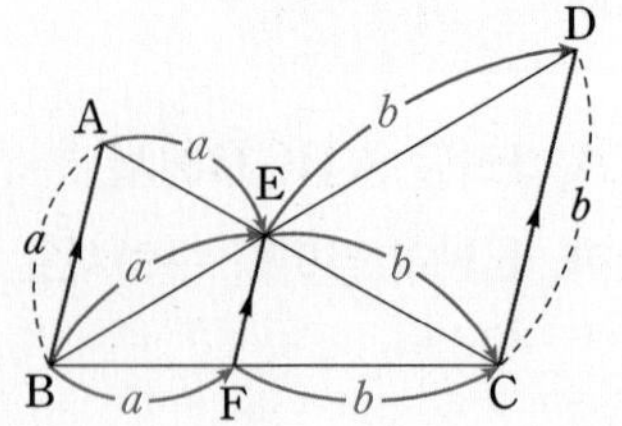

△ABE와 △CDE에서
∠BAE=∠DCE (엇각), ∠ABE=∠CDE (엇각)
∴ △ABE∽△CDE (AA 닮음)
➡ $\overline{BE} : \overline{DE}=\overline{AB} : \overline{CD}=a : b$

평행선과 선분의 길이의 비의 응용

$\overline{AB} /\!/ \overline{EF} /\!/ \overline{DC}$이고 $\overline{AB}=a$, $\overline{DC}=b$일 때,

(1)

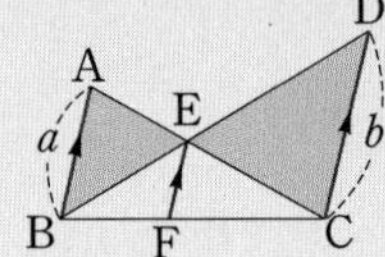

△ABE∽△CDE
닮음비는
$\overline{AE} : \overline{EC}=a : b$

(2)

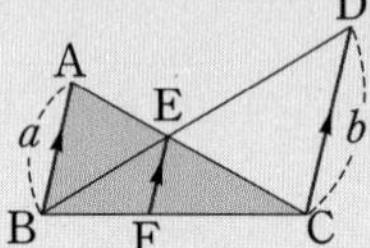

(1)에서
$\overline{AB} : \overline{DC}=\overline{AE} : \overline{EC}=a : b$
△ABC∽△EFC이므로
$\overline{AE} : \overline{EC}=\overline{BF} : \overline{FC}$
즉, $\overline{AB} : \overline{DC}=\overline{BF} : \overline{FC}=a : b$
이므로 닮음비는
$\overline{BC} : \overline{FC}=(a+b) : b$

(3)

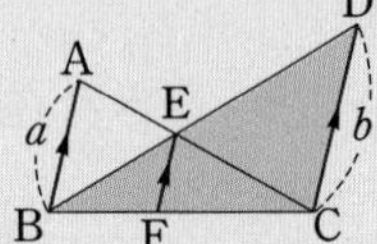

(1)에서
$\overline{AB} : \overline{DC}=\overline{BE} : \overline{ED}=a : b$
△BCD∽△BFE이므로
$\overline{BE} : \overline{ED}=\overline{BF} : \overline{FC}$
즉, $\overline{AB} : \overline{DC}=\overline{BF} : \overline{FC}=a : b$
이므로 닮음비는
$\overline{BC} : \overline{BF}=(a+b) : a$

개념확인

1. 아래 그림에서 $\overline{AB} /\!/ \overline{EF} /\!/ \overline{DC}$일 때, 다음을 구하시오.

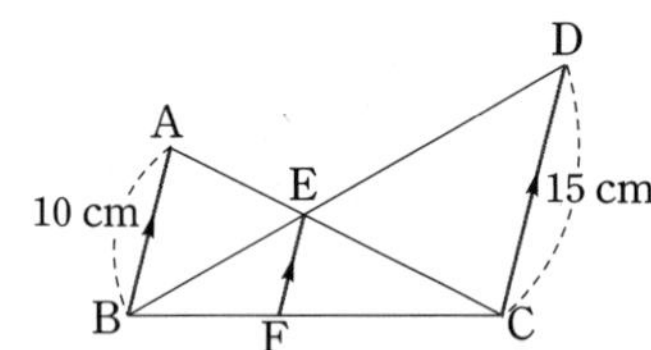

(1) $\overline{BE} : \overline{DE}$ (단, 가장 간단한 자연수의 비)
(2) $\overline{BF} : \overline{BC}$ (단, 가장 간단한 자연수의 비)
(3) $\overline{EF}$의 길이

2. 다음 그림에서 $\overline{AB} /\!/ \overline{EF} /\!/ \overline{DC}$일 때, x, y의 값을 각각 구하시오.

(1)

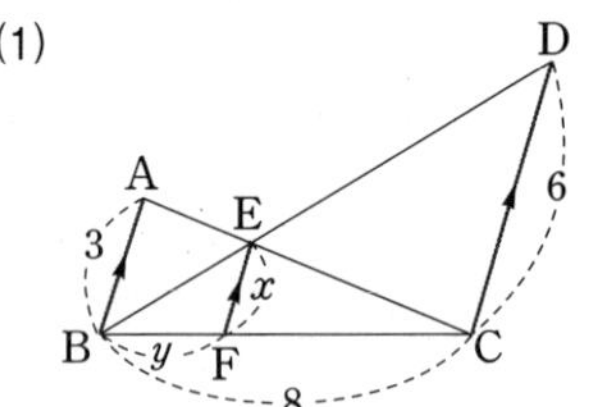

(2)

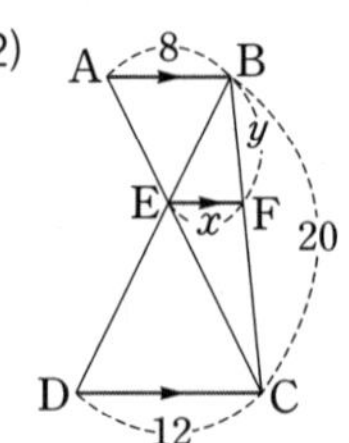

개념 적용

평행선과 선분의 길이의 비의 응용

1 **오른쪽 그림에서 $\overline{AB} /\!/ \overline{EF} /\!/ \overline{DC}$일 때, $x+y$의 값을 구하시오.**

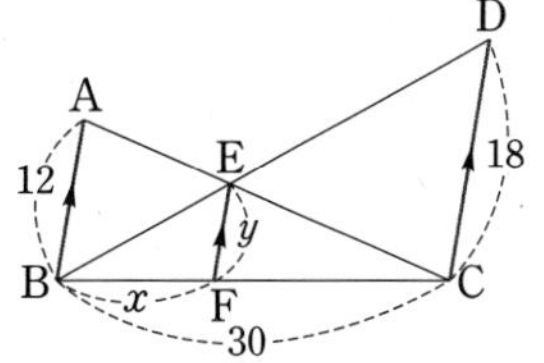

$\overline{AB} /\!/ \overline{EF} /\!/ \overline{DC}$일 때

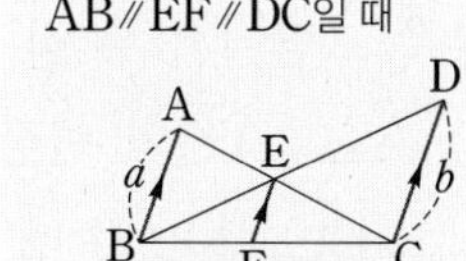

① △ABE∽△CDE
② △ABC∽△EFC
③ △BCD∽△BFE

1-1 오른쪽 그림에서 $\overline{AB} /\!/ \overline{EF} /\!/ \overline{DC}$이고 $\overline{AB}=a$, $\overline{DC}=b$일 때, 다음 중 옳지 않은 것은?

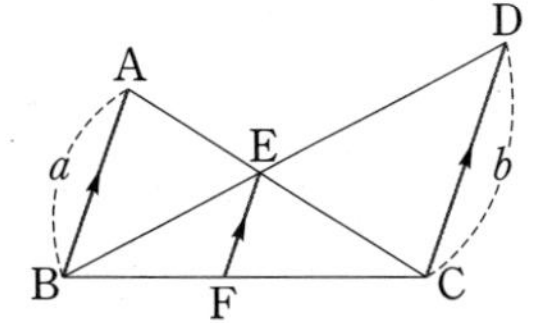

① △ABE∽△CDE ② $\overline{AE} : \overline{EC}=a : b$
③ $\overline{BE} : \overline{ED}=a : b$ ④ $\overline{BF} : \overline{FC}=a : b$
⑤ $\overline{EF} : \overline{DC}=a : b$

1-2 오른쪽 그림에서 $\overline{AB} /\!/ \overline{EF} /\!/ \overline{DC}$이고 $\overline{AB}=12\text{ cm}$, $\overline{DC}=16\text{ cm}$일 때, $\overline{EF}$의 길이를 구하시오.

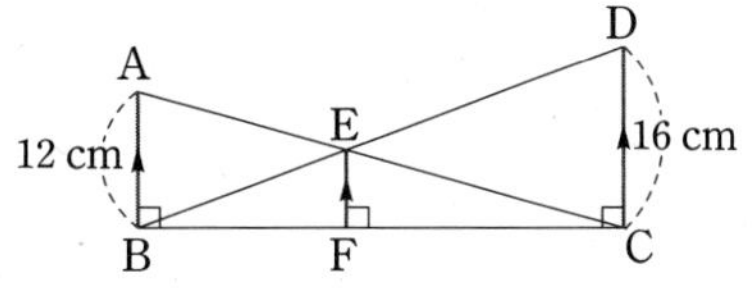

1-3 오른쪽 그림에서 $\overline{AB}$, $\overline{DC}$가 모두 $\overline{BC}$와 수직이고 $\overline{AB}=6\text{ cm}$, $\overline{BC}=10\text{ cm}$, $\overline{DC}=9\text{ cm}$일 때, △EBC의 넓이를 구하시오.

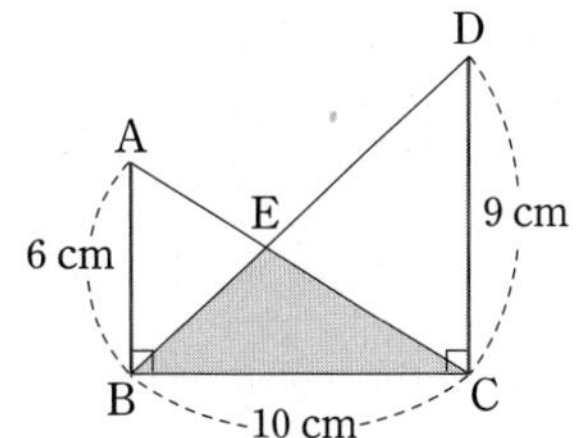

▸ △EBC의 꼭짓점 E에서 $\overline{BC}$에 수선의 발을 내리고 평행선과 선분의 길이의 비를 이용하여 △EBC의 높이를 구한다.

기본 문제

1 삼각형에서 평행선과 선분의 길이의 비

오른쪽 그림에서 두 점 D, E는 각각 $\overline{AB}$, $\overline{AC}$의 연장선 위의 점이고 $\overline{BC} /\!/ \overline{DE}$일 때, x의 값을 구하시오.

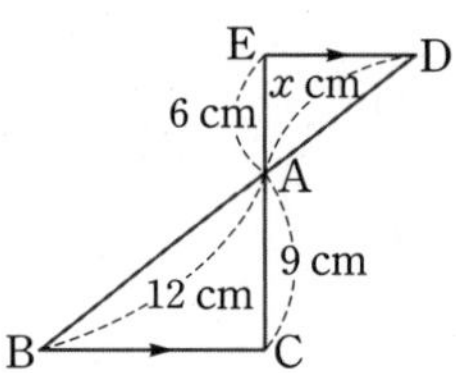

2 삼각형에서 평행선과 선분의 길이의 비의 응용

오른쪽 그림과 같은 $\triangle ABC$에서 $\overline{BC} /\!/ \overline{DE}$일 때, $\overline{GE}$의 길이를 구하시오.

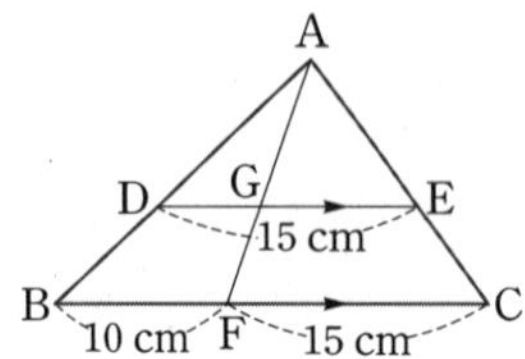

3 선분의 길이의 비를 이용하여 평행선 찾기

다음 **보기** 중 $\overline{BC} /\!/ \overline{DE}$인 것을 모두 고르시오.

보기

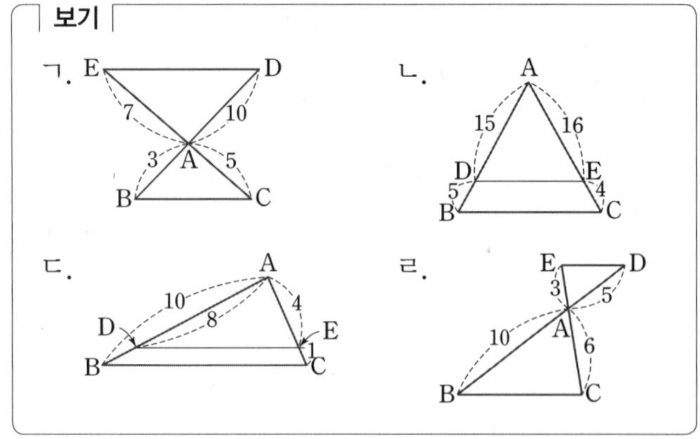

4 선분의 길이의 비를 이용하여 평행선 찾기

오른쪽 그림과 같은 $\triangle ABC$에 $\overline{AD} : \overline{DB} = \overline{AE} : \overline{EC}$일 때, 다음 **보기** 중 옳은 것을 모두 고르시오.

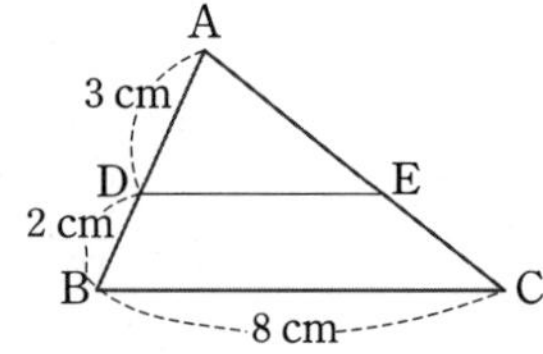

보기

ㄱ. $\triangle ABC \backsim \triangle ADE$ ㄴ. $\overline{BC} /\!/ \overline{DE}$

ㄷ. $\overline{DE} : \overline{BC} = 3 : 5$ ㄹ. $\overline{DE} = \frac{16}{3}$ cm

5 삼각형의 내각의 이등분선

오른쪽 그림과 같은 $\triangle ABC$에서 $\overline{AD}$는 $\angle A$의 이등분선이고 $\overline{AB} /\!/ \overline{ED}$이다. $\overline{AB} = 6$ cm, $\overline{BD} = 3$ cm, $\overline{DC} = 4$ cm일 때, x의 값을 구하시오.

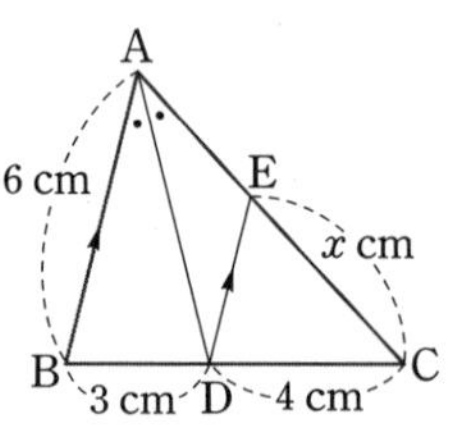

6 삼각형의 각의 이등분선과 넓이

오른쪽 그림과 같은 $\triangle ABC$에서 $\overline{AD}$가 $\angle A$의 이등분선이고, $\triangle ABD$의 넓이가 16 cm^2일 때, $\triangle ABC$의 넓이를 구하시오.

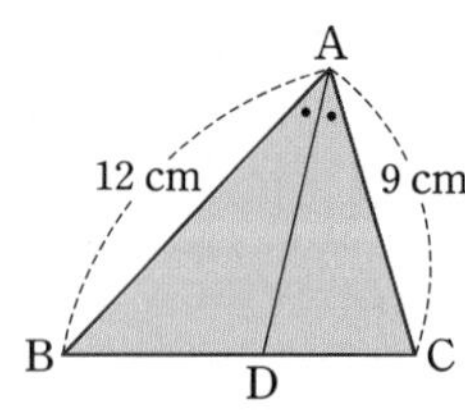

7 삼각형의 내각과 외각의 이등분선

다음 그림과 같은 △ABC에서 $\overline{AP}$는 ∠A의 이등분선이고, 점 Q는 ∠A의 외각의 이등분선과 $\overline{BC}$의 연장선의 교점이다. $\overline{AB}=6$ cm, $\overline{AC}=4$ cm, $\overline{BP}=3$ cm일 때, $\overline{CQ}$의 길이는?

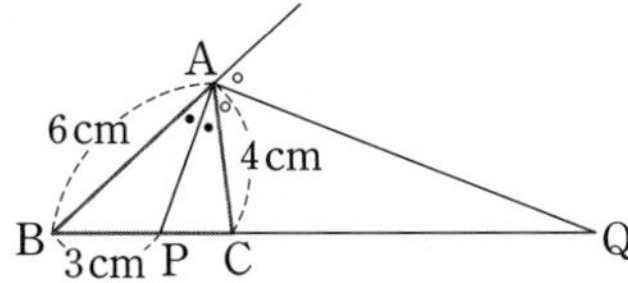

① 8 cm ② 9 cm ③ 10 cm
④ 11 cm ⑤ 12 cm

8 평행선 사이의 선분의 길이의 비

다음 그림에서 $l /\!/ m /\!/ n$일 때, x의 값은?

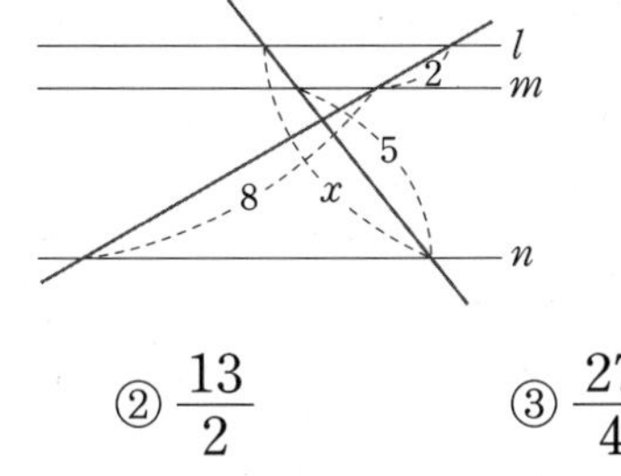

① $\frac{25}{4}$ ② $\frac{13}{2}$ ③ $\frac{27}{4}$
④ 7 ⑤ $\frac{29}{4}$

9 평행선 사이의 선분의 길이의 비

다음 그림에서 $l /\!/ m /\!/ n$일 때, x, y의 곱 xy의 값을 구하시오.

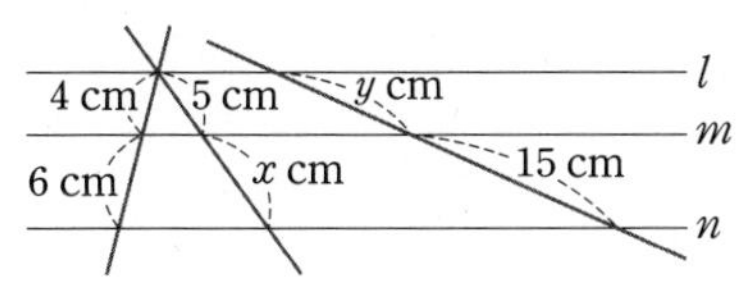

10 사다리꼴에서 평행선과 선분의 길이의 비

오른쪽 그림과 같은 사다리꼴 ABCD에서 $\overline{AD} /\!/ \overline{PQ} /\!/ \overline{BC}$이고 $\overline{AP} : \overline{PB}=3 : 2$일 때, $\overline{PQ}$의 길이는?

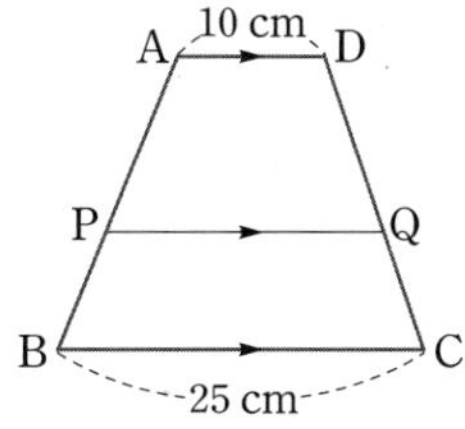

① 15 cm ② 16 cm
③ 17 cm ④ 18 cm
⑤ 19 cm

11 사다리꼴에서 평행선과 선분의 길이의 비

오른쪽 그림과 같은 사다리꼴 ABCD에서 $\overline{AD} /\!/ \overline{MN} /\!/ \overline{BC}$이고 $\overline{AM} : \overline{MB}=3 : 2$일 때, $\overline{AD}$의 길이는?

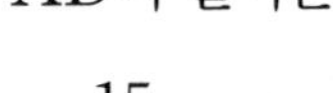

① $\frac{15}{2}$ cm ② 8 cm ③ $\frac{19}{2}$ cm
④ 10 cm ⑤ 11 cm

12 평행선과 선분의 길이의 비의 응용

오른쪽 그림에서 $\overline{AB} /\!/ \overline{EF} /\!/ \overline{DC}$일 때, $\overline{CD}$의 길이를 구하시오.

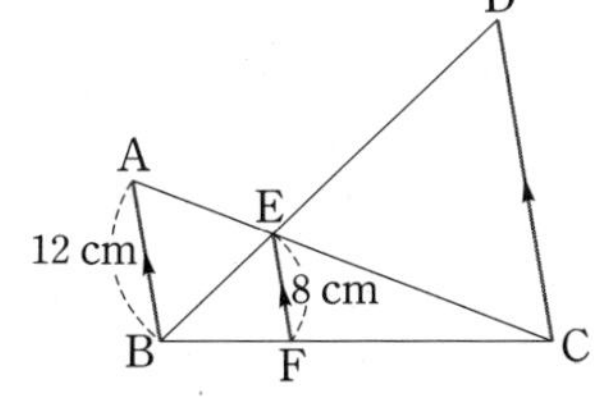

개념 완성 발전 문제

1 오른쪽 그림에서 $\overline{BC} /\!/ \overline{DF}$, $\overline{BF} /\!/ \overline{DE}$이고 $\overline{AF}=21$ cm, $\overline{CF}=28$ cm일 때, $\overline{AE}$의 길이는?

① 7 cm　② 8 cm　③ 9 cm
④ 10 cm　⑤ 12 cm

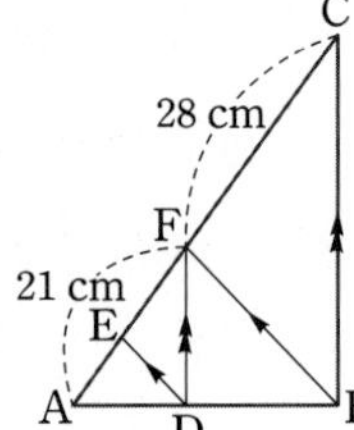

$\overline{AD}:\overline{DB}$는 △ABF에서 $\overline{AE}:\overline{EF}$와 같고 △ABC에서 $\overline{AF}:\overline{BC}$와 같음을 이용한다.

2 오른쪽 그림에서 $l /\!/ m$이고, $\overline{AB}:\overline{BC}=1:2$이다. □BCDE의 둘레의 길이가 34일 때, $\overline{AC}$의 길이는?

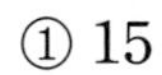

① 15　② 16
③ 17　④ 18
⑤ 19

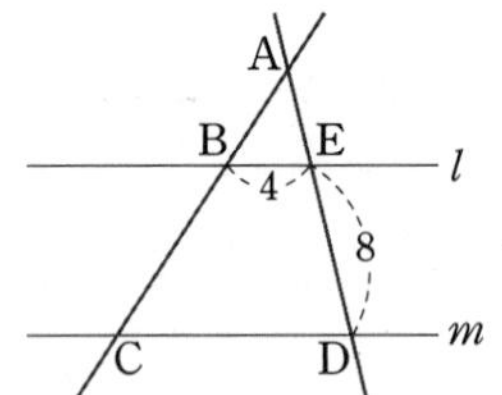

3 오른쪽 그림에서 $l /\!/ m /\!/ n$일 때, x의 값을 구하시오.

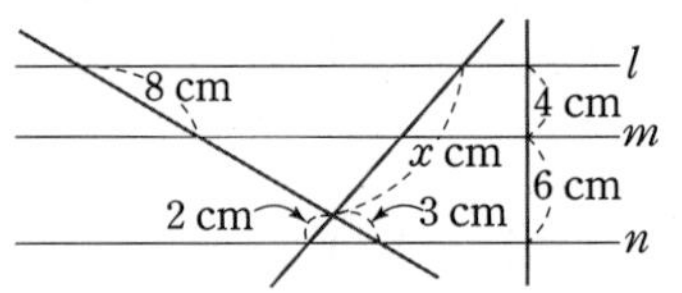

4 오른쪽 그림과 같은 사다리꼴 ABCD에서 $\overline{AD} /\!/ \overline{EF} /\!/ \overline{BC}$이고, 점 O는 두 대각선의 교점이다. $\overline{AD}=8$ cm, $\overline{BC}=12$ cm일 때, $\overline{EF}$의 길이를 구하시오.

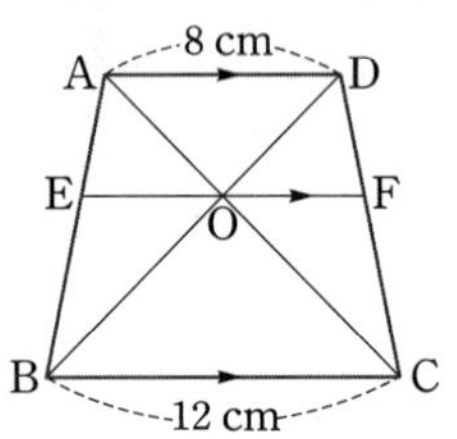

5 오른쪽 그림에서 $\overline{AB} /\!/ \overline{GF} /\!/ \overline{CD}$일 때, $\overline{GF}$의 길이를 구하시오.

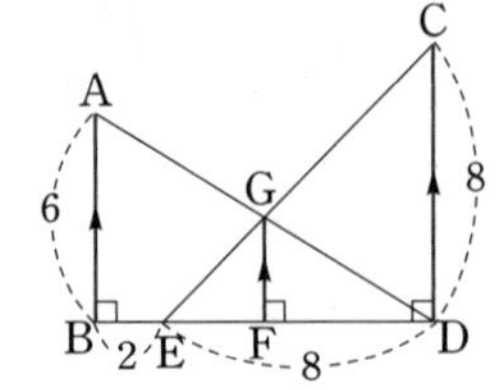

점 E를 지나고 $\overline{BD}$에 수직인 직선이 $\overline{AD}$와 만나는 점을 잡고 평행선과 선분의 길이의 비를 이용한다.

6 서술형

오른쪽 그림과 같은 △ABC에서 $\overline{AD}$, $\overline{BE}$는 각각 ∠A, ∠B의 이등분선이다. $\overline{AB}=14$ cm, $\overline{BD}=4$ cm, $\overline{CD}=3$ cm일 때, $\overline{AE}$의 길이를 구하기 위한 풀이 과정을 쓰고 답을 구하시오.

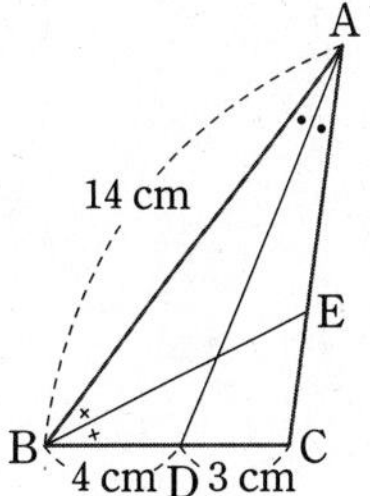

① 단계: $\overline{AC}$의 길이 구하기

$\overline{AD}$가 ∠A의 이등분선이므로

$\overline{AB}:\overline{AC}=\overline{BD}:$ _____, _____ $:\overline{AC}=$ _____ : _____

∴ $\overline{AC}=$ __________

② 단계: $\overline{AE}$의 길이 구하기

$\overline{BE}$가 ∠B의 이등분선이므로

$\overline{BA}:\overline{BC}=\overline{AE}:$ _____, $14:7=2:1=\overline{AE}:$ _____

∴ $\overline{AE}=$ ________________

Check List
- $\overline{AD}$가 ∠A의 이등분선임을 이용하여 $\overline{AC}$의 길이를 바르게 구하였는가?
- $\overline{BE}$가 ∠B의 이등분선임을 이용하여 $\overline{AE}$의 길이를 바르게 구하였는가?

7 서술형

오른쪽 그림과 같은 사다리꼴 ABCD에서 $\overline{AD}/\!/\overline{EF}/\!/\overline{BC}$일 때, $\overline{PF}$의 길이를 구하기 위한 풀이 과정을 쓰고 답을 구하시오.

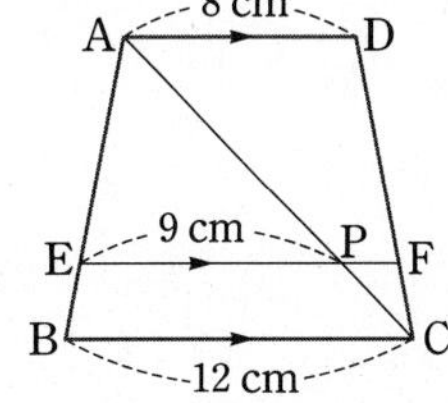

① 단계: $\overline{CP}:\overline{CA}$ 구하기

② 단계: $\overline{PF}$의 길이 구하기

Check List
- $\overline{CP}:\overline{CA}$를 바르게 구하였는가?
- $\overline{PF}$의 길이를 바르게 구하였는가?

3 삼각형의 무게중심과 닮음의 활용

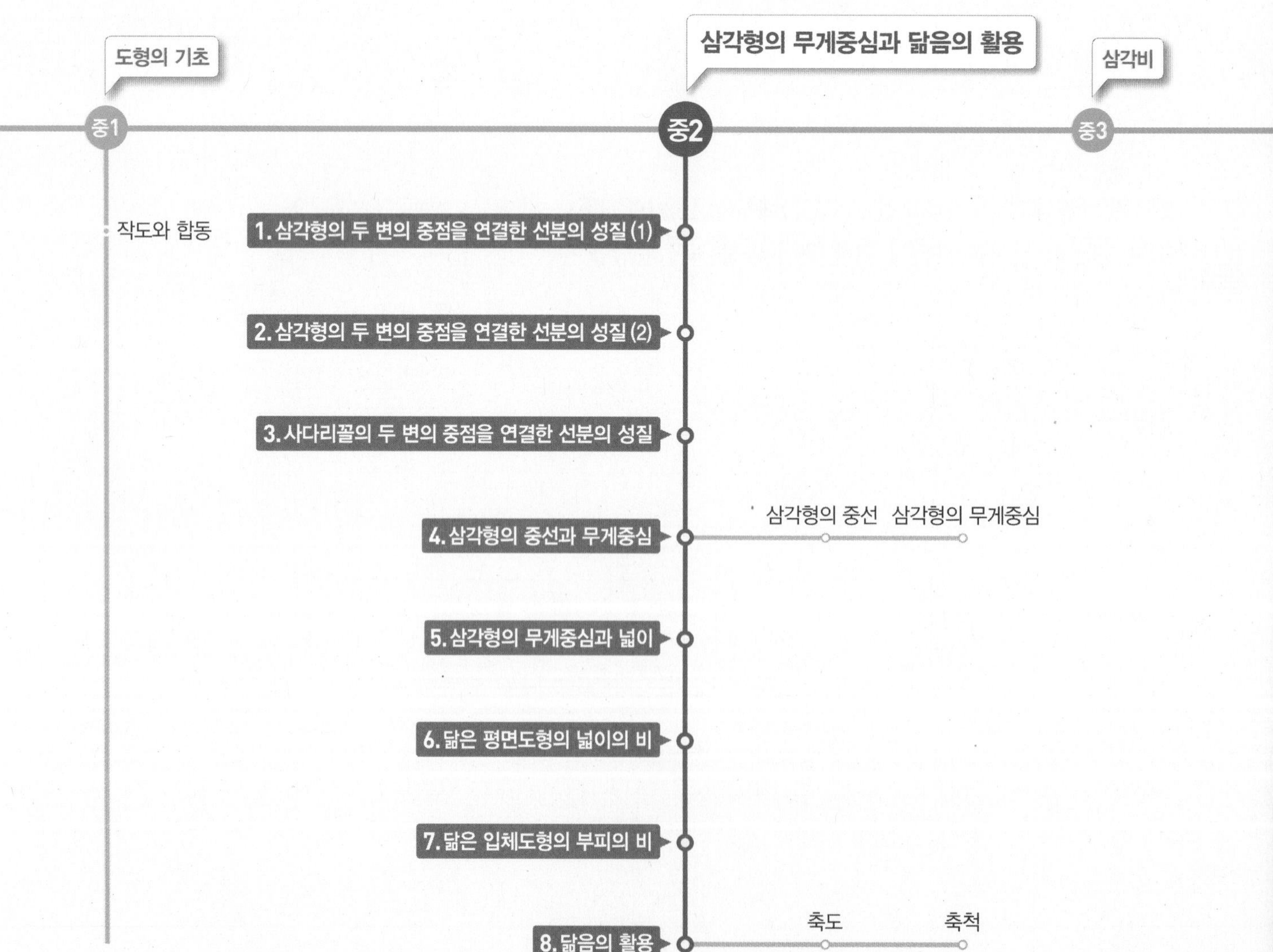

세 중선이 만나 생기는 점, 무게중심

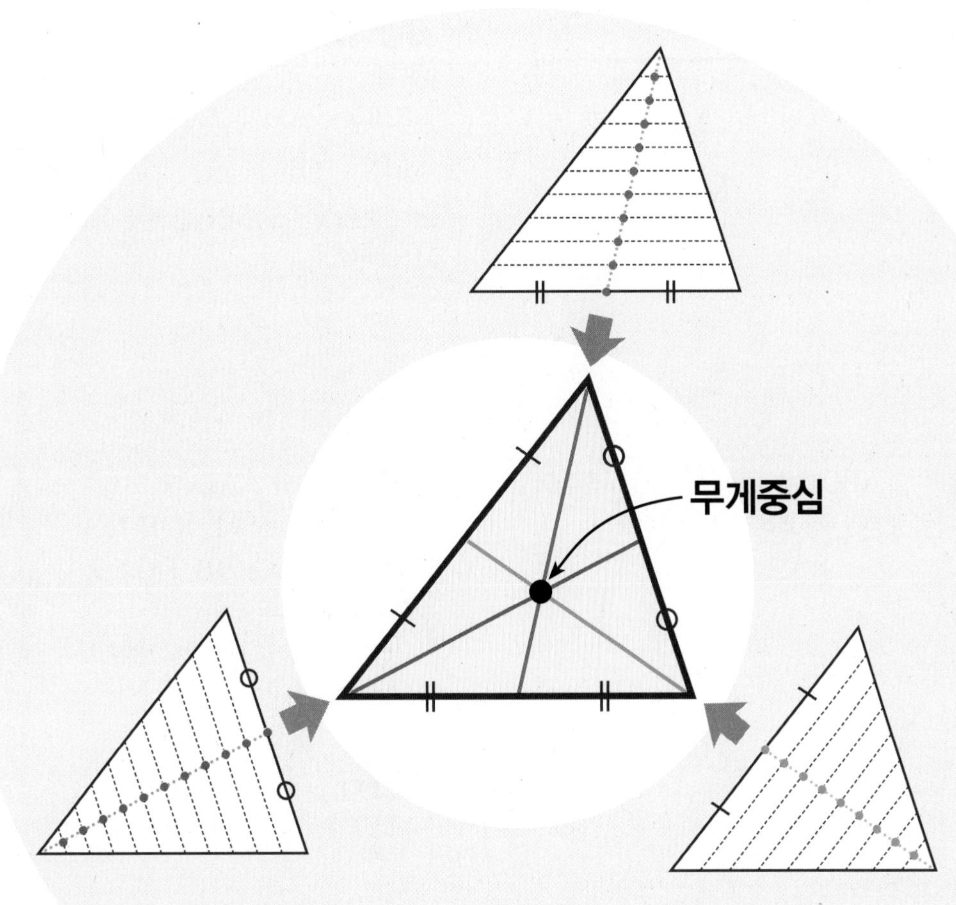

개념 이해 1

삼각형의 두 변의 중점을 연결한 선분의 성질 (1)

삼각형의 두 변의 중점을 연결한 선분은 나머지 한 변과 평행하고, 그 길이는 나머지 한 변의 길이의 $\frac{1}{2}$이다.

➡ △ABC에서

점 M, N이 각각 $\overline{AB}$, $\overline{AC}$의 중점이면 $\overline{MN} /\!/ \overline{BC}$, $\overline{MN}=\frac{1}{2}\overline{BC}$

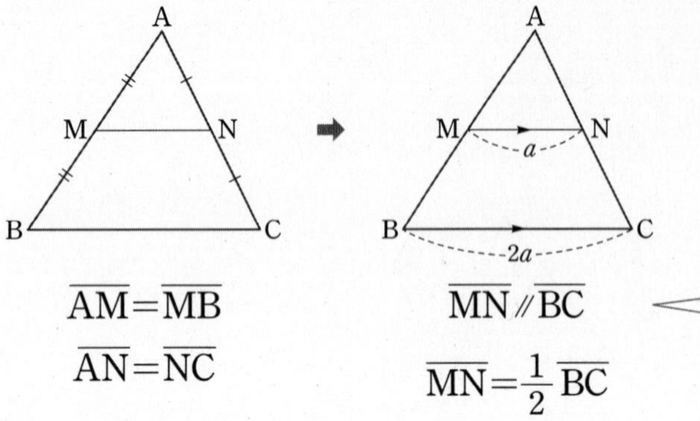

$\overline{AM}=\overline{MB}$
$\overline{AN}=\overline{NC}$

$\overline{MN} /\!/ \overline{BC}$
$\overline{MN}=\frac{1}{2}\overline{BC}$

△ABC와 △AMN에서
∠A는 공통,
$\overline{AB} : \overline{AM}=\overline{AC} : \overline{AN}=2 : 1$
이므로
△ABC∽△AMN (SAS 닮음)
∴ $\overline{MN}=\frac{1}{2}\overline{BC}$
또, ∠ABC=∠AMN(동위각)이므로
$\overline{MN} /\!/ \overline{BC}$

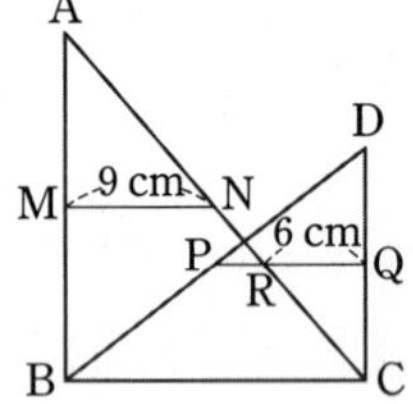

개념확인

1. 다음 그림과 같은 △ABC에서 점 M은 $\overline{AB}$의 중점이고 점 N은 $\overline{AC}$의 중점일 때, x의 값을 구하시오.

(1)

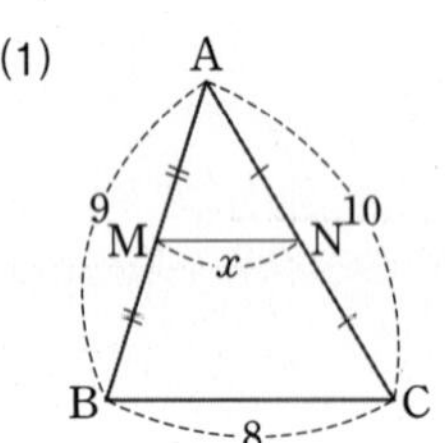

(2)

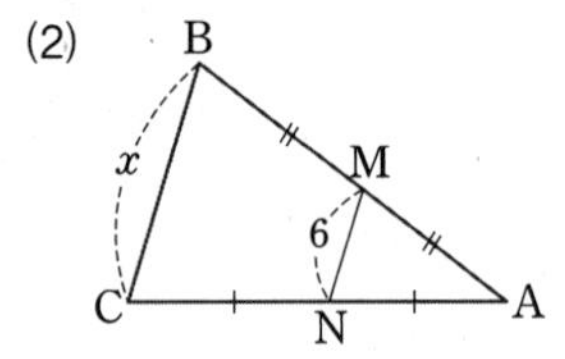

2. 오른쪽 그림의 △ABC와 △DBC에서 점 M, N, P, Q는 각각 $\overline{AB}$, $\overline{AC}$, $\overline{DB}$, $\overline{DC}$의 중점이다. $\overline{MN}=9$ cm, $\overline{RQ}=6$ cm일 때, 다음 선분의 길이를 구하시오.

A
D
M
9 cm
N
P
6 cm
Q
R
B
C

(1) $\overline{BC}$
(2) $\overline{PQ}$
(3) $\overline{PR}$

개념 적용

삼각형의 두 변의 중점을 연결한 선분의 성질 (1)

1 **오른쪽 그림과 같은 △ABC에서 x, y의 값을 각각 구하시오.**

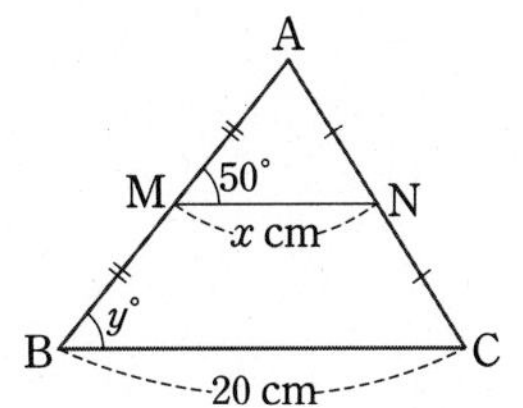

△ABC에서 $\overline{AM}=\overline{MB}$, $\overline{AN}=\overline{NC}$이면

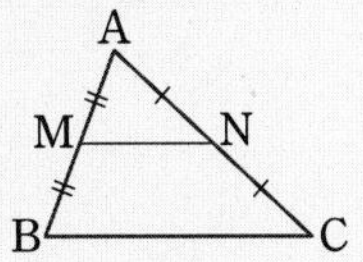

A
M
N
B
C

$\overline{MN} /\!/ \overline{BC}$, $\overline{MN}=\frac{1}{2}\overline{BC}$

1-1 오른쪽 그림의 △ABC에서 점 D, E, F는 각각 $\overline{AB}$, $\overline{BC}$, $\overline{CA}$의 중점이다. $\overline{AB}=10$ cm, $\overline{BC}=16$ cm, $\overline{CA}=12$ cm일 때, △DEF의 둘레의 길이를 구하시오.

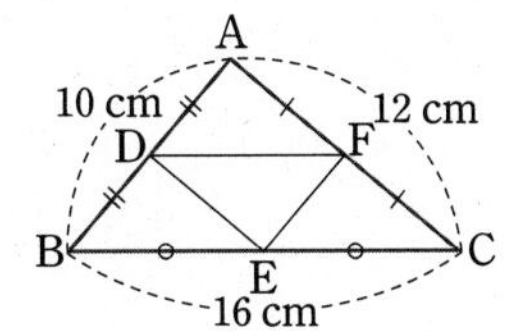

사각형의 각 변의 중점을 연결한 선분의 성질

2 **오른쪽 그림과 같은 □ABCD에서 점 P, Q, R, S는 각각 $\overline{AB}$, $\overline{BC}$, $\overline{CD}$, $\overline{DA}$의 중점이다. $\overline{AC}=6$ cm, $\overline{BD}=8$ cm일 때, 다음 물음에 답하시오.**

(1) □PQRS는 어떤 사각형인지 말하시오.

(2) □PQRS의 둘레의 길이를 구하시오.

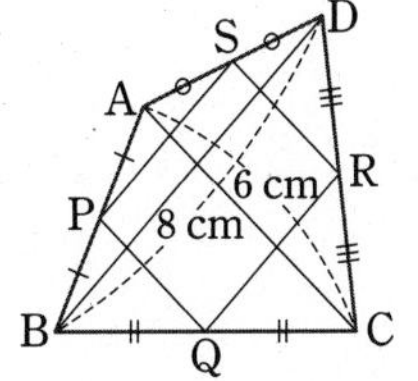

□ABCD에서 $\overline{AB}$, $\overline{BC}$, $\overline{CD}$, $\overline{DA}$의 중점을 각각 P, Q, R, S라 하면

(1) $\overline{PS} /\!/ \overline{BD} /\!/ \overline{QR}$
$\overline{PQ} /\!/ \overline{AC} /\!/ \overline{SR}$

(2) $\overline{PS}=\overline{QR}=\frac{1}{2}\overline{BD}$
$\overline{PQ}=\overline{SR}=\frac{1}{2}\overline{AC}$

2-1 오른쪽 그림과 같은 마름모 ABCD의 네 변의 중점을 각각 P, Q, R, S라 할 때, □PQRS의 넓이를 구하시오.

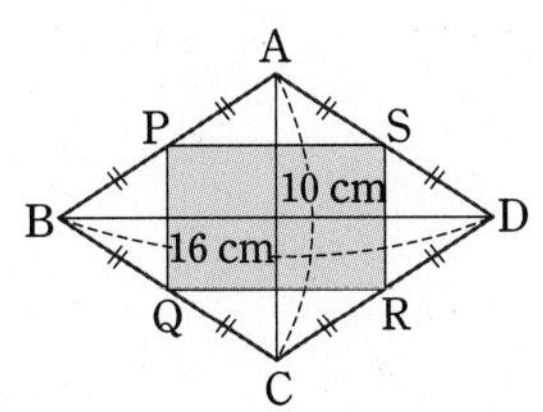

개념 이해 2 삼각형의 두 변의 중점을 연결한 선분의 성질 (2)

삼각형의 한 변의 중점을 지나고, 다른 한 변에 평행한 직선은 나머지 한 변의 중점을 지난다.

➡ △ABC에서

$$\overline{AM}=\overline{MB},\ \overline{MN}/\!/\overline{BC}\text{이면 } \overline{AN}=\overline{NC},\ \overline{MN}=\frac{1}{2}\overline{BC}$$

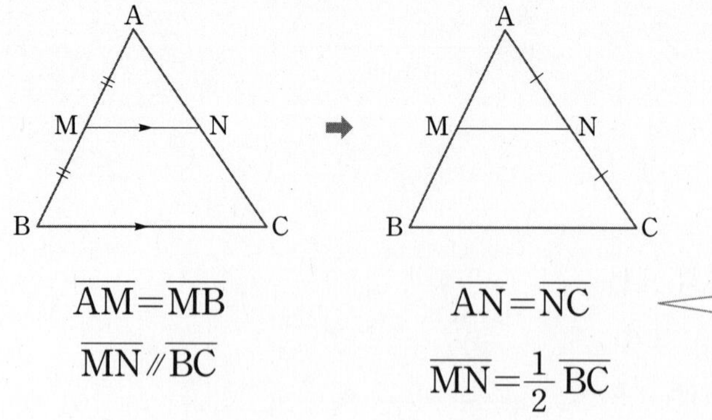

$\overline{AM}=\overline{MB}$, $\overline{MN}/\!/\overline{BC}$ ➡ $\overline{AN}=\overline{NC}$, $\overline{MN}=\frac{1}{2}\overline{BC}$

$\overline{MN}/\!/\overline{BC}$이므로

평행선과 선분의 길이의 비에 의하여

$\overline{AB}:\overline{AM}=\overline{AC}:\overline{AN}=2:1$

$\therefore \overline{AN}=\frac{1}{2}\overline{AC}$

따라서 점 N은 $\overline{AC}$의 중점이므로

$\overline{AN}=\overline{NC}$

한편, △AMN∽△ABC이고 닮음비가 1 : 2이므로

$\overline{MN}=\frac{1}{2}\overline{BC}$

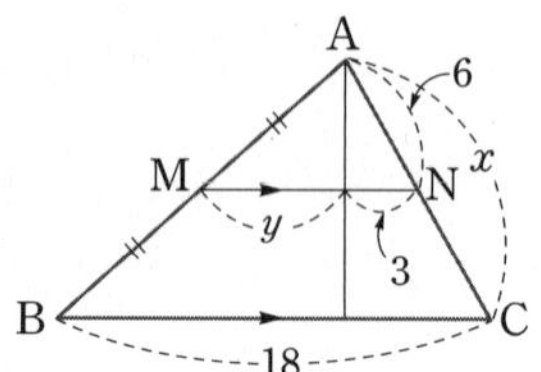

개념확인

1. 다음 그림과 같은 △ABC에서 점 M은 $\overline{AB}$의 중점이고 $\overline{MN}/\!/\overline{BC}$일 때, x의 값을 구하시오.

(1)

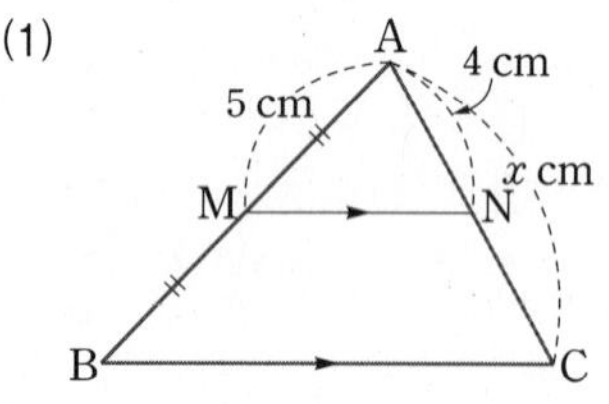

(2)

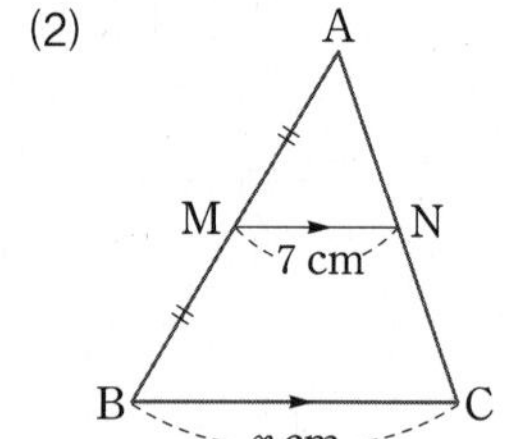

2. 다음 그림과 같은 △ABC에서 $\overline{AB}$의 중점 M을 지나고 $\overline{BC}$에 평행한 직선을 그어 $\overline{AC}$와 만나는 점을 N이라 할 때, x, y의 값을 각각 구하시오.

개념 적용

삼각형의 두 변의 중점을 연결한 선분의 성질 (2)

1 **오른쪽 그림과 같은 △ABC에서 $\overline{AC} /\!/ \overline{DE}$일 때, x, y의 값을 각각 구하시오.**

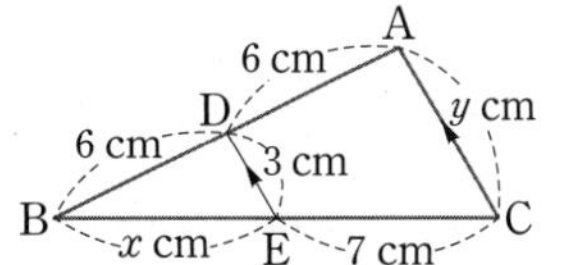

△ABC에서 $\overline{AM}=\overline{MB}$, $\overline{MN} /\!/ \overline{BC}$이면

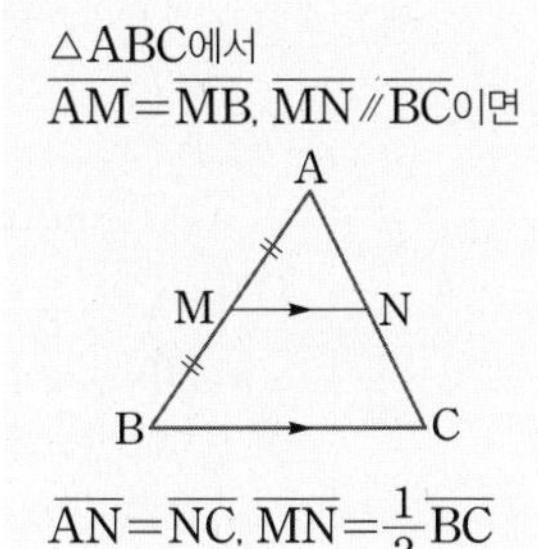

$\overline{AN}=\overline{NC}$, $\overline{MN}=\frac{1}{2}\overline{BC}$

1-1 오른쪽 그림과 같은 △ABC에서 $\overline{AD}=\overline{DB}$이고, $\overline{AB} /\!/ \overline{EF}$, $\overline{BC} /\!/ \overline{DE}$이다. $\overline{AB}=12$ cm, $\overline{DE}=5$ cm일 때, $\overline{FC}$의 길이를 구하시오.

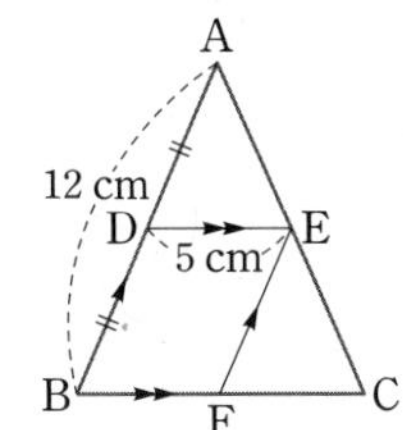

삼각형의 두 변의 중점을 연결한 선분의 성질의 응용

2 **오른쪽 그림과 같은 △ABC에서 $\overline{AD}=\overline{DB}$, $\overline{DG}=\overline{GC}$이고 $\overline{DE} /\!/ \overline{BF}$이다. $\overline{DE}=8$ cm일 때, $\overline{BG}$의 길이를 구하시오.**

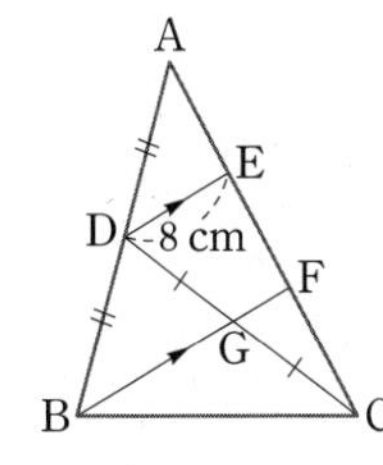

△ABC에서 $\overline{AP}=\overline{PD}$, $\overline{BD}=\overline{DC}$, $\overline{EC} /\!/ \overline{FD}$일 때, $\overline{EP}=a$라 하면

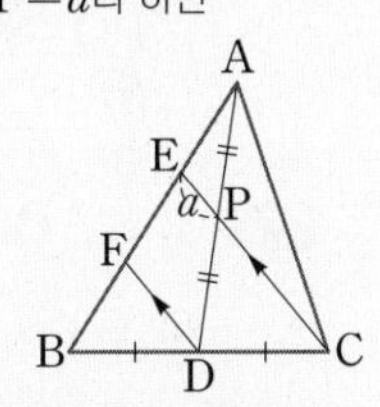

$\overline{AE}=\overline{EF}=\overline{FB}$이므로

(1) △AFD에서
$\overline{FD}=2\overline{EP}=2a$

(2) △BCE에서
$\overline{EC}=2\overline{FD}=4a$

2-1 오른쪽 그림에서 $\overline{AE}=\overline{EB}$, $\overline{EF}=\overline{FD}$이다. 점 E에서 $\overline{BD}$에 평행한 선분을 그어 $\overline{AC}$와의 교점을 G라 할 때, $\overline{CD}$의 길이를 구하시오.

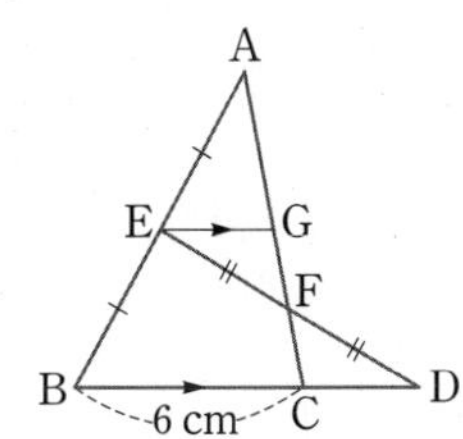

개념 이해 3

사다리꼴의 두 변의 중점을 연결한 선분의 성질

$\overline{AD} /\!/ \overline{BC}$인 사다리꼴 ABCD에서 점 M, N이 각각 $\overline{AB}$, $\overline{DC}$의 중점이면

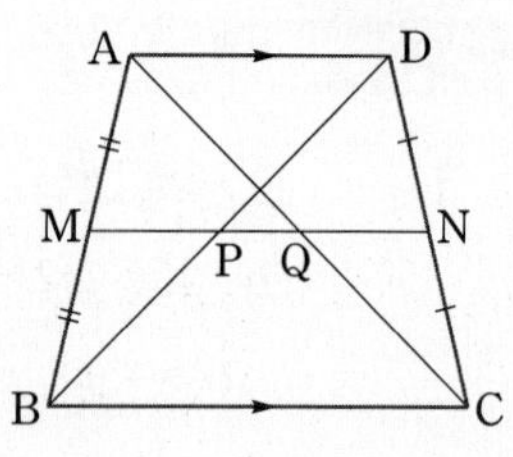

(1) $\overline{AD} /\!/ \overline{MN} /\!/ \overline{BC}$

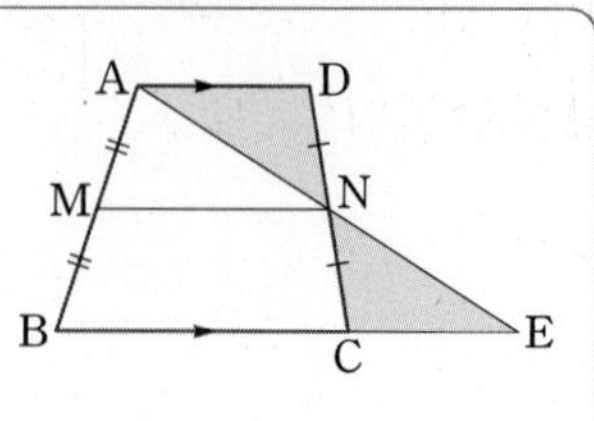

$\triangle$AND와 $\triangle$ENC에서

$\overline{DN}=\overline{CN}$, $\angle AND=\angle ENC$(맞꼭지각),

$\angle ADN=\angle ECN$(엇각)

$\therefore$ $\triangle AND \equiv \triangle ENC$ (ASA 합동)

따라서 $\overline{AN}=\overline{EN}$이므로 $\triangle$ABE에서 삼각형의 두 변의 중점을 연결한 선분의 성질에 의하여 $\overline{MN} /\!/ \overline{BC}$

(2) $\overline{MN}=\overline{MQ}+\overline{QN}=\frac{1}{2}(\overline{BC}+\overline{AD})$

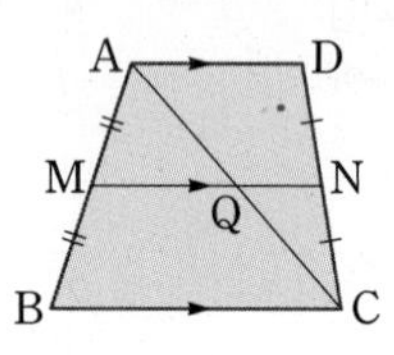

$\triangle$ABC에서 $\overline{MQ}=\frac{1}{2}\overline{BC}$

$\triangle$ACD에서 $\overline{QN}=\frac{1}{2}\overline{AD}$

$\therefore$ $\overline{MN}=\overline{MQ}+\overline{QN}=\frac{1}{2}(\overline{BC}+\overline{AD})$

(3) $\overline{PQ}=\overline{MQ}-\overline{MP}=\frac{1}{2}(\overline{BC}-\overline{AD})$ (단, $\overline{BC}>\overline{AD}$)

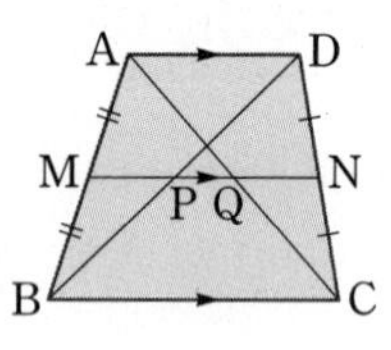

$\triangle$ABC에서 $\overline{MQ}=\frac{1}{2}\overline{BC}$

$\triangle$ABD에서 $\overline{MP}=\frac{1}{2}\overline{AD}$

$\therefore$ $\overline{PQ}=\overline{MQ}-\overline{MP}=\frac{1}{2}(\overline{BC}-\overline{AD})$

참고 ① $\triangle$ABD와 $\triangle$ACD에서 $\overline{MP}=\overline{QN}=\frac{1}{2}\overline{AD}$

② $\triangle$ABC와 $\triangle$DBC에서 $\overline{MQ}=\overline{PN}=\frac{1}{2}\overline{BC}$

개념확인

1. 다음 그림과 같이 $\overline{AD} /\!/ \overline{BC}$인 사다리꼴 ABCD에서 점 M, N이 각각 $\overline{AB}$, $\overline{DC}$의 중점일 때, x, y의 값을 각각 구하시오.

(1)

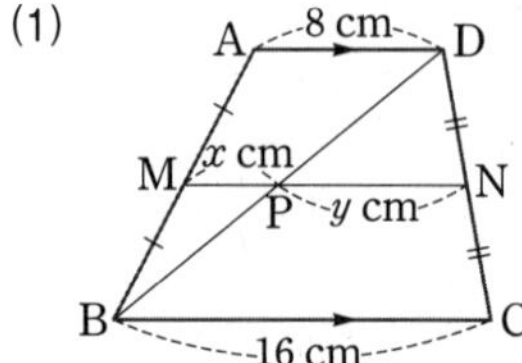

(2)

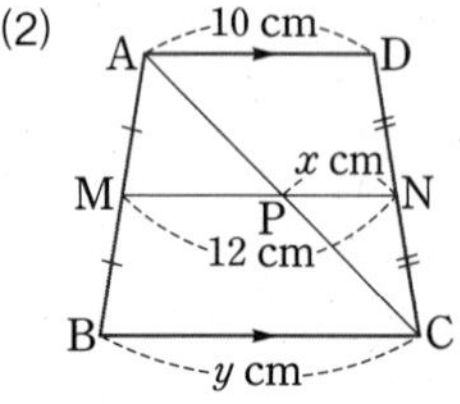

2. 오른쪽 그림과 같이 $\overline{AD} /\!/ \overline{BC}$인 사다리꼴 ABCD에서 점 M, N은 각각 $\overline{AB}$, $\overline{DC}$의 중점일 때, 다음 선분의 길이를 구하시오.

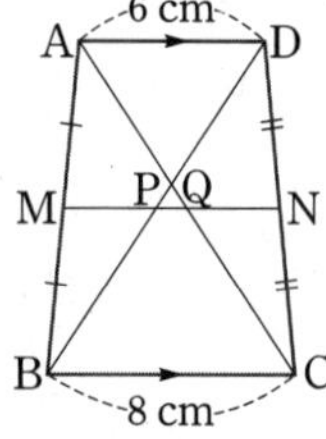

(1) $\overline{MQ}$ (2) $\overline{QN}$

(3) $\overline{MN}$ (4) $\overline{PQ}$

개념 적용

익힘북 64쪽 | 정답과 풀이 39쪽

사다리꼴의 두 변의 중점을 연결한 선분의 성질

1 **오른쪽 그림과 같이 $\overline{AD}/\!/\overline{BC}$인 사다리꼴 ABCD에서 점 M, N은 각각 $\overline{AB}$, $\overline{DC}$의 중점이다. $\overline{AD}=16$ cm, $\overline{BC}=20$ cm일 때, $\overline{MN}$의 길이를 구하시오.**

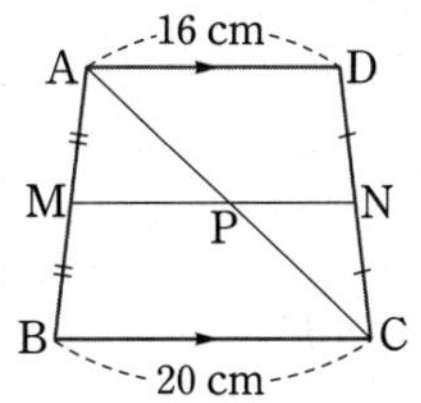

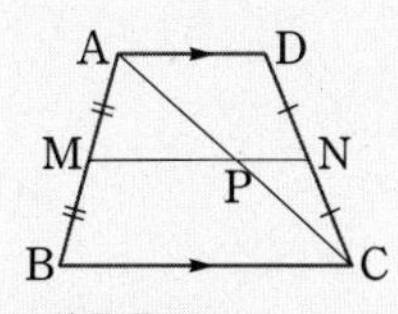

(1) △ABC에서 $\overline{MP}=\frac{1}{2}\overline{BC}$

(2) △ACD에서 $\overline{PN}=\frac{1}{2}\overline{AD}$

(3) $\overline{MN}=\frac{1}{2}(\overline{AD}+\overline{BC})$

1-1 오른쪽 그림과 같이 $\overline{AD}/\!/\overline{BC}$인 사다리꼴 ABCD에서 점 M, N은 각각 $\overline{AB}$, $\overline{DC}$의 중점이다. $\overline{MN}=14$ cm, $\overline{BC}=20$ cm일 때, $\overline{AD}$의 길이를 구하시오.

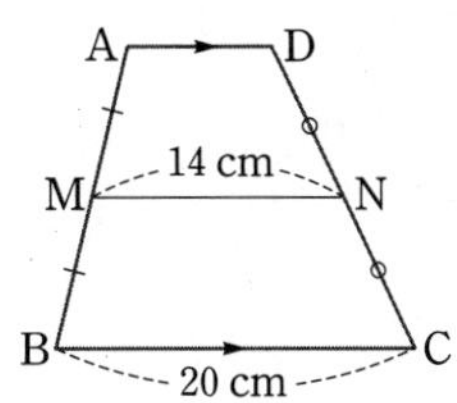

▸ 대각선 AC를 그어 △ABC와 △ACD로 나눈 후 각각 삼각형의 두 변의 중점을 연결한 선분의 성질을 이용한다.

사다리꼴의 두 변의 중점을 연결한 선분의 성질의 응용

2 **오른쪽 그림과 같이 $\overline{AD}/\!/\overline{BC}$인 사다리꼴 ABCD에서 점 M, N은 각각 $\overline{AB}$, $\overline{DC}$의 중점이다. $\overline{AD}=7$ cm, $\overline{PQ}=2$ cm일 때, $\overline{BC}$의 길이를 구하시오.**

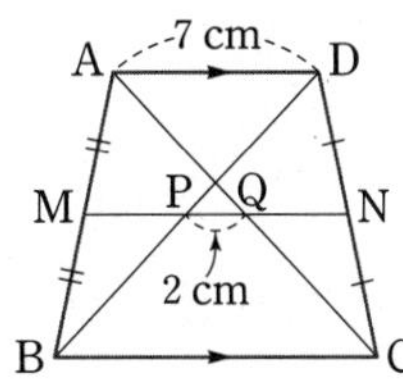

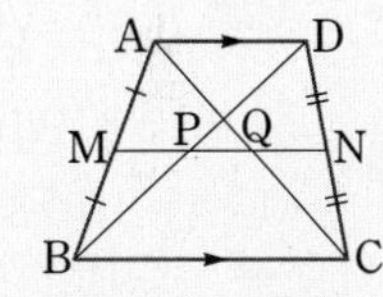

(1) $\overline{MQ}=\overline{PN}=\frac{1}{2}\overline{BC}$

(2) $\overline{MP}=\overline{QN}=\frac{1}{2}\overline{AD}$

(3) $\overline{PQ}=\overline{MQ}-\overline{MP}$
$=\frac{1}{2}(\overline{BC}-\overline{AD})$

2-1 오른쪽 그림과 같이 $\overline{AD}/\!/\overline{BC}$인 사다리꼴 ABCD에서 점 M, N은 각각 $\overline{AB}$, $\overline{DC}$의 중점이고 $\overline{MP}=\overline{PQ}=\overline{QN}$이다. $\overline{AD}=12$ cm일 때, $\overline{BC}$의 길이를 구하시오.

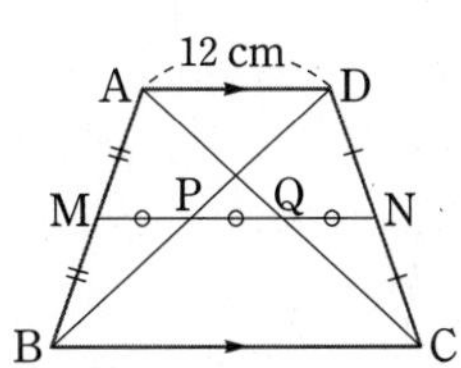

개념 이해

4 삼각형의 중선과 무게중심

(1) 삼각형의 중선: 삼각형의 한 꼭짓점과 그 대변의 중점을 연결한 선분

참고 삼각형에는 3개의 중선이 있다.

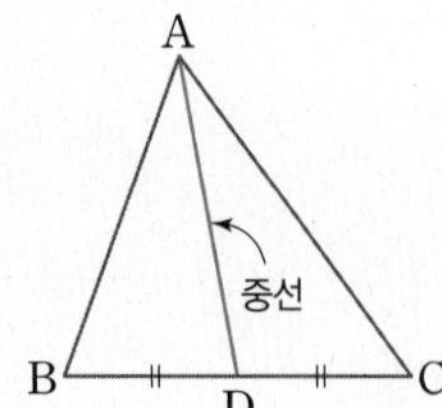

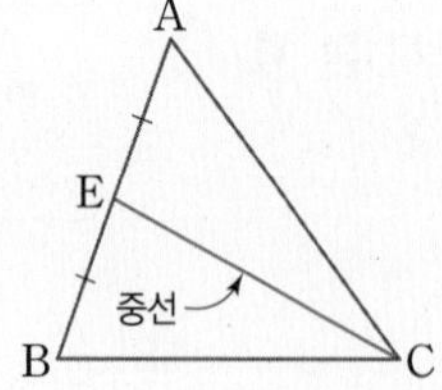

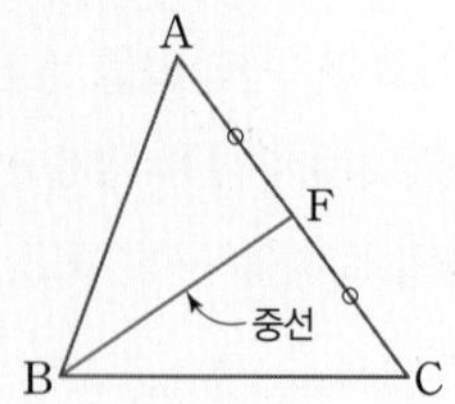

(2) 삼각형의 중선의 성질: 삼각형의 중선은 그 삼각형의 넓이를 이등분한다.

➡ $\triangle ABC$에서 $\overline{AD}$가 중선이면 $\triangle ABD = \triangle ACD$

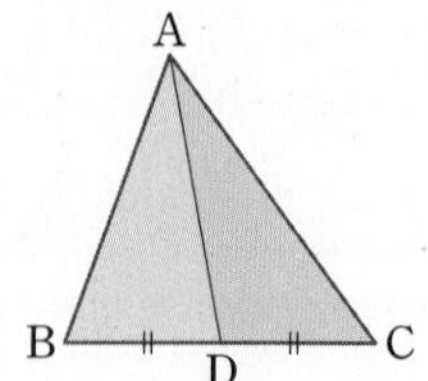

(3) 삼각형의 무게중심: 삼각형의 세 중선의 교점

(4) 삼각형의 무게중심의 성질 : 삼각형의 무게중심은 세 중선의 길이를 각 꼭짓점으로부터 2 : 1로 나눈다.

➡ $\triangle ABC$의 무게중심을 G라 하면

$$\overline{AG}:\overline{GD}=\overline{BG}:\overline{GE}=\overline{CG}:\overline{GF}=2:1$$

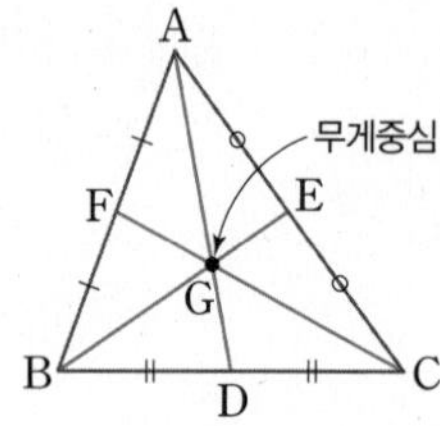

(i)

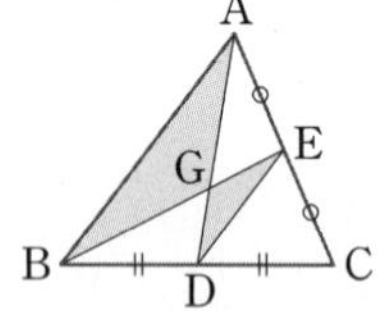

① $\overline{AB} /\!/ \overline{DE}$이고 $\overline{AB}:\overline{DE}=2:1$

② $\triangle GAB \backsim \triangle GDE$(AA 닮음)이고 닮음비는 $2:1$

➡ $\overline{AG}:\overline{DG}=\overline{BG}:\overline{EG}=2:1$

(ii)

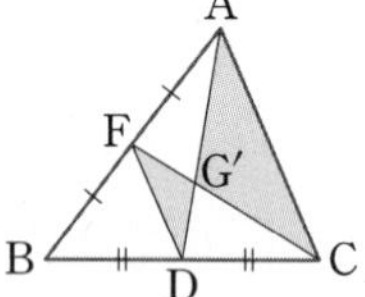

① $\overline{AC} /\!/ \overline{DF}$이고 $\overline{AC}:\overline{DF}=2:1$

② $\triangle G'AC \backsim \triangle G'DF$(AA 닮음)이고 닮음비는 $2:1$

➡ $\overline{AG'}:\overline{DG'}=\overline{CG'}:\overline{FG'}=2:1$

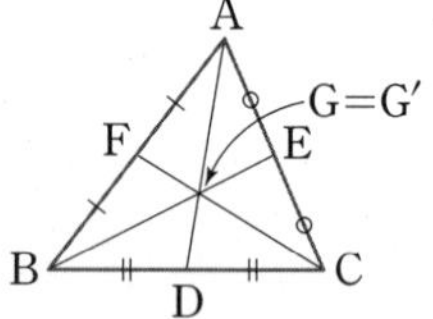

(i), (ii)에서 점 G와 점 G′은 일치

➡ 세 중선은 한 점(무게중심)에서 만나고, 그 점(무게중심)은 세 중선의 길이를 각 꼭짓점으로부터 2 : 1로 나눈다.

참고 ① 정삼각형은 무게중심, 외심, 내심이 모두 일치한다.
② 이등변삼각형의 무게중심, 외심, 내심은 모두 꼭지각의 이등분선 위에 있다.

개념확인

1. 오른쪽 그림에서 $\overline{AD}$는 $\triangle ABC$의 중선이고 점 P는 $\overline{AD}$ 위의 점이다. $\triangle ABC$의 넓이가 24 cm^2이고 $\triangle PBD$의 넓이가 6 cm^2일 때, 다음 삼각형의 넓이를 구하시오.

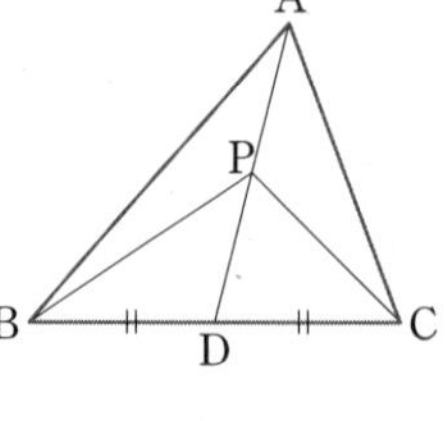

(1) $\triangle PDC$　　(2) $\triangle APC$

2. 다음 그림에서 점 G가 $\triangle ABC$의 무게중심일 때, x, y의 값을 각각 구하시오.

(1)

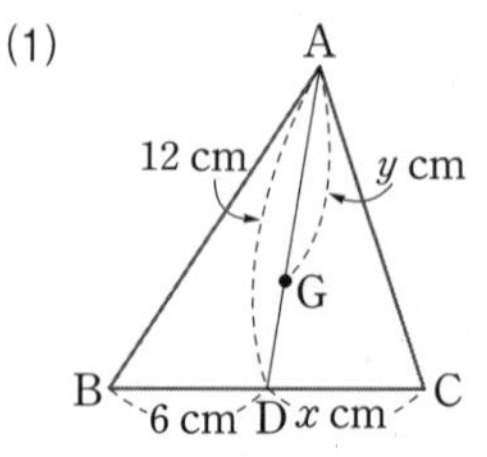

(2)

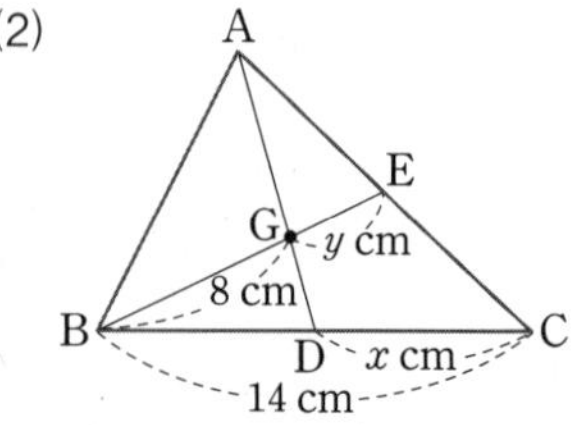

개념 적용

삼각형의 중선의 성질을 이용하여 삼각형의 넓이 구하기

1 **오른쪽 그림에서 $\overline{AD}$는 $\triangle ABC$의 중선이고 점 E는 $\overline{AD}$의 중점이다. $\triangle BDE$의 넓이가 3 cm^2일 때, $\triangle ABC$의 넓이를 구하시오.**

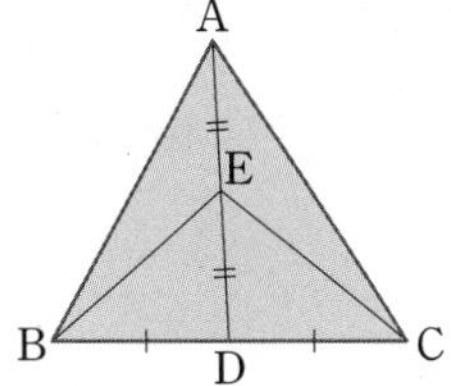

$\triangle ABC$에서 점 E가 중선 AD 위의 점이면

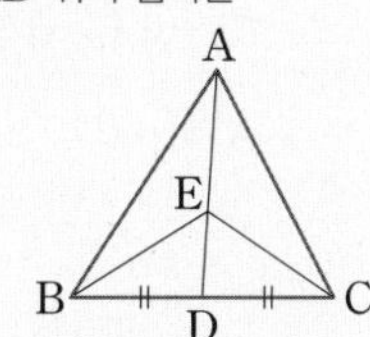

(1) $\triangle ABD = \triangle ADC$
$\triangle BDE = \triangle CED$
(2) $\triangle ABE$
$= \triangle ABD - \triangle BDE$
$= \triangle ADC - \triangle CED$
$= \triangle AEC$

1-1 오른쪽 그림에서 $\overline{BM}$은 $\triangle ABC$의 중선이고, $\overline{AP}$는 $\triangle ABM$의 중선이다. $\triangle ABC$의 넓이가 60 cm^2일 때, $\triangle APM$의 넓이를 구하시오.

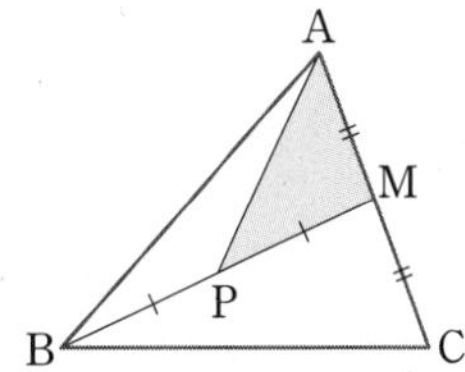

▸ $\overline{AP}$가 $\triangle ABM$의 중선이므로 $\triangle ABP$와 $\triangle APM$은 넓이가 같고, $\overline{BM}$이 $\triangle ABC$의 중선이므로 $\triangle ABM$과 $\triangle BCM$은 넓이가 같다.

삼각형의 무게중심의 성질을 이용하여 선분의 길이 구하기

2 **오른쪽 그림에서 점 G, G′은 각각 $\triangle ABC$와 $\triangle GBC$의 무게중심이다. $\overline{AD} = 30\text{ cm}$일 때, $\overline{GG'}$의 길이를 구하시오.**

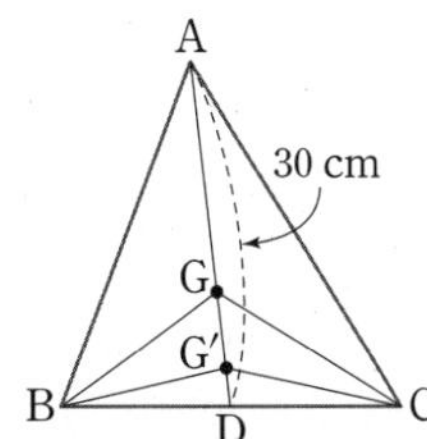

점 G가 $\triangle ABC$의 무게중심이면

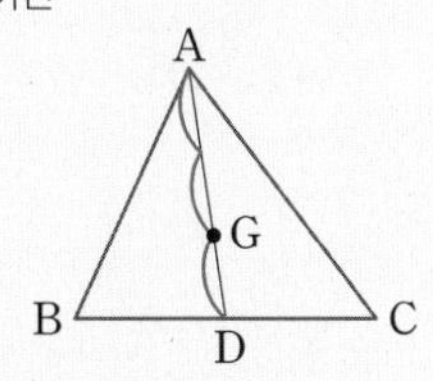

$\overline{AG} : \overline{GD} = 2 : 1$

2-1 오른쪽 그림에서 점 G, G′은 각각 $\triangle ABC$와 $\triangle GBC$의 무게중심이다. $\overline{GG'} = 4\text{ cm}$일 때, $\overline{AD}$의 길이를 구하시오.

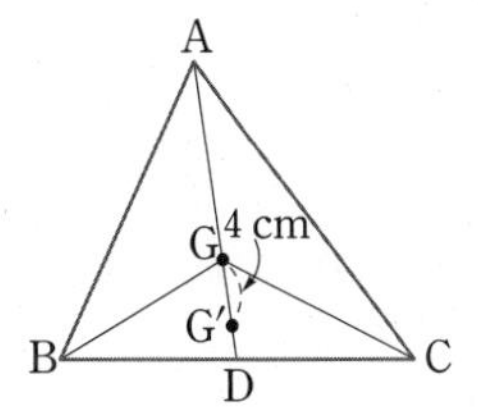

▸ 주어진 $\overline{GG'}$의 길이를 이용하여 $\overline{GD}$의 길이를 구한 후 $\overline{AD}$의 길이를 구한다.

개념 적용

삼각형의 무게중심과 평행선 (1)

3 **오른쪽 그림에서 점 G는 $\triangle ABC$의 무게중심이고 $\overline{EF} /\!/ \overline{BC}$이다. $\overline{AG}=12$ cm, $\overline{BD}=4$ cm일 때, x, y의 값을 각각 구하시오.**

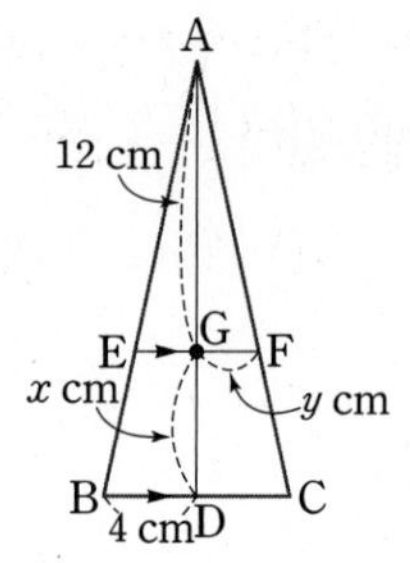

점 G가 $\triangle ABC$의 무게중심이고 $\overline{DE} /\!/ \overline{BC}$일 때

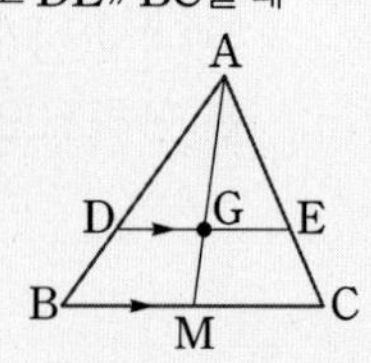

(1) $\triangle ADG \backsim \triangle ABM$이므로
$\overline{DG} : \overline{BM} = \overline{AG} : \overline{AM}$
$=2 : 3$

(2) $\triangle AGE \backsim \triangle AMC$이므로
$\overline{GE} : \overline{MC} = \overline{AG} : \overline{AM}$
$=2 : 3$

3-1 오른쪽 그림에서 점 G는 $\triangle ABC$의 무게중심이고 $\overline{DE} /\!/ \overline{BC}$이다. $\overline{BC}=12$ cm일 때, $\overline{DE}$의 길이를 구하시오.

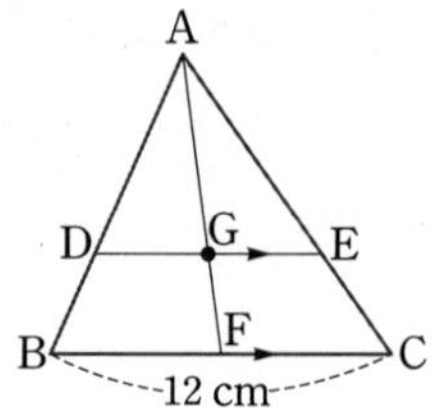

삼각형의 무게중심과 평행선 (2)

4 **오른쪽 그림에서 점 G가 $\triangle ABC$의 무게중심이고 $\overline{BE} /\!/ \overline{DF}$이다. $\overline{DF}=8$ cm일 때, 다음 선분의 길이를 구하시오.**

(1) $\overline{BE}$　　　　(2) $\overline{BG}$

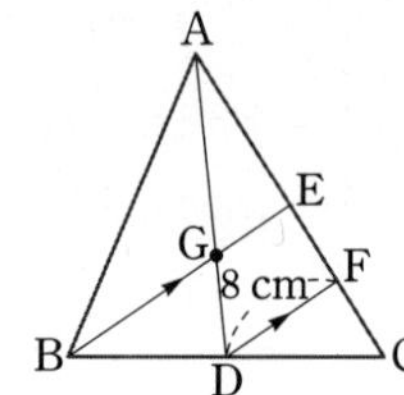

점 G가 $\triangle ABC$의 무게중심이고 $\overline{BE} /\!/ \overline{DF}$, $\overline{GE}=a$일 때

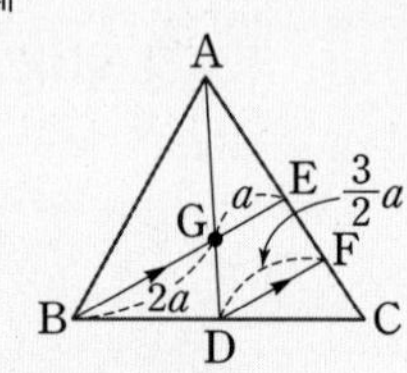

(1) $\overline{BG}=2\overline{GE}=2a$

(2) $\triangle BCE$에서
$\overline{DF}=\frac{1}{2}\overline{BE}=\frac{3}{2}a$

4-1 오른쪽 그림에서 점 G는 $\triangle ABC$의 무게중심이고 $\overline{DF}=\overline{FC}$이다. $\overline{EF}=6$ cm일 때, $\overline{AG}$의 길이를 구하시오.

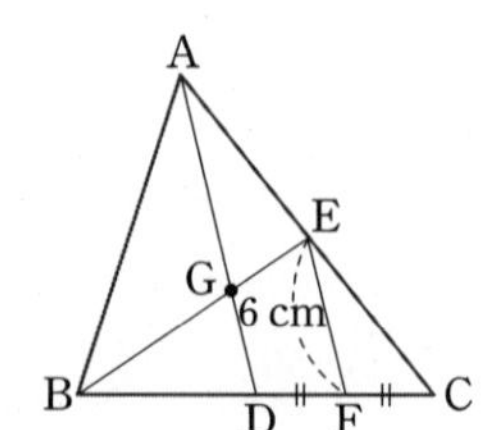

▸ 점 E가 $\overline{AC}$의 중점임을 이용하여 $\triangle ADC$에서 $\overline{AD}$의 길이를 구한다.

직각삼각형의 무게중심

5 **오른쪽 그림과 같이 $\angle B=90°$인 직각삼각형 ABC에서 점 G는 $\triangle ABC$의 무게중심이고 $\overline{AC}=18$ cm일 때, $\overline{BG}$의 길이를 구하시오.**

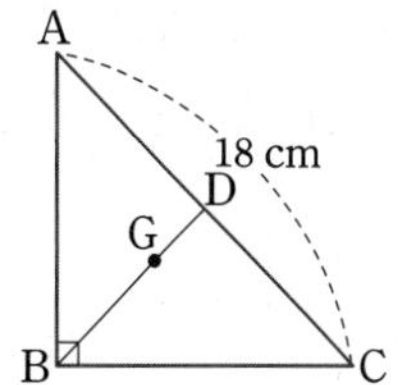

직각삼각형의 빗변의 중점은 외심이다.

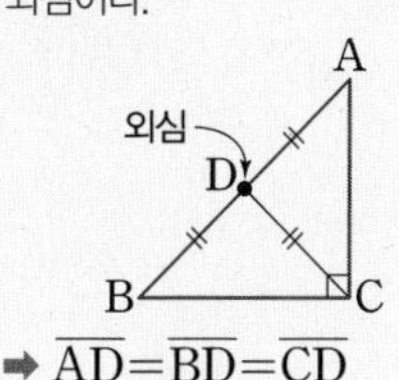

➡ $\overline{AD}=\overline{BD}=\overline{CD}$

5-1 오른쪽 그림과 같이 $\angle C=90°$인 직각삼각형 ABC에서 점 G는 $\triangle ABC$의 무게중심이다. $\overline{CG}=8$ cm일 때, $\triangle ABC$의 외접원의 둘레의 길이를 구하시오.

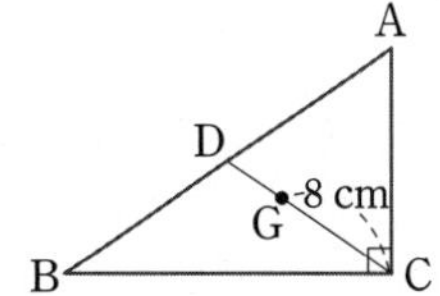

평행사변형에서 삼각형의 무게중심

6 **오른쪽 그림과 같은 평행사변형 ABCD에서 $\overline{BC}$, $\overline{CD}$의 중점을 각각 M, N이라 하고, $\overline{BD}$와 $\overline{AM}$의 교점을 P, $\overline{BD}$와 $\overline{AN}$의 교점을 Q라 하자. $\overline{BD}=21$ cm일 때, $\overline{PQ}$의 길이를 구하시오.**

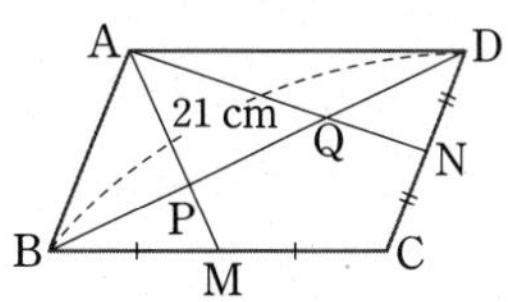

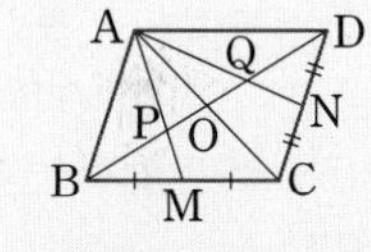

(1) 점 P, Q는 각각 $\triangle ABC$, $\triangle ACD$의 무게중심이다.

(2) $\overline{BP}=\overline{PQ}=\overline{QD}=\frac{1}{3}\overline{BD}$

6-1 오른쪽 그림과 같은 평행사변형 ABCD에서 $\overline{BM}=\overline{MC}$, $\overline{CN}=\overline{ND}$이고 $\overline{MN}=12$ cm일 때, $\overline{PQ}$의 길이를 구하시오.

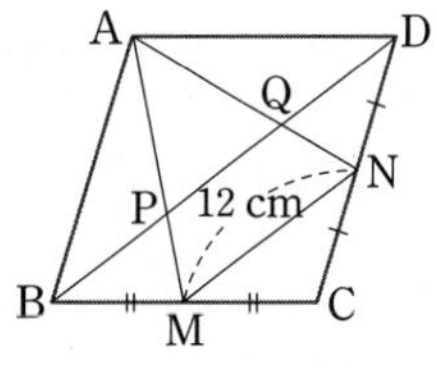

개념 이해 5

삼각형의 무게중심과 넓이

$\triangle ABC$의 무게중심을 G라 하면

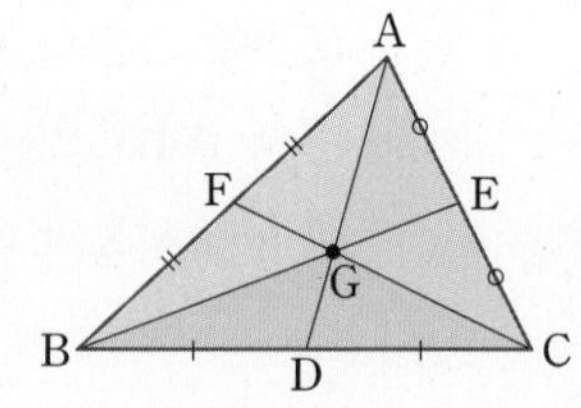

(1) 삼각형의 무게중심과 세 꼭짓점을 이어서 생기는 세 삼각형의 넓이는 같다.

➡ $\triangle ABG=\triangle BCG=\triangle CAG=\frac{1}{3}\triangle ABC$

$\triangle ABC$에서 $\triangle ABD=\triangle ACD=\frac{1}{2}\triangle ABC$이고

$\overline{AG}=\frac{2}{3}\overline{AD}$이므로

$\triangle ABG=\frac{2}{3}\triangle ABD=\frac{2}{3}\times\frac{1}{2}\triangle ABC=\frac{1}{3}\triangle ABC$

(2) 세 중선에 의하여 삼각형의 넓이는 6등분된다.

➡ $\triangle AFG=\triangle BFG=\triangle BDG=\triangle DCG=\triangle CEG=\triangle EAG=\frac{1}{6}\triangle ABC$

$\overline{GD}=\frac{1}{3}\overline{AD}$이므로

$\triangle BDG=\frac{1}{3}\triangle ABD=\frac{1}{3}\times\frac{1}{2}\triangle ABC=\frac{1}{6}\triangle ABC$

세 중선의 교점을 왜 무게중심이라 이름 지었을까?

무게중심(무게中心, center of gravity)에서 한자로 무게중심을 重心이라고 하는데, 重은 무겁다는 뜻이고 心은 중심을 의미하므로 重心은 무게의 중심을 뜻하는 것이다. 즉, 삼각형의 무게중심은 무게의 균형을 이루게 하는 점이다. 두꺼운 종이로 삼각형을 만들고 세 중선을 그으면 한 점에서 만난다는 것을 알 수 있다. 이때 세 중선의 교점을 집게손가락으로 받치면 수평이 유지됨을 직접 확인함으로써 삼각형의 세 중선의 교점에서 무게의 균형을 이루고 있음을 알 수 있다.

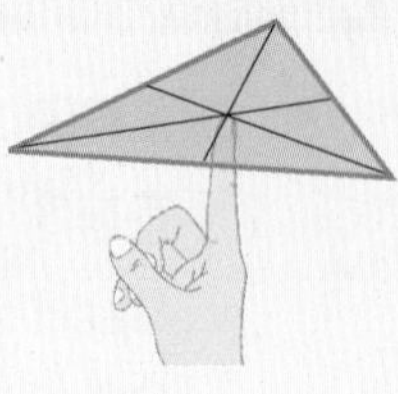

개념확인

1. 다음 그림에서 점 G가 $\triangle ABC$의 무게중심이고 $\triangle ABC$의 넓이가 36 cm^2일 때, 색칠한 부분의 넓이를 구하시오.

(1)

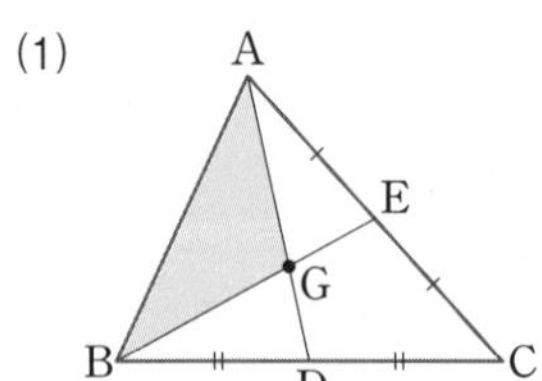

(2)

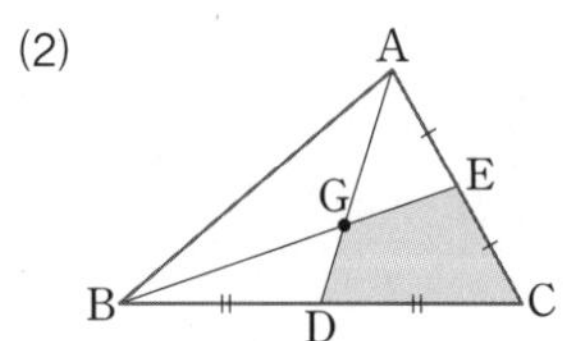

2. 다음 그림에서 점 G가 $\triangle ABC$의 무게중심일 때, 색칠한 부분의 넓이를 구하시오.

(1) $\triangle BCG$의 넓이: 20 cm^2

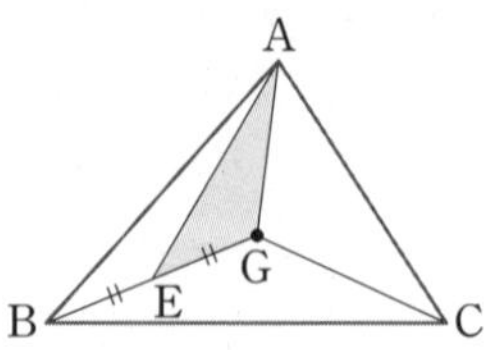

(2) $\triangle ACD$의 넓이: 48 cm^2

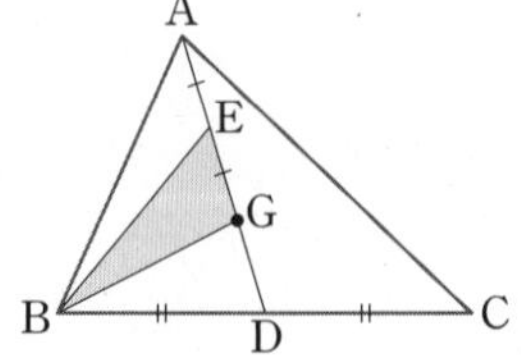

개념 적용

삼각형의 무게중심을 이용하여 넓이 구하기

1 **오른쪽 그림에서 점 G는 △ABC의 무게중심이고 두 점 E, F는 각각 $\overline{BG}$, $\overline{CG}$의 중점이다. △ABC의 넓이가 27 cm^{2}일 때, 색칠한 부분의 넓이를 구하시오.**

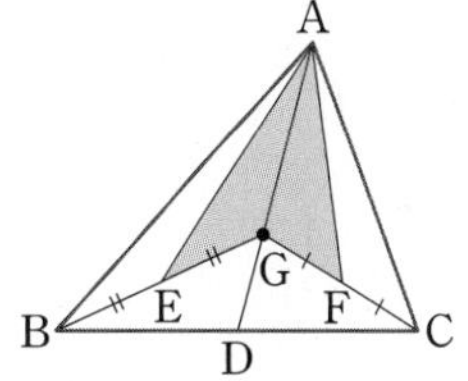

(1) $\triangle ABG=\frac{1}{3}\triangle ABC$
(2) $\triangle ABE=\triangle AEG$
$=\frac{1}{2}\triangle ABG$
(3) $\triangle AEG=\triangle AGF$

1-1 오른쪽 그림에서 점 G는 △ABC의 무게중심이고 점 F는 $\overline{BG}$의 중점이다. △EFG의 넓이가 4 cm^{2}일 때, △ABC의 넓이를 구하시오.

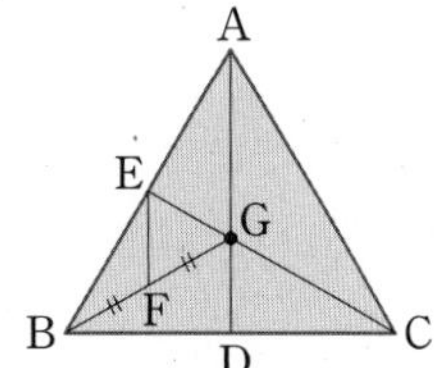

▸ △ABC의 넓이를 △BCE, △BGE, △EFG의 순서로 차근차근 표현해 본다.

평행사변형에서 삼각형의 무게중심을 이용하여 넓이 구하기

2 **오른쪽 그림과 같은 평행사변형 ABCD에서 점 M은 $\overline{CD}$의 중점이고, 점 N은 $\overline{AM}$과 $\overline{BD}$의 교점이다. □OCMN의 넓이가 7 cm^{2}일 때, □ABCD의 넓이를 구하시오.**
(단, 점 O는 두 대각선의 교점이다.)

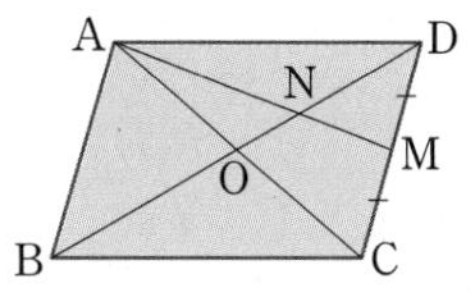

평행사변형 ABCD에서
(1) $\triangle ABC=\triangle ACD$
$=\frac{1}{2}\square ABCD$
(2) $\triangle AON=\frac{1}{6}\triangle ACD$
(3) □OCMN
$=\triangle OCN+\triangle MCN$
$=\frac{1}{6}\triangle ACD+\frac{1}{6}\triangle ACD$
$=\frac{1}{3}\triangle ACD$

2-1 오른쪽 그림과 같은 평행사변형 ABCD에서 두 점 M, N은 각각 $\overline{BC}$, $\overline{CD}$의 중점이고, 두 점 P, Q는 각각 $\overline{BD}$와 $\overline{AM}$, $\overline{AN}$의 교점이다. □ABCD의 넓이가 36 cm^{2}일 때, 색칠한 부분의 넓이를 구하시오.
(단, 점 O는 두 대각선의 교점이다.)

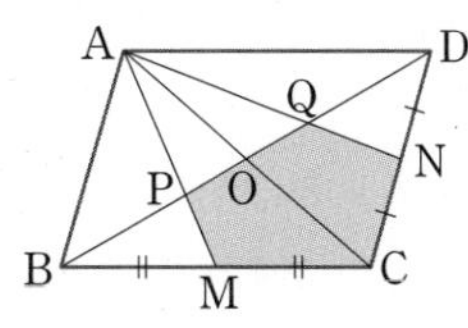

개념 이해

6 닮은 평면도형의 넓이의 비

닮은 두 평면도형의 닮음비가 $m:n$이면

(1) 둘레의 길이의 비 ➡ $m:n$

(2) 넓이의 비 ➡ $m^2:n^2$

㉯ 오른쪽 그림에서 두 평면도형의 닮음비가 1 : 2이므로
둘레의 길이의 비 ➡ $(1\times4):(2\times4)=1:2$
넓이의 비 ➡ $1^2:2^2=1:4$

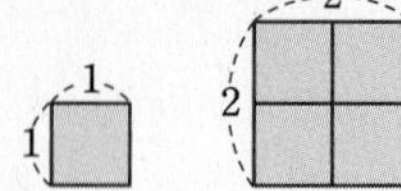

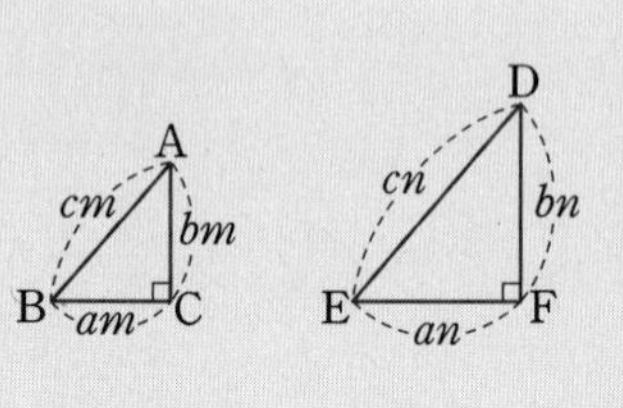

참고 닮은 도형에서 (도형의 둘레의 길이의 비)=(닮음비)

닮은 삼각형에서 둘레의 길이의 비와 넓이의 비
닮은 두 삼각형에서닮음비가 $m:n$일 때
(1) 둘레의 길이의 비
➡ $m(a+b+c):n(a+b+c)=m:n$
(2) 넓이의 비
➡ $\frac{ab}{2}m^2:\frac{ab}{2}n^2=m^2:n^2$

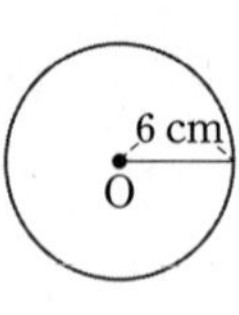

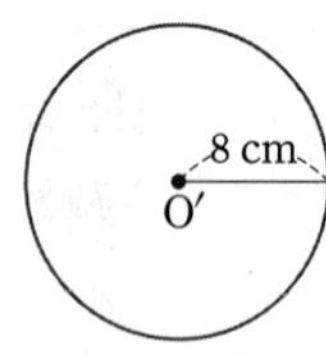

개념확인

1. 아래 그림에서 △ABC∽△DEF일 때, 다음을 구하시오.

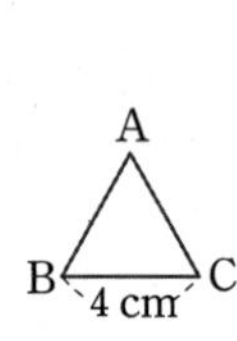

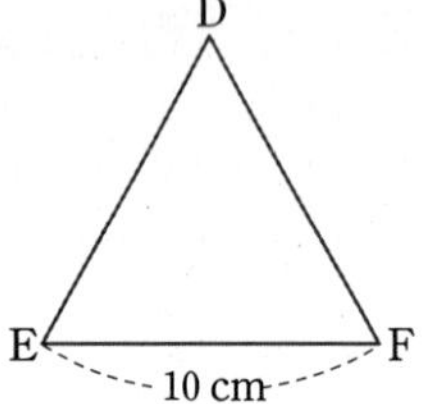

(1) 닮음비
(2) 둘레의 길이의 비
(3) 넓이의 비
(4) △ABC의 넓이가 12 cm^2일 때, △DEF의 넓이

2. 아래 그림의 두 원에 대하여 다음을 구하시오.

6 cm
O
8 cm
O′

(1) 닮음비
(2) 둘레의 길이의 비
(3) 넓이의 비

개념 적용

닮은 평면도형의 넓이의 비

1 **오른쪽 그림에서 $\angle ABD=\angle ACB$이고 $\triangle ABD$의 넓이가 $12\ cm^2$일 때, $\triangle ABC$의 넓이를 구하시오.**

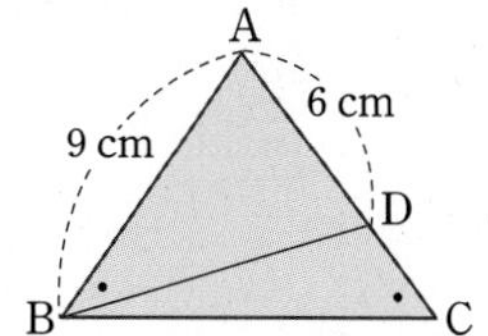

닮은 두 평면도형의 넓이의 비에 대한 문제를 푸는 순서

닮은 도형 찾기
⬇
닮음비 구하기 $(m : n)$
⬇
넓이의 비 구하기 $(m^2 : n^2)$
⬇
넓이 구하기

1-1 오른쪽 그림과 같이 $\overline{AD} /\!/ \overline{BC}$인 사다리꼴 ABCD에서 $\overline{AD}=4\ cm$, $\overline{BC}=6\ cm$이다. $\triangle ODA$의 넓이가 $16\ cm^2$일 때, $\triangle OBC$의 넓이를 구하시오.

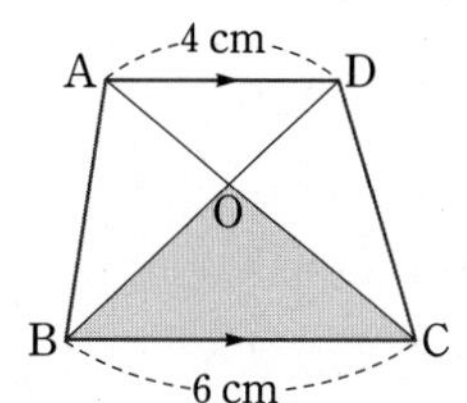

1-2 오른쪽 그림과 같은 $\triangle ABC$에서 $\overline{BC} /\!/ \overline{DE}$이고 $\overline{AE}=8\ cm$, $\overline{CE}=2\ cm$이다. $\triangle ADE$의 넓이가 $48\ cm^2$일 때, $\square DBCE$의 넓이를 구하시오.

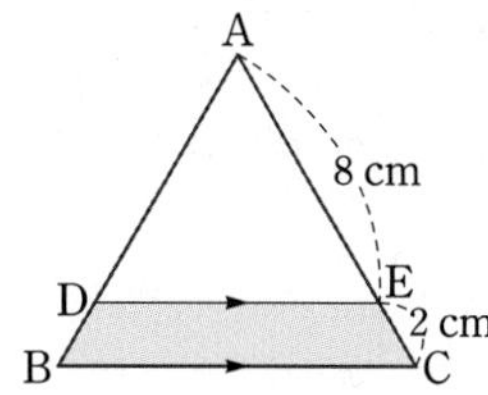

▸ $\triangle ADE : \triangle ABC = a : b$ 이면
$\triangle ADE : \square DBCE$
$= a : (b-a)$

1-3 오른쪽 그림과 같은 직각삼각형 ABC에서 $\overline{AD} \perp \overline{BC}$일 때, $\triangle ADC$의 넓이를 구하시오.

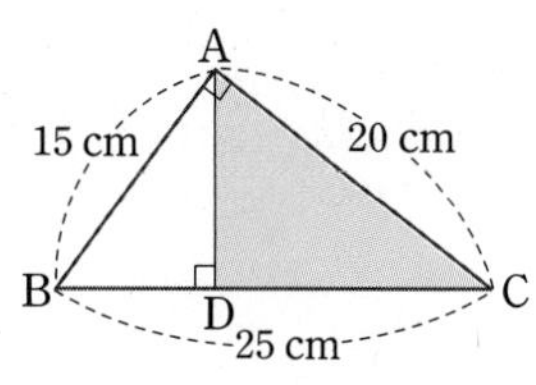

개념 이해 7

닮은 입체도형의 부피의 비

닮은 두 입체도형의 닮음비가 $m:n$이면

(1) 대응하는 모서리의 길이의 비 ➡ $m:n$

(2) 겉넓이의 비 ➡ $m^2:n^2$

(3) 부피의 비 ➡ $m^3:n^3$

㊀ 오른쪽 그림에서 두 입체도형의 닮음비가 $1:2$이므로
겉넓이의 비 ➡ $(1^2\times6):(2^2\times6)=1^2:2^2=1:4$
부피의 비 ➡ $1^3:2^3=1:8$

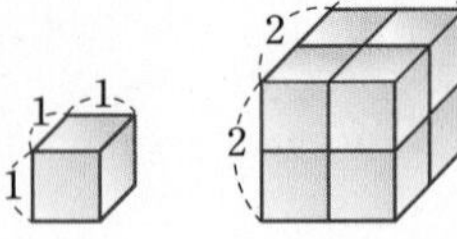

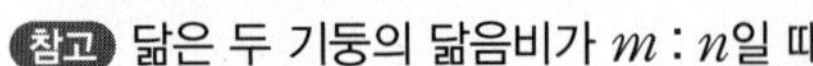

참고 닮은 두 기둥의 닮음비가 $m:n$일 때
① 높이의 비는 $m:n$ ② 옆넓이의 비는 $m^2:n^2$
③ 밑넓이의 비는 $m^2:n^2$ ④ 부피의 비는 $m^3:n^3$

닮은 직육면체에서 부피의 비
닮은 두 직육면체에서 닮음비가 $m:n$일 때
① 대응하는 모서리의 길이의 비 ➡ $m:n$
② 겉넓이의 비
➡ $m^2(2ab+2bc+2ca):n^2(2ab+2bc+2ca)=m^2:n^2$
③ 부피의 비
➡ $(am\times bm\times cm):(an\times bn\times cn)=abcm^3:abcn^3=m^3:n^3$

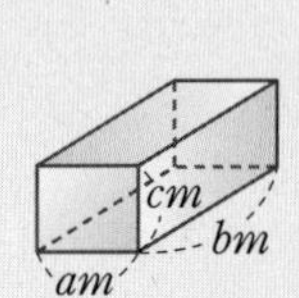

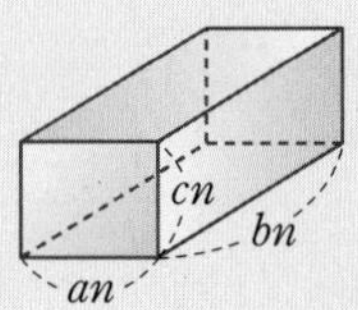

개념확인

1. 아래 그림의 두 삼각기둥 (가), (나)가 서로 닮은 도형이고 닮음비가 $3:5$일 때, 다음을 구하시오.

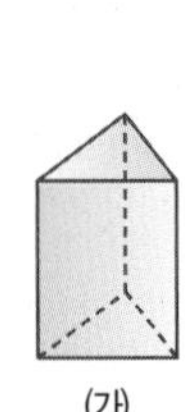
(가)

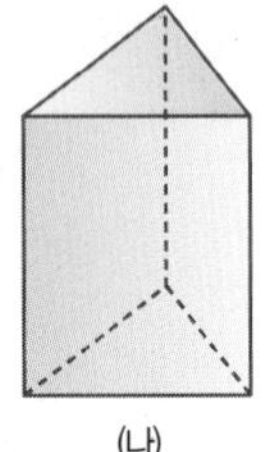
(나)

(1) (나)의 겉넓이가 100 cm^2일 때, (가)의 겉넓이
(2) (가)의 부피가 135 cm^3일 때, (나)의 부피

2. 아래 그림과 같은 두 구 (가), (나)가 있다. (가)의 겉넓이가 45 cm^2이고 (나)의 겉넓이가 80 cm^2일 때, 다음을 구하시오.

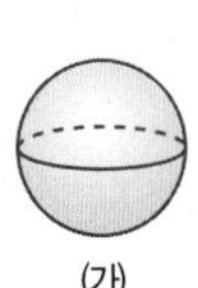
(가)

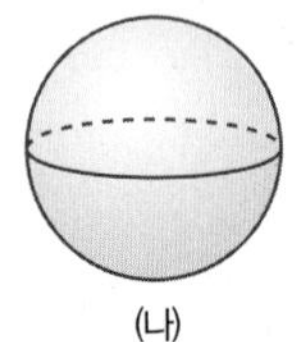
(나)

(1) 닮음비
(2) 부피의 비

개념 적용

닮은 입체도형의 겉넓이의 비

1 **오른쪽 그림과 같이 높이가 각각 15 cm, 25 cm인 두 원기둥 A, B는 서로 닮은 도형이다. 원기둥 A의 옆넓이가 72π cm²일 때, 원기둥 B의 옆넓이를 구하시오.**

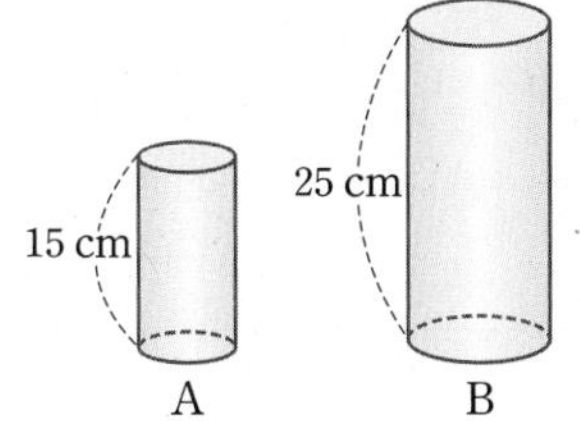

닮은 두 입체도형의 닮음비가 $m : n$일 때
(1) 옆넓이의 비는 $m^2 : n^2$
(2) 겉넓이의 비는 $m^2 : n^2$

1-1 오른쪽 그림과 같이 모서리의 길이의 비가 1 : 3인 정육면체 모양의 상자 2개가 있다. 작은 상자를 포장하는 데 30 cm²의 포장지가 필요할 때, 큰 상자를 포장하려면 몇 cm²의 포장지가 필요한지 구하시오.
(단, 포장지는 각 면의 넓이만큼만 사용한다.)

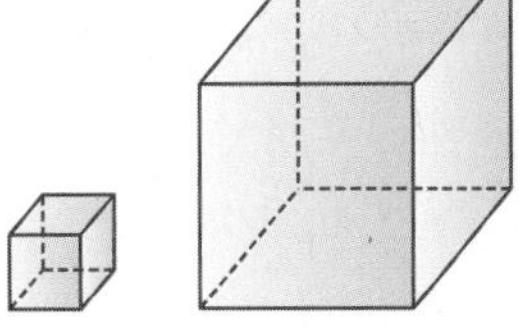

▸ 상자를 포장하는 데 필요한 포장지의 양은 상자의 겉넓이에 정비례하므로
(모서리의 길이의 비) =(닮음비)
임을 이용하여 겉넓이의 비를 구한다.

닮은 입체도형의 부피의 비

2 **오른쪽 그림과 같은 원뿔 모양의 그릇이 있다. 그릇 높이의 절반까지 채우는 데 0.5 L의 물을 부었다면 그릇을 가득 채우기 위해서는 몇 L의 물을 더 부어야 하는지 구하시오.**

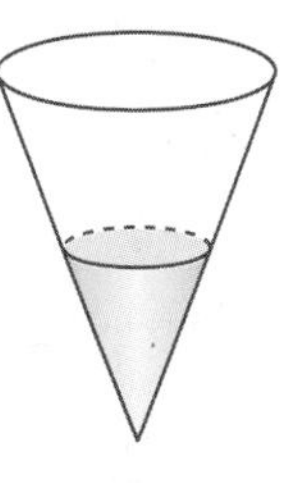

닮은 두 입체도형의 부피의 비에 대한 문제를 푸는 순서

닮은 입체도형 찾기
↓
닮음비 구하기 $(m : n)$
↓
부피의 비 구하기 $(m^3 : n^3)$
↓
부피 구하기

2-1 지름의 길이가 8 cm인 구 모양의 쇠구슬 한 개를 녹여 지름의 길이가 4 cm인 작은 쇠구슬을 최대 몇 개 만들 수 있는지 구하시오.

개념 이해 8

닮음의 활용

건물이나 나무의 높이, 호수나 강의 너비와 같이 직접 측정하기 어려운 경우에는 도형의 닮음을 이용하여 간접적으로 측정하며 축도를 그려서 해결할 수 있다.

(1) 축도: 어떤 도형을 일정한 비율로 줄인 그림

(2) 축척: 축도에서의 길이와 실제 길이의 비율

① $(\text{축척})=\dfrac{(\text{축도에서의 길이})}{(\text{실제 길이})}$

② $(\text{축도에서의 길이})=(\text{실제 길이})\times(\text{축척})$

③ $(\text{실제 길이})=\dfrac{(\text{축도에서의 길이})}{(\text{축척})}$

참고 다음 지도에서의 축척은 $1:20000000$이고, 이것은 실제 거리를 $\dfrac{1}{20000000}$로 줄여서 나타낸 것이다.

축도를 이용한 실제 길이와 넓이

지도에서의 거리가 1 cm인 도로의 실제 거리가 20000 cm라 하면

$(\text{실제 거리}):(\text{지도에서의 거리})=20000:1$

이므로 실제 거리와 지도에서의 거리의 닮음비는 $20000:1$이다.

이때 지도에서 두 지점 사이의 거리가 5 cm라 하면 실제 거리는

$5(\text{cm})\times20000=100000(\text{cm})=1000(\text{m})=1(\text{km})$이고,

지도에서 어느 영역의 넓이가 1 cm^2라 하면 실제 넓이는

$1(\text{cm}^2)\times20000^2=400000000(\text{cm}^2)=40000(\text{m}^2)=0.04(\text{km}^2)$이다.

개념확인

1. 축척이 $1:5000$인 지도가 있다. 다음 물음에 답하시오.

(1) 지도에서 100 cm인 두 지점 사이의 실제 거리는 몇 km인지 구하시오.

(2) 실제 거리가 1 km인 두 지점의 지도에서의 거리는 몇 cm인지 구하시오.

(3) 지도에서 어떤 부분의 넓이가 2 cm^2일 때, 이 부분의 실제 넓이는 몇 m^2인지 구하시오.

2. 오른쪽 그림과 같이 같은 시각에 나무의 그림자의 길이와 길이가 60 cm인 막대의 그림자의 길이를 재어 보았더니 각각 4 m, 80 cm이었다. 이 나무의 실제 높이를 구하시오.

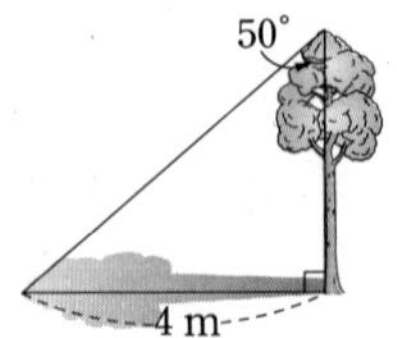

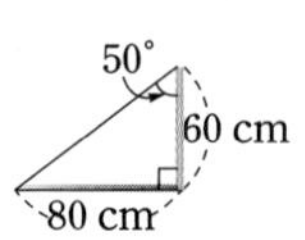

개념 적용

축도와 축척

1 **어떤 지도에서 거리가 8 cm인 두 지점 사이의 실제 거리가 320 m일 때, 이 지도에서 거리가 6 cm인 다른 두 지점의 실제 거리를 구하시오.**

(1) (축척) $=\dfrac{(\text{축도에서의 길이})}{(\text{실제 길이})}$
(2) (실제 길이) $=\dfrac{(\text{축도에서의 길이})}{(\text{축척})}$

1-1 축척이 $\dfrac{1}{10000}$인 지도에서 거리가 140 cm인 두 지점 사이를 실제로 시속 7 km로 자전거를 타고 가는 데 걸리는 시간을 구하시오.

▸ 축척을 이용하여 두 지점 사이의 실제 거리를 구한 후, (시간)$=\dfrac{(\text{거리})}{(\text{속력})}$임을 이용한다.

실생활에서의 닮음의 활용

2 **어느 연못의 양 끝 지점 A, B 사이의 거리를 구하기 위하여 오른쪽 그림과 같이 측량하였다. $\overline{AB}/\!/\overline{CD}$일 때, 두 지점 A, B 사이의 거리는 몇 m인지 구하시오.**

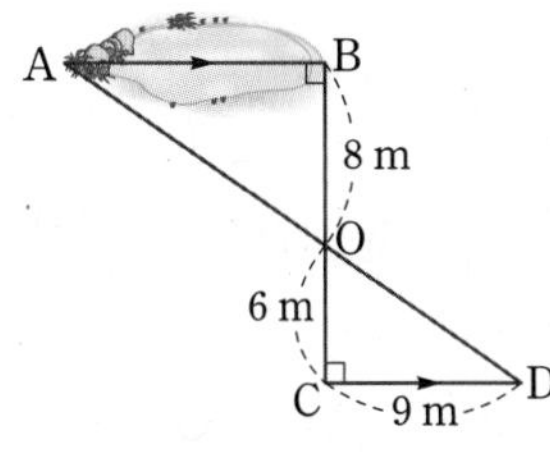

(1) 닮은 두 도형을 찾고, 닮음비를 구한다.
(2) 대응변의 길이의 비가 일정함을 이용하여 변의 길이를 구한다.

2-1 다음 그림의 △A′B′C′은 등대에서 섬까지의 거리를 알아보기 위하여 △ABC를 일정한 비율로 축소하여 그린 것이다. 두 지점 B, C 사이의 실제 거리는 몇 m인지 구하시오.

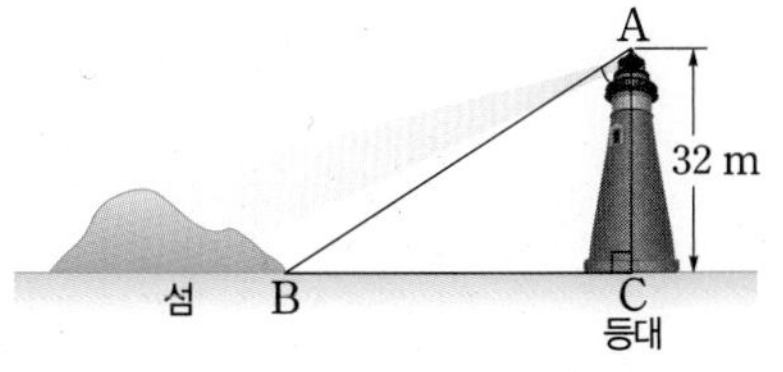

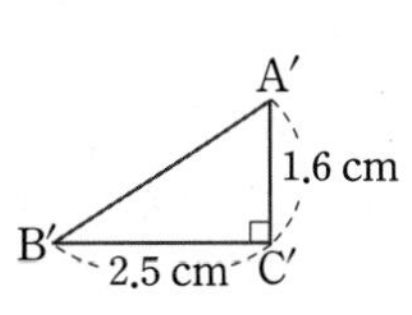

개념 특강

넓이의 비 구하기

기본개념

닮은 두 평면도형의 넓이의 비는 닮음비의 제곱과 같다.
즉, 닮음비가 $m : n$이면 넓이의 비는 $m^2 : n^2$이다.

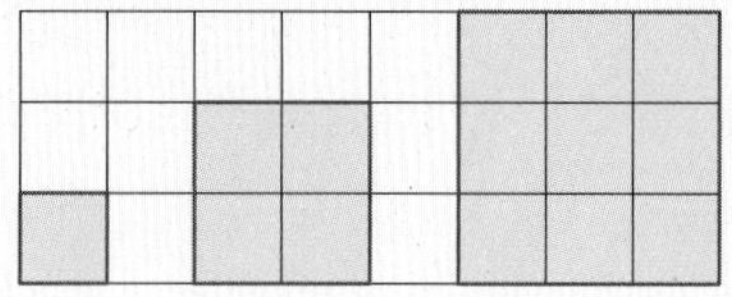

개념적용

오른쪽 그림과 같은 △ABC에서 두 점 D, F는 $\overline{AB}$의 삼등분점이고 두 점 E, G는 $\overline{AC}$의 삼등분점이다. △ADE, □DFGE, □FBCG의 넓이의 비를 가장 간단한 자연수의 비로 나타내시오.

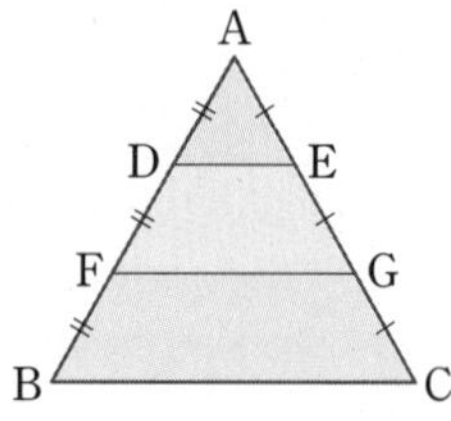

1 닮은 도형 찾기

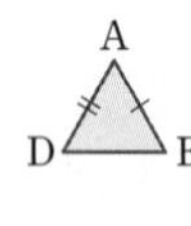

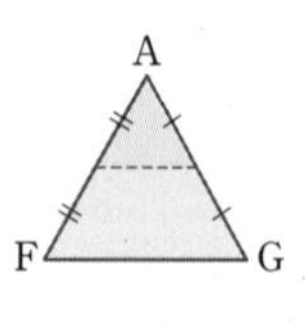

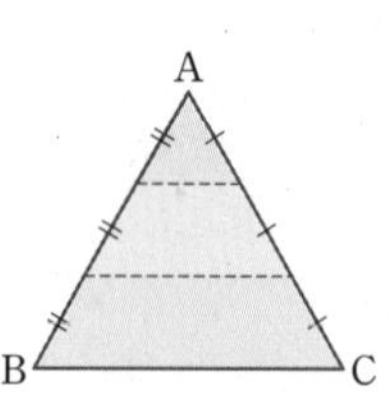

$\overline{AD} : \overline{AF} : \overline{AB} = \overline{AE} : \overline{AG} : \overline{AC}$
$= 1 : 2 : 3$
이므로 △ADE, △AFG, △ABC의 닮음비는 ☐ : ☐ : ☐
넓이의 비는 ☐ : ☐ : ☐

2 닮은 도형의 넓이의 비

□DFGE = △AFG − △ADE

➡ □DFGE
= △AFG − △ADE
= ☐ △ADE − △ADE
= ☐ △ADE

□FBCG = △ABC − △AFG

➡ □FBCG
= △ABC − △AFG
= ☐ △ADE − ☐ △ADE
= ☐ △ADE

3 넓이의 비

△ADE : □DFGE : □FBCG = ☐ : ☐ : ☐

답 1, 2, 3, 1, 4, 9, 4, 3, 9, 4, 5, 1, 3, 5

부피의 비 구하기

기본개념

닮은 두 입체도형의 부피의 비는 닮음비의 세제곱과 같다.
즉, 닮음비가 $m : n$이면 부피의 비는 $m^3 : n^3$이다.

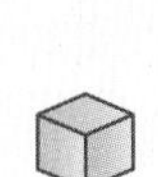
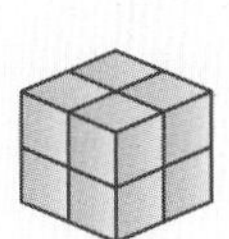

개념적용

오른쪽 그림과 같은 원뿔을 높이의 삼등분점을 지나고 밑면에 평행한 두 평면으로 잘라 원뿔 P와 두 원뿔대 Q, R를 만들었다. 세 입체도형 P, Q, R의 부피의 비를 가장 간단한 자연수의 비로 나타내시오.

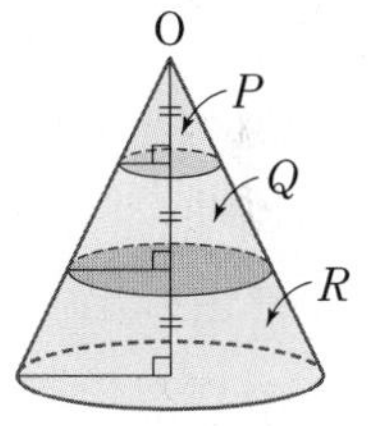

1 닮은 도형 찾기

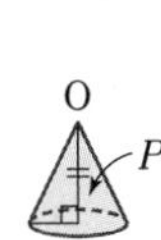

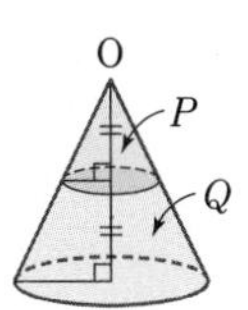

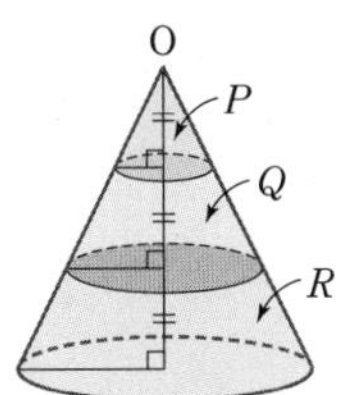

왼쪽 그림과 같은 세 원뿔의
닮음비는 □ : □ : □
이때 세 원뿔의 부피를 각각 V_1, V_2, V_3라 하면
$V_1 : V_2 : V_3 =$ □ : □ : □

2 닮은 도형의 부피의 비

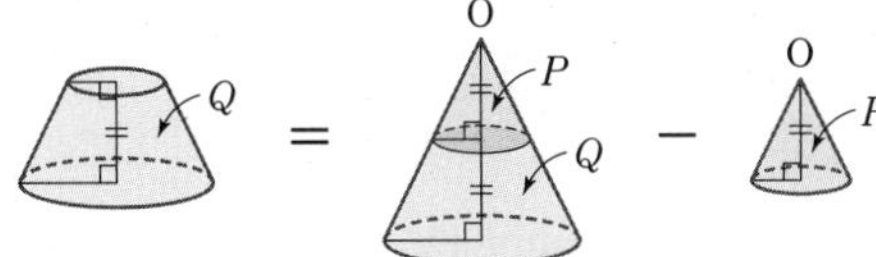

➡ (Q의 부피) $= V_2 - V_1$
$=$ □ $V_1 - V_1$
$=$ □ V_1

➡ (R의 부피) $= V_3 - V_2$
$=$ □ $V_1 -$ □ V_1
$=$ □ V_1

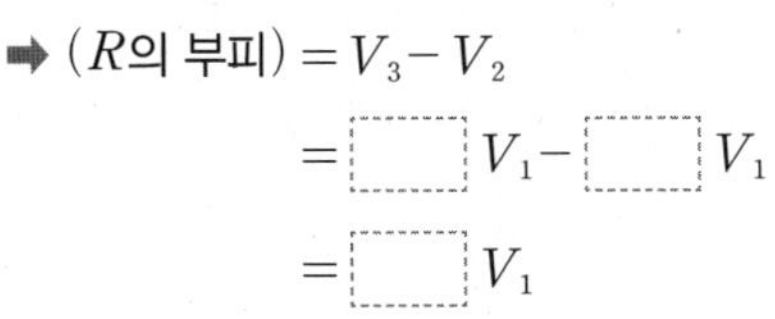

3 부피의 비

세 입체도형 P, Q, R의 부피의 비는 □ : □ : □

답 1, 2, 3, 1, 8, 27, 8, 7, 27, 8, 19, 1, 7, 19

기본 문제

1 삼각형의 두 변의 중점을 연결한 선분의 성질 (1)

오른쪽 그림과 같은 $\triangle ABC$에서 $\overline{BC}$, $\overline{CA}$의 중점을 각각 M, N이라 할 때, x, y의 값을 각각 구하시오.

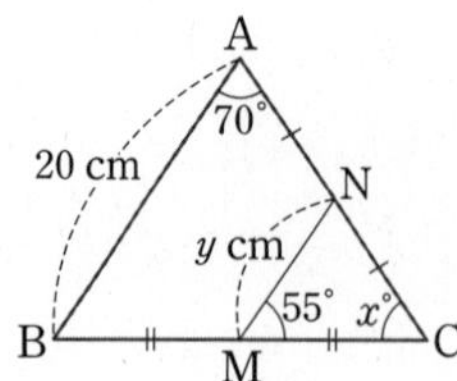

2 삼각형의 두 변의 중점을 연결한 선분의 성질 (1)

오른쪽 그림의 $\triangle ABC$에서 점 D, E, F가 각각 $\overline{AB}$, $\overline{BC}$, $\overline{CA}$의 중점일 때, $\triangle ABC$와 $\triangle DEF$의 둘레의 길이를 차례로 구하시오.

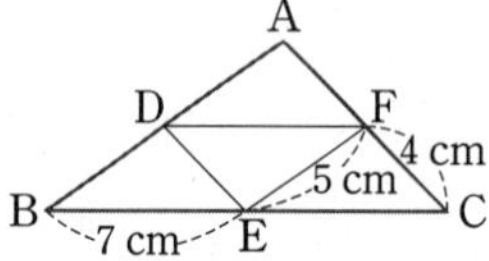

3 사각형의 각 변의 중점을 연결한 선분의 성질

오른쪽 그림과 같은 $\square ABCD$에서 점 E, F, G, H는 각각 $\overline{AB}$, $\overline{BC}$, $\overline{CD}$, $\overline{DA}$의 중점이다. $\square ABCD$의 두 대각선의 길이의 합이 25 cm일 때, $\square EFGH$의 둘레의 길이를 구하시오.

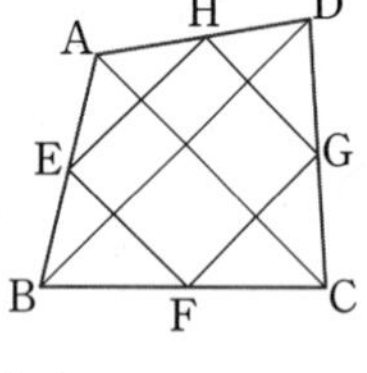

4 삼각형의 두 변의 중점을 연결한 선분의 성질의 응용

오른쪽 그림에서 $\overline{AB} /\!/ \overline{CD}$이고, 두 점 M, N은 각각 $\overline{AD}$, $\overline{BC}$의 중점이다. $\overline{MN}$의 연장선과 $\overline{BD}$가 만나는 점을 P라 할 때, $\overline{MN}$의 길이를 구하시오.

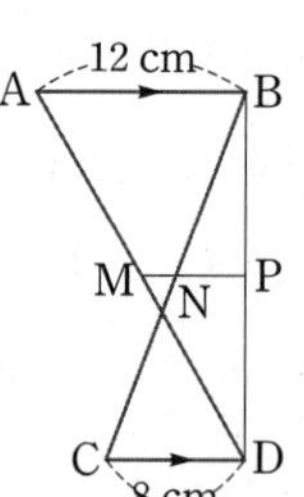

5 사다리꼴의 두 변의 중점을 연결한 선분의 성질

체육시간에 사용하는 뜀틀을 앞면에서 보면 각 단의 모양은 등변사다리꼴이고, 가장 윗 단을 제외한 나머지 단의 높이는 같다. 오른쪽 뜀틀에서 x의 값을 구하시오.

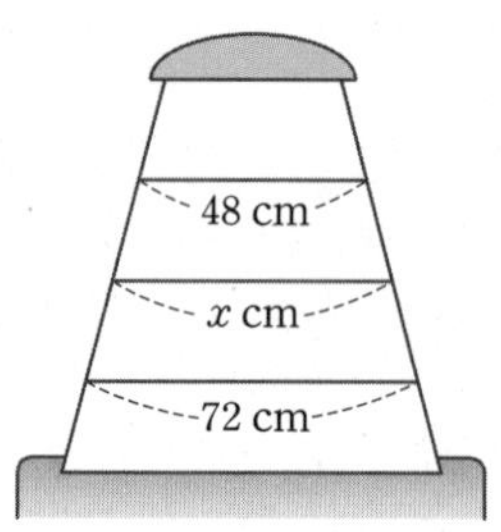

6 삼각형의 무게중심의 성질을 이용하여 선분의 길이 구하기

오른쪽 그림에서 $\overline{AD}$는 $\triangle ABC$의 중선이고, 점 G는 $\triangle ABC$의 무게중심이다. $\overline{BC}=20$ cm, $\overline{GD}=4$ cm일 때, $x+y$의 값을 구하시오.

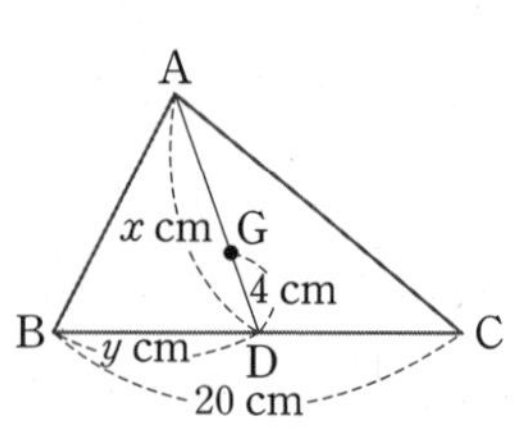

7 삼각형의 무게중심과 평행선 (1)

오른쪽 그림에서 점 G, G′은 각각 △ABD, △ADC의 무게중심이다. $\overline{BC}$=24 cm일 때, $\overline{GG'}$의 길이는?

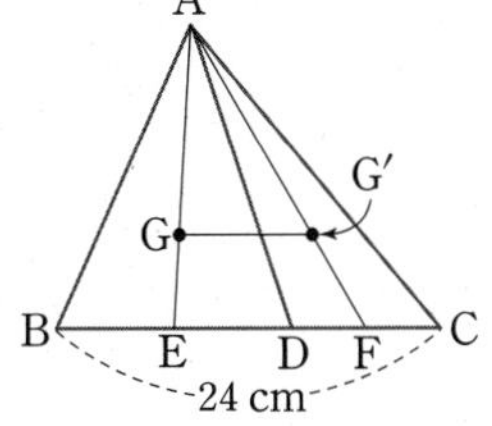

① 6 cm ② 8 cm
③ 10 cm ④ 12 cm
⑤ 14 cm

8 삼각형의 무게중심을 이용하여 넓이 구하기

오른쪽 그림에서 점 G는 △ABC의 무게중심이고 점 E는 $\overline{GC}$의 중점이다. △ABC의 넓이가 36 cm^2일 때, △GDE의 넓이를 구하시오.

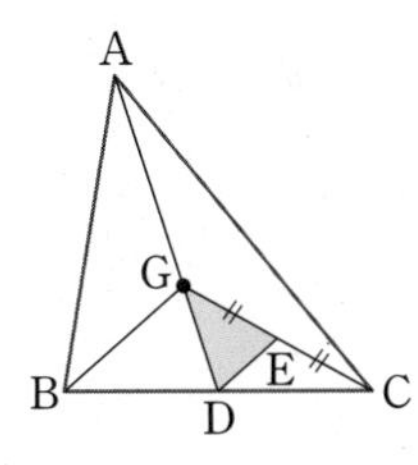

9 평행사변형에서 삼각형의 무게중심을 이용하여 넓이 구하기

오른쪽 그림과 같은 평행사변형 ABCD에서 점 M은 $\overline{BC}$의 중점이고, 점 P는 $\overline{BD}$와 $\overline{AM}$의 교점이다. □ABCD의 넓이가 30 cm^2일 때, △ABP의 넓이를 구하시오.

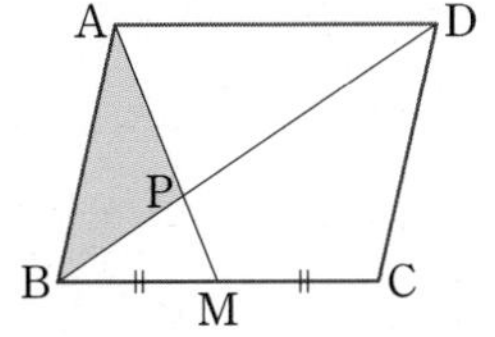

10 닮은 평면도형의 넓이의 비

오른쪽 그림과 같은 △ABC에서 ∠ABD=∠ACB이고 $\overline{AD}$=3 cm, $\overline{BD}$=5 cm, $\overline{BC}$=6 cm일 때, △ABD와 △BCD의 넓이의 비를 가장 간단한 자연수의 비로 나타내시오.

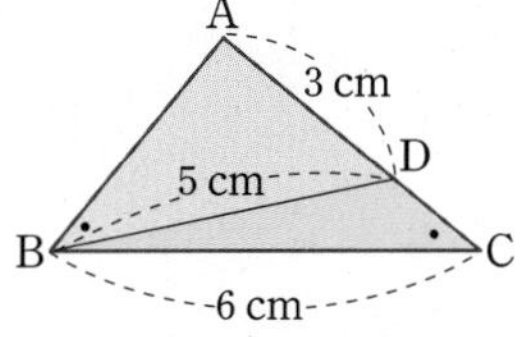

11 닮은 입체도형의 부피의 비

오른쪽 그림과 같이 높이가 9 cm인 원뿔 모양의 그릇에 매분 일정한 양의 물을 넣고 있다. 물을 넣기 시작한 지 5분이 되는 순간의 물의 높이가 3 cm일 때, 이 그릇에 물을 가득 채우려면 앞으로 몇 분 동안 물을 더 넣어야 하는지 구하시오.

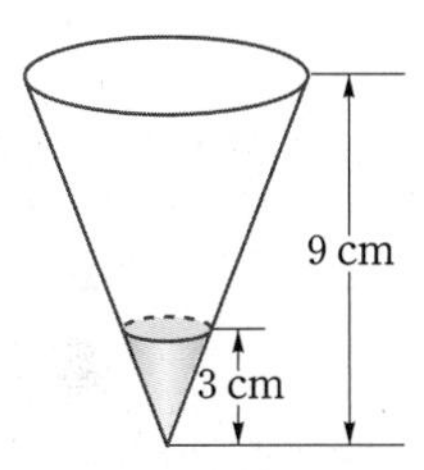

12 실생활에서의 닮음의 활용

다음 그림과 같이 눈높이가 1.6 m인 민혁이가 어떤 건물로부터 72 m 떨어진 곳에서 건물의 끝 D지점을 올려다 보았다. 이를 축소하여 ∠C=90°, $\overline{BC}$=3.6 cm인 직각삼각형 ABC를 그렸더니 $\overline{AC}$=2.1 cm이었다. 이 건물의 실제 높이는 몇 m인지 구하시오.

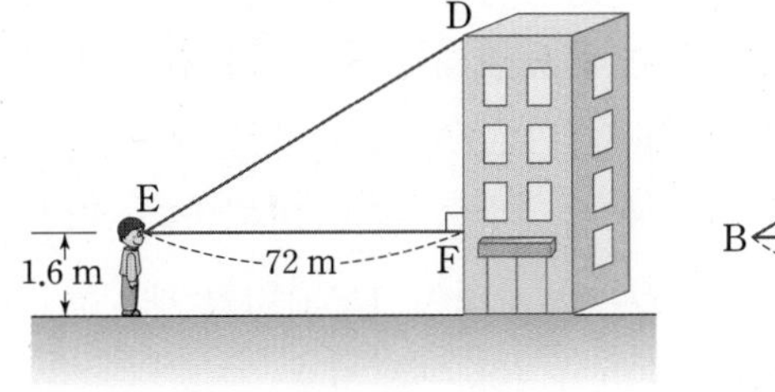

발전 문제

1 오른쪽 그림과 같은 직사각형 ABCD에서 점 P, Q, R, S는 네 변의 중점이다. $\overline{BD}=10$ cm일 때, □PQRS의 둘레의 길이를 구하시오.

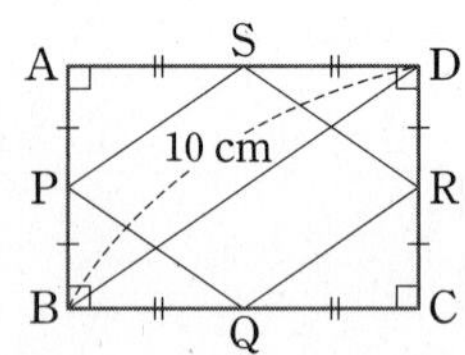

2 오른쪽 그림에서 점 G는 △ABC의 무게중심이고 $\overline{AD}=12$ cm일 때, $\overline{HG}$의 길이를 구하시오.

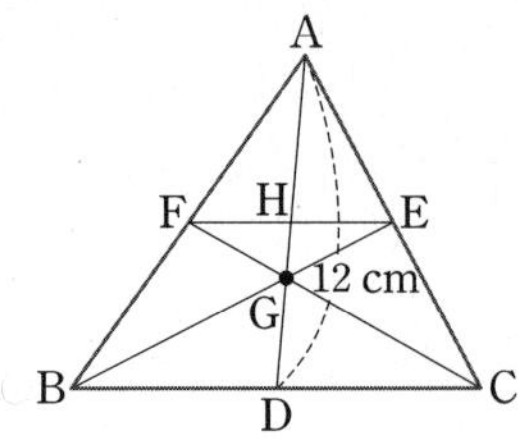

$\overline{HG}=\overline{AG}-\overline{AH}$임을 이용한다.

3 오른쪽 그림에서 점 G는 ABC의 무게중심이고 $\overline{DE}/\!/\overline{BC}$이다. △ABC의 넓이가 60 cm^{2}일 때, △DGE의 넓이를 구하시오.

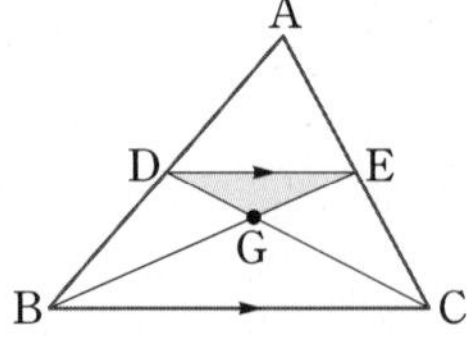

4 오른쪽 그림에서 점 I, G는 각각 △ABC의 내심과 무게중심이다. $\overline{AB}=4$ cm, $\overline{AC}=3$ cm일 때, △ADE의 넓이를 구하시오.

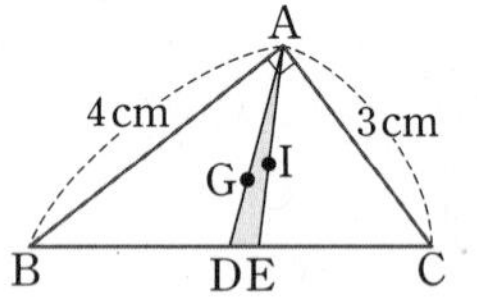

점 I가 △ABC의 내심이므로 $\overline{AE}$가 ∠A의 이등분선임을 이용한다.

5 오른쪽 그림과 같이 원뿔의 모선을 3등분하여 밑면에 평행하게 잘랐다. 원래 원뿔의 부피가 108 cm^{3}일 때, 원뿔대 C의 부피를 구하시오.

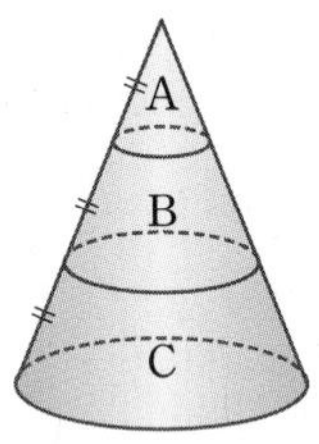

6 어느 가게에서는 오른쪽 그림과 같이 컵 입구의 반지름의 길이가 각각 3 cm, 5 cm이고 서로 닮음인 두 종류의 종이컵에 음료수를 담아 판매한다. 작은 종이컵에 담은 음료수의 가격이 1620원일 때, 큰 종이컵에 담은 음료수의 가격을 구하시오.

(단, 음료수의 가격은 음료수의 부피에 정비례한다.)

7 서술형

오른쪽 그림과 같은 △ABC에서 $\overline{AD}=\overline{DE}=\overline{EB}$, $\overline{AF}=\overline{FC}$이고 $\overline{BC}$의 연장선과 $\overline{DF}$의 연장선이 만나는 점을 G라 하자. $\overline{CE}=2$ cm일 때, $\overline{FG}$의 길이를 구하기 위한 풀이 과정을 쓰고 답을 구하시오.

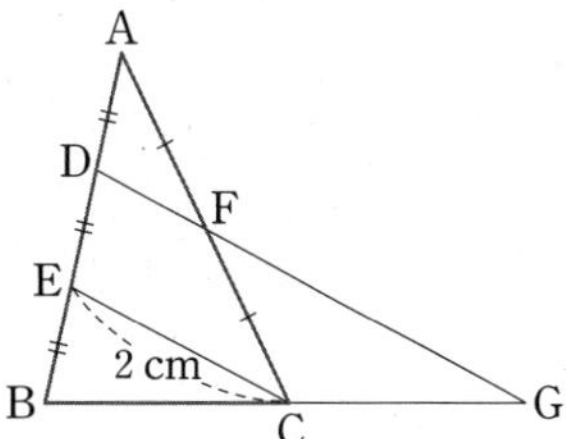

① 단계: $\overline{DF}$의 길이 구하기

△AEC에서 두 점 D, F는 각각 $\overline{AE}$, $\overline{AC}$의 중점이므로
$\overline{DF} /\!/ \overline{EC}$이고 $\overline{DF}=$ ______

② 단계: $\overline{DG}$의 길이 구하기

△BGD에서 점 E는 $\overline{BD}$의 중점이고, $\overline{EC} /\!/ \overline{DG}$이므로
$\overline{DG}=$ ______

③ 단계: $\overline{FG}$의 길이 구하기

∴ $\overline{FG}=\overline{DG}-\overline{DF}=$ ______

▶ Check List
- $\overline{DF}$의 길이를 바르게 구하였는가?
- $\overline{DG}$의 길이를 바르게 구하였는가?
- $\overline{FG}$의 길이를 바르게 구하였는가?

8 서술형

오른쪽 그림과 같은 평행사변형 ABCD에서 두 점 M, N은 각각 $\overline{AB}$, $\overline{BC}$의 중점이다. △DPQ의 넓이가 24 cm^2일 때, □PMNQ의 넓이를 구하기 위한 풀이 과정을 쓰고 답을 구하시오.

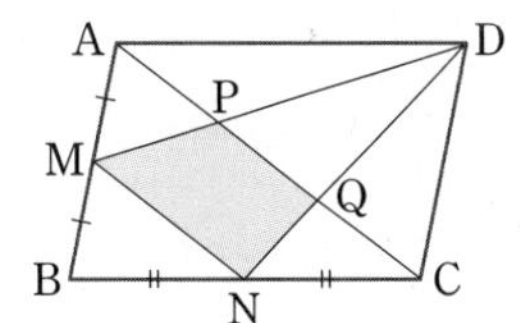

① 단계: $\overline{DP}:\overline{PM}$, $\overline{DQ}:\overline{QN}$ 구하기

② 단계: △DPQ와 △DMN의 넓이의 비 구하기

③ 단계: △DPQ와 □PMNQ의 넓이의 비 구하기

④ 단계: □PMNQ의 넓이 구하기

▶ Check List
- $\overline{DP}:\overline{PM}$, $\overline{DQ}:\overline{QN}$을 바르게 구하였는가?
- △DPQ와 △DMN의 넓이의 비를 바르게 구하였는가?
- △DPQ와 □PMNQ의 넓이의 비를 바르게 구하였는가?
- □PMNQ의 넓이를 바르게 구하였는가?

4 피타고라스 정리

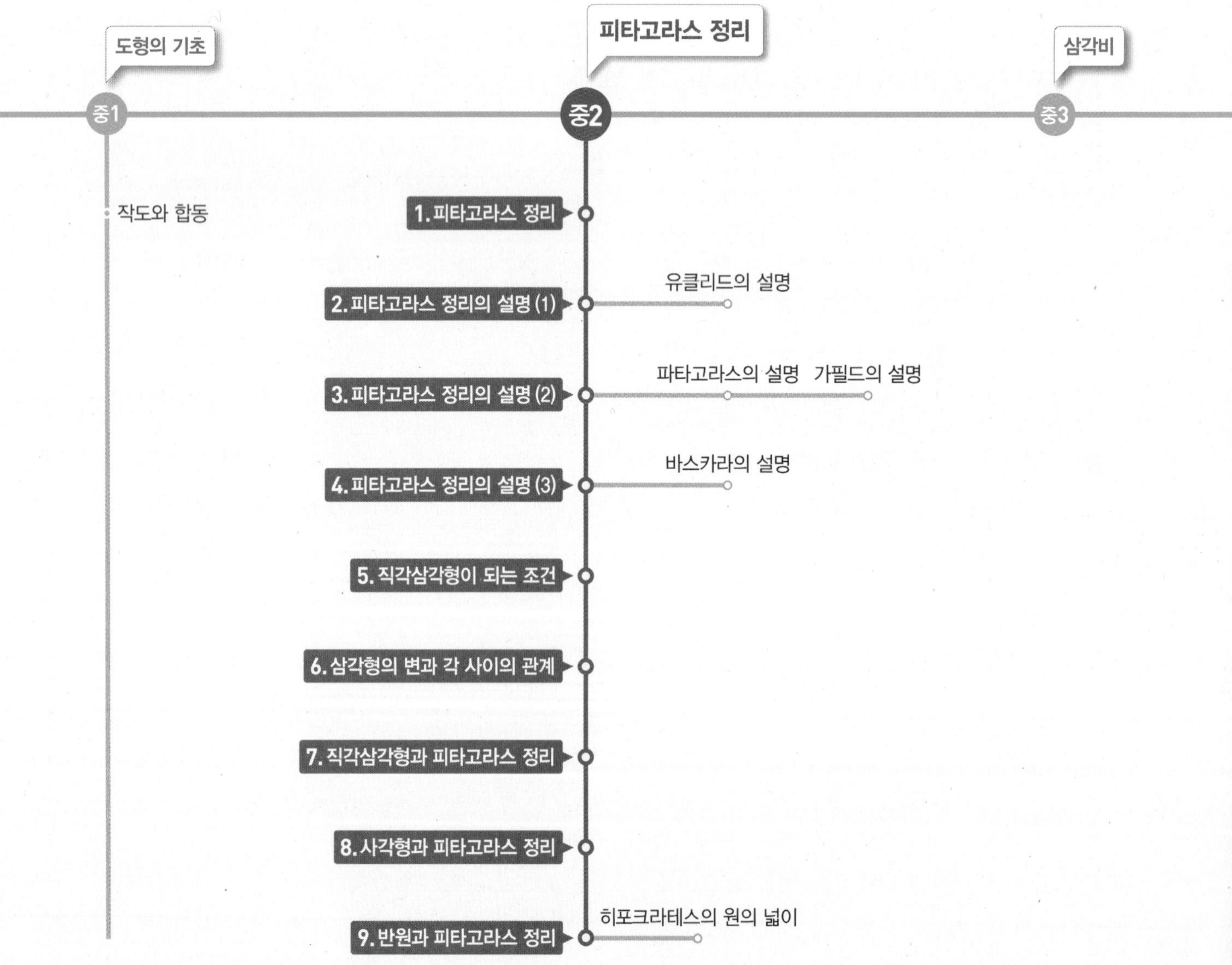

도형의 기초
피타고라스 정리
삼각비
중1
중2
중3
작도와 합동
1. 피타고라스 정리
2. 피타고라스 정리의 설명 (1)
유클리드의 설명
3. 피타고라스 정리의 설명 (2)
파타고라스의 설명
가필드의 설명
4. 피타고라스 정리의 설명 (3)
바스카라의 설명
5. 직각삼각형이 되는 조건
6. 삼각형의 변과 각 사이의 관계
7. 직각삼각형과 피타고라스 정리
8. 사각형과 피타고라스 정리
9. 반원과 피타고라스 정리
히포크라테스의 원의 넓이

피타고라스가 발견한 타일 위의 수학

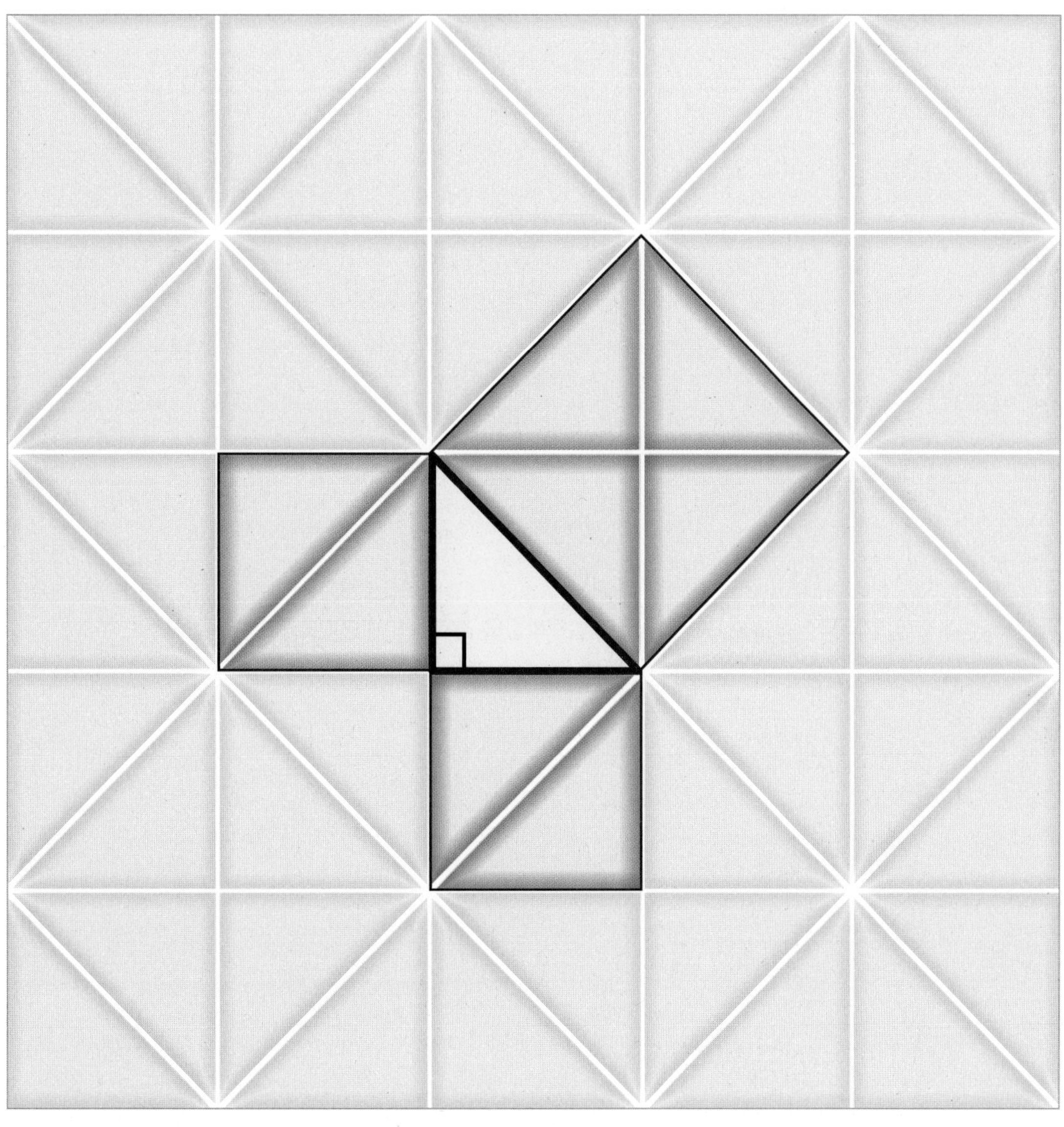

개념 이해 **1**

피타고라스 정리

직각삼각형에서 직각을 낀 두 변의 길이를 각각 a, b라 하고, 빗변의 길이를 c라 하면

$$a^2+b^2=c^2$$

이 성립한다.

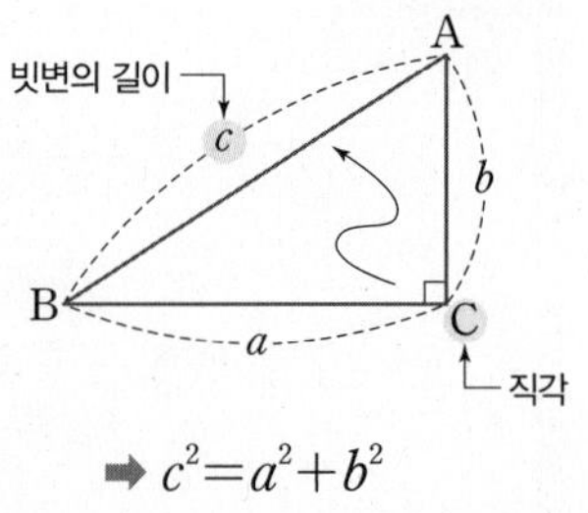

➡ $c^2=a^2+b^2$

주의 피타고라스 정리는 직각삼각형에만 적용된다.

참고 ① 직각삼각형에서 두 변의 길이를 알 때, 피타고라스 정리를 이용하면 나머지 한 변의 길이를 알 수 있다.

➡ $a^2+b^2=c^2$에서 $a^2=c^2-b^2$, $b^2=c^2-a^2$

② 변의 길이 a, b, c는 항상 양수이다.

개념확인

1. 다음 그림의 직각삼각형에서 x의 값을 구하시오.

(1)

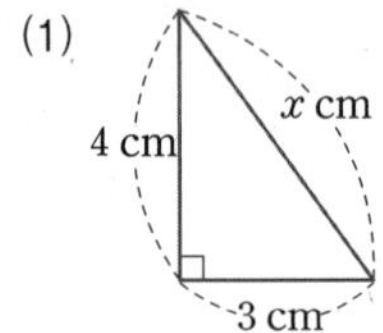

(2)

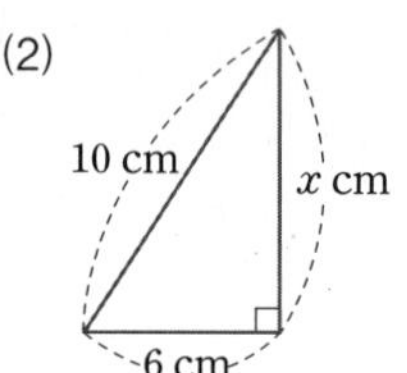

2. 다음 표는 오른쪽 그림의 직각삼각형 ABC에서 a^2, b^2, c^2의 값을 각각 나타낸 것이다. 표를 완성하시오.

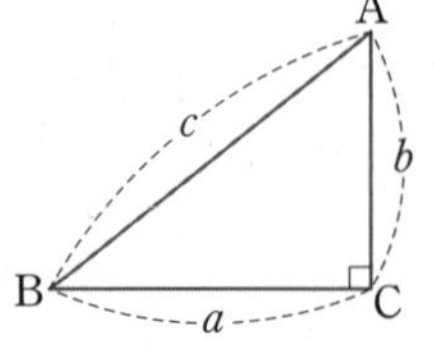

a^2	1	4	3	
b^2	1		6	25
c^2		25		169

3. 다음 그림에서 x, y의 값을 각각 구하시오.

(1)

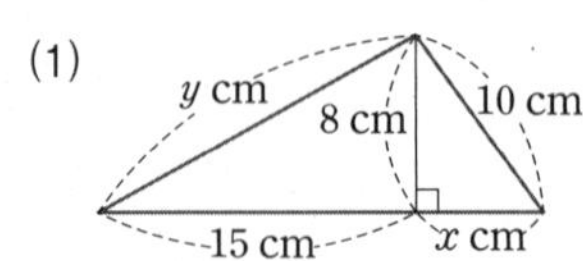

(2)

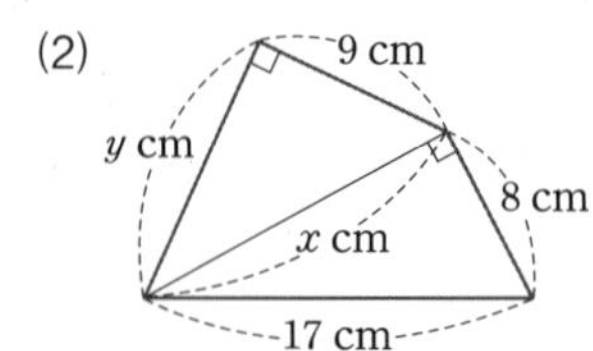

개념 적용

피타고라스 정리의 이용

1 **오른쪽 그림과 같은 $\triangle ABC$에서 $\overline{AD}\perp\overline{BC}$이고 $\overline{AB}=15$ cm, $\overline{BD}=9$ cm, $\overline{CD}=5$ cm일 때, x, y의 값을 각각 구하시오.**

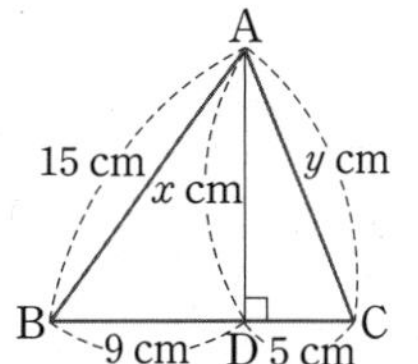

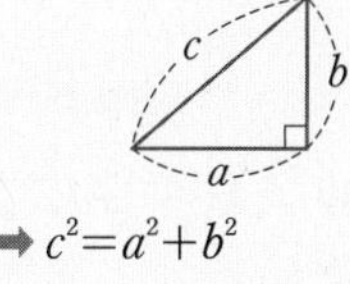

➡ $c^2=a^2+b^2$

1-1 오른쪽 그림과 같은 사각형 ABCD에서 $\angle A=\angle C=90°$, $\overline{AB}=15$ cm, $\overline{BC}=24$ cm, $\overline{AD}=20$ cm일 때, $\overline{CD}$의 길이를 구하시오.

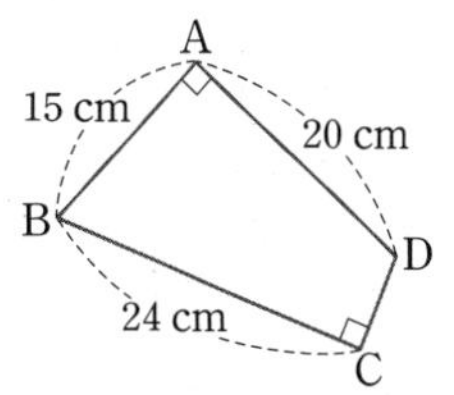

▸ $\overline{BD}$를 그어 두 직각삼각형 ABD, BCD로 나눈 후 피타고라스 정리를 이용한다.

연속된 도형에서 피타고라스 정리

2 **오른쪽 그림에서 $\overline{AB}=\overline{BC}=\overline{CD}=\overline{DE}=2$일 때, $\overline{AE}$의 길이를 구하시오.**

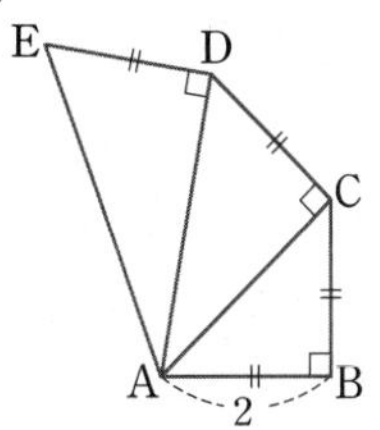

주어진 세 직각삼각형 ABC, ACD, ADE에서 차례로 피타고라스 정리를 이용하여 $\overline{AE}$의 길이를 구한다.

2-1 오른쪽 그림에서 $\overline{OA'}=\overline{OB}$, $\overline{OB'}=\overline{OC}$, $\overline{OC'}=\overline{OD}$이고 $\overline{OA}=\overline{OP}=1$일 때, $\overline{OD}$의 길이를 구하시오.

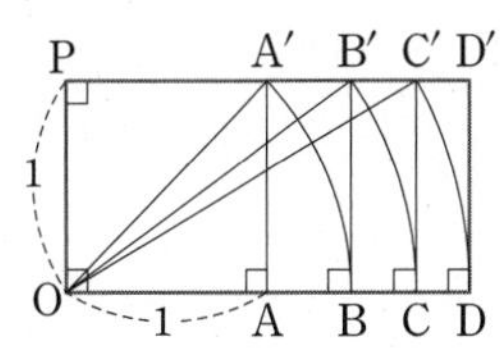

피타고라스 정리의 설명 (1)

유클리드의 설명

직각삼각형에서 빗변을 한 변으로 하는 정사각형의 넓이는 나머지 두 변을 각각 한 변으로 하는 두 정사각형의 넓이의 합과 같다.

➡ $\overline{AB}^2+\overline{AC}^2=\overline{BC}^2$

오른쪽 그림과 같이 $\angle A=90°$인 직각삼각형 ABC의 세 변을 각각 한 변으로 하는 정사각형을 그리면

$\overline{DC}/\!/\overline{EB}$이므로 $\triangle EBA=\triangle EBC$ …… ㉠

$\triangle EBC$와 $\triangle ABF$에서 $\overline{EB}=\overline{AB}$, $\overline{BC}=\overline{BF}$

$\angle EBC=90°+\angle ABC=\angle ABF$이므로

$\triangle EBC\equiv\triangle ABF$ (SAS 합동) …… ㉡

또, $\overline{BF}/\!/\overline{AK}$이므로 $\triangle ABF=\triangle JBF$ …… ㉢

㉠, ㉡, ㉢에서 $\triangle EBA=\triangle JBF$ $\quad\therefore \square ADEB=\square BFKJ$

마찬가지 방법으로 $\square ACHI=\square JKGC$

따라서 $\square ADEB+\square ACHI=\square BFGC$이므로 $\overline{AB}^2+\overline{AC}^2=\overline{BC}^2$

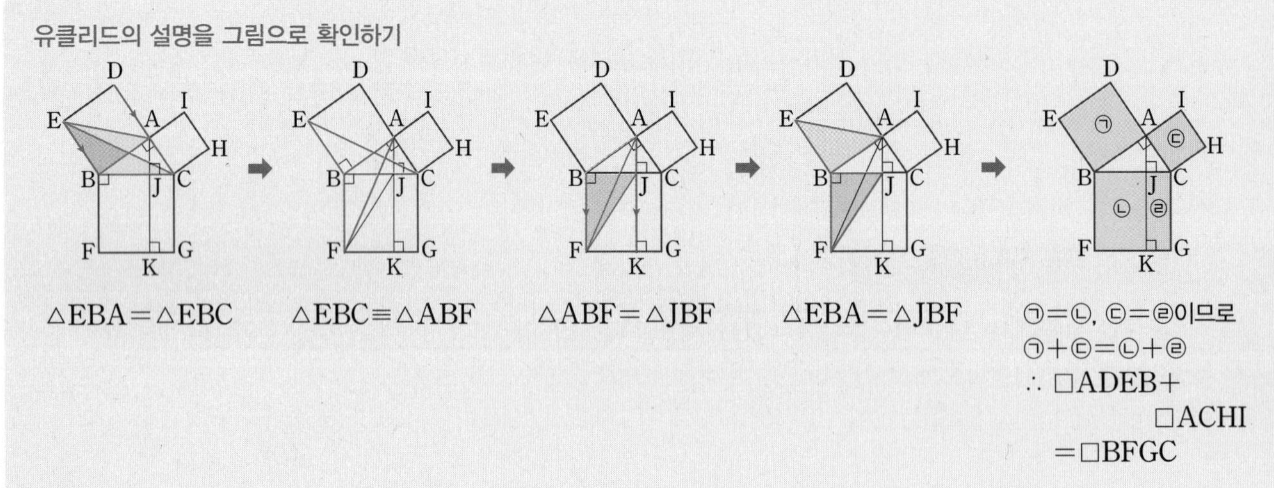

개념확인

1. 오른쪽 그림은 직각삼각형 ABC의 세 변을 각각 한 변으로 하는 정사각형을 그린 것이다. 점 A에서 $\overline{BC}$, $\overline{FG}$에 내린 수선의 발을 각각 J, K라 하고, $\square ADEB=9\text{ cm}^2$, $\square ACHI=16\text{ cm}^2$일 때, 다음 사각형의 넓이를 구하시오.

(1) $\square BFKJ$ (2) $\square JKGC$ (3) $\square BFGC$

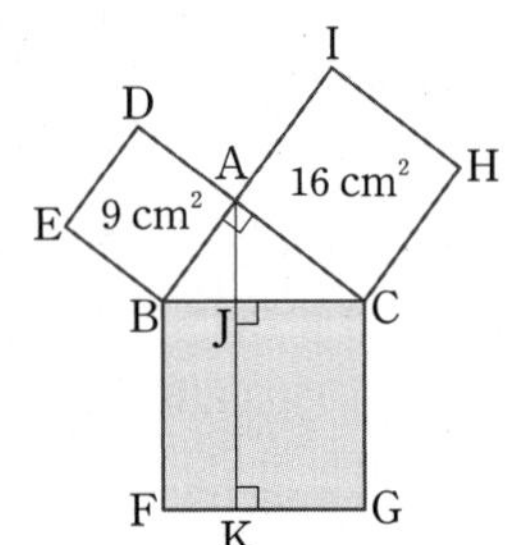

2. 오른쪽 그림은 직각삼각형 ABC의 세 변을 각각 한 변으로 하는 정사각형을 그린 것이다. 정사각형 P의 넓이가 169 cm^2이고, 정사각형 Q의 넓이가 25 cm^2일 때, 다음을 구하시오.

(1) 정사각형 R의 넓이

(2) $\overline{AC}$의 길이

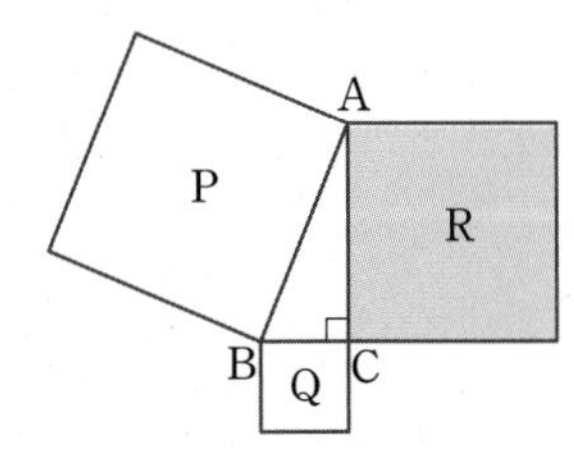

개념 적용

피타고라스 정리 – 유클리드의 설명

1 **오른쪽 그림과 같이 $\angle A=90°$인 직각삼각형 ABC에서 세 변 AB, BC, CA를 각각 한 변으로 하는 정사각형을 그렸다. $\overline{AK}\perp\overline{FG}$이고, $\overline{AC}=6$, $\overline{BC}=10$일 때, $\triangle ABF$의 넓이를 구하시오.**

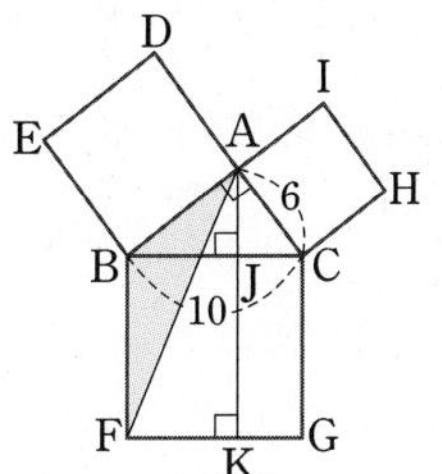

$\triangle EBA=\triangle EBC$
$\triangle EBC=\triangle ABF$
$\triangle ABF=\triangle JBF$
$\therefore$ $\square ADEB=\square BFKJ$
마찬가지로
$\square ACHI=\square JKGC$

1-1 오른쪽 그림과 같이 $\angle A=90°$인 직각삼각형 ABC에서 $\overline{AB}=8$ cm, $\overline{AC}=4$ cm이고, $\square BDEC$는 $\overline{BC}$를 한 변으로 하는 정사각형이다. 점 F가 $\overline{BC}$ 위의 한 점일 때, $\triangle FDE$의 넓이를 구하시오.

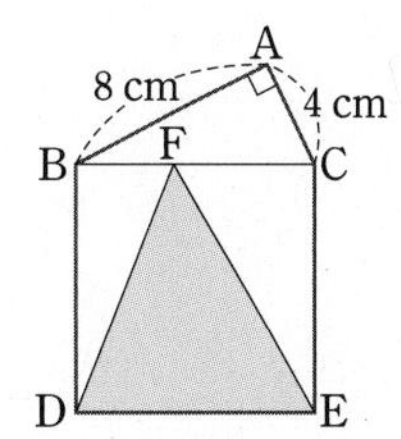

▸ $\overline{BC}/\!/\overline{DE}$이므로 평행선의 성질에 의하여
$\triangle FDE=\triangle CDE$
$=\frac{1}{2}\square BDEC$

1-2 오른쪽 그림은 $\angle A=90°$인 직각삼각형 ABC의 세 변을 각각 한 변으로 하는 정사각형을 그린 것이다. $\overline{AK}\perp\overline{FG}$일 때, 다음 중 옳지 않은 것은?

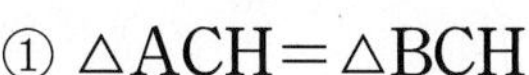
① $\triangle ACH=\triangle BCH$ ② $\triangle BCH\equiv\triangle GCA$
③ $\triangle GCA=\triangle GCJ$ ④ $\triangle ACH=\triangle GCJ$
⑤ $\square ACHI=\square BFGC$

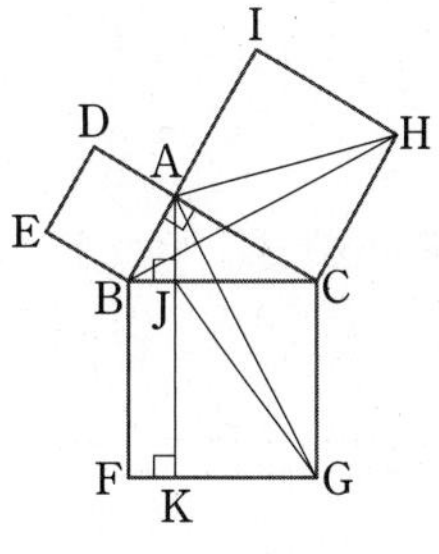

1-3 오른쪽 그림과 같이 $\angle A=90°$인 직각삼각형 ABC에서 세 변을 각각 한 변으로 하는 정사각형을 그렸다. $\overline{AB}=4$ cm, $\overline{AC}=6$ cm일 때, 색칠한 부분의 넓이를 구하시오.

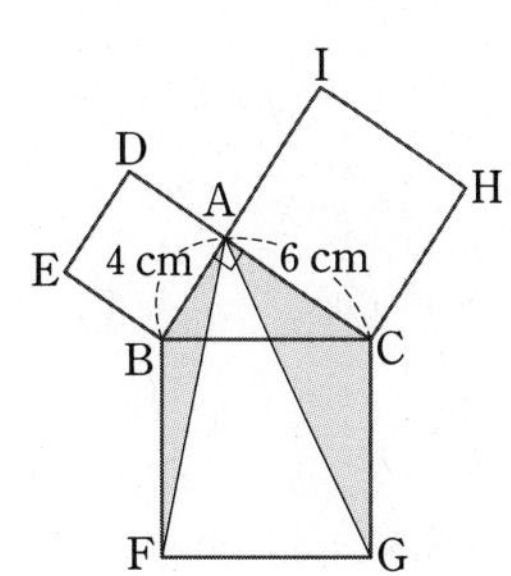

개념 이해 3

피타고라스 정리의 설명 (2)

피타고라스의 설명

오른쪽 그림과 같이 직각삼각형 ABC에서 두 변 AC, BC를 연장하여 한 변의 길이가 $a+b$인 정사각형 CDEF를 그리면

(1) $\triangle ABC \equiv \triangle GAD \equiv \triangle HGE \equiv \triangle BHF$ (SAS 합동)

(2) □AGHB는 정사각형이다.

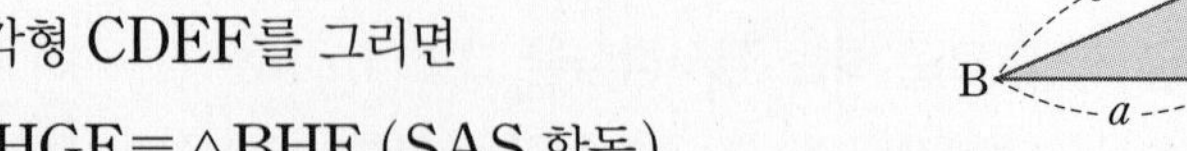

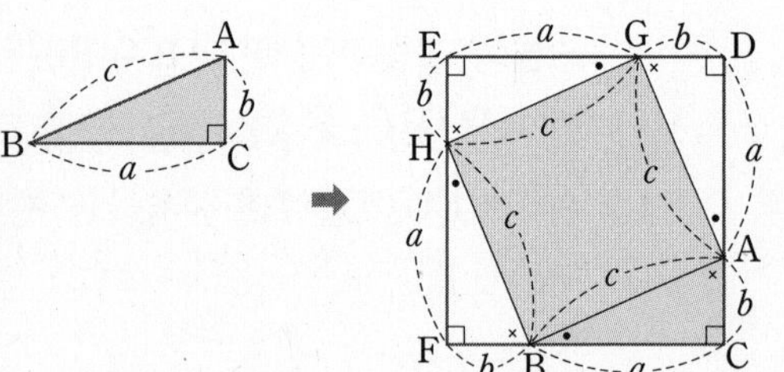

피타고라스의 설명법

[그림 1]과 [그림 2]에서 주어진 도형은 모두 한 변의 길이가 $a+b$인 정사각형이고, 그 넓이는

[그림 1]에서 $4\times$ (삼각형) + (정사각형) $=4\times\frac{1}{2}ab+c^2=2ab+c^2$

[그림 2]에서 $2\times$ (직사각형) + (정사각형) + (정사각형) $=2ab+a^2+b^2$

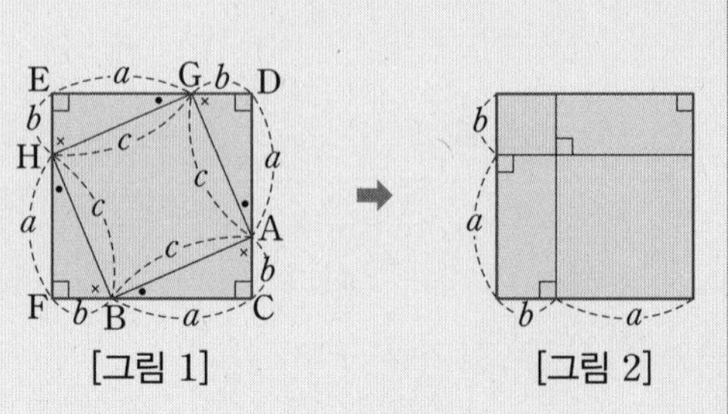

[그림 1] [그림 2]

[그림 1]과 [그림 2]의 넓이는 같으므로

$2ab+c^2=2ab+a^2+b^2$

$\therefore c^2=a^2+b^2$

개념확인

1. 오른쪽 그림은 $\angle C=90^\circ$인 직각삼각형 ABC와 이와 합동인 삼각형 3개를 이용하여 정사각형 CDEF를 만든 것이다. $\overline{AC}=3$ cm, $\overline{BC}=4$ cm일 때, 다음을 구하시오.

(1) $\overline{AB}$의 길이

(2) □AGHB의 넓이

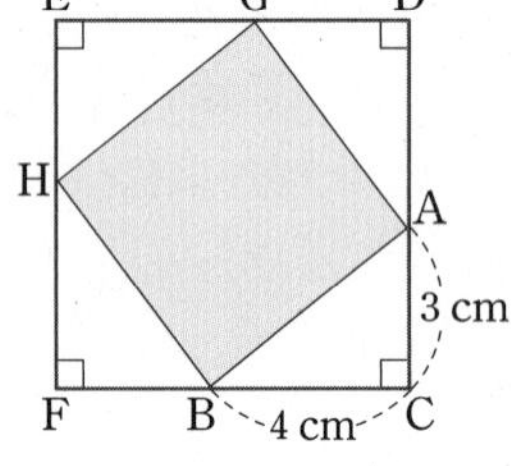

□AGHB는
(i) 네 변의 길이가 모두 같고
(ii) 내각의 크기가 모두 90°이므로
정사각형이다.

개념 적용

피타고라스 정리 – 피타고라스의 설명

1 **오른쪽 그림에서 □ABCD는 정사각형이고 $\overline{AH}=\overline{BE}=\overline{CF}=\overline{DG}=15$, $\overline{AE}=\overline{BF}=\overline{CG}=\overline{DH}=8$ 일 때, □EFGH의 넓이를 구하시오.**

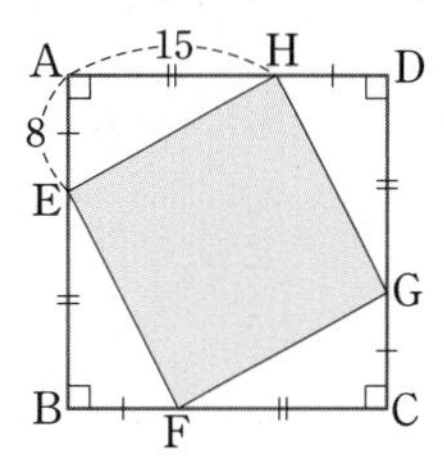

4개의 직각삼각형이 모두 합동이므로 □EFGH는 정사각형이다.

1-1 오른쪽 그림에서 □ABCD는 정사각형이고 $\overline{AF}=\overline{BG}=\overline{CH}=\overline{DE}=6$ cm, □EFGH$=40$ cm^2 일 때, □ABCD의 넓이를 구하시오.

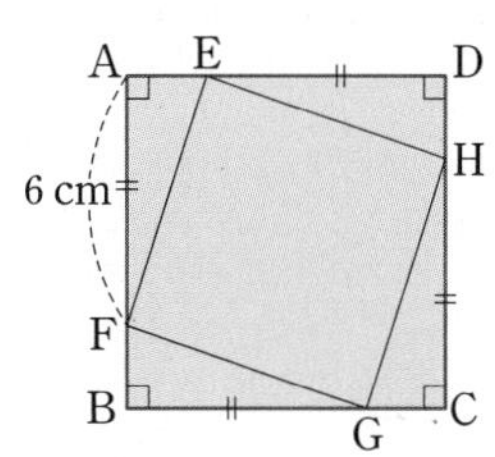

▸ $\overline{EF}$ ➡ $\overline{AE}$ ➡ $\overline{AD}$ 의 길이를 순서대로 구한 후 □ABCD의 넓이를 구한다.

피타고라스 정리 – 가필드의 설명

2 **오른쪽 그림에서 △ABC≡△CDE이고 세 점 B, C, D는 한 직선 위에 있다. $\overline{BC}=5$, $\overline{CD}=3$일 때, 다음 중 옳지 않은 것은?**

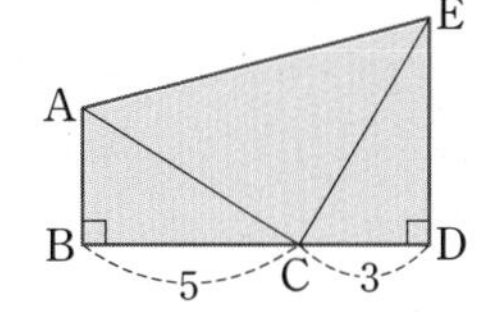

① $\overline{AB}=3$ ② $\overline{DE}=5$ ③ $\overline{AC}^2=34$ ④ △ACE$=17$ ⑤ □ABDE$=34$

(1) $\overline{AC}=\overline{CE}$이고, $\angle ACB+\angle DCE=90^\circ$ 이므로 $\angle ACE=90^\circ$ 즉, △ACE는 직각이등변삼각형이다.
(2) □ABDE $=2$△ABC$+$△ACE

2-1 오른쪽 그림과 같이 컴퓨터 프로그램을 이용하여 합동인 두 직각삼각형 ABE와 CDB로 사다리꼴 ACDE를 그렸다. $\overline{AE}=4$ cm이고 △BDE$=26$ cm^{2}일 때, 다음을 구하시오.

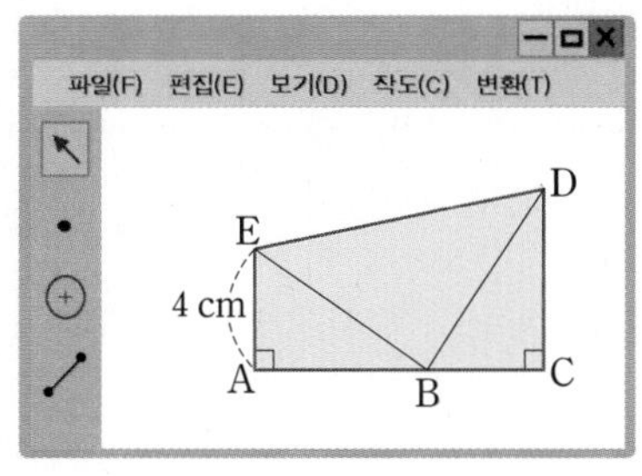

(1) $\overline{AB}$의 길이
(2) □ACDE의 넓이

개념 이해 4

피타고라스 정리의 설명 (3)

바스카라의 설명

오른쪽 그림과 같이 직각삼각형 ABC와 이와 합동인 삼각형 3개를 맞추어 한 변의 길이가 c인 정사각형 ABDE를 그리면 □CFGH는 한 변의 길이가 $a-b$인 정사각형이다.

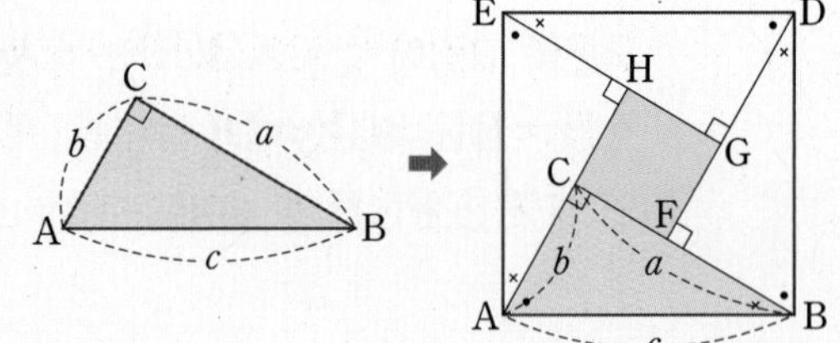

바스카라의 설명법

[그림 1]에서 직각삼각형을 이동하여 [그림 2]와 같은 도형으로 모양을 변형하면

[그림 1]에서 도형의 넓이는 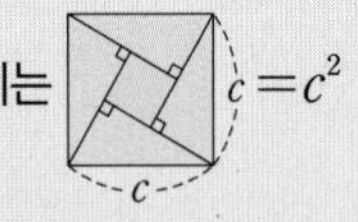 $c=c^2$

[그림 2], 즉 [그림 3]에서 도형의 넓이는

(i) 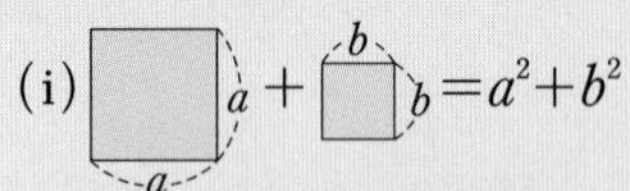 $=a^2+b^2$

(ii) 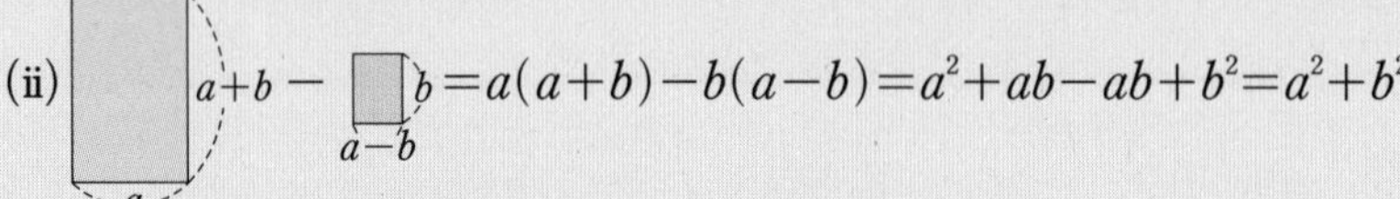 $=a(a+b)-b(a-b)=a^2+ab-ab+b^2=a^2+b^2$

[그림 1]과 [그림 2]의 넓이는 같으므로 $c^2=a^2+b^2$

[그림 1] [그림 2] [그림 3]

개념확인

1. 오른쪽 그림은 $\angle C=90°$인 직각삼각형 ABC와 이와 합동인 삼각형 3개를 이용하여 정사각형 ABDE를 만든 것이다. $\overline{AB}=20$ cm, $\overline{AC}=12$ cm일 때, 다음을 구하시오.

(1) $\overline{BC}$의 길이

(2) $\overline{CF}$의 길이

(3) □CFGH의 넓이

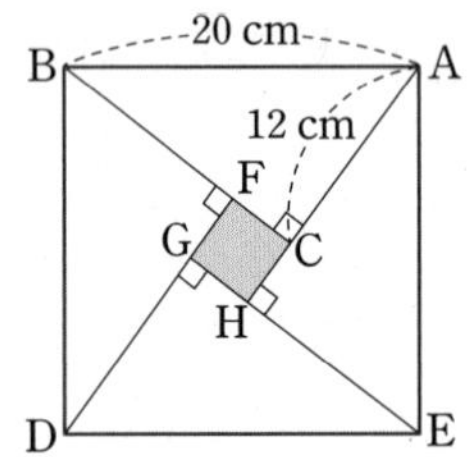

개념 적용

피타고라스 정리 – 바스카라의 설명

1 **오른쪽 그림은 합동인 4개의 직각삼각형을 이용하여 정사각형 ABCD를 만든 것이다. $\overline{BC}=15$ cm, $\overline{CG}=9$ cm일 때, □EFGH의 넓이를 구하시오.**

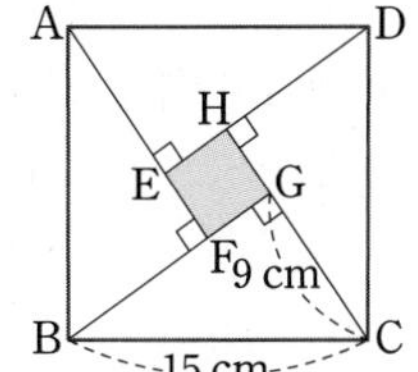

□EFGH는 네 각의 크기가 모두 90°이고 $\overline{EF}=\overline{FG}=\overline{GH}=\overline{HE}$이므로 정사각형이다.

1-1 오른쪽 그림에서 4개의 직각삼각형이 모두 합동일 때, 다음 중 옳지 않은 것은?

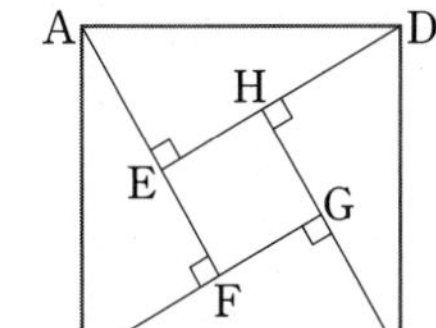

① $\overline{AE}=\overline{BF}=\overline{CG}=\overline{DH}$
② $\overline{EF}=\overline{FG}=\overline{GH}=\overline{HE}$
③ □ABCD는 정사각형이다.
④ □EFGH=△ABF
⑤ □ABCD=4△ABF+□EFGH

1-2 오른쪽 그림과 같이 직각삼각형 AED와 이와 합동인 삼각형 3개를 이용하여 정사각형 ABCD를 만들었다. 정사각형 ABCD의 넓이가 289 cm^2이고, $\overline{AE}=8$ cm일 때, □EFGH의 넓이를 구하시오.

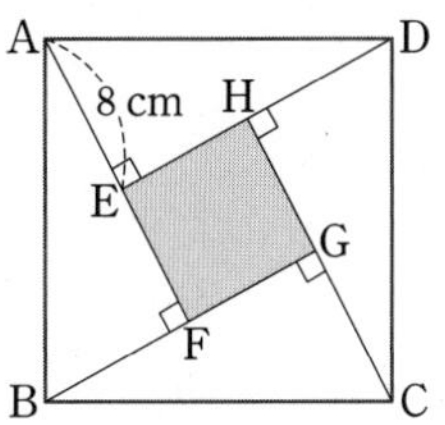

1-3 오른쪽 그림에서 4개의 직각삼각형은 모두 합동이고, $\overline{BC}=25$ cm, $\overline{BF}=15$ cm일 때, □ABCD와 □EFGH의 넓이의 비를 가장 간단한 자연수의 비로 나타내시오.

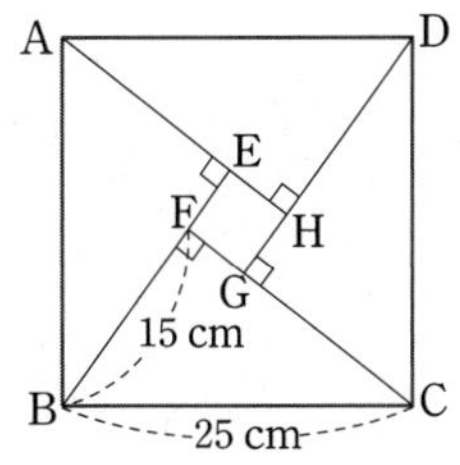

▸ □ABCD와 □EFGH가 모두 정사각형임을 이용하여 두 넓이의 비를 구해 본다.

개념 이해 5

직각삼각형이 되는 조건

삼각형 ABC의 세 변의 길이가 각각 a, b, c일 때, $a^2+b^2=c^2$인 관계가 성립하면 이 삼각형은 c를 빗변으로 하는 직각삼각형이다.

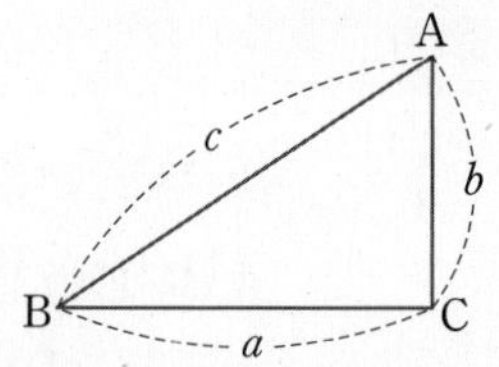

➡ $a^2+b^2=c^2$이면 △ABC는 ∠C=90°인 직각삼각형이다.

예 다음 그림과 같은 △ABC에서 $3^2+4^2=5^2$인 관계가 성립하므로 △ABC는 ∠C=90°인 직각삼각형이다.

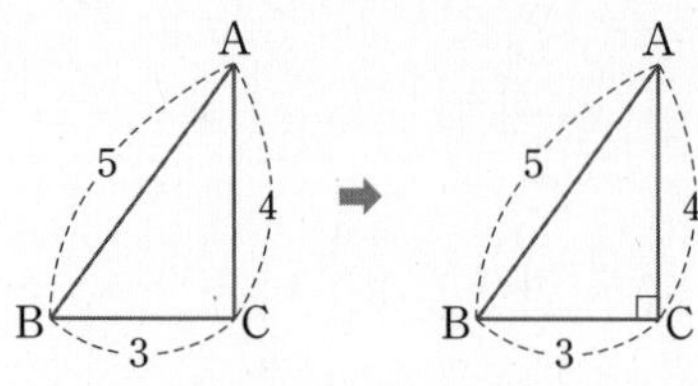

$3^2+4^2=5^2$ ➡ △ABC는 ∠C=90°인 직각삼각형

참고 ① 피타고라스 정리 $a^2+b^2=c^2$을 만족하는 세 자연수 a, b, c를 피타고라스 수라고 한다.
② 삼각형의 세 변의 길이가 피타고라스 수이면 그 삼각형은 직각삼각형이다.

개념확인

1. 오른쪽 그림과 같은 △ABC에서 $\overline{AB}=c$, $\overline{BC}=a$, $\overline{CA}=b$일 때, □ 안에 알맞은 것을 써넣으시오.

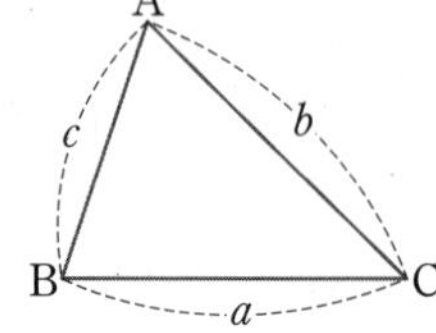

(1) $c^2=a^2+b^2$이면 △ABC는 ∠□=90°인 직각삼각형이다.

(2) $a^2=b^2+c^2$이면 △ABC는 ∠□=90°인 직각삼각형이다.

(3) $b^2=a^2+c^2$이면 △ABC는 ∠□=90°인 직각삼각형이다.

2. 삼각형의 세 변의 길이가 **보기**와 같을 때, 직각삼각형인 것을 모두 고르시오.

보기

ㄱ. 3 cm, 4 cm, 5 cm　　ㄴ. 3 cm, 5 cm, 7 cm
ㄷ. 2 cm, 4 cm, 5 cm　　ㄹ. 5 cm, 12 cm, 13 cm

❗ 삼각형에서 가장 긴 변의 길이의 제곱이 나머지 두 변의 길이의 제곱의 합과 같으면 그 삼각형은 직각삼각형이다.

3. 다음 그림의 △ABC가 직각삼각형인지 말하시오.

(1)

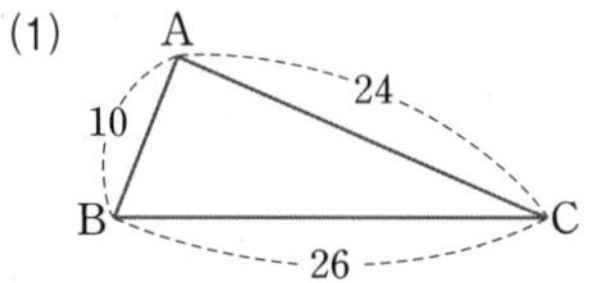

(2)

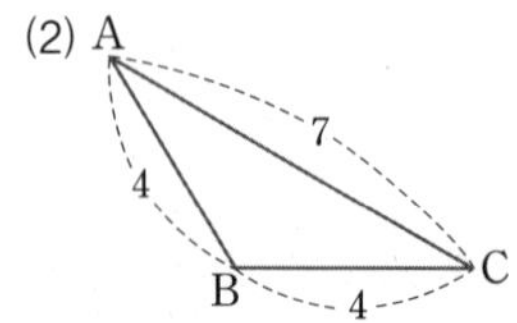

개념 적용

직각삼각형이 되는 조건 – 가장 긴 변이 주어진 경우

1 **세 변의 길이가 각각 $3x$, $4x$, 25인 삼각형이 직각삼각형이 되도록 하는 x의 값을 구하시오. (단, $x<6$)**

다음을 이용하여 x의 값을 구한다.
(1) 가장 긴 변의 길이의 제곱이 나머지 두 변의 길이의 제곱의 합과 같으면 직각삼각형이 된다.
(2) 삼각형의 가장 긴 변의 길이는 나머지 두 변의 길이의 합보다 작다.

1-1 오른쪽 그림과 같은 △ABC가 ∠C=90°인 직각삼각형이 되도록 하는 x의 값은?

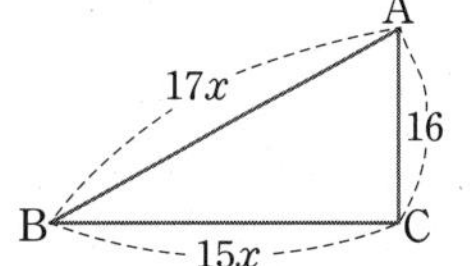

① 1 ② 2 ③ 3
④ 4 ⑤ 5

▸ ∠C=90°인 직각삼각형은 ∠C의 대변인 $\overline{AB}$가 빗변(가장 긴 변)이 된다.

직각삼각형이 되는 조건 – 가장 긴 변이 주어지지 않은 경우

2 **세 변의 길이가 각각 3 cm, 4 cm, x cm인 삼각형이 직각삼각형이 되도록 하는 x의 값에 대하여 x^2의 값을 모두 구하시오.**

주어진 세 변의 길이 중에서 x의 값에 따라 가장 긴 변의 길이가 달라지므로 경우를 나누어 따져 본다.

2-1 세 변의 길이가 각각 1 cm, x cm, 3 cm인 삼각형이 직각삼각형이 되도록 하는 x의 값에 대하여 x^2의 값을 모두 고르면? (정답 2개)

① 7 ② 8 ③ 9
④ 10 ⑤ 11

개념 이해 6

삼각형의 변과 각 사이의 관계

(1) 삼각형의 각의 크기에 대한 변의 길이

$\triangle ABC$에서 $\overline{AB}=c$, $\overline{BC}=a$, $\overline{CA}=b$일 때

① $\angle C<90^\circ$이면 $c^2<a^2+b^2$

② $\angle C=90^\circ$이면 $c^2=a^2+b^2$

③ $\angle C>90^\circ$이면 $c^2>a^2+b^2$

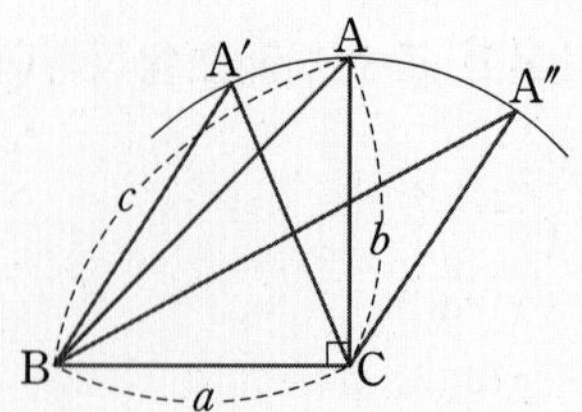

삼각형의 각의 크기에 대한 변의 길이

① $\angle C<90^\circ$일 때

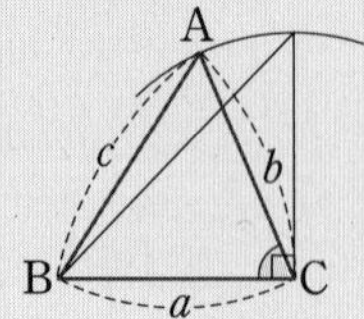

➡ $\angle C=90^\circ$일 때보다 $\overline{AB}$의 길이가 짧다.

② $\angle C>90^\circ$일 때

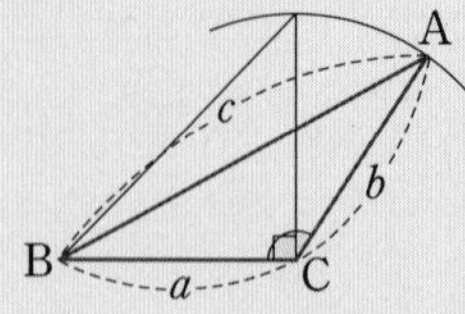

➡ $\angle C=90^\circ$일 때보다 $\overline{AB}$의 길이가 길다.

(2) 삼각형의 변의 길이에 대한 각의 크기

$\triangle ABC$에서 $\overline{AB}=c$, $\overline{BC}=a$, $\overline{CA}=b$일 때 (단, c가 가장 긴 변의 길이)

① $c^2<a^2+b^2$이면 $\angle C<90^\circ$ ➡ 예각삼각형

② $c^2=a^2+b^2$이면 $\angle C=90^\circ$ ➡ 직각삼각형

③ $c^2>a^2+b^2$이면 $\angle C>90^\circ$ ➡ 둔각삼각형

삼각형의 변의 길이에 따른 삼각형의 종류

다음 그림과 같은 $\triangle ABC$에서 $\overline{AB}$가 가장 긴 변이므로

①

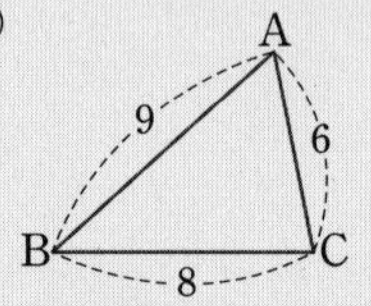

$9^2<8^2+6^2$

➡ $\triangle ABC$는 예각삼각형

②

$10^2=8^2+6^2$

➡ $\triangle ABC$는 직각삼각형

③

$11^2>8^2+6^2$

➡ $\triangle ABC$는 둔각삼각형

개념확인

1. 삼각형의 세 변의 길이가 각각 다음과 같을 때, 그 삼각형이 예각삼각형, 직각삼각형, 둔각삼각형 중 어떤 삼각형인지 말하시오.

(1) 4, 5, 6

(2) 5, 12, 13

(3) 7, 8, 11

개념 적용

삼각형에서 변의 길이에 대한 각의 크기

1 **삼각형의 세 변의 길이가 각각 다음과 같을 때, 잘못 짝지어진 것은?**

① 2 cm, 4 cm, 5 cm – 둔각삼각형
② 5 cm, 12 cm, 13 cm – 직각삼각형
③ 4 cm, 7 cm, 8 cm – 예각삼각형
④ 3 cm, 3 cm, 4 cm – 예각삼각형
⑤ 3 cm, 5 cm, 6 cm – 직각삼각형

삼각형의 세 변의 길이가 각각 a, b, c이고 가장 긴 변의 길이가 c일 때
(1) $c^2<a^2+b^2$ ➡ 예각삼각형
(2) $c^2=a^2+b^2$ ➡ 직각삼각형
(3) $c^2>a^2+b^2$ ➡ 둔각삼각형

1-1 △ABC에서 $\overline{AB}=6$ cm, $\overline{BC}=a$ cm, $\overline{CA}=8$ cm일 때, 다음 중 옳은 것은?

① $a=5$이면 △ABC는 예각삼각형이다.
② $a=6$이면 △ABC는 둔각삼각형이다.
③ $a=9$이면 △ABC는 직각삼각형이다.
④ $a=10$이면 △ABC는 예각삼각형이다.
⑤ $a=12$이면 △ABC는 둔각삼각형이다.

1-2 오른쪽 그림과 같이 1에서 10까지의 자연수가 각각 적혀 있는 10장의 카드가 있다. 이 카드 중 세 장을 뽑아서 세 자연수를 변의 길이로 하는 직각삼각형을 만들려고 할 때, 모두 몇 개의 직각삼각형을 만들 수 있는지 구하시오.

▸ 피타고라스 정리
$c^2=a^2+b^2$을 만족시키는 피타고라스 수 a, b, c가 되는 세 수를 생각해 본다.

직각삼각형과 피타고라스 정리

(1) 직각삼각형의 성질

$\triangle$ABC에서 $\angle A=90°$이고 $\overline{AD}\perp\overline{BC}$일 때

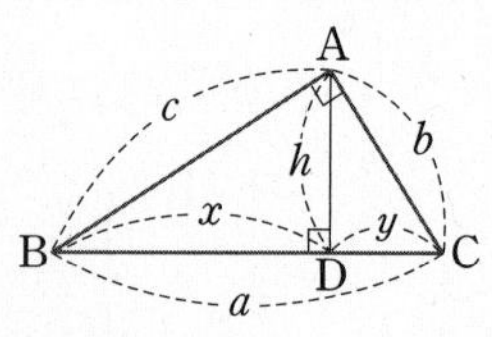

① **피타고라스 정리** : $a^2=b^2+c^2$

② **직각삼각형의 닮음을 이용한 성질** : $c^2=ax$, $b^2=ay$, $h^2=xy$

③ **직각삼각형의 넓이** : $bc=ah$

직각삼각형의 닮음을 이용한 성질

$\triangle ABC \backsim \triangle DBA \backsim \triangle DAC$ (AA 닮음)에서

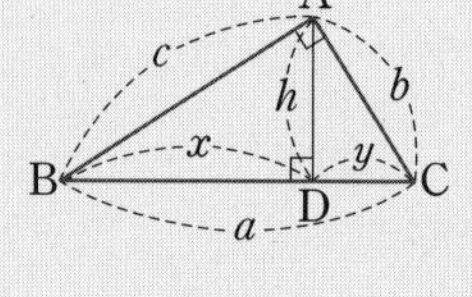

① $\triangle ABC \backsim \triangle DBA$

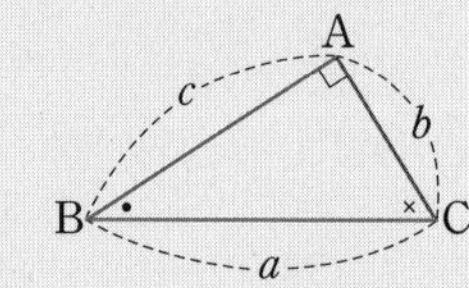

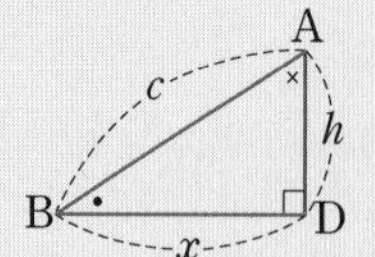

$\Rightarrow a : c=c : x \quad \therefore c^2=ax$

② $\triangle ABC \backsim \triangle DAC$

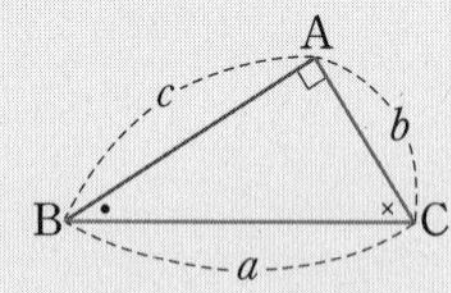

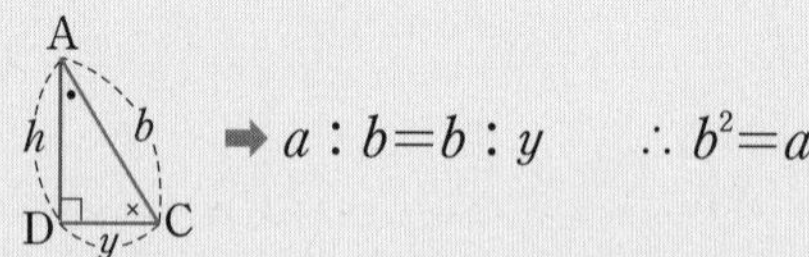

$\Rightarrow a : b=b : y \quad \therefore b^2=ay$

③ $\triangle DBA \backsim \triangle DAC$

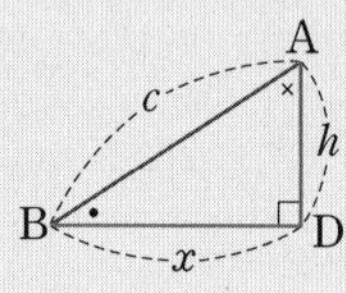

$\Rightarrow x : h=h : y \quad \therefore h^2=xy$

(2) 피타고라스 정리를 이용한 직각삼각형의 성질

$\angle A=90°$인 직각삼각형 ABC에서 두 점 D, E가 각각 $\overline{AB}$, $\overline{AC}$ 위에 있을 때

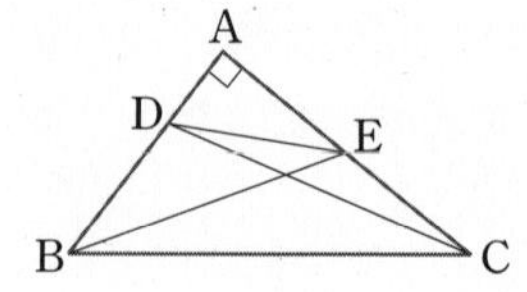

$\Rightarrow \overline{BC}^2+\overline{DE}^2=\overline{BE}^2+\overline{CD}^2$

참고 $\overline{BC}^2+\overline{DE}^2=(\overline{AB}^2+\overline{AC}^2)+(\overline{AD}^2+\overline{AE}^2)$

$=(\overline{AB}^2+\overline{AE}^2)+(\overline{AC}^2+\overline{AD}^2)$

$=\overline{BE}^2+\overline{CD}^2$

개념확인

1. 오른쪽 그림과 같이 $\angle A=90°$인 직각삼각형 ABC에서 $\overline{AD}\perp\overline{BC}$일 때, 직각삼각형의 닮음을 이용하여 다음 선분의 길이를 구하시오.

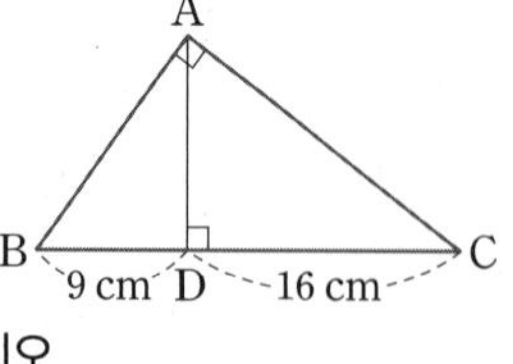

(1) $\overline{AB}$

(2) $\overline{AC}$

(3) $\overline{AD}$

2. 아래 그림과 같이 $\angle A=90°$인 직각삼각형 ABC에서 다음을 구하시오.

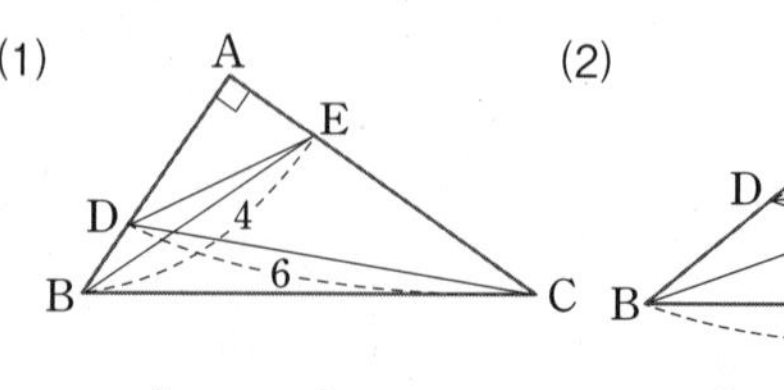

(1) $\overline{BC}^2+\overline{DE}^2$의 값

(2) $\overline{BE}^2+\overline{CD}^2$의 값

개념 적용

직각삼각형의 닮음의 이용

1 **오른쪽 그림과 같이 $\angle A=90°$인 직각삼각형 ABC에서 $\overline{AH}\perp\overline{BC}$이고 $\overline{AC}=12$ cm, $\overline{BC}=20$ cm일 때, △AHC의 넓이를 구하시오.**

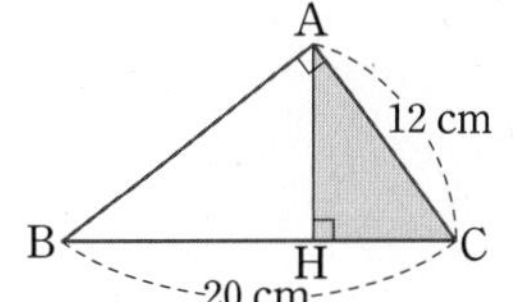

(1)
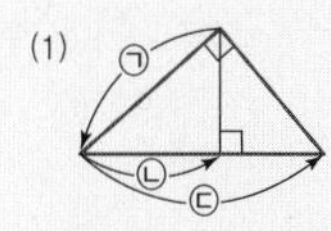

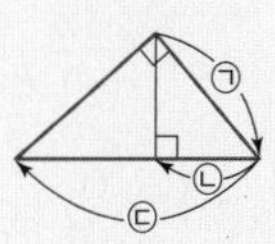

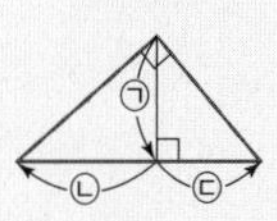

➡ ㉠^{2}=㉡×㉢

(2)
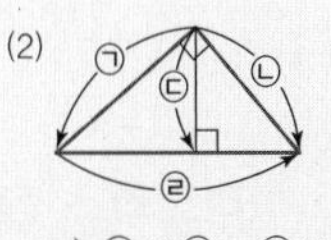

➡ ㉠×㉡=㉢×㉣

1-1 오른쪽 그림과 같이 $\angle B=90°$인 직각삼각형 ABC에서 $\overline{BD}\perp\overline{AC}$이고 $\overline{AB}=12$, $\overline{AC}=15$일 때, $x+y$의 값을 구하시오.

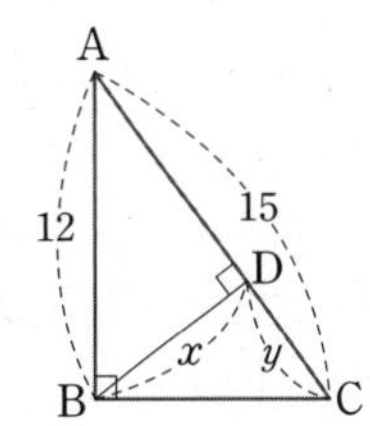

직각삼각형과 피타고라스 정리

2 **오른쪽 그림과 같이 $\angle A=90°$인 직각삼각형 ABC에서 $\overline{AD}=3$, $\overline{AE}=5$, $\overline{BC}=9$일 때, $\overline{BE}^2+\overline{CD}^2$의 값을 구하시오.**

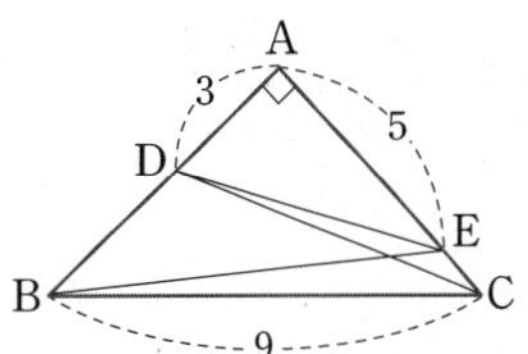

직각삼각형 ABC에서
$\overline{BC}^2+\overline{DE}^2=\overline{BE}^2+\overline{CD}^2$

2-1 오른쪽 그림의 직각삼각형 ABC에서 $\overline{AB}$, $\overline{BC}$의 중점을 각각 D, E라 하자. $\overline{AC}=8$일 때, $\overline{AE}^2+\overline{CD}^2$의 값을 구하시오.

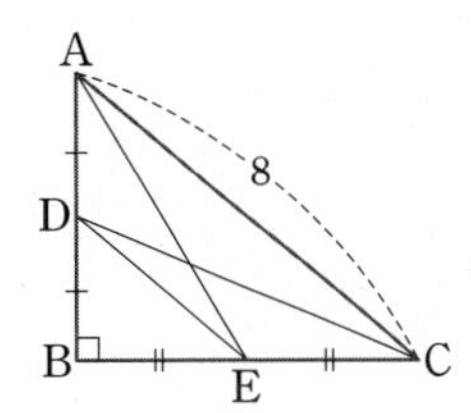

▸ △DBE∽△ABC이고 닮음비는 1 : 2이므로
$\overline{DE}:\overline{AC}=1:2$

개념 이해 8

사각형과 피타고라스 정리

(1) 두 대각선이 직교하는 사각형의 성질

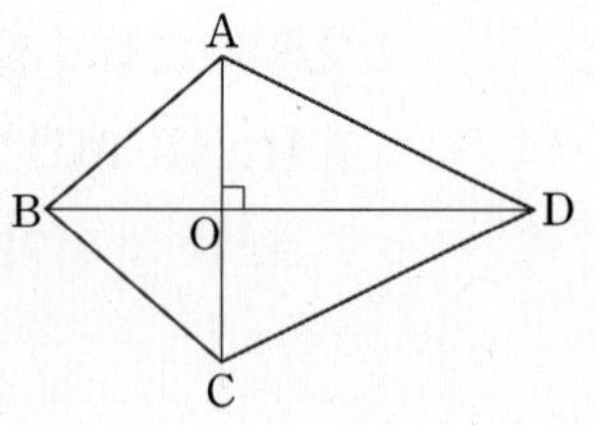

사각형 ABCD에서 두 대각선이 직교할 때, 사각형의 두 대변의 길이의 제곱의 합은 서로 같다.

➡ $\overline{AB}^2+\overline{CD}^2=\overline{AD}^2+\overline{BC}^2$

$\overline{AB}^2=\overline{AO}^2+\overline{BO}^2$ …… ㉠　　$\overline{CD}^2=\overline{CO}^2+\overline{DO}^2$ …… ㉡
$\overline{AD}^2=\overline{AO}^2+\overline{DO}^2$ …… ㉢　　$\overline{BC}^2=\overline{BO}^2+\overline{CO}^2$ …… ㉣
㉠, ㉡에서 $\overline{AB}^2+\overline{CD}^2=\overline{AO}^2+\overline{BO}^2+\overline{CO}^2+\overline{DO}^2$
㉢, ㉣에서 $\overline{AD}^2+\overline{BC}^2=\overline{AO}^2+\overline{BO}^2+\overline{CO}^2+\overline{DO}^2$
$\therefore \overline{AB}^2+\overline{CD}^2=\overline{AD}^2+\overline{BC}^2$

(2) 피타고라스 정리를 이용한 직사각형의 성질

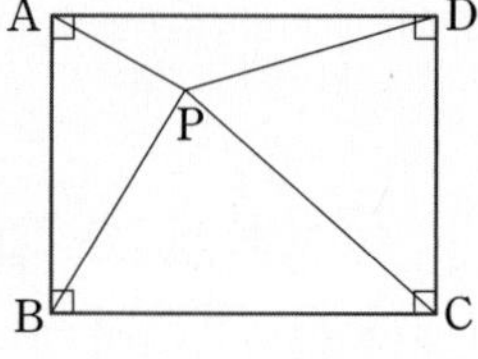

직사각형 ABCD의 내부에 임의의 한 점 P가 있을 때

➡ $\overline{AP}^2+\overline{CP}^2=\overline{BP}^2+\overline{DP}^2$

오른쪽 그림과 같이 점 P를 지나면서 각 변에 평행한 두 선분을 그으면

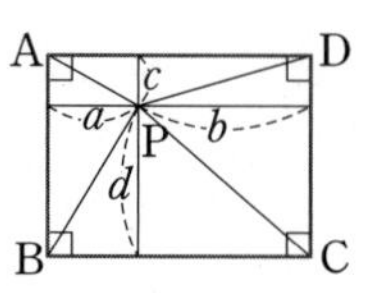

$\overline{AP}^2+\overline{CP}^2=(a^2+c^2)+(b^2+d^2)=(a^2+d^2)+(b^2+c^2)$
$=\overline{BP}^2+\overline{DP}^2$

사각형과 피타고라스 정리

[그림 1]에서 두 대각선이 직교하는 사각형의 성질에 의하여 $a^2+b^2=c^2+d^2$

[그림 1]을 변형하여 [그림 2]와 같은 직사각형을 만들면 $a^2+b^2=c^2+d^2$이 성립한다.

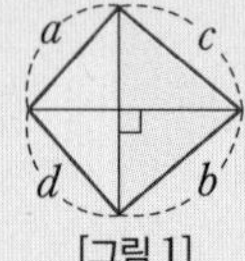

[그림 1]

잘라서

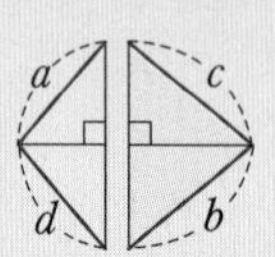

붙이면

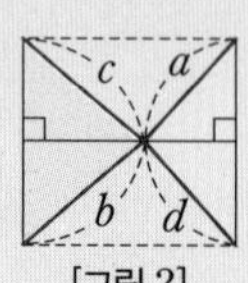

[그림 2]

개념확인

1. 다음 그림의 사각형 ABCD에서 x^2의 값을 구하시오.

(1)

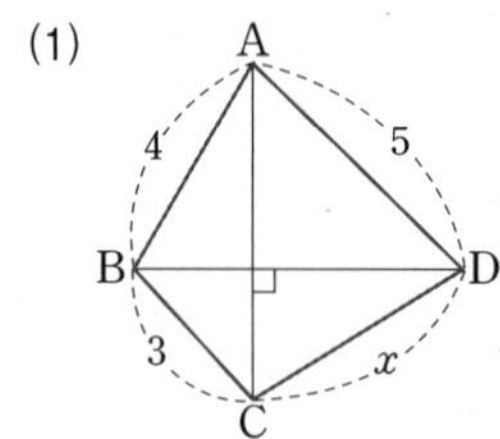

(2)

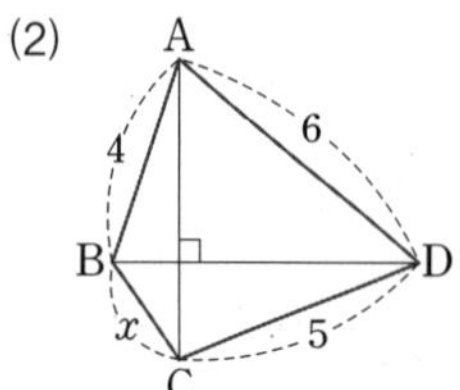

2. 다음 그림의 직사각형 ABCD에서 점 P는 내부의 임의의 한 점일 때, x^2의 값을 구하시오.

(1)

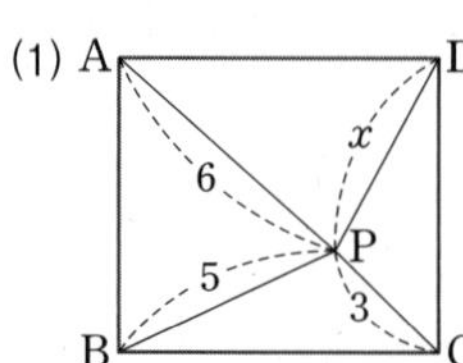

(2)

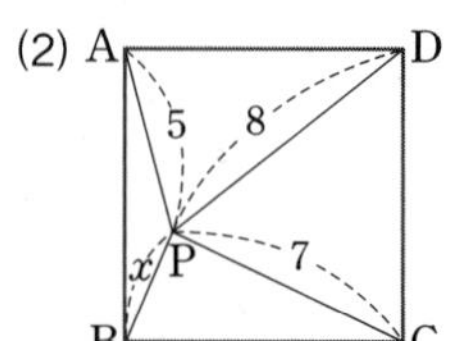

개념 적용

두 대각선이 직교하는 사각형

1 **오른쪽 그림과 같이 $\overline{AD}/\!/\overline{BC}$인 등변사다리꼴 ABCD의 두 대각선이 직교할 때, $\overline{AB}^2$의 값을 구하시오.**

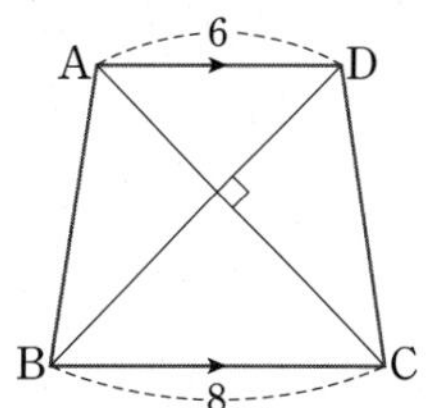

□ABCD의 두 대각선이 직교할 때
➡ $\overline{AB}^2+\overline{CD}^2=\overline{AD}^2+\overline{BC}^2$

1-1 오른쪽 그림과 같이 □ABCD의 두 대각선이 직교할 때, $\overline{AD}^2$의 값을 구하시오.

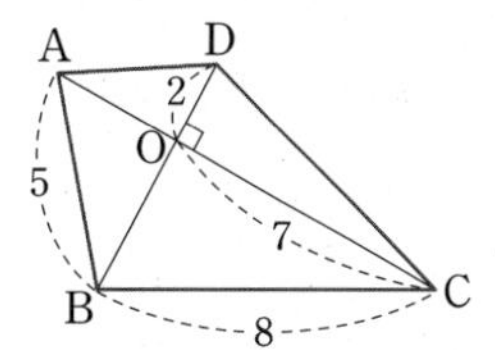

내부에 임의의 한 점이 있는 직사각형

2 **오른쪽 그림과 같은 직사각형 ABCD의 내부의 한 점 P에 대하여 $\overline{AP}=2$, $\overline{BP}=3$일 때, y^2-x^2의 값을 구하시오.**

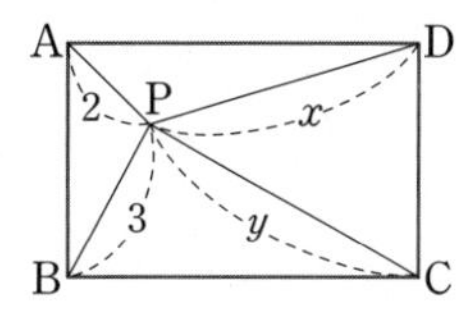

직사각형 ABCD의 내부에 있는 임의의 한 점 P에 대하여
➡ $\overline{AP}^2+\overline{CP}^2=\overline{BP}^2+\overline{DP}^2$

2-1 오른쪽 그림과 같은 놀이공원에서 A, B, C, D 네 지점에 각각 놀이기구가 위치해 있고, A, B, C, D를 선분으로 연결하면 직사각형이 된다. 진희가 P 지점에 있을 때, B 지점과 진희 사이의 거리를 구하시오.

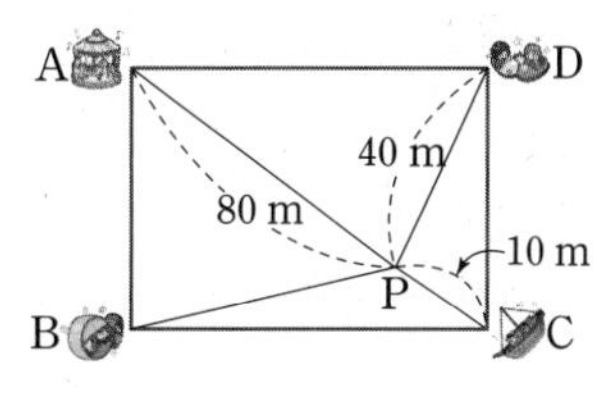

개념 이해 9

반원과 피타고라스 정리

(1) 직각삼각형의 세 반원 사이의 관계

직각삼각형 ABC의 세 변을 각각 지름으로 하는 반원의 넓이를 P, Q, R라 할 때

➡ $P+Q=R$

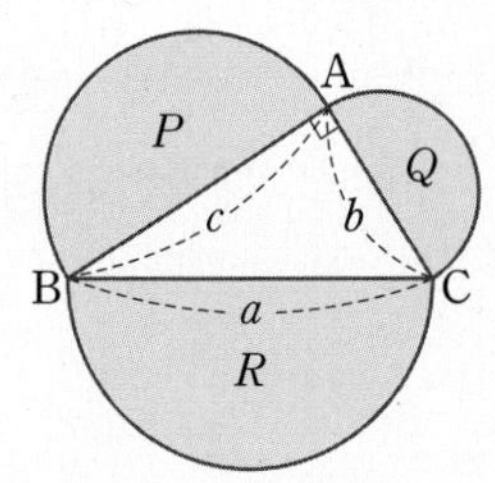

(2) 히포크라테스의 원의 넓이

직각삼각형 ABC의 세 변을 각각 지름으로 하는 반원에서

➡ (색칠한 부분의 넓이)$=\triangle ABC=\frac{1}{2}bc$

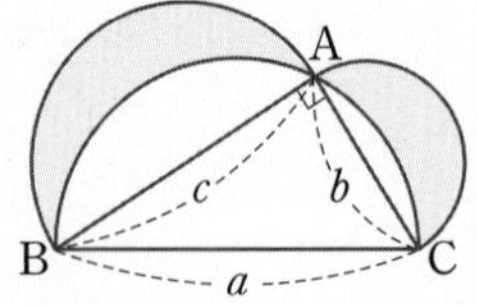

$=\frac{1}{2}bc$

개념확인

1. 다음 그림에서 반원의 넓이가 주어졌을 때, 색칠한 부분의 넓이를 구하시오.

(1)

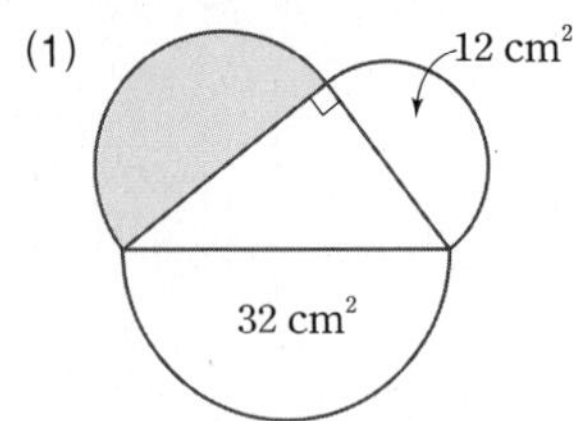

(2)

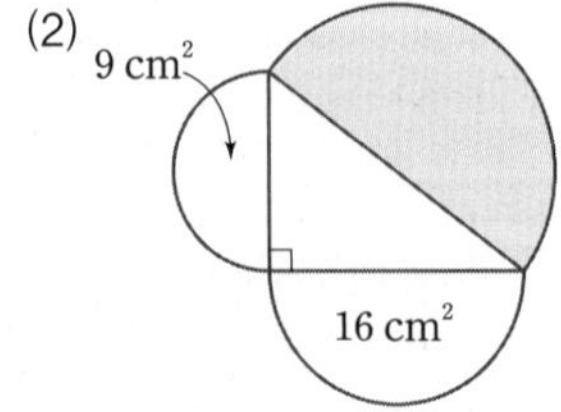

2. 다음 그림에서 색칠한 부분의 넓이를 구하시오.

(1)

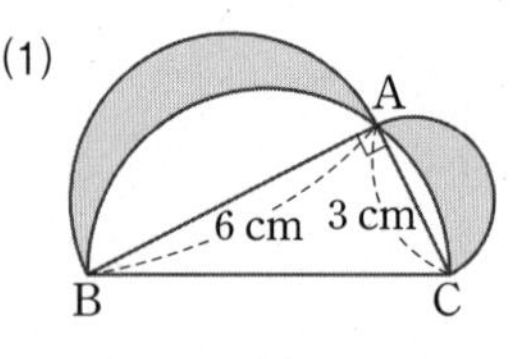

(2)

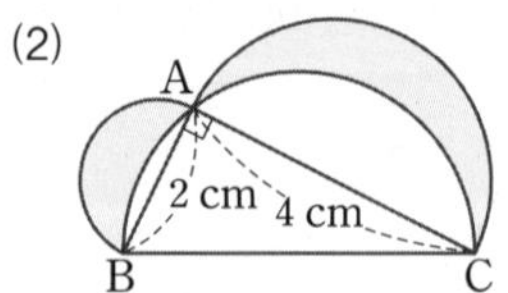

개념 적용

직각삼각형의 세 반원 사이의 관계

1 **오른쪽 그림의 직각삼각형 ABC에서 $\overline{AB}$, $\overline{AC}$를 지름으로 하는 반원의 넓이가 각각 $32\pi\ cm^2$, $18\pi\ cm^2$일 때, $\overline{BC}$의 길이를 구하시오.**

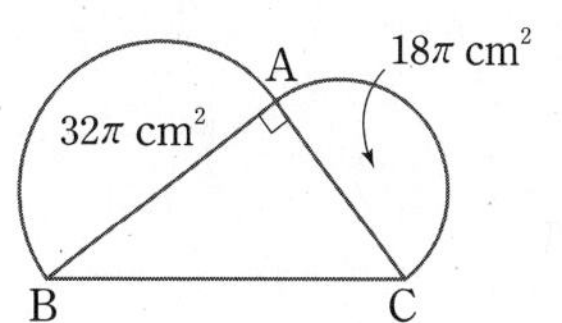

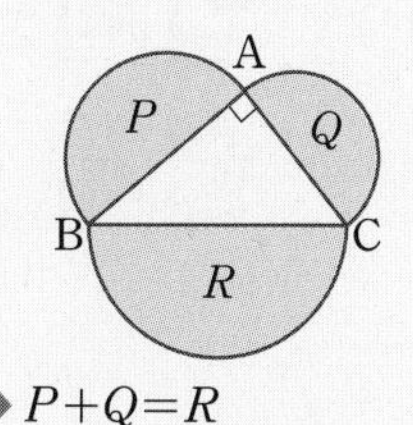

➡ $P+Q=R$

1-1 오른쪽 그림의 직각삼각형 ABC에서 세 변을 지름으로 하는 반원의 넓이를 각각 P, Q, R라 하자. $\overline{BC}=12$일 때, $P+Q+R$의 값을 구하시오.

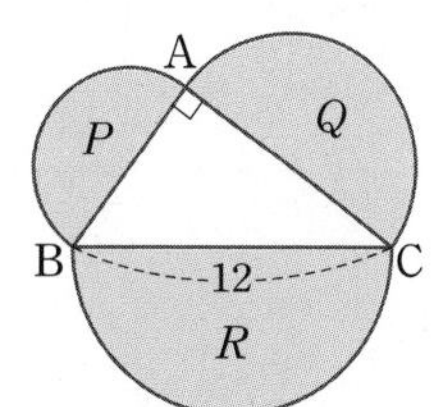

히포크라테스의 원의 넓이

2 **오른쪽 그림과 같이 $\angle A=90°$인 직각삼각형 ABC의 세 변을 각각 지름으로 하는 반원을 그렸다. $\overline{AB}=12$ cm, $\overline{BC}=13$ cm일 때, 색칠한 부분의 넓이를 구하시오.**

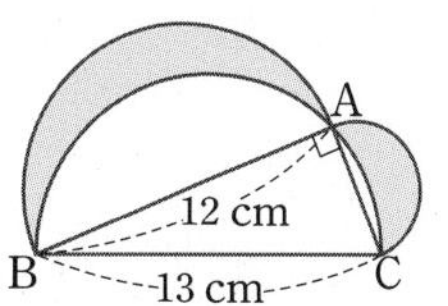

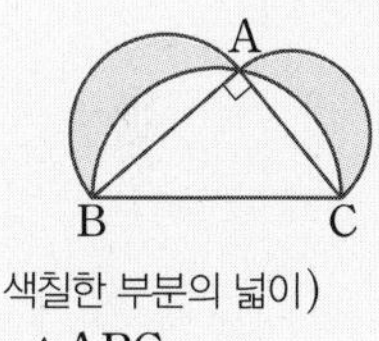

(색칠한 부분의 넓이)
$=\triangle ABC$

2-1 오른쪽 그림과 같이 $\angle A=90°$이고 $\overline{AB}=\overline{AC}$인 직각이등변삼각형 ABC의 세 변을 각각 지름으로 하는 반원을 그렸다. $\overline{BC}=10$ cm일 때, 색칠한 부분의 넓이를 구하시오.

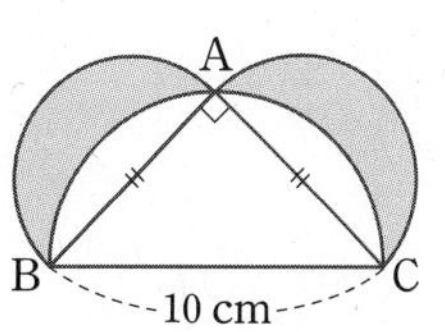

입체도형에서 최단 거리, 쉽게 찾을 순 없을까?

점 A에서 점 B까지 가기 위한 가장 가까운 거리를 찾아볼까?

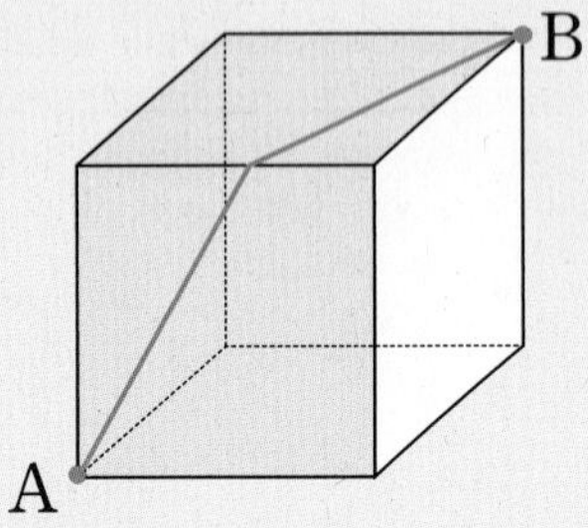

상자를 열듯이 정육면체를 열어 보면 전개도를 그릴 수 있다. 이 전개도를 보고 점 A에서 점 B까지 가는 가장 가까운 거리를 찾아보자.

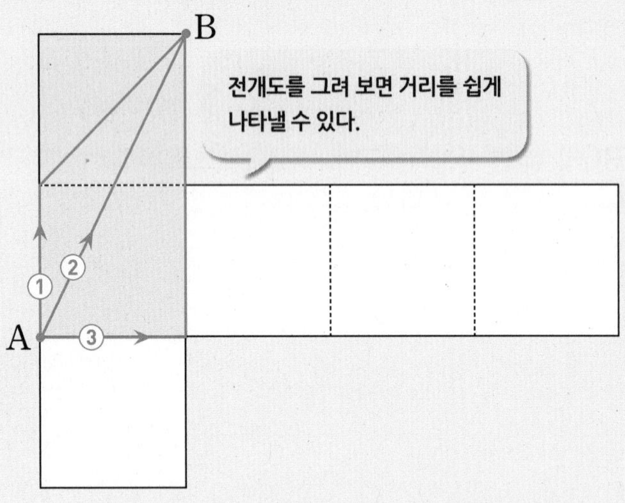

전개도를 보고 점 A에서 점 B까지 가는 방법 ①, ②, ③ 중 가장 가까운 거리를 찾으면 일직선으로 지나는 ②가 가장 가깝다.

이처럼 입체적인 그림으로는 알기 어려워도 전개도를 그리면 보다 쉽게 두 점 사이의 최단 거리를 찾을 수 있다.

개념적용 1. 직육면체에서의 최단 거리

오른쪽 그림과 같은 직육면체의 꼭짓점 A에서 출발하여 모서리 BF를 지나 꼭짓점 G에 이르는 최단 거리를 구하시오.

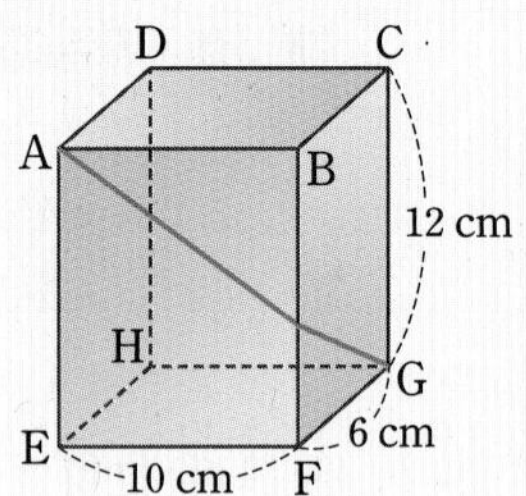

❶ 전개도 그리기

직육면체의 옆면 중 필요한 부분의 전개도를 그리면 직사각형으로 나타난다.

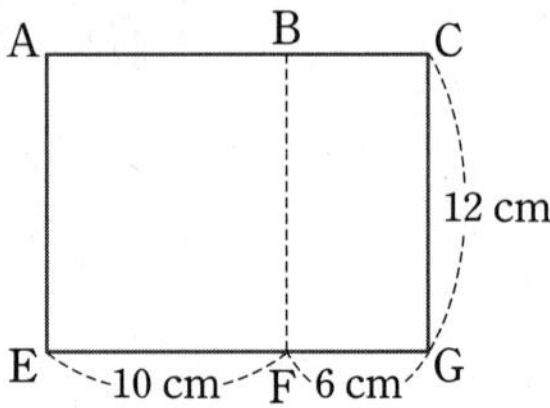

❷ 최단 거리 나타내기

최단 거리의 시작점과 끝점을 선분으로 잇는다.
즉, 최단 거리는 $\overline{AG}$이다.

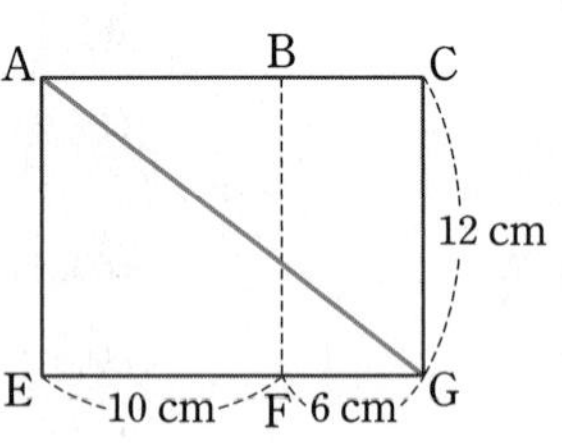

❸ 피타고라스 정리를 이용하여 주어진 길이 구하기

△AEG에서

$\overline{AG}^2=\overline{EG}^2+\overline{AE}^2=(10+6)^2+12^2=400$

$\therefore\ \overline{AG}=$ ☐ cm

답 20

개념적용 2. 원기둥에서의 최단 거리

오른쪽 그림과 같이 밑면인 원의 반지름의 길이가 6 cm인 원기둥의 점 A에서 출발하여 옆면을 따라 점 B에 이르는 최단 거리가 15π cm일 때, 원기둥의 높이를 구하시오.

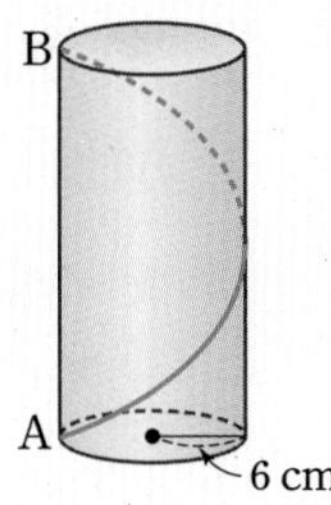

❶ 전개도 그리기

원기둥의 옆면을 전개도로 그리면 직사각형으로 나타난다.

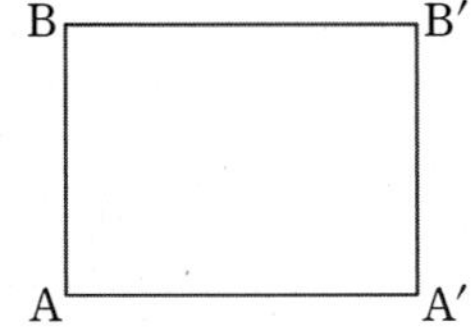

❷ 위 ❶의 가로의 길이 구하기

밑면인 원의 반지름의 길이가 6 cm이므로 원의 둘레의 길이, 즉 $\overline{AA'}$ 의 길이는

$\square \times 6 = \square$ (cm)

❸ 최단 거리 나타내기

최단 거리의 시작점과 끝점을 선분으로 잇는다. 즉, 최단 거리는 $\overline{AB'}$이다.

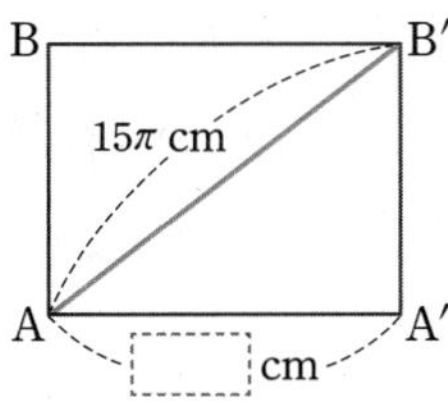

❹ 피타고라스 정리를 이용하여 주어진 길이 구하기

$\triangle AA'B'$에서

$\overline{A'B'}^2 = (15\pi)^2 - (\square)^2 = \square$

$\therefore \overline{A'B'} = \square$ cm

답 2π, 12π, 12π, 12π, $81\pi^2$, 9π

개념적용 3. 삼각기둥에서의 최단 거리

오른쪽 그림과 같은 삼각기둥의 꼭짓점 A에서 출발하여 겉면을 따라 모서리 BE, CF를 지나서 꼭짓점 D에 이르는 최단 거리를 구하시오.

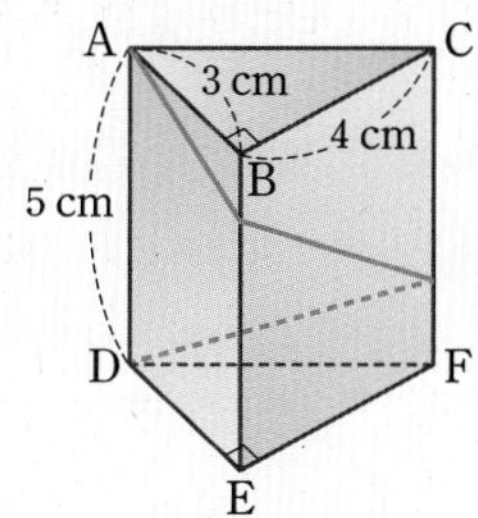

❶ 전개도 그리기

원기둥의 옆면을 전개도로 그리면 직사각형으로 나타난다.

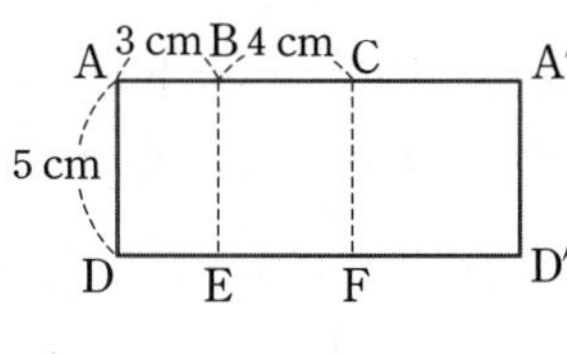

❷ 위 ❶의 가로의 길이 구하기

밑면인 직각삼각형 ABC에서 빗변 AC의 길이를 구한다.

$\triangle ABC$에서 $\overline{AC}^2 = 3^2 + 4^2 = \square$

$\therefore \overline{AC} = \square$ cm

따라서 ❶에서 $\overline{DD'} = \square$ cm이다.

❸ 최단 거리 나타내기

최단 거리의 시작점과 끝점을 선분으로 잇는다.

즉, 최단 거리는 $\overline{AD'}$이다.

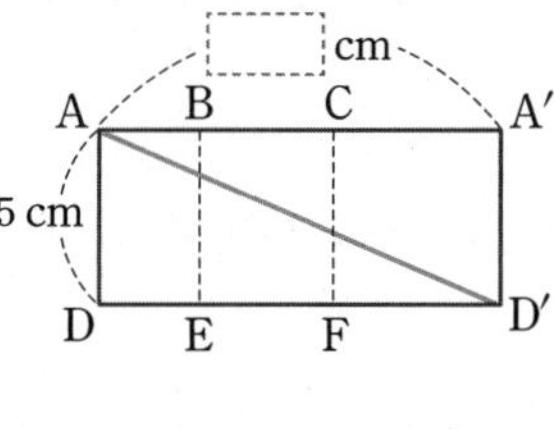

❹ 피타고라스 정리를 이용하여 주어진 길이 구하기

$\triangle ADD'$ 에서

$\overline{AD'}^2 = (\square)^2 + 5^2 = \square$

$\therefore \overline{AD'} = \square$ cm

답 25, 5, 12, 12, 12, 169, 13

기본 문제

1 피타고라스 정리의 이용

오른쪽 그림과 같은 직각삼각형 ABC에서 $\overline{AC}=8\text{ cm}$, $\overline{AB}=17\text{ cm}$일 때, $\triangle ABC$의 넓이를 구하시오.

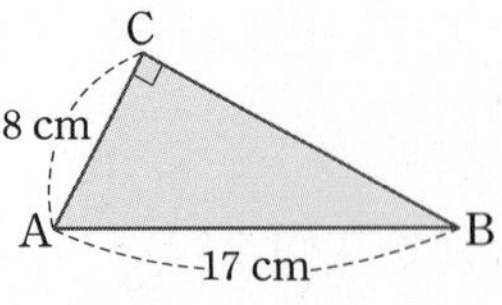

2 피타고라스 정리의 이용

오른쪽 그림과 같이 $\overline{BD}$ 위에 점 C를 잡고 $\overline{BC}$, $\overline{CD}$를 각각 한 변으로 하는 정사각형을 그렸다. $\square ABCG=25\text{ cm}^2$, $\square CDEF=49\text{ cm}^2$일 때, $\overline{AD}$의 길이는?

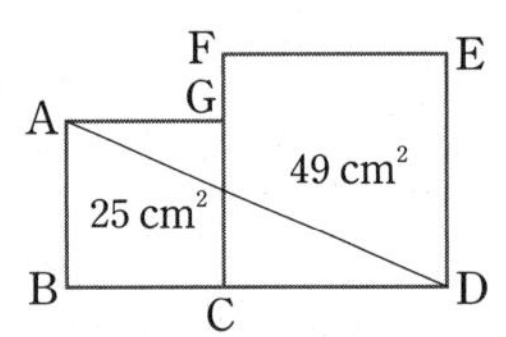

① 9 cm　② 11 cm　③ 13 cm
④ 15 cm　⑤ 17 cm

3 피타고라스 정리의 이용

오른쪽 그림과 같이 가로, 세로의 길이가 각각 15 cm, 9 cm인 직사각형 ABCD를 $\overline{FD}$를 접는 선으로 하여 꼭짓점 A가 $\overline{BC}$ 위의 점 E에 오도록 접었을 때, $\overline{BE}$의 길이를 구하시오.

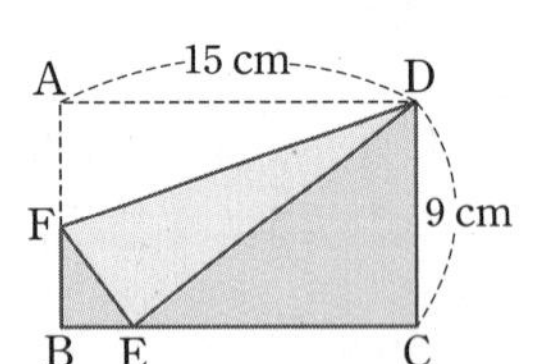

4 피타고라스 정리의 이용

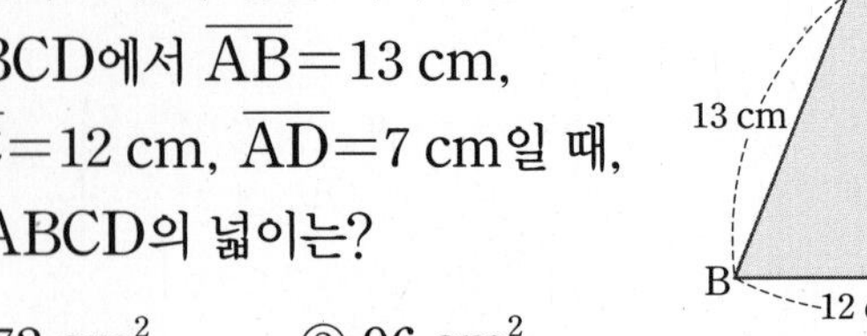

오른쪽 그림과 같은 사다리꼴 ABCD에서 $\overline{AB}=13\text{ cm}$, $\overline{BC}=12\text{ cm}$, $\overline{AD}=7\text{ cm}$일 때, $\square ABCD$의 넓이는?

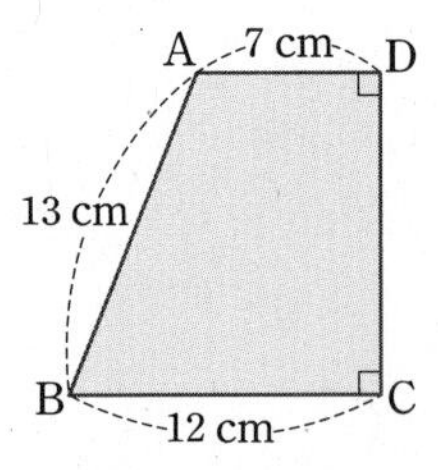

① 72 cm^2　② 96 cm^2
③ 102 cm^2　④ 114 cm^2
⑤ 120 cm^2

5 연속된 도형에서 피타고라스 정리

오른쪽 그림에서 $\overline{OA}=\overline{OA'}=3$이고, $\overline{OB}=\overline{OB'}$, $\overline{OC}=\overline{OC'}$, $\overline{OD}=\overline{OD'}$일 때, $\overline{OD}$의 길이는?

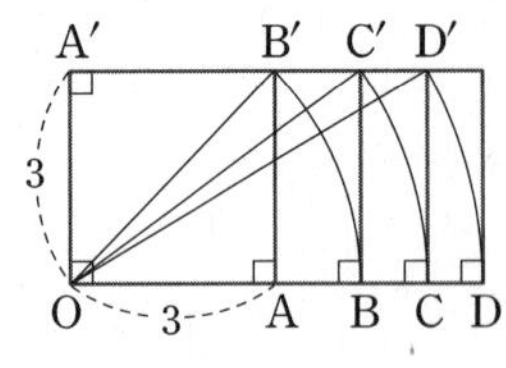

① 4　② 5　③ 6
④ 7　⑤ 8

6 피타고라스 정리 – 유클리드의 설명

오른쪽 그림은 직각삼각형 ABC의 세 변을 각각 한 변으로 하는 정사각형을 그린 것이다. 다음 중 $\triangle EBA$와 넓이가 같은 삼각형이 아닌 것은?

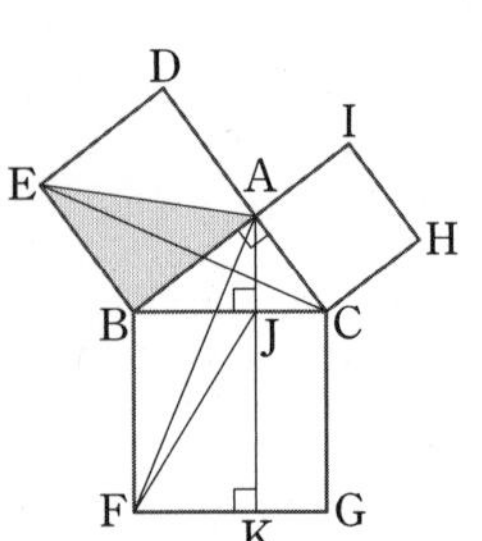

① $\triangle EBC$　② $\triangle ABC$
③ $\triangle JFK$　④ $\triangle ABF$
⑤ $\triangle JBF$

7 피타고라스 정리 – 유클리드의 설명

오른쪽 그림은 $\angle A=90^\circ$인 직각삼각형 ABC의 세 변을 각각 한 변으로 하는 세 정사각형을 그린 것이다. $\overline{AB}=15$ cm, $\overline{AC}=8$ cm이고 $\overline{AM}\perp\overline{FG}$일 때, $\overline{FM}$의 길이를 구하시오.

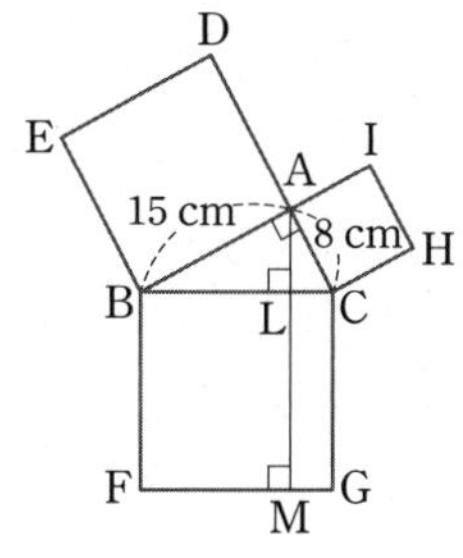

8 피타고라스 정리 – 피타고라스의 설명

오른쪽 그림과 같이 한 변의 길이가 6 cm인 정사각형 ABCD의 네 변의 중점을 연결하여 만든 □EFGH의 넓이를 구하시오.

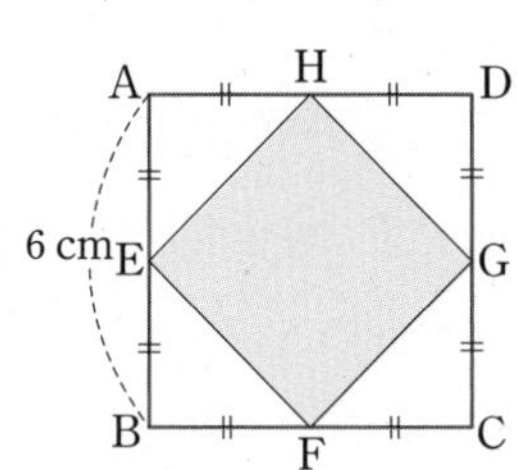

9 피타고라스 정리 – 가필드의 설명

오른쪽 그림에서 $\triangle ABC\equiv\triangle CDE$이고, 세 점 B, C, D는 한 직선 위에 있을 때, 다음을 구하시오.

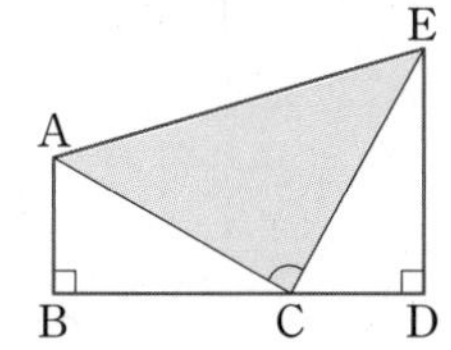

(1) $\angle ACE$의 크기

(2) $\overline{AB}=5$ cm, $\overline{DE}=9$ cm일 때, $\triangle ACE$의 넓이

10 피타고라스 정리 – 바스카라의 설명

오른쪽 그림의 정사각형 ABCD에서 4개의 직각삼각형은 모두 합동이다. $\overline{AB}=10$, $\overline{AF}=8$일 때, □EFGH의 넓이를 구하시오.

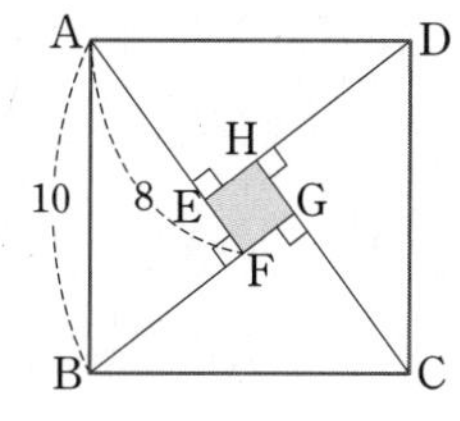

11 피타고라스 정리 – 바스카라의 설명

오른쪽 그림에서 4개의 직각삼각형은 모두 합동이고 □ABCD의 넓이는 25이다. $\overline{AE}=3$일 때, □EFGH의 둘레의 길이를 구하시오.

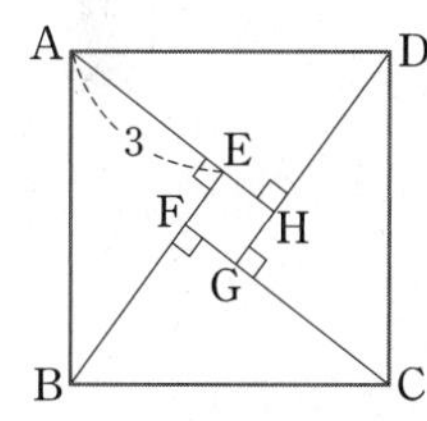

12 삼각형에서 변의 길이에 대한 각의 크기

세 변의 길이가 각각 6 cm, 8 cm, 10 cm인 삼각형의 넓이를 구하시오.

13 삼각형에서 변의 길이에 대한 각의 크기

오른쪽 그림에서 $\overline{AB}=12$, $\overline{BC}=15$, $\overline{CD}=6$, $\overline{DA}=5$이고 $\angle BAC=90°$일 때, $\triangle ACD$는 어떤 삼각형인가?

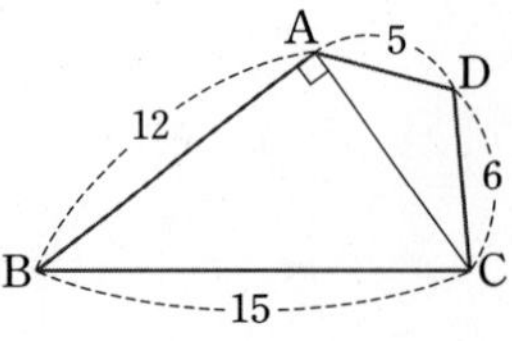

① 정삼각형 ② 이등변삼각형 ③ 예각삼각형
④ 직각삼각형 ⑤ 둔각삼각형

14 직각삼각형의 닮음의 이용

오른쪽 그림과 같이 $\angle A=90°$인 직각삼각형 ABC에서 점 M은 $\overline{BC}$의 중점이고 $\overline{AH}\perp\overline{BC}$, $\overline{HQ}\perp\overline{AM}$이다. $\overline{BH}=8$ cm, $\overline{CH}=2$ cm일 때, $\overline{AQ}$의 길이를 구하시오.

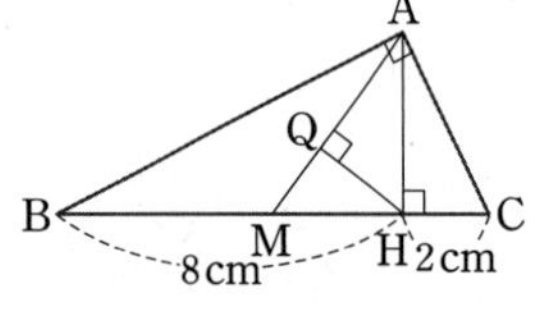

15 직각삼각형과 피타고라스 정리

오른쪽 그림과 같이 $\angle C=90°$인 직각삼각형 ABC에서 $\overline{AC}=4$, $\overline{BC}=5$, $\overline{DE}=3$일 때, $\overline{AD}^2+\overline{BE}^2$의 값을 구하시오.

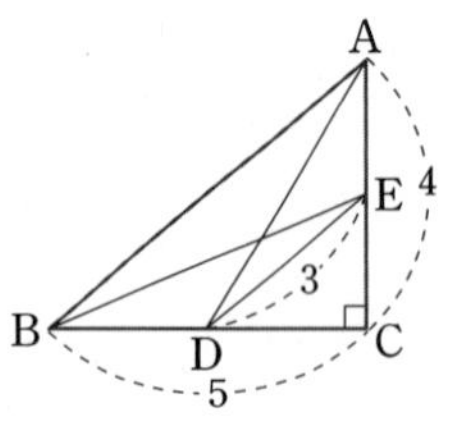

16 두 대각선이 직교하는 사각형

오른쪽 그림과 같은 □ABCD에서 $\overline{AC}\perp\overline{BD}$이고, $\overline{BC}=14$, $\overline{DC}=13$, $\overline{DO}=7$이다. $\overline{AB}^2=90$일 때, x^2의 값을 구하시오.

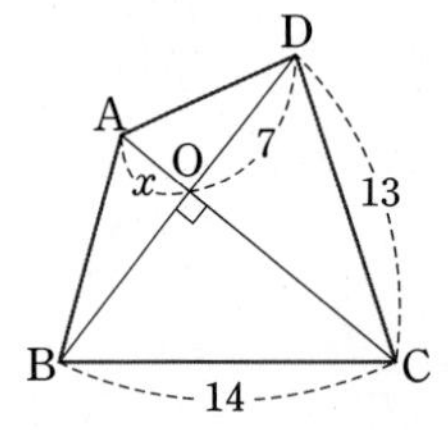

17 직각삼각형의 세 반원 사이의 관계

오른쪽 그림과 같이 $\angle C=90°$인 직각삼각형 ABC에서 세 변을 지름으로 하는 반원의 넓이를 각각 S_1, S_2, S_3라 하자. $\overline{AC}=8$, $S_2=6\pi$일 때, S_3의 값을 구하시오.

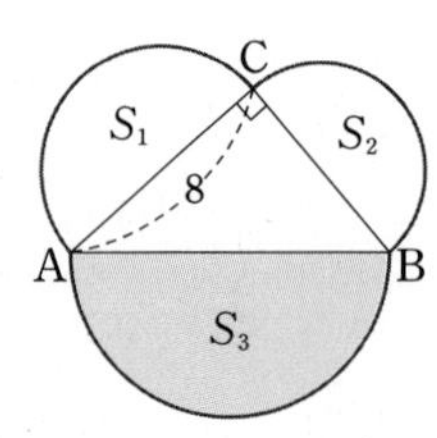

18 히포크라테스의 원의 넓이

오른쪽 그림과 같이 $\angle A=90°$인 직각삼각형 ABC의 세 변을 각각 지름으로 하는 세 반원을 그렸다. $\overline{AB}=12$ cm, $\overline{AC}=10$ cm일 때, 색칠한 부분의 넓이를 구하시오.

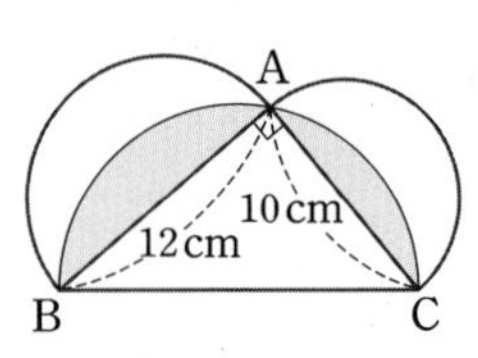

개념 완성

발전 문제

1 오른쪽 그림과 같은 직각삼각형을 직선 l을 회전축으로 하여 1회전 시킬 때 생기는 입체도형을 회전축을 포함하는 평면으로 잘랐다. 이때 생기는 단면의 넓이를 구하시오.

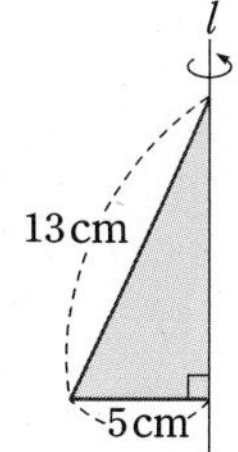

입체도형을 회전축을 포함하는 평면으로 자른 단면은 회전축에 대칭인 도형이다.

2 오른쪽 그림과 같이 $\angle A=90°$인 직각삼각형 ABC의 세 변을 각각 한 변으로 하는 정사각형을 그렸다. $\overline{AB}=9$ cm, $\overline{AC}=7$ cm이고 점 A에서 $\overline{BC}$, $\overline{FG}$에 내린 수선의 발을 각각 J, K라 하자. △JFK, △JKG의 넓이를 각각 P cm^2, Q cm^{2}라 할 때, $P-Q$의 값을 구하시오.

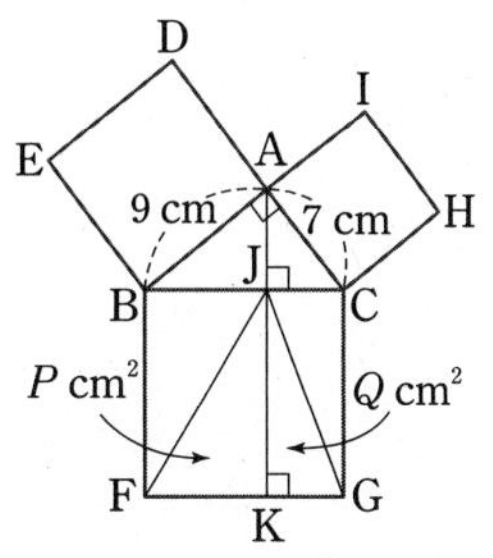

3 오른쪽 그림과 같이 $\angle A=90°$이고, $\overline{AB}=6$ cm, $\overline{AC}=8$ cm인 직각삼각형 ABC의 무게중심을 G라 하자. 점 G에서 $\overline{AC}$에 내린 수선의 발을 H라 할 때, $\overline{AH}$의 길이를 구하시오.

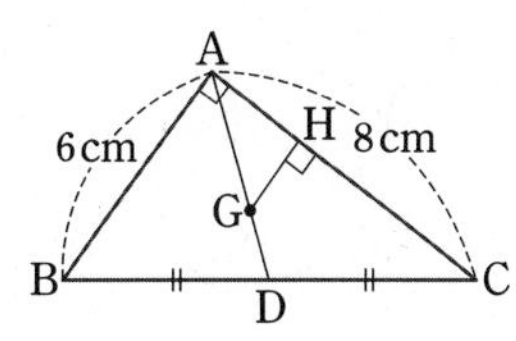

4 오른쪽 그림과 같이 한 변의 길이가 9 cm인 정사각형 ABCD를 $\overline{EF}$를 접는 선으로 하여 꼭짓점 B가 $\overline{CD}$ 위의 점 B′에 오도록 접었을 때, △GFB′의 넓이를 구하시오.

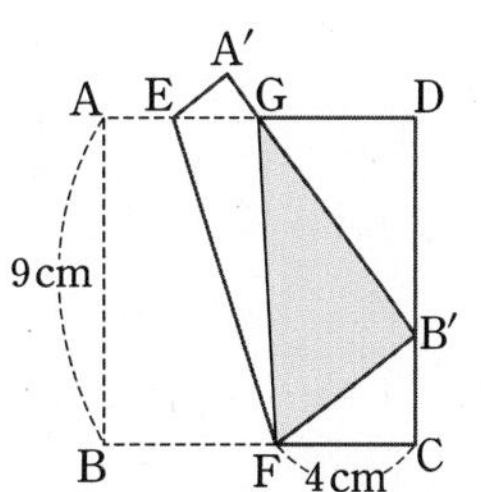

△B′FC와 △GB′D에서 피타고라스 정리와 삼각형의 닮음을 이용하여 변의 길이를 구한다.

5 오른쪽 그림과 같은 직육면체의 꼭짓점 B에서 출발하여 겉면을 따라 $\overline{CG}$, $\overline{DH}$를 지나 점 E에 이르는 최단 거리를 구하시오.

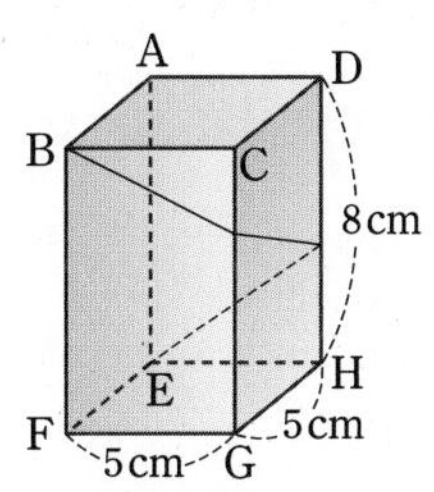

6 서술형

오른쪽 그림은 $\angle A=90^\circ$인 직각삼각형 ABC의 세 변을 각각 지름으로 하는 반원과 $\overline{AB}$, $\overline{AC}$를 각각 한 변으로 하는 두 정사각형 AFGB, ACDE를 그린 것이다. $\overline{AB}=5\text{ cm}$, $\overline{BC}=13\text{ cm}$일 때, 색칠한 부분의 넓이를 구하는 풀이 과정을 쓰고 답을 구하시오.

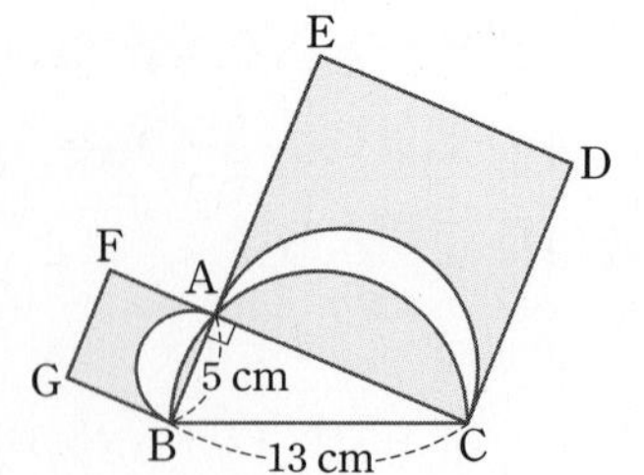

① 단계: $\overline{AC}$의 길이 구하기

피타고라스 정리에 의하여

$\overline{AC}^2=$ ______________

이때 $\overline{AC}>0$이므로 $\overline{AC}=$ ________

② 단계: 색칠한 부분의 넓이 구하기

히포크라테스의 원의 넓이를 이용하면 색칠한 부분의 넓이는 정사각형 AFGB와 정사각형 ACDE의 넓이의 합에서 ________의 넓이를 뺀 것과 같으므로

(색칠한 부분의 넓이) $=\square AFGB+\square ACDE-$ ________

$=5^2+$ ________ $-$ ________

$=$ ______________

> Check List
> - 피타고라스 정리를 이용하여 $\overline{AC}$의 길이를 바르게 구하였는가?
> - 히포크라테스의 원의 넓이를 이용하여 색칠한 부분의 넓이를 바르게 구하였는가?

7 서술형

오른쪽 그림과 같이 $\angle A=90^\circ$인 직각삼각형 ABC의 점 A에서 $\overline{BC}$에 내린 수선의 발을 H라 하자. $\overline{AB}=5\text{ cm}$, $\overline{BH}=3\text{ cm}$일 때, $\triangle ABC$의 넓이를 구하는 풀이 과정을 쓰고 답을 구하시오.

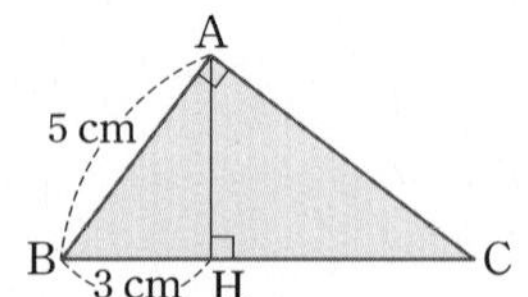

① 단계: $\overline{AH}$의 길이 구하기

② 단계: $\overline{BC}$의 길이 구하기

③ 단계: $\triangle ABC$의 넓이 구하기

> Check List
> - $\overline{AH}$의 길이를 바르게 구하였는가?
> - $\overline{BC}$의 길이를 바르게 구하였는가?
> - $\triangle ABC$의 넓이를 바르게 구하였는가?

IV 확률

1 경우의 수

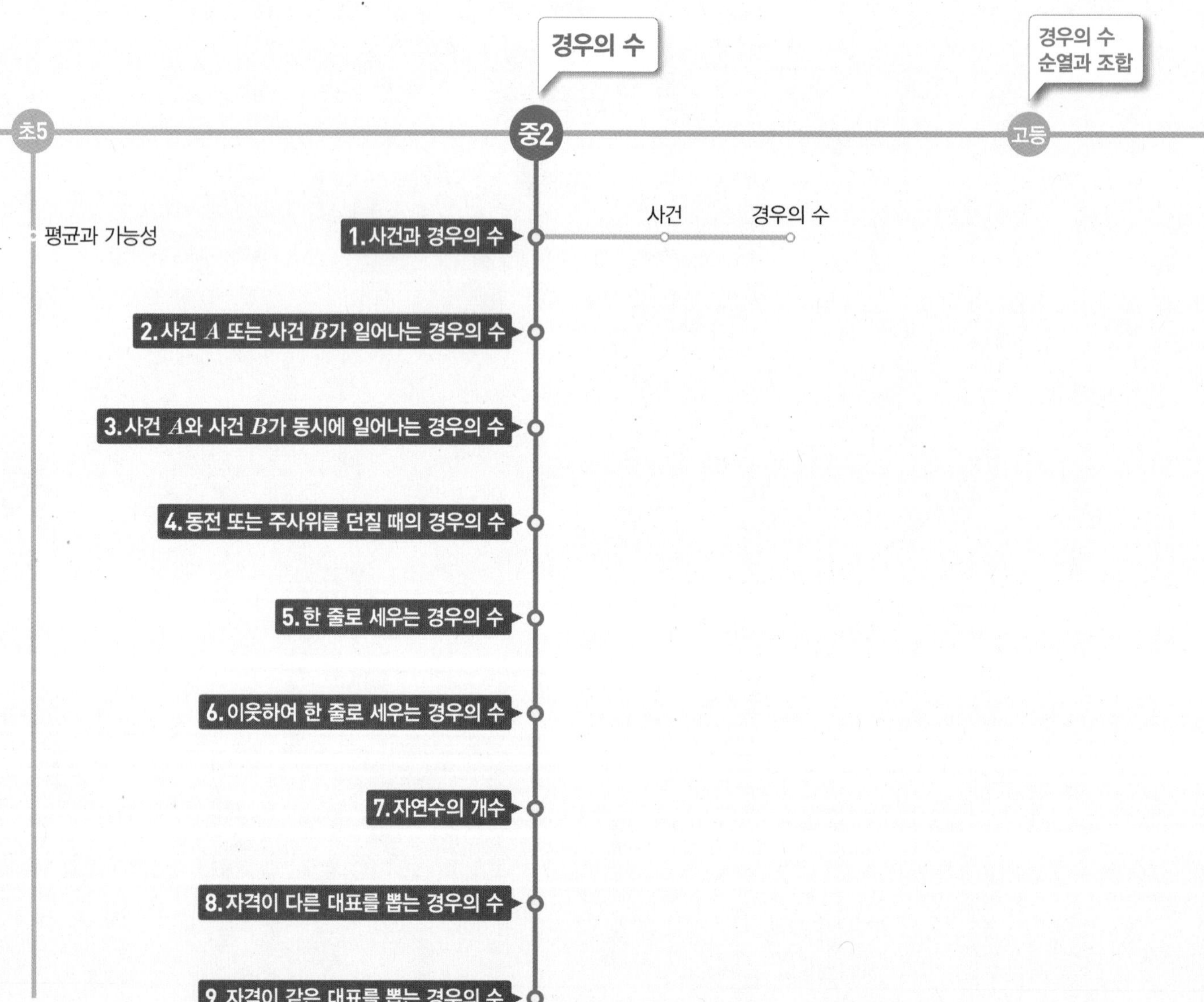

경우의 수
경우의 수
순열과 조합
초5
중2
고등
평균과 가능성
사건
경우의 수
1. 사건과 경우의 수
2. 사건 A 또는 사건 B가 일어나는 경우의 수
3. 사건 A와 사건 B가 동시에 일어나는 경우의 수
4. 동전 또는 주사위를 던질 때의 경우의 수
5. 한 줄로 세우는 경우의 수
6. 이웃하여 한 줄로 세우는 경우의 수
7. 자연수의 개수
8. 자격이 다른 대표를 뽑는 경우의 수
9. 자격이 같은 대표를 뽑는 경우의 수

빠짐없이 세기 중복 없이 세기

2의 배수 또는 3의 배수의 눈이 나오는 경우의 수는?

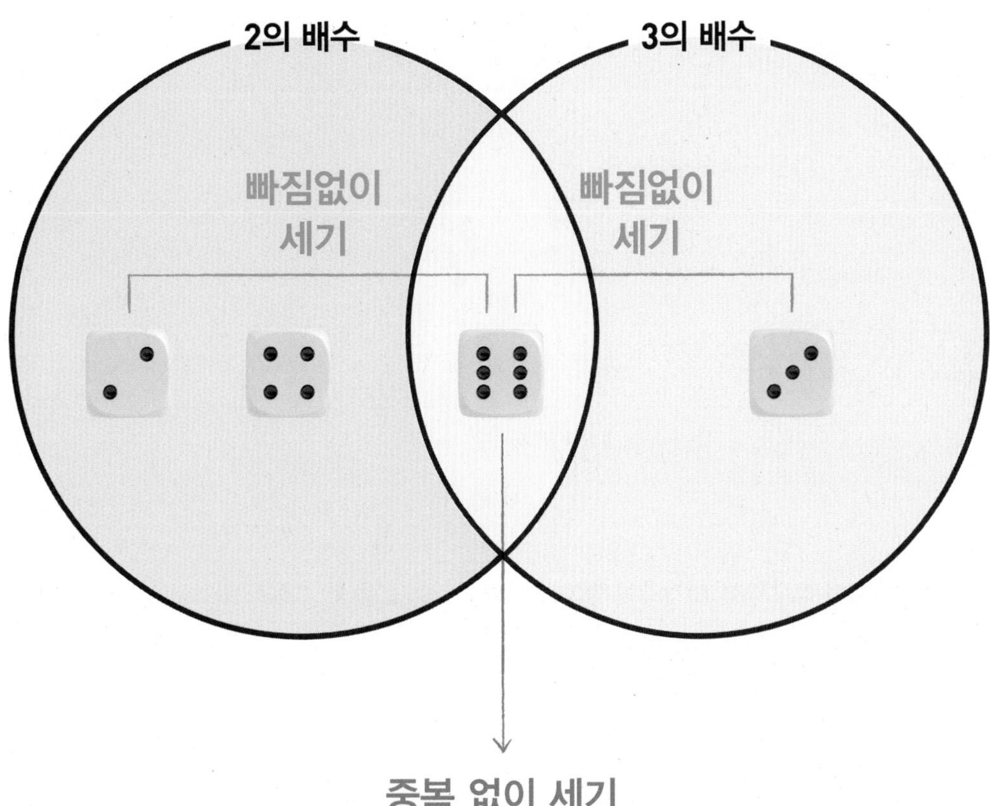

개념 이해 1

사건과 경우의 수

(1) **사건:** 같은 조건에서 반복하여 시행할 수 있는 실험이나 관찰을 통해 얻어지는 결과

㉮ 한 개의 동전을 던질 때, '앞면이 나온다.', '뒷면이 나온다.' 등

- 실험이나 관찰을 하는 행위를 '시행'이라 한다.
- 사건(일 事, 사건 件): 일어난 일

(2) **경우의 수:** 어떤 사건이 일어나는 모든 가짓수

㉮ 한 개의 동전을 던질 때, 일어나는 모든 경우는 앞면과 뒷면의 2가지 ➡ 경우의 수: 2

주의 경우의 수를 구할 때에는 조건에 맞는 경우를 ① 중복되지 않게 ② 빠짐없이 구한다.

실험, 관찰		사건		경우		경우의 수
한 개의 주사위를 던진다.	➡	짝수의 눈이 나온다.	➡	(주사위 2, 4, 6의 눈)	➡	3
한 개의 동전을 던진다.		뒷면이 나온다.		(100원 동전 뒷면)		1

사건에 따라 달라지는 경우의 수

주사위의 눈은 1, 2, 3, 4, 5, 6이고, 주사위 1개를 던져서 그 중 하나가 결정된다. 즉, 주사위 1개를 던질 때 일어날 수 있는 모든 경우의 수는 6이다. 그런데 사건에 따라 경우의 수는 달라진다.

주사위 1개를 던질 때,
- 7의 눈이 나오는 경우 ➡ 7의 눈이 나오는 경우는 없으므로 경우의 수는 0
- 소수의 눈이 나오는 경우 ➡ 소수의 눈은 2, 3, 5이므로 경우의 수는 3

이처럼 주사위 1개를 던지는 행위는 똑같지만 사건에 따라 경우의 수는 달라질 수 있다.

개념확인

1. 한 개의 주사위를 던질 때, 다음 표를 완성하시오.

사건	경우	경우의 수
6의 눈이 나온다.	6	
홀수의 눈이 나온다.		
6의 약수의 눈이 나온다.		

❗ 경우의 수를 구할 때, 어떤 사건이 일어나는 경우를 중복되지 않게 빠짐없이 구한다.

2. 1에서 10까지의 자연수가 각각 적힌 10개의 공 중에서 한 개의 공을 뽑을 때, 다음을 구하시오.

(1) 4 이상의 수가 적힌 공이 나오는 경우의 수

(2) 3의 배수가 적힌 공이 나오는 경우의 수

3. 1에서 15까지의 자연수가 각각 적힌 15장의 카드 중에서 한 장을 뽑을 때, 다음을 구하시오.

(1) 카드에 적힌 수가 10 이하인 경우의 수

(2) 카드에 적힌 수가 짝수인 경우의 수

(3) 카드에 적힌 수가 소수인 경우의 수

개념 적용

사건과 경우의 수 이해하기

1 **1에서 10까지의 자연수가 각각 적힌 10장의 카드 중에서 한 장을 뽑을 때, 다음 중 옳지 않은 것은?**

① 소수가 적힌 카드가 나오는 경우의 수는 4이다.
② 4의 배수가 적힌 카드가 나오는 경우의 수는 2이다.
③ 7보다 큰 수가 적힌 카드가 나오는 경우의 수는 4이다.
④ 두 자리의 자연수가 적힌 카드가 나오는 경우의 수는 1이다.
⑤ 10보다 작은 수가 적힌 카드가 나오는 경우의 수는 9이다.

여러 개의 자연수 중에서 1개의 수를 뽑을 때, 일어나는 사건의 경우의 수
➡ 주어진 자연수 중 조건을 만족하는 수를 중복되지 않게 빠짐없이 나열하여 구한다.

1-1 각 면에 1에서 12까지의 자연수가 각각 적힌 정십이면체 모양의 주사위를 한 번 던질 때, 바닥에 닿은 면에 적힌 수가 12의 약수인 경우의 수는?

① 5　② 6　③ 7
④ 8　⑤ 9

돈을 지불하는 경우의 수

2 **500원짜리 동전 3개와 100원짜리 동전 2개가 있다. 다음 중 두 가지 동전을 각각 1개 이상 사용하여 지불할 수 있는 금액이 아닌 것은?**

① 600원　② 700원　③ 1000원
④ 1200원　⑤ 1600원

돈을 지불하는 경우의 수 구하는 방법
① 표를 이용하여 각 동전의 개수를 구한다.
② 액수가 큰 동전의 개수부터 정한다.

2-1 윤희는 7000원짜리 시집 1권을 사려고 한다. 500원짜리 동전 9개와 1000원짜리 지폐 7장으로 지불하는 경우의 수를 구하시오.

▸ 돈을 지불하는 경우의 수에 대한 문제는 액수가 큰 돈의 개수를 먼저 정한 후 전체 금액에 맞게 나머지 금액의 돈의 개수를 정한다.

개념 이해

2 사건 A 또는 사건 B가 일어나는 경우의 수

두 사건 A와 B가 동시에 일어나지 않을 때,

사건 A가 일어나는 경우의 수가 m, 사건 B가 일어나는 경우의 수가 n이면

(사건 A 또는 사건 B가 일어나는 경우의 수)$=\boldsymbol{m+n}$

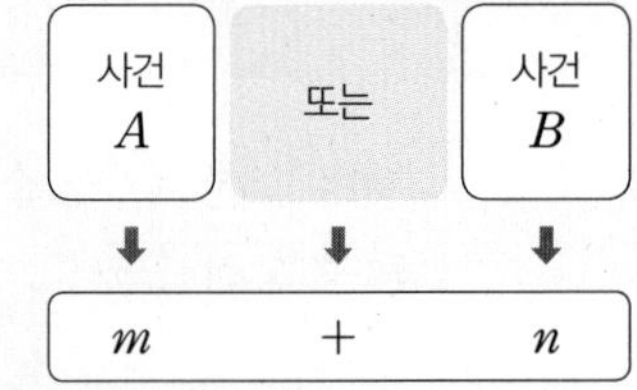

예 한 개의 주사위를 던질 때, 2 이하의 눈 또는 4보다 큰 눈이 나오는 경우의 수는
주사위의 눈이 2 이하인 동시에 4보다 클 수 없으므로
(2 이하의 눈이 나오는 경우의 수)+(4보다 큰 눈이 나오는 경우의 수)$=2+2=4$
(2 이하의 눈: 1, 2 / 4보다 큰 눈: 5, 6)

참고 '두 사건 A, B가 동시에 일어나지 않는다.'는 것은 사건 A가 일어나면 사건 B가 일어날 수 없고, 사건 B가 일어나면 사건 A가 일어날 수 없다는 뜻이다.

사건 A 또는 사건 B가 일어나는 경우의 수 — 중복된 사건이 있는 경우

사건 A 또는 사건 B가 일어나는 경우의 수를 구할 때, 두 사건 A와 B에 중복되는 경우가 있으면

(사건 A 또는 사건 B가 일어나는 경우의 수)

=(사건 A가 일어나는 경우의 수)+(사건 B가 일어나는 경우의 수)−(두 사건 A, B에 중복되는 경우의 수)

➡ 1에서 20까지의 자연수가 각각 적힌 20장의 카드에서 한 장을 뽑을 때, 카드에 적힌 수가 4의 배수 또는 6의 배수인 경우의 수는
(4의 배수인 경우의 수)+(6의 배수인 경우의 수)−(4의 배수이면서 6의 배수인 경우의 수)$=5+3-1=7$
(4의 배수: 4, 8, 12, 16, 20 / 6의 배수: 6, 12, 18 / 4의 배수이면서 6의 배수: 12)

개념확인

1. 한 개의 주사위를 던질 때, 다음을 구하시오.

(1) 3 이하의 눈이 나오는 경우의 수

(2) 5 이상의 눈이 나오는 경우의 수

(3) 3 이하 또는 5 이상의 눈이 나오는 경우의 수

❗ 문장에 '또는', '~이거나'와 같은 표현이 있으면 각 사건의 경우의 수의 합을 이용한다.

2. 서준이가 집에서 학교로 가는 버스 노선은 3가지, 지하철 노선은 5가지가 있다. 버스 또는 지하철을 이용하여 집에서 학교로 가는 경우의 수를 구하시오.

❗ 버스와 지하철을 동시에 이용할 수 없으므로 버스를 이용하는 경우의 수와 지하철을 이용하는 경우의 수를 더한다.

3. 빨간 공 4개, 흰 공 5개, 파란 공 2개가 들어 있는 주머니에서 한 개의 공을 꺼낼 때, 빨간 공이 나오거나 파란 공이 나오는 경우의 수를 구하시오.

개념 적용

사건 A 또는 사건 B가 일어나는 경우의 수－중복된 사건이 없는 경우

1 **서로 다른 두 개의 주사위를 동시에 던질 때, 나오는 눈의 수의 합이 5 또는 7이 되는 경우의 수는?**

① 10　② 11　③ 12　④ 13　⑤ 14

두 사건 A, B가 동시에 일어나지 않을 때, 사건 A 또는 사건 B가 일어나는 경우의 수는 두 사건 A, B가 일어나는 각각의 경우의 수를 구한 후 그 합을 구한다.

[참고]
서로 다른 두 개의 주사위를 동시에 던질 때, 일어나는 사건에 대한 경우의 수는 순서쌍을 이용하여 구한다.

1-1 오른쪽 표는 어떤 분식점의 차림표이다. 김밥 또는 라면 중에서 한 가지 음식을 주문할 때, 주문할 수 있는 경우의 수를 구하시오.

김밥	라면
야채김밥 참치김밥 소고기김밥 모둠김밥	김치라면 만두라면 짬뽕라면

사건 A 또는 사건 B가 일어나는 경우의 수－중복된 사건이 있는 경우

2 **1에서 15까지의 자연수가 각각 적힌 15장의 카드 중에서 한 장의 카드를 뽑을 때, 2의 배수 또는 3의 배수가 적힌 카드가 나오는 경우의 수를 구하시오.**

두 사건의 경우의 수를 더할 때에는 중복되는 경우가 있는지 확인한 후 중복되는 경우가 있으면 중복되는 경우의 수를 뺀다.

2-1 오른쪽 그림과 같이 각 면에 1에서 20까지의 자연수가 각각 적힌 정이십면체 모양의 주사위를 한 번 던질 때, 윗면에 보이는 수가 20의 약수 또는 5의 배수인 경우의 수를 구하시오.

개념 이해 3

사건 A와 사건 B가 동시에 일어나는 경우의 수

사건 A가 일어나는 경우의 수가 m이고, 그 각각의 경우에 대하여 사건 B가 일어나는 경우의 수가 n이면

(사건 A와 사건 B가 동시에 일어나는 경우의 수)$=\boldsymbol{m \times n}$

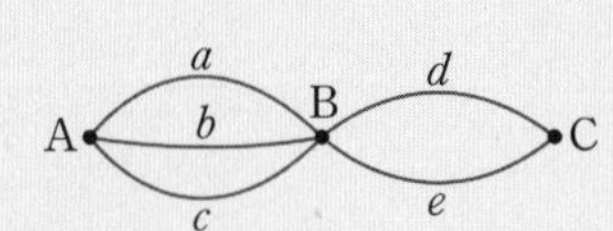

예 2종류의 티셔츠와 3종류의 바지가 있을 때, 티셔츠와 바지를 각각 하나씩 짝 지어 입을 수 있는 경우의 수는 $2\times3=6$

참고 '사건 A와 사건 B가 동시에 일어난다.'는 것은 두 사건이 같은 시간에 일어나는 것만을 뜻하는 것이 아니라 사건 A가 일어나는 각각의 경우에 대하여 사건 B가 일어난다는 뜻이다.
즉, 두 사건 A와 B 모두 일어난다는 뜻이다.

길 또는 교통편을 선택하는 경우의 수

A 지점에서 B 지점까지 가는 길이 3가지, B 지점에서 C 지점까지 가는 길이 2가지일 때, A 지점에서 B 지점을 거쳐 C 지점까지 가는 경우의 수를 구해 보자.

[방법 1] 그림 그리기	[방법 2] 경우의 수의 곱을 이용
A 지점에서 B 지점을 거쳐 C 지점까지 가는 경우는 $a-d$, $a-e$, $b-d$, $b-e$, $c-d$, $c-e$ 따라서 모든 경우의 수는 6이다.	A 지점에서 B 지점으로 가는 경우는 3가지, B 지점에서 C 지점으로 가는 경우는 2가지이므로 A 지점에서 B 지점을 거쳐 C 지점까지 가는 경우의 수는 $3\times2=6$

개념확인

1. 3종류의 빵과 2종류의 음료수가 있을 때, 다음을 구하시오.

(1) 빵을 1개 고르는 경우의 수
(2) 음료수를 1개 고르는 경우의 수
(3) 빵과 음료수를 각각 1개씩 고르는 경우의 수

! 문장에 '~와', '~이고', '동시에'와 같은 표현이 있으면 각 사건의 경우의 수를 곱한다.

2. 4종류의 빨간색 꽃과 2종류의 흰색 꽃 중에서 빨간색 꽃과 흰색 꽃을 각각 한 송이씩 골라 꽃병에 꽂는 경우의 수를 구하시오.

3. 오른쪽 그림과 같이 집에서 문구점까지, 문구점에서 학교까지 가는 길이 각각 3가지씩 있을 때, 다음을 구하시오.

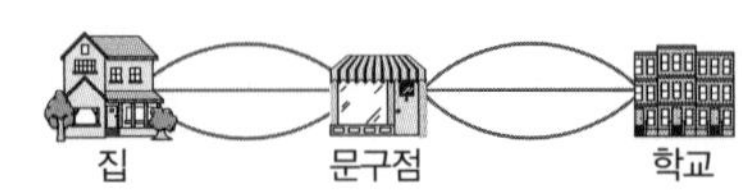

(1) 집에서 문구점까지 가는 경우의 수
(2) 문구점에서 학교까지 가는 경우의 수
(3) 집에서 문구점을 거쳐 학교까지 가는 경우의 수

개념 적용

사건 A와 사건 B가 동시에 일어나는 경우의 수

1 **오른쪽 그림과 같이 자음 ㄱ, ㄴ, ㄷ이 각각 적힌 3장의 카드와 모음 ㅏ, ㅑ, ㅓ, ㅕ가 각각 적힌 4장의 카드가 있다. 자음과 모음이 적힌 카드를 각각 한 장씩 뽑아 만들 수 있는 글자의 개수를 구하시오.**

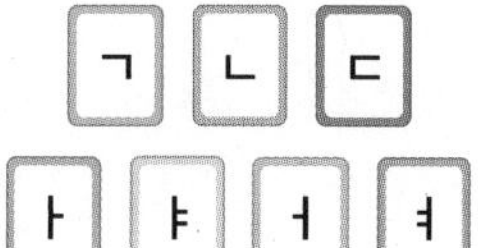

두 사건 A, B가 동시에 일어나는 경우의 수는 두 사건 A, B가 일어나는 경우의 수를 각각 구한 후 그 곱을 구한다.

1-1 서점에 6종류의 수학 문제집과 4종류의 영어 문제집이 있다. 수학 문제집과 영어 문제집을 각각 한 권씩 사는 경우의 수를 구하시오.

길 또는 교통편을 선택하는 경우의 수

2 **오른쪽 그림과 같이 윤수네 집에서 공원까지 가는 길은 3가지, 공원에서 수영장까지 가는 길은 2가지, 윤수네 집에서 수영장까지 바로 가는 길은 2가지가 있다. 이때 윤수네 집에서 수영장까지 가는 경우의 수를 구하시오. (단, 같은 지점을 두 번 지나지 않는다.)**

집에서 수영장까지 가는 경우는
(i) 집에서 공원을 거쳐 수영장까지 가는 경우
(ii) 집에서 수영장까지 바로 가는 경우
가 있다.

2-1 A, B, C 세 지점 사이에 오른쪽 그림과 같은 길이 있다. A 지점에서 C 지점까지 가는 경우의 수를 구하시오. (단, 같은 지점을 두 번 지나지 않는다.)

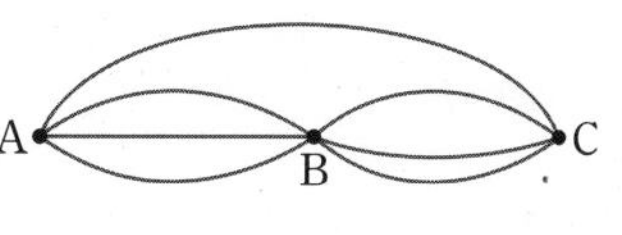

▶ A 지점에서 B 지점을 거쳐 C 지점까지 가거나 A 지점에서 바로 C 지점까지 가는 경우가 있다.

개념 이해

4 동전 또는 주사위를 던질 때의 경우의 수

(1) 서로 다른 m개의 동전을 동시에 던질 때, 일어나는 모든 경우의 수 ➡ 2^m

예) 서로 다른 동전 3개를 동시에 던질 때, 일어나는 모든 경우의 수는 $2^3=8$

(2) 서로 다른 n개의 주사위를 동시에 던질 때, 일어나는 모든 경우의 수 ➡ 6^n

예) 서로 다른 주사위 2개를 동시에 던질 때, 일어나는 모든 경우의 수는 $6^2=36$

(3) 서로 다른 m개의 동전과 서로 다른 n개의 주사위를 동시에 던질 때,
일어나는 모든 경우의 수 ➡ $2^m \times 6^n$

예) 서로 다른 동전 3개와 주사위 1개를 동시에 던질 때, 일어나는 모든 경우의 수는 $2^3 \times 6=48$

• 동전 1개를 던질 때 앞면 또는 뒷면이 나오므로 일어나는 경우의 수는 2이다.

• 주사위 1개를 던질 때 1, 2, 3, 4, 5, 6의 눈이 나오므로 일어나는 경우의 수는 6이다.

주사위를 던질 때의 경우의 수

주사위 1개를 던질 때, 나올 수 있는 경우는 1, 2, 3, 4, 5, 6의 6가지이다.
서로 다른 주사위 2개를 동시에 던질 때, 첫 번째 주사위에서 나올 수 있는 경우는 6가지이고, 각각의 경우에 대하여 두 번째 주사위에서 나올 수 있는 경우도 6가지이므로 일어나는 모든 경우의 수는 $6\times6=36$이다.

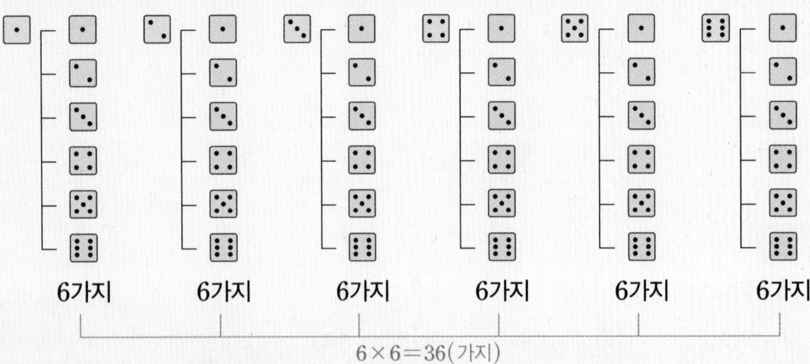

이와 같은 방법으로 서로 다른 n개의 주사위를 동시에 던질 때, 일어나는 모든 경우의 수는 $\underbrace{6\times6\times\cdots\times6}_{n\text{개}}=6^n$이다.

개념확인

1. 서로 다른 동전 2개를 동시에 던질 때, 다음 □ 안에 알맞은 것을 써넣으시오.

(1) 일어나는 모든 경우는 (앞, 앞), (□, 뒤), (□, 앞), (뒤, □)이므로 경우의 수는 □이다.

(2) 서로 같은 면이 나오는 경우는 (앞, □), (□, □)의 □가지이고, 서로 다른 면이 나오는 경우는 (□, 뒤), (□, □)의 □가지이다.

❗ 서로 같은 면이 나오는 경우는 모두 앞면이 나오거나 모두 뒷면이 나오는 경우를 말한다.

2. 두 개의 주사위 A, B를 동시에 던질 때, 다음을 구하시오.

(1) 일어나는 모든 경우의 수

(2) 주사위 A는 홀수의 눈, 주사위 B는 짝수의 눈이 나오는 경우의 수

3. 동전 한 개와 주사위 한 개를 동시에 던질 때, 일어나는 모든 경우의 수를 구하시오.

개념 적용

동전과 주사위를 동시에 던질 때의 경우의 수

1 **동전 1개와 서로 다른 2개의 주사위를 동시에 던질 때, 동전은 앞면이 나오고 주사위는 서로 같은 눈이 나오는 경우의 수를 구하시오.**

서로 다른 n개의 동전이나 n개의 주사위를 동시에 던질 때, 일어나는 경우의 수는 각 사건의 경우의 수를 구한 후 곱한다.

1-1 서로 다른 2개의 동전과 1개의 주사위를 동시에 던질 때, 동전은 서로 다른 면이 나오고 주사위는 소수의 눈이 나오는 경우의 수를 구하시오.

동전 던지기의 응용

2 **서로 다른 4개의 윷가락을 동시에 던질 때, 다음을 구하시오.**

(1) 일어나는 모든 경우의 수

(2) 도가 나오는 경우의 수

서로 다른 윷가락 4개를 동시에 던지는 것은 서로 다른 동전 4개를 던지는 경우와 같다.

2-1 오른쪽 그림과 같은 3개의 전구 A, B, C를 켜거나 끄는 것으로 신호를 보내는 방법은 모두 몇 가지인지 구하시오. (단, 모두 꺼진 경우도 신호로 생각한다.)

2-2 준혁, 연우, 민재 세 명이 가위바위보를 할 때, 일어나는 모든 경우의 수를 구하시오.

개념 이해 5

한 줄로 세우는 경우의 수

(1) n명을 한 줄로 세우는 경우의 수 ➡ $n\times(n-1)\times(n-2)\times\cdots\times2\times1$

- n: n명 중 1명을 뽑는 경우의 수
- $(n-1)$: 1명을 뽑고 남은 $(n-1)$명 중 1명을 뽑는 경우의 수
- $(n-2)$: 2명을 뽑고 남은 $(n-2)$명 중 1명을 뽑는 경우의 수

(2) n명 중에서 2명을 뽑아 한 줄로 세우는 경우의 수 ➡ $n\times(n-1)$

(3) n명 중에서 3명을 뽑아 한 줄로 세우는 경우의 수 ➡ $n\times(n-1)\times(n-2)$

참고 n명 중에서 r명을 뽑아 한 줄로 세우는 경우의 수는 $n\times(n-1)\times(n-2)\times\cdots\times(n-r+1)$ (단, $n\geq r$)
└ n부터 시작하여 1개씩 줄인 항을 r개 곱한 것이다.

A, B, C, D 4명의 학생 중에서

(1) 4명 모두를 한 줄로 세우는 경우의 수

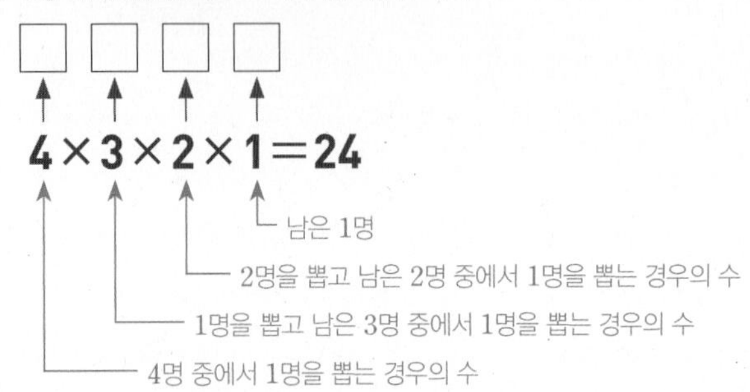

(2) 2명을 뽑아 한 줄로 세우는 경우의 수

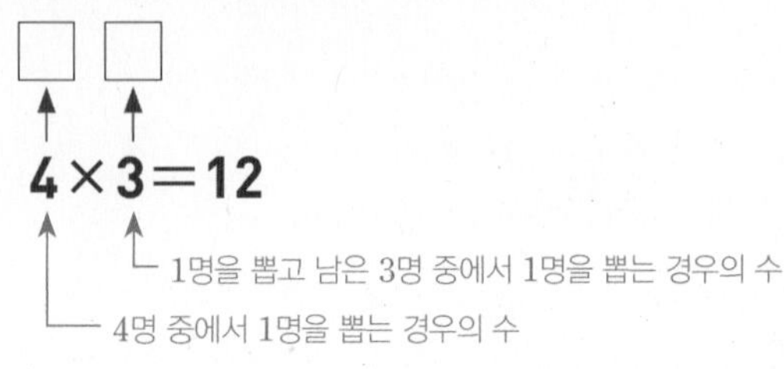

참고 한 줄로 서는 각각의 위치에 학생이 오는 경우의 수를 각각 구한다.
이때 동시에 한 줄로 세우므로 그 각각의 경우의 수를 곱한다.

개념확인

1. 오른쪽 그림과 같은 3개의 의자를 일렬로 배열하는 경우의 수를 구하시오.

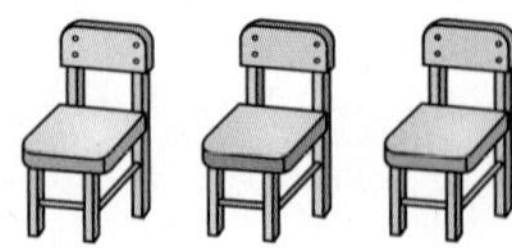

❗ 서로 다른 3개의 의자를 일렬로 배열하는 경우의 수는 3명을 한 줄로 세우는 경우의 수와 같다.

2. 다음을 구하시오.

(1) 5명을 한 줄로 세우는 경우의 수

(2) 5명 중에서 2명을 뽑아 한 줄로 세우는 경우의 수

3. A, B, C, D, E 5명이 일렬로 설 때, A가 세 번째에 서는 경우의 수를 구하시오.

❗ A를 세 번째에 고정시킨 후 나머지를 일렬로 세우는 경우의 수를 구한다.

개념 적용

전체를 한 줄로 세우는 경우의 수

1 **명진, 보영, 미선, 명호, 정희 5명이 나란히 서서 사진을 찍으려고 한다. 나란히 서는 순서를 정하는 방법은 모두 몇 가지인지 구하시오.**

n명을 한 줄로 세우는 경우의 수
➡ $n\times(n-1)\times(n-2)\times\cdots\times2\times1$

1-1 오른쪽 그림은 진희네 반 학생들의 이번 달 현장 체험 학습 장소이다. 4개의 장소를 모두 한 번씩 방문하기로 할 때, 방문 순서를 정하는 방법은 모두 몇 가지인지 구하시오.

▸ 4곳의 현장 체험 학습 장소를 모두 한 번씩 방문하므로 4개의 장소를 한 줄로 세우는 경우의 수와 같음을 이용한다.

일부를 뽑아서 한 줄로 세우는 경우의 수

2 **6개의 알파벳 O, R, A, N, G, E가 각각 적힌 6장의 카드 중에서 3장을 뽑아 일렬로 배열하는 경우의 수를 구하시오.**

n개 중에서 r개를 뽑아 한 줄로 세우는 경우의 수 (단, $n\geq r$)
➡ $\underbrace{n\times(n-1)\times\cdots\times(n-r+1)}_{r\text{개}}$

2-1 서로 다른 5개의 음료수 중에서 3개의 음료수를 골라 A, B, C 세 사람에게 한 개씩 나누어 주는 경우의 수를 구하시오.

2-2 7명의 학생 중에서 4명을 뽑아 이어달리기를 할 때, 달리는 순서를 정하는 경우의 수를 구하시오.

개념 적용

색을 선택하여 칠하는 경우의 수

3 **오른쪽 그림과 같이 A, B, C 세 부분으로 나누어진 깃발에 빨강, 노랑, 파랑, 보라의 4가지 색을 사용하여 칠하려고 한다. A, B, C 세 부분에 서로 다른 색을 칠하려고 할 때, 칠할 수 있는 방법은 모두 몇 가지인지 구하시오.**

각 영역에 칠할 수 있는 색의 수를 구한 후 곱한다.

3-1 오른쪽 그림과 같이 고정된 원판에 빨간색, 파란색, 노란색, 초록색, 검은색을 사용하여 칠하려고 한다. A, B, C, D 네 부분에 서로 다른 색을 칠하는 경우의 수를 구하시오.

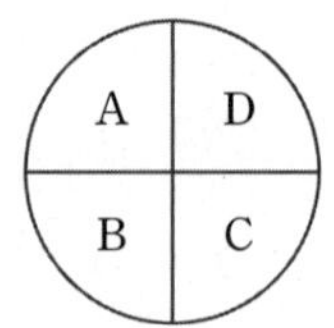

특정한 사람의 자리를 정하고 한 줄로 세우는 경우의 수

4 **태은, 성민, 진희 세 사람이 일렬로 설 때, 진희가 맨 앞 또는 맨 뒤에 서는 경우의 수는?**

① 2 ② 4 ③ 6
④ 8 ⑤ 12

특정한 사람의 자리를 정하고 한 줄로 세우는 경우의 수를 구하는 방법
① 자리가 정해진 사람을 먼저 고정시킨다.
② 나머지를 일렬로 세우는 경우의 수를 구한다.

4-1 부모님과 희진, 윤주, 진규 5명의 식구가 오른쪽 그림과 같은 승용차를 타고 여행을 가려고 한다. 가족 전체가 승용차에 앉을 수 있는 경우의 수는? (단, 부모님만 운전할 수 있고, 운전을 하지 않을 때에는 조수석에 앉는다.)

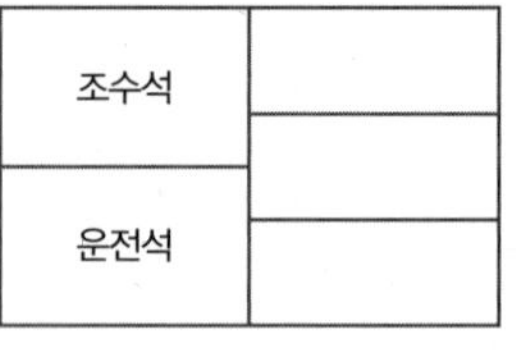

① 6 ② 12 ③ 24
④ 48 ⑤ 60

▸ 부모님을 운전석과 조수석에 고정시킨 후 나머지 3명을 앉히는 경우의 수를 구한다.
이때 부모님의 위치가 서로 바뀌는 경우에 주의한다.

개념 이해

6 이웃하여 한 줄로 세우는 경우의 수

이웃하여 한 줄로 세우는 경우의 수는 다음과 같은 방법으로 구한다.

① 이웃하는 것을 하나로 묶어 한 줄로 세우는 경우의 수를 구한다.

② 묶음 안에서 자리를 바꾸는 경우의 수를 구한다.

③ ①과 ②의 경우의 수를 곱한다.

(이웃하는 것을 하나로 묶어 한 줄로 세우는 경우의 수) × (묶음 안에서 자리를 바꾸는 경우의 수)

A, B, C, D 4명을 한 줄로 세울 때, A, B 두 사람이 이웃하여 서는 경우의 수

① A, B를 하나로 묶어서 한 줄로 세운다.

(A B) C D → 3명을 한 줄로 세우는 것과 같음 → □ □ □

A, B는 이웃해야 하므로 묶어서 1명으로 생각할 수 있다.

$3\times2\times1=6$

② 묶음 안에서 A와 B가 자리를 바꾸는 경우의 수를 구한다.

(A B) (B A) → 묶음 안에서의 경우의 수 → 2

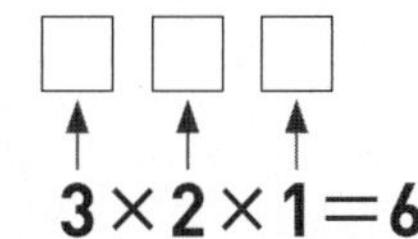

③ ①과 ②를 곱한다.

(A, B를 하나로 묶어 한 줄로 세우는 경우의 수) × (A, B의 자리를 바꾸는 경우의 수) $=6\times2=12$

참고 ① 2명끼리 자리를 바꾸는 경우의 수: $2\times1=2$ ② 3명끼리 자리를 바꾸는 경우의 수: $3\times2\times1=6$

이웃하여 있는 경우는 왜 묶어서 생각할까?

A, B, C, D 4명을 한 줄로 세울 때, A, B 두 사람이 이웃하여 서는 것은 A와 B가 나란히 붙어서 선다는 뜻이다. 즉, A의 위치가 결정되면 B는 당연히 A 옆에 서게 되므로 다음과 같이 A와 B를 묶어서 한 사람으로 생각한다.

❶ (A, B, C, D) (A, B, D, C) (C, A, B, D) (D, A, B, C) (C, D, A, B) (D, C, A, B)

A와 B를 묶어 한 사람으로 생각하여 한 줄로 세우는 경우와 같으므로

3명을 한 줄로 세우는 것과 같다. ➡ $3\times2\times1=6$

단, 주의할 점이 있다. 위의 각각의 경우에 대하여 A와 B가 자리를 바꾸어 서는 경우도 생각해야 한다.

❷ (B, A, C, D) (B, A, D, C) (C, B, A, D) (D, B, A, C) (C, D, B, A) (D, C, B, A)

각각에 대하여 A, B의 순서만 B, A로 바뀌는 것이므로

❶의 경우의 수에 2를 곱한다. ➡ $(3\times2\times1)\times2=12$

개념확인

1. 다음은 남학생 4명과 여학생 2명이 한 줄로 설 때, 여학생끼리 이웃하여 서는 경우의 수를 구하는 과정이다. □ 안에 알맞은 수를 써넣으시오.

> 여학생 2명을 한 명으로 생각하여 5명을 한 줄로 세우는 경우의 수는
> □×□×□×□×□=□
> 이때 여학생끼리 서로 자리를 바꾸는 경우의 수는
> □
> 따라서 여학생끼리 이웃하여 서는 경우의 수는
> □×□=□

2. 다음은 알파벳 a, b, c, d, e 5개를 일렬로 나열할 때, 자음끼리 이웃하는 경우의 수를 구하는 과정이다. □ 안에 알맞은 수를 써넣으시오.

> 자음은 b, c, d이므로 b, c, d를 한 묶음으로 생각하여 알파벳 □개를 일렬로 나열하는 경우의 수는
> □×□×□=□
> 이때 b, c, d가 자리를 바꾸는 경우의 수는
> □×□×□=□
> 따라서 자음끼리 이웃하는 경우의 수는
> □×□=□

개념 적용

이웃하여 한 줄로 세우는 경우의 수 (1)

1 **서로 다른 3권의 소설책과 서로 다른 2권의 시집을 책꽂이에 한 줄로 꽂을 때, 시집 2권을 이웃하게 꽂는 경우의 수를 구하시오.**

(이웃하여 한 줄로 세우는 경우의 수)
=(이웃하는 것을 하나로 묶어 한 줄로 세우는 경우의 수)
×(묶음 안에서 자리를 바꾸는 경우의 수)

1-1 남학생 3명과 여학생 3명을 일렬로 세울 때, 여학생끼리 서로 이웃하여 서는 경우의 수는?

① 48　② 96　③ 120　④ 144　⑤ 240

이웃하여 한 줄로 세우는 경우의 수 (2)

2 **A, B, C, D, E 5명을 한 줄로 세울 때, A와 E, B와 D가 각각 이웃하여 서는 경우의 수를 구하시오.**

A와 E, B와 D가 각각 자리를 바꾸어 서는 경우의 수를 생각해야 한다.

2-1 어른 3명, 어린이 2명을 한 줄로 세울 때, 어른은 어른끼리, 어린이는 어린이끼리 이웃하여 서는 경우의 수는?

① 12　② 24　③ 36　④ 48　⑤ 60

자연수의 개수

서로 다른 한 자리의 숫자가 각각 적힌 n장의 카드 중에서

(1) 0을 포함하지 않는 경우

① 2장을 뽑아 만들 수 있는 두 자리의 자연수의 개수 ➡ $n\times(n-1)$(개)

② 3장을 뽑아 만들 수 있는 세 자리의 자연수의 개수 ➡ $n\times(n-1)\times(n-2)$(개)

1, 2, 3, 4의 숫자가 각각 적힌 4장의 카드 중에서 2장을 뽑아 만들 수 있는 두 자리의 자연수의 개수는

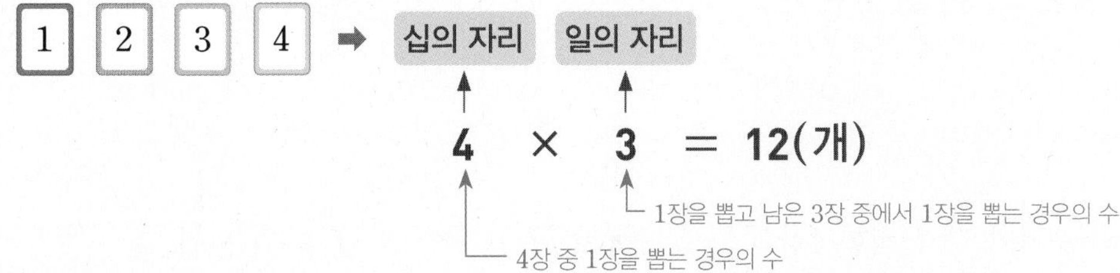

참고 0이 아닌 서로 다른 한 자리의 숫자가 각각 적힌 n장의 카드로 만들 수 있는 r자리의 자연수의 개수는 n개 중에서 r개를 뽑아 한 줄로 세우는 경우의 수와 같으므로 $\underbrace{n\times(n-1)\times\cdots\times(n-r+1)}_{r\text{개}}$(개) (단, $n\ge r$)

(2) 0을 포함하는 경우

① 2장을 뽑아 만들 수 있는 두 자리의 자연수의 개수 ➡ $(n-1)\times(n-1)$(개)

② 3장을 뽑아 만들 수 있는 세 자리의 자연수의 개수 ➡ $(n-1)\times(n-1)\times(n-2)$(개)

0, 1, 2, 3의 숫자가 각각 적힌 4장의 카드 중에서 2장을 뽑아 만들 수 있는 두 자리의 자연수의 개수는

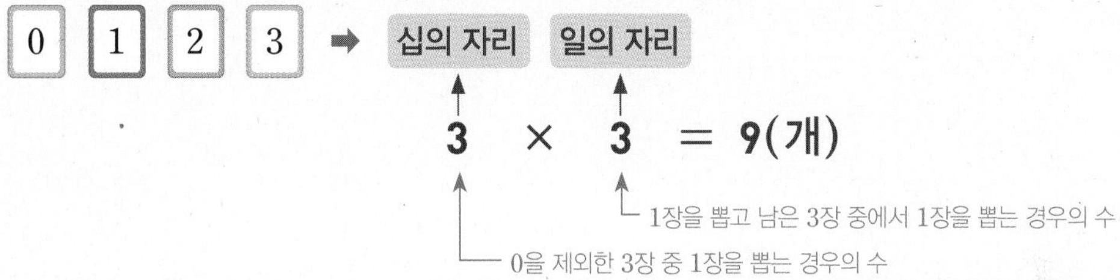

참고 0부터 $(n-1)$까지의 서로 다른 한 자리의 숫자가 각각 적힌 n장의 카드로 만들 수 있는 r자리의 자연수의 개수는 맨 앞자리에는 0이 올 수 없으므로 $\underbrace{(n-1)\times(n-1)\times(n-2)\times\cdots\times(n-r+1)}_{r\text{개}}$(개) (단, $n\ge r$)

개념확인

1. 1, 3, 5, 7의 숫자가 각각 적힌 4장의 카드가 있다. 다음을 구하시오.

(1) 2장을 뽑아 만들 수 있는 두 자리의 자연수의 개수

(2) 3장을 뽑아 만들 수 있는 세 자리의 자연수의 개수

❗ 0을 포함하지 않으므로 4장의 카드 중 2장, 3장을 뽑아 한 줄로 세우는 경우의 수와 같다.

2. 0, 2, 4, 6의 숫자가 각각 적힌 4장의 카드가 있다. 다음을 구하시오.

(1) 2장을 뽑아 만들 수 있는 두 자리의 자연수의 개수

(2) 3장을 뽑아 만들 수 있는 세 자리의 자연수의 개수

❗ 0은 맨 앞자리에 올 수 없다.

개념 적용

0을 포함하지 않는 경우의 자연수 만들기

1 **1, 2, 3, 4, 5의 숫자가 각각 적힌 5장의 카드 중에서 3장을 뽑아 만들 수 있는 세 자리의 자연수의 개수는?**

① 3개 ② 6개 ③ 12개
④ 24개 ⑤ 60개

0이 아닌 서로 다른 한 자리의 숫자가 각각 적힌 n장의 카드 중에서
(1) 2장을 뽑아 만들 수 있는 두 자리의 자연수의 개수
➡ $n\times(n-1)$(개)
(2) 3장을 뽑아 만들 수 있는 세 자리의 자연수의 개수
➡ $n\times(n-1)\times(n-2)$(개)

1-1 1, 2, 3, 4의 숫자가 각각 적힌 4장의 카드 중에서 3장을 뽑아 만들 수 있는 세 자리의 자연수 중 일의 자리의 숫자가 1인 자연수의 개수를 구하시오.

▸ 일의 자리의 숫자가 1로 정해졌으므로 1을 제외한 세 개의 숫자로 백의 자리, 십의 자리의 수를 정하는 경우의 수를 구한다.

1-2 1, 2, 3, 4, 5, 6의 숫자가 각각 적힌 6장의 카드 중에서 2장을 뽑아 만들 수 있는 두 자리의 자연수 중 짝수의 개수를 구하시오.

1-3 1, 2, 3, 4의 숫자가 각각 적힌 4장의 카드 중에서 3장을 뽑아 만들 수 있는 세 자리의 자연수 중 314보다 큰 수의 개수를 구하시오.

▸ 백의 자리의 숫자가 3인 경우와 4인 경우로 나누어서 생각한다.

1-4 1, 2, 3, 4, 5의 5개의 숫자를 한 번씩만 사용하여 두 자리의 자연수를 만들어 작은 수부터 차례로 나열할 때, 41은 몇 번째 수인가?

① 12번째 ② 13번째 ③ 15번째
④ 19번째 ⑤ 20번째

0을 포함하는 경우의 자연수 만들기

2 **0, 2, 4, 6, 8의 숫자가 각각 적힌 5장의 카드가 있다. 다음을 구하시오.**

(1) 2장을 뽑아 만들 수 있는 두 자리의 자연수의 개수

(2) 3장을 뽑아 만들 수 있는 세 자리의 자연수의 개수

0을 포함한 서로 다른 한 자리의 숫자가 각각 적힌 n장의 카드 중에서
(1) 2장을 뽑아 만들 수 있는 두 자리의 자연수의 개수
➡ $(n-1)\times(n-1)$(개)
(2) 3장을 뽑아 만들 수 있는 세 자리의 자연수의 개수
➡ $(n-1)\times(n-1)\times(n-2)$(개)

2-1 0, 1, 2, 3의 숫자가 각각 적힌 4장의 카드 중에서 3장을 뽑아 만들 수 있는 세 자리의 자연수 중 짝수의 개수를 구하시오.

2-2 0, 1, 2, 3, 4, 5의 숫자가 각각 적힌 6장의 카드 중에서 3장을 뽑아 세 자리의 자연수를 만들 때, 5의 배수의 개수를 구하시오.

2-3 0, 1, 3, 5, 7, 9의 6개의 숫자를 사용하여 두 자리의 자연수를 만들려고 한다. 같은 숫자를 여러 번 사용해도 된다고 할 때, 만들 수 있는 두 자리의 자연수의 개수를 구하시오.

▶ 같은 숫자를 여러 번 사용할 수 있으므로 십의 자리에 온 숫자를 제외하지 않아도 된다.

2-4 0, 1, 2, 3, 4의 숫자가 각각 적힌 5장의 카드 중에서 2장을 뽑아 두 자리의 자연수를 만들 때, 다음을 구하시오.

(1) 21 이상인 자연수의 개수　　(2) 40 이하인 자연수의 개수

개념 이해 9

자격이 같은 대표를 뽑는 경우의 수

(1) n명 중에서 자격이 같은 2명을 뽑는 경우의 수 ➡ $\frac{n\times(n-1)}{2}$

(2) n명 중에서 자격이 같은 3명을 뽑는 경우의 수 ➡ $\frac{n\times(n-1)\times(n-2)}{3\times2\times1}$

〈대표〉〈대표〉 = 〈대표〉〈대표〉

A, B, C 세 명 중에서 대표 2명을 뽑는 경우의 수는

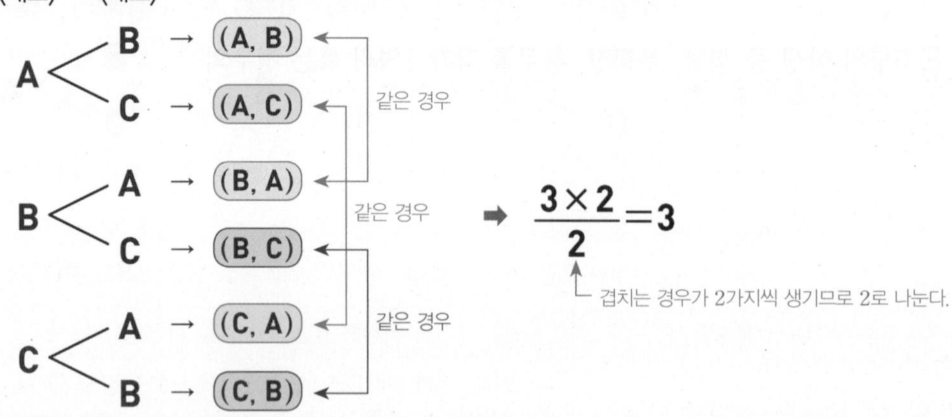

참고 자격이 같은 대표를 뽑는 경우의 수는 뽑는 순서와 관계가 없다. 즉, 순서를 생각하지 않으므로 겹치는 경우의 수로 나누어 준다.

① 자격이 같은 대표: 호칭의 구별이 없는 경우 ㉠ 대표 2명

② 자격이 다른 대표는 (A, B), (B, A)가 다른 경우이지만 자격이 같은 대표는 (A, B), (B, A)가 같은 경우이다.

자격이 같은 대표 3명을 뽑을 때, 중복되는 경우는 3가지일까?

자격이 같은 대표 2명을 뽑을 때 (A, B)와 (B, A)는 같은 경우이므로 중복되는 경우의 수 2로 나누어 준다. 그렇다면 자격이 같은 대표 3명을 뽑을 때는 어떤 수로 나눠야 할까?

자격이 같은 대표를 뽑는 경우는 뽑는 순서와 관계가 없다. 자격이 같은 대표 3명을 뽑을 때,
(A, B, C)=(A, C, B)=(B, A, C)=(B, C, A)=(C, A, B)=(C, B, A)이므로 중복되는 경우의 수는 6이다.
➡ 중복되는 경우의 수는 A, B, C를 한 줄로 세우는 경우의 수($3\times2\times1=6$)와 같다.

즉, 자격이 같은 대표 2명을 뽑을 때 중복되는 경우의 수 2는 A, B를 한 줄로 세우는 경우의 수이고, 자격이 같은 대표 3명을 뽑을 때 중복되는 경우의 수 6은 A, B, C를 한 줄로 세우는 경우의 수이다. 따라서 자격이 같은 대표 n명을 뽑을 때 중복되는 경우의 수는 n명을 한 줄로 세우는 경우의 수와 같다.
($n\times(n-1)\times\cdots\times2\times1$)

A, B, C, D, E, F, G, H 8명 중에서 자격이 같은 4명의 대표를 뽑는 경우의 수는
❶ 8명 중에서 4명을 한 줄로 세우는 경우의 수를 구한다. ➡ $8\times7\times6\times5$
❷ ❶에서 구한 경우의 수를 4명이 중복되는 경우의 수, 즉 4명을 한 줄로 세우는 경우의 수로 나눈다. ➡ $\frac{8\times7\times6\times5}{4\times3\times2\times1}=70$

개념확인

1. A, B, C, D 4명 중에서 주번 2명을 뽑는 경우의 수를 구하시오.

2. A, B, C, D, E 5명 중에서 다음과 같이 대표를 뽑는 경우의 수를 구하시오.

(1) 대의원 2명

(2) 대의원 3명

개념 적용

자격이 같은 대표를 뽑는 경우의 수

1 **6명이 긴줄넘기를 하려고 한다. 6명 중에서 줄을 돌릴 2명을 선택하는 경우의 수를 구하시오.**

n명 중에서 자격이 같은 2명을 뽑는 경우의 수는 n명 중에서 순서에 관계없이 2명을 뽑는 경우의 수와 같으므로 $\frac{n\times(n-1)}{2}$

1-1 농구 동아리 학생 10명 중에서 길거리 농구 대회에 참가할 선수 3명을 뽑는 경우의 수를 구하시오.

1-2 9개 반의 회장들이 모여 회의를 하려고 한다. 각 반 회장들이 한 사람도 빠짐없이 서로 한 번씩 악수를 주고 받았다면 모두 몇 번의 악수를 한 것인가?

① 6번 ② 12번 ③ 21번
④ 28번 ⑤ 36번

▶ 1반 회장과 2반 회장이 악수하는 경우와 2반 회장과 1반 회장이 악수하는 경우는 같다.

선분 또는 삼각형의 개수

2 **오른쪽 그림과 같이 한 원 위에 5개의 점이 있다. 이 중에서 두 점을 연결하여 만들 수 있는 선분의 개수를 구하시오.**

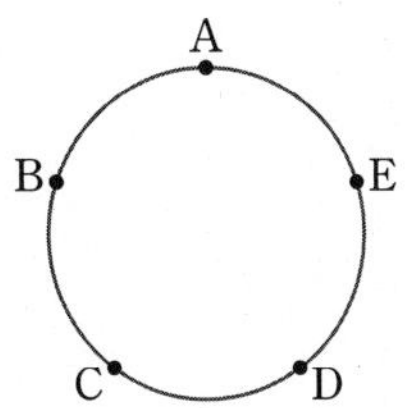

어느 세 점도 한 직선 위에 있지 않은 n개의 점 중에서
(1) (두 점을 연결하여 만들 수 있는 선분의 개수) $=\frac{n\times(n-1)}{2}$(개)
(2) (세 점을 연결하여 만들 수 있는 삼각형의 개수) $=\frac{n\times(n-1)\times(n-2)}{3\times2\times1}$(개)

2-1 오른쪽 그림과 같이 한 원 위에 7개의 점이 있다. 이 중에서 세 점을 연결하여 만들 수 있는 삼각형의 개수를 구하시오.

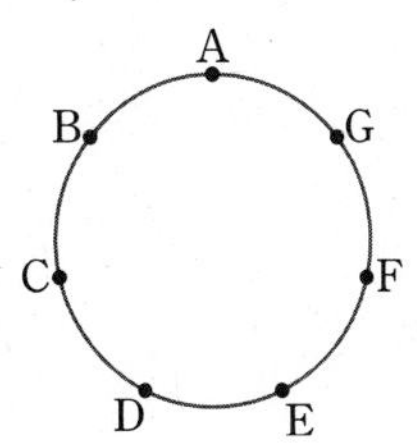

개념 특강

같은 조건, 여러 상황에서의 경우의 수

남학생 3명, 여학생 3명을 일렬로 세울 때, 상황에 따라 접근 방법이 달라진다.

1. 6명의 학생을 일렬로 세우는 경우

Key 한 명씩 차례대로 세운다.

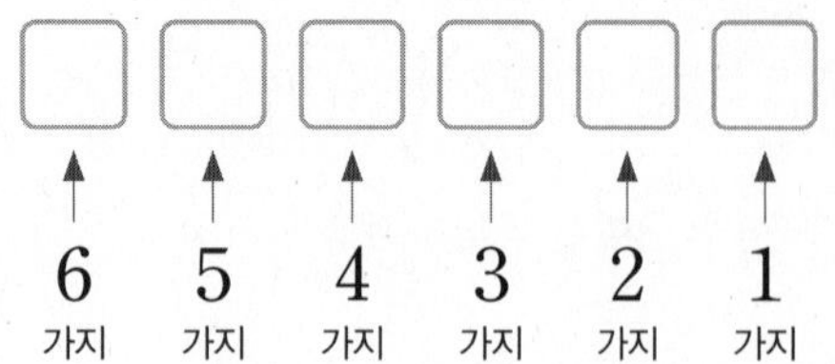

왼쪽부터 차례대로 세우기 → $6\times5\times4\times3\times2\times1=720$

2. 남학생 3명이 이웃하는 경우

Key 이웃하는 것을 한 덩어리로 생각한다.

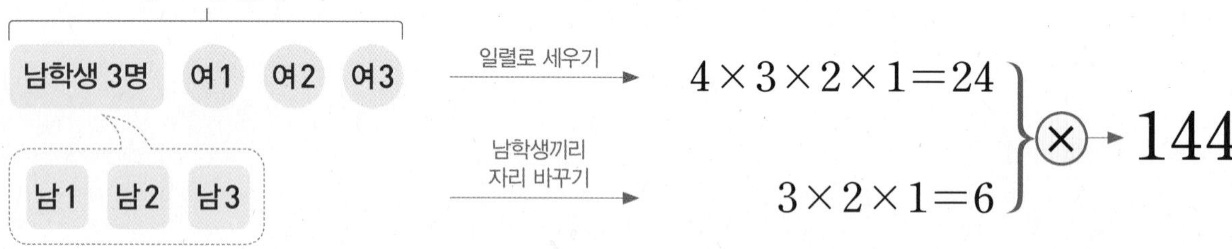

일렬로 세우기 → $4\times3\times2\times1=24$

남학생끼리 자리 바꾸기 → $3\times2\times1=6$

⊗ → 144

3. 남학생과 여학생을 번갈아 세우는 경우

Key 맨 앞에 세우는 성별을 기준으로 분류한다.

남 여 남 여 남 여 → 남학생 먼저 세우기 → $(3\times2\times1)\times(3\times2\times1)=36$ (남학생을 세우는 경우의 수, 여학생을 세우는 경우의 수)

여 남 여 남 여 남 → 여학생 먼저 세우기 → 36

⊕ → 72

4. 남학생 3명 중 어느 두 명도 이웃하지 않는 경우

방법 1 Key 남학생을 먼저 일렬로 세우고 여학생을 남학생 사이에 세운다.

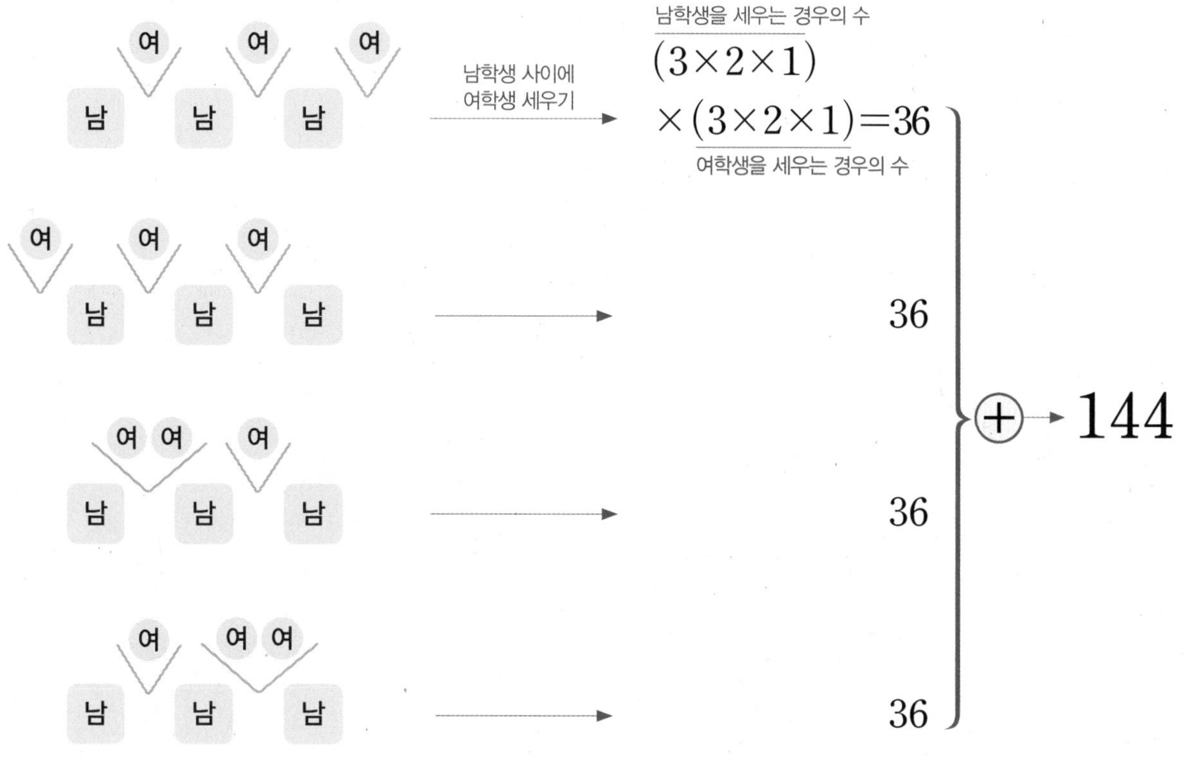

방법 2 Key 여학생을 먼저 일렬로 세우고 남학생을 여학생 사이사이에 세운다.

※남학생을 여학생 사이사이에 세우면 남학생 사이에 반드시 여학생이 있기 때문에 남학생 중 어느 두 명도 이웃하지 않게 된다.

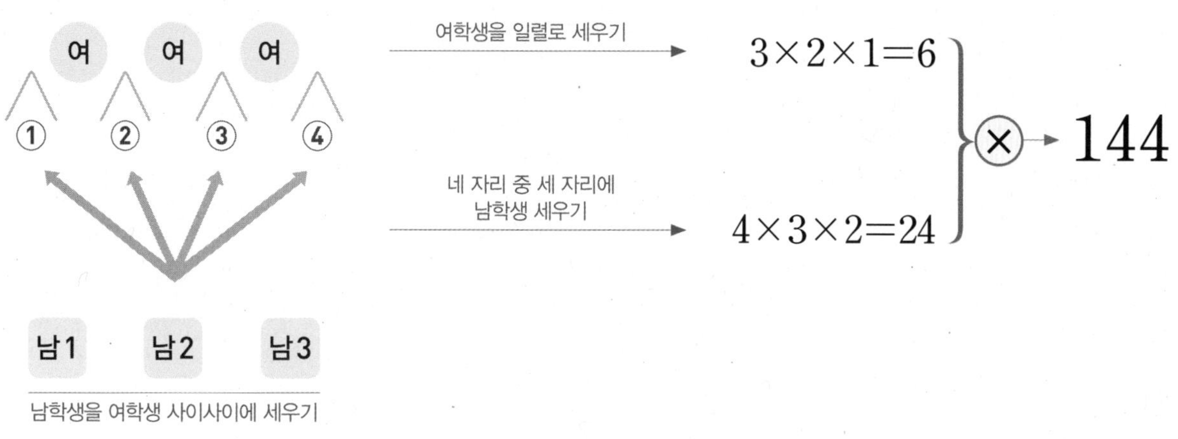

개념 완성 기본 문제

1 돈을 지불하는 경우의 수

50원짜리, 100원짜리, 500원짜리 동전이 각각 4개씩 있다. 이 동전으로 1600원을 지불하는 경우의 수를 구하시오.

2 사건 A 또는 사건 B가 일어나는 경우의 수 – 중복된 사건이 없는 경우

책꽂이에 서로 다른 종류의 소설책 6권과 만화책 5권이 꽂혀 있다. 이 중에서 소설책 또는 만화책을 한 권 고르는 경우의 수를 구하시오.

3 사건 A와 사건 B가 동시에 일어나는 경우의 수

오른쪽 그림과 같이 자음과 모음이 적힌 카드 5장이 있다. 자음과 모음이 적힌 카드를 각각 한 장씩을 골라 만들 수 있는 글자의 개수를 구하시오.

4 길 또는 교통편을 선택하는 경우의 수

다음 그림과 같이 네 지점 A, B, C, D가 연결되어 있다. A 지점을 출발하여 D 지점으로 가는 모든 경우의 수는? (단, 한 번 갔던 지점은 다시 가지 않는다.)

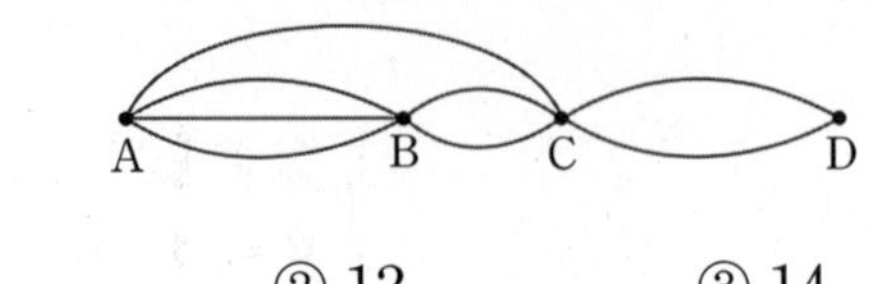

① 10 ② 12 ③ 14
④ 16 ⑤ 18

5 동전과 주사위를 동시에 던질 때의 경우의 수

다음은 어떤 사건이 일어나는 경우의 수에 대하여 수정, 연화, 진서, 정환이가 나눈 대화 내용이다. 잘못 말한 사람을 찾고 바르게 고치시오.

> 수정: 주사위 1개를 던질 때, 일어나는 모든 경우의 수는 6이야.
> 연화: 서로 다른 동전 3개를 동시에 던질 때, 일어나는 모든 경우의 수는 6이야.
> 진서: 서로 다른 동전 2개와 주사위 1개를 동시에 던질 때, 일어나는 모든 경우의 수는 24야.
> 정환: 동전 1개와 주사위 1개를 동시에 던질 때, 일어나는 모든 경우의 수는 12야.

6 전체를 한 줄로 세우는 경우의 수

진희는 수학여행에서 친구 4명과 사진을 찍으려고 한다. 앞줄에 3명, 뒷줄에 2명이 서는 경우의 수를 구하시오.

7 일부를 뽑아서 한 줄로 세우는 경우의 수

6명의 학생 중에서 4명을 뽑아 청소당번의 순서를 정하는 경우의 수를 구하시오.

8 특정한 사람의 자리를 정하고 한 줄로 세우는 경우의 수

부모님을 포함한 5명의 가족이 일렬로 설 때, 부모님이 양 끝에 서는 경우의 수는?

① 8 ② 12 ③ 16
④ 24 ⑤ 32

9 이웃하여 한 줄로 세우는 경우의 수 (1)

여학생 3명, 남학생 4명을 일렬로 세울 때, 여학생끼리 이웃하여 서는 경우의 수를 구하시오.

10 0을 포함하는 경우의 자연수 만들기

0, 1, 2, 3, 4의 숫자가 각각 적힌 5장의 카드 중에서 2장을 뽑아 만들 수 있는 두 자리의 자연수 중 짝수의 개수를 구하시오.

11 자격이 다른 대표를 뽑는 경우의 수

어느 중학교 볼링 동아리 인원 10명 중에서 주장 1명, 부주장 1명을 뽑는 경우의 수를 구하시오.

12 자격이 같은 대표를 뽑는 경우의 수

주요 8개국 정상회담(G8)은 세계 정치와 경제를 주도하는 주요 8개국(독일, 러시아, 미국, 영국, 이탈리아, 일본, 캐나다, 프랑스)의 정상들이 모여 정치와 경제 문제에 대해 회의를 하는 것이다. 주요 8개국 정상들이 한 사람도 빠짐없이 서로 한 번씩 악수를 주고 받았다면 모두 몇 번의 악수를 한 것인지 구하시오.

개념 완성

발전 문제

1 오른쪽 그림과 같이 A, B, C 세 지점 사이를 잇는 길이 있다. A 지점에서 출발하여 B 지점을 거쳐 C 지점까지 갈 때, 최단 거리로 가는 경우의 수를 구하시오.

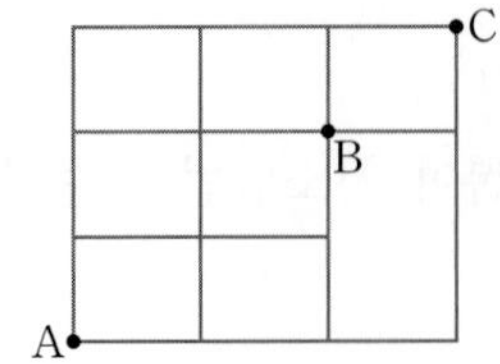

A 지점에서 B 지점까지의 최단 거리는 오른쪽으로 2칸, 위쪽으로 2칸만큼 간 거리이므로 방향을 정하여 가는 길을 빠짐없이 세어 본다.

2 오른쪽 그림과 같은 A, B, C, D 네 부분에 빨강, 파랑, 노랑, 초록의 4가지 색을 사용하여 칠하려고 한다. 같은 색을 여러 번 사용해도 좋으나 이웃하는 부분은 서로 다른 색이 되도록 할 때, 칠할 수 있는 모든 경우의 수를 구하시오.

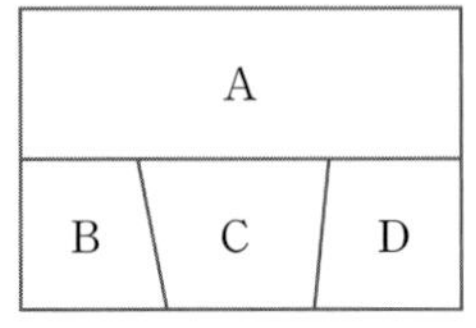

3 경찰관 6명과 소방관 5명 중에서 2명을 뽑을 때, 2명의 직업이 같은 경우의 수를 구하시오.

2명의 직업이 같도록 경찰관, 소방관에서 각각 2명씩 뽑는 경우의 수를 구한 후 더한다.

4 1에서 9까지의 숫자가 각각 적힌 9장의 카드 중에서 동시에 2장의 카드를 뽑아 각각의 카드에 적힌 수를 곱했을 때, 짝수가 되는 경우의 수를 구하시오.

(단, 뽑는 순서는 생각하지 않는다.)

두 수의 곱이 짝수가 되는 경우는 (짝수)×(짝수) 또는 (짝수)×(홀수) 또는 (홀수)×(짝수)인 경우이다.

5 오른쪽 그림과 같이 반원 위에 6개의 점이 있다. 이 중에서 세 점을 연결하여 만들 수 있는 삼각형의 개수를 구하시오.

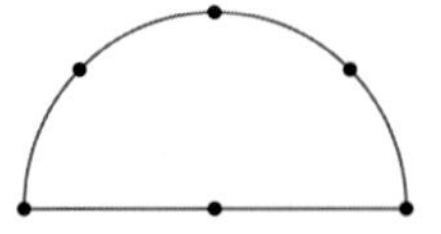

6 서술형

오른쪽 그림과 같이 한 원 위에 6개의 점이 있다. 이 중에서 두 점을 연결하여 만들 수 있는 선분의 개수를 a개, 세 점을 연결하여 만들 수 있는 삼각형의 개수를 b개라 할 때, $a+b$의 값을 구하기 위한 풀이 과정을 쓰고 답을 구하시오.

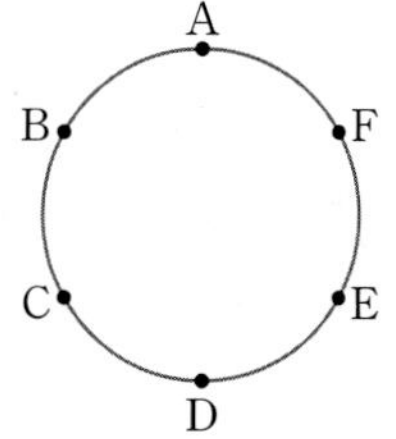

① 단계: a의 값 구하기

만들 수 있는 선분의 개수는 6개의 점 중에서 순서에 관계없이 2개의 점을 뽑는 경우의 수와 같으므로 $a=$ ______

② 단계: b의 값 구하기

만들 수 있는 삼각형의 개수는 6개의 점 중에서 순서에 관계없이 3개의 점을 뽑는 경우의 수와 같으므로 $b=$ ______

③ 단계: $a+b$의 값 구하기

$a+b=$ ______

► Check List
- a의 값을 바르게 구하였는가?
- b의 값을 바르게 구하였는가?
- $a+b$의 값을 바르게 구하였는가?

7 서술형

0, 1, 2, 3, 4의 숫자가 각각 적힌 5장의 카드 중에서 3장을 뽑아 만들 수 있는 세 자리의 자연수 중 27번째로 큰 수를 구하기 위한 풀이 과정을 쓰고 답을 구하시오.

① 단계: 백의 자리 숫자가 4인 수의 개수 구하기

______

② 단계: 백의 자리 숫자가 3인 수의 개수 구하기

______

③ 단계: 27번째로 큰 수 구하기

______

► Check List
- 백의 자리의 숫자가 4인 수의 개수를 바르게 구하였는가?
- 백의 자리의 숫자가 3인 수의 개수를 바르게 구하였는가?
- 27번째로 큰 수를 바르게 구하였는가?

2 확률과 그 계산

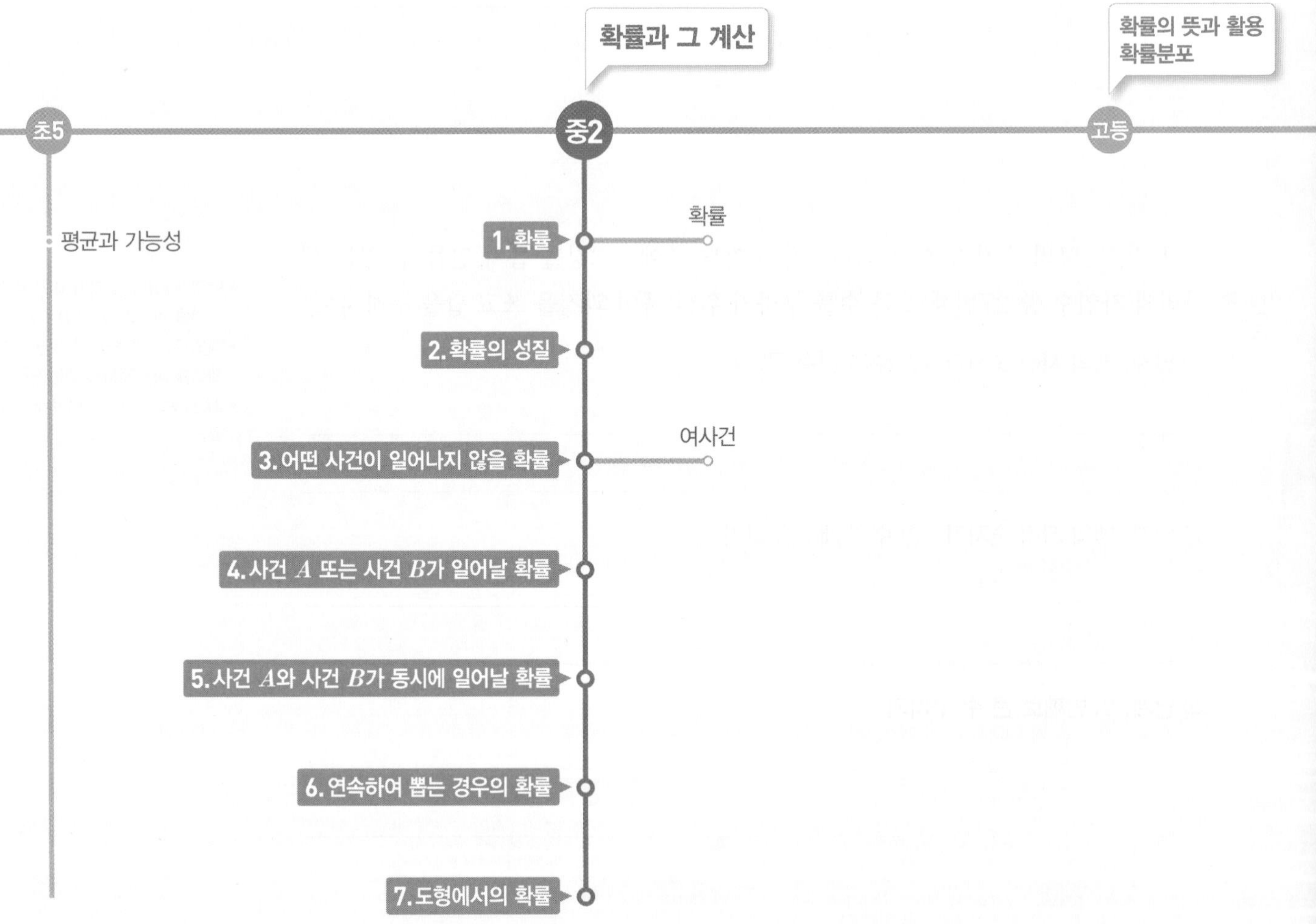

확률과 그 계산
확률의 뜻과 활용
확률분포
초5
중2
고등
평균과 가능성
1. 확률
확률
2. 확률의 성질
3. 어떤 사건이 일어나지 않을 확률
여사건
4. 사건 A 또는 사건 B가 일어날 확률
5. 사건 A와 사건 B가 동시에 일어날 확률
6. 연속하여 뽑는 경우의 확률
7. 도형에서의 확률

사건이 일어날 가능성을 수로 나타내다!

$= \frac{3}{8}$

$$\frac{(\text{특정 사건이 일어나는 경우의 수})}{(\text{모든 경우의 수})}$$

확률

(1) 확률: 같은 조건 아래에서 실험이나 관찰을 여러 번 반복할 때, 어떤 사건이 일어나는 상대도수가 일정한 값에 가까워지면 이 일정한 값을 그 사건이 일어날 확률이라 한다.

• 확률은 어떤 사건이 일어날 가능성을 수로 나타낸 것으로 보통 분수, 소수, 백분율(%) 등으로 나타낸다.

(2) 사건 A가 일어날 확률: 어떤 실험이나 관찰에서 각각의 경우가 일어날 가능성이 모두 같을 때, 일어나는 모든 경우의 수가 n이고 어떤 사건 A가 일어나는 경우의 수가 a이면 사건 A가 일어날 확률 p는

• 확률을 나타내는 영어 p는 $probability$의 첫 글자이다.

➡ $p = \dfrac{(\text{사건 } A\text{가 일어나는 경우의 수})}{(\text{일어나는 모든 경우의 수})} = \dfrac{a}{n}$

㉠ 동전 1개를 던질 때, 일어나는 모든 경우의 수는 앞면, 뒷면의 2이고, 뒷면이 나오는 경우의 수가 1이므로

$(\text{뒷면이 나올 확률}) = \dfrac{(\text{뒷면이 나오는 경우의 수})}{(\text{일어나는 모든 경우의 수})} = \dfrac{1}{2}$

확률 구하기

사건 A가 일어날 확률 구하는 순서	한 개의 주사위를 던질 때, 짝수의 눈이 나올 확률
① 일어나는 모든 경우의 수를 구한다. ➡ n ② 사건 A가 일어나는 경우의 수를 구한다. ➡ a ③ (사건 A가 일어날 확률) ➡ $\dfrac{②}{①} = \dfrac{a}{n}$	① 일어나는 모든 경우의 수 ➡ 6 ② 짝수의 눈이 나오는 경우의 수 ➡ 3 ③ (짝수의 눈이 나올 확률) ➡ $\dfrac{3}{6} = \dfrac{1}{2}$

개념확인

1. 한 개의 주사위를 던질 때, 다음을 구하시오.

(1) 일어나는 모든 경우의 수
(2) 3의 배수의 눈이 나오는 경우의 수
(3) 3의 배수의 눈이 나올 확률

2. 서로 다른 동전 2개를 동시에 던질 때, 다음을 구하시오.

(1) 일어나는 모든 경우의 수
(2) 모두 앞면이 나오는 경우의 수
(3) 모두 앞면이 나올 확률

개념 적용

확률

1 **오른쪽 그림과 같이 각 면에 1에서 12까지의 자연수가 각각 적힌 정십이면체 모양의 주사위가 있다. 이 주사위를 한 번 던질 때, 다음을 구하시오.**

(1) 윗면에 두 자리의 자연수가 나올 확률

(2) 윗면에 5의 배수가 나올 확률

사건 A가 일어날 확률 p
➡ $p=\dfrac{(\text{사건 } A\text{가 일어나는 경우의 수})}{(\text{일어나는 모든 경우의 수})}$

1-1 흰 공 4개, 빨간 공 5개, 노란 공 6개가 들어 있는 주머니에서 한 개의 공을 꺼낼 때, 노란 공이 나올 확률을 구하시오.

1-2 두 개의 주사위 A, B를 동시에 던질 때, 두 눈의 수의 합이 5일 확률을 구하시오.

방정식, 부등식에서의 확률

2 **한 개의 주사위를 2번 던져 처음에 나온 눈의 수를 x, 두 번째에 나온 눈의 수를 y라 할 때, $2x+y=8$이 될 확률을 구하시오.**

x, y는 주사위의 눈의 수이므로 $1\leq x\leq 6$, $1\leq y\leq 6$
이때 주어진 방정식을 만족하는 순서쌍 (x, y)의 개수를 구한다.

2-1 두 개의 주사위 A, B를 동시에 던져 A 주사위에서 나온 눈의 수를 x, B 주사위에서 나온 눈의 수를 y라 할 때, $x+y\geq 10$일 확률을 구하시오.

확률의 성질

(1) 어떤 사건이 일어날 확률을 p라 하면 $0 \le p \le 1$이다.

(2) 반드시 일어나는 사건의 확률은 1이다.

(3) 절대로 일어나지 않는 사건의 확률은 0이다.

절대로 일어나지 않는 사건의 확률

$$0 \le p \le 1$$

반드시 일어나는 사건의 확률

예 주사위 1개를 던질 때

(1) 3 이상 6 이하의 눈이 나올 확률은 $\frac{4}{6}=\frac{2}{3}$

(2) 6 이하의 눈이 나올 확률은 $\frac{6}{6}=1$

(3) 7의 눈이 나올 확률은 $\frac{0}{6}=0$

참고 확률이 커질수록 그 사건이 일어날 가능성은 커지고, 확률이 작아질수록 그 사건이 일어날 가능성은 작아진다.

확률 p의 범위

어떤 시행에서 일어나는 모든 경우의 수가 n이고 그중에서 사건 A가 일어나는 경우의 수가 a이면 $0 \le a \le n$

이때 각 변을 n으로 나누면 $\frac{0}{n} \le \frac{a}{n} \le \frac{n}{n}$

즉, 사건 A가 일어날 확률이 $\frac{a}{n}$이므로 사건 A가 일어날 확률 p는 $0 \le p \le 1$

개념확인

1. 다음 □ 안에 알맞은 수를 써넣으시오.

(1) 어떤 사건이 일어날 확률을 p라 하면 □ $\le p \le$ □ 이다.

(2) 반드시 일어나는 사건의 확률은 □ 이다.

(3) 절대로 일어나지 않는 사건의 확률은 □ 이다.

! 확률은 항상 0 이상 1 이하이므로 음수이거나 1보다 큰 수일 수 없다.

2. 오른쪽 그림과 같이 노란 구슬 2개, 파란 구슬 3개가 들어 있는 주머니에서 한 개의 구슬을 꺼낼 때, 다음을 구하시오.

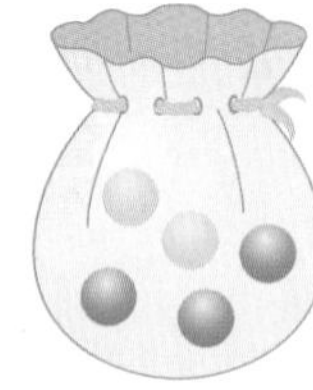

(1) 파란 구슬을 꺼낼 확률

(2) 노란 구슬 또는 파란 구슬을 꺼낼 확률

(3) 검은 구슬을 꺼낼 확률

3. 한 개의 주사위를 던질 때, 다음을 구하시오.

(1) 6의 배수의 눈이 나올 확률

(2) 7의 배수의 눈이 나올 확률

(3) 7 미만의 눈이 나올 확률

개념 적용

확률의 성질

1 **다음 중 옳지 않은 것을 모두 고르면? (정답 2개)**

① 사건 A가 일어날 확률은 $\frac{(\text{사건 } A\text{가 일어나는 경우의 수})}{(\text{일어나는 모든 경우의 수})}$이다.
② 어떤 사건이 일어날 확률을 p라 하면 $0<p<1$이다.
③ 절대로 일어나지 않는 사건의 확률은 0이다.
④ 반드시 일어나는 사건의 확률은 1이다.
⑤ 일어날 가능성이 큰 사건의 확률은 1보다 클 수도 있다.

반드시 일어나는 사건의 확률은 1이고 절대로 일어나지 않는 사건의 확률은 0이다.

1-1 귤 3개, 오렌지 2개가 들어 있는 바구니에서 과일 한 개를 꺼낼 때, 다음을 구하시오.

(1) 귤 또는 오렌지를 꺼낼 확률
(2) 사과를 꺼낼 확률

1-2 1에서 6까지의 자연수가 각각 적힌 6장의 카드 중에서 두 장을 뽑아 두 자리의 정수를 만들 때, 70 미만일 확률을 구하시오.

1-3 다음 중 확률이 가장 작은 것은?

① 동전 한 개를 던져 뒷면이 나올 확률
② 한 개의 주사위를 던져 0의 눈이 나올 확률
③ 한 개의 주사위를 던져 10 이하의 수의 눈이 나올 확률
④ 진희, 윤희 두 사람이 한 줄로 설 때, 진희가 앞에 설 확률
⑤ 서로 다른 두 개의 주사위를 동시에 던질 때, 두 눈의 수의 합이 12 이상이 될 확률

▸ 어떤 사건이 일어날 가능성이 조금이라도 있으면 그 확률은 0보다 크지만 일어날 가능성이 전혀 없다면 그 확률은 0이다.

개념 이해 4

사건 A 또는 사건 B가 일어날 확률

사건 A 또는 사건 B가 일어날 확률 (확률의 덧셈)

사건 A와 사건 B가 동시에 일어나지 않을 때,

사건 A가 일어날 확률을 p, 사건 B가 일어날 확률을 q라 하면

(사건 A 또는 사건 B가 일어날 확률)$=\boldsymbol{p+q}$

사건 A	또는 ~이거나	사건 B
⬇	⬇	⬇
p	$+$	q

㉮ 한 개의 주사위를 던질 때, 2 이하 또는 4 이상의 눈이 나올 확률

(2 이하의 눈이 나올 확률)$=\frac{2}{6}=\frac{1}{3}$, (4 이상의 눈이 나올 확률)$=\frac{3}{6}=\frac{1}{2}$

두 사건이 동시에 일어나지 않으므로 (2 이하 또는 4 이상의 눈이 나올 확률)$=\frac{1}{3}+\frac{1}{2}=\frac{5}{6}$

확률의 덧셈을 이용하여 확률 구하기

확률을 구할 때, 각 사건이 일어나는 경우의 수를 모두 더하여 확률을 구하는 것과 확률의 덧셈을 이용하여 각 사건의 확률의 합을 구하는 것은 그 결과가 같다.

㉮ 1에서 10까지의 자연수가 각각 적힌 10장의 카드 중에서 임의로 1장의 카드를 뽑을 때, 짝수 또는 9의 약수가 적힌 카드를 뽑을 확률을 구해 보자.

각각의 경우의 수를 모두 더하여 확률 구하기	확률의 덧셈을 이용하여 확률 구하기
일어나는 모든 경우의 수는 10 짝수가 적힌 카드를 뽑는 경우의 수는 5 9의 약수가 적힌 카드를 뽑는 경우의 수는 3 따라서 구하는 확률은 $\frac{5+3}{10}=\frac{8}{10}=\frac{4}{5}$	짝수가 적힌 카드를 뽑을 확률은 $\frac{5}{10}=\frac{1}{2}$ 9의 약수가 적힌 카드를 뽑을 확률은 $\frac{3}{10}$ 따라서 구하는 확률은 $\frac{1}{2}+\frac{3}{10}=\frac{8}{10}=\frac{4}{5}$

개념확인

1. 아래 표는 민후네 반 학생 40명의 혈액형을 조사하여 나타낸 것이다. 이 반 학생 중 임의로 한 명을 선택할 때, 다음을 구하시오.

혈액형	A형	B형	O형	AB형
학생 수(명)	12	10	14	4

(1) A형일 확률

(2) AB형일 확률

(3) A형 또는 AB형일 확률

2. 모양과 크기가 같은 빨간 공 2개, 파란 공 3개, 노란 공 5개가 주머니 속에 들어 있다. 이 주머니에서 한 개의 공을 꺼낼 때, 다음을 구하시오.

(1) 빨간 공을 꺼낼 확률

(2) 노란 공을 꺼낼 확률

(3) 빨간 공 또는 노란 공을 꺼낼 확률

개념 적용

확률의 덧셈 (1)

1 **서로 다른 두 개의 주사위를 동시에 던질 때, 다음 물음에 답하시오.**

(1) 눈의 수의 합이 5가 될 확률

(2) 눈의 수의 합이 8이 될 확률

(3) 눈의 수의 합이 5 또는 8이 될 확률

두 사건 A, B가 동시에 일어나지 않을 때, 사건 A가 일어날 확률이 p이고, 사건 B가 일어날 확률이 q이면
(사건 A 또는 사건 B가 일어날 확률)
$=p+q$

1-1 A 마트에서 개업 10주년 기념으로 경품권 행사를 하고 있다. 경품권 100장 중에서 1등은 1장, 2등은 3장, 3등은 10장이 들어 있을 때, 뽑은 한 장의 경품권이 1등 또는 2등 경품권일 확률을 구하시오.

1-2 서로 다른 두 개의 주사위를 동시에 던질 때, 나온 눈의 수의 합이 3이거나 차가 3일 확률을 구하시오.

확률의 덧셈 (2)

2 **한 개의 주사위를 두 번 던져 첫 번째에 나온 눈의 수를 x, 두 번째에 나온 눈의 수를 y라 할 때, $x-y$의 값이 4 또는 5일 확률을 구하시오.**

x, y는 1에서 6까지의 자연수이므로 $x-y=4$, $x-y=5$를 만족하는 순서쌍을 각각 먼저 구한다.

2-1 한 개의 주사위를 두 번 던져 처음에 나온 눈의 수를 a, 나중에 나온 눈의 수를 b라 할 때, 방정식 $ax-b=0$의 해가 1 또는 3일 확률을 구하시오.

▶ 방정식에 해를 각각 대입하여 a, b에 대한 등식을 세우고, 만족하는 순서쌍 (a, b)의 개수를 구한다.

사건 A와 사건 B가 동시에 일어날 확률

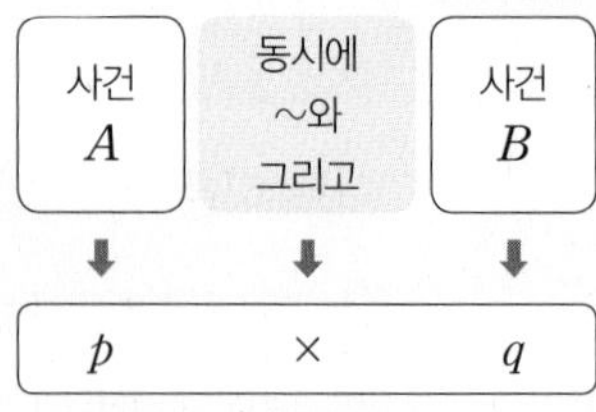

사건 A와 사건 B가 동시에 일어날 확률 (확률의 곱셈)

사건 A와 사건 B가 서로 영향을 주지 않을 때,

사건 A가 일어날 확률을 p, 사건 B가 일어날 확률을 q라 하면

(사건 A와 사건 B가 동시에 일어날 확률)$=\boldsymbol{p\times q}$

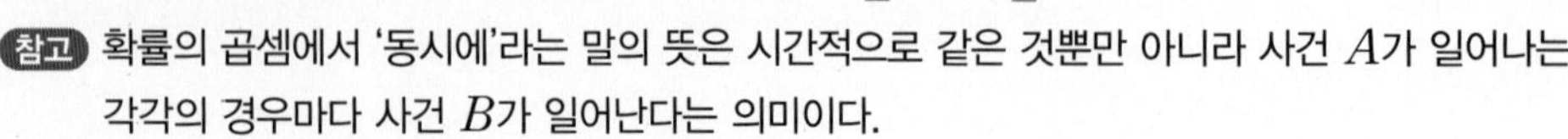

참고 확률의 곱셈에서 '동시에'라는 말의 뜻은 시간적으로 같은 것뿐만 아니라 사건 A가 일어나는 각각의 경우마다 사건 B가 일어난다는 의미이다.

예 동전 1개와 주사위 1개를 동시에 던질 때,

동전의 앞면이 나올 확률은 $\frac{1}{2}$, 주사위에서 3의 배수의 눈이 나올 확률은 $\frac{2}{6}=\frac{1}{3}$이므로

(동전은 앞면이 나오고 주사위는 3의 배수의 눈이 나올 확률)$=\frac{1}{2}\times\frac{1}{3}=\frac{1}{6}$

확률의 덧셈과 곱셈의 활용

오른쪽 그림과 같은 두 개의 주머니 A, B가 있다. A, B 두 주머니에서 공을 한 개씩 꺼낼 때, 두 공의 색깔이 서로 같을 확률을 구해 보자.

A B

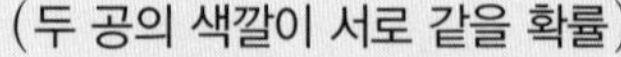

(두 공의 색깔이 서로 같을 확률)

$=${(A, B에서 모두 빨간 공을 꺼낼 확률) 또는 (A, B에서 모두 파란 공을 꺼낼 확률)}

$=$(A, B에서 모두 빨간 공을 꺼낼 확률)$+$(A, B에서 모두 파란 공을 꺼낼 확률)

$=${(A에서 빨간 공을 꺼낼 확률)$\times$(B에서 빨간 공을 꺼낼 확률)}

$+${(A에서 파란 공을 꺼낼 확률)$\times$(B에서 파란 공을 꺼낼 확률)}

A에서 빨간 공을 꺼낼 확률은 $\frac{2}{5}$, B에서 빨간 공을 꺼낼 확률은 $\frac{4}{5}$이고

A에서 파란 공을 꺼낼 확률은 $\frac{3}{5}$, B에서 파란 공을 꺼낼 확률은 $\frac{1}{5}$이므로

구하는 확률은 $\left(\frac{2}{5}\times\frac{4}{5}\right)+\left(\frac{3}{5}\times\frac{1}{5}\right)=\frac{8}{25}+\frac{3}{25}=\frac{11}{25}$

개념확인

1. 두 개의 주사위 A, B를 동시에 던질 때, 다음을 구하시오.

(1) A 주사위에서 3의 배수의 눈이 나올 확률

(2) B 주사위에서 4의 약수의 눈이 나올 확률

(3) A 주사위는 3의 배수의 눈이 나오고 B 주사위는 4의 약수의 눈이 나올 확률

2. 입학 시험에서 정훈이가 합격할 확률은 $\frac{4}{5}$, 예슬이가 합격할 확률은 $\frac{2}{3}$이다. 정훈이와 예슬이가 모두 합격할 확률을 구하시오.

개념 적용

확률의 곱셈

1 **명중률이 각각 $\frac{1}{3}$, $\frac{1}{4}$, $\frac{2}{7}$인 세 사격수 A, B, C가 목표물을 향하여 동시에 총을 쏠 때, 세 명 모두 목표물에 명중할 확률을 구하시오.**

두 사건 A, B가 서로 영향을 끼치지 않을 때, 사건 A가 일어날 확률을 p, 사건 B가 일어날 확률을 q라 하면
(사건 A와 사건 B가 동시에 일어날 확률)
$=p\times q$

1-1 A 주머니에는 빨간 공 4개와 파란 공 5개, B 주머니에는 빨간 공 5개와 파란 공 3개가 들어 있다. A, B 주머니에서 각각 공을 한 개씩 꺼낼 때, 2개 모두 빨간 공일 확률을 구하시오.

1-2 오른쪽 그림과 같이 스위치 2개가 직렬로 연결되어 있는 회로가 있다. 각각의 스위치가 닫힐 확률이 $\frac{2}{3}$라 할 때, 꼬마 전구에 불이 켜질 확률을 구하시오.

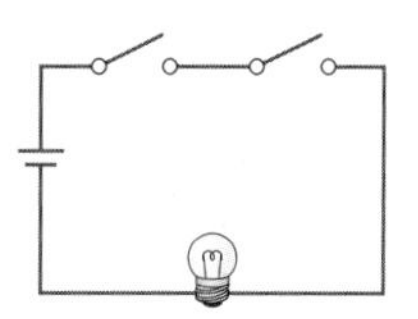

▸ 회로에 연결된 전구에 불이 켜지려면 2개의 스위치가 모두 닫혀야 함을 이용한다.

'적어도'가 포함된 확률의 곱셈

2 **타율이 2할인 타자가 타석에 2번 설 때, 적어도 한 번은 안타를 칠 확률을 구하시오.**

두 사건 A, B가 서로 영향을 끼치지 않을 때, 사건 A가 일어날 확률을 p, 사건 B가 일어날 확률을 q라 하면
(두 사건 A, B 중 적어도 하나가 일어날 확률)
$=1-$(두 사건 A, B가 모두 일어나지 않을 확률)
$=1-\{(1-p)\times(1-q)\}$

2-1 A, B, C 세 사람이 시험에 합격할 확률이 각각 $\frac{1}{4}$, $\frac{1}{2}$, $\frac{2}{3}$일 때, 3명 중 적어도 1명은 시험에 합격할 확률을 구하시오.

확률의 덧셈과 곱셈의 활용

3 **A 주머니에는 흰 공 2개, 노란 공 3개가 들어 있고, B 주머니에는 흰 공 1개, 노란 공 4개가 들어 있다. A, B 두 주머니에서 각각 한 개의 공을 꺼낼 때, 서로 다른 색의 공을 꺼낼 확률을 구하시오.**

서로 다른 색의 공을 꺼내는 모든 경우를 빠짐없이 생각해야 한다. 즉, A 주머니 흰 공, B 주머니 노란 공인 경우와 A 주머니 노란 공, B 주머니 흰 공인 경우가 있다.

3-1 동전 1개와 주사위 1개를 동시에 던질 때, 동전의 앞면과 주사위의 짝수의 눈이 나오거나 동전의 뒷면과 주사위의 홀수의 눈이 나올 확률을 구하시오.

3-2 A 주머니에는 흰 공 1개, 검은 공 3개가 들어 있고, B 주머니에는 흰 공 3개, 검은 공 4개가 들어 있다. A, B 두 주머니에서 각각 한 개의 공을 꺼낼 때, 같은 색의 공을 꺼낼 확률을 구하시오.

3-3 수지가 지각할 확률은 $\frac{1}{9}$, 윤희가 지각할 확률은 $\frac{1}{8}$일 때, 어느 날 두 사람 중에서 한 사람만 지각할 확률을 구하시오.

3-4 두 자연수 a, b에 대하여 a가 짝수일 확률은 $\frac{2}{3}$, b가 짝수일 확률은 $\frac{1}{2}$일 때, $a+b$가 짝수일 확률을 구하시오.

▸ $a+b$가 짝수이려면 a와 b 모두 짝수이거나 a와 b 모두 홀수이어야 한다. 이때 a와 b가 홀수일 확률은 여사건을 이용하여 문제를 해결한다.

개념 이해 6

연속하여 뽑는 경우의 확률

(1) 뽑은 것을 다시 넣는 경우

처음에 일어난 사건이 나중에 일어난 사건에 영향을 주지 않는다.

➡ 처음과 나중의 조건이 같다.

• 뽑은 것을 다시 넣는 경우

두 번째에도 6개의 공 중에서 뽑는다.

(2) 뽑은 것을 다시 넣지 않는 경우

처음에 일어난 사건이 나중에 일어난 사건에 영향을 준다.

➡ 처음과 나중의 조건이 다르다.

• 뽑은 것을 다시 넣지 않는 경우

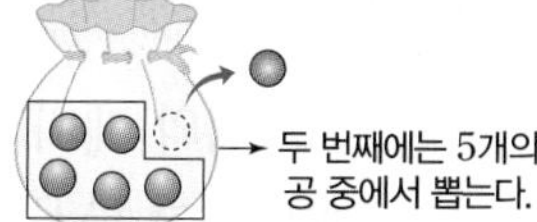

연속하여 공을 한 개씩 꺼낼 때, 공의 전체 개수

(1) 꺼낸 공을 다시 넣는 경우 ➡ (첫 번째 뽑을 때의 전체 개수)$=$(두 번째 뽑을 때의 전체 개수)

(2) 꺼낸 공을 다시 넣지 않는 경우 ➡ (첫 번째 뽑을 때의 전체 개수)$\neq$(두 번째 뽑을 때의 전체 개수)

예) 흰 공 3개와 검은 공 6개가 들어 있는 주머니에서 연속하여 2개의 공을 꺼낼 때

	첫 번째 꺼낼 때 공의 전체 개수	두 번째 꺼낼 때 공의 전체 개수
꺼낸 공을 다시 넣는 경우	9개	9개
꺼낸 공을 다시 넣지 않는 경우	9개	8개

제비뽑기에 유리한 순서가 있을까?

4개의 제비 중 1개의 당첨 제비가 들어 있는 주머니에서 A, B, C, D 4명이 A, B, C, D 순서대로 각각 한 개의 제비를 뽑을 때, 누가 당첨될 확률이 가장 높을까? (단, 뽑은 제비는 다시 넣지 않는다.)

A가 당첨될 확률 ➡ 4개의 제비 중 당첨 제비를 뽑을 확률이므로 $\frac{1}{4}$

B가 당첨될 확률 ➡ A가 꽝을 뽑고, 남은 3개의 제비 중 당첨 제비를 뽑을 확률이므로 $\frac{3}{4}\times\frac{1}{3}=\frac{1}{4}$

C가 당첨될 확률 ➡ A, B가 꽝을 뽑고, 남은 2개의 제비 중 당첨 제비를 뽑을 확률이므로 $\frac{3}{4}\times\frac{2}{3}\times\frac{1}{2}=\frac{1}{4}$

D가 당첨될 확률 ➡ A, B, C가 꽝을 뽑고, D가 남은 당첨 제비를 뽑을 확률이므로 $\frac{3}{4}\times\frac{2}{3}\times\frac{1}{2}\times1=\frac{1}{4}$

이와 같이 A, B, C, D의 당첨 확률은 $\frac{1}{4}$로 같으므로 뽑는 순서에 관계없이 당첨될 확률은 모두 같다. 즉, 제비뽑기에 유리한 순서는 없다.

개념확인

1. 5개의 제비 중 2개의 당첨 제비가 들어 있는 주머니에서 A, B가 차례로 각각 한 개의 제비를 뽑을 때, 다음은 주어진 각 경우에 대하여 A, B 모두 당첨될 확률을 구하는 과정이다. □ 안에 알맞은 수를 써넣으시오.

(1) 뽑은 제비를 다시 넣는 경우

(A, B 모두 당첨될 확률)$=$(A가 당첨될 확률)$\times$(B가 당첨될 확률)$=\square\times\square=\square$

(2) 뽑은 제비를 다시 넣지 않는 경우

(A, B 모두 당첨될 확률)$=$(A가 당첨될 확률)$\times$(B가 당첨될 확률)$=\square\times\square=\square$

❗ (1) 다시 넣고 뽑으면 (첫 번째 뽑을 때의 전체 개수)$=$(두 번째 뽑을 때의 전체 개수)
(2) 다시 넣지 않고 뽑으면 (첫 번째 뽑을 때의 전체 개수)$\neq$(두 번째 뽑을 때의 전체 개수)

개념 적용

도형에서의 확률

1 **오른쪽 그림과 같이 중심이 같은 세 원의 반지름의 길이가 각각 1, 3, 5인 원판에 화살을 쏘았을 때, B 부분을 맞힐 확률을 구하시오. (단, 화살이 원판을 벗어나거나 경계선을 맞히는 경우는 없다.)**

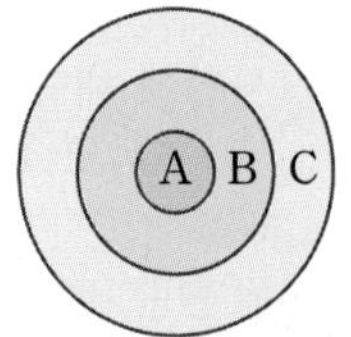

(도형에서의 확률) $=\dfrac{(\text{사건에 해당하는 부분의 넓이})}{(\text{도형 전체의 넓이})}$

1-1 오른쪽 그림과 같이 8등분된 원판이 있다. 이 원판 위의 바늘을 미선이와 정민이가 각각 한 번씩 회전시켜 바늘이 가리키는 숫자를 읽을 때, 미선이는 4의 약수, 정민이는 소수를 가리킬 확률을 구하시오. (단, 바늘이 경계선을 가리키는 경우는 없다.)

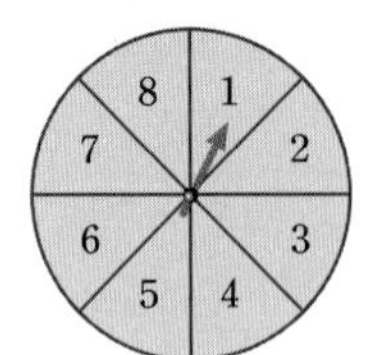

여러 가지 확률

2 **오른쪽 그림에서 점 P는 한 변의 길이가 1인 정사각형 ABCD의 한 꼭짓점 A를 출발하여 주사위를 던져 나온 눈의 수만큼 정사각형의 변을 따라 시계 반대 방향으로 움직인다고 한다. 주사위를 두 번 던졌을 때, 점 P가 꼭짓점 D에 있을 확률을 구하시오.**

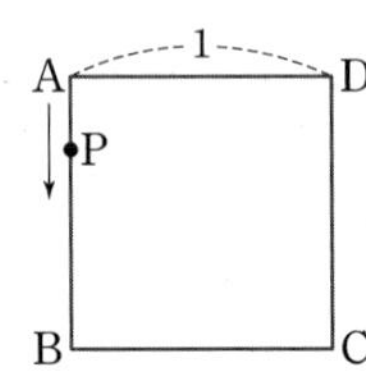

점 P가 꼭짓점 D에 있으려면 나온 두 눈의 수의 합이 3 또는 7 또는 11이어야 한다.

2-1 오른쪽 수직선의 원점 위에 점 P가 있다. 동전 한 개를 던져 앞면이 나오면 오른쪽으로 1만큼, 뒷면이 나오면 왼쪽으로 1만큼 점 P를 움직이기로 할 때, 동전을 3번 던져 점 P가 -1의 위치에 있을 확률을 구하시오.

P
-3 -2 -1 0 1 2 3

기본 문제

1 확률의 뜻

A, B 두 음료수 회사에서 사은 행사를 하는데 A 회사는 45개, B 회사는 60개의 병뚜껑에 경품을 표시하였다. 경품이 표시된 병뚜껑 중에서 노트북이 표시된 것은 A 회사는 6개, B 회사는 12개이다. 경품이 표시된 두 회사의 음료수를 각각 하나씩 고를 때, 어느 회사의 것이 노트북이 나올 가능성이 더 높은지 구하시오.

2 확률의 성질

주머니 안에 모양과 크기가 같은 빨간 공 5개, 파란 공 3개, 흰 공 2개가 들어 있다. 이 주머니에서 한 개의 공을 꺼낼 때, 다음 중 옳지 않은 것은?

① 빨간 공이 나올 확률은 $\frac{1}{2}$이다.

② 파란 공이 나올 확률은 $\frac{3}{10}$이다.

③ 흰 공이 나오지 않을 확률은 $\frac{4}{5}$이다.

④ 노란 공이 나오지 않을 확률은 1이다.

⑤ 빨간 공 또는 흰 공이 나올 확률은 $\frac{4}{5}$이다.

3 어떤 사건이 일어나지 않을 확률

1에서 5까지의 숫자가 각각 적힌 5장의 카드 중에서 2장을 뽑아 두 자리의 정수를 만들 때, 50 이하일 확률을 구하시오.

4 방정식, 부등식에서의 확률

한 개의 주사위를 두 번 던질 때, 첫 번째 나오는 눈의 수를 x, 두 번째 나오는 눈의 수를 y라 하자. 다음을 구하시오.

(1) x는 짝수이고, y는 6의 약수일 확률

(2) $x+y\geq 4$일 확률

5 '적어도 하나는 ~일' 확률

서로 다른 네 개의 동전을 동시에 던질 때, 적어도 하나는 뒷면이 나올 확률을 구하시오.

6 확률의 덧셈 (1)

1에서 20까지의 자연수가 각각 적힌 20장의 카드 중에서 한 장을 뽑을 때, 5의 배수 또는 7의 배수가 적힌 카드를 뽑을 확률을 구하시오.

7 확률의 곱셈

한 개의 주사위를 두 번 던질 때, 처음에는 6의 약수, 두 번째에는 소수의 눈이 나올 확률을 구하시오.

8 '적어도'가 포함된 확률의 곱셈

A, B, C 세 명의 사격 선수가 목표물을 맞힐 확률은 각각 $\frac{3}{4}$, $\frac{1}{3}$, $\frac{5}{6}$이다. 이 세 명의 선수들이 동시에 한 개의 목표물을 향해 총을 쏘았을 때, 적어도 한 선수는 목표물을 맞힐 확률은?

① $\frac{1}{36}$ ② $\frac{1}{12}$ ③ $\frac{31}{36}$
④ $\frac{11}{12}$ ⑤ $\frac{35}{36}$

9 확률의 덧셈과 곱셈의 활용

동전 1개와 주사위 1개를 동시에 던질 때, 동전은 앞면이 나오고 주사위의 눈이 홀수이거나 동전은 뒷면이 나오고 주사위의 눈이 소수일 확률은?

① $\frac{2}{3}$ ② $\frac{1}{2}$ ③ $\frac{1}{3}$
④ $\frac{1}{4}$ ⑤ $\frac{1}{6}$

10 뽑은 것을 다시 넣지 않고 뽑는 경우의 확률

2개의 불량품이 섞여 있는 12개의 제품 중에서 2개의 제품을 임의로 뽑아 검사했을 때, 2개 모두 불량품일 확률을 구하시오. (단, 뽑은 제품은 다시 넣지 않는다.)

11 도형에서의 확률

오른쪽 그림과 같이 8등분된 원판에 화살을 쏠 때, 홀수가 적힌 부분을 맞힐 확률을 구하시오. (단, 화살이 원판을 벗어나거나 경계선을 맞히는 경우는 없다.)

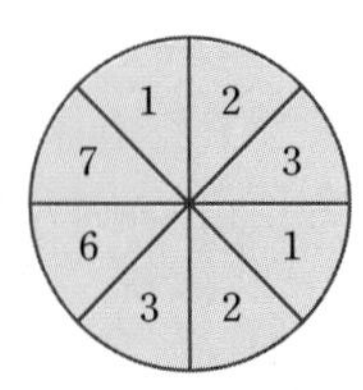

12 여러 가지 확률

두 개의 주사위 A, B를 동시에 던져 나온 눈의 수를 각각 a, b라고 할 때, 오른쪽 그림과 같이 좌표평면 위의 네 점 O(0, 0), P(a, 0), Q(a, b), R(0, b)로 이루어진 □OPQR의 넓이가 6일 확률을 구하시오.

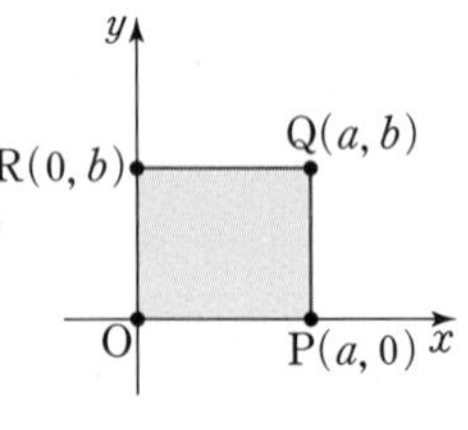

발전 문제

1 주머니에 모양과 크기가 같은 x개의 구슬이 들어 있다. 이 중에서 3개는 흰 구슬, 4개는 파란 구슬, 나머지는 노란 구슬이고, 이 주머니에서 구슬 1개를 꺼낼 때, 파란 구슬일 확률은 $\frac{1}{3}$이다. 이때 이 주머니에 들어 있는 노란 구슬의 개수를 구하시오.

2 서로 다른 윷가락 4개를 동시에 던질 때, 도나 개가 나올 확률을 구하시오.
(단, 등과 배가 나올 확률은 같다.)

3 A, B, C 세 사람이 가위바위보를 할 때, A가 이길 확률을 구하시오.

A가 이기는 경우는 A만 이기는 경우, A와 B가 둘 다 이기는 경우, A와 C가 둘 다 이기는 경우가 있다.

4 어떤 시험에서 정안, 준이, 혜리 세 사람이 합격할 확률이 각각 $\frac{2}{3}$, $\frac{1}{2}$, $\frac{3}{5}$일 때, 세 사람 중에서 한 사람만 합격할 확률을 구하시오.

5 좌표평면 위의 원점에 바둑돌이 놓여 있다. 주사위를 던져서 나온 눈의 수가 짝수이면 x축의 양의 방향으로 그 수만큼 바둑돌을 옮기고, 나온 눈의 수가 홀수이면 y축의 양의 방향으로 그 수만큼 바둑돌을 옮길 때, 주사위를 3번 던져서 바둑돌이 $(4, 2)$의 위치에 오게 될 확률을 구하시오.

주사위를 3번 던져서 바둑돌이 $(4, 2)$ 위치에 있기 위해서는 짝수의 눈과 홀수의 눈이 1번 이상씩 나와야 함을 이해하고 경우를 나누어 각각의 경우의 수를 구한다.

6 서술형

A 주머니에는 검은 공 3개가 들어 있고, B 주머니에는 검은 공 2개, 빨간 공 3개가 들어 있다. 두 개의 주머니 중에서 임의로 한 개의 주머니를 택하여 1개의 공을 꺼낼 때, 꺼낸 공이 검은 공일 확률을 구하기 위한 풀이 과정을 쓰고 답을 구하시오. (단, A, B 주머니를 선택할 확률은 같다.)

① 단계: A 주머니를 택하여 검은 공을 꺼낼 확률 구하기

A 주머니를 택할 확률은 _____, A 주머니에서 검은 공을 꺼낼 확률은 _____ 이므로 A 주머니를 택하여 검은 공을 꺼낼 확률은 __________

② 단계: B 주머니를 택하여 검은 공을 꺼낼 확률 구하기

B 주머니를 택할 확률은 _____, B 주머니에서 검은 공을 꺼낼 확률은 _____이므로 B 주머니를 택하여 검은 공을 꺼낼 확률은 __________

③ 단계: 임의로 한 개의 주머니를 택하여 1개의 공을 꺼낼 때, 꺼낸 공이 검은 공일 확률 구하기

(A 주머니를 택하여 검은 공을 꺼낼 확률)
+(B 주머니를 택하여 검은 공을 꺼낼 확률)
=__________

► Check List
- A 주머니를 택하고 검은 공을 꺼낼 확률을 바르게 구하였는가?
- B 주머니를 택하고 검은 공을 꺼낼 확률을 바르게 구하였는가?
- 임의로 한 개의 주머니를 택하여 1개의 공을 꺼낼 때, 꺼낸 공이 검은 공일 확률을 바르게 구하였는가?

7 서술형

비가 온 다음 날 비가 올 확률은 $\frac{1}{5}$, 비가 오지 않은 다음 날 비가 올 확률은 $\frac{1}{4}$이라 한다. 금요일에 비가 왔다고 할 때, 이틀 후인 일요일에도 비가 올 확률을 구하기 위한 풀이 과정을 쓰고 답을 구하시오.

① 단계: 금요일에 비가 온 후 토요일에도 비가 오고, 일요일에도 비가 올 확률 구하기

② 단계: 금요일에 비가 온 후 토요일에 비가 오지 않고, 일요일에 비가 올 확률 구하기

③ 단계: 금요일에 비가 온 후 일요일에도 비가 올 확률 구하기

► Check List
- 토요일에 비가 오고 일요일에도 비가 올 확률을 바르게 구하였는가?
- 토요일에 비가 오지 않고 일요일에 비가 올 확률을 바르게 구하였는가?
- 일요일에 비가 올 확률을 바르게 구하였는가?

수학은 개념이다!

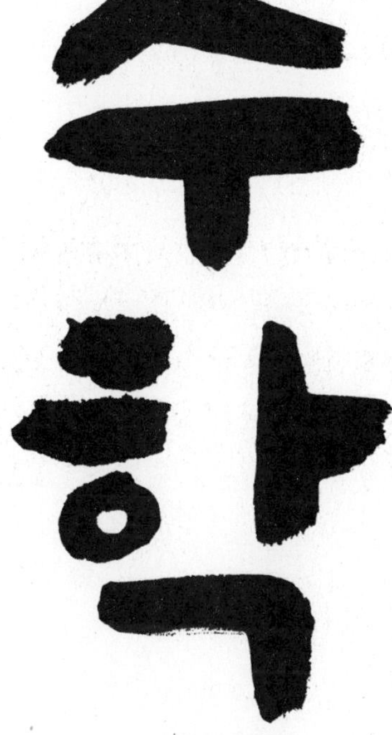

개념기본

중 2 / 2 익힘북

중학 수학은 개념의 연결과 확장이다.

디딤돌

차례

1 이등변삼각형과 직각삼각형

개념적용익힘

이등변삼각형의 성질(1)

개념북 11쪽

1 ●○○

오른쪽 그림과 같이 $\overline{AB}=\overline{AC}$인 이등변삼각형 ABC에서 $\angle x$의 크기는?

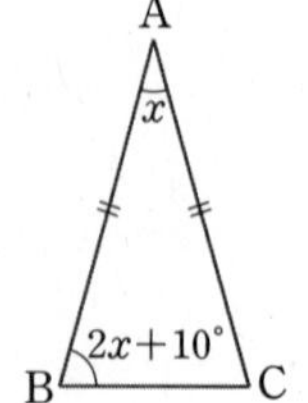

① 28°　② 30°　③ 32°　④ 46°　⑤ 54°

2 ●●○

오른쪽 그림에서 $\overline{AB}=\overline{BC}$, $\overline{AE}/\!/\overline{BC}$이고 $\angle DAE=50°$일 때, $\angle EAC$의 크기를 구하시오.

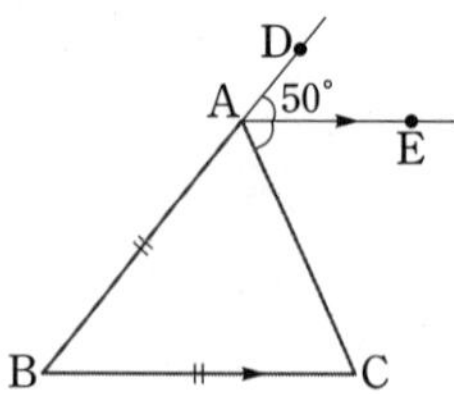

3 ●●○

오른쪽 그림의 $\triangle ABC$에서 $\overline{AB}=\overline{BD}$, $\overline{CD}=\overline{CE}$이고 $\angle B=80°$, $\angle C=30°$일 때, $\angle ADE$의 크기를 구하시오.

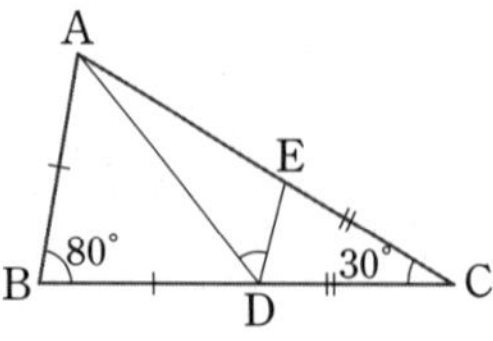

외각의 성질을 이용하여 각의 크기 구하기

개념북 11쪽

4 ●●○

오른쪽 그림과 같이 $\overline{AB}=\overline{BC}$인 이등변삼각형 ABC에서 $\overline{BD}=\overline{CD}=\overline{CA}$일 때, $\angle B$의 크기를 구하시오.

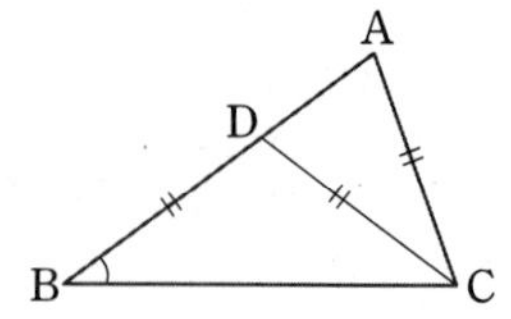

5 ●●●

오른쪽 그림에서 $\overline{AB}=\overline{AC}=\overline{DC}=\overline{DE}$이고 $\angle DEC=78°$일 때, $\angle B$의 크기를 구하시오.

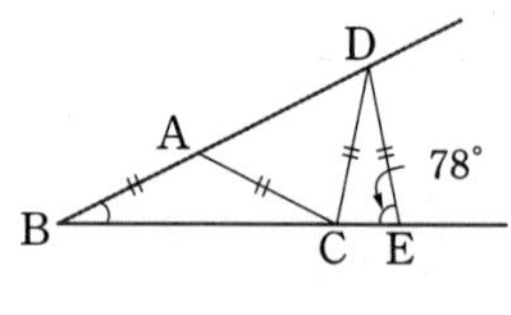

6 ●●●

다음 그림에서 $\overline{BD}=\overline{DE}=\overline{EA}=\overline{AC}$이고 $\angle B=15°$일 때, $\angle x$의 크기를 구하시오.

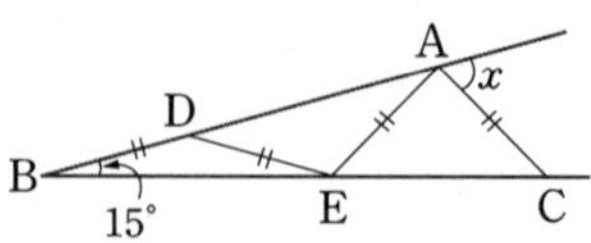

이등변삼각형의 성질 (2)

개념북 13쪽

7 ●○○

오른쪽 그림과 같이 $\overline{AB}=\overline{AC}$ 인 이등변삼각형 ABC에서 ∠A의 이등분선과 $\overline{BC}$의 교점을 D라 하자. $\overline{BD}=5\text{ cm}$, ∠C$=50°$일 때, x, y의 값을 각각 구하시오.

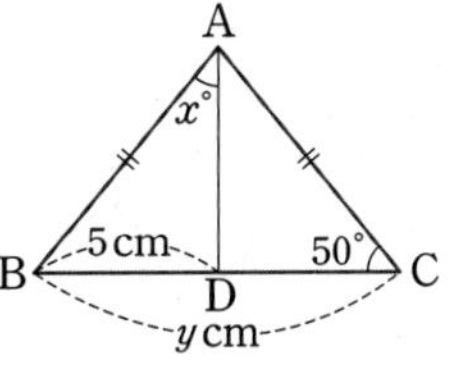

8 ●●○

오른쪽 그림과 같이 $\overline{AB}=\overline{AC}$인 이등변삼각형 ABC에서 $\overline{AD}$는 ∠A의 이등분선이다. $\overline{BC}=6\text{ cm}$이고 △ABD의 넓이가 15 cm^2일 때, $\overline{AD}$의 길이를 구하시오.

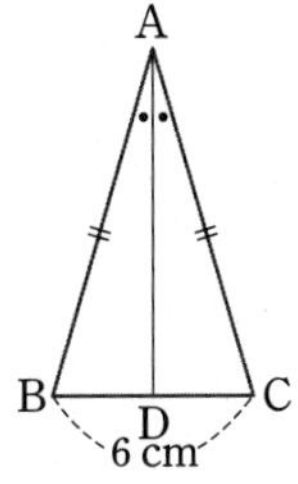

9 ●●○

오른쪽 그림과 같이 $\overline{AB}=\overline{AC}$인 이등변삼각형 ABC에서 $\overline{AB}=16\text{ cm}$, ∠B$=60°$이고 $\overline{AD}$는 ∠A의 이등분선일 때, $\overline{CD}$의 길이를 구하시오.

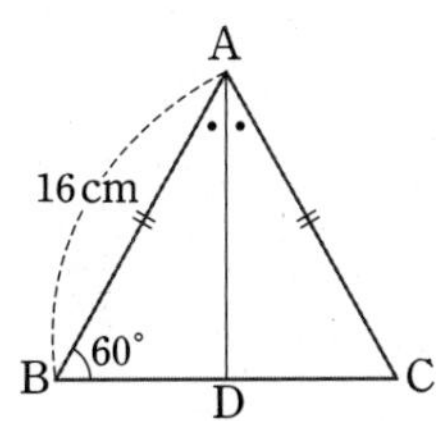

이등변삼각형의 성질 (2)의 활용

개념북 13쪽

10 ●●○

오른쪽 그림과 같이 $\overline{AB}=\overline{AC}$인 이등변삼각형 ABC에서 $\overline{AD}$는 ∠A의 이등분선이고 점 P는 $\overline{AD}$ 위의 점이다. $\overline{PD}=3\text{ cm}$, ∠BPC$=90°$일 때, $\overline{BC}$의 길이는?

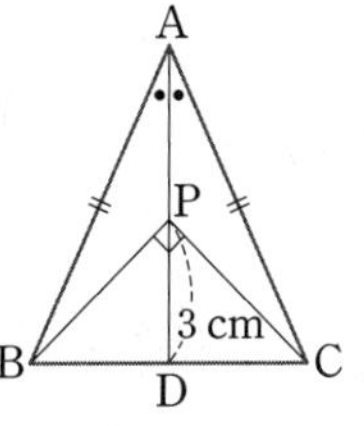

① 5 cm ② 6 cm ③ 7 cm
④ 8 cm ⑤ 9 cm

11 ●●○

오른쪽 그림과 같이 $\overline{AB}=\overline{AC}$인 이등변삼각형 ABC에서 ∠A의 이등분선과 $\overline{BC}$의 교점을 D라 하자. $\overline{AD}$ 위의 점 P에 대하여 △APC의 넓이가 20일 때, $\overline{AP}$의 길이를 구하시오.

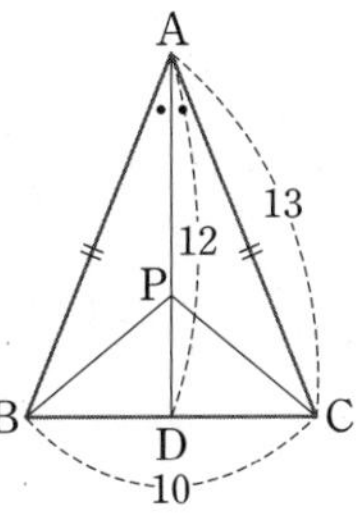

12 ●●●

오른쪽 그림과 같이 $\overline{AB}=\overline{AC}$인 이등변삼각형 ABC에서 ∠A의 이등분선과 $\overline{BC}$의 교점을 D라 하자. 점 P는 $\overline{AD}$ 위의 점일 때, 다음 중 옳지 <u>않은</u> 것은?

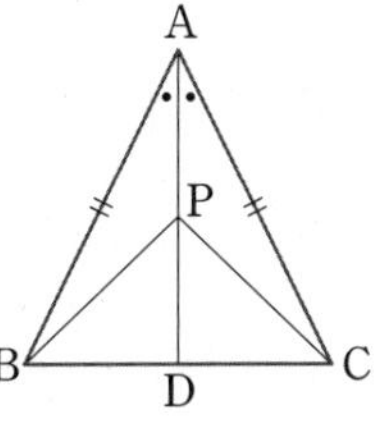

① △APB≡△APC
② △PBD≡△PCD
③ $\overline{BD}=\overline{CD}=\overline{PD}$이면 ∠BPC$=90°$이다.
④ ∠PBA=∠PBD
⑤ $\overline{PD}$는 ∠BPC를 이등분한다.

이등변삼각형이 되는 조건을 이용하여 변의 길이 구하기

개념북 15쪽

13 ●○○

오른쪽 그림과 같은 $\triangle ABC$에서 $\angle A$의 이등분선과 $\overline{BC}$의 교점을 D라 할 때, $\overline{BD}$의 길이를 구하시오.

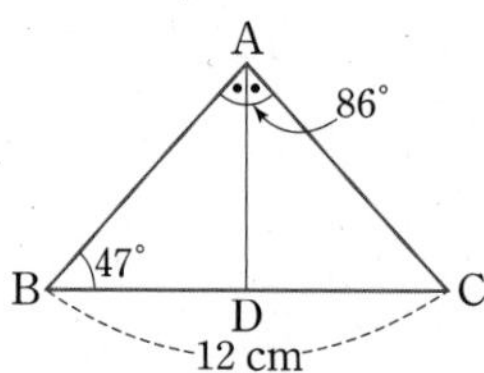

14 ●●○

오른쪽 그림과 같은 $\triangle ABC$에서 $\overline{CA}=\overline{CD}$이고 $\angle A=60°$, $\angle B=30°$일 때, $\overline{BD}$의 길이를 구하시오.

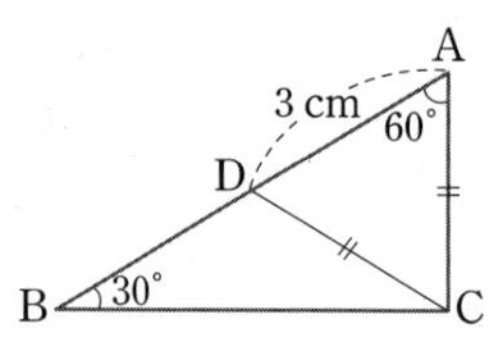

15 ●●○

오른쪽 그림에서
$\angle ABC=29°$,
$\angle CAD=58°$,
$\angle CDE=122°$,
$\overline{AB}=7$ cm일 때, $\overline{CD}$의 길이를 구하시오.

폭이 일정한 종이 접기

개념북 15쪽

16 ●●○

오른쪽 그림과 같이 폭이 일정한 종이를 $\overline{CB}$를 접는 선으로 하여 접었다. $\overline{AB}$의 길이를 구하시오.

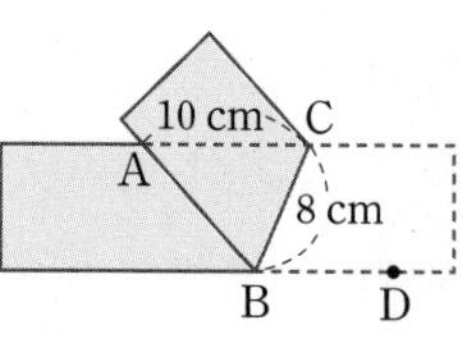

17 ●●○

오른쪽 그림과 같은 직사각형 모양의 종이를 $\overline{AB}$를 접는 선으로 하여 접었다.
$\angle ACB=46°$일 때, $\angle x$의 크기를 구하시오.

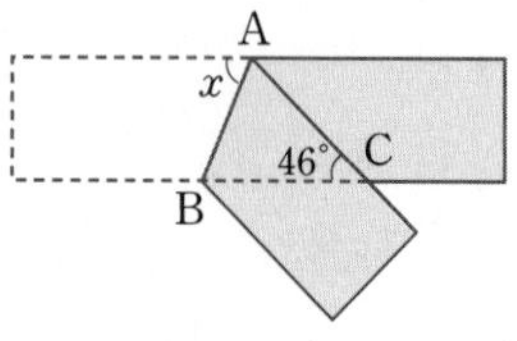

18 ●●○

오른쪽 그림과 같이 폭이 일정한 종이를 $\overline{AC}$를 접는 선으로 하여 접었을 때, 다음 중 옳은 것은?

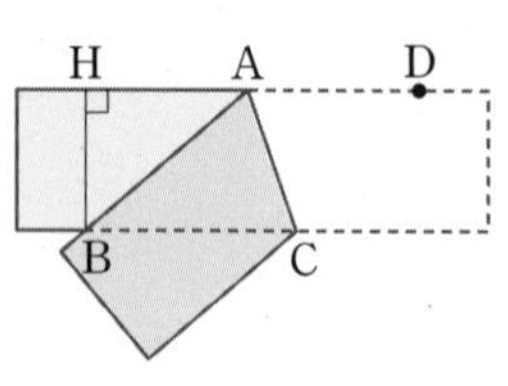

① $\overline{AB}=\overline{AC}$ ② $\overline{AB}=\overline{BC}$ ③ $\overline{BC}=\overline{AC}$
④ $\overline{HA}=\overline{HB}$ ⑤ $\overline{HB}=\overline{AC}$

직각삼각형의 합동 조건의 이해

개념북 17쪽

19 ●○○

다음 중 두 직각삼각형이 합동이라고 할 수 없는 것은?

① 두 예각의 크기가 각각 같을 때
② 직각을 낀 두 변의 길이가 각각 같을 때
③ 빗변의 길이가 같고 한 예각의 크기가 같을 때
④ 빗변의 길이가 같고 다른 한 변의 길이가 같을 때
⑤ 한 예각의 크기가 같고 그 예각과 직각 사이에 있는 변의 길이가 같을 때

20 ●●○

오른쪽 그림과 같은 두 직각삼각형 ABC와 DEF에서 $\overline{AC}=\overline{DF}$일 때, 한 가지 조건을 추가하여 두 직각삼각형이 합동이 되게 하려고 한다. 다음 중 합동이 되는 경우가 아닌 것은?

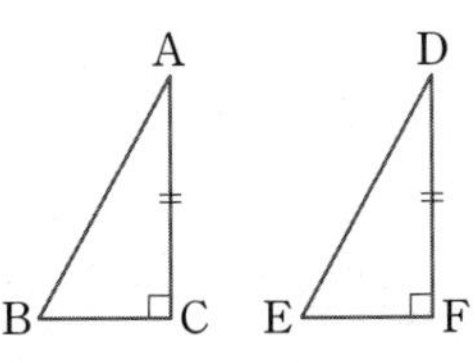

① $\overline{AB}=\overline{EF}$ ② $\angle B=\angle E$ ③ $\overline{AB}=\overline{DE}$
④ $\angle A=\angle D$ ⑤ $\overline{BC}=\overline{EF}$

21 ●●●

오른쪽 그림과 같은 $\triangle ABC$와 $\triangle DEF$에서 $\angle C=\angle F=90^\circ$일 때, 다음 중 $\triangle ABC\equiv\triangle DEF$라고 할 수 없는 것은?

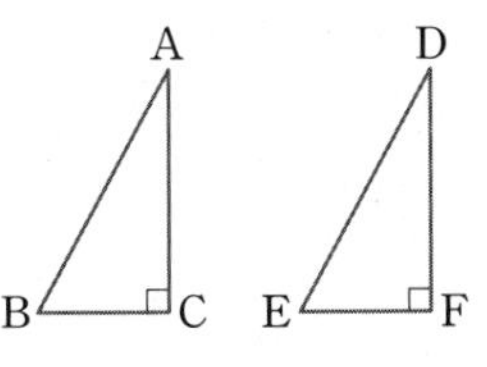

① $\overline{AB}=\overline{DE}$, $\overline{BC}=\overline{EF}$
② $\overline{AB}=\overline{DE}$, $\angle B=\angle E$
③ $\angle A=\angle D$, $\overline{AC}=\overline{DF}$
④ $\angle A=\angle D$, $\angle B=\angle E$
⑤ $\overline{BC}=\overline{EF}$, $\angle B=\angle E$

합동인 직각삼각형 찾기

개념북 17쪽

22 ●○○

오른쪽 그림의 직각삼각형과 합동인 삼각형을 다음 **보기**에서 모두 고르시오.

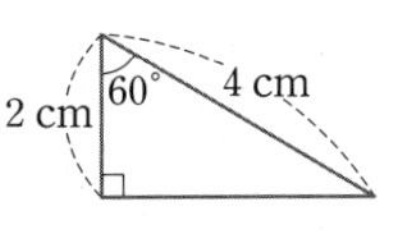

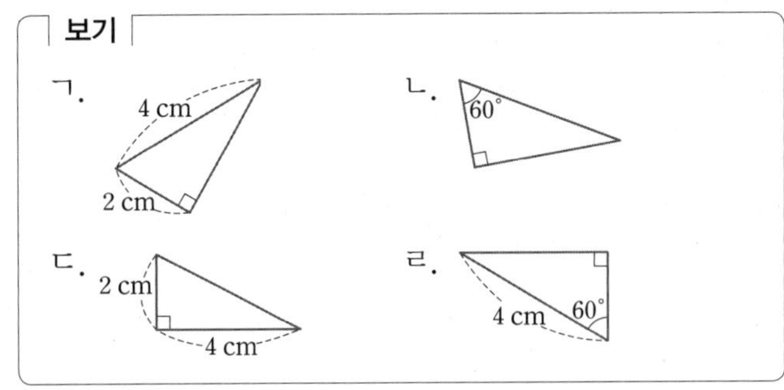

23 ●●○

다음 **보기**의 직각삼각형 중 합동인 것을 모두 고르고, 각각의 합동 조건을 말하시오.

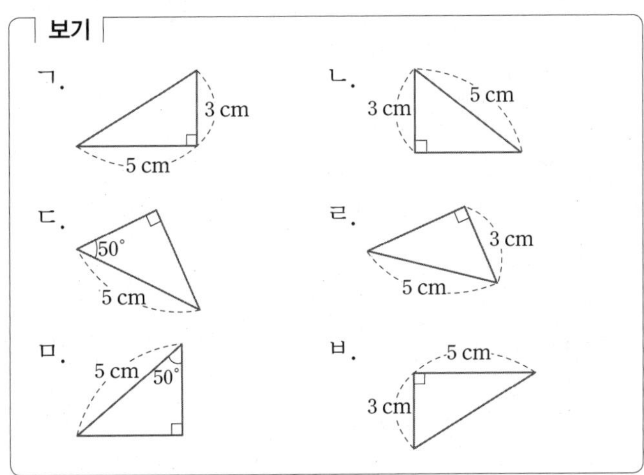

RHA 합동의 활용

개념북 19쪽

24 ●●○

오른쪽 그림과 같이 $\angle A=90^{\circ}$이고 $\overline{AB}=\overline{AC}$인 직각이등변삼각형 ABC의 꼭짓점 B, C에서 점 A를 지나는 직선 l에 내린 수선의 발을 각각 D, E라 할 때, $\overline{BD}$의 길이를 구하시오.

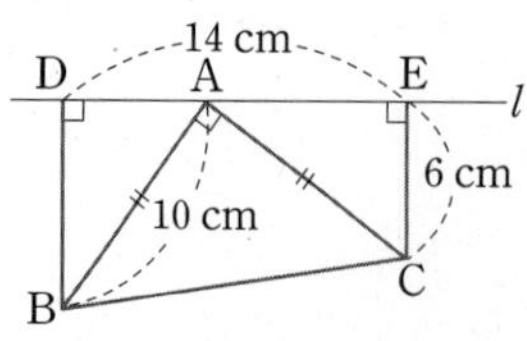

25 ●●○

오른쪽 그림과 같이 $\angle A=90^{\circ}$이고 $\overline{AB}=\overline{AC}$인 직각이등변삼각형 ABC의 꼭짓점 B, C에서 점 A를 지나는 직선 l에 내린 수선의 발을 각각 D, E라 하자. $\overline{BD}=5$ cm, $\overline{CE}=7$ cm일 때, 다음을 구하시오.

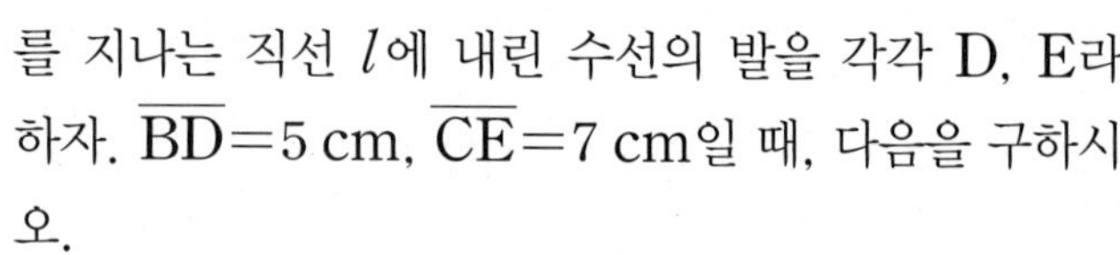

(1) $\overline{DE}$의 길이　　　　(2) □DBCE의 넓이

26 ●●●

오른쪽 그림과 같이 $\angle A=90^{\circ}$이고 $\overline{AB}=\overline{AC}$인 직각이등변삼각형 ABC의 두 점 B, C에서 점 A를 지나는 직선 l에 내린 수선의 발을 각각 D, E라 하자. $\overline{BD}=15$ cm, $\overline{CE}=9$ cm일 때, $\overline{DE}$의 길이를 구하시오.

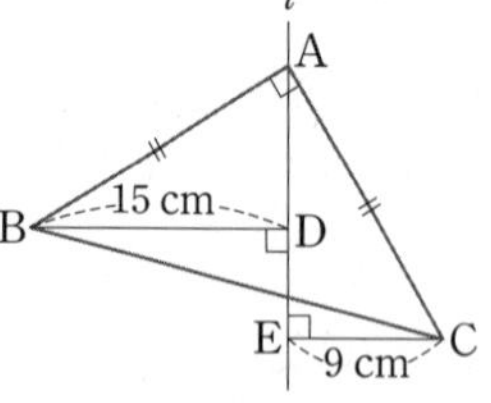

RHS 합동의 활용

개념북 19쪽

27 ●●○

오른쪽 그림과 같이 $\angle B=90^{\circ}$이고 $\overline{AB}=\overline{BC}$인 직각이등변삼각형 ABC에서 $\overline{BC}=\overline{DC}$, $\overline{AC}\perp\overline{ED}$일 때, $\angle CED$의 크기를 구하시오.

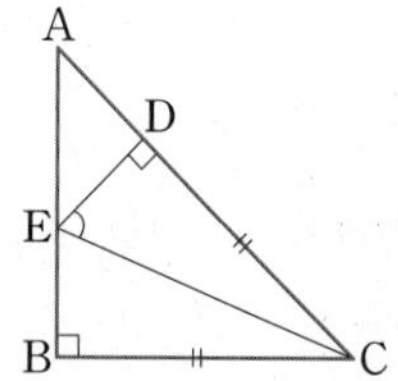

28 ●●○

오른쪽 그림과 같이 $\angle C=90^{\circ}$인 직각삼각형 ABC에서 $\overline{DE}=\overline{CE}$, $\overline{ED}\perp\overline{AB}$, $\angle A=48^{\circ}$일 때, $\angle BED$의 크기를 구하시오.

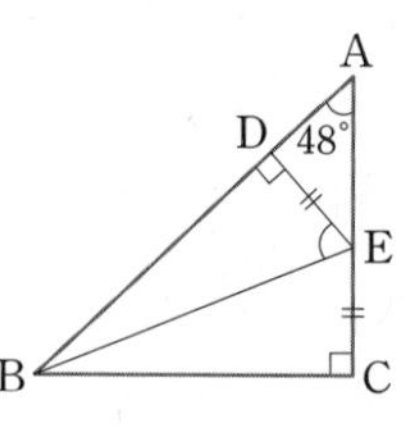

29 ●●○

오른쪽 그림과 같은 △ABC에서 $\overline{BE}=\overline{CD}$, $\overline{AB}\perp\overline{CE}$, $\overline{AC}\perp\overline{BD}$이고 $\angle A=58^{\circ}$일 때, $\angle ECB$의 크기를 구하시오.

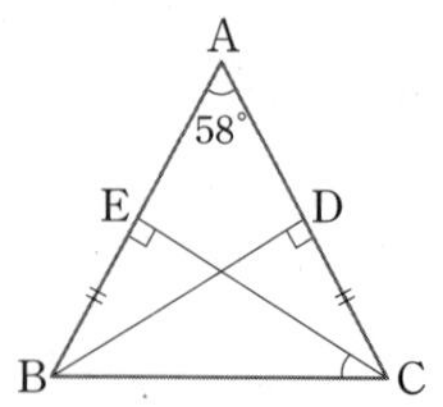

각의 이등분선의 성질의 이해

개념북 20쪽

30 ●○○

오른쪽 그림에서 $\angle PAO=\angle PBO=90^\circ$, $\overline{PA}=\overline{PB}$이고 $\angle POB=35^\circ$일 때, $\angle AOP$의 크기를 구하시오.

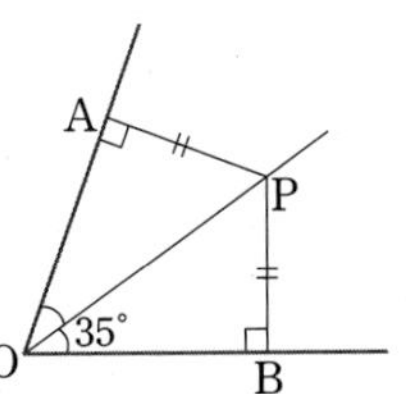

31 ●●○

오른쪽 그림과 같이 $\angle XOY$의 이등분선 위의 한 점 P에서 두 반직선 OX와 OY에 내린 수선의 발을 각각 A, B라 할 때, 다음 중 옳지 <u>않은</u> 것은?

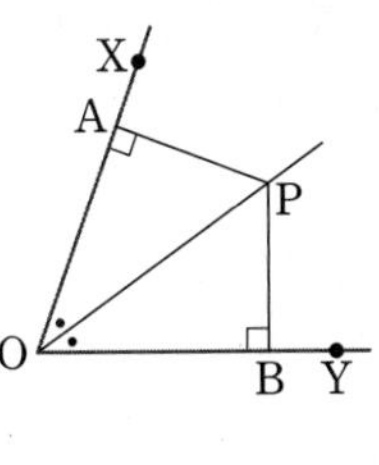

① $\overline{AO}=\overline{BO}$　② $\angle APO=\angle BPO$
③ $\overline{AP}=\overline{BP}$　④ $\overline{AX}=\overline{BY}$
⑤ $\triangle AOP\equiv\triangle BOP$

각의 이등분선의 성질의 활용

개념북 21쪽

32 ●●●

오른쪽 그림에서 $\triangle ABC$는 $\angle B=90^\circ$이고 $\overline{AB}=\overline{BC}$인 직각이등변삼각형이다. $\angle A$의 이등분선과 $\overline{BC}$의 교점을 D, 점 D에서 $\overline{AC}$에 내린 수선의 발을 E라 할 때, 다음 중 옳지 <u>않은</u> 것은?

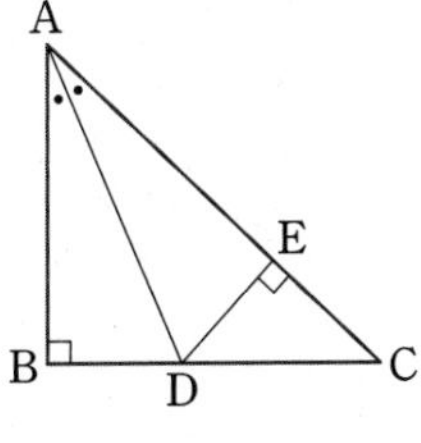

① $\overline{BD}=\overline{ED}$　② $\overline{ED}=\overline{EC}$　③ $\overline{AE}=\overline{BC}$
④ $\overline{BD}=\overline{CD}$　⑤ $\angle BDA=\angle EDA$

33 ●○○

오른쪽 그림과 같이 $\angle B=90^\circ$인 직각삼각형 ABC에서 $\angle A$의 이등분선과 $\overline{BC}$의 교점을 E라 하자. $\overline{BE}=3$ cm일 때, $\overline{DE}$의 길이를 구하시오.

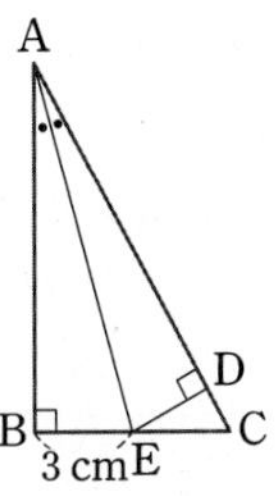

34 ●●○

오른쪽 그림과 같이 $\angle C=90^\circ$인 직각삼각형 ABC에서 $\angle A$의 이등분선이 $\overline{BC}$와 만나는 점을 D라 하자. $\overline{AB}=13$ cm, $\overline{DC}=4$ cm일 때, $\triangle ABD$의 넓이를 구하시오.

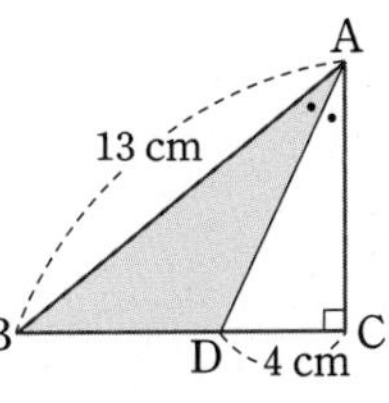

35 ●●○

오른쪽 그림에서 $\triangle ABC$는 $\angle B=90^\circ$이고 $\overline{AB}=\overline{BC}$인 직각이등변삼각형이다. $\overline{AD}$는 $\angle A$의 이등분선이고 $\overline{DE}\perp\overline{AC}$, $\overline{BD}=6$ cm일 때, $\overline{CE}$의 길이를 구하시오.

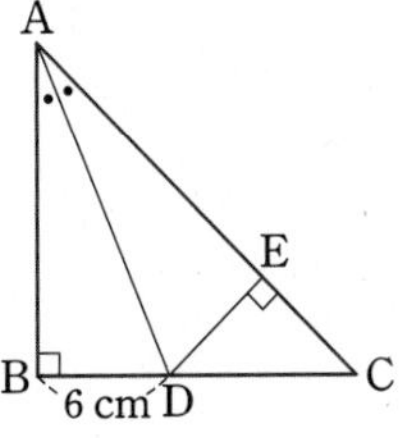

개념완성익힘

1

오른쪽 그림과 같이 $\overline{AB}=\overline{AC}$인 이등변삼각형 ABC에서 $\angle B=52°$이고 $\angle ACD=\angle BCD$일 때, $\angle ADC$의 크기를 구하시오.

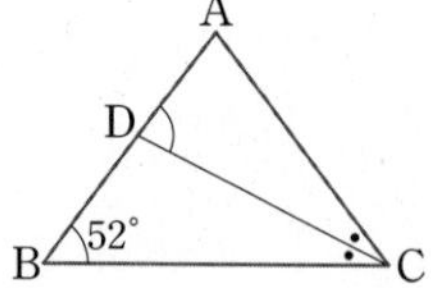

2

오른쪽 그림과 같이 $\overline{AB}=\overline{AC}$인 이등변삼각형 ABC에서 $\angle A : \angle B=5 : 2$일 때, $\angle B$의 크기를 구하시오.

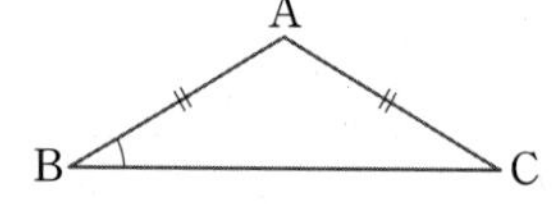

3

오른쪽 그림과 같이 $\overline{AB}=\overline{AC}$인 이등변삼각형 ABC를 $\overline{DE}$를 접는 선으로 하여 꼭짓점 A가 꼭짓점 B에 겹치도록 접었다. $\angle CBE=30°$일 때, $\angle x$의 크기를 구하시오.

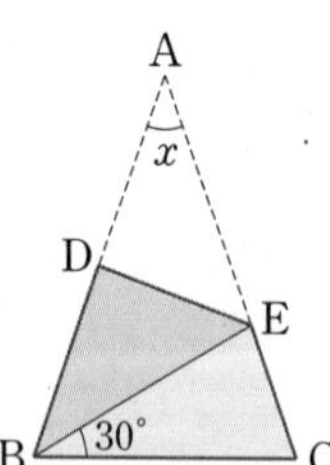

4

오른쪽 그림과 같은 $\triangle ABC$에서 $\overline{AB}=\overline{AC}$이고 $\overline{BC}=\overline{BD}=\overline{AD}$일 때, $\angle x$의 크기를 구하시오.

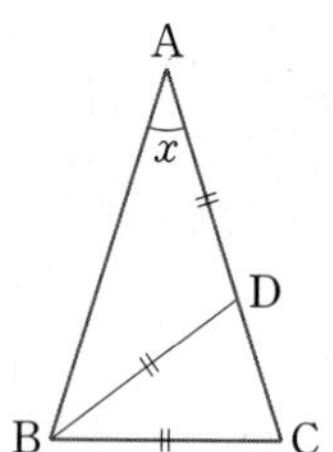

5

오른쪽 그림과 같이 $\overline{AB}=\overline{AC}$인 이등변삼각형 ABC에서 $\overline{AD}=\overline{AE}$이고 $\angle A=46°$, $\angle BDC=90°$일 때, $\angle BFC$의 크기를 구하시오.

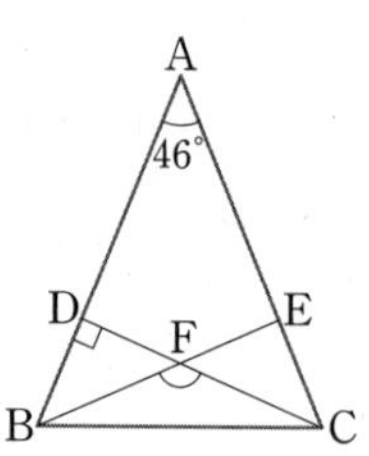

6 실력UP

오른쪽 그림과 같이 $\overline{AB}=\overline{AC}$인 이등변삼각형 ABC에서 $\angle A$의 이등분선과 $\overline{BC}$의 교점을 D라 하고, $\overline{AD}$ 위에 $\angle BPC=90°$가 되도록 점 P를 잡았다. $\overline{PD}=5\text{ cm}$일 때, $\triangle PBC$의 넓이를 구하시오.

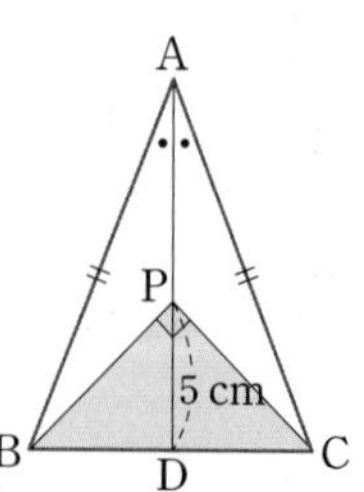

7

오른쪽 그림과 같이 $\overline{BA}=\overline{BC}$이고 $\angle B=90^\circ$인 직각이등변삼각형 ABC의 꼭짓점 B에서 $\overline{AC}$에 내린 수선의 발을 D라 하자. $\overline{BD}=7$ cm일 때, $x+y$의 값을 구하시오.

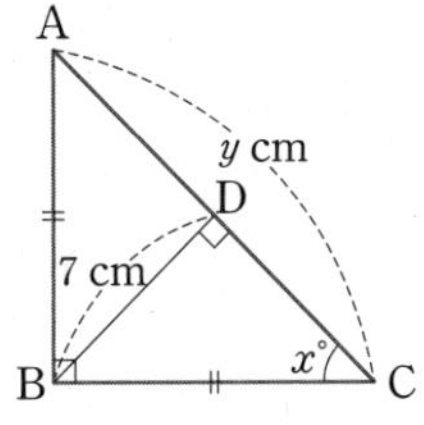

8

오른쪽 그림에서 △ABC는 $\angle C=90^\circ$이고 $\overline{AC}=\overline{BC}$인 직각이등변삼각형이다. $\overline{BC}=\overline{BE}$, $\overline{AB}\perp\overline{DE}$이고 $\overline{CD}=8$ cm일 때, △AED의 넓이를 구하시오.

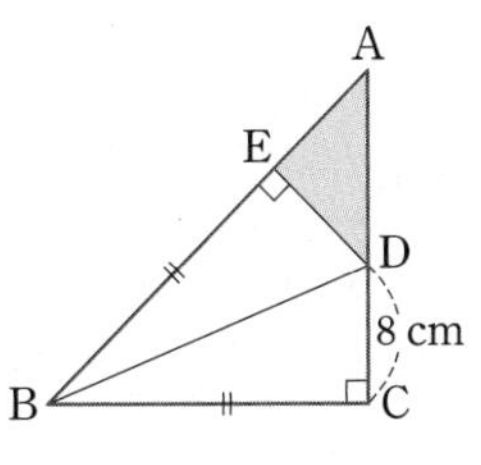

9 실력UP

오른쪽 그림과 같이 $\angle B=90^\circ$인 직각이등변삼각형 ABC의 꼭짓점 A, C에서 점 B를 지나는 직선 l에 내린 수선의 발을 각각 D, E라 하자. $\overline{AD}=8$ cm, $\overline{CE}=5$ cm일 때, $\overline{DE}$의 길이를 구하시오.

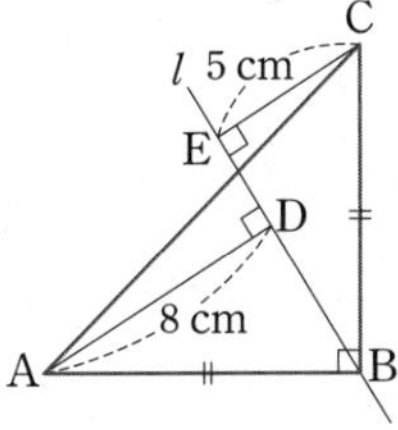

서술형

10

오른쪽 그림과 같은 이등변삼각형 ABC와 DCE에서 $\angle BAC=34^\circ$, $\angle DEC=62^\circ$일 때, $\angle ACD$의 크기를 구하기 위한 풀이 과정을 쓰고 답을 구하시오.

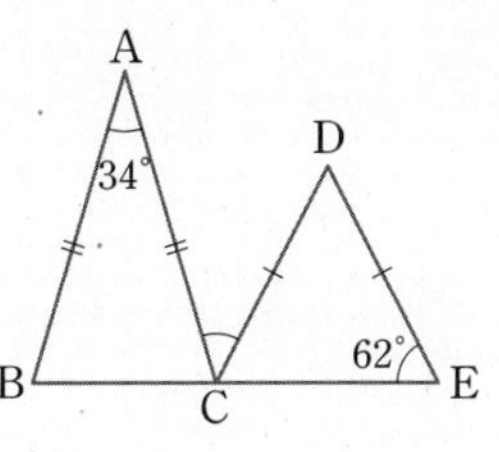

11

오른쪽 그림과 같이 $\angle C=90^\circ$인 직각삼각형 ABC에서 $\overline{BC}=\overline{BE}$이고, $\overline{AB}\perp\overline{DE}$이다. $\angle BAC=52^\circ$일 때, $\angle CBD$의 크기를 구하기 위한 풀이 과정을 쓰고 답을 구하시오.

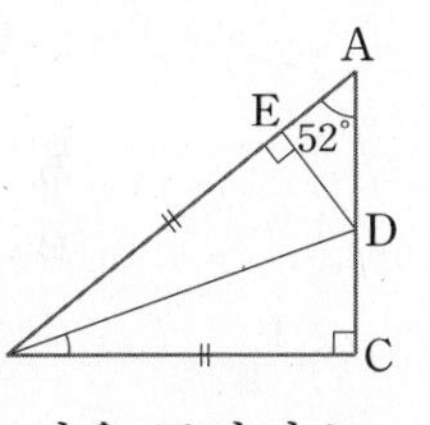

12

오른쪽 그림의 삼각형 ABC에서 $\angle A$의 외각의 이등분선과 $\angle C$의 외각의 이등분선의 교점을 O라 하고, 점 O에서 $\overline{AC}$와 $\overline{BA}$, $\overline{BC}$의 연장선에 내린 수선의 발을 각각 D, E, F라 하자. $\overline{BE}=12$ cm일 때, $\overline{BF}$의 길이를 구하기 위한 풀이 과정을 쓰고 답을 구하시오.

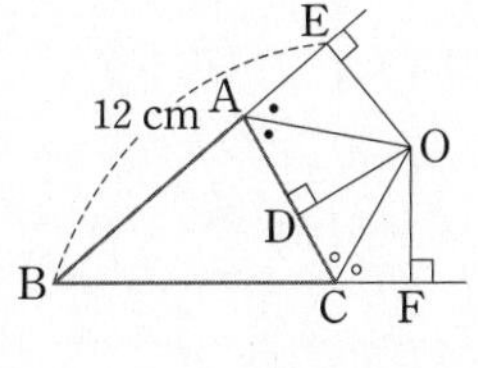

2 삼각형의 외심과 내심

개념적용익힘

삼각형의 외심의 이해

개념북 29쪽

1 ●●○

오른쪽 그림과 같은 △ABC의 세 변의 수직이등분선의 교점을 O라 할 때, 다음 중 옳지 않은 것은?

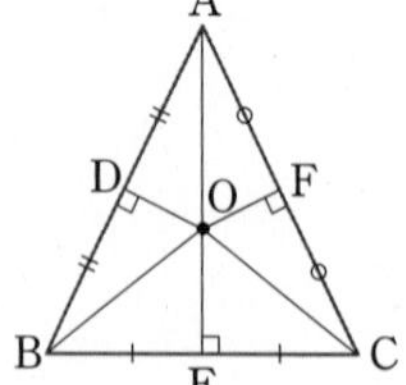

① $\overline{OA}=\overline{OB}=\overline{OC}$
② ∠BAO=∠CAO
③ ∠OBE=∠OCE
④ △OBD≡△OAD
⑤ △OAF≡△OCF

2 ●●○

다음은 '△ABC의 세 변의 수직이등분선은 한 점에서 만난다.'를 설명하는 과정이다. □ 안에 알맞은 것을 써넣으시오.

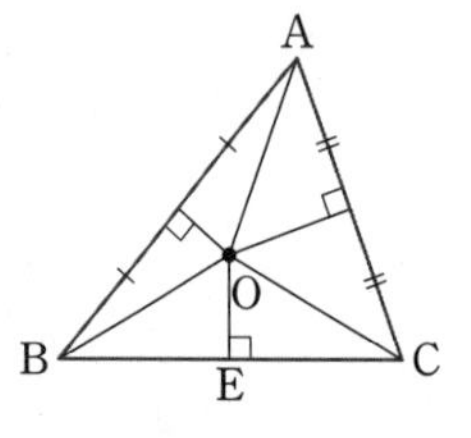

△ABC에서 $\overline{AB}$, $\overline{AC}$의 수직이등분선의 교점을 O라 하고, 점 O에서 $\overline{BC}$에 내린 수선의 발을 E라 하면
$\overline{OA}=\overline{OB}$, $\overline{OA}=\overline{OC}$이므로
$\overline{OB}=$□ …… ㉠
△OBE와 △OCE에서
∠OEB=□=90°, □는 공통 …… ㉡
㉠, ㉡에 의하여 △OBE≡□(RHS 합동)이므로
$\overline{BE}=$□
즉, $\overline{OE}$는 $\overline{BC}$의 수직이등분선이므로 △ABC의 세 변의 수직이등분선은 한 점 O에서 만난다.

삼각형의 외심의 성질의 이해

개념북 29쪽

3 ●○○

오른쪽 그림에서 점 O는 △ABC의 외심이고 $\overline{OB}=5$ cm, $\overline{AC}=7$ cm일 때, △OCA의 둘레의 길이를 구하시오.

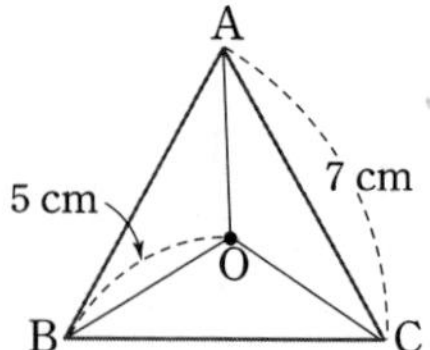

4 ●●○

오른쪽 그림에서 점 O는 △ABC의 외심일 때, △ABC의 둘레의 길이를 구하시오.

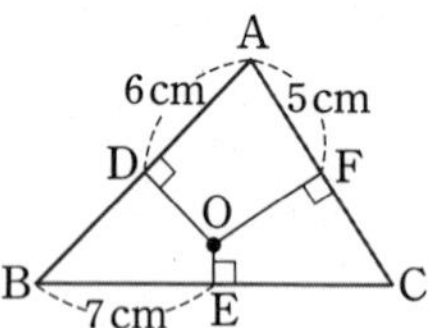

5 ●●○

오른쪽 그림에서 점 O는 △ABC의 외심이고 ∠OBC=28°일 때, $\angle x-\angle y$의 크기를 구하시오.

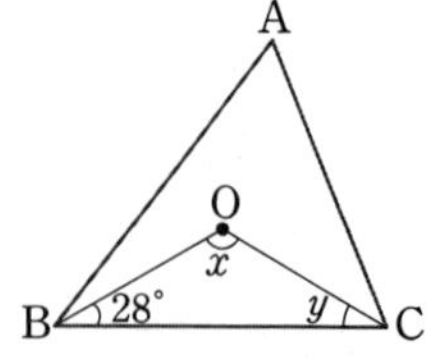

직각삼각형의 외심(1)－변의 길이 구하기 개념북 31쪽

6 ●○○

오른쪽 그림에서 점 O는 $\angle C=90^\circ$인 직각삼각형 ABC의 외심이다. $\overline{AB}=10\text{ cm}$, $\overline{BC}=8\text{ cm}$일 때, $\triangle ABC$의 외접원의 넓이를 구하시오.

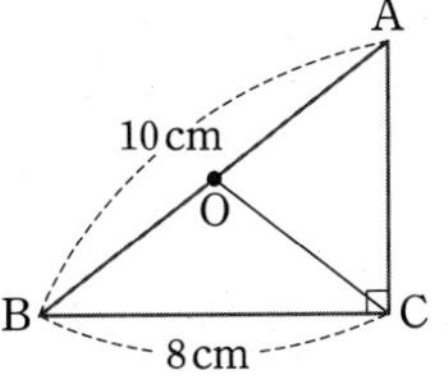

7 ●●○

오른쪽 그림과 같이 $\angle A=90^\circ$인 직각삼각형 ABC에서 점 M은 $\overline{BC}$의 중점이다. $\overline{BC}=6\text{ cm}$, $\angle B=30^\circ$일 때, $\triangle AMC$의 둘레의 길이를 구하시오.

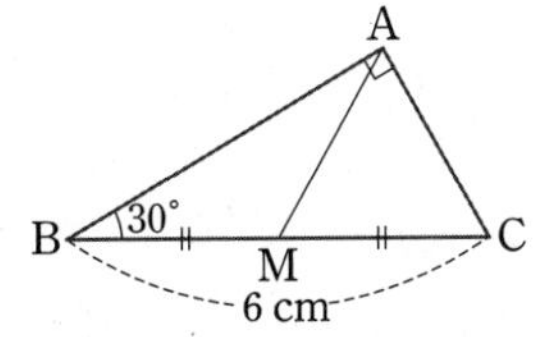

8 ●●●

오른쪽 그림에서 점 O는 $\angle C=90^\circ$인 직각삼각형 ABC의 외심이다. $\overline{BC}=10\text{ cm}$이고 $\triangle OBC$의 넓이가 15 cm^2일 때, $\overline{AC}$의 길이는?

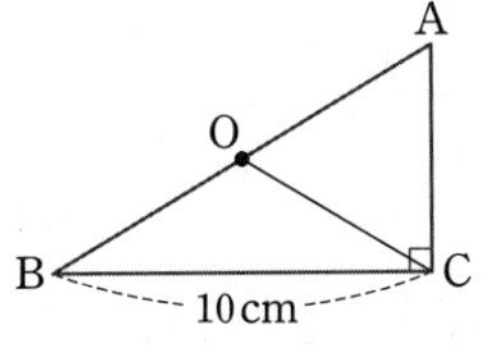

① 3 cm ② 4 cm ③ 5 cm
④ 6 cm ⑤ 7 cm

직각삼각형의 외심(2)－각의 크기 구하기 개념북 31쪽

9 ●○○

오른쪽 그림과 같이 $\angle C=90^\circ$인 직각삼각형 ABC에서 점 O는 $\overline{AB}$의 중점이다. $\angle B=28^\circ$일 때, $\angle x$의 크기를 구하시오.

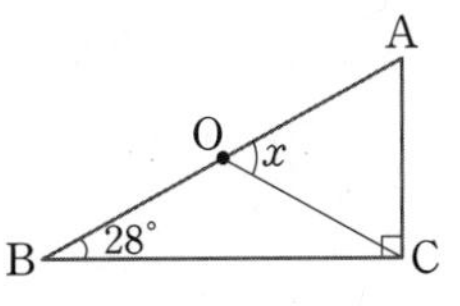

10 ●○○

오른쪽 그림과 같이 $\angle A=90^\circ$인 직각삼각형 ABC에서 점 O는 $\overline{BC}$의 중점이다. $\angle AOB=60^\circ$일 때, $\angle C$의 크기를 구하시오.

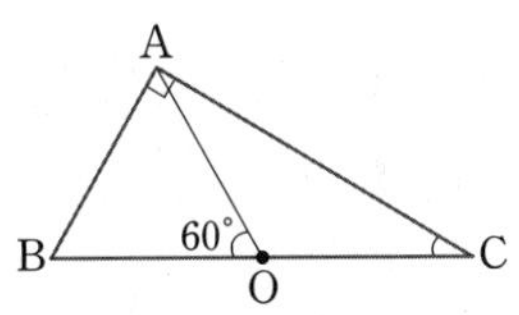

11 ●●○

오른쪽 그림의 $\triangle ABC$는 $\angle C=90^\circ$인 직각삼각형이다. 점 O가 $\overline{AB}$의 중점이고 $\angle OCB : \angle OCA=3 : 2$일 때, $\angle BOC$의 크기는?

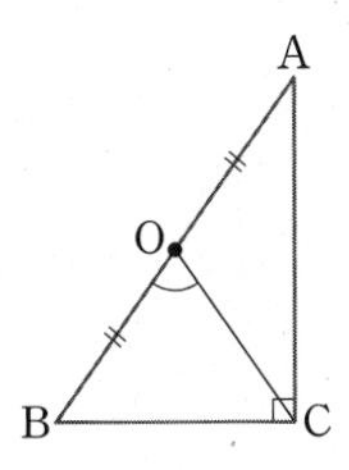

① 68° ② 70° ③ 72°
④ 74° ⑤ 76°

삼각형의 외심의 응용(1)

개념북 33쪽

12 ●●○

오른쪽 그림에서 점 O가 $\triangle ABC$의 외심일 때, $\angle A+\angle OBC$의 크기를 구하시오.

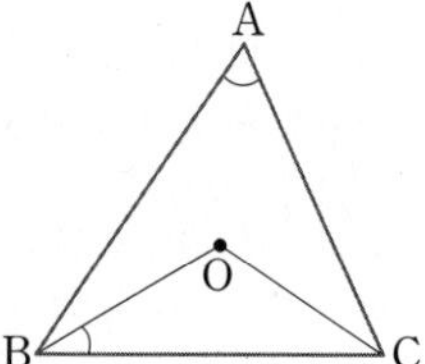

13 ●●○

오른쪽 그림에서 점 O는 $\triangle ABC$의 외심이다. $\angle OCA=30°$, $\angle BOC=110°$일 때, $\angle OBA$의 크기를 구하시오.

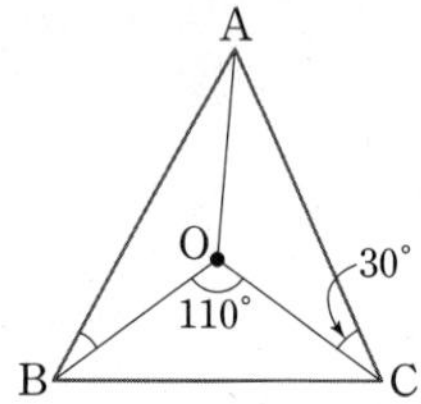

14 ●●●

오른쪽 그림에서 점 O는 $\triangle ABC$의 외심이다. $\angle BAO=20°$, $\angle CAO=30°$일 때, $\angle B$와 $\angle C$의 크기를 각각 구하시오.

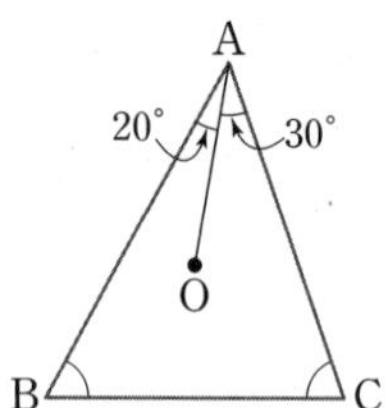

삼각형의 외심의 응용(2)

개념북 33쪽

15 ●●○

오른쪽 그림에서 점 O가 $\triangle ABC$의 외심이고 $\angle OBC=20°$일 때, $\angle A$의 크기는?

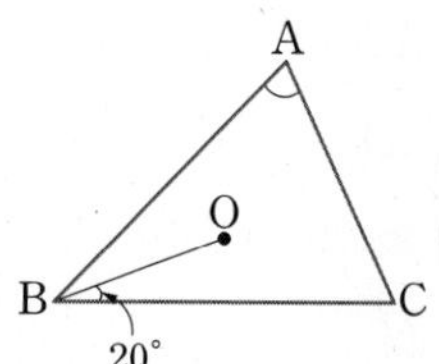

① 55°　② 60°

③ 65°　④ 70°

⑤ 75°

16 ●●○

오른쪽 그림에서 점 O는 $\triangle ABC$의 외심이다. $\angle A:\angle B:\angle C=5:4:3$일 때, $\angle BOC$의 크기를 구하시오.

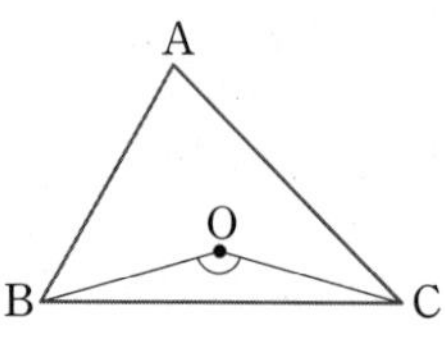

17 ●●●

오른쪽 그림에서 원 O는 $\triangle ABC$의 외접원이다. $\angle BAC=65°$일 때, $\angle x$의 크기는?

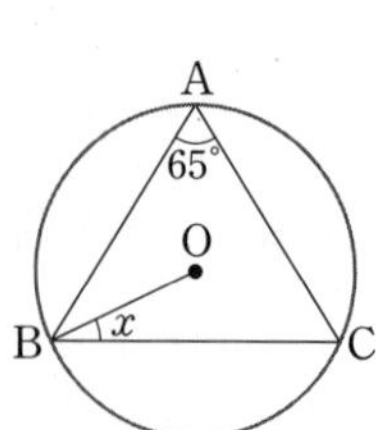

① 10°　② 15°

③ 20°　④ 25°

⑤ 30°

삼각형의 내심의 이해

개념북 35쪽

18 ●●○

오른쪽 그림에서 점 I가 △ABC의 내심일 때, 다음 중 옳지 않은 것을 모두 고르면? (정답 2개)

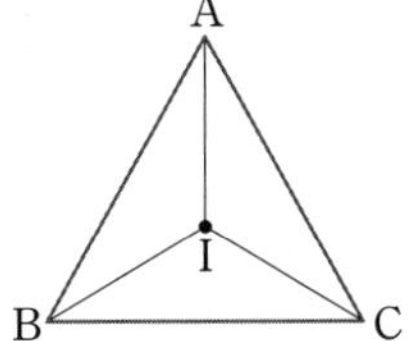

① $\overline{IA}$와 $\overline{IB}$의 길이는 같다.
② $\overline{IA}$는 ∠A를 이등분한다.
③ $\overline{IA}$를 연장한 직선은 $\overline{BC}$와 수직이다.
④ 점 I는 △ABC의 내접원의 중심이다.
⑤ 점 I에서 $\overline{AB}$, $\overline{BC}$, $\overline{CA}$에 이르는 거리는 같다.

19 ●●○

다음은 '△ABC의 세 내각의 이등분선은 한 점에서 만난다.'를 설명하는 과정이다. □ 안에 알맞은 것을 써넣으시오.

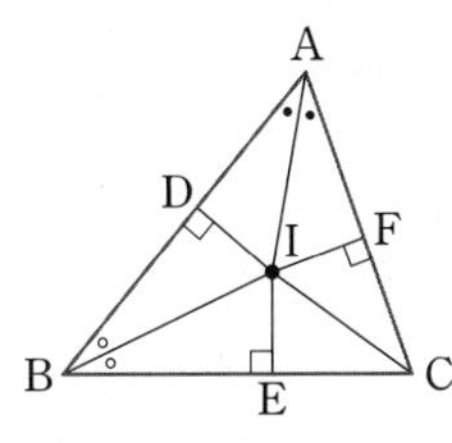

△ABC에서 ∠A와 ∠B의 이등분선의 교점을 I라 하고, 점 I에서 세 변 AB, BC, CA에 내린 수선의 발을 각각 D, E, F라 하자.
△AID≡△AIF(RHA 합동)이므로
$\overline{ID}=\overline{IF}$ …… ㉠
△BID≡△BIE(RHA 합동)이므로
$\overline{ID}=\overline{IE}$ …… ㉡
㉠, ㉡에서 $\overline{IF}=$□
△CIE와 △CIF에서
□는 공통, ∠CEI=□$=90°$,
$\overline{IE}=$□이므로 △CIE≡△CIF(RHS 합동)
즉, ∠ICE=∠ICF이므로 점 I는 □의 이등분선 위에 있다.
따라서 △ABC의 세 내각의 이등분선은 한 점 I에서 만난다.

삼각형의 내심과 평행선

개념북 35쪽

20 ●●○

오른쪽 그림에서 점 P는 ∠B와 ∠C의 이등분선의 교점이다. $\overline{DE}$ // $\overline{BC}$일 때, 다음 중 옳지 않은 것은?

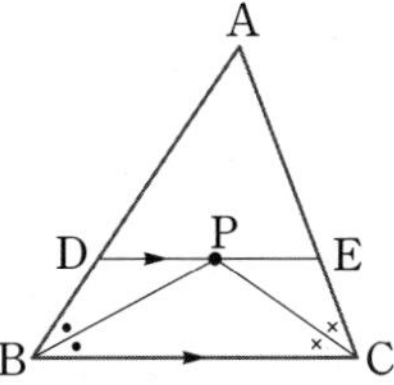

① $\overline{DB}=\overline{DP}$
② $\overline{EP}=\overline{EC}$
③ ∠PBC=∠PCB
④ ∠DPB=∠CBP
⑤ (△ADE의 둘레의 길이)$=\overline{AB}+\overline{AC}$

21 ●●●

오른쪽 그림에서 점 I는 △ABC의 내심이다. $\overline{BC}$ // $\overline{DE}$일 때, △ADE의 둘레의 길이를 구하시오.

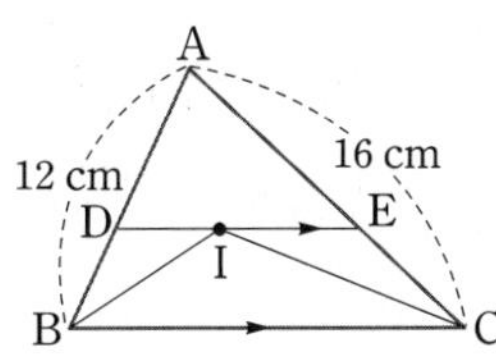

22 ●●●

오른쪽 그림에서 △ABC는 $\overline{AB}=\overline{AC}$인 이등변삼각형이다. 점 I는 △ABC의 내심이고, $\overline{DE}$ // $\overline{BC}$이다. △ADE의 둘레의 길이가 40 cm일 때, $\overline{AB}$의 길이를 구하시오.

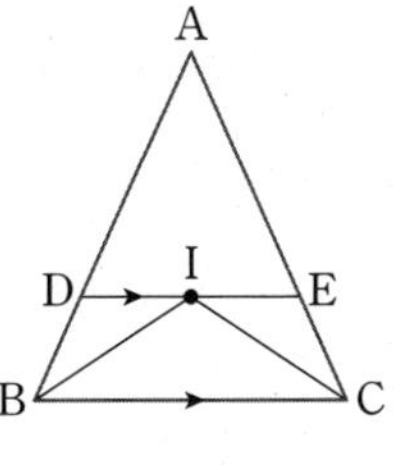

삼각형의 내심의 응용(1)

개념북 37쪽

23 ●●○

오른쪽 그림에서 점 I는 $\triangle ABC$의 내심이다. $\angle IAB=25°$, $\angle IBA=30°$일 때, $\angle BCA$의 크기를 구하시오.

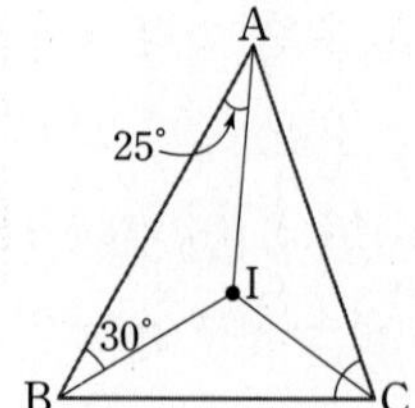

24 ●●○

오른쪽 그림에서 점 I는 $\triangle ABC$의 내심이다. $\angle A=50°$, $\angle ABI=42°$일 때, $\angle x$의 크기를 구하시오.

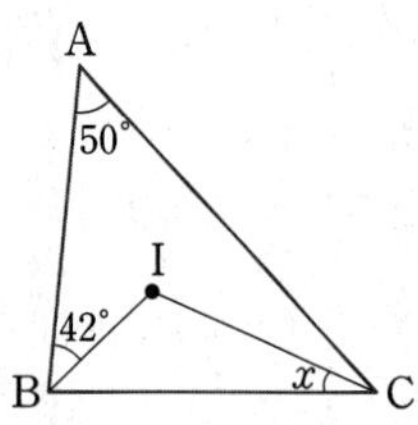

25 ●●●

오른쪽 그림에서 점 I는 $\triangle ABC$의 내심이다. $\angle C=70°$일 때, $\angle x+\angle y$의 크기를 구하시오.

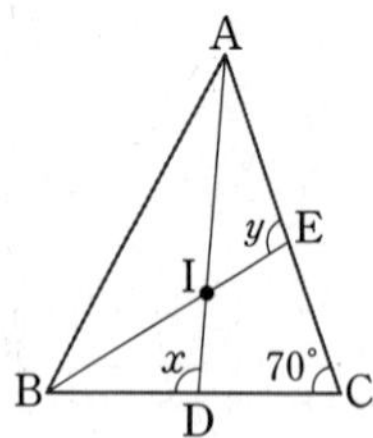

삼각형의 내심의 응용(2)

개념북 37쪽

26 ●○○

오른쪽 그림에서 점 I는 $\triangle ABC$의 내심이다. $\angle A=58°$, $\angle IBC=30°$일 때, $\angle x$의 크기를 구하시오.

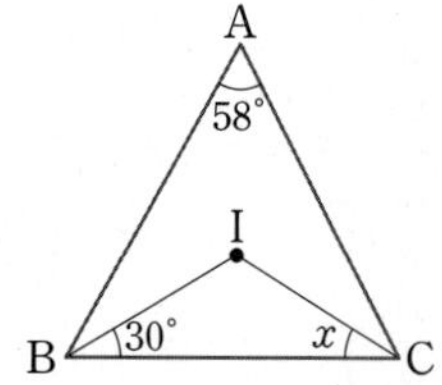

27 ●●○

오른쪽 그림에서 점 I는 $\triangle ABC$의 내심이다. $\angle ABC=56°$, $\angle IAC=24°$일 때, $\angle x+\angle y$의 크기를 구하시오.

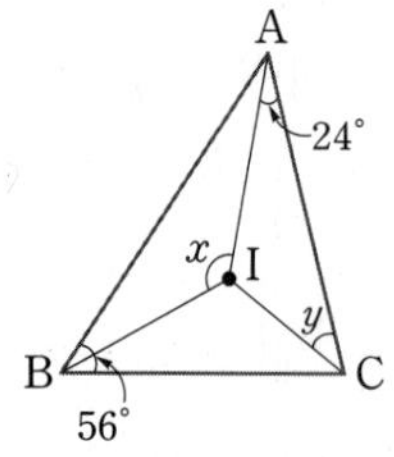

28 ●●●

오른쪽 그림에서 점 I는 $\triangle ABC$의 내심이고, $\angle A=60°$이다. 꼭짓점 B, C와 점 I를 연결한 직선이 변 AC, AB와 만나는 점을 각각 D, E라 할 때, $\angle x+\angle y$의 크기를 구하시오.

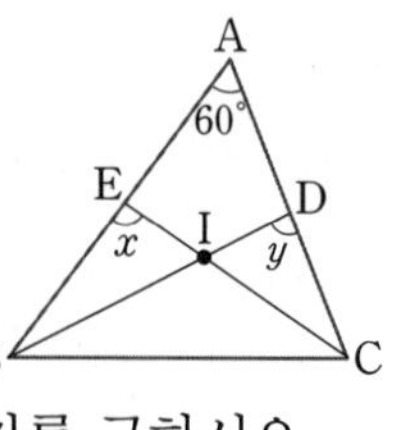

삼각형의 내접원과 접선

개념북 39쪽

29 ●○○

오른쪽 그림에서 점 I는 △ABC의 내심이고, 원 I는 △ABC와 세 점 D, E, F에서 접한다. $\overline{AD}=4$ cm, $\overline{EC}=8$ cm일 때, $\overline{AC}$의 길이를 구하시오.

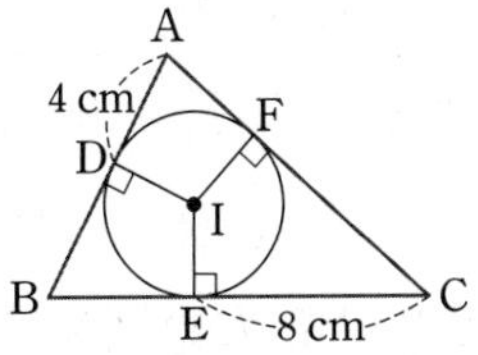

30 ●●○

오른쪽 그림과 같이 △ABC의 내접원이 삼각형의 각 변과 만나는 점을 각각 D, E, F라 하자. $\overline{AD}=3$ cm, $\overline{BD}=5$ cm, $\overline{BC}=9$ cm일 때, x의 값은?

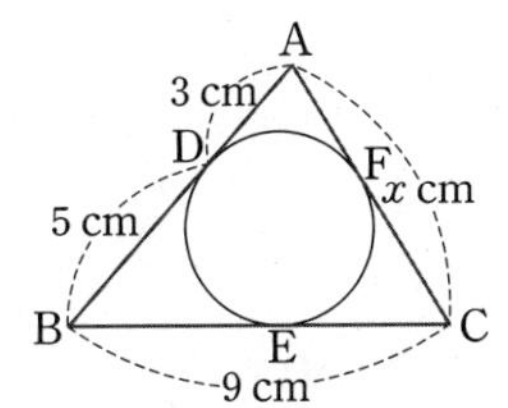

① 7 ② 8 ③ 9
④ 10 ⑤ 11

31 ●●○

오른쪽 그림에서 원 I는 △ABC의 내접원이고 세 점 D, E, F는 접점이다. $\overline{AB}=5$ cm, $\overline{BC}=7$ cm, $\overline{CA}=6$ cm일 때, $\overline{AD}$의 길이를 구하시오.

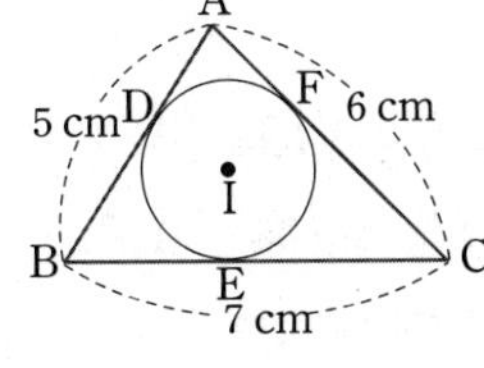

삼각형의 내접원의 반지름의 길이와 넓이

개념북 39쪽

32 ●●○

오른쪽 그림에서 점 I는 △ABC의 내접원의 중심이다. △ABC의 둘레의 길이가 18 cm이고 넓이가 27 cm^2일 때, △ABC의 내접원의 반지름의 길이를 구하시오.

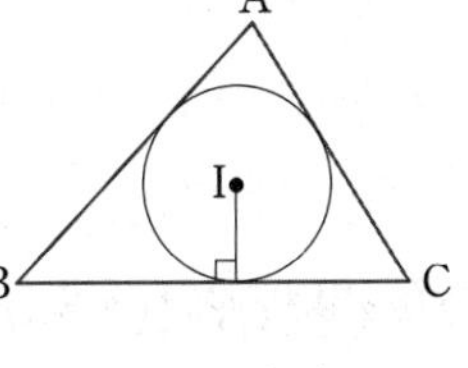

33 ●●○

오른쪽 그림에서 점 I는 △ABC의 내심이다. $\overline{AB}=16$ cm이고 △ABI의 넓이가 32 cm^2, $\overline{BC}+\overline{AC}=28$ cm일 때, △ABC의 넓이를 구하시오.

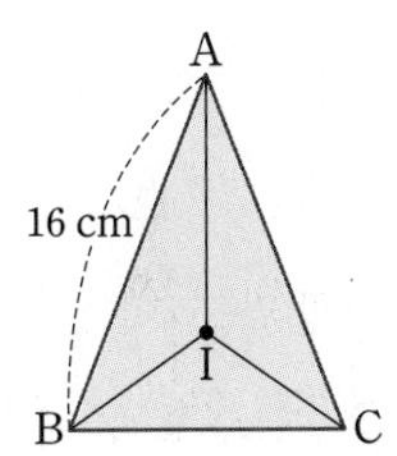

34 ●●●

오른쪽 그림에서 점 I는 $\angle C=90°$인 직각삼각형 ABC의 내심이다. $\overline{AB}=20$ cm, $\overline{BC}=12$ cm, $\overline{CA}=16$ cm일 때, 색칠한 부분의 넓이를 구하시오.

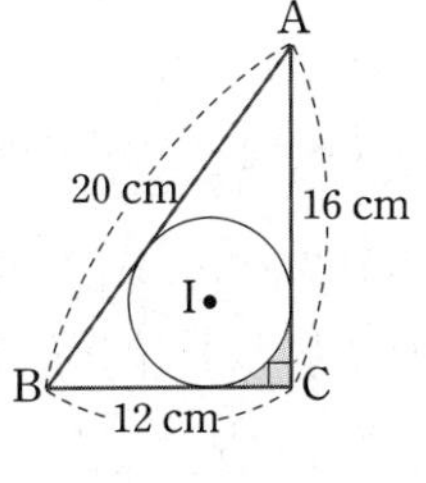

개념완성익힘

1

다음 **보기** 중 삼각형의 외심에 대한 설명으로 옳은 것을 모두 고른 것은?

보기

ㄱ. 삼각형의 세 내각의 이등분선의 교점이다.
ㄴ. 삼각형의 외심에서 세 꼭짓점에 이르는 거리는 같다.
ㄷ. 이등변삼각형의 외심은 꼭지각의 이등분선 위에 있다.
ㄹ. 예각삼각형의 외심은 삼각형의 외부에 있다.

① ㄱ, ㄷ ② ㄱ, ㄹ ③ ㄴ, ㄷ
④ ㄴ, ㄹ ⑤ ㄴ, ㄷ, ㄹ

2

오른쪽 그림에서 점 O는 $\triangle ABC$의 외심이다. $\angle ACO=37^\circ$, $\angle BCO=30^\circ$일 때, $\angle A-\angle B$의 크기를 구하시오.

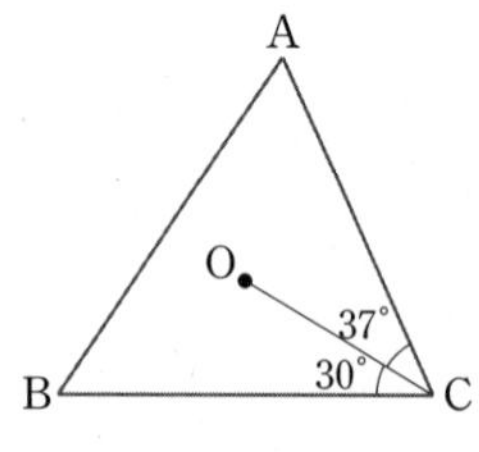

3 실력UP

오른쪽 그림과 같이 $\angle A=90^\circ$인 직각삼각형 ABC에서 점 E는 $\overline{BC}$의 중점이고 점 A에서 $\overline{BC}$에 내린 수선의 발을 D라 하자. $\angle B=32^\circ$일 때, $\angle EAD$의 크기를 구하시오.

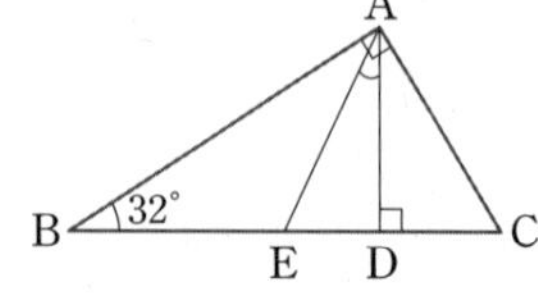

4

오른쪽 그림에서 점 O는 $\triangle ABC$의 외심이다. $\angle C=70^\circ$일 때, $\angle x$의 크기를 구하시오.

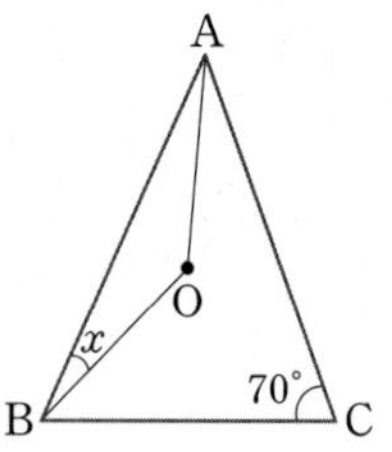

5

오른쪽 그림과 같이 반지름의 길이가 6 cm인 원 O에서 $\angle BAC=60^\circ$일 때, 부채꼴 BOC의 넓이를 구하시오.

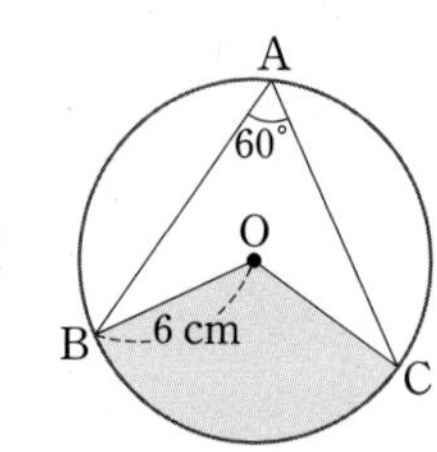

6

오른쪽 그림에서 점 I는 $\triangle ABC$의 내심이다. $\angle IBC=34^\circ$, $\angle ICB=42^\circ$일 때, $\angle x$의 크기를 구하시오.

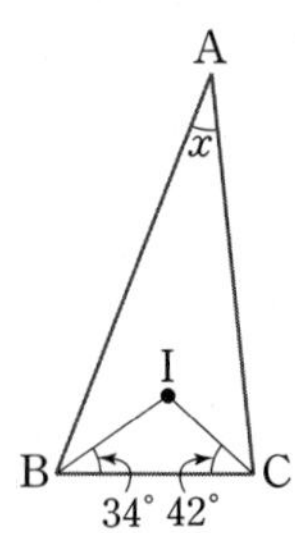

7 실력UP

오른쪽 그림에서 점 I는 $\triangle ABC$의 내심이다. $\angle BEC=80°$, $\angle BDC=85°$일 때, $\angle A$의 크기를 구하시오.

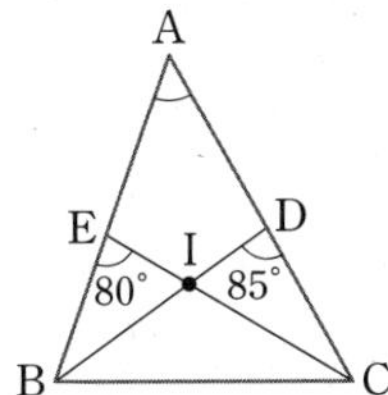

8 실력UP

오른쪽 그림에서 점 I는 $\triangle ABC$의 내심이다. 내접원의 반지름의 길이가 1 cm이고 $\triangle ABC$의 넓이가 $6\ cm^2$일 때, $\triangle ABC$의 둘레의 길이를 구하시오.

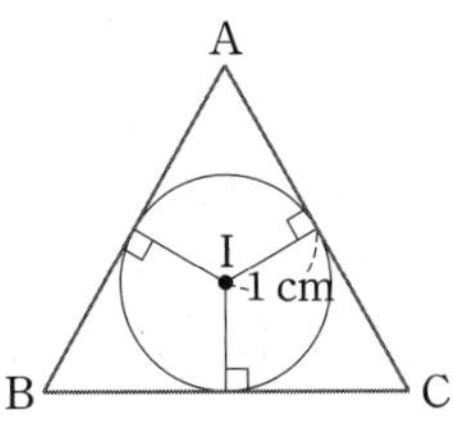

9

오른쪽 그림에서 점 I는 $\triangle ABC$의 내심이다. $\overline{AB}=6$ cm, $\overline{AC}=7$ cm, $\overline{BC}=9$ cm일 때, $\overline{BE}$의 길이를 구하시오.

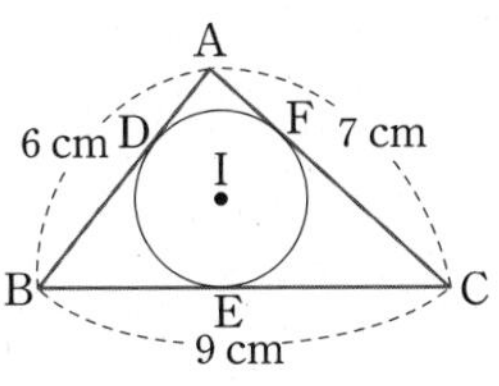

서술형

10

오른쪽 그림과 같이 $\angle B=90°$인 직각삼각형 ABC에서 점 M은 $\overline{AC}$의 중점이다. $\overline{AB}=5$ cm, $\overline{BC}=12$ cm, $\overline{AC}=13$ cm일 때, $\triangle ABC$의 외접원의 둘레의 길이를 구하기 위한 풀이 과정을 쓰고 답을 구하시오.

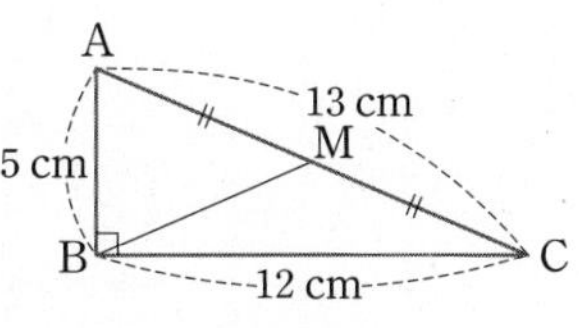

11

오른쪽 그림에서 두 점 O, I는 각각 $\triangle ABC$의 외심과 내심이다. $\angle BOC=104°$일 때, $\angle BIC$의 크기를 구하기 위한 풀이 과정을 쓰고 답을 구하시오.

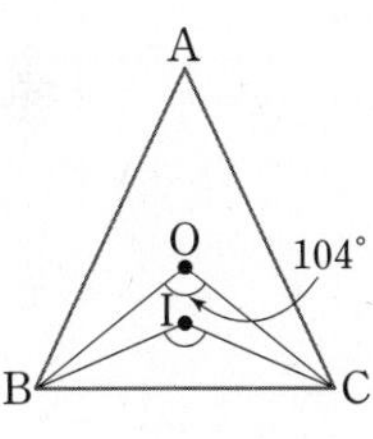

12

오른쪽 그림에서 점 I는 $\triangle ABC$의 내심이다. $\overline{DE} /\!/ \overline{BC}$이고 $\overline{DB}=5$ cm, $\overline{DE}=12$ cm일 때, $\overline{CE}$의 길이를 구하기 위한 풀이 과정을 쓰고 답을 구하시오.

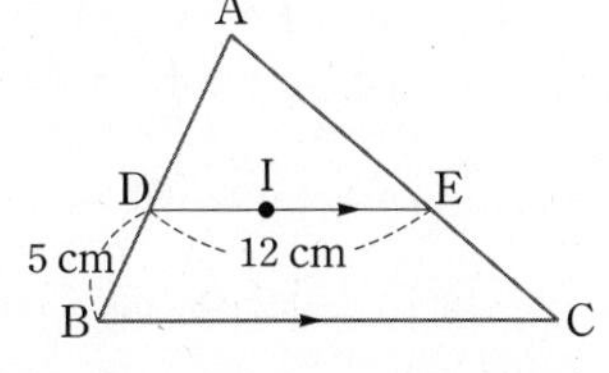

대단원 마무리

I. 삼각형의 성질

1 오른쪽 그림에서 $\triangle ABC$는 $\overline{AB}=\overline{AC}$인 이등변삼각형이다. $\angle A=84°$이고 $\overline{BD}=\overline{BE}$, $\overline{CE}=\overline{CF}$일 때, $\angle x$의 크기는?

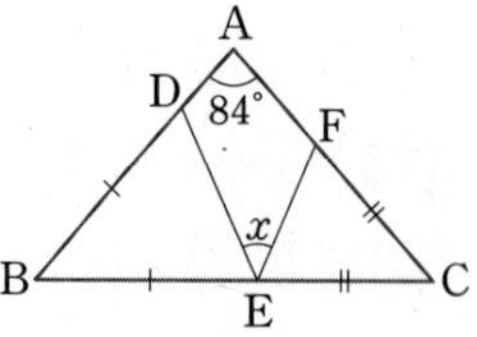

① 45° ② 46° ③ 47°
④ 48° ⑤ 49°

2 오른쪽 그림에서 $\overline{DB}=\overline{DE}=\overline{AE}=\overline{AC}$이고, $\angle DBE=28°$일 때, $\angle x$의 크기는?

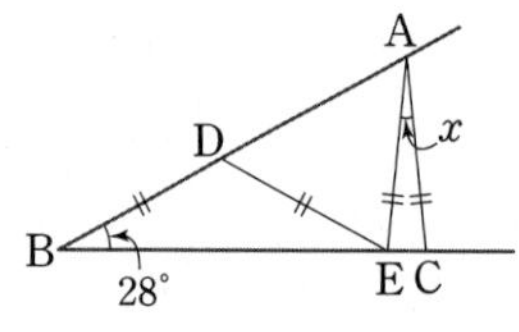

① 10° ② 12° ③ 14°
④ 16° ⑤ 18°

3 오른쪽 그림과 같은 사각형 ABCD에서 $\overline{AD} /\!/ \overline{BC}$이고, $\overline{AD}=\overline{DC}$, $\overline{AC}=\overline{BC}$이다. $\angle D=96°$일 때, $\angle B$의 크기는?

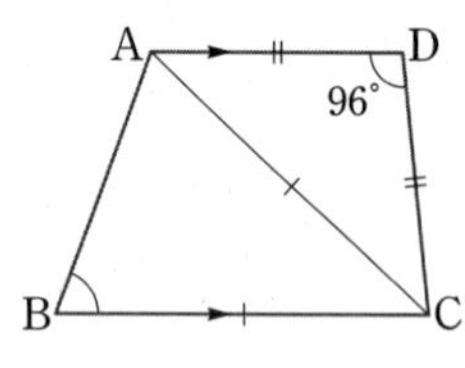

① 65° ② 66° ③ 67°
④ 68° ⑤ 69°

4 오른쪽 그림과 같이 직사각형 모양의 종이를 $\overline{EF}$를 접는 선으로 하여 접었다. $\angle FGE=52°$일 때, $\angle x$의 크기는?

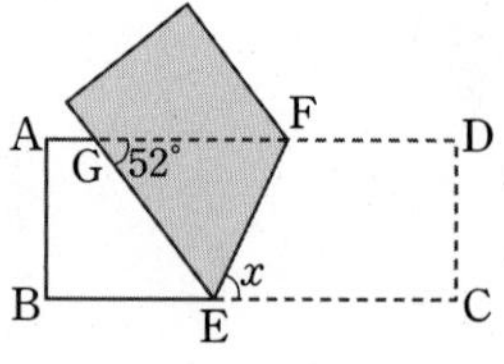

① 52° ② 60° ③ 64°
④ 70° ⑤ 72°

5 오른쪽 그림에서 점 M은 $\overline{AB}=\overline{AC}$인 이등변삼각형 ABC의 밑변 BC의 중점이고, $\overline{BC}=6$ cm, $\angle A=30°$이다. 점 M을 중심으로 하는 반원이 $\overline{AB}$, $\overline{AC}$와 만나는 점을 각각 D, E라 할 때, 부채꼴 DME의 넓이를 구하시오.

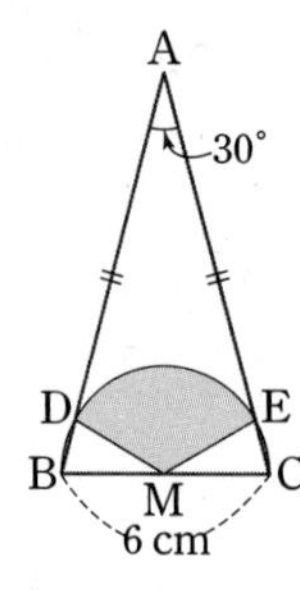

6 오른쪽 그림과 같이 $\overline{AB}=\overline{AC}$인 이등변삼각형 ABC에서 $\overline{BC}$의 중점을 D라 하고, 점 D에서 두 변 AB, AC에 내린 수선의 발을 각각 E, F라 할 때, 다음 중 옳지 않은 것은?

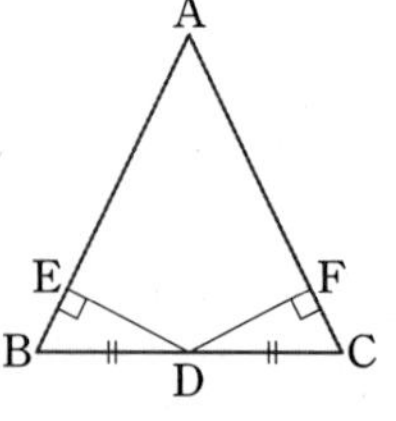

① $\overline{AE}=\overline{AF}$ ② $\overline{DE}=\overline{DF}$
③ $\angle BDE=\angle CDF$ ④ $\overline{AE}=\overline{BC}$
⑤ $\angle B=\angle C$

7 오른쪽 그림과 같이 $\angle A=90^\circ$인 직각삼각형 ABC에서 $\overline{BC}=12$ cm, $\angle B=30^\circ$이고, $\overline{BM}=\overline{CM}$일 때, △AMC의 둘레의 길이는?

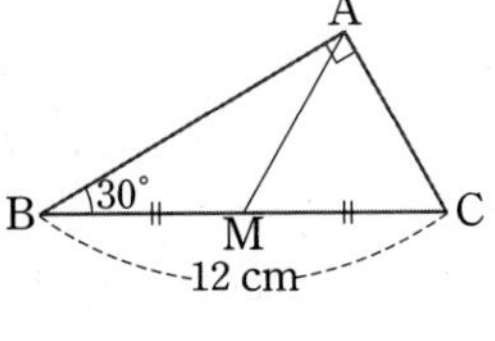

① 12 cm ② 15 cm ③ 18 cm
④ 20 cm ⑤ 24 cm

8 다음 그림에서 점 I는 △ABC의 내심이다. $\angle AIB : \angle BIC : \angle AIC=5 : 6 : 7$일 때, $\angle ABC$의 크기는?

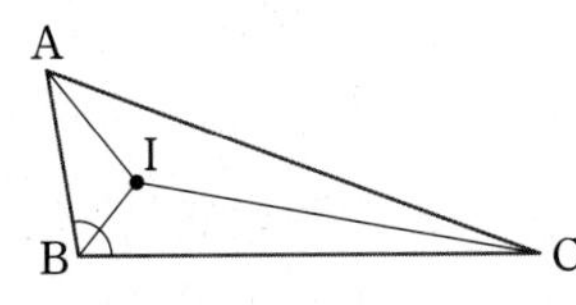

① 90° ② 95° ③ 100°
④ 105° ⑤ 110°

9 오른쪽 그림과 같이 $\angle C=90^\circ$인 직각삼각형 ABC에서 점 I는 △ABC의 내심일 때, △IAB의 넓이를 구하시오.

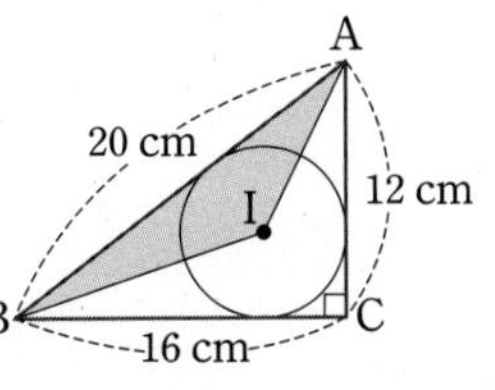

10 오른쪽 그림에서 점 I는 △ABC의 내심이고 점 I에서 세 변 AB, BC, CA에 내린 수선의 발을 각각 D, E, F라 하자.
$\angle IED=35^\circ$, $\angle IEF=25^\circ$일 때, $\angle DIF$의 크기는?

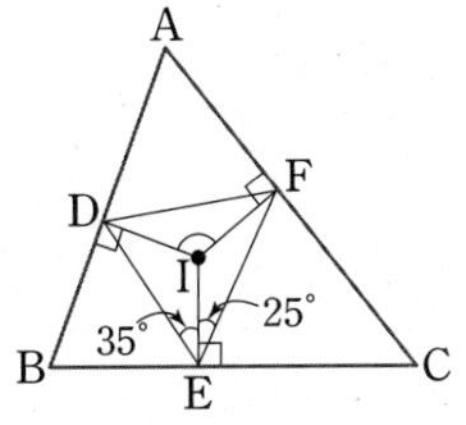

① 100° ② 105° ③ 110°
④ 115° ⑤ 120°

11 오른쪽 그림과 같이 $\angle C=90^\circ$인 직각삼각형 ABC의 외심을 O, 내심을 I라 하자. $\angle A=60^\circ$일 때, $\angle x$의 크기는?

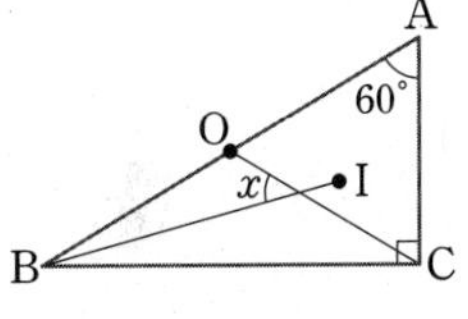

① 45° ② 50° ③ 55°
④ 60° ⑤ 65°

서술형

12 오른쪽 그림에서 점 O와 점 I는 각각 $\overline{AB}=\overline{AC}$인 이등변삼각형 ABC의 외심과 내심이다. $\angle BAO=20^\circ$일 때, $\angle x-\angle y$의 크기를 구하기 위한 풀이 과정을 쓰고 답을 구하시오.

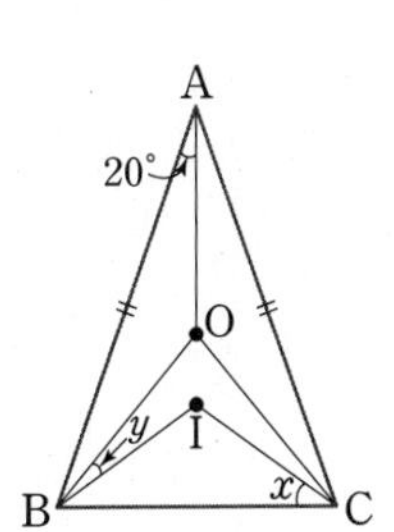

1 평행사변형

개념적용익힘

평행사변형의 성질(1)

개념북 51쪽

1 ●○○

다음은 평행사변형의 두 쌍의 대변의 길이는 각각 같음을 설명하는 과정이다. ① ~ ⑤에 들어갈 것으로 옳지 않은 것은?

> 오른쪽 그림과 같이 평행사변형 ABCD의 대각선 BD를 그으면 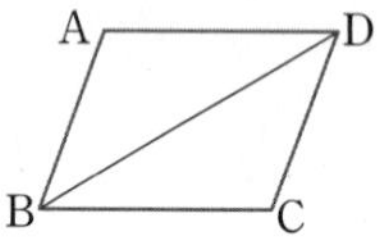
> △ABD와 △CDB에서
> $\overline{AB} /\!/ \overline{DC}$이므로
> ∠ABD= ① (엇각) ...... ㉠
> $\overline{AD} /\!/ \overline{BC}$이므로
> ∠ADB= ② (엇각) ...... ㉡
> ③ 는 공통 ...... ㉢
> ㉠, ㉡, ㉢에 의해 △ABD≡△CDB (④ 합동)
> ∴ $\overline{AB}$= ⑤ , $\overline{AD}=\overline{BC}$
> 따라서 평행사변형의 두 쌍의 대변의 길이는 각각 같다.

① ∠CDB ② ∠ABD ③ $\overline{BD}$
④ ASA ⑤ $\overline{CD}$

2 ●○○

오른쪽 그림과 같은 평행사변형 ABCD에서 x, y의 값을 각각 구하시오.

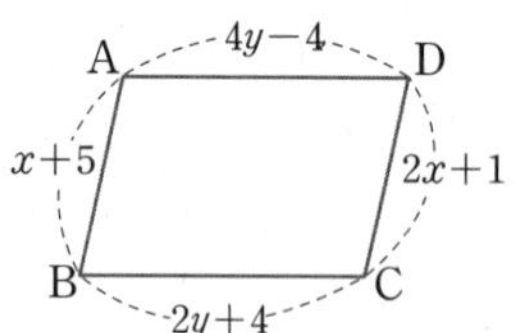

3 ●●○

오른쪽 그림과 같은 평행사변형 ABCD에서 $\overline{AD}$=7 cm, □ABCD의 둘레의 길이가 26 cm일 때, $\overline{AB}$의 길이를 구하시오.

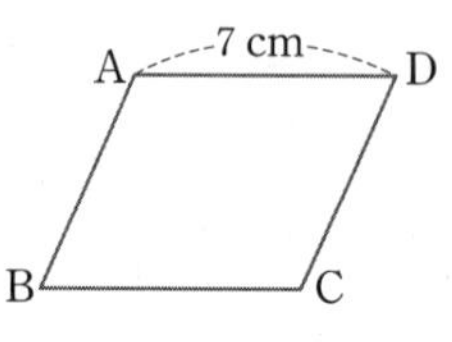

평행사변형의 성질(1) 응용

개념북 51쪽

4 ●●○

오른쪽 그림과 같은 평행사변형 ABCD에서 ∠B의 이등분선이 $\overline{AD}$와 만나는 점을 E, $\overline{CD}$의 연장선과 만나는 점을 F라 하자. $\overline{AB}$=6 cm, $\overline{AD}$=9 cm일 때, $\overline{FD}$의 길이를 구하시오.

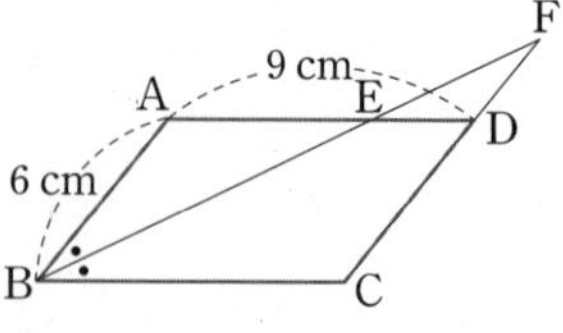

5 ●●○

오른쪽 그림과 같은 평행사변형 ABCD에서 ∠B와 ∠D의 이등분선이 $\overline{AD}$, $\overline{BC}$와 만나는 점을 각각 E, F라 하자. $\overline{AB}$=6 cm, $\overline{BC}$=10 cm일 때, $\overline{ED}+\overline{BF}$의 길이를 구하시오.

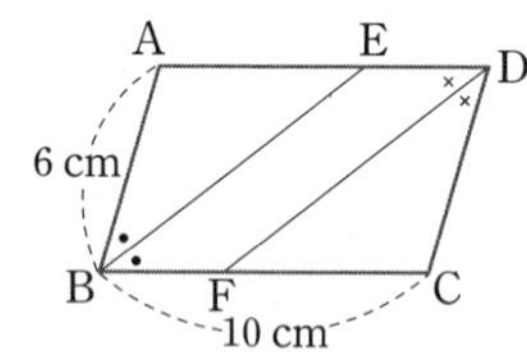

6 ●●●

오른쪽 그림과 같은 평행사변형 ABCD에서 $\overline{AD}$의 중점을 E, $\overline{BE}$의 연장선과 $\overline{CD}$의 연장선의 교점을 F라 하자. $\overline{BC}$=6 cm, $\overline{DC}$=3 cm일 때, $\overline{CF}$의 길이를 구하시오.

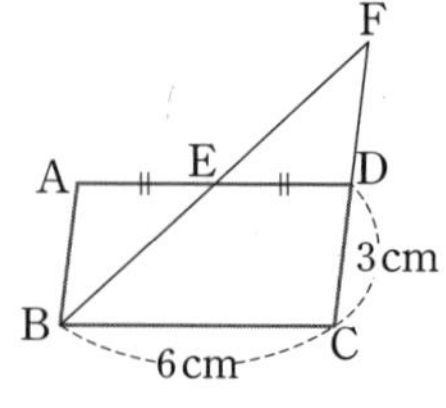

평행사변형의 성질(2)

개념북 53쪽

7 ●●○

다음은 평행사변형의 두 쌍의 대각의 크기는 각각 같음을 설명하는 과정이다. □ 안에 알맞은 것을 써넣으시오.

오른쪽 그림과 같이 평행사변형 ABCD의 두 대각선 AC, BD를 그으면 △ABC와 △CDA에서

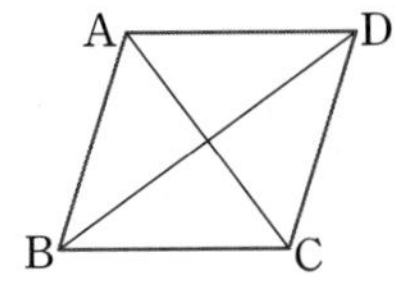

$\overline{AB} /\!/ \overline{DC}$이므로

$\angle BAC=$ □ (엇각) …… ㉠

$\overline{AD} /\!/ \overline{BC}$이므로

□ $=\angle DAC$(엇각) …… ㉡

□ 는 공통 …… ㉢

㉠, ㉡, ㉢에 의해 $\triangle ABC \equiv \triangle CDA$(□ 합동)

$\therefore \angle B=\angle D$

또, △ABD와 △CDB에서 같은 방법으로 하면

□

따라서 평행사변형의 두 대각의 크기는 각각 같다.

8 ●●○

오른쪽 그림과 같은 평행사변형 ABCD에서 $\angle A=100°$, $\angle DBC=40°$일 때, $\angle x$의 크기를 구하시오.

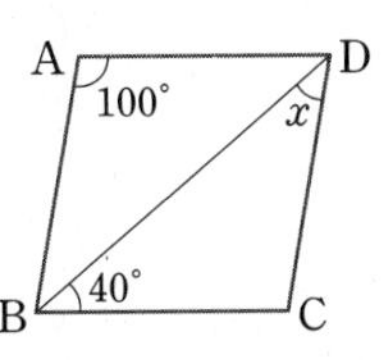

평행사변형의 성질(2) 응용

개념북 53쪽

9 ●●○

오른쪽 그림과 같은 평행사변형 ABCD에서 $\angle DAE=30°$, $\angle C=110°$일 때, $\angle x-\angle y$의 크기를 구하시오.

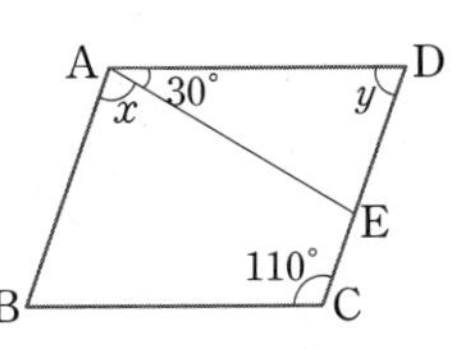

10 ●●○

오른쪽 그림과 같은 평행사변형 ABCD에서 $\overline{AE}$는 $\angle A$의 이등분선이고 $\angle D=66°$일 때, $\angle x$의 크기를 구하시오.

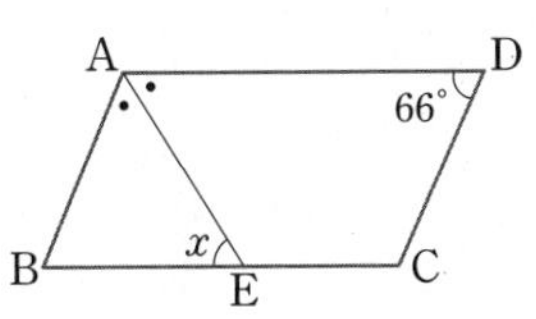

11 ●●○

오른쪽 그림과 같은 평행사변형 ABCD에서 $\overline{AD} /\!/ \overline{EF}$, $\overline{AB} /\!/ \overline{GH}$일 때, $x+y+z$의 값을 구하시오.

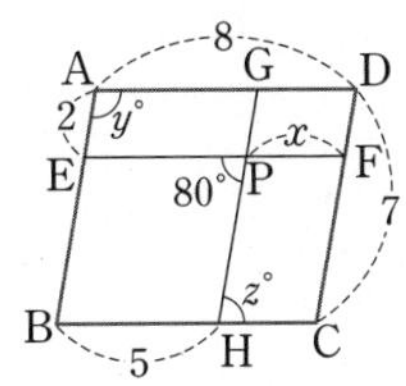

12 ●●○

오른쪽 그림과 같은 평행사변형 ABCD에서 $\angle B=60°$, $\angle AFD=90°$이고 $\angle ADF=\angle FDE=\angle EDC$일 때, $\angle x$의 크기를 구하시오.

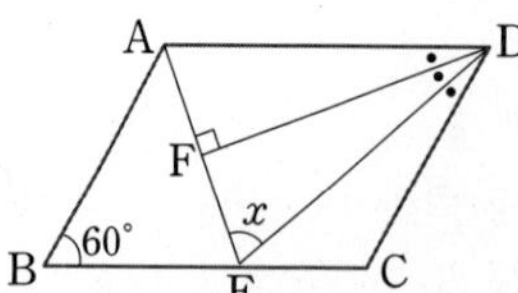

13 ●●○

오른쪽 그림과 같은 평행사변형 ABCD에서 $\angle A$와 $\angle B$의 이등분선이 만나는 점을 E라 할 때, $\angle AEB$의 크기는?

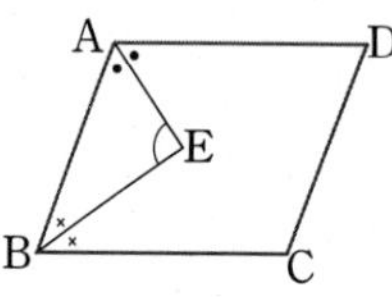

① 60° ② 70° ③ 80°
④ 90° ⑤ 100°

14 ●●●

오른쪽 그림과 같은 평행사변형 ABCD에서 $\angle B$와 $\angle C$의 이등분선이 $\overline{AD}$와 만나는 점을 각각 E, F라 하고, $\overline{BE}$와 $\overline{CF}$의 교점을 G, $\overline{BA}$의 연장선과 $\overline{CF}$의 연장선의 교점을 H라 하자. $\angle BHC=55°$일 때, $\angle BED$의 크기를 구하시오.

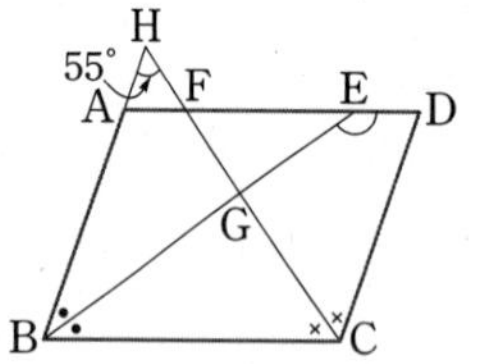

평행사변형의 성질(3)

개념북 54쪽

15 ●○○

다음은 평행사변형의 두 대각선은 서로 다른 것을 이등분함을 설명하는 과정이다. ① ~ ⑤에 들어갈 것으로 옳지 않은 것은?

> 오른쪽 그림과 같이 평행사변형 ABCD의 두 대각선의 교점을 O라 하면
>
> 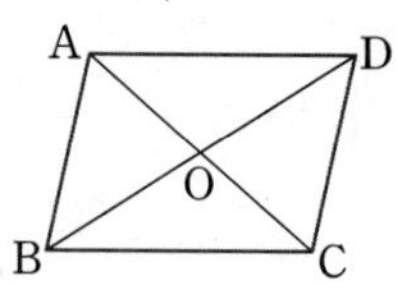
>
>
> $\triangle ABO$와 $\triangle CDO$에서
>
> $\overline{AB} /\!/ \overline{DC}$이므로
>
> $\angle ABO=$ [①] (엇각) …… ㉠
>
> $\angle BAO=$ [②] (엇각) …… ㉡
>
> $\overline{AB}=$ [③] (평행사변형의 성질) …… ㉢
>
> ㉠, ㉡, ㉢에 의해 $\triangle ABO \equiv \triangle CDO$(ASA 합동)
>
> $\therefore \overline{OA}=$ [④], $\overline{OB}=$ [⑤]
>
> 따라서 평행사변형의 두 대각선은 서로 다른 것을 이등분한다.

① $\angle CDO$ ② $\angle DCO$ ③ $\overline{BO}$
④ $\overline{OC}$ ⑤ $\overline{OD}$

16 ●○○

오른쪽 그림과 같은 평행사변형 ABCD에서 두 대각선의 교점이 O이고 $\overline{AO}=5$ cm, $\overline{DO}=9$ cm일 때, $x+y$의 값을 구하시오.

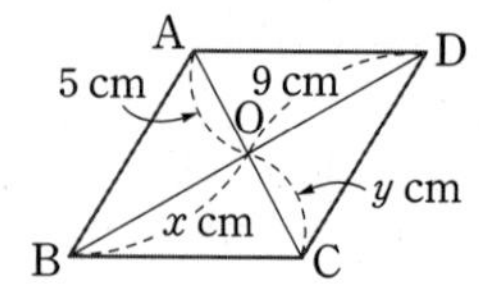

17 ●●○

오른쪽 그림과 같은 평행사변형 ABCD에서 두 대각선의 교점이 O이고 $\angle CAD=60^\circ$, $\angle ACD=55^\circ$, $\overline{OD}=8$ cm일 때, x, y의 값을 각각 구하시오.

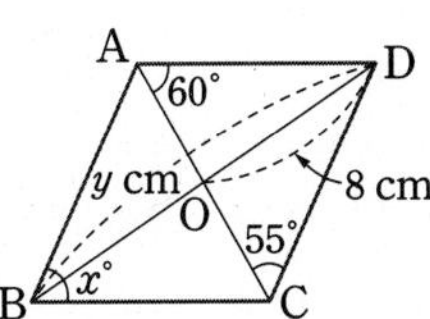

18 ●●○

오른쪽 그림과 같은 평행사변형 ABCD에서 $\overline{AB}=4$ cm이고 두 대각선의 길이의 합이 16 cm일 때, $\triangle DOC$의 둘레의 길이를 구하시오.

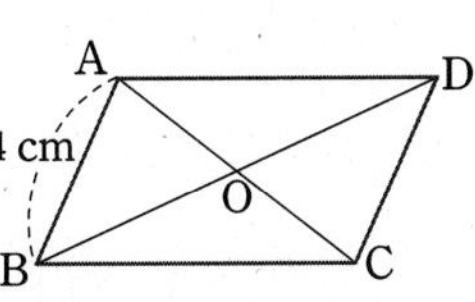

19 ●●○

오른쪽 그림과 같은 □ABCD가 평행사변형일 때, 다음 중 옳지 않은 것은?

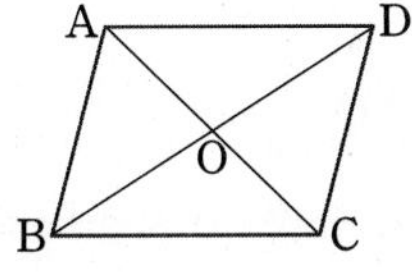

① $\overline{AB} /\!/ \overline{DC}$　② $\overline{AD}=\overline{BC}$
③ $\overline{AC}=\overline{BD}$　④ $\overline{AO}=\overline{CO}$
⑤ $\angle BAD=\angle BCD$

평행사변형의 성질 (3) 응용

개념북 54쪽

20 ●●○

오른쪽 그림과 같은 평행사변형 ABCD에서 두 대각선의 교점 O를 지나는 직선이 $\overline{AB}$, $\overline{DC}$와 만나는 점을 각각 P, Q라 할 때, 다음 중 옳지 않은 것은?

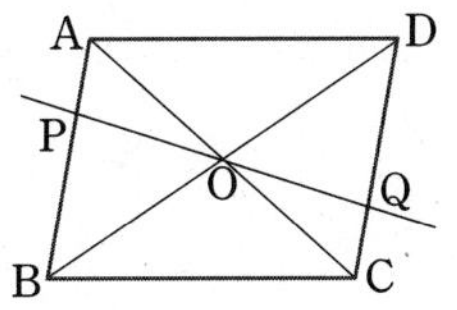

① $\overline{OP}=\overline{OQ}$　② $\triangle APO \equiv \triangle CQO$
③ $\overline{OA}=\overline{OC}$　④ $\triangle PBO \equiv \triangle QDO$
⑤ $\overline{OB}=\overline{OC}$

21 ●●○

오른쪽 그림과 같은 평행사변형 ABCD에서 두 대각선의 교점 O를 지나고 $\overline{AB}$, $\overline{DC}$에 수직인 직선이 $\overline{AB}$, $\overline{DC}$와 만나는 점을 각각 P, Q라 하자. $\overline{PB}=\overline{PO}=5$ cm, $\overline{DC}=9$ cm일 때, $\triangle OCQ$의 넓이를 구하시오.

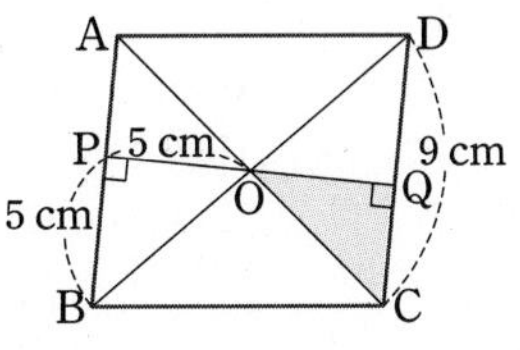

평행사변형이 되는 조건(1)

개념북 56쪽

22 ●●○

다음은 두 쌍의 대변의 길이가 각각 같은 사각형은 평행사변형임을 설명하는 과정이다. □ 안에 알맞은 것을 써넣으시오.

> 오른쪽 그림과 같이 $\overline{AB}=\overline{DC}$, $\overline{AD}=\overline{BC}$인 □ABCD에서 대각선 AC를 그으면
>
> △ABC와 △CDA에서
>
> $\overline{AB}=\overline{CD}$, □$=\overline{DA}$, $\overline{AC}$는 공통인 변이므로
>
> △ABC≡△CDA(□ 합동)
>
> 즉, ∠BAC=∠DCA(엇각)이므로 $\overline{AB}$ // □
>
> 또, ∠BCA=∠DAC(엇각)이므로 □ // $\overline{BC}$
>
> 따라서 □ABCD는 □ 하므로 평행사변형이다.

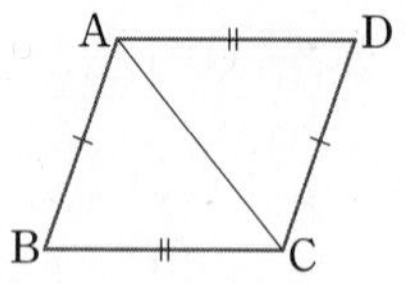

23 ●●○

오른쪽 그림과 같은 □ABCD가 평행사변형이 되도록 하는 x, y의 값을 각각 구하시오.

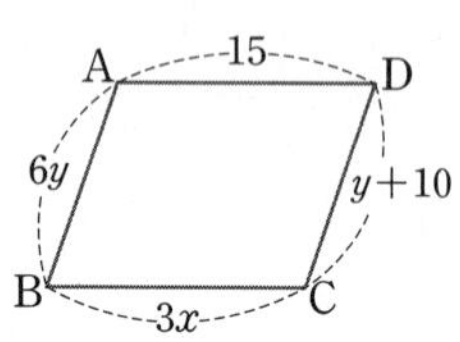

24 ●●○

오른쪽 그림과 같은 □ABCD가 평행사변형이 되도록 하는 ∠x, ∠y의 크기를 각각 구하시오.

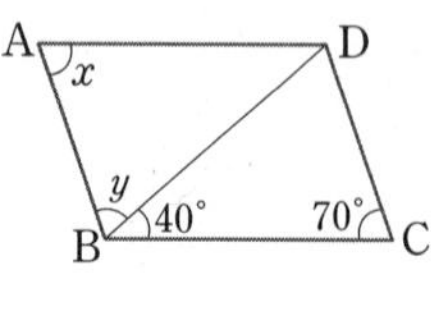

평행사변형이 되는 조건(1) 응용

개념북 56쪽

25 ●●○

오른쪽 그림과 같은 ABCD에서 ∠BAE=∠DAE, ∠AEB=65°일 때, □ABCD가 평행사변형이 되도록 하는 ∠D의 크기는?

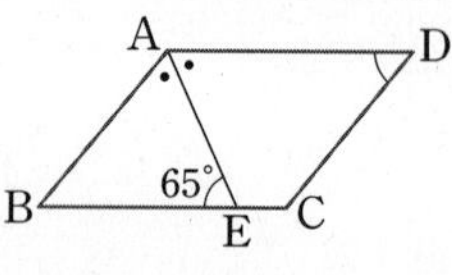

① 50° ② 52° ③ 54° ④ 56° ⑤ 58°

26 ●●○

오른쪽 그림과 같은 평행사변형 ABCD에서 $\overline{AE}=\overline{BF}=\overline{CG}=\overline{DH}$일 때, □EFGH가 평행사변형이 되는 조건을 말하시오.

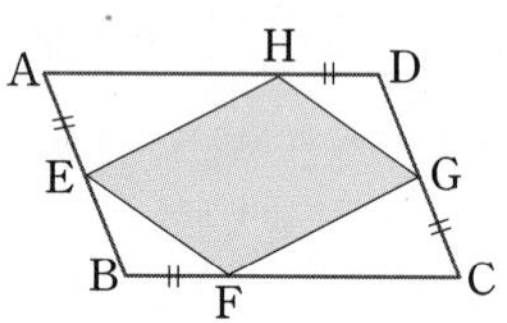

27 ●●○

오른쪽 그림과 같은 평행사변형 ABCD에서 ∠B, ∠D의 이등분선이 $\overline{AD}$, $\overline{BC}$와 만나는 점을 각각 E, F라 하자. $\overline{BC}$=7 cm, $\overline{ED}$=2 cm일 때, $\overline{FC}$의 길이를 구하시오.

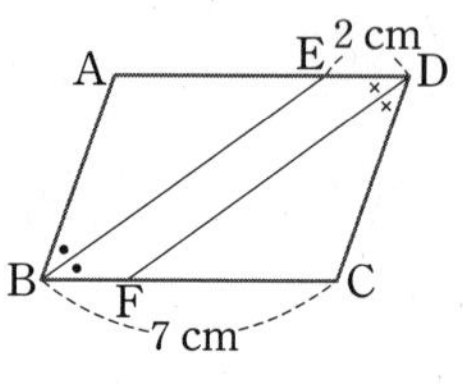

평행사변형이 되는 조건(2)

개념북 58쪽

28 ●●○

다음은 두 대각선이 서로 다른 것을 이등분하는 사각형은 평행사변형임을 설명하는 과정이다. □ 안에 알맞은 것을 써넣으시오.

오른쪽 그림과 같이 두 대각선 AC, BD의 교점을 O라 할 때, $\overline{OA}=\overline{OC}$, $\overline{OB}=\overline{OD}$인 □ABCD가 있다.

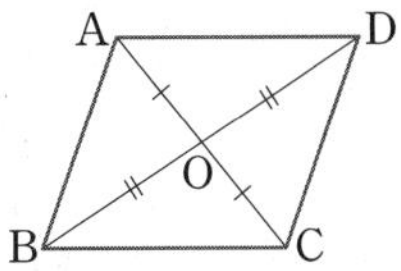

△AOB와 △COD에서 $\overline{AO}=\overline{CO}$, $\overline{BO}=\overline{DO}$,
∠AOB=∠COD(맞꼭지각)이므로
△AOB≡△COD(□ 합동)
즉, ∠ABO=∠CDO(엇각)이므로 $\overline{AB}$ // □
같은 방법으로 하면
△AOD≡△COB(□ 합동)이므로
∠ADO=∠CBO(엇각)에서 $\overline{AD}$ // □
따라서 □ABCD는 □하므로 평행사변형이다.

29 ●●○

오른쪽 그림과 같은 □ABCD가 평행사변형이 되도록 하는 x, y의 값을 각각 구하시오.

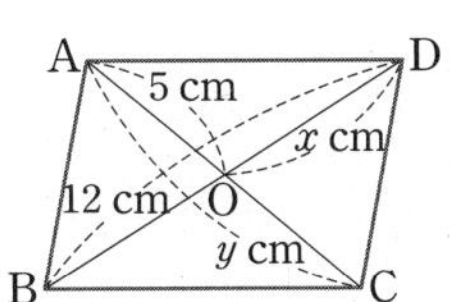

30 ●●○

오른쪽 그림과 같은 □ABCD가 평행사변형이 되도록 하는 x, y의 값을 각각 구하시오.

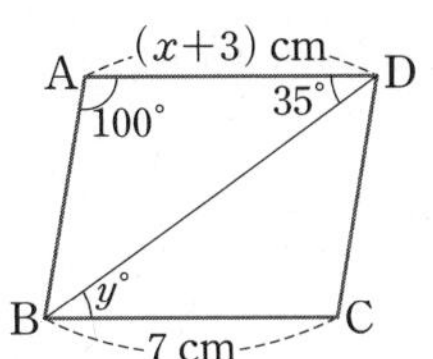

평행사변형이 되는 사각형 찾기

개념북 58쪽

31 ●○○

다음 **보기**의 사각형 중 평행사변형이 아닌 것을 모두 고르시오.

보기

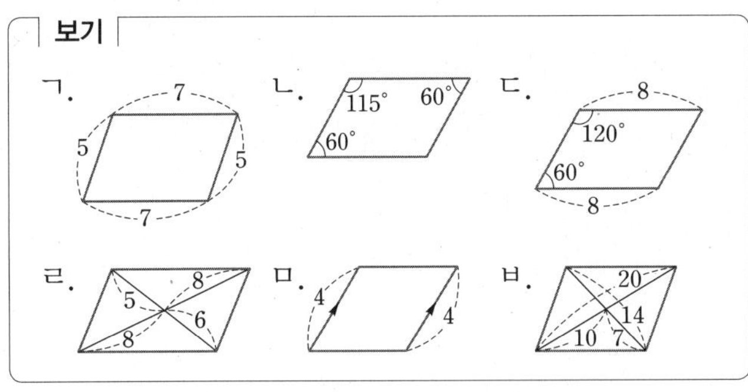

32 ●●○

다음 중 □ABCD가 평행사변형이 되는 조건이 아닌 것을 모두 고르면? (정답 2개)
(단, 점 O는 두 대각선의 교점이다.)

① $\overline{AB}$ // $\overline{DC}$, $\overline{AD}$ // $\overline{BC}$
② $\overline{AB}$ // $\overline{DC}$, $\overline{AD}=\overline{BC}$
③ ∠A=∠C, ∠B=∠D
④ $\overline{OA}=\overline{OB}$, $\overline{OC}=\overline{OD}$
⑤ $\overline{AB}=\overline{DC}$, $\overline{AD}=\overline{BC}$

33 ●●○

다음 중 오른쪽 그림의 □ABCD가 항상 평행사변형인 것을 모두 고르면? (단, 점 O는 두 대각선의 교점이다.) (정답 2개)

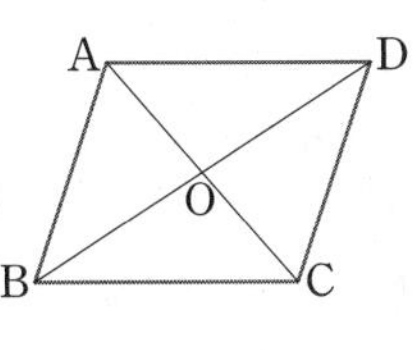

① $\overline{OA}=\overline{OB}=\overline{OC}=\overline{OD}=5$ cm
② $\overline{AB}=\overline{BC}=8$ cm, $\overline{AD}=\overline{DC}=7$ cm
③ ∠A=∠C=115°, ∠B=70°
④ $\overline{AD}=\overline{BC}=6$ cm, ∠ADB=∠DBC
⑤ ∠ABD=∠CDB, ∠BAC=∠DCA

평행사변형이 되는 조건(2) 응용

개념북 59쪽

34 ●●○

다음은 평행사변형 ABCD에서 $\overline{AB}$, $\overline{DC}$ 위에 $\overline{AE}=\overline{CF}$가 되도록 두 점 E, F를 각각 잡을 때, □EBFD가 평행사변형임을 설명하는 과정이다. □ 안에 알맞은 것을 써넣으시오.

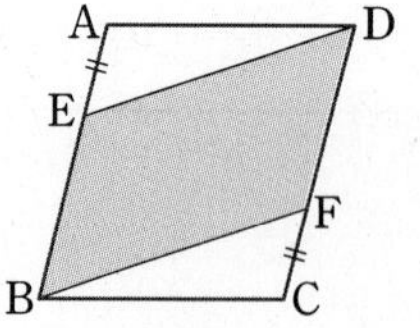

> $\overline{AB} /\!/ \overline{DC}$이므로 $\overline{EB} /\!/$ □
>
> $\overline{EB}=\overline{AB}-\overline{AE}=\overline{DC}-\overline{CF}=$ □
>
> 따라서 □EBFD는
>
> □
>
> 평행사변형이다.

35 ●●○

오른쪽 그림의 평행사변형 ABCD에서 $\overline{AP}=\overline{CR}$, $\overline{BQ}=\overline{DS}$일 때, □PQRS가 평행사변형이 되기 위한 조건으로 가장 적당한 것은?

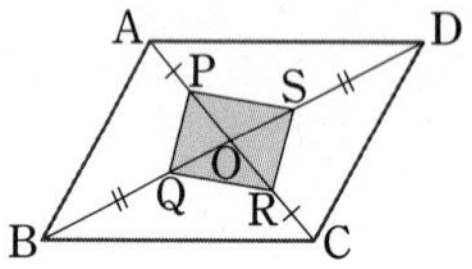

① 두 쌍의 대변이 각각 평행하다.
② 두 쌍의 대변의 길이가 각각 같다.
③ 두 쌍의 대각의 크기가 각각 같다.
④ 두 대각선이 서로 다른 것을 이등분한다.
⑤ 한 쌍의 대변이 평행하고, 그 길이가 같다.

36 ●●○

오른쪽 그림과 같이 평행사변형 ABCD의 두 꼭짓점 A, C에서 대각선 BD에 내린 수선의 발을 각각 E, F라 할 때, 다음 중 옳지 않은 것은?

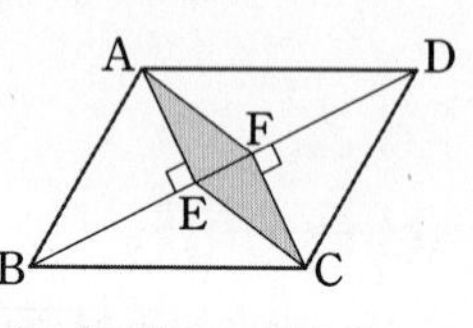

① △ABE≡△CDF ② $\overline{AE}=\overline{CF}$
③ $\overline{AE} /\!/ \overline{CF}$ ④ 2∠EAF=∠AEC
⑤ □AECF는 평행사변형이다.

37 ●●○

오른쪽 그림과 같이 평행사변형 ABCD의 각 변의 중점을 각각 P, Q, R, S라 하고, $\overline{AQ}$와 $\overline{CP}$의 교점을 T, $\overline{AR}$와 $\overline{CS}$의 교점을 U라 할 때, 평행사변형은 모두 몇 개인가?

(단, □ABCD도 개수에 포함한다.)

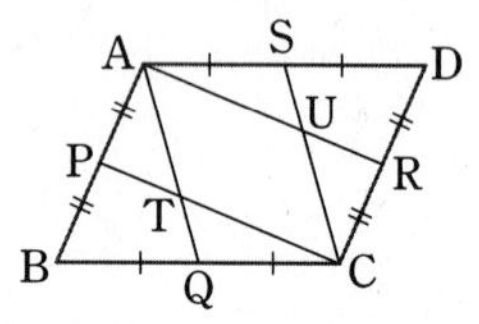

① 1개 ② 2개 ③ 3개
④ 4개 ⑤ 5개

38 ●●●

오른쪽 그림에서 □ABCD와 □EOCD가 평행사변형일 때, $\overline{AF}+\overline{FO}$의 길이를 구하시오.

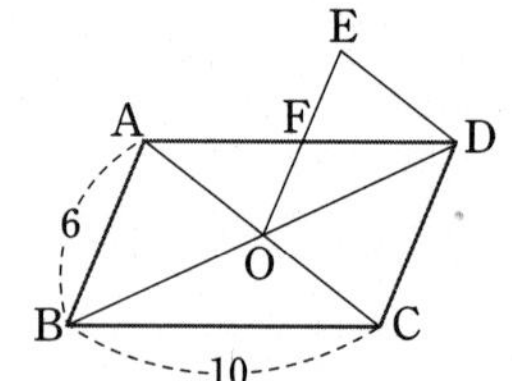

평행사변형과 넓이

개념북 61쪽

39 ●○○

오른쪽 그림과 같은 평행사변형 ABCD에서 점 O는 두 대각선의 교점이고, △ABO의 넓이가 15 cm^2일 때, □ABCD의 넓이를 구하시오.

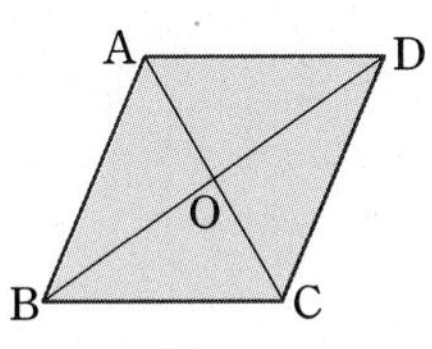

40 ●●○

오른쪽 그림과 같은 평행사변형 ABCD에서 $\overline{AD}$, $\overline{BC}$의 중점을 각각 E, F라 하고, □ABFE, □EFCD의 두 대각선의 교점을 각각 P, Q라 하자. □ABCD의 넓이가 30 cm^2일 때, □EPFQ의 넓이를 구하시오.

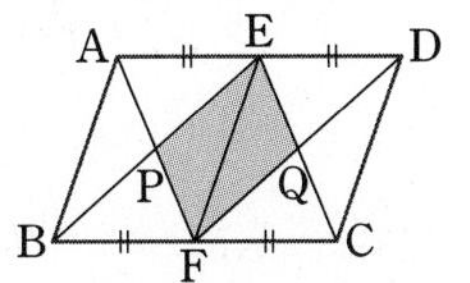

41 ●●●

오른쪽 그림과 같은 평행사변형 ABCD에서 $\overline{AB}$, $\overline{DC}$의 중점을 각각 M, N이라 하고 $\overline{AN}$, $\overline{CM}$과 $\overline{BD}$의 교점을 각각 E, F라 하자. □ABCD의 넓이가 28 cm^2일 때, □AMFE의 넓이를 구하시오.

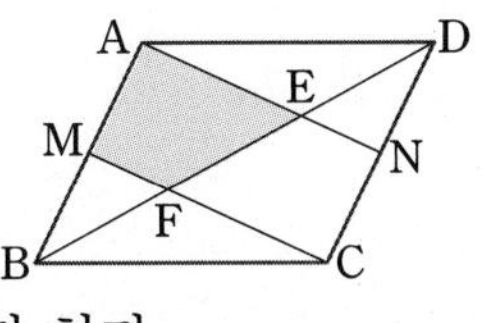

평행사변형의 내부의 한 점에 의해 나누어진 도형의 넓이

개념북 61쪽

42 ●○○

오른쪽 그림과 같은 평행사변형 ABCD의 넓이가 40 cm^2일 때, 색칠한 부분의 넓이를 구하시오.

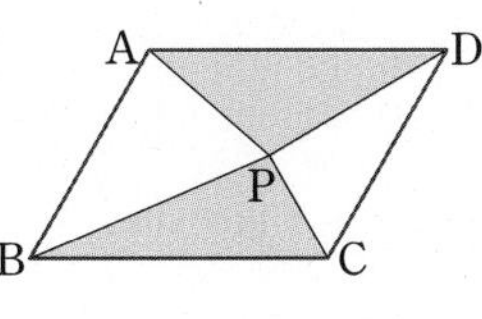

43 ●●○

오른쪽 그림과 같이 평행사변형 ABCD의 내부의 한 점 P에 대하여 △PAB$=x$ cm^2, △PBC$=10$ cm^2, △PCD$=4$ cm^2, △PDA$=y$ cm^2일 때, $x-y$의 값은?

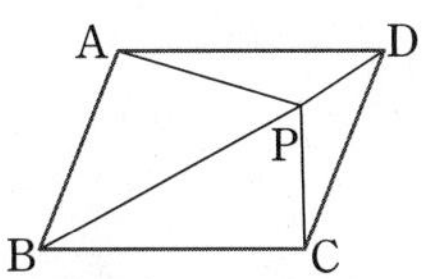

① 4　② 5　③ 6　④ 7　⑤ 8

44 ●●○

오른쪽 그림과 같은 평행사변형 ABCD의 내부의 한 점 P에 대하여 △PAB의 넓이가 16 cm^2일 때, △PCD의 넓이를 구하시오.

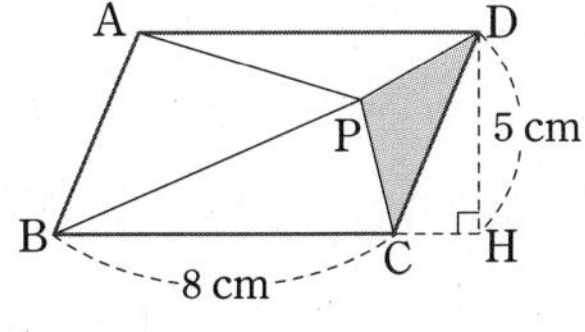

개념완성익힘

1

오른쪽 그림과 같은 평행사변형 ABCD에서 $\angle D=85°$, $\angle ACB=60°$일 때, $\angle x$의 크기를 구하시오.

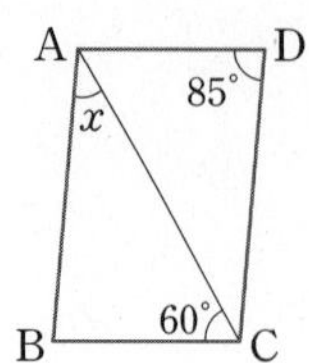

2

오른쪽 그림과 같은 평행사변형 ABCD에서 $\overline{AD}=3a+1$, $\overline{AO}=2a+1$, $\overline{BC}=5a-7$일 때, $\overline{AC}$의 길이를 구하시오.

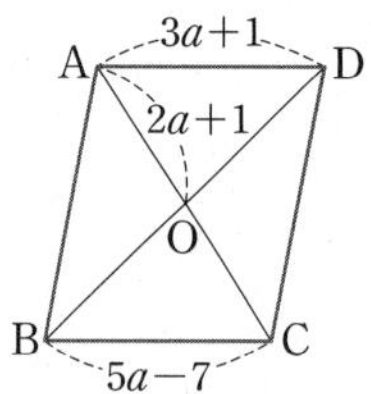

3

다음을 만족하는 □ABCD 중에서 평행사변형이 아닌 것을 모두 고르면? (단, 점 O는 두 대각선의 교점이다.)

(정답 2개)

① $\overline{AO}=\overline{CO}$, $\overline{BO}=\overline{DO}$
② $\overline{AB}=\overline{DC}$, $\overline{AD}=\overline{BC}$
③ $\angle A=\angle C=100°$, $\angle B=80°$
④ $\triangle ABO\equiv\triangle ADO$
⑤ $\angle A=\angle D=120°$, $\angle B=\angle C=60°$

4

오른쪽 그림과 같은 평행사변형 ABCD에서 $\overline{DC}$의 중점을 M이라 하고, $\overline{AM}$의 연장선과 $\overline{BC}$의 연장선의 교점을 E라 할 때, 다음은 □ACED가 평행사변형임을 설명하는 과정이다. ① ~ ⑤에 알맞은 것으로 옳지 않은 것은?

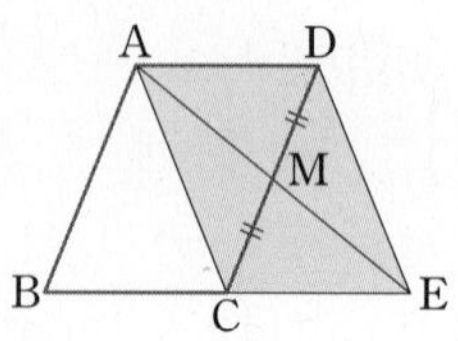

> $\triangle AMD$와 $\triangle EMC$에서 $\overline{DM}=$ ①,
> $\angle ADM=$ ② (엇각),
> $\angle AMD=\angle EMC($ ③ $)$이므로
> $\triangle AMD\equiv\triangle EMC$(ASA 합동)
> $\therefore\ \overline{AM}=$ ④
> 따라서 □ACED는 ⑤ 평행사변형이다.

① $\overline{CM}$
② $\angle ECM$
③ 맞꼭지각
④ $\overline{EM}$
⑤ 두 쌍의 대변의 길이가 각각 같으므로

5 실력UP

오른쪽 그림과 같이 $\overline{AB}=\overline{AC}=11$ cm인 이등변삼각형 ABC에서 $\overline{BC}$ 위의 점 D에 대하여 $\overline{AB}/\!/\overline{ED}$, $\overline{AC}/\!/\overline{FD}$인 두 점 E, F를 잡을 때, $\overline{ED}+\overline{FD}$의 길이를 구하시오.

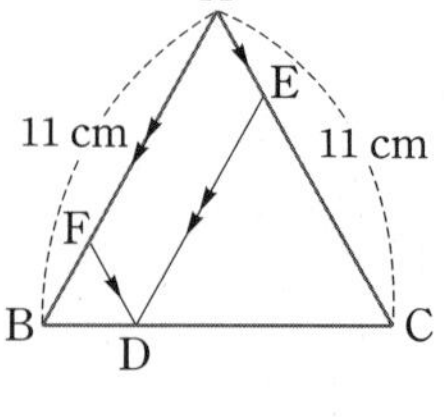

6 실력UP

오른쪽 그림과 같은 평행사변형 ABCD에서 $\overline{DC}$의 중점을 E, 점 A에서 $\overline{BE}$에 내린 수선의 발을 F라 하자. $\overline{AB}=3\text{ cm}$, $\overline{AD}=4\text{ cm}$일 때, $\overline{DF}$의 길이를 구하시오.

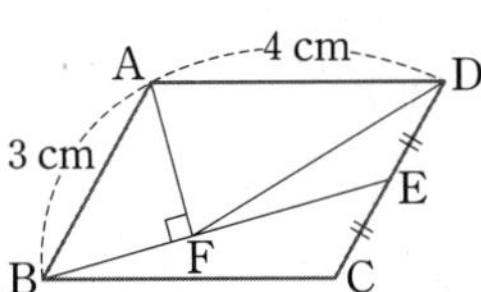

7

오른쪽 그림과 같은 평행사변형 ABCD에서 $\overline{AD}$, $\overline{BC}$의 중점을 각각 E, F라 하고, □ABFE, □EFCD의 대각선의 교점을 각각 P, Q라 하자. □EPFQ의 넓이가 9 cm^2일 때, □ABCD의 넓이를 구하시오.

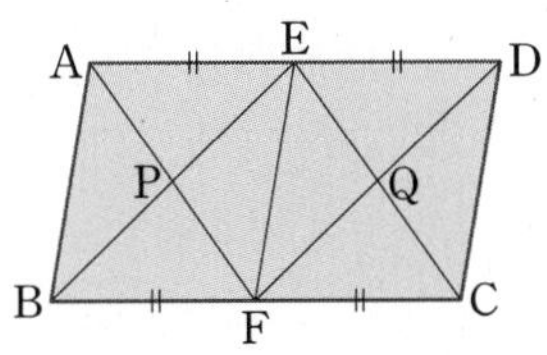

8

오른쪽 그림과 같은 평행사변형 ABCD의 넓이가 48 cm^2이고, △ABP의 넓이가 11 cm^2일 때, △PCD의 넓이를 구하시오.

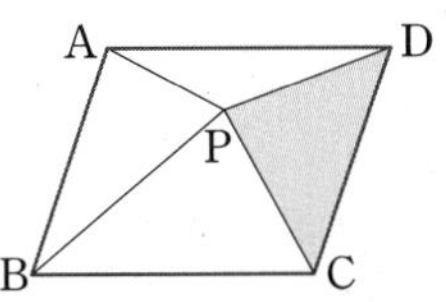

서술형

9

오른쪽 그림과 같은 평행사변형 ABCD에서 ∠A와 ∠B의 이등분선이 $\overline{CD}$의 연장선과 만나는 점을 각각 E, F라 하자. $\overline{AB}=8\text{ cm}$, $\overline{FC}=13\text{ cm}$일 때, $\overline{CE}$의 길이를 구하기 위한 풀이 과정을 쓰고 답을 구하시오.

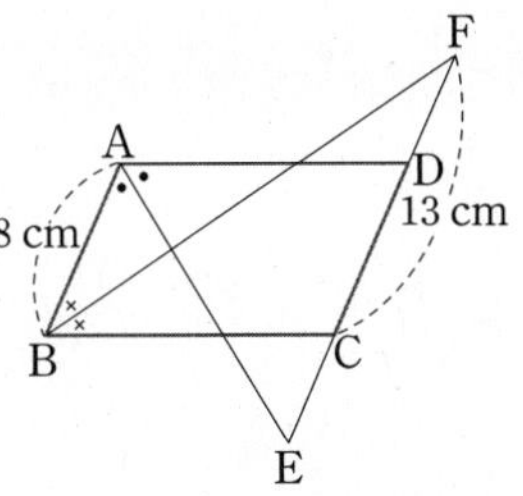

10

오른쪽 그림과 같은 평행사변형 ABCD에서 $\overline{AE}$, $\overline{CF}$가 각각 ∠A, ∠C의 이등분선이고 $\overline{AB}=7\text{ cm}$, $\overline{AD}=10\text{ cm}$, ∠B=60°일 때, □AECF의 둘레의 길이를 구하기 위한 풀이 과정을 쓰고 답을 구하시오.

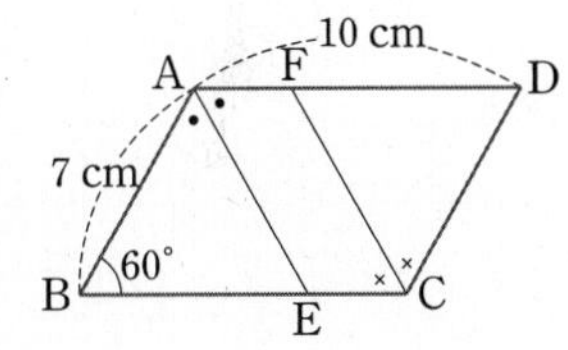

11

오른쪽 그림과 같은 평행사변형 ABCD에서 두 대각선의 교점 O를 지나는 직선과 $\overline{AB}$, $\overline{DC}$의 교점을 각각 P, Q라 하자. □ABCD의 넓이가 64 cm^2이고 △APO의 넓이가 5 cm^2일 때, △DOQ의 넓이를 구하기 위한 풀이 과정을 쓰고 답을 구하시오.

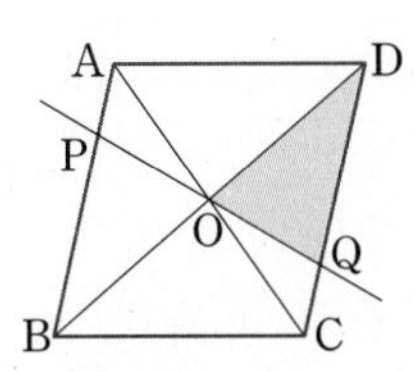

2 여러 가지 사각형

개념적용익힘

직사각형의 성질

개념북 69쪽

1 ●○○

오른쪽 그림과 같은 □ABCD가 직사각형일 때, x, y의 값을 각각 구하시오.

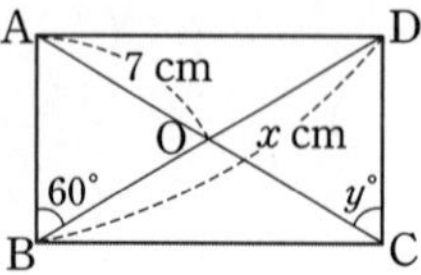

2 ●●○

오른쪽 그림과 같은 직사각형 ABCD에서 ∠BAC의 이등분선이 $\overline{BC}$와 만나는 점을 E라 하자. $\overline{AE}=\overline{EC}$일 때, ∠AEB의 크기를 구하시오.

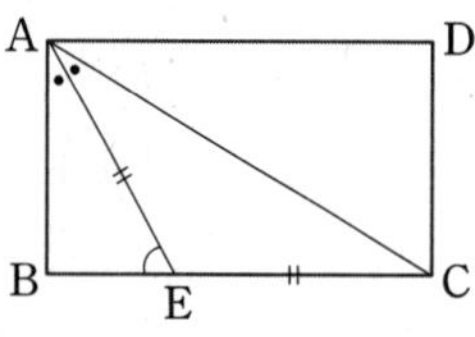

3 ●●○

오른쪽 그림과 같은 직사각형 모양의 종이를 꼭짓점 C가 꼭짓점 A에 오도록 $\overline{EF}$를 접는 선으로 하여 접었다.

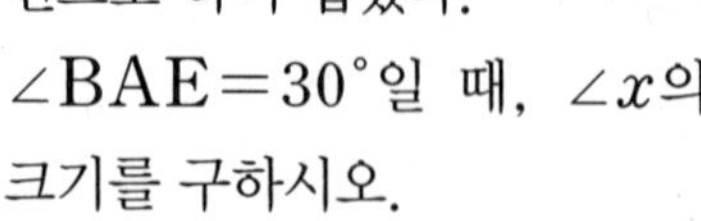

∠BAE=30°일 때, ∠x의 크기를 구하시오.

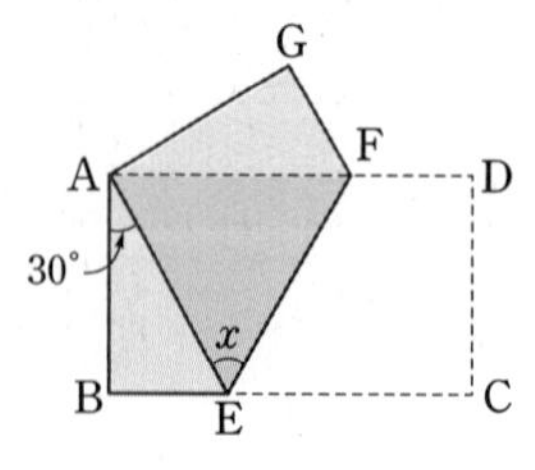

평행사변형이 직사각형이 되는 조건

개념북 69쪽

4 ●●○

다음 **보기** 중 오른쪽 그림과 같은 평행사변형 ABCD가 직사각형이 되는 조건을 모두 고르시오.

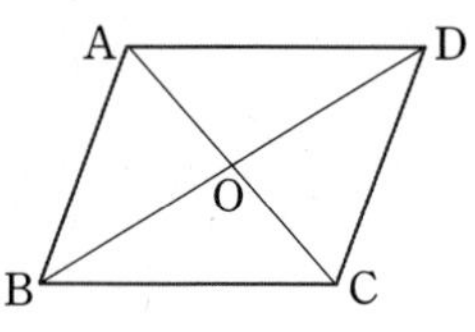

보기

ㄱ. ∠A=90°	ㄴ. $\overline{AO}\perp\overline{BO}$
ㄷ. $\overline{AO}=\overline{BO}$	ㄹ. $\overline{AB}=\overline{AD}$

5 ●●○

오른쪽 그림과 같은 평행사변형 ABCD가 직사각형이 되는 조건을 모두 고르면? (정답 2개)

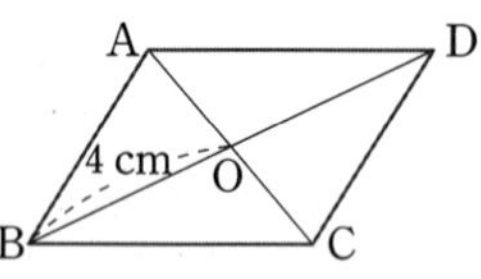

① $\overline{AB}$=4 cm ② $\overline{AC}$=8 cm
③ $\overline{AD}$=8 cm ④ ∠D=90°
⑤ ∠AOB=90°

6 ●●○

오른쪽 그림과 같은 평행사변형 ABCD에서 다음 조건을 추가할 때, 직사각형이 되지 않는 것은?

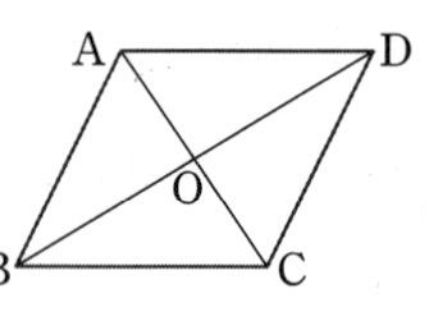

① ∠A=∠B ② $\overline{AC}\perp\overline{BD}$
③ $\overline{AO}=\overline{DO}$ ④ ∠B=90°
⑤ ∠OAB=∠OBA

7 ●●○

다음은 두 대각선의 길이가 같은 평행사변형은 직사각형임을 설명하는 과정이다. (가)~(라)에 알맞은 것을 써넣으시오.

> △ABC와 △DCB에서
> $\overline{AB}=\overline{DC}$ (평행사변형의 성질) …… ㉠
> $\overline{AC}=$ (가) …… ㉡
> $\overline{BC}$는 공통 …… ㉢
> ㉠, ㉡, ㉢에서 △ABC≡△DCB (SSS 합동)
> ∴ ∠ABC= (나) …… ㉣
> 그런데 □ABCD는 평행사변형이므로 두 쌍의 대각의 크기가 각각 같다.
> ∴ ∠ABC= (다) , ∠DCB= (라) …… ㉤
> ㉣, ㉤에서 네 내각의 크기가 모두 같으므로 □ABCD는 직사각형이다.

8 ●●○

오른쪽 그림과 같은 평행사변형 ABCD에서 $\overline{AD}$의 중점을 M이라 하자. $\overline{MB}=\overline{MC}$일 때, □ABCD는 어떤 사각형인지 말하시오.

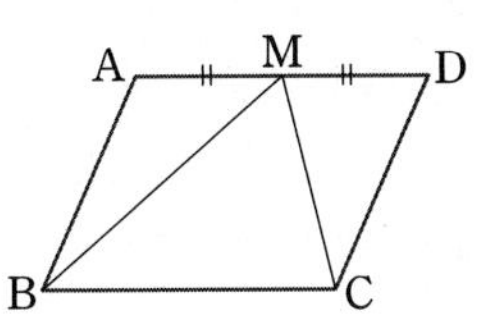

마름모의 성질

개념북 71쪽

9 ●●○

오른쪽 그림과 같은 마름모 ABCD에서 $x+y$의 값을 구하시오.

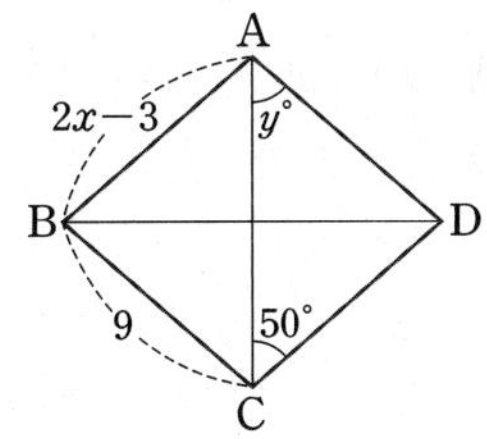

10 ●●○

오른쪽 그림의 마름모 ABCD에서 △ABP의 넓이가 20 cm^{2}이고, $\overline{AP}=10$ cm일 때, $\overline{DQ}$의 길이를 구하시오.

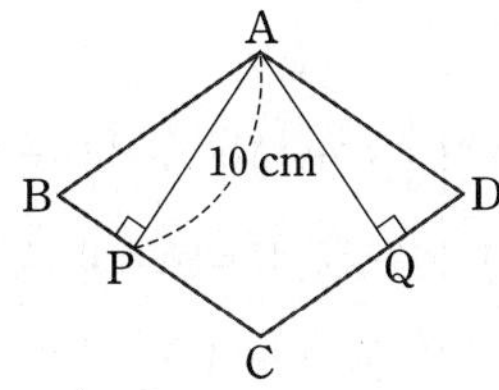

11 ●●●

오른쪽 그림과 같은 직사각형 ABCD에서 $\overline{BE}$, $\overline{DF}$는 각각 ∠ABD, ∠BDC의 이등분선이고 □EBFD는 마름모일 때, ∠x의 크기를 구하시오.

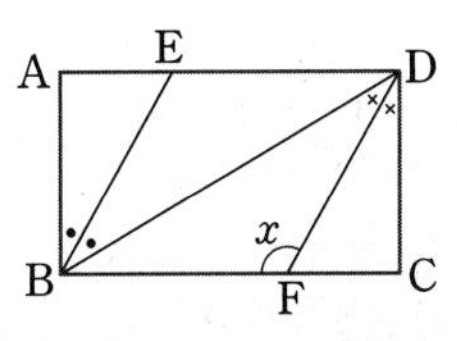

평행사변형이 마름모가 되는 조건

개념북 71쪽

12 ●●○

오른쪽 그림과 같은 평행사변형 ABCD에서 $\angle AOB=90^\circ$일 때, 다음 **보기** 중 옳은 것을 모두 고르시오.

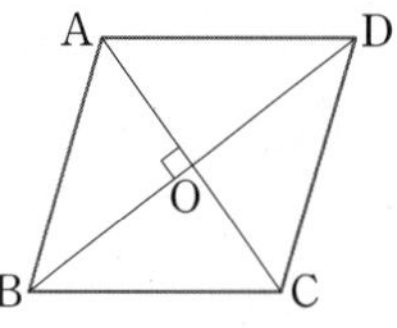

보기
ㄱ. 네 변의 길이가 모두 같다.
ㄴ. 두 대각선의 길이가 같다.
ㄷ. 두 대각선이 서로 다른 것을 수직이등분한다.

13 ●●○

다음 **보기** 중 오른쪽 그림과 같은 평행사변형 ABCD가 마름모가 되는 조건을 모두 고르시오.

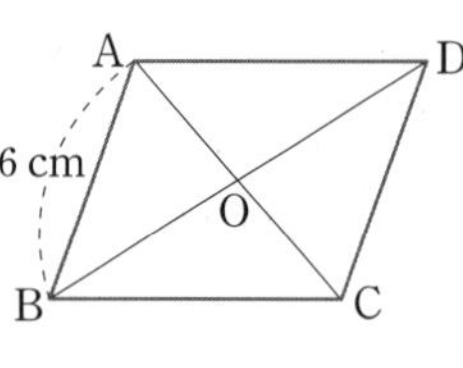

보기	
ㄱ. $\overline{AD}=6\text{ cm}$	ㄴ. $\overline{AC}=6\text{ cm}$
ㄷ. $\angle BAD=90^\circ$	ㄹ. $\angle AOB=90^\circ$

14 ●●○

오른쪽 그림과 같은 평행사변형 ABCD에서 $\overline{AC}\perp\overline{BD}$일 때, x의 값은?

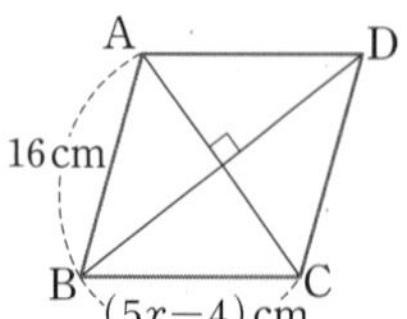

① 3 ② 4
③ 5 ④ 6
⑤ 7

15 ●●○

다음은 두 대각선이 수직으로 만나는 평행사변형은 마름모임을 설명하는 과정이다. ① ~ ⑤에 들어갈 것으로 옳지 <u>않은</u> 것은?

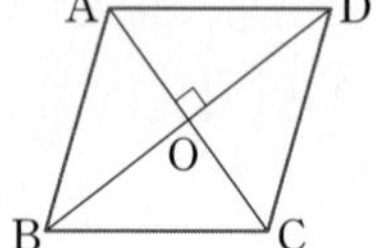

□ABCD가 평행사변형이므로
$\overline{AB}=$ ①,
$\overline{AD}=$ ② ...... ㉠

두 대각선의 교점을 O라 하면
$\triangle AOB$와 $\triangle AOD$에서
$\overline{OB}=$ ③, $\overline{OA}$는 공통, $\angle AOB=\angle AOD$
이므로 $\triangle AOB\equiv\triangle AOD$ (④ 합동)
$\therefore\ \overline{AB}=$ ⑤ ...... ㉡
㉠, ㉡에 의하여 $\overline{AB}=\overline{BC}=\overline{CD}=\overline{DA}$
따라서 □ABCD는 마름모이다.

① $\overline{DC}$ ② $\overline{BC}$ ③ $\overline{OC}$
④ SAS ⑤ $\overline{AD}$

16 ●●●

오른쪽 그림과 같은 평행사변형 ABCD에서 $\angle A$, $\angle B$의 이등분선이 $\overline{BC}$, $\overline{AD}$와 만나는 점을 각각 E, F라 할 때, □ABEF가 어떤 사각형인지 말하시오.

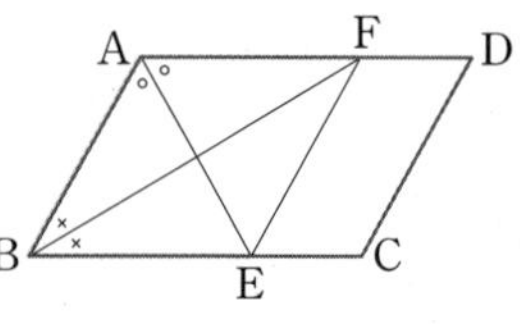

정사각형의 성질

개념북 73쪽

17 ●○○

오른쪽 그림과 같은 □ABCD가 정사각형일 때, x, y, z의 값을 각각 구하시오.

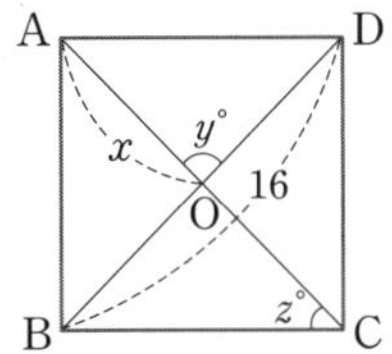

18 ●●○

오른쪽 그림과 같은 정사각형 ABCD에서 $\overline{BD}=18$ cm일 때, □ABCD의 넓이를 구하시오.

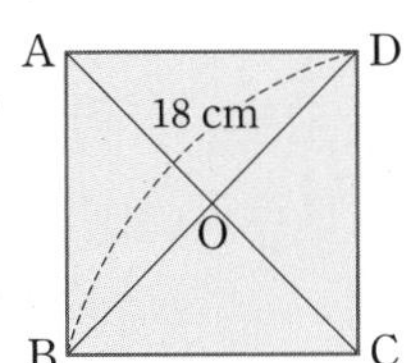

19 ●●●

오른쪽 그림과 같은 정사각형 ABCD에서 △PBC가 정삼각형일 때, ∠APD의 크기를 구하시오.

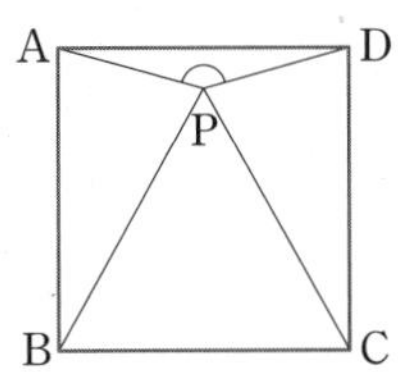

정사각형이 되는 조건

개념북 73쪽

20 ●●○

다음 **보기** 중 오른쪽 그림과 같은 평행사변형 ABCD가 정사각형이 되는 조건을 모두 고르시오.

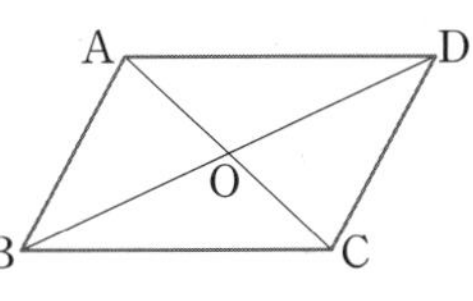

보기

ㄱ. $\overline{AC}=\overline{BD}$, $\overline{AB}=\overline{AD}$
ㄴ. $\overline{AB}=\overline{BC}$, $\overline{AC}\perp\overline{BD}$
ㄷ. $\angle A=90°$, $\overline{AC}\perp\overline{BD}$
ㄹ. $\overline{OA}=\overline{OB}=\overline{OC}=\overline{OD}$

21 ●●○

다음 중 오른쪽 그림과 같이 $\overline{AB}=\overline{AD}$인 평행사변형 ABCD가 정사각형이 되는 조건은?

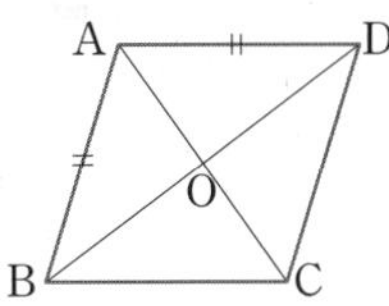

① $\overline{AB}=\overline{AC}$
② $\overline{AC}=\overline{BD}$
③ $\overline{AC}\perp\overline{BD}$
④ $\angle BAO=\angle DAO$
⑤ $\angle DAO=\angle BCO$

22 ●●●

오른쪽 그림에서 □ABCD는 마름모이고, ∠BAO=∠CBO일 때, 다음 중 옳지 않은 것은?

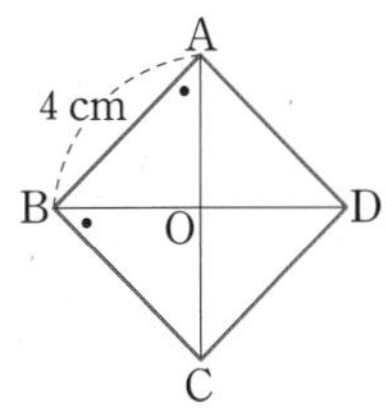

① □ABCD$=16$ cm^2
② $\angle BAO=45°$
③ $\overline{AO}=\overline{BO}$
④ $\triangle AOD=8$ cm^2
⑤ $\triangle BCO\equiv\triangle DAO$

등변사다리꼴의 성질

개념북 75쪽

23 ●●○

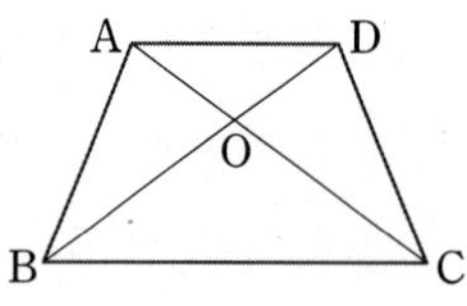

오른쪽 그림과 같이 $\overline{AD} /\!/ \overline{BC}$인 등변사다리꼴 ABCD에서 두 대각선의 교점을 O라 할 때, 다음 중 옳지 않은 것은?

① $\overline{AC}=\overline{DB}$ ② $\overline{OA}=\overline{OD}$
③ $\overline{AB}=\overline{AD}$ ④ $\overline{AB}=\overline{DC}$
⑤ $\triangle ABD \equiv \triangle DCA$

24 ●●○

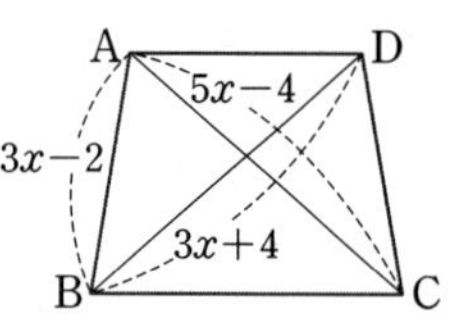

오른쪽 그림과 같이 $\overline{AD} /\!/ \overline{BC}$인 등변사다리꼴 ABCD에서 $\overline{AB}=3x-2$, $\overline{AC}=5x-4$, $\overline{BD}=3x+4$일 때, $\overline{AB}$의 길이를 구하시오.

25 ●●○

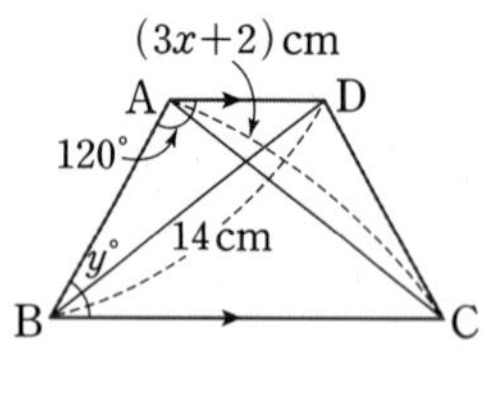

오른쪽 그림과 같이 $\overline{AD} /\!/ \overline{BC}$인 등변사다리꼴 ABCD에서 $\overline{AC}=(3x+2)$ cm, $\overline{BD}=14$ cm, $\angle A=120°$일 때, $x+y$의 값은?

① 64 ② 73 ③ 80
④ 88 ⑤ 95

등변사다리꼴의 변의 길이

개념북 75쪽

26 ●●○

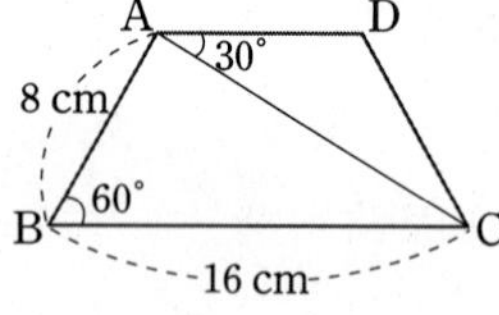

오른쪽 그림과 같이 $\overline{AD} /\!/ \overline{BC}$인 등변사다리꼴 ABCD에서 $\angle B=60°$, $\angle DAC=30°$, $\overline{AB}=8$ cm, $\overline{BC}=16$ cm일 때, $\overline{AD}$의 길이를 구하시오.

27 ●●○

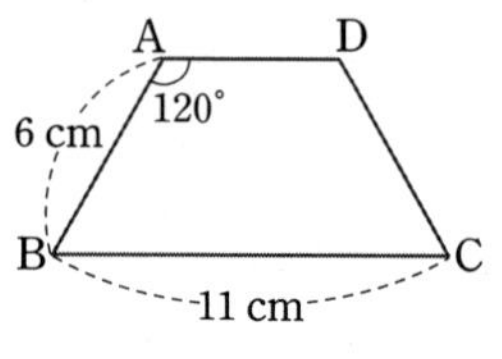

오른쪽 그림과 같이 $\overline{AD} /\!/ \overline{BC}$인 등변사다리꼴 ABCD에서 $\overline{AB}=6$ cm, $\overline{BC}=11$ cm이고, $\angle A=120°$일 때, □ABCD의 둘레의 길이를 구하시오.

28 ●●○

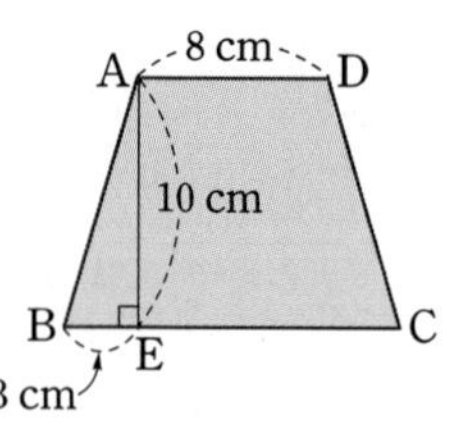

오른쪽 그림과 같이 $\overline{AD} /\!/ \overline{BC}$인 등변사다리꼴 ABCD의 꼭짓점 A에서 $\overline{BC}$에 내린 수선의 발을 E라 하자. $\overline{AD}=8$ cm, $\overline{BE}=3$ cm, $\overline{AE}=10$ cm일 때, □ABCD의 넓이를 구하시오.

여러 가지 사각형 사이의 관계(1)

개념북 77쪽

29 ●●○

다음 그림의 ①~⑤에 해당하는 조건을 **보기**에서 각각 고르시오.

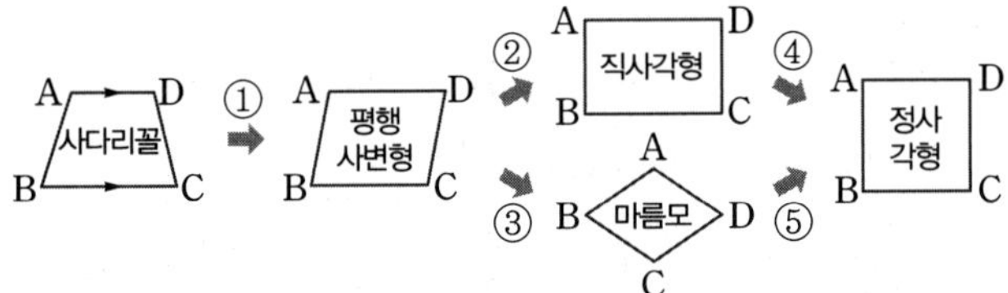

보기

ㄱ. $\overline{AB} /\!/ \overline{DC}$　　ㄴ. $\angle A=90^\circ$
ㄷ. $\overline{AC} \perp \overline{BD}$　　ㄹ. $\overline{AC}=\overline{BD}$
ㅁ. $\overline{AB}=\overline{BC}$

30 ●●○

오른쪽 그림과 같은 평행사변형 ABCD에서 다음 조건을 만족할 때 어떤 사각형이 되는지 짝 지은 것으로 옳지 않은 것은?

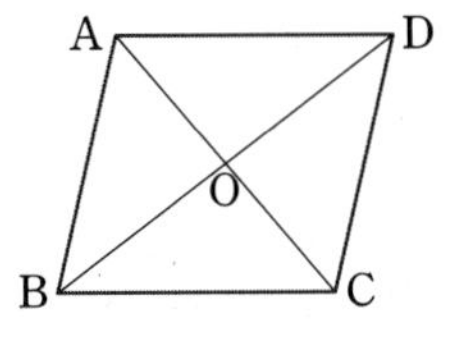

① $\angle A=90^\circ$ ➡ 직사각형
② $\overline{OA}=\overline{OB}$ ➡ 직사각형
③ $\overline{AB}=\overline{AD}$ ➡ 마름모
④ $\angle AOD=\angle COD$ ➡ 정사각형
⑤ $\angle ABC=\angle BCD$, $\overline{AC} \perp \overline{BD}$ ➡ 정사각형

여러 가지 사각형 사이의 관계(2)

개념북 77쪽

31 ●●○

다음 조건을 모두 만족하는 □ABCD는 각각 어떤 사각형인지 말하시오. (단, 점 O는 두 대각선의 교점이다.)

(1) $\overline{AD}=\overline{BC}$, $\overline{AB}=\overline{DC}$, $\overline{AC}=\overline{BD}$
(2) $\overline{AO}=\overline{CO}$, $\overline{BO}=\overline{DO}$, $\overline{AC}=\overline{BD}$, $\overline{AC} \perp \overline{BD}$

32 ●●○

평행사변형 ABCD에 대하여 다음 중 색칠한 사각형이 마름모인 것은?

① 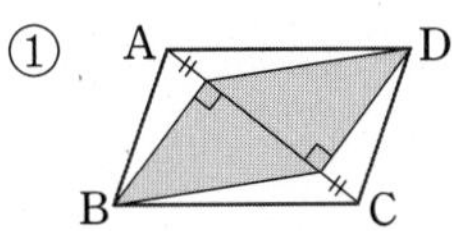
② 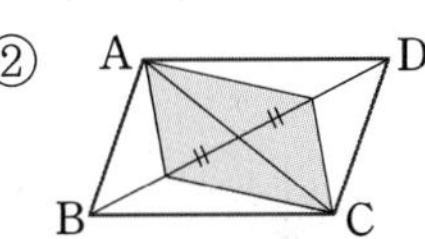
③ 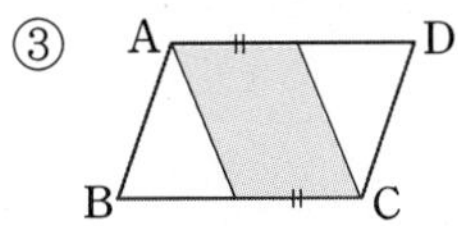
④ 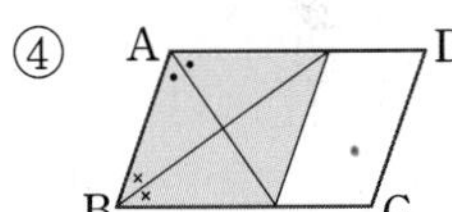
⑤ 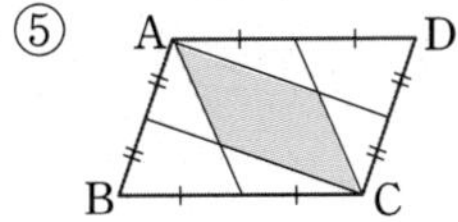

33 ●●●

오른쪽 그림과 같은 평행사변형 ABCD에서 $\overline{CD}$를 연장하여 $\overline{CE}=\overline{CD}=\overline{DF}$가 되도록 점 E, F를 잡고, $\overline{AD}$와 $\overline{BF}$의 교점을 G, $\overline{BC}$와 $\overline{AE}$의 교점을 H라 하자. $\overline{AD}=2\overline{AB}$일 때, 다음 중 옳지 않은 것을 모두 고르면? (정답 2개)

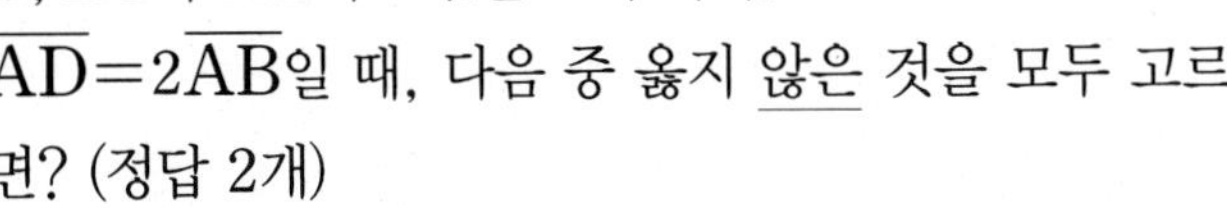

① $\overline{AB}=\overline{CE}$　② $\overline{AH}=\overline{BG}$　③ $\overline{AG}=\overline{BH}$
④ $\overline{AB} /\!/ \overline{GH}$　⑤ $\overline{AE}=\overline{BF}$

여러 가지 사각형 사이의 관계(3)

개념북 78쪽

34 ●●○

아래 **보기** 중 다음을 만족하는 사각형을 모두 고르시오.

보기

ㄱ. 평행사변형 ㄴ. 등변사다리꼴
ㄷ. 사다리꼴 ㄹ. 마름모
ㅁ. 직사각형 ㅂ. 정사각형

(1) 두 대각선이 서로 다른 것을 이등분하는 사각형
(2) 두 대각선의 길이가 같은 사각형
(3) 두 대각선이 서로 수직인 사각형

35 ●●○

다음 중 옳은 것은?

① 두 대각선의 길이가 같은 사각형은 직사각형이다.
② 두 대각선이 직교하는 평행사변형은 직사각형이다.
③ 이웃하는 두 변의 길이가 같은 사각형은 마름모이다.
④ 한 내각의 크기가 90°인 마름모는 정사각형이다.
⑤ 평행하지 않은 한 쌍의 대변의 길이가 같은 사다리꼴은 평행사변형이다.

36 ●●○

다음 중 옳은 것을 모두 고르면? (정답 2개)

① 마름모는 직사각형이다.
② 직사각형은 평행사변형이다.
③ 사다리꼴은 평행사변형이다.
④ 정사각형은 마름모이다.
⑤ 평행사변형은 등변사다리꼴이다.

여러 가지 사각형의 대각선의 성질

개념북 78쪽

37 ●●○

다음 중 옳지 않은 것은?

① 등변사다리꼴의 두 대각선은 길이가 같다.
② 평행사변형의 두 대각선은 서로 다른 것을 이등분한다.
③ 직사각형의 두 대각선은 길이가 같고, 서로 다른 것을 이등분한다.
④ 마름모의 두 대각선은 길이가 같고, 서로 다른 것을 수직이등분한다.
⑤ 정사각형의 두 대각선은 길이가 같고, 서로 다른 것을 수직이등분한다.

38 ●●○

다음 **보기** 중 두 대각선이 길이가 같고, 서로 다른 것을 이등분하는 사각형을 모두 고르시오.

보기

ㄱ. 평행사변형 ㄴ. 직사각형 ㄷ. 마름모
ㄹ. 정사각형 ㅁ. 등변사다리꼴

39 ●●○

다음 **보기** 중 두 대각선이 내각을 이등분하는 사각형은 a개, 두 대각선의 길이가 같은 사각형은 b개일 때, $a+b$의 값을 구하시오.

보기

ㄱ. 등변사다리꼴 ㄴ. 평행사변형
ㄷ. 정사각형 ㄹ. 마름모
ㅁ. 직사각형

사각형의 각 변의 중점을 연결하여 만든 사각형 개념북 80쪽

40 ●●○

오른쪽 그림과 같은 직사각형 ABCD의 각 변의 중점을 연결하여 만든 □EFGH에 대하여 다음 중 옳지 않은 것을 모두 고르면? (정답 2개)

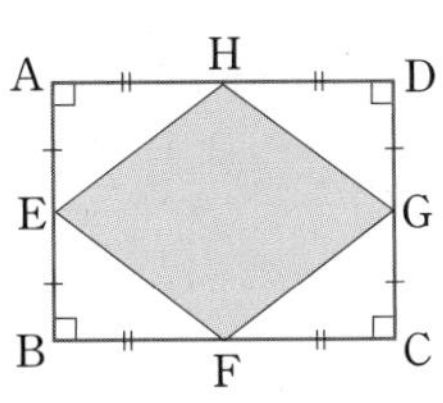

① 이웃하는 두 변의 길이가 같다.
② 두 대각선의 길이가 같다.
③ 두 대각선이 수직으로 만난다.
④ 두 대각의 크기의 합이 180°이다.
⑤ 두 쌍의 대변의 길이가 각각 같다.

41 ●●○

다음 **보기** 중 각 변의 중점을 연결하여 만든 사각형이 마름모가 되는 것을 모두 고르시오.

보기

ㄱ. 평행사변형　　ㄴ. 직사각형
ㄷ. 마름모　　ㄹ. 등변사다리꼴

42 ●●○

다음 **보기** 중 각 변의 중점을 연결하여 만든 사각형의 두 대각선이 서로 직교하는 것을 모두 고르시오.

보기

ㄱ. 평행사변형　　ㄴ. 직사각형
ㄷ. 마름모　　ㄹ. 정사각형

사각형의 각 변의 중점을 연결하여 만든 사각형의 활용 개념북 80쪽

43 ●●○

오른쪽 그림과 같이 $\overline{AD} /\!/ \overline{BC}$인 등변사다리꼴 ABCD의 각 변의 중점을 E, F, G, H라 할 때, □EFGH의 둘레의 길이를 구하시오.

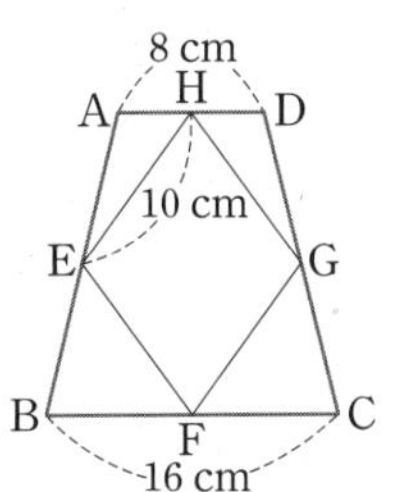

44 ●●○

오른쪽 그림과 같은 정사각형 ABCD의 각 변의 중점을 각각 P, Q, R, S라 하자. $\overline{QR}=3$ cm일 때, □PQRS의 넓이를 구하시오.

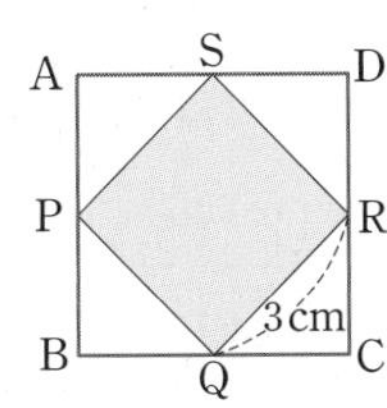

45 ●●●

오른쪽 그림과 같이 정사각형 ABCD의 각 변의 중점을 E, F, G, H라 할 때, □ABCD의 넓이를 구하시오.

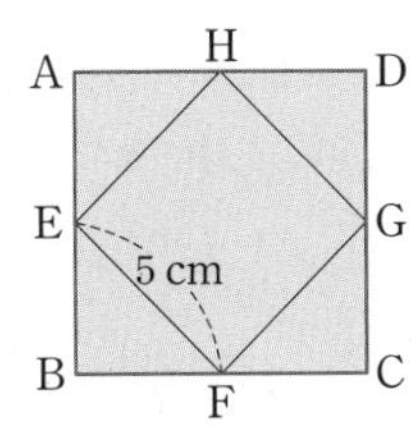

평행선 사이의 넓이가 같은 삼각형

개념북 82쪽

46 ●○○

오른쪽 그림과 같이 $\overline{AD}/\!/\overline{BC}$인 사다리꼴 ABCD에서 △ABO의 넓이가 6 cm^2, △DBC의 넓이가 18 cm^2일 때, △OBC의 넓이를 구하시오.

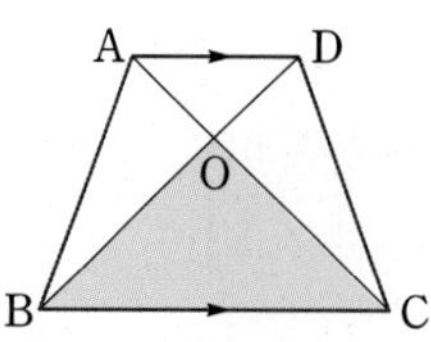

47 ●●○

오른쪽 그림에서 $\overline{AC}/\!/\overline{DE}$일 때, □ABCD의 넓이는?

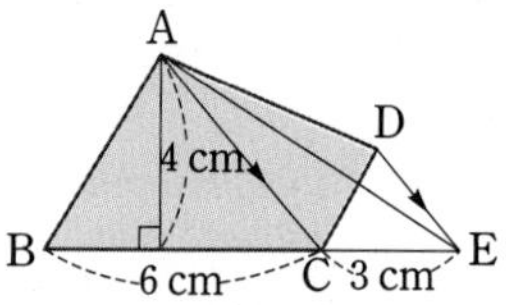

① 12 cm^2
② 18 cm^2
③ 24 cm^2
④ 36 cm^2
⑤ 48 cm^2

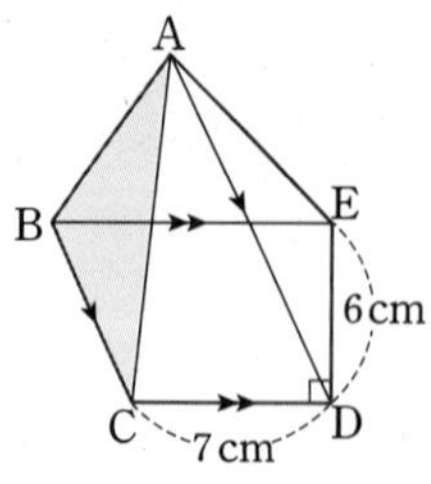

48 ●●●

오른쪽 그림과 같은 오각형 ABCDE에서 $\overline{AD}/\!/\overline{BC}$, $\overline{BE}/\!/\overline{CD}$이고, $\overline{CD}$=7 cm, $\overline{DE}$=6 cm일 때, △ABC의 넓이를 구하시오.

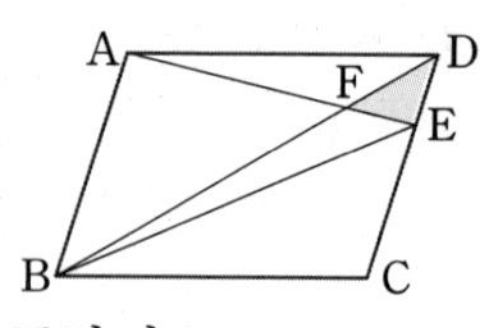

평행사변형에서 평행선 사이의 넓이가 같은 삼각형

개념북 82쪽

49 ●●○

오른쪽 그림과 같은 평행사변형 ABCD에서 $\overline{AB}$ 위의 한 점 P에 대하여 △PCD의 넓이가 25 cm^2일 때, □ABCD의 넓이를 구하시오.

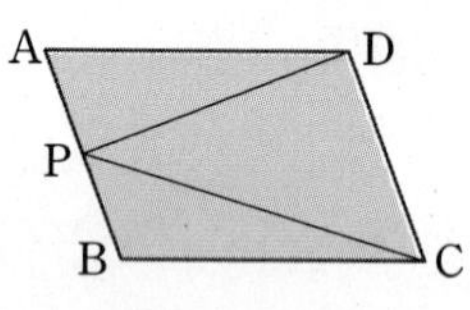

50 ●●○

오른쪽 그림의 평행사변형 ABCD에서 $\overline{BD}/\!/\overline{EF}$일 때, 다음 삼각형 중 나머지 넷과 그 넓이가 다른 하나는?

① △CDF
② △FBD
③ △EBD
④ △AED
⑤ △EBC

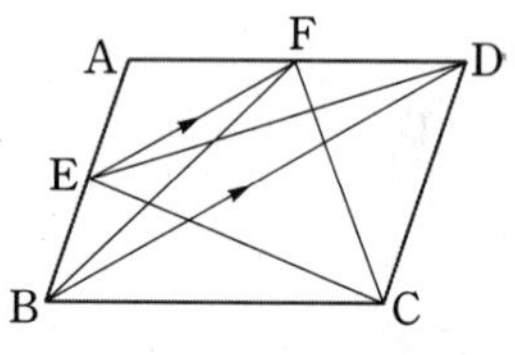

51 ●●●

오른쪽 그림과 같은 평행사변형 ABCD에서 △ABF의 넓이가 20 cm^2, △BCE의 넓이가 18 cm^2일 때, △DFE의 넓이를 구하시오.

높이가 같은 삼각형의 넓이의 비

개념북 84쪽

52 ●●○

오른쪽 그림과 같은 △ABC에서 $\overline{AD}:\overline{DB}=4:3$, $\overline{CF}:\overline{FD}=2:1$이고, △ABC의 넓이가 84 cm²일 때, △BCF의 넓이를 구하시오.

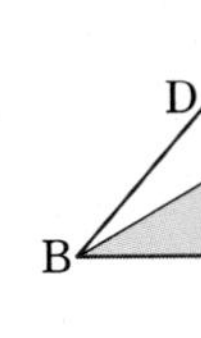

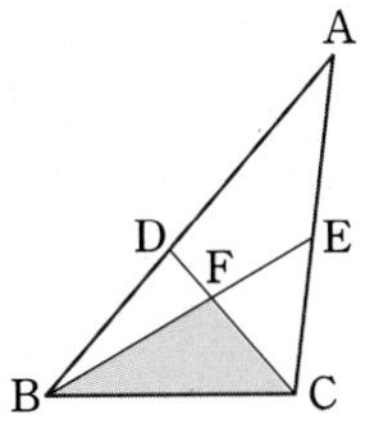

53 ●●○

오른쪽 그림에서 $\overline{BP}:\overline{PC}=1:5$, $\overline{AQ}:\overline{CQ}=4:1$이고, △APQ의 넓이가 16 cm²일 때, △ABC의 넓이를 구하시오.

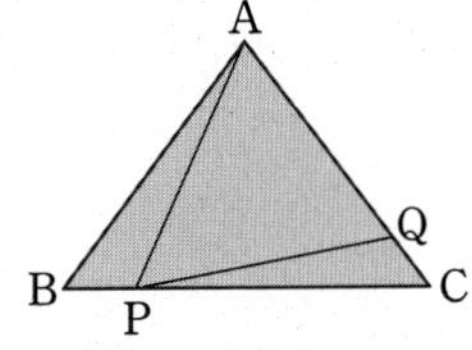

54 ●●●

오른쪽 그림과 같은 △ABC에서 $\overline{AE}:\overline{EC}=1:2$이고 $\overline{BD}=\overline{DC}$이다. △AFE=4 cm²일 때, △ABC의 넓이는?

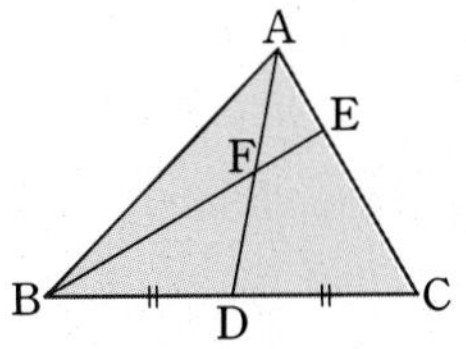

① 36 cm² ② 40 cm² ③ 44 cm²
④ 48 cm² ⑤ 52 cm²

사각형에서 높이가 같은 삼각형의 넓이의 비

개념북 85쪽

55 ●○○

오른쪽 그림과 같이 $\overline{AD}/\!/\overline{BC}$인 등변사다리꼴 ABCD에서 △AOD의 넓이가 8 cm²이고 $\overline{OB}:\overline{OD}=2:1$일 때, △ABD의 넓이를 구하시오.

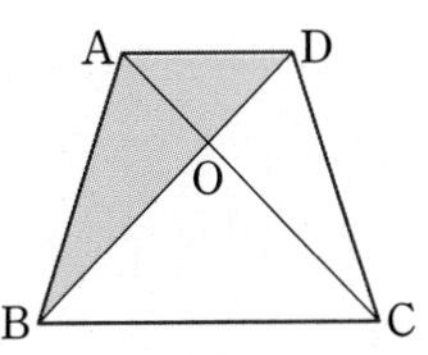

56 ●●○

오른쪽 그림에서 $\overline{AC}/\!/\overline{DE}$이고, $\overline{BC}:\overline{CE}=2:1$, △ABC의 넓이가 18 cm²일 때, □ABCD의 넓이를 구하시오.

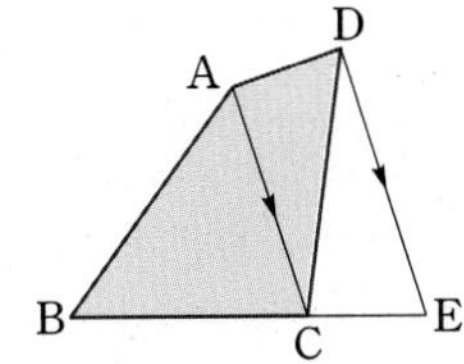

57 ●●○

오른쪽 그림과 같은 마름모 ABCD에서 $\overline{AP}:\overline{PD}=2:3$이고, $\overline{AC}=16$ cm, $\overline{BD}=10$ cm일 때, △ABP의 넓이를 구하시오.

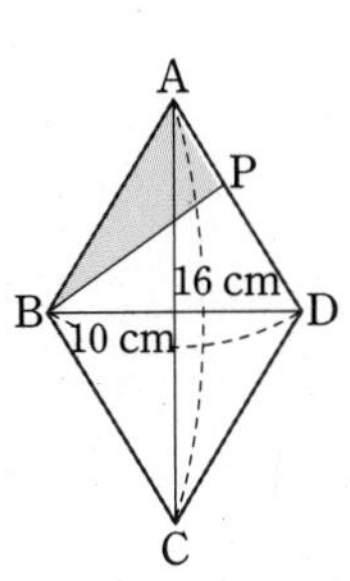

58 ●●○

오른쪽 그림의 평행사변형 ABCD의 넓이가 64 cm²이고, $\overline{AP}:\overline{PC}=3:1$일 때, 색칠한 부분의 넓이를 구하시오.

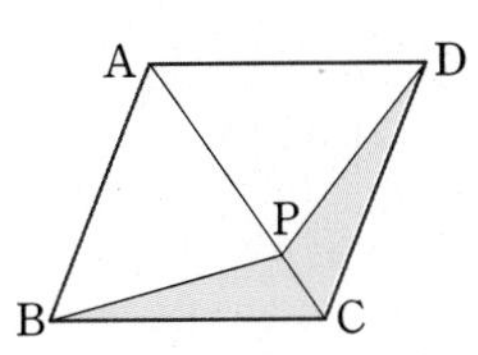

개념완성익힘

1

오른쪽 그림과 같은 마름모 ABCD에서 $\angle BAF=26°$, $\angle AFD=65°$일 때, $\angle x$의 크기는?

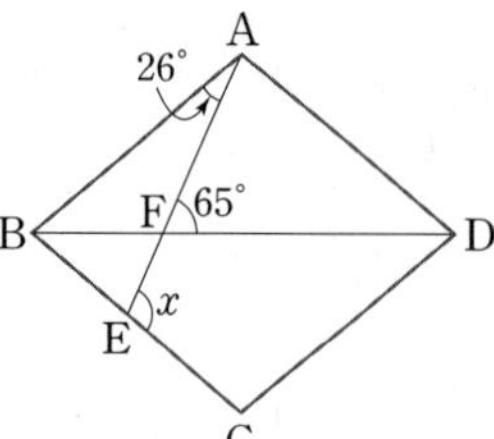

① 92°　② 96°
③ 100°　④ 104°
⑤ 108°

2

오른쪽 그림과 같은 정사각형 ABCD에서 대각선 BD 위에 $\angle DCE=30°$가 되도록 점 E를 잡을 때, $\angle AEB$의 크기를 구하시오.

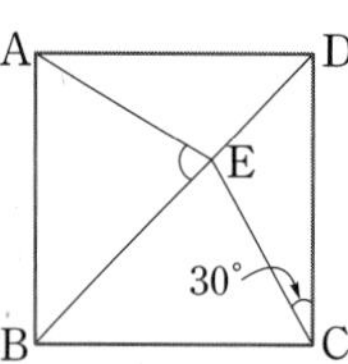

3

오른쪽 그림과 같은 평행사변형 ABCD에서

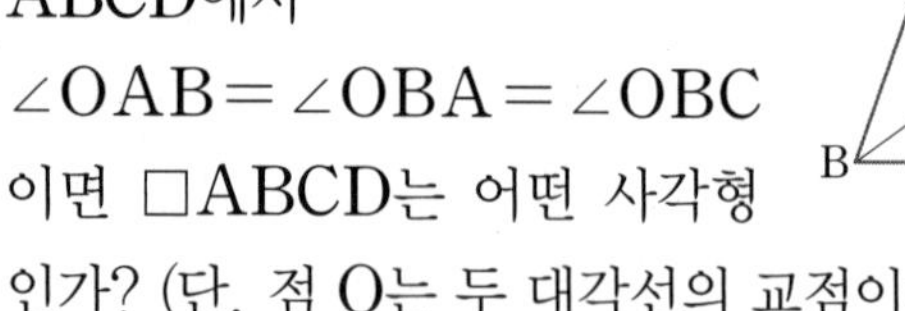

$\angle OAB=\angle OBA=\angle OBC$

이면 □ABCD는 어떤 사각형인가? (단, 점 O는 두 대각선의 교점이다.)

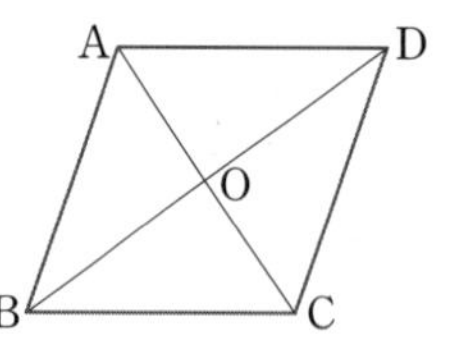

① 사다리꼴　② 평행사변형　③ 직사각형
④ 마름모　⑤ 정사각형

4 실력UP

오른쪽 그림과 같이 평행사변형 ABCD의 네 내각의 이등분선의 교점을 각각 E, F, G, H라 할 때, 다음 **보기** 중 □EFGH에 대한 설명으로 옳지 <u>않은</u> 것을 고르시오.

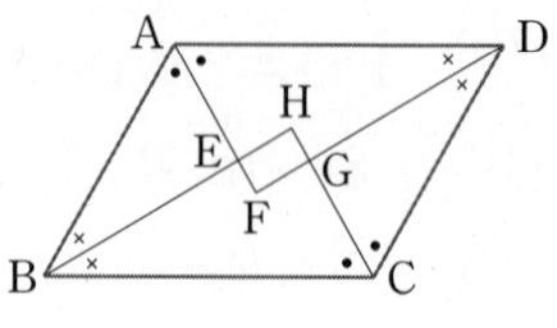

보기

ㄱ. 두 쌍의 대변의 길이가 각각 같다.
ㄴ. $\angle EFG=\angle GHE=90°$
ㄷ. 두 대각선이 서로 직교한다.
ㄹ. 두 대각선의 길이가 서로 같다.

5

오른쪽 그림과 같은 □ABCD의 각 변의 중점을 각각 E, F, G, H라 하자. $\overline{EF}=5$ cm, $\overline{FG}=7$ cm, $\angle EFG=60°$일 때, $x+y$의 값을 구하시오.

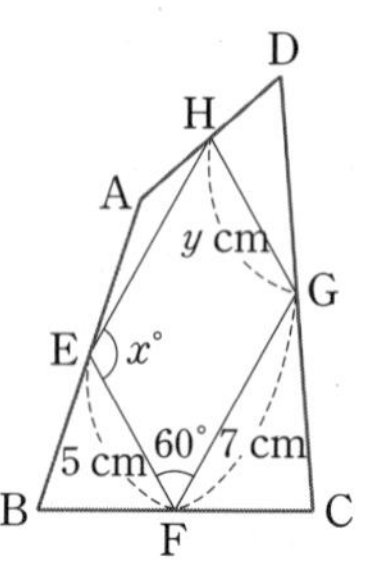

6

오른쪽 그림에서 □ABCD와 □OPQR가 합동인 정사각형일 때, □ABCD의 넓이는 □OECF의 넓이의 몇 배인지 구하시오.

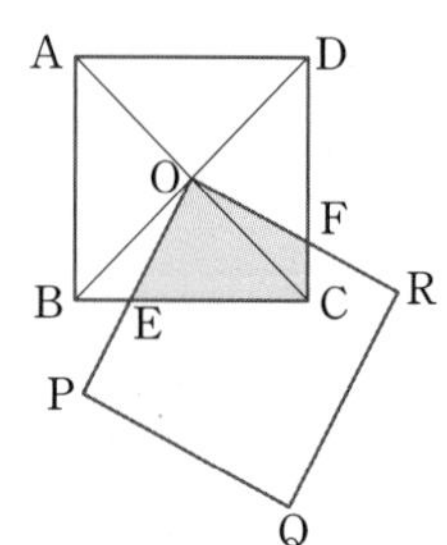

7

오른쪽 그림과 같은 평행사변형 ABCD에서 $\overline{BE} : \overline{EC} = 3 : 1$이다. □ABCD의 넓이가 $80\ cm^2$일 때, △ABE의 넓이를 구하시오.

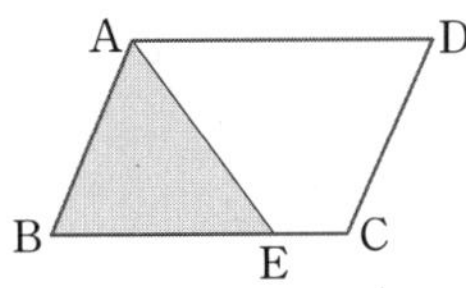

8

오른쪽 그림과 같이 반지름의 길이가 10인 원 O에서 $\overline{AB} /\!/ \overline{CD}$이다. $\widehat{AB}$의 길이가 원주의 $\frac{1}{5}$일 때, 색칠한 부분의 넓이를 구하시오.

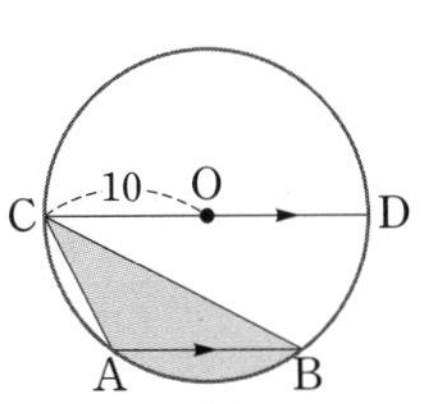

9 실력UP

오른쪽 그림과 같이 $\overline{AD} /\!/ \overline{BC}$인 사다리꼴 ABCD에서 $\overline{AO} : \overline{CO} = 2 : 5$이고 □ABCD의 넓이가 $147\ cm^2$일 때, △DOC의 넓이를 구하시오.

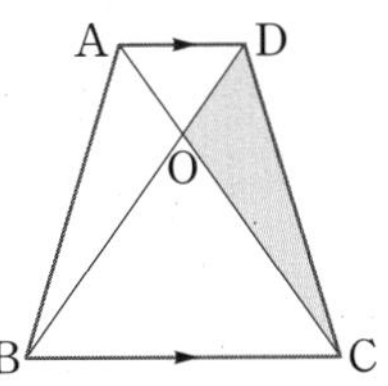

서술형

10

오른쪽 그림과 같이 $\overline{AD} /\!/ \overline{BC}$이고 $\overline{AB} = \overline{AD} = \overline{DC}$인 등변사다리꼴 ABCD에서 $\overline{BC} = 2\overline{AD}$일 때, ∠ACD의 크기를 구하기 위한 풀이 과정을 쓰고 답을 구하시오.

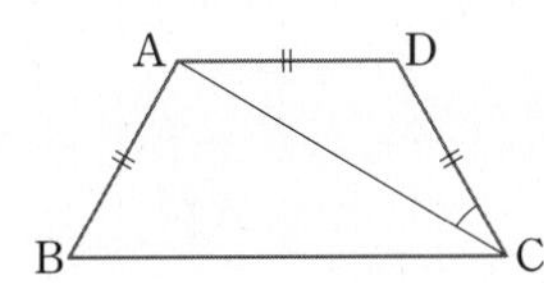

11

오른쪽 그림과 같이 □ABCD의 꼭짓점 A를 지나고 $\overline{BD}$에 평행한 직선이 $\overline{CD}$의 연장선과 만나는 점을 E라 하자. △BCE의 넓이가 $70\ cm^2$, △DEO의 넓이가 $20\ cm^2$이고, $\overline{BD}$가 □ABCD의 넓이를 이등분한다고 할 때, △BDO의 넓이를 구하기 위한 풀이 과정을 쓰고 답을 구하시오.

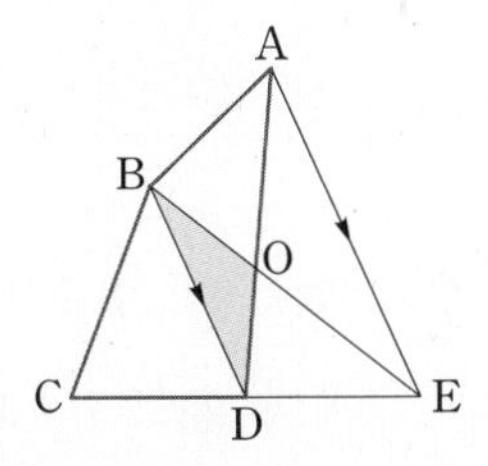

12

오른쪽 그림과 같은 평행사변형 ABCD에서 $\overline{CE} : \overline{ED} = 3 : 4$이다. □ABCD의 넓이가 $84\ cm^2$일 때, △AOE의 넓이를 구하기 위한 풀이 과정을 쓰고 답을 구하시오.

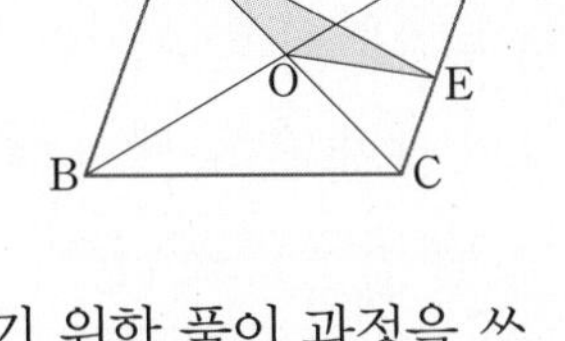

대단원 마무리

II. 사각형의 성질

1 오른쪽 그림과 같은 평행사변형 ABCD에서 ∠A의 이등분선이 $\overline{CD}$의 연장선과 만나는 점을 E, $\overline{BC}$와 만나는 점을 F라 할 때, $x+y$의 값은?

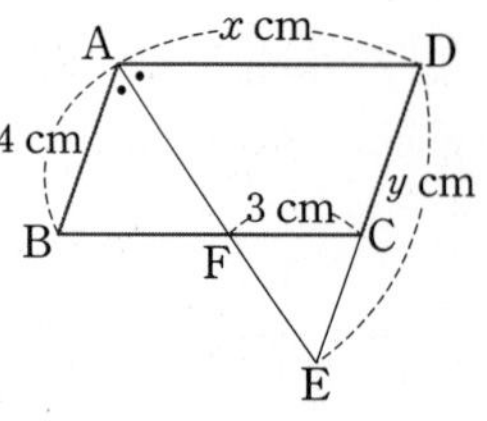

① 11 ② 12 ③ 13
④ 14 ⑤ 15

2 오른쪽 그림과 같은 평행사변형 ABCD에서 ∠B=80°이고, ∠D의 이등분선 위에 $\overline{AP}\perp\overline{PD}$인 점 P를 잡을 때, ∠$x$의 크기를 구하시오.

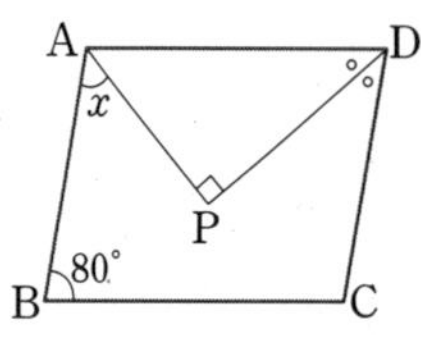

3 오른쪽 그림과 같은 평행사변형 ABCD에서 ∠B와 ∠D의 이등분선이 $\overline{AD}$, $\overline{BC}$와 만나는 점을 각각 E, F라고 할 때, 다음 중 옳지 않은 것은?

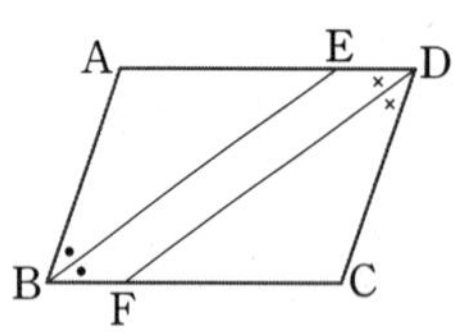

① $\overline{AB}=\overline{AE}$ ② ∠ABE=∠CDF
③ $\overline{AE}=\overline{DF}$ ④ ∠AEB=∠FDC
⑤ $\overline{BF}=\overline{DE}$

4 오른쪽 그림과 같은 마름모 ABCD에서 ∠A=120°, $\overline{AB}\perp\overline{CH}$일 때, ∠$x$의 크기는?

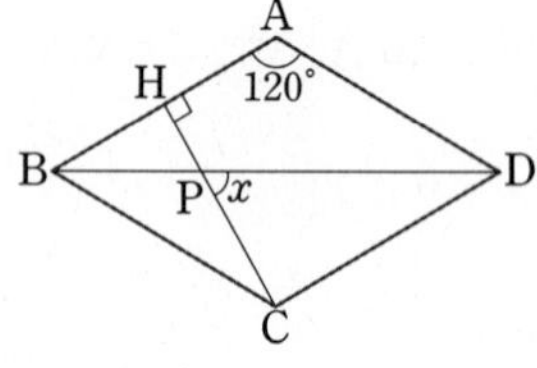

① 50° ② 55° ③ 60°
④ 65° ⑤ 70°

5 오른쪽 그림과 같은 평행사변형 ABCD가 마름모가 되기 위해 필요한 조건을 모두 고르면? (정답 2개)

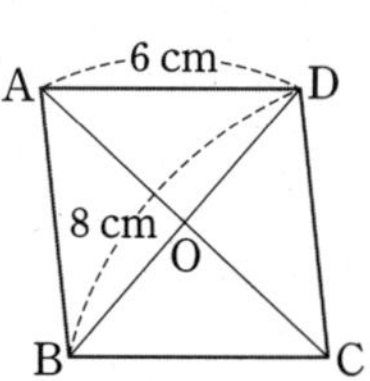

① $\overline{CD}$=6 cm ② $\overline{OC}$=4 cm
③ ∠ABC=90° ④ ∠AOB=90°
⑤ ∠A+∠D=180°

6 오른쪽 그림과 같은 정사각형 ABCD에서 $\overline{BC}$, $\overline{CD}$ 위의 점 E, F에 대하여 $\overline{BE}=\overline{CF}$이고, $\overline{AE}$와 $\overline{BF}$의 교점을 G라 할 때, ∠AGF의 크기는?

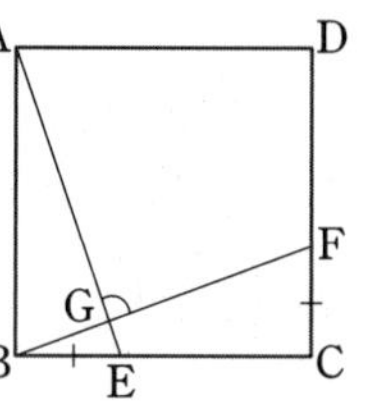

① 82° ② 84° ③ 86°
④ 88° ⑤ 90°

7 오른쪽 그림과 같이 $\overline{AD}/\!/\overline{BC}$인 등변사다리꼴 ABCD에서 $\angle AOB=70^\circ$일 때, $\angle x$의 크기는?

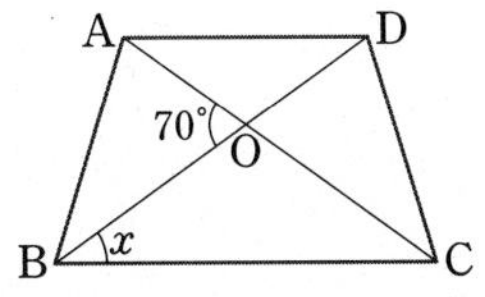

① 20° ② 25° ③ 30°
④ 35° ⑤ 40°

8 평행사변형 ABCD의 두 대각선의 길이가 같을 때, □ABCD의 각 변의 중점을 연결하여 만든 사각형은 어떤 사각형인가?

① 사다리꼴 ② 평행사변형 ③ 직사각형
④ 정사각형 ⑤ 마름모

9 오른쪽 그림과 같은 △ABC에서 $\overline{AD}:\overline{DB}=2:3$이고 $\overline{DO}:\overline{OC}=1:3$이다. △ODB의 넓이가 12 cm^2일 때, △ABC의 넓이는?

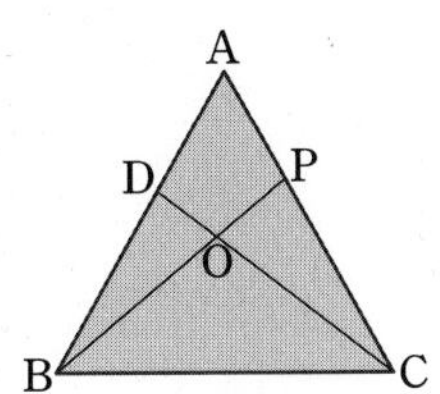

① 70 cm^2 ② 75 cm^2 ③ 80 cm^2
④ 85 cm^2 ⑤ 90 cm^2

10 다음은 여러 가지 사각형에 대한 학생들의 설명이다. 잘못 설명한 학생을 찾고 바르게 고치시오.

> **나원:** 정사각형은 네 변의 길이가 모두 같으니까 마름모야.
> **아영:** 직사각형은 두 대각선이 서로 다른 것을 이등분하니까 평행사변형이지.
> **주원:** 이웃하는 두 변의 길이가 같은 평행사변형은 네 내각의 크기가 같아지니까 직사각형이 돼.
> **라임:** 이웃하는 두 내각의 크기의 합이 180°인 사각형은 평행사변형이야.

서술형

11 오른쪽 그림의 평행사변형 ABCD에서 $\overline{AC}/\!/\overline{PQ}$이고, $\overline{AP}:\overline{PD}=1:2$이다. □ABCD의 넓이가 60 cm^2일 때, △BCQ의 넓이를 구하기 위한 풀이 과정을 쓰고 답을 구하시오.

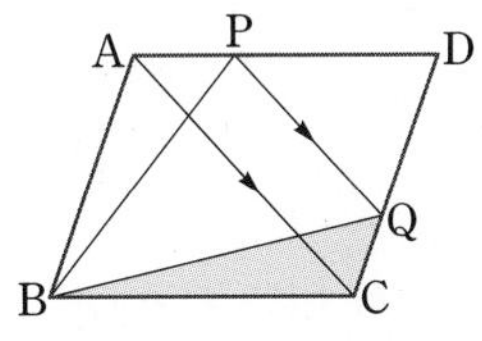

1 도형의 닮음

개념적용익힘

닮은 도형에서 대응점, 대응변, 대응각 구하기

개념북 97쪽

1 ●○○

아래 그림에서 □ABCD∽□EFGH일 때, 다음을 구하시오.

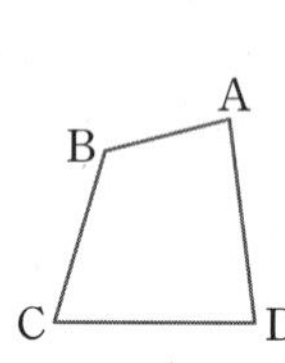

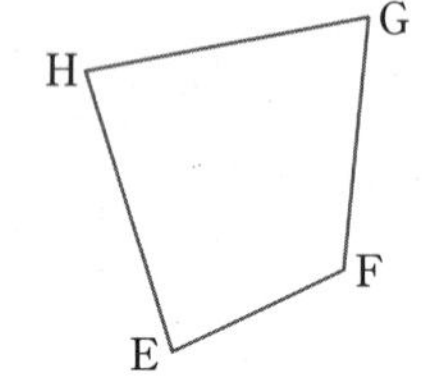

(1) 점 D의 대응점

(2) $\overline{\text{CD}}$의 대응변

(3) ∠A의 대응각

2 ●●○

오른쪽 그림에서 △ABC∽△CBD일 때, 다음을 구하시오.

(1) ∠A의 대응각

(2) $\overline{\text{AC}}$의 대응변

(3) 점 D의 대응점

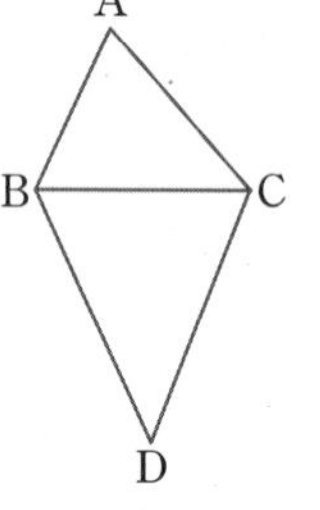

3 ●●○

다음 그림에서 두 삼각기둥은 닮은 도형이고 △ABC와 △A′B′C′이 대응하는 면일 때, 모서리 CF에 대응하는 모서리와 □A′D′E′B′에 대응하는 면을 차례로 구하시오.

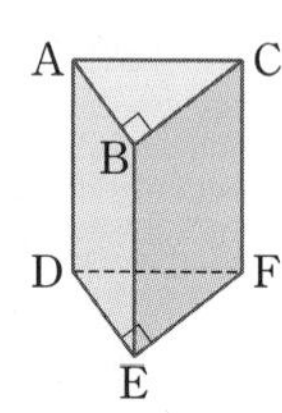

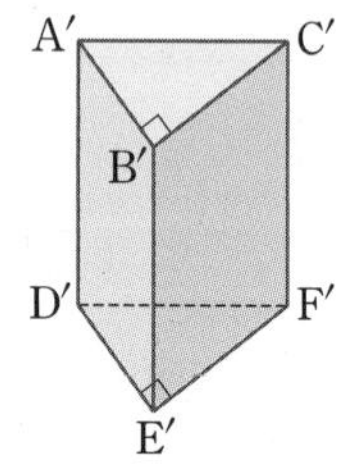

항상 닮은 도형 찾기

개념북 97쪽

4 ●○○

다음 중 항상 닮은 도형인 것을 모두 고르면? (정답 2개)

① 두 평행사변형　② 두 정삼각형

③ 두 부채꼴　④ 두 직육면체

⑤ 두 구

5 ●●○

다음 중 서로 닮은 도형이 아닌 것은?

① 중심각의 크기가 같은 두 부채꼴

② 한 내각의 크기가 같은 두 마름모

③ 꼭지각의 크기가 같은 두 이등변삼각형

④ 한 내각의 크기가 같은 두 평행사변형

⑤ 한 예각의 크기가 같은 두 직각삼각형

6 ●●○

다음 **보기** 중 항상 닮은 도형을 모두 고르시오.

보기

ㄱ. 두 원뿔　ㄴ. 두 직육면체

ㄷ. 두 정사면체　ㄹ. 두 직각이등변삼각형

닮은 평면도형에서 변의 길이, 각의 크기 구하기

개념북 99쪽

7 ●○○

다음 그림에서 △ABC∽△DEF일 때, △ABC의 둘레의 길이를 구하시오.

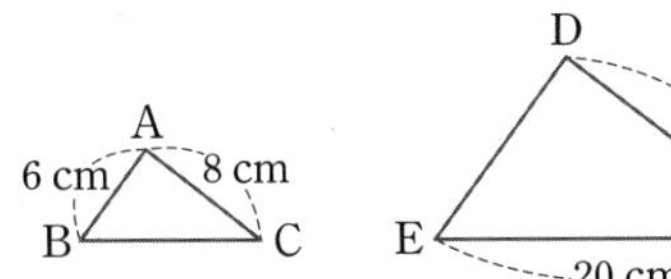

8 ●●○

다음 그림에서 □ABCD∽□HGFE일 때, $x+y$의 값을 구하시오.

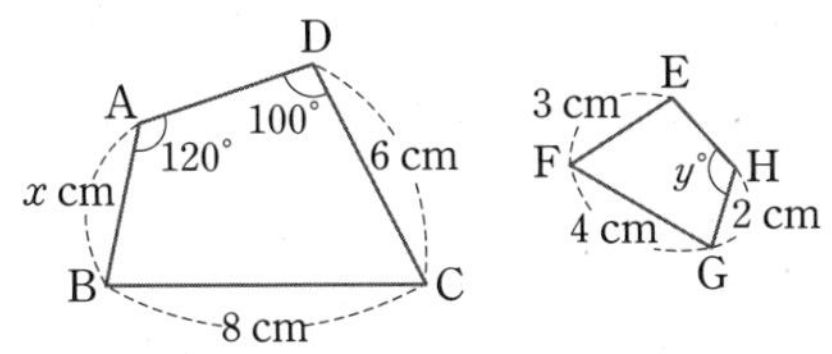

9 ●●○

오른쪽 그림에서 △ABC∽△CBD이고, $\overline{BD}$=4 cm, $\overline{BC}$=6 cm일 때, $\overline{AD}$의 길이는?

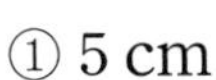

① 5 cm ② 6 cm
③ 7 cm ④ 8 cm
⑤ 9 cm

평면도형에서 닮음의 성질의 이해

개념북 99쪽

10 ●○○

다음 중 옳지 않은 것을 모두 고르면? (정답 2개)

① 닮은 두 평면도형은 대응변의 길이가 각각 같다.
② 닮은 두 평면도형은 대응각의 크기가 각각 같다.
③ 닮은 두 평면도형의 넓이는 항상 같다.
④ 닮은 두 평면도형의 닮음비는 대응변의 길이의 비이다.
⑤ 합동인 두 도형은 서로 닮음이다.

11 ●●○

아래 그림에서 △ABC∽△DEF이고, 닮음비가 2 : 3일 때, 다음 중 옳지 않은 것은?

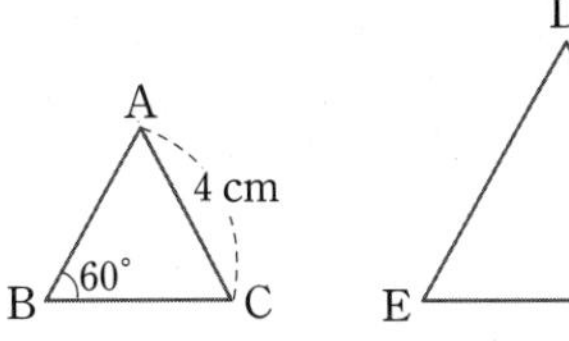

① ∠E=60° ② $\overline{BC}$: $\overline{EF}$=2 : 3
③ ∠C : ∠F=2 : 3 ④ $\overline{DF}$=6 cm
⑤ ∠A=∠D

12 ●●○

다음 그림에서 □ABCD∽□EFGH일 때, 다음 중 옳지 않은 것을 모두 고르면? (정답 2개)

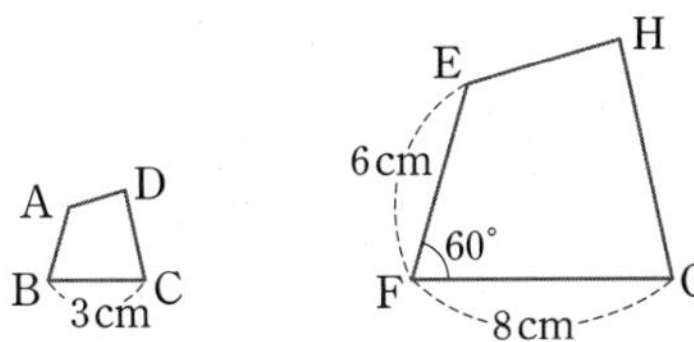

① ∠A=110° ② ∠B=60°
③ $\overline{AD}$: $\overline{EH}$=1 : 3 ④ $\overline{AB}=\frac{9}{4}$ cm
⑤ ∠C=∠G

닮은 입체도형에서 선분의 길이 구하기 개념북 101쪽

13 ●○○

다음 그림의 두 원기둥이 서로 닮은 도형일 때, h의 값은?

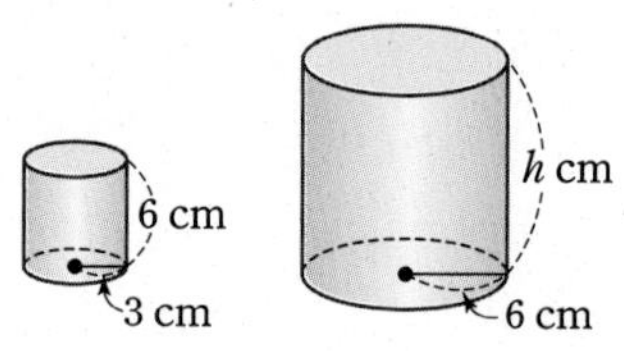

① 10 ② 11 ③ 12
④ 13 ⑤ 14

14 ●●○

다음 그림에서 두 삼각뿔은 서로 닮은 도형이다. △ABC와 △A′B′C′이 서로 대응하는 면일 때, $x+y+z$의 값을 구하시오.

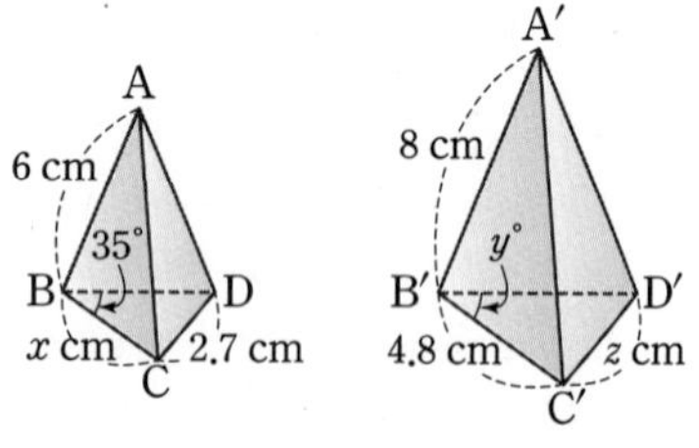

15 ●●●

오른쪽 그림과 같이 원뿔을 밑면에 평행한 평면으로 잘라서 생기는 단면이 반지름의 길이가 8 cm인 원일 때, 처음 원뿔의 밑면의 반지름의 길이를 구하시오.

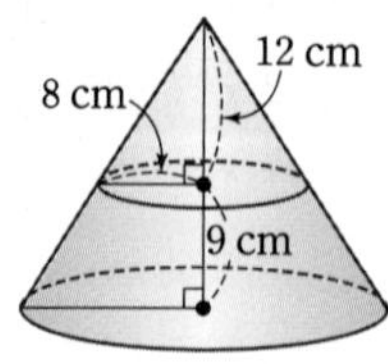

입체도형에서 닮음의 성질의 이해 개념북 101쪽

16 ●●○

아래 그림의 두 입체도형이 서로 닮은 도형이고, $\overline{CF}$에 대응하는 모서리가 $\overline{C'F'}$일 때, 다음 중 옳지 <u>않은</u> 것은?

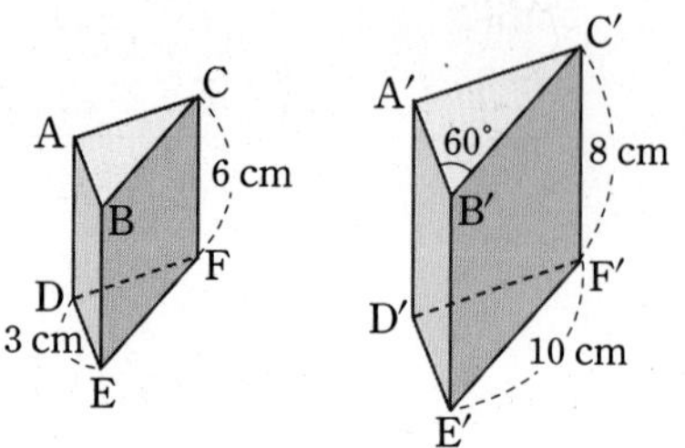

① ∠ABC=60° ② $\overline{EF}=\frac{20}{3}$ cm
③ $\overline{D'E'}$=4 cm ④ 닮음비는 3 : 4이다.
⑤ $\overline{AD}$에 대응하는 모서리는 $\overline{A'D'}$이다.

17 ●●○

아래 그림에서 두 삼각기둥은 서로 닮은 도형이고, $\overline{AB}$에 대응하는 모서리가 $\overline{A'B'}$일 때, 다음 중 옳지 <u>않은</u> 것은?

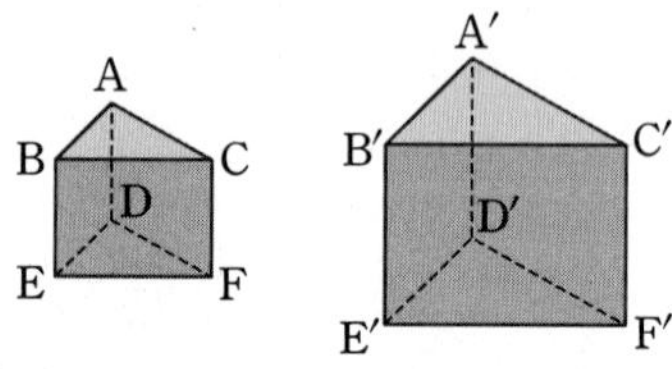

① □BEFC∽□B′E′F′C′
② ∠EDF=∠E′D′F′
③ $\overline{AB}$: $\overline{A'B'}$=$\overline{EF}$: $\overline{E'F'}$
④ △ABC가 정삼각형이면 □B′E′F′C′은 반드시 정사각형이다.
⑤ $\frac{\overline{BC}}{\overline{B'C'}}=\frac{\overline{BE}}{\overline{B'E'}}$

삼각형의 닮음 조건

개념북 103쪽

18 ●○○

다음 중 아래 그림에서 △ABC와 △A′B′C′이 닮은 도형이 되지 <u>않는</u> 경우를 모두 고르면? (정답 2개)

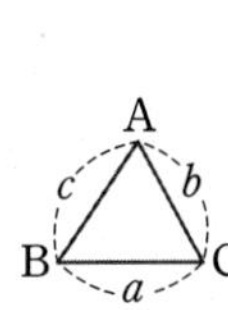

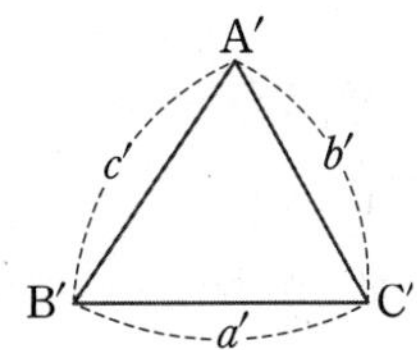

① $a : a'=b : b'=c : c'$
② $a : a'=b : b'$이고 $\angle A=\angle A'$
③ $a : a'=b : b'$이고 $\angle B=\angle B'$
④ $b : b'=c : c'$이고 $\angle A=\angle A'$
⑤ $\angle B=\angle B'$, $\angle C=\angle C'$

19 ●●○

다음 중 오른쪽 **보기**의 삼각형과 닮은 삼각형은?

보기
65°
4 cm
45°

① 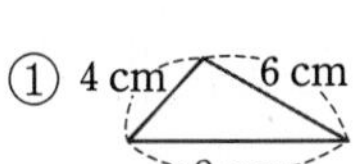

② 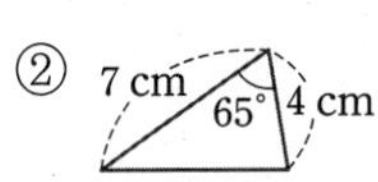

③ 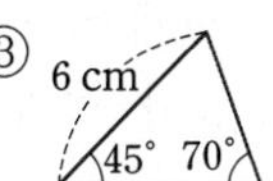

④ 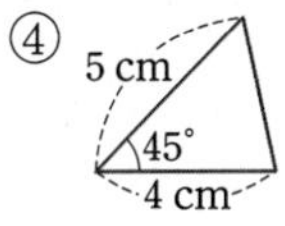

⑤ 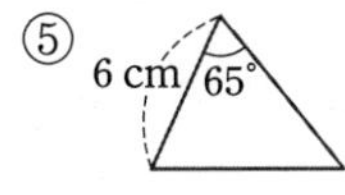

20 ●●○

다음 중 아래 그림의 △ABC와 △DEF가 닮은 도형이 되게 하는 추가 조건인 것은?

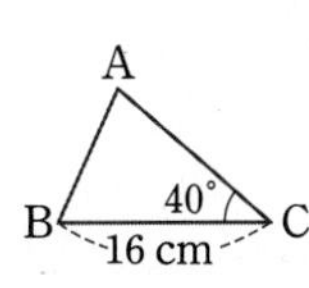

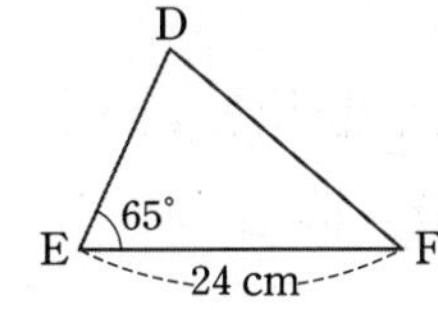

① $\angle A=75°$, $\angle F=40°$
② $\angle B=65°$, $\angle D=65°$
③ $\overline{AB}=12$ cm, $\overline{ED}=18$ cm
④ $\overline{AC}=14$ cm, $\overline{DF}=21$ cm
⑤ $\overline{AC}=16$ cm, $\overline{DE}=18$ cm

삼각형의 닮음 조건의 응용 (1) – SAS 닮음

개념북 105쪽

21 ●●○

오른쪽 그림과 같은 △ABC에서 $\overline{AD}$의 길이는?

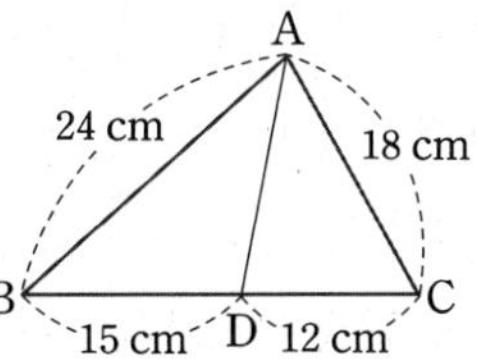

① 13 cm ② 14 cm
③ 15 cm ④ 16 cm
⑤ 17 cm

22 ●●○

오른쪽 그림과 같은 △ABC에서 $\overline{AC}$의 길이를 구하시오.

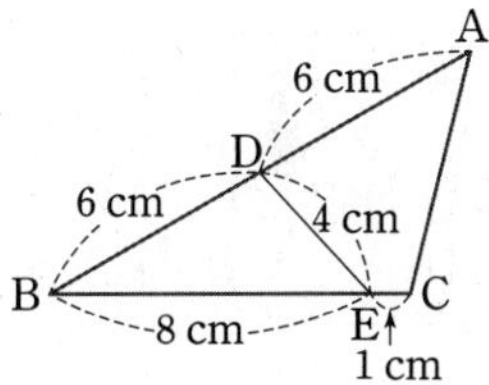

23 ●●●

오른쪽 그림과 같은 △ABC에서 $\overline{AB}$, $\overline{BC}$ 위에 $\overline{AE}=\overline{BE}=\overline{DE}$가 되도록 각각 점 D, E를 잡았다. $\overline{AB}=12$ cm, $\overline{BD}=8$ cm, $\overline{CD}=1$ cm일 때, $\overline{AC}$의 길이를 구하시오.

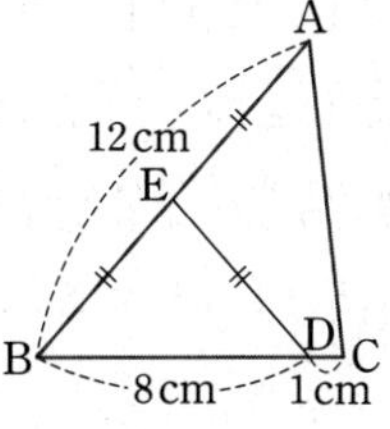

삼각형의 닮음 조건의 응용 (2) – AA 닮음

개념북 105쪽

24 ●○○

오른쪽 그림에서 $\overline{BC} /\!/ \overline{DE}$이고 $\overline{BC}=16\text{ cm}$, $\overline{AE}=5\text{ cm}$, $\overline{DE}=8\text{ cm}$일 때, $\overline{AB}$의 길이를 구하시오.

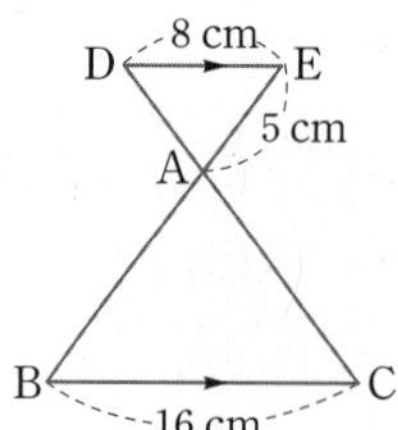

25 ●●○

오른쪽 그림에서 $\overline{AB} /\!/ \overline{DC}$, $\overline{AE} /\!/ \overline{BC}$이고, $\overline{AE}=4\text{ cm}$, $\overline{BE}=6\text{ cm}$, $\overline{ED}=3\text{ cm}$일 때, $\overline{BC}$의 길이를 구하시오.

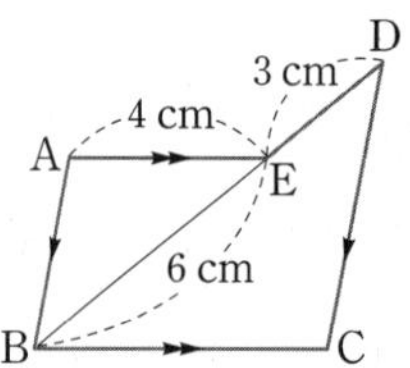

26 ●●●

오른쪽 그림과 같이 정삼각형 ABC의 변 BC 위에 점 D를 잡아 $\angle ADE=60^\circ$가 되도록 하였다. $\overline{BD}=6\text{ cm}$, $\overline{CD}=2\text{ cm}$일 때, $\overline{CE}$의 길이를 구하시오.

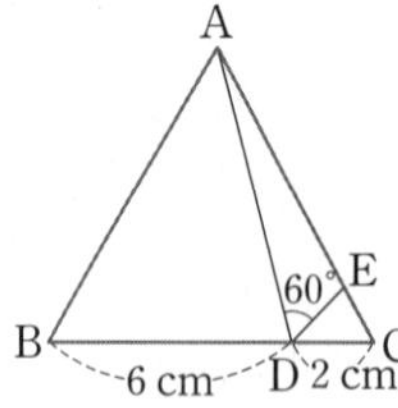

직각삼각형의 닮음

개념북 107쪽

27 ●○○

오른쪽 그림과 같이 평행사변형 ABCD의 점 A에서 $\overline{BC}$, $\overline{CD}$에 내린 수선의 발을 각각 E, F라 하자. $\overline{AE}=6\text{ cm}$, $\overline{AF}=8\text{ cm}$일 때, $\overline{AB} : \overline{AD}$를 가장 간단한 자연수의 비로 나타내시오.

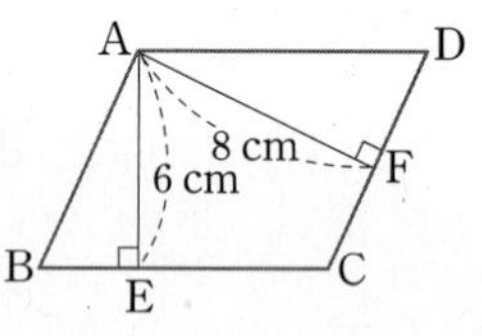

28 ●●○

오른쪽 그림에서 $\overline{AB} \perp \overline{CE}$, $\overline{AC} \perp \overline{BD}$이고 $\overline{AB}=10$, $\overline{AD}=6$, $\overline{CD}=2$일 때, $\overline{BE}$의 길이를 구하시오.

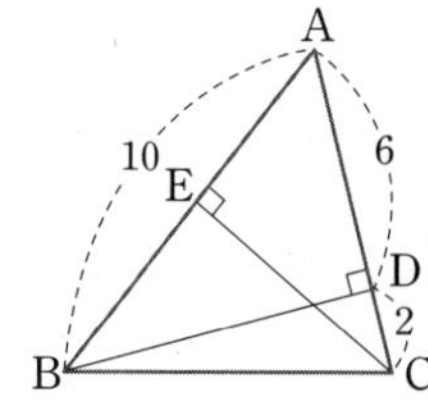

29 ●●●

오른쪽 그림의 △ABC에 대하여 다음 중 옳지 않은 것은?

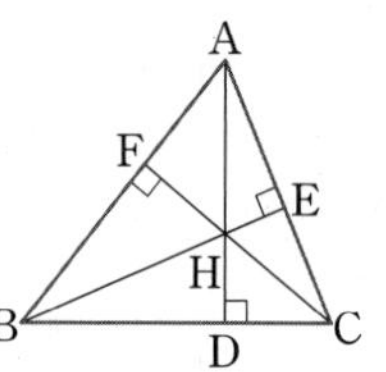

① △ABD∽△AHF

② △AHF∽△CHD

③ △ABD∽△CBF

④ △FBH∽△DBH

⑤ △AHF∽△CBF

직각삼각형의 닮음의 응용

개념북 107쪽

30 ●●○

오른쪽 그림과 같은 △ABC에서 ∠BAC=∠AHC=90°일 때, 다음 중 옳지 <u>않은</u> 것은?

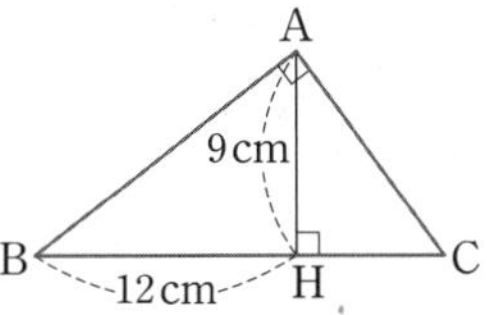

① △ABC∽△HBA
② △ABH∽△CAH
③ ∠BAH=∠ACH
④ $\overline{AH}$: $\overline{CH}$=$\overline{BH}$: $\overline{AH}$
⑤ $\overline{AB}$: $\overline{CA}$=5 : 3

31 ●○○

오른쪽 그림과 같이 ∠A=90°인 직각삼각형 ABC에서 $\overline{AD}\perp\overline{BC}$일 때, $x+y$의 값을 구하시오.

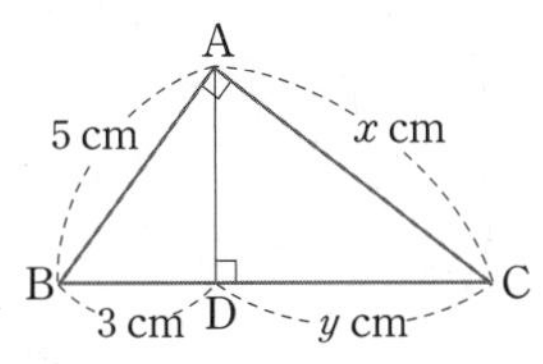

32 ●○○

오른쪽 그림과 같이 ∠B=90°인 직각삼각형 ABC에서 $\overline{AC}\perp\overline{BD}$이고 $\overline{AD}$=2 cm, $\overline{CD}$=8 cm일 때, △ABC의 넓이를 구하시오.

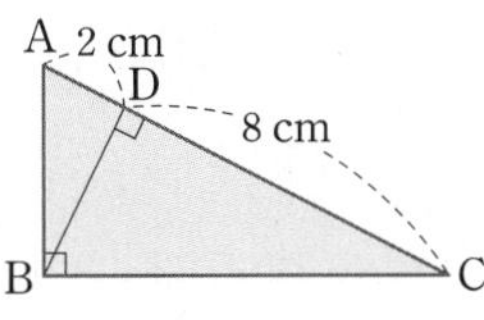

33 ●●○

오른쪽 그림과 같이 ∠A=90°인 직각삼각형 ABC에서 $\overline{AB}$=15, $\overline{AC}$=20, $\overline{AD}$=12일 때, x, y의 값을 각각 구하시오.

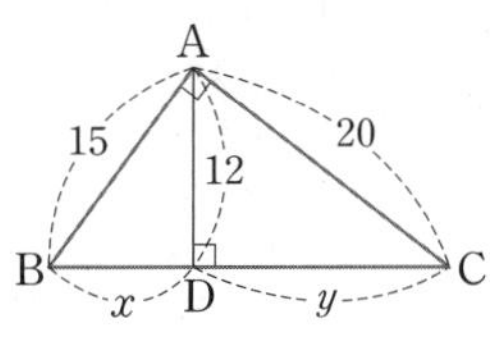

34 ●●●

오른쪽 그림과 같이 ∠B=90°인 직각삼각형 ABC에서 $\overline{AB}$=3 cm, $\overline{BC}$=4 cm, $\overline{AC}$=5 cm일 때, $\overline{AE}$의 길이는?

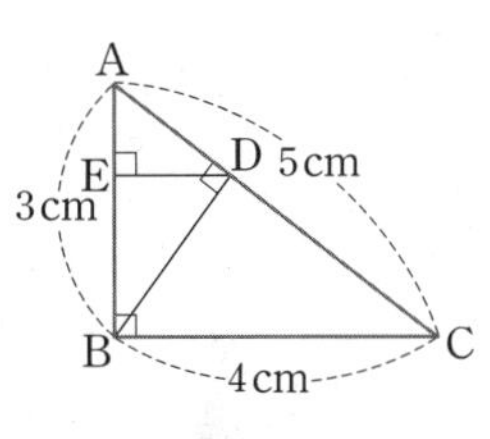

① 1 cm　② $\frac{26}{25}$ cm　③ $\frac{27}{25}$ cm
④ $\frac{28}{25}$ cm　⑤ $\frac{29}{25}$ cm

35 ●●●

오른쪽 그림과 같이 ∠A=90°인 직각삼각형 ABC에서 점 M은 $\overline{BC}$의 중점이다. 점 A에서 $\overline{BC}$에 내린 수선의 발을 D라 하고, 점 D에서 $\overline{AM}$에 내린 수선의 발을 E라 하자. $\overline{BD}$=5 cm, $\overline{CD}$=20 cm일 때, $\overline{DE}$의 길이를 구하시오.

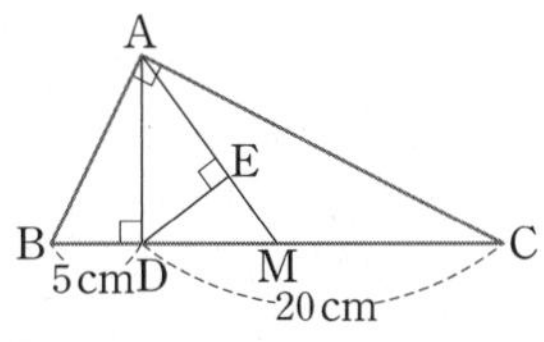

개념완성익힘

1

다음 **보기** 중 닮은 도형에 대한 설명으로 옳은 것을 모두 고르시오.

> **보기**
> ㄱ. 한 도형을 일정한 비율로 확대 또는 축소하면 서로 포개어진다.
> ㄴ. 대응변의 길이는 각각 같다.
> ㄷ. 닮은 두 삼각뿔의 대응하는 면은 서로 닮은 도형이다.
> ㄹ. 닮음비는 두 닮은 도형에서 대응각의 크기의 비이다.

2

다음 그림의 두 원뿔이 서로 닮은 도형일 때, 큰 원뿔의 밑면의 넓이는?

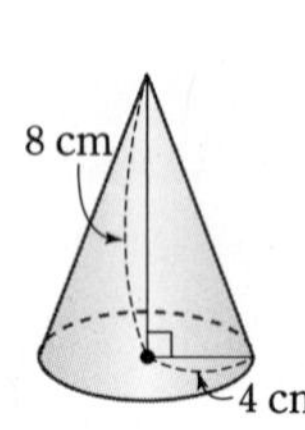

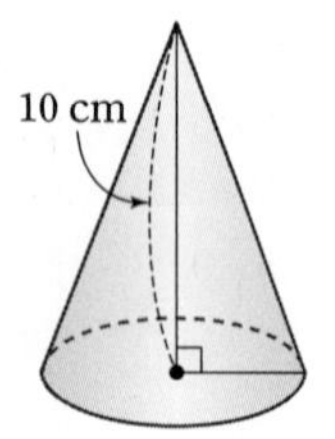

① 16π cm^2　② 20π cm^2　③ 25π cm^2
④ 30π cm^2　⑤ 35π cm^2

3

오른쪽 그림과 같은 $\triangle ABC$에서 $\overline{AD}$의 길이를 구하시오.

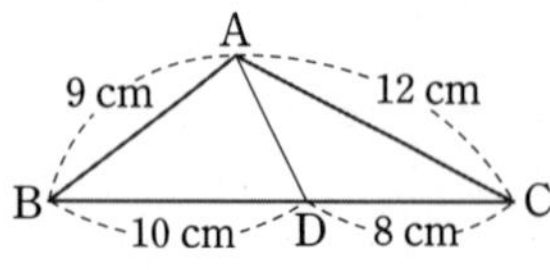

4 실력UP

오른쪽 그림에서 $\angle BAE = \angle CBF = \angle ACD$이고 $\overline{AB} = 10$ cm, $\overline{AC} = 8$ cm, $\overline{DF} = 4$ cm일 때, $\overline{DE}$의 길이를 구하시오.

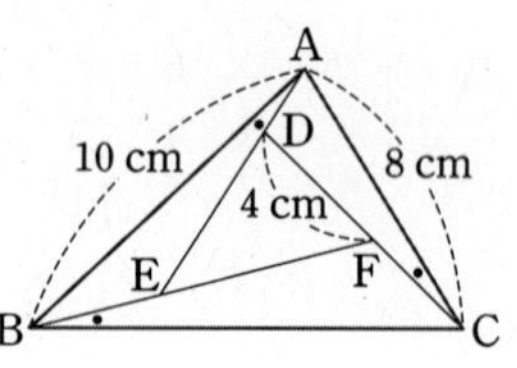

5

오른쪽 그림과 같이 정삼각형 ABC를 접어서 꼭짓점 A가 $\overline{BC}$ 위의 점 E에 오도록 하였다. $\overline{AD} = 7$ cm, $\overline{DB} = 8$ cm, $\overline{BE} = 5$ cm일 때, $\overline{CF}$의 길이를 구하시오.

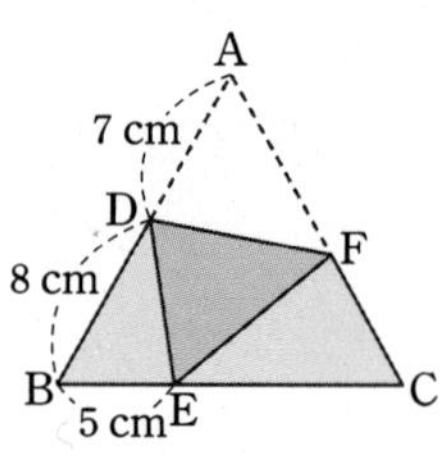

6

오른쪽 그림에서 $\overline{AD} /\!/ \overline{BF}$, $\overline{AB} /\!/ \overline{DC}$이고, $\overline{AD} = 16$ cm, $\overline{CE} = 3$ cm, $\overline{CF} = 6$ cm일 때, $\overline{DE}$의 길이를 구하시오.

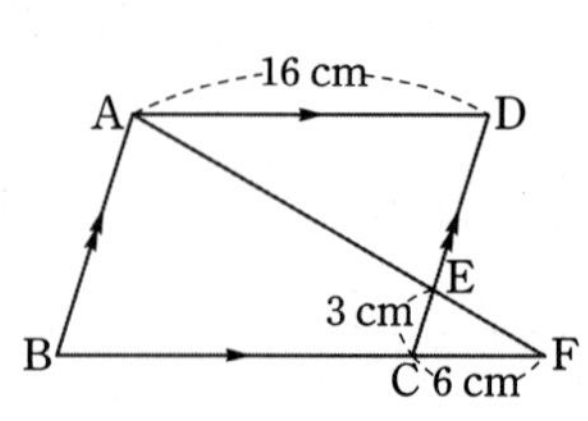

7

오른쪽 그림과 같은 평행사변형 ABCD에서 $\overline{CE}$의 길이를 구하시오.

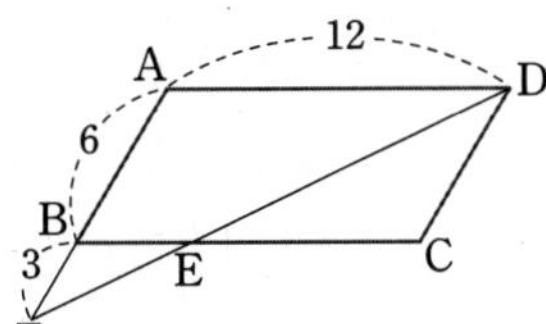

8

오른쪽 그림과 같은 직사각형 ABCD에서 $\overline{AC}\perp\overline{EF}$이고, $\overline{AC}$와 $\overline{EF}$의 교점을 O라 하자. $\overline{AB}=6$, $\overline{BC}=8$, $\overline{OA}=5$일 때, $\overline{OE}$의 길이를 구하시오.

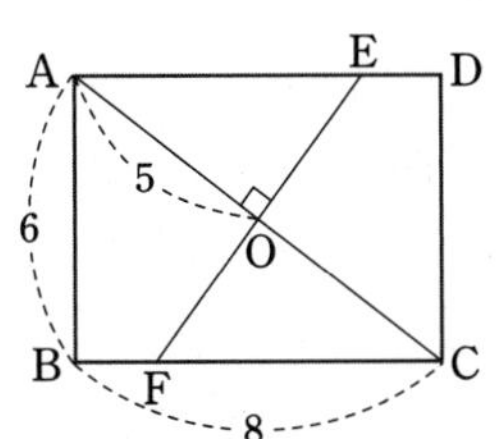

9 실력UP

오른쪽 그림에서 $\overline{AB}\perp\overline{DE}$, $\overline{AC}\perp\overline{BE}$일 때, 다음 중 나머지 삼각형과 닮음이 아닌 것은?

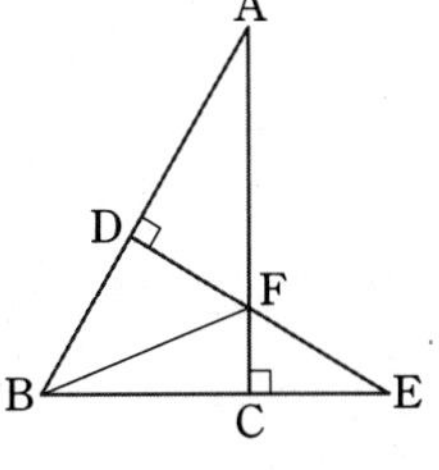

① △ABC ② △AFD
③ △EBD ④ △EFC
⑤ △FBC

서술형

10

오른쪽 그림과 같이 A4 용지를 반으로 접을 때마다 만들어지는 용지의 크기를 각각 A5, A6, A7, …이라 할 때, 용지들은 A4 용지와 닮은 도형이다. A8 용지의 가로, 세로의 길이를 각각 구하기 위한 풀이 과정을 쓰고 답을 구하시오. (단, A4 용지의 가로의 길이는 210 mm, 세로의 길이는 297 mm이다.)

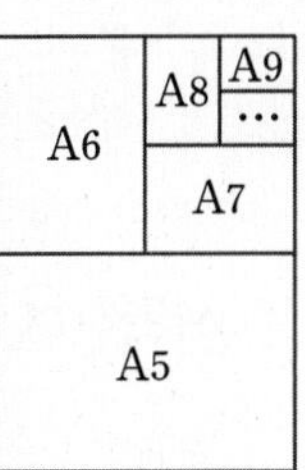

11

오른쪽 그림에서 $\angle ADE=\angle ACB$이고 $\overline{AD}=5$, $\overline{AC}=10$, $\overline{BC}=12$일 때, $\overline{DE}$의 길이를 구하기 위한 풀이 과정을 쓰고 답을 구하시오.

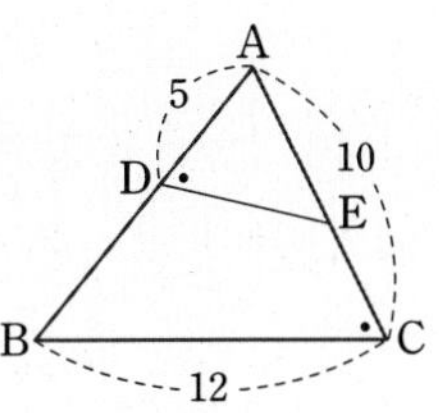

12

오른쪽 그림과 같이 $\angle A=90^\circ$인 직각삼각형 ABC에서 $\overline{AD}\perp\overline{BC}$이고, $\overline{AB}=8$ cm, $\overline{BC}=10$ cm일 때, $\overline{AC}$의 길이를 구하기 위한 풀이 과정을 쓰고 답을 구하시오.

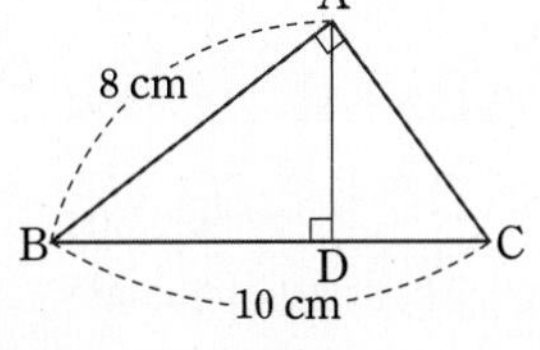

2 평행선과 선분의 길이의 비

개념적용익힘

삼각형에서 평행선과 선분의 길이의 비
개념북 115쪽

1 ●○○

오른쪽 그림에서 $\overline{BC} /\!/ \overline{DE}$, $\overline{DF} /\!/ \overline{AC}$이고, $\overline{AE}=8$ cm, $\overline{DE}=6$ cm, $\overline{EC}=12$ cm일 때, $\overline{BF}$의 길이를 구하시오.

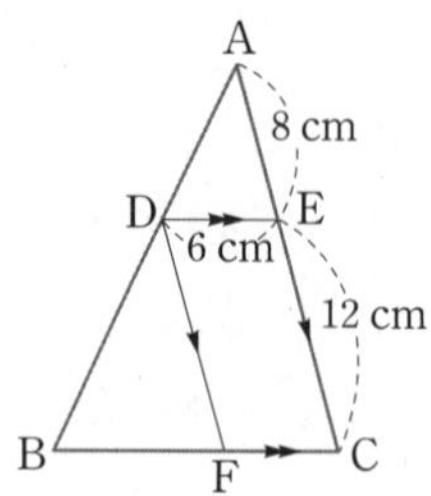

2 ●●○

오른쪽 그림에서 $\overline{BC} /\!/ \overline{DE}$일 때, $x+y$의 값을 구하시오.

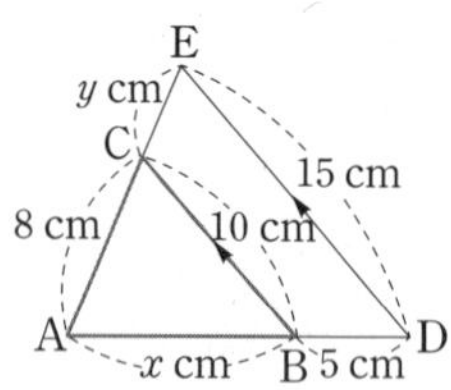

3 ●●●

오른쪽 그림에서 두 점 M, N은 각각 $\overline{BC}$, $\overline{AD}$의 중점이다. $\overline{AB} /\!/ \overline{MN} /\!/ \overline{CD}$이고, $\overline{AB}=6$ cm, $\overline{MN}=4$ cm일 때, $\overline{CD}$의 길이는?

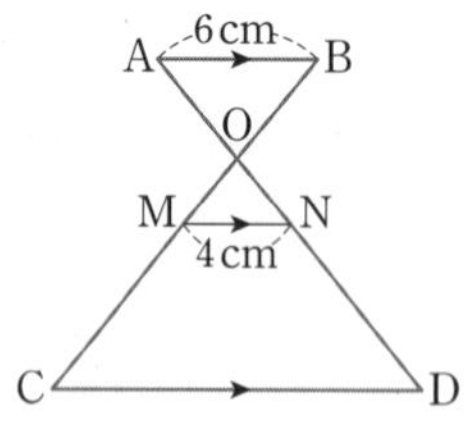

① 8 cm ② 10 cm
③ 12 cm ④ 14 cm
⑤ 16 cm

삼각형에서 평행선과 선분의 길이의 비의 응용
개념북 115쪽

4 ●○○

오른쪽 그림에서 $\overline{BD} /\!/ \overline{EG}$이고 $\overline{AB}=9$ cm, $\overline{BE}=6$ cm, $\overline{FG}=10$ cm일 때, $\overline{CD}$의 길이는?

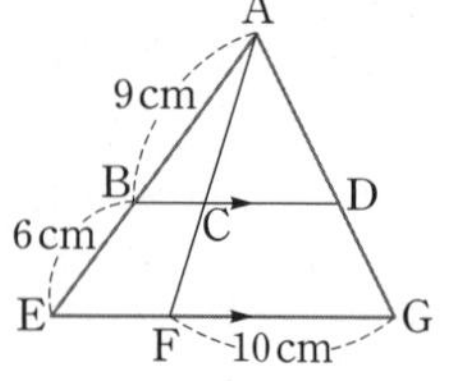

① 6 cm ② 7 cm ③ 8 cm
④ 9 cm ⑤ 10 cm

5 ●●○

오른쪽 그림에서 $\overline{BC} /\!/ \overline{DE}$일 때, $x+y$의 값을 구하시오.

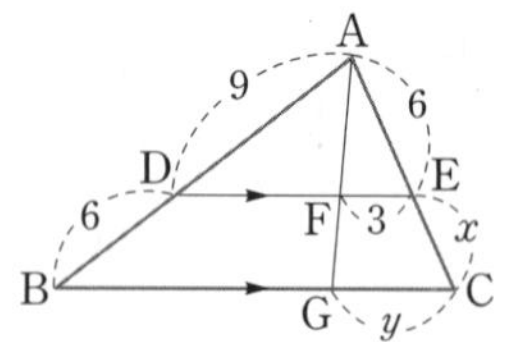

6 ●●○

오른쪽 그림에서 $\overline{BC} /\!/ \overline{DE}$이고, $\overline{BC}=21$, $\overline{DF}=6$, $\overline{FE}=8$일 때, $\overline{CG}$의 길이를 구하시오.

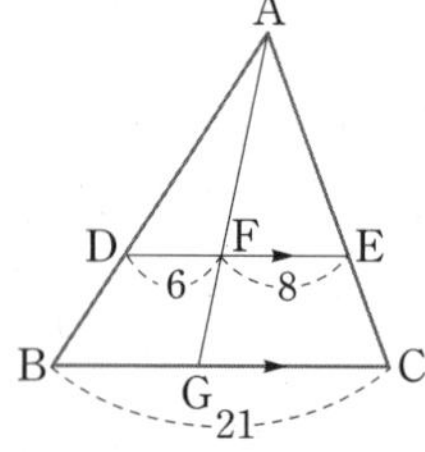

선분의 길이의 비를 이용하여 평행선 찾기 개념북 116쪽

7 ●○○

다음 중 $\overline{BC}/\!/\overline{DE}$인 것은?

①
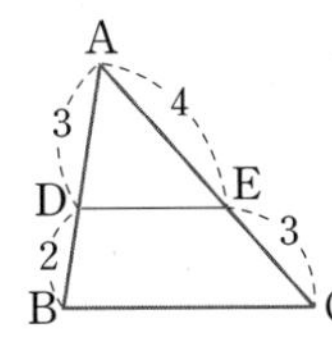

②
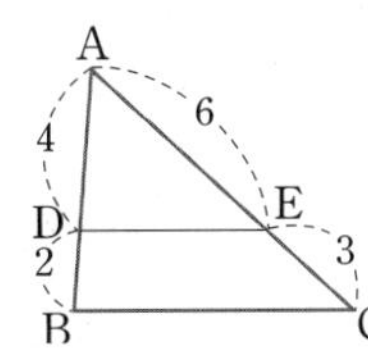

③
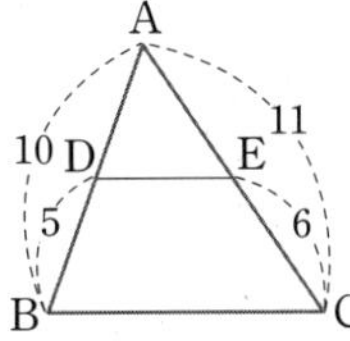

④
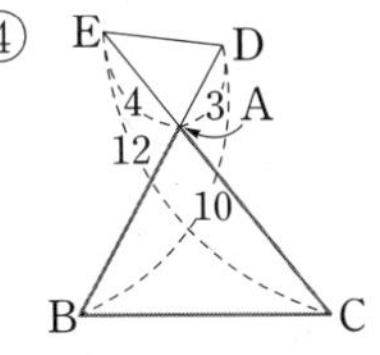

⑤
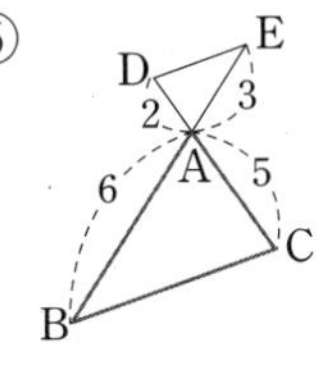

8 ●●○

오른쪽 그림의 세 선분 DE, FE, DF 중 △ABC의 한 변에 평행한 선분을 찾으시오.

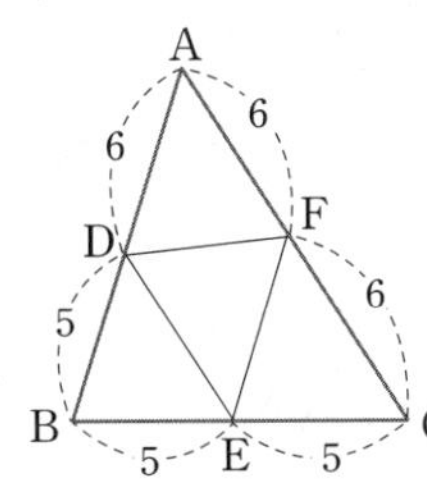

9 ●●●

오른쪽 그림과 같은 △ABC에서 다음 **보기** 중 옳은 것을 모두 고른 것은?

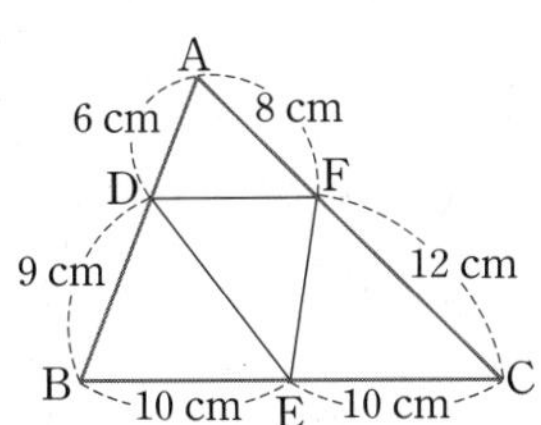

보기	
ㄱ. $\overline{AB}/\!/\overline{FE}$	ㄴ. $\overline{BC}/\!/\overline{DF}$
ㄷ. $\triangle ABC \backsim \triangle ADF$	ㄹ. $\angle A = \angle BDE$

① ㄱ, ㄴ ② ㄱ, ㄷ ③ ㄴ, ㄷ
④ ㄴ, ㄹ ⑤ ㄷ, ㄹ

삼각형의 내각의 이등분선 개념북 118쪽

10 ●○○

다음은 △ABC에서 ∠A의 이등분선이 $\overline{BC}$와 만나는 점을 D라 할 때, $\overline{AB} : \overline{AC} = \overline{BD} : \overline{CD}$임을 설명하는 과정이다. ㈎ ~ ㈑에 알맞은 것을 써넣으시오.

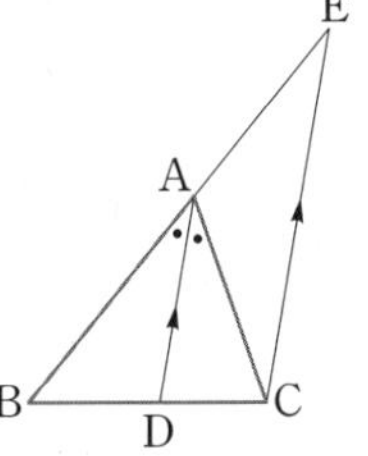

△ABC의 점 C에서 $\overline{AD}$에 평행한 직선을 그어 $\overline{BA}$의 연장선과 만나는 점을 E라 하면 $\overline{AD}/\!/\overline{EC}$이므로
∠BAD= ㈎ (동위각),
∠DAC=∠ACE(엇각)
이때 ∠AEC= ㈏ 이므로 △ACE는 이등변삼각형이다.
∴ $\overline{AE}$= ㈐ …… ㉠
△BCE에서 $\overline{AD}/\!/\overline{EC}$이므로
$\overline{BA} : \overline{AE}$= ㈑ : $\overline{DC}$ …… ㉡
㉠, ㉡에 의해 $\overline{AB} : \overline{AC} = \overline{BD} : \overline{CD}$

11 ●●○

오른쪽 그림의 △ABC에서 $\overline{AD}$가 ∠A의 이등분선일 때, x의 값을 구하시오.

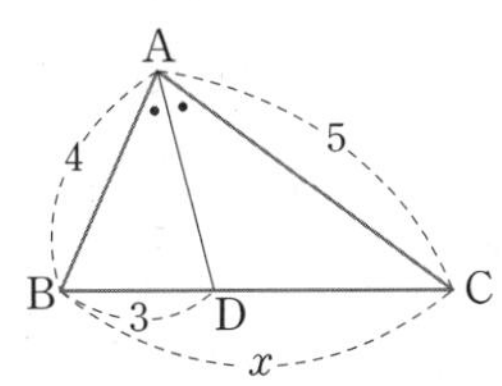

12 ●●●

오른쪽 그림의 △ABC에서 $\overline{AD}$는 ∠A의 이등분선이고, 점 B, C에서 $\overline{AD}$ 또는 그 연장선 위에 내린 수선의 발을 각각 E, F라 할 때, $\overline{BE}$의 길이를 구하시오.

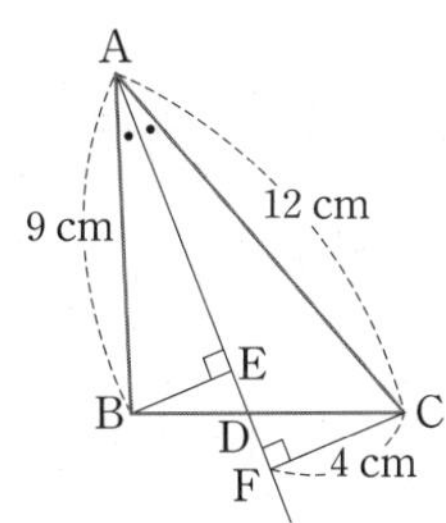

삼각형의 외각의 이등분선

개념북 118쪽

13 ●●○

오른쪽 그림의 △ABC에서 ∠A의 외각의 이등분선과 $\overline{BC}$의 연장선의 교점을 D라 할 때, $\overline{BC}$의 길이를 구하시오.

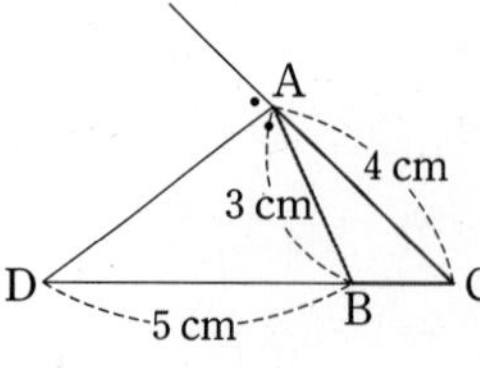

14 ●●○

오른쪽 그림과 같은 △ABC에서 $\overline{AD}$가 ∠A의 외각의 이등분선일 때, $\overline{AC}$의 길이는?

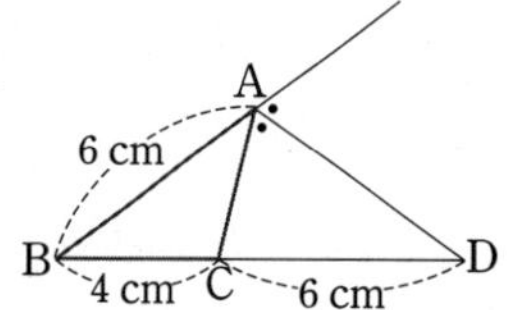

① 3 cm ② $\frac{16}{5}$ cm ③ $\frac{18}{5}$ cm ④ 4 cm ⑤ $\frac{22}{5}$ cm

15 ●●●

오른쪽 그림의 △ABC에서 ∠A의 외각의 이등분선과 $\overline{BC}$의 연장선의 교점을 D라 하자. $\overline{AD} /\!/ \overline{EC}$일 때, x의 값을 구하시오.

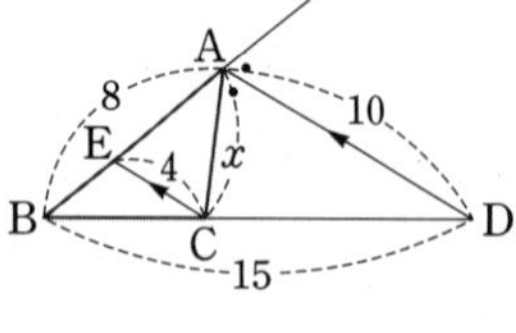

삼각형의 각의 이등분선과 넓이

개념북 119쪽

16 ●●○

오른쪽 그림과 같은 △ABC에서 $\overline{AD}$는 ∠A의 이등분선이다. △ABC의 넓이가 15 cm^2일 때, △ADC의 넓이는?

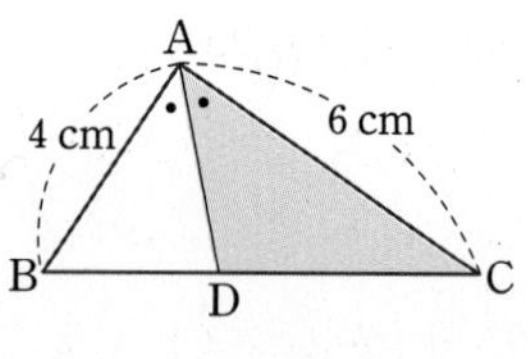

① 6 cm^2 ② 8 cm^2 ③ 9 cm^2 ④ 10 cm^2 ⑤ 12 cm^2

17 ●●○

오른쪽 그림과 같은 △ABC에서 $\overline{AD}$는 ∠A의 외각의 이등분선이다. △ABC의 넓이가 12 cm^2일 때, △ACD의 넓이를 구하시오.

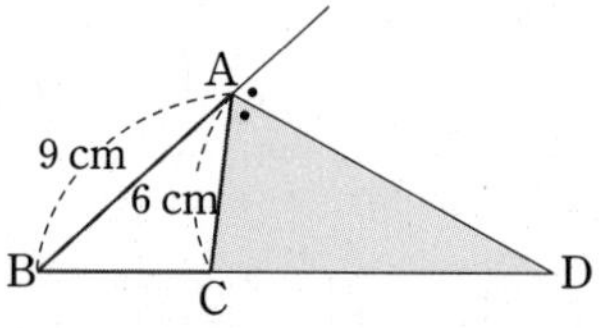

18 ●●●

오른쪽 그림과 같은 △ABC에서 $\overline{AD}$는 ∠A의 이등분선이고, $\overline{AE}$는 ∠A의 외각의 이등분선이다. △ABD의 넓이가 $\frac{120}{13}$ cm^2일 때, △ACE의 넓이는?

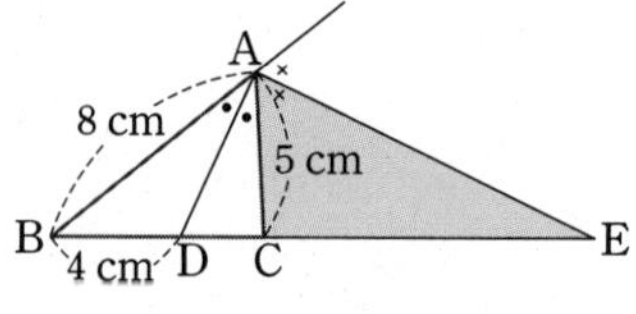

① 18 cm^2 ② 21 cm^2 ③ 23 cm^2 ④ 25 cm^2 ⑤ 28 cm^2

삼각형의 내각과 외각의 이등분선

개념북 119쪽

19 ●●○

오른쪽 그림과 같은 $\triangle ABC$에서 $\overline{AD}$, $\overline{AE}$가 각각 $\angle A$의 내각과 외각의 이등분선일 때, $\overline{CE}$의 길이를 구하시오.

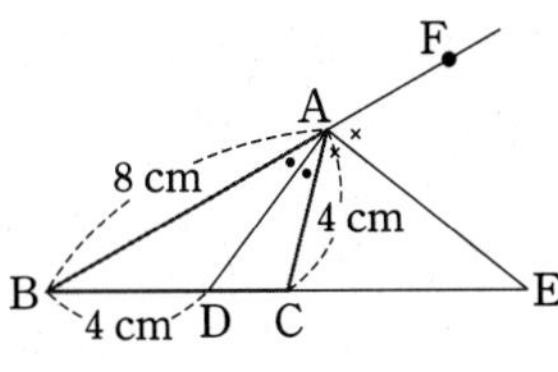

20 ●●●

오른쪽 그림과 같은 $\triangle ABC$에서 $\overline{CD}$는 $\angle C$의 이등분선이고 $\angle C$의 외각의 이등분선이 $\overline{AB}$의 연장선과 만나는 점을 E라 하자. $\overline{AD}=3$ cm, $\overline{AC}=6$ cm, $\overline{BC}=12$ cm일 때, $\overline{AE}$의 길이는?

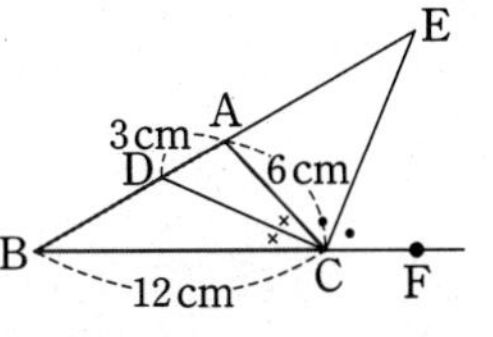

① 6 cm ② 7 cm ③ 8 cm
④ 9 cm ⑤ 10 cm

21 ●●●

오른쪽 그림과 같은 $\triangle ABC$에서 $\overline{AD}$는 $\angle A$의 내각의 이등분선이고, $\overline{AE}$는 $\angle A$의 외각의 이등분선일 때, $\overline{CE}$의 길이를 구하시오.

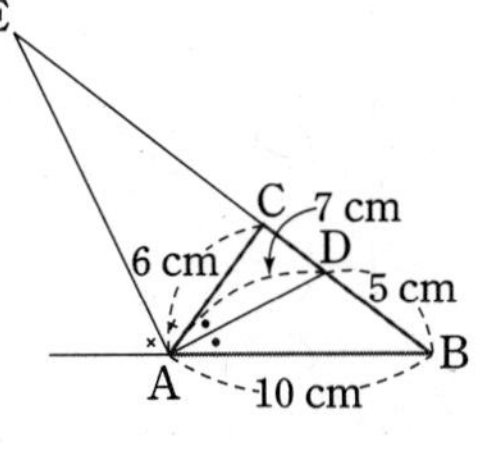

평행선 사이의 선분의 길이의 비

개념북 121쪽

22 ●○○

오른쪽 그림에서 $l /\!/ m /\!/ n$일 때, x의 값을 구하시오.

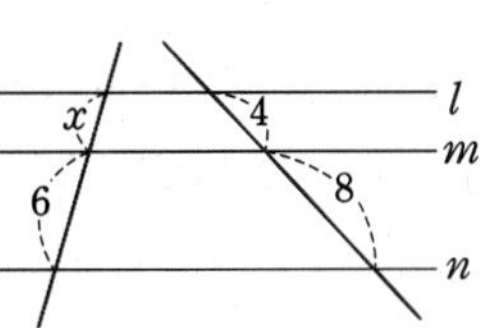

23 ●●○

오른쪽 그림에서 $l /\!/ m /\!/ n$일 때, $x+y$의 값은?

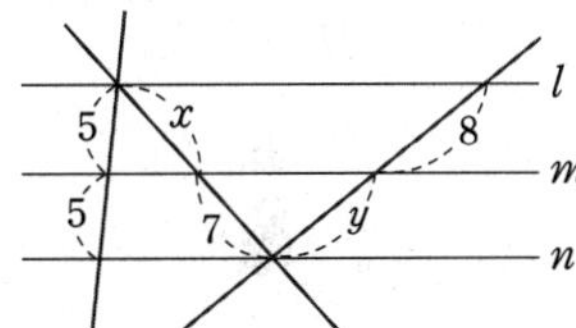

① 11 ② 12
③ 13 ④ 14
⑤ 15

24 ●●○

오른쪽 그림에서 $l /\!/ m /\!/ n$일 때, $x+y$의 값을 구하시오.

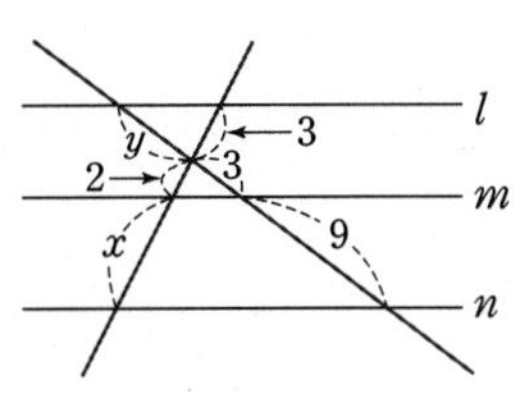

25 ●●○

오른쪽 그림에서 $k /\!/ l /\!/ m /\!/ n$일 때, x, y의 값을 각각 구하시오.

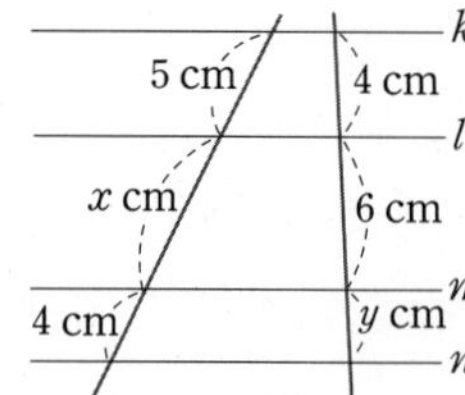

26 ●●○

오른쪽 그림에서 $k /\!/ l /\!/ m /\!/ n$일 때, x, y, z의 값을 각각 구하시오.

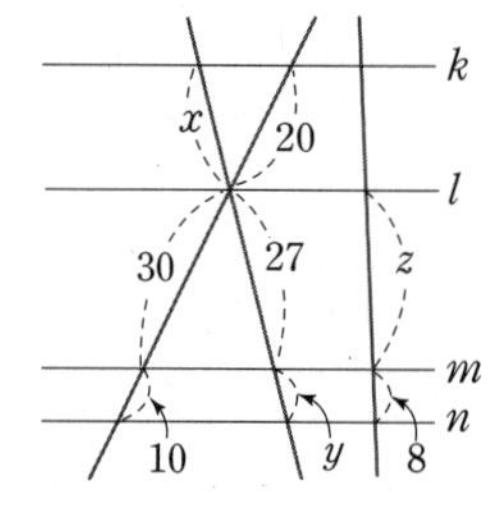

27 ●●●

오른쪽 그림에서 $l /\!/ m /\!/ n$일 때, x의 값을 구하시오.

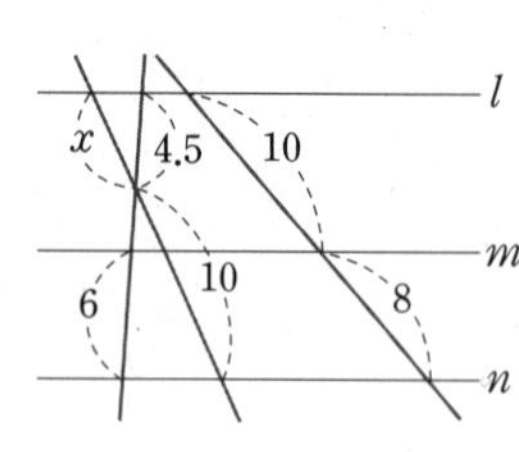

사다리꼴에서 평행선과 선분의 길이의 비

개념북 123쪽

28 ●●○

오른쪽 그림과 같이 $\overline{AD} /\!/ \overline{EF} /\!/ \overline{BC}$인 사다리꼴 ABCD에서 $\overline{EF}$의 길이를 구하시오.

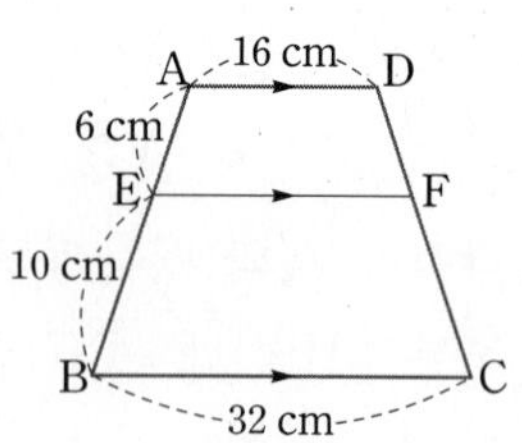

29 ●●○

오른쪽 그림에서 $\overline{AD} /\!/ \overline{EF} /\!/ \overline{BC}$일 때, $\overline{AE}$의 길이를 구하시오.

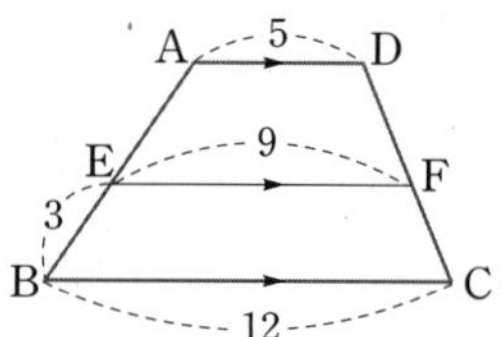

30 ●●●

오른쪽 그림과 같은 사다리꼴 ABCD에서 $\overline{AD} /\!/ \overline{EF} /\!/ \overline{GH} /\!/ \overline{BC}$일 때, $x-y$의 값을 구하시오.

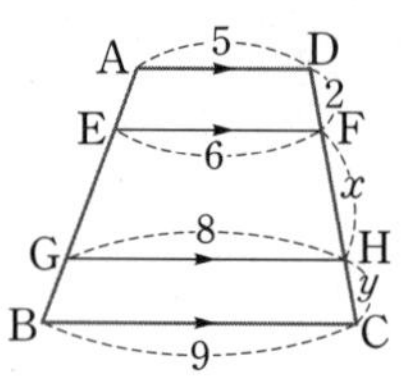

사다리꼴에서 평행선과 대각선

개념북 123쪽

31 ●●○

오른쪽 그림과 같은 사다리꼴 ABCD에서 $\overline{AD} /\!/ \overline{EF} /\!/ \overline{BC}$일 때, $\overline{PQ}$의 길이는?

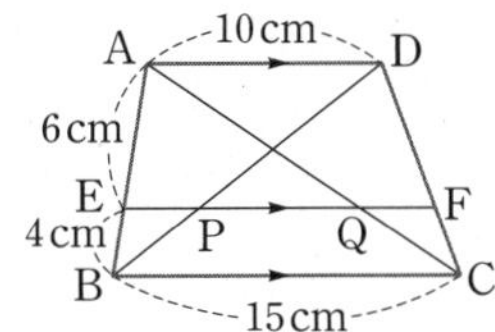

① 4 cm ② 5 cm
③ 6 cm ④ 7 cm
⑤ 8 cm

32 ●●●

오른쪽 그림에서 $\overline{AD} /\!/ \overline{EF} /\!/ \overline{BC}$이고 $2\overline{AE}=3\overline{EB}$, $2\overline{EG}=\overline{GH}$일 때, $\overline{BC}$의 길이를 구하시오.

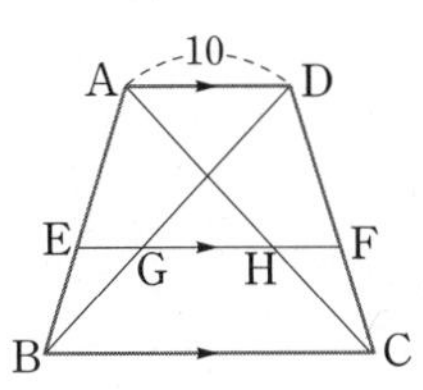

33 ●●●

오른쪽 그림에서 □ABCD는 $\overline{AD} /\!/ \overline{BC}$인 사다리꼴이고 점 O는 두 대각선의 교점이다. $\overline{EF} /\!/ \overline{BC}$, $\overline{AD}=4$ cm, $\overline{BC}=6$ cm일 때, $\overline{EF}$의 길이를 구하시오.

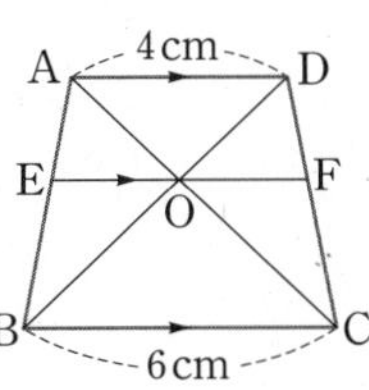

평행선과 선분의 길이의 비의 응용

개념북 125쪽

34 ●●○

오른쪽 그림에서 $\overline{AB} /\!/ \overline{EF} /\!/ \overline{DC}$일 때, xy의 값을 구하시오.

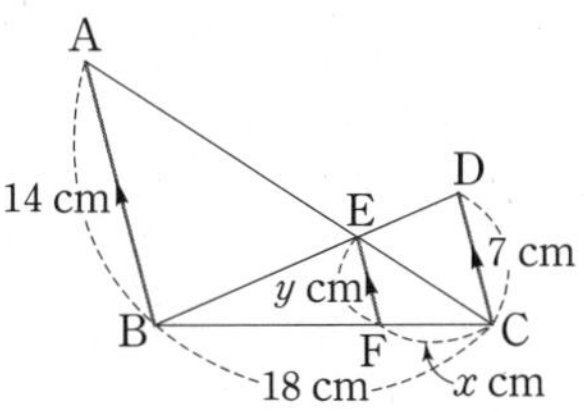

35 ●●○

오른쪽 그림에서 $\overline{AB} /\!/ \overline{EF} /\!/ \overline{DC}$일 때, $\overline{CD}$의 길이를 구하시오.

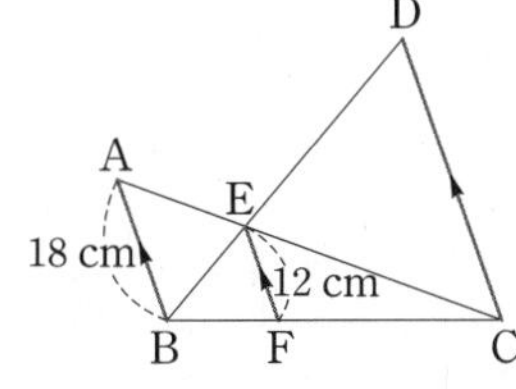

36 ●●○

오른쪽 그림에서 $\overline{AB} /\!/ \overline{PH} /\!/ \overline{DC}$일 때, 다음 중 옳지 않은 것은?

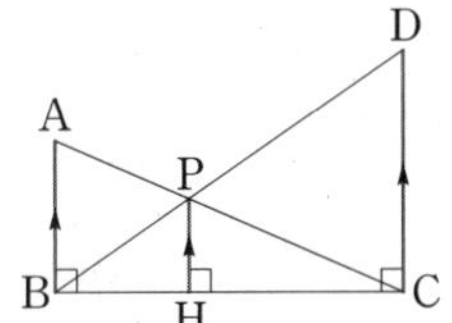

① $\triangle ABC \backsim \triangle PHC$
② $\triangle BPH \backsim \triangle BDC$
③ $\triangle PAB \backsim \triangle PCD$
④ $\overline{AP} : \overline{PC} = \overline{AB} : \overline{CD}$
⑤ $\overline{BH} : \overline{BC} = \overline{AB} : \overline{CD}$

37 ●●●

오른쪽 그림에서 $\overline{AB}$, $\overline{DC}$, $\overline{EF}$가 모두 $\overline{BC}$에 수직일 때, x의 값을 구하시오.

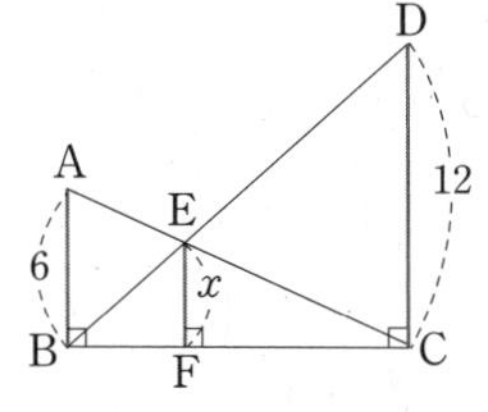

개념완성익힘

1

오른쪽 그림에서 두 점 D, E는 각각 $\overline{AB}$, $\overline{AC}$의 연장선 위의 점이고 $\overline{BC} /\!/ \overline{DE}$일 때, x의 값을 구하시오.

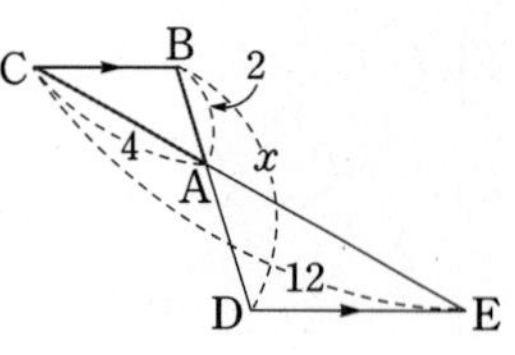

2

오른쪽 그림과 같은 △ABC에서 $\overline{BC} /\!/ \overline{DE}$이고 $\overline{BF}=4$ cm, $\overline{CF}=8$ cm, $\overline{DE}=10$ cm일 때, $\overline{GE}$의 길이를 구하시오.

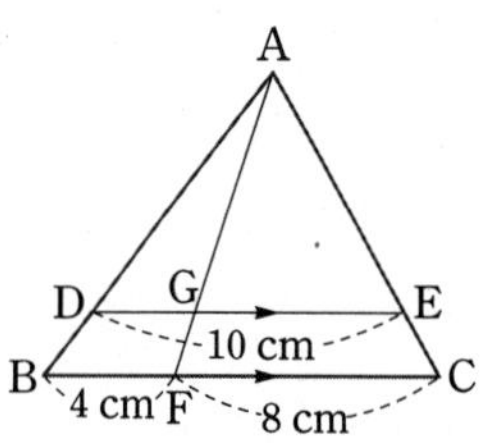

3

다음 **보기** 중 $\overline{BC} /\!/ \overline{DE}$인 것을 모두 고르시오.

보기

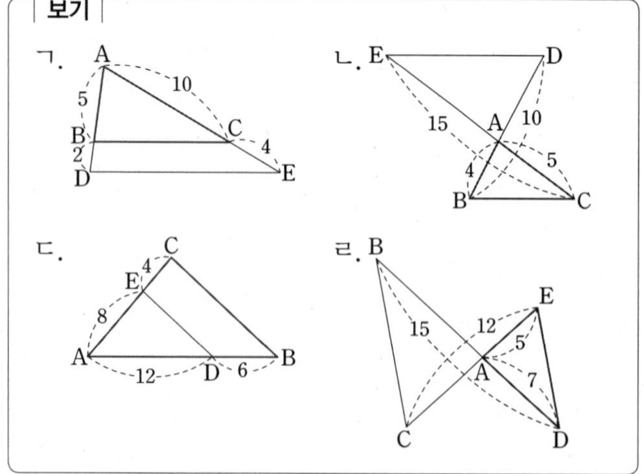

4

오른쪽 그림과 같은 △ABC에서 $\overline{AD} : \overline{DB}=\overline{AE} : \overline{EC}$일 때, 다음 중 옳지 않은 것은?

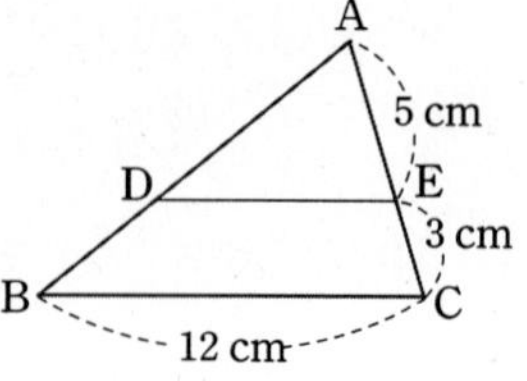

① $\overline{AD} : \overline{DB}=5 : 3$
② △ABC∽△ADE
③ $\overline{BC} /\!/ \overline{DE}$
④ $\overline{DE}=8$ cm
⑤ $\overline{DE} : \overline{BC}=5 : 8$

5

오른쪽 그림과 같은 △ABC에서 $\overline{AD}$는 ∠A의 이등분선이고 $\overline{AB} /\!/ \overline{ED}$일 때, $\overline{CE}$의 길이를 구하시오.

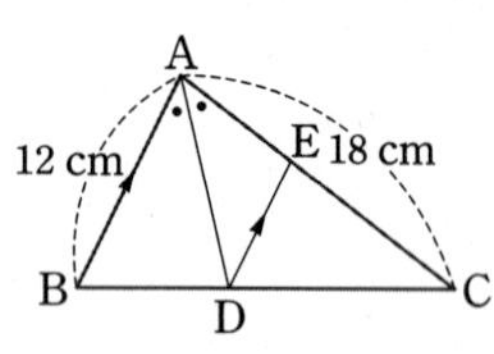

6

오른쪽 그림에서 $l /\!/ m /\!/ n$일 때, x, y의 값을 각각 구하시오.

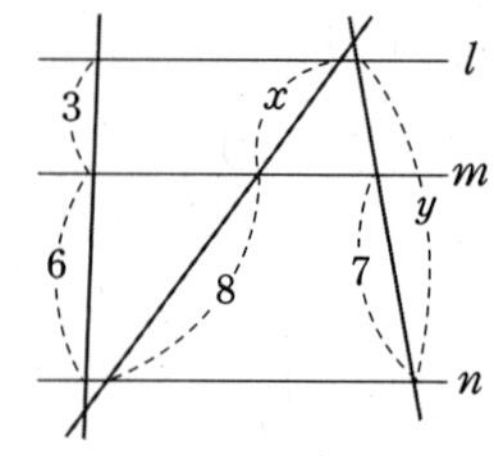

7

다음 그림에서 $l /\!/ m /\!/ n$일 때, $x+y$의 값을 구하시오.

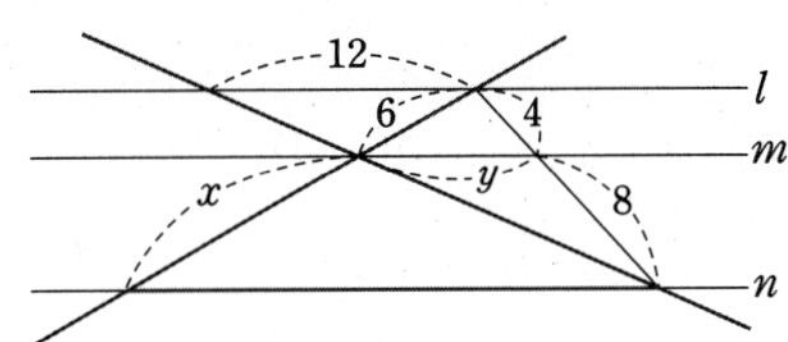

8 실력UP

오른쪽 그림과 같은 사다리꼴 ABCD에서 $\overline{AD} /\!/ \overline{EF} /\!/ \overline{BC}$이고 점 O는 두 대각선의 교점이다. $\overline{AD}=6$, $\overline{BC}=9$일 때, $\overline{EF}$의 길이를 구하시오.

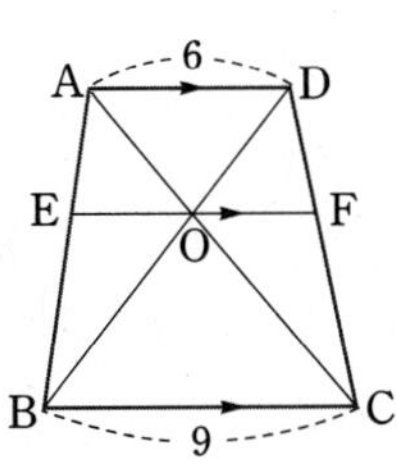

9

오른쪽 그림에서 $\overline{AB} /\!/ \overline{EF} /\!/ \overline{DC}$일 때, $\overline{CD}$의 길이를 구하시오.

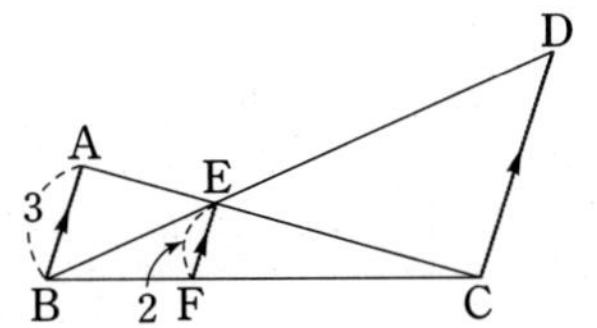

서술형

10

오른쪽 그림에서 $\overline{BC} /\!/ \overline{DF}$, $\overline{BF} /\!/ \overline{DE}$이고 $\overline{AF}=24\text{ cm}$, $\overline{CF}=18\text{ cm}$일 때, $\overline{AE}$의 길이를 구하기 위한 풀이 과정을 쓰고 답을 구하시오.

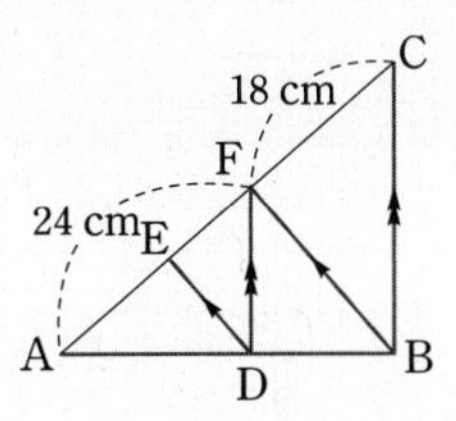

11

오른쪽 그림과 같은 사다리꼴 ABCD에서 $\overline{AD} /\!/ \overline{EF} /\!/ \overline{BC}$이고 $\overline{AE} : \overline{EB}=3 : 2$일 때, $\overline{EF}$의 길이를 구하기 위한 풀이 과정을 쓰고 답을 구하시오.

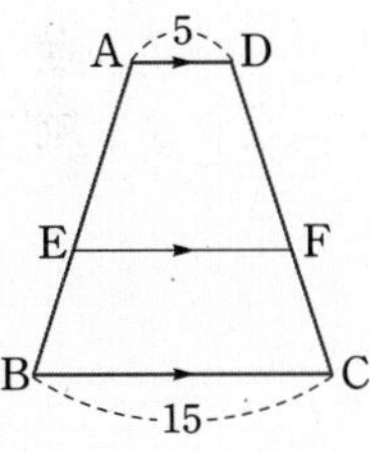

12

오른쪽 그림에서 $\overline{AB} /\!/ \overline{GF} /\!/ \overline{CD}$일 때, $\overline{GF}$의 길이를 구하기 위한 풀이 과정을 쓰고 답을 구하시오.

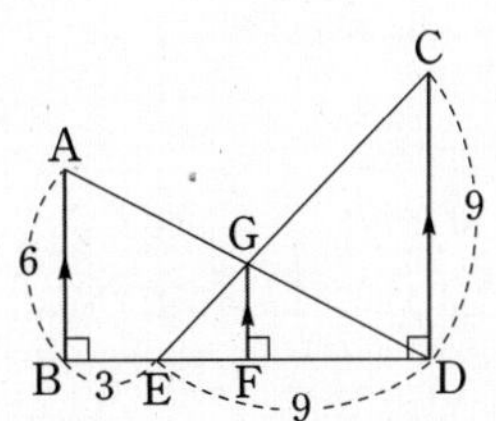

3 삼각형의 무게중심과 닮음의 활용

개념적용익힘

삼각형의 두 변의 중점을 연결한 선분의 성질(1) 개념북 133쪽

1 ●○○

오른쪽 그림과 같은 △ABC에서 점 D, E는 각각 $\overline{AB}$, $\overline{AC}$의 중점이다. $\overline{BC}=10$ cm일 때, $\overline{DE}$의 길이는?

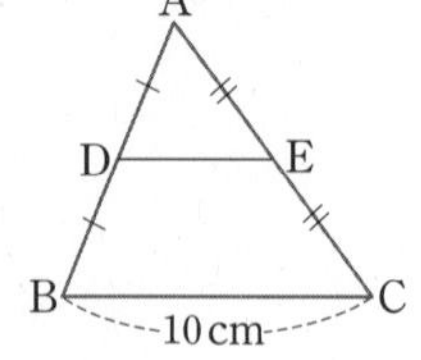

① 3 cm ② 4 cm ③ 5 cm
④ 6 cm ⑤ 7 cm

2 ●○○

오른쪽 그림과 같은 △ABC에서 점 D, E는 각각 $\overline{AB}$, $\overline{AC}$의 중점이다. 이때 x, y의 값을 각각 구하시오.

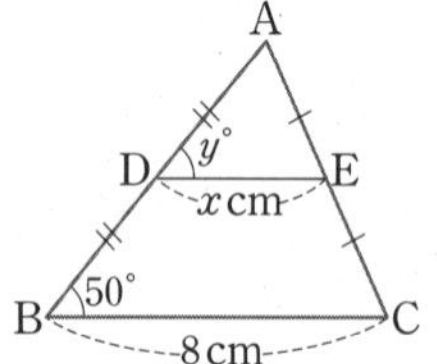

3 ●●○

오른쪽 그림의 △ABC에서 점 M, N은 각각 $\overline{AB}$, $\overline{AC}$의 중점일 때, $\overline{PN}$의 길이를 구하시오.

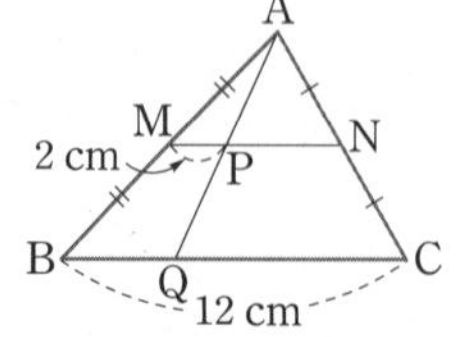

4 ●●○

오른쪽 그림의 △ABC에서 점 D, E, F는 각각 $\overline{AB}$, $\overline{BC}$, $\overline{CA}$의 중점일 때, △DEF의 둘레의 길이를 구하시오.

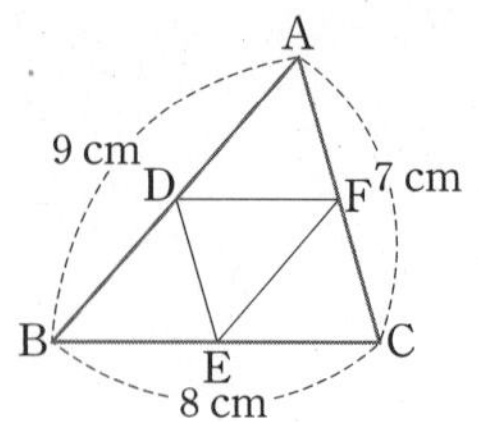

5 ●●○

오른쪽 그림과 같은 △ABC에서 점 P, Q는 각각 $\overline{AB}$, $\overline{AC}$의 중점이고, △DBC에서 점 M, N은 각각 $\overline{DB}$, $\overline{DC}$의 중점이다.
$\overline{MN}=9$ cm, $\overline{RQ}=5$ cm일 때, $\overline{PR}$의 길이는?

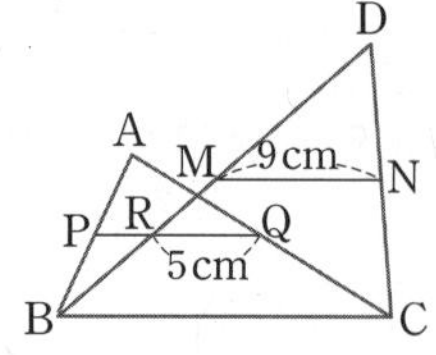

① 2 cm ② 3 cm ③ 4 cm
④ 5 cm ⑤ 6 cm

6 ●●●

오른쪽 그림과 같은 직각삼각형 ABC에서 점 D, E, F는 각각 $\overline{AB}$, $\overline{BC}$, $\overline{CA}$의 중점일 때, △DEF의 넓이를 구하시오.

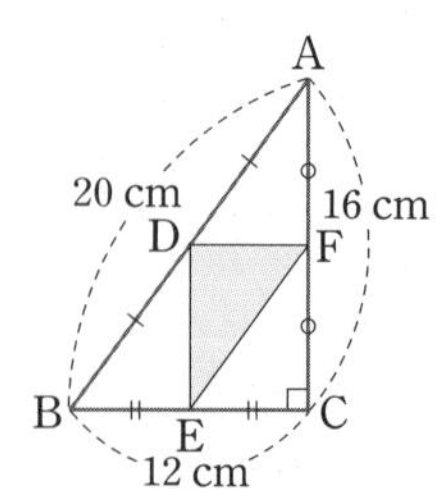

사각형의 각 변의 중점을 연결한 선분의 성질 개념북 133쪽

7 ●○○

오른쪽 그림과 같은 □ABCD에서 점 E, F, G, H는 각각 $\overline{AB}$, $\overline{BC}$, $\overline{CD}$, $\overline{DA}$의 중점이고, □EFGH의 둘레의 길이는 48 cm일 때, $\overline{AC}+\overline{BD}$의 길이를 구하시오.

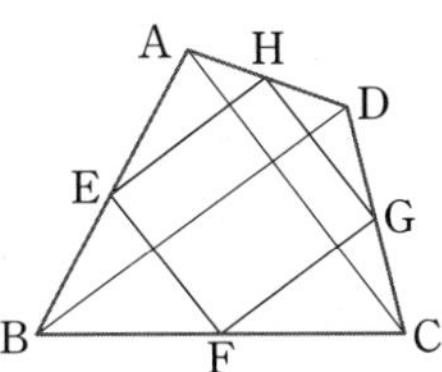

8 ●●○

오른쪽 그림과 같은 등변사다리꼴 ABCD의 각 변의 중점을 각각 E, F, G, H라 하자. $\overline{AC}=10$일 때, □EFGH의 둘레의 길이를 구하시오.

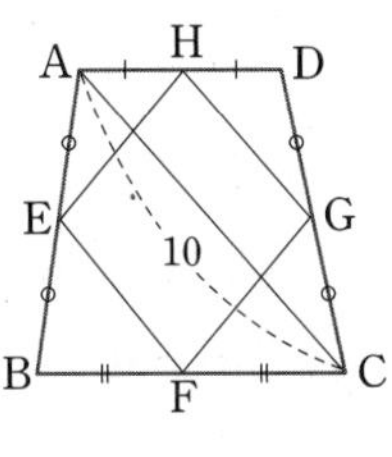

9 ●●○

오른쪽 그림과 같은 마름모 ABCD에서 두 대각선 AC, BD의 길이가 각각 12 cm, 14 cm일 때, 마름모의 네 변의 중점을 연결한 □EFGH의 넓이는?

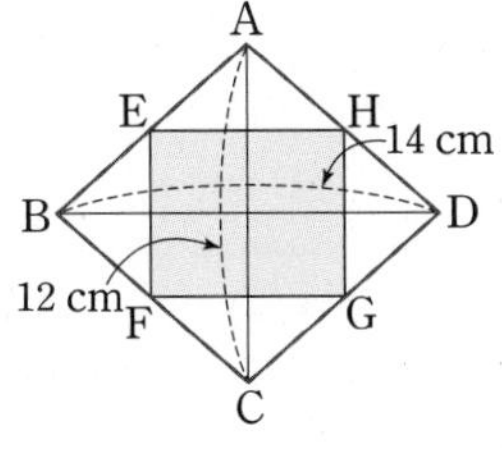

① 38 cm^2 ② 40 cm^2 ③ 42 cm^2
④ 44 cm^2 ⑤ 46 cm^2

삼각형의 두 변의 중점을 연결한 선분의 성질(2) 개념북 135쪽

10 ●○○

오른쪽 그림과 같은 △ABC에서 점 E는 $\overline{BC}$의 중점이고 $\overline{AC}\,/\!/\,\overline{DE}$일 때, $\overline{DE}$의 길이는?

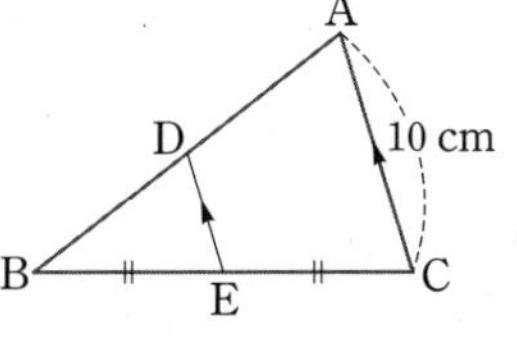

① 2 cm ② 3 cm ③ 4 cm
④ 5 cm ⑤ 6 cm

11 ●○○

오른쪽 그림과 같은 △ABC에서 $\overline{AB}$의 중점 M과 $\overline{AC}$ 위의 한 점 N에 대하여 $\overline{MN}\,/\!/\,\overline{BC}$일 때, $x+y$의 값을 구하시오.

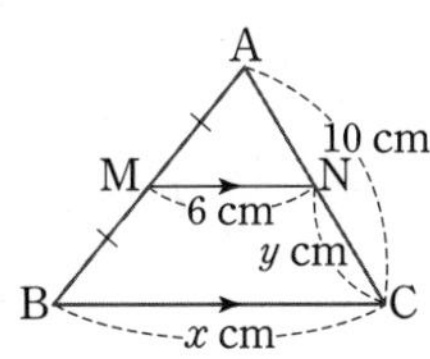

12 ●●○

오른쪽 그림과 같은 △ABC에서 $\overline{AD}=\overline{DB}$이고, $\overline{AB}\,/\!/\,\overline{EF}$, $\overline{BC}\,/\!/\,\overline{DE}$이다. $\overline{AB}=16$ cm, $\overline{DE}=7$ cm일 때, $\overline{FC}$의 길이를 구하시오.

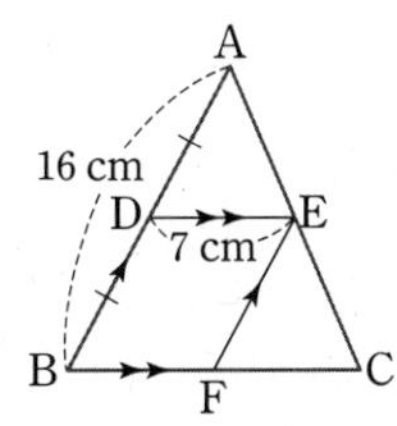

삼각형의 두 변의 중점을 연결한 선분의 성질의 응용 개념북 135쪽

13 ●●○

오른쪽 그림에서 점 M은 $\overline{BC}$의 중점이고, 점 N은 $\overline{AM}$의 중점이다. $\overline{DC} /\!/ \overline{EM}$이고 $\overline{EM}=4$ cm일 때, $\overline{CN}$의 길이를 구하시오.

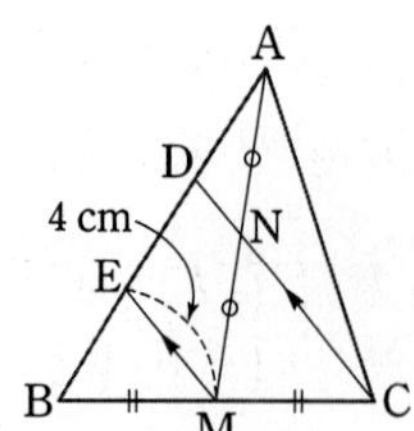

14 ●●●

오른쪽 그림에서 점 M은 $\overline{AB}$의 중점이고 $\overline{BC} /\!/ \overline{MN}$, $\overline{MD}=\overline{DE}$이다. $\overline{MN}=5$ cm일 때, $\overline{BE}$의 길이를 구하시오.

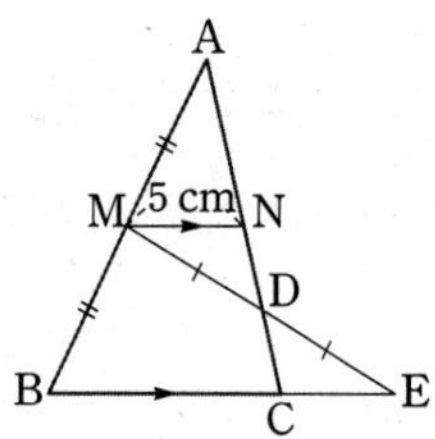

15 ●●●

오른쪽 그림과 같은 △ABC에서 $\overline{BD}=\overline{DC}$, $\overline{AE}=\overline{ED}$이고 $\overline{BF} /\!/ \overline{DG}$이다. $\overline{BE}=12$ cm일 때, $\overline{EF}$의 길이는?

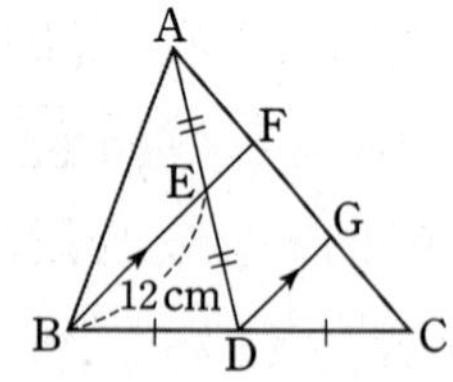

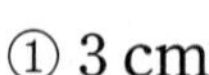

① 3 cm ② 4 cm ③ 5 cm
④ 6 cm ⑤ 7 cm

사다리꼴의 두 변의 중점을 연결한 선분의 성질 개념북 137쪽

16 ●○○

오른쪽 그림과 같이 $\overline{AD} /\!/ \overline{BC}$인 사다리꼴 ABCD에서 점 M, N은 각각 $\overline{AB}$, $\overline{DC}$의 중점이다. 점 D를 지나고 $\overline{AB}$에 평행한 직선이 $\overline{MN}$, $\overline{BC}$와 만나는 점을 각각 P, Q라 할 때, $\overline{BC}$의 길이를 구하시오.

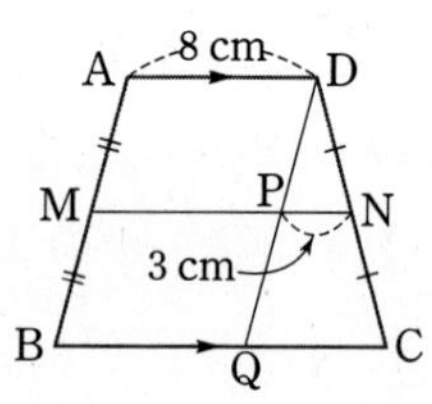

17 ●●○

오른쪽 그림과 같이 $\overline{AD} /\!/ \overline{BC}$인 사다리꼴 ABCD에서 점 M, N이 각각 $\overline{AB}$, $\overline{DC}$의 중점일 때, $\overline{MN}$의 길이를 구하시오.

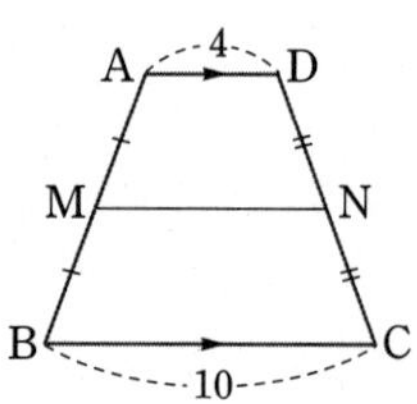

18 ●●○

오른쪽 그림과 같이 $\overline{AD} /\!/ \overline{BC}$인 사다리꼴 ABCD에서 점 M, N은 각각 $\overline{AB}$, $\overline{DC}$의 중점이고 $\overline{DN}=8$ cm, $\overline{MN}=12$ cm, $\overline{BC}=18$ cm일 때, 다음을 구하시오.

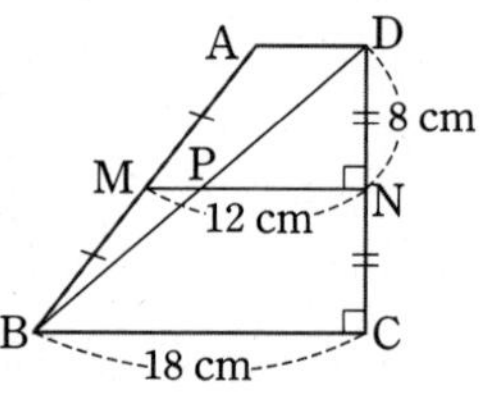

(1) $\overline{MP}$의 길이

(2) □AMPD의 넓이

사다리꼴의 두 변의 중점을 연결한 선분의 성질의 응용 개념북 137쪽

19 ●●○

오른쪽 그림과 같이 $\overline{AD} /\!/ \overline{BC}$인 사다리꼴 ABCD에서 $\overline{AG}=\overline{BG}$, $\overline{DH}=\overline{CH}$일 때, 다음 중 옳지 않은 것은?

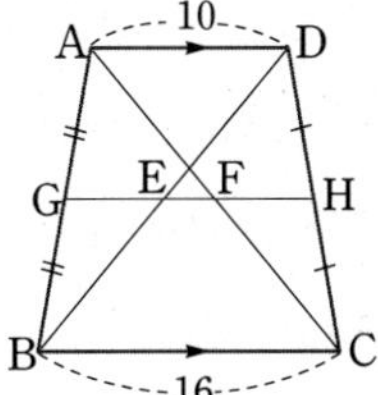

① $\overline{GF}=\overline{EH}$ ② $\overline{GE}=\overline{FH}$
③ $\overline{BE}=\overline{CF}$ ④ $\overline{AF}=\overline{FC}$
⑤ $\overline{EF}=3$

20 ●●○

오른쪽 그림과 같이 $\overline{AD} /\!/ \overline{BC}$인 사다리꼴 ABCD에서 점 M, N이 각각 $\overline{AB}$, $\overline{DC}$의 중점이고 $\overline{ME}=\overline{EF}=\overline{FN}$일 때, $\overline{BC}$의 길이를 구하시오.

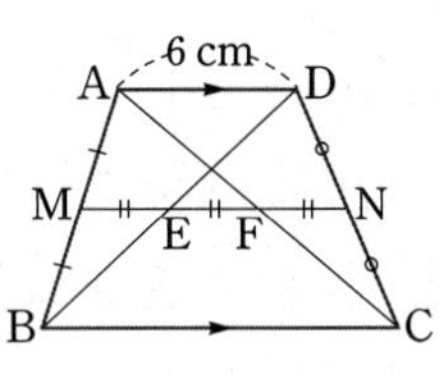

21 ●●●

오른쪽 그림에서 점 E, G는 $\overline{AB}$의 삼등분점이고, 점 F, H는 $\overline{DC}$의 삼등분점이다. $\overline{AD} /\!/ \overline{EF} /\!/ \overline{GH} /\!/ \overline{BC}$일 때, △EBI와 △ICF의 둘레의 길이의 비를 가장 간단한 자연수의 비로 나타내시오.

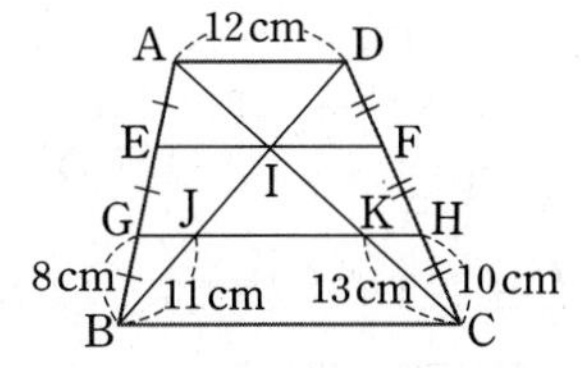

삼각형의 중선의 성질을 이용하여 삼각형의 넓이 구하기 개념북 139쪽

22 ●○○

오른쪽 그림에서 $\overline{AM}$은 △ABC의 중선이고 점 N은 $\overline{AM}$의 중점이다. △ABC의 넓이가 32 cm^2일 때, △BMN의 넓이를 구하시오.

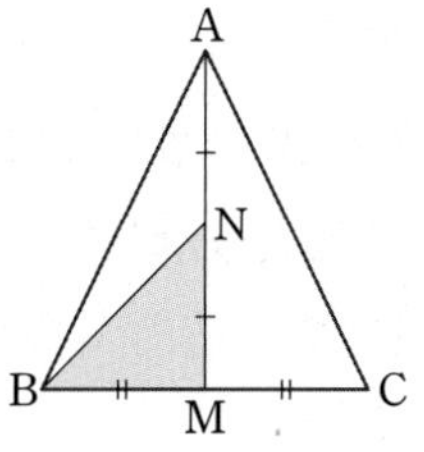

23 ●●○

오른쪽 그림과 같은 △ABC에서 $\overline{AP}=\overline{PC}$, $\overline{BQ} : \overline{QC}=1 : 2$이다. △PBQ의 넓이가 3 cm^2일 때, △ABC의 넓이는?

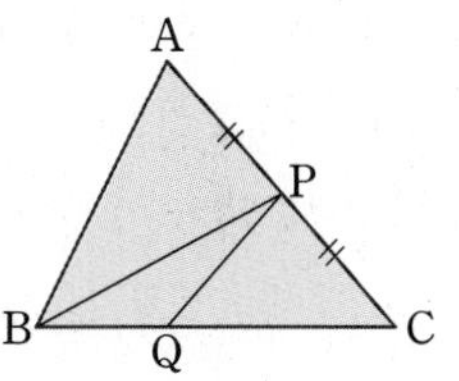

① 18 cm^2 ② 21 cm^2 ③ 24 cm^2
④ 27 cm^2 ⑤ 30 cm^2

24 ●●●

오른쪽 그림에서 $\overline{BM}$은 △ABC의 중선이고 점 P는 $\overline{BM}$ 위의 점이다. △ABC의 넓이가 26 cm^2, △ABP의 넓이가 6 cm^2일 때, △PCM의 넓이를 구하시오.

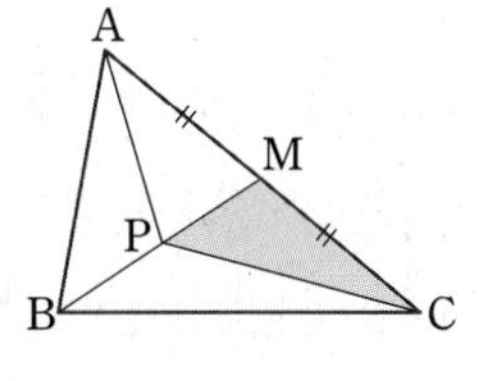

삼각형의 무게중심의 성질을 이용하여 선분의 길이 구하기

개념북 139쪽

25 ●●○

오른쪽 그림에서 점 G, G′은 각각 △ABC와 △GBC의 무게중심이다. $\overline{AD}=18$일 때, $\overline{GG'}$의 길이를 구하시오.

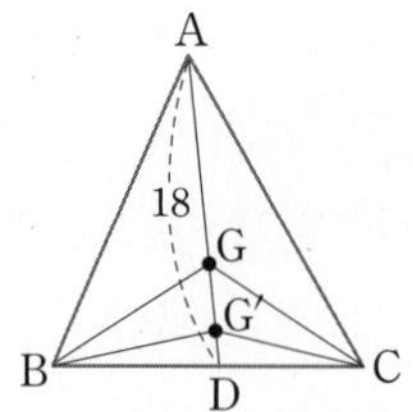

26 ●●○

오른쪽 그림에서 점 G, G′은 각각 △ABC와 △GBC의 무게중심이다. $\overline{G'D}=6$ cm일 때, $\overline{AD}$의 길이를 구하시오.

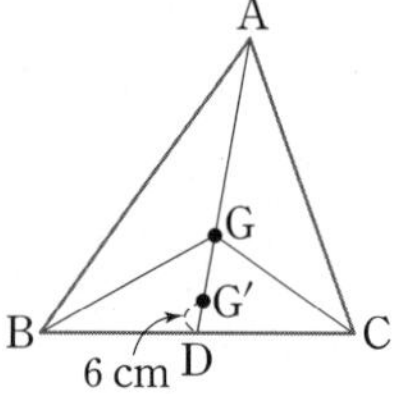

27 ●●●

오른쪽 그림에서 △ABC와 △DBC의 무게중심을 각각 G, G′이라 할 때, $\dfrac{\overline{AD}}{\overline{GG'}}$의 값을 구하시오.

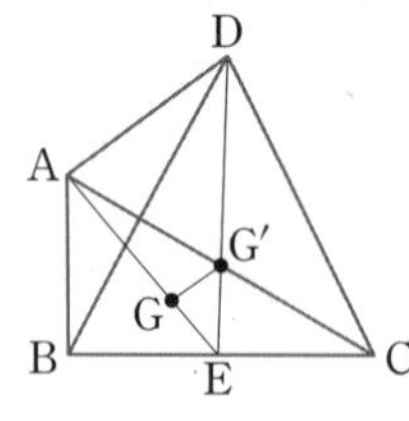

삼각형의 무게중심과 평행선(1)

개념북 140쪽

28 ●●○

오른쪽 그림에서 점 G는 △ABC의 무게중심이고 $\overline{DE}$∥$\overline{BC}$이다. $\overline{MC}=9$ cm일 때, $\overline{DG}$의 길이를 구하시오.

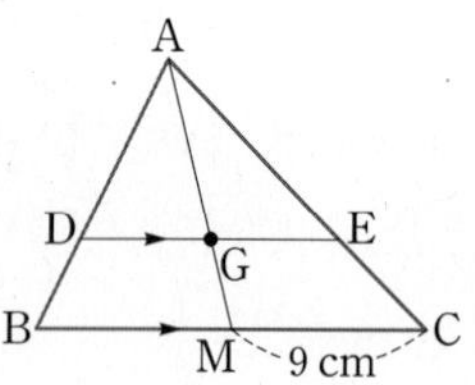

29 ●●○

오른쪽 그림에서 점 G는 △ABC의 무게중심이다. 두 점 G, A에서 $\overline{BC}$에 내린 수선의 발을 각각 E, F라 할 때, $\overline{AF}:\overline{GE}$는?

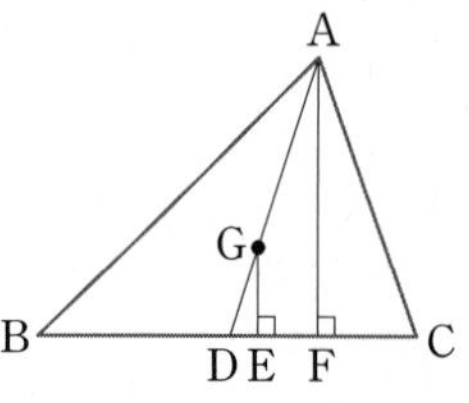

① 2 : 1 ② 3 : 1 ③ 4 : 1
④ 5 : 1 ⑤ 5 : 2

30 ●●●

오른쪽 그림과 같이 $\overline{AB}=\overline{AC}$인 이등변삼각형 ABC에서 점 M은 $\overline{BC}$의 중점이고, 점 G, G′은 각각 △ABM과 △AMC의 무게중심이다. $\overline{GG'}=8$ cm일 때, $\overline{BC}$의 길이는?

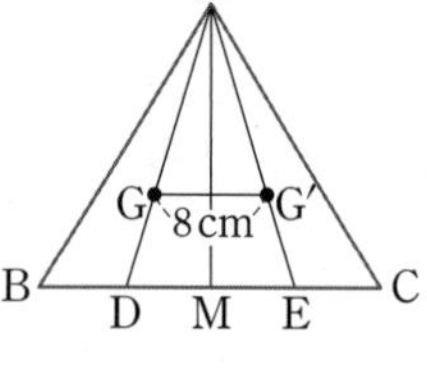

① 16 cm ② 18 cm ③ 20 cm
④ 22 cm ⑤ 24 cm

삼각형의 무게중심과 평행선(2)

개념북 140쪽

31 ●●○

오른쪽 그림에서 점 G가 $\triangle ABC$의 무게중심이고 $\overline{BE} /\!/ \overline{DF}$일 때, x, y의 값을 각각 구하시오.

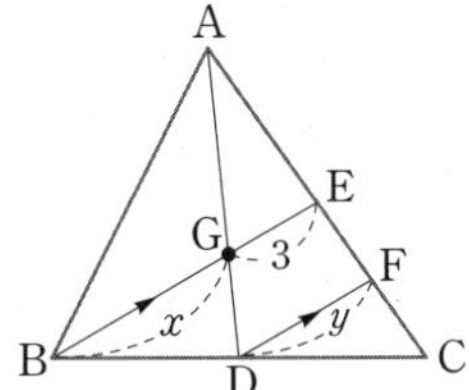

32 ●●○

오른쪽 그림에서 점 G는 $\triangle ABC$의 무게중심이고 $\overline{AD} /\!/ \overline{EF}$이다. $\overline{AG}=8\text{ cm}$일 때, $\overline{EF}$의 길이를 구하시오.

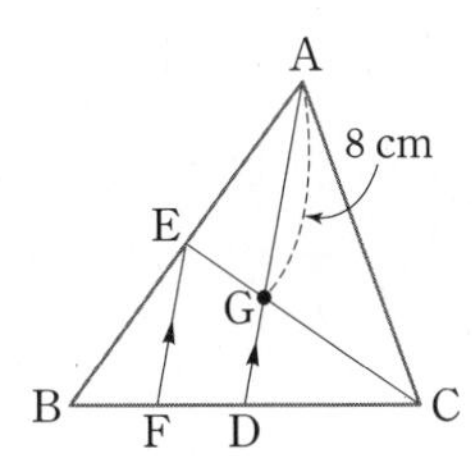

33 ●●○

오른쪽 그림에서 점 G는 $\triangle ABC$의 무게중심이고 $\overline{AB}=\overline{AC}$이다. $\overline{BE} /\!/ \overline{DF}$일 때, $x+y$의 값을 구하시오.

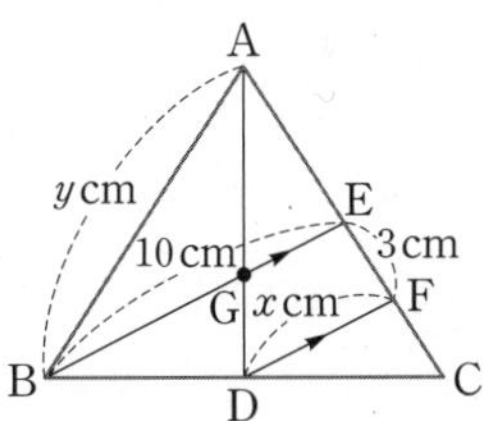

직각삼각형의 무게중심

개념북 141쪽

34 ●●○

오른쪽 그림과 같이 $\angle B=90°$인 직각삼각형 ABC에서 점 G는 $\triangle ABC$의 무게중심이다. $\overline{AC}=25\text{ cm}$일 때, $\overline{GD}$의 길이를 구하시오.

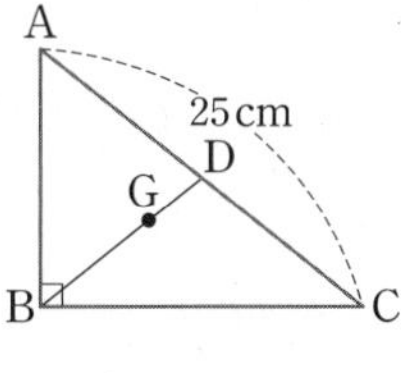

35 ●●○

오른쪽 그림에서 점 G는 $\triangle ABC$의 무게중심이고 $\angle BGC=90°$, $\overline{BC}=12$일 때, $\overline{AD}$의 길이를 구하시오.

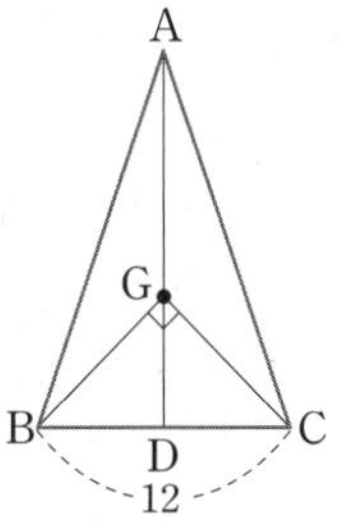

36 ●●●

오른쪽 그림에서 점 G는 $\triangle ABC$의 무게중심이고, 점 G′은 $\triangle GBC$의 무게중심이다. $\angle BGC=90°$, $\overline{BC}=30\text{ cm}$일 때, $\overline{AG'}$의 길이는?

① 30 cm
② 35 cm
③ 40 cm
④ 45 cm
⑤ 50 cm

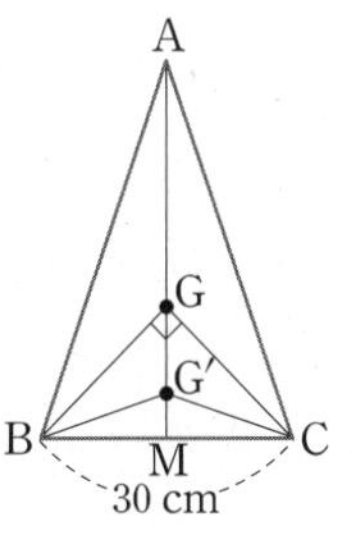

평행사변형에서 삼각형의 무게중심
개념북 141쪽

37 ●●○

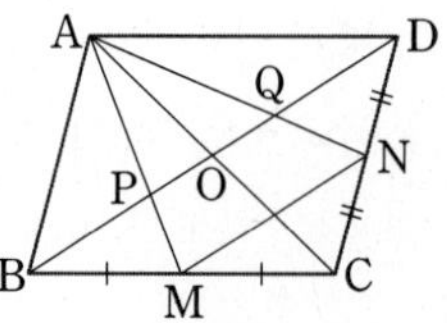

오른쪽 그림과 같은 평행사변형 ABCD에서 $\overline{BC}$, $\overline{CD}$의 중점을 각각 M, N이라 하고, $\overline{BD}$와 $\overline{AM}$의 교점을 P, $\overline{BD}$와 $\overline{AN}$의 교점을 Q라 할 때, 다음 중 옳지 않은 것은?

(단, 점 O는 두 대각선의 교점이다.)

① $\overline{BP}=\overline{PQ}=\overline{QD}$
② 점 P는 △ABC의 무게중심이다.
③ $\overline{PQ}:\overline{MN}=1:3$
④ 점 Q는 △ACD의 무게중심이다.
⑤ $\overline{QD}:\overline{QO}=2:1$

38 ●●○

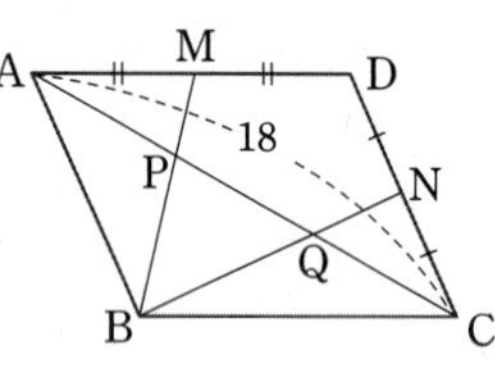

오른쪽 그림과 같은 평행사변형 ABCD에서 점 M, N은 각각 $\overline{AD}$, $\overline{DC}$의 중점이다. $\overline{AC}=18$일 때, $\overline{PQ}$의 길이를 구하시오.

39 ●●○

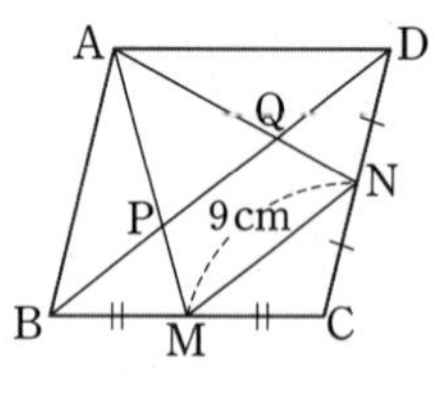

오른쪽 그림과 같은 평행사변형 ABCD에서 점 M, N은 각각 $\overline{BC}$, $\overline{CD}$의 중점이고 $\overline{MN}=9$ cm일 때, $\overline{PQ}$의 길이는?

① 4 cm ② $\frac{9}{2}$ cm ③ 5 cm
④ $\frac{11}{2}$ cm ⑤ 6 cm

삼각형의 무게중심을 이용하여 넓이 구하기
개념북 143쪽

40 ●●○

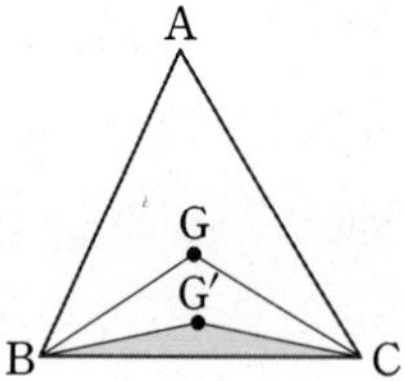

오른쪽 그림에서 점 G, G′은 각각 △ABC와 △GBC의 무게중심이다. △ABC의 넓이가 9 cm^2일 때, △G′BC의 넓이를 구하시오.

41 ●●●

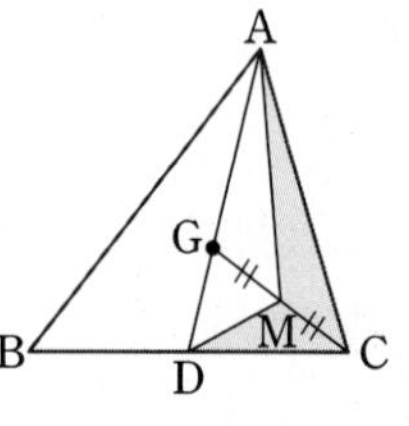

오른쪽 그림에서 점 G는 △ABC의 무게중심이고, 점 M은 $\overline{GC}$의 중점이다. △ABC의 넓이가 36 cm^2일 때, 색칠한 부분의 넓이는?

① 5 cm^2 ② 6 cm^2 ③ 7 cm^2
④ 8 cm^2 ⑤ 9 cm^2

42 ●●●

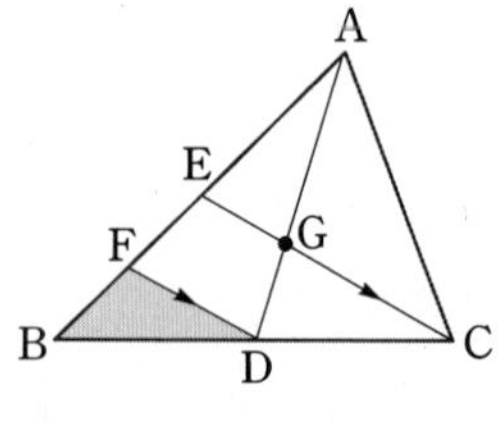

오른쪽 그림에서 점 G는 △ABC의 무게중심이다. $\overline{EC}\,/\!/\,\overline{FD}$이고 △ABC의 넓이가 48 cm^2일 때, △FBD의 넓이를 구하시오.

평행사변형에서 삼각형의 무게중심을 이용하여 넓이 구하기 개념북 143쪽

43 ●●○

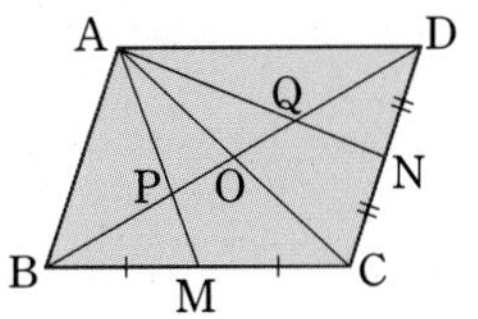

오른쪽 그림과 같은 평행사변형 ABCD에서 점 M, N은 각각 $\overline{BC}$, $\overline{CD}$의 중점이고 점 P, Q는 각각 $\overline{BD}$와 $\overline{AM}$, $\overline{AN}$의 교점이다. $\triangle$APQ의 넓이가 12 cm^2일 때, $\square$ABCD의 넓이를 구하시오.

(단, 점 O는 두 대각선의 교점이다.)

44 ●●○

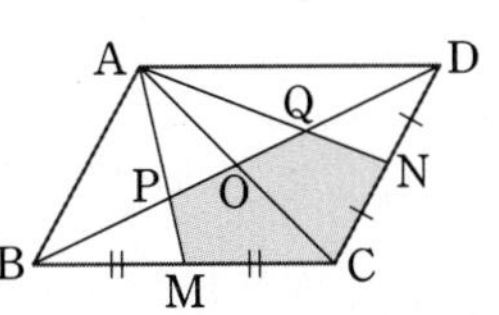

오른쪽 그림과 같은 평행사변형 ABCD에서 두 점 M, N은 각각 $\overline{BC}$, $\overline{CD}$의 중점이고, 두 점 P, Q는 각각 $\overline{BD}$와 $\overline{AM}$, $\overline{AN}$의 교점이다. $\square$ABCD의 넓이가 42 cm^2일 때, 색칠한 부분의 넓이를 구하시오.

45 ●●●

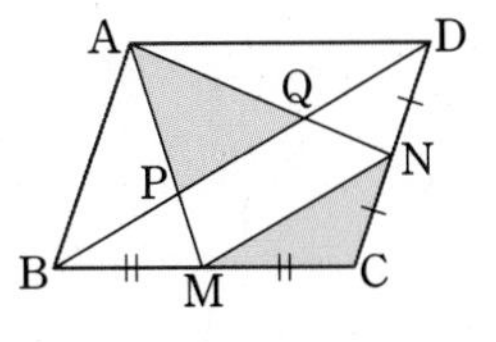

오른쪽 그림에서 평행사변형 ABCD의 두 변 BC, CD의 중점은 각각 M, N이고, 대각선 BD와 $\overline{AM}$, $\overline{AN}$의 교점은 각각 P, Q이다. 이때 $\triangle$APQ와 $\triangle$NMC의 넓이의 비를 가장 간단한 자연수의 비로 나타내시오.

닮은 평면도형의 넓이의 비 개념북 145쪽

46 ●●○

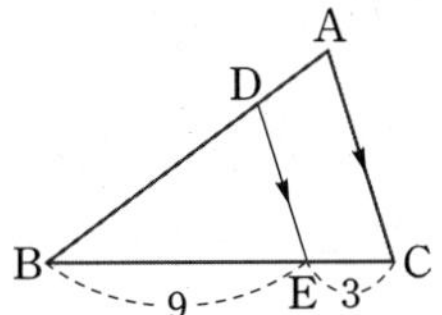

오른쪽 그림에서 $\overline{AC} /\!/ \overline{DE}$이고 $\triangle$DBE의 넓이가 27 cm^2일 때, 다음 도형의 넓이를 구하시오.

(1) $\triangle$ABC

(2) $\square$ADEC

47 ●●○

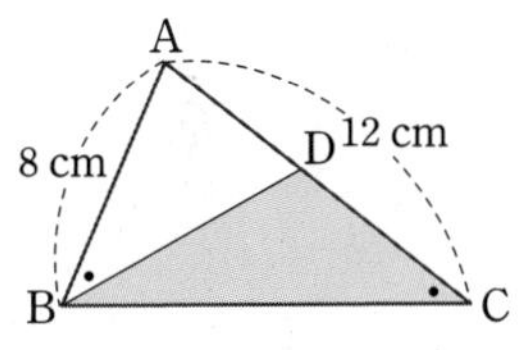

오른쪽 그림에서 $\angle$ABD$=\angle$ACB이고 $\triangle$ABD의 넓이가 24 cm^2일 때, $\triangle$DBC의 넓이를 구하시오.

48 ●●●

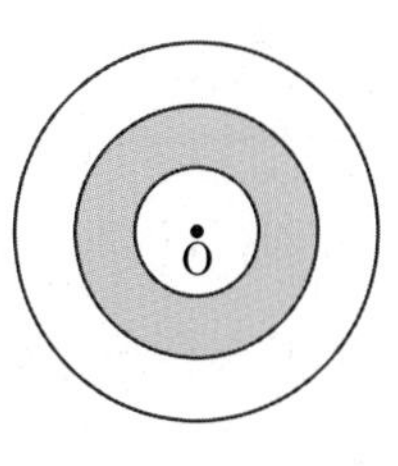

오른쪽 그림과 같이 점 O를 중심으로 하는 세 원의 반지름의 길이의 비가 1 : 2 : 3이고 가장 큰 원의 넓이가 45π cm^2일 때, 색칠한 부분의 넓이를 구하시오.

닮은 입체도형의 겉넓이의 비

개념북 147쪽

49 ●●○

오른쪽 그림과 같이 정사면체 A−BCD의 각 모서리의 길이를 $\frac{2}{3}$로 줄여 작은 정사면체 A−EFG를 만들었다. 정사면체 A−BCD의 겉넓이가 60일 때, 정사면체 A−EFG의 겉넓이를 구하시오.

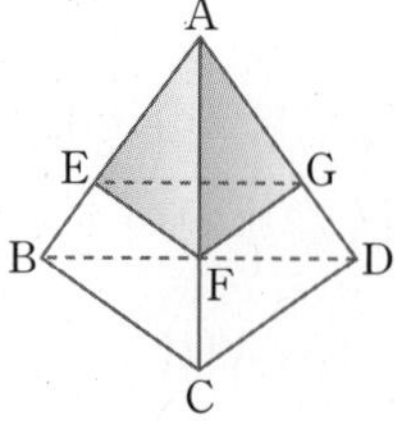

50 ●●○

오른쪽 그림에서 두 원기둥 A와 B는 서로 닮은 도형이고, 두 원기둥 A, B의 옆넓이의 비는 16 : 25이다. 이때 $r+h$의 값은?

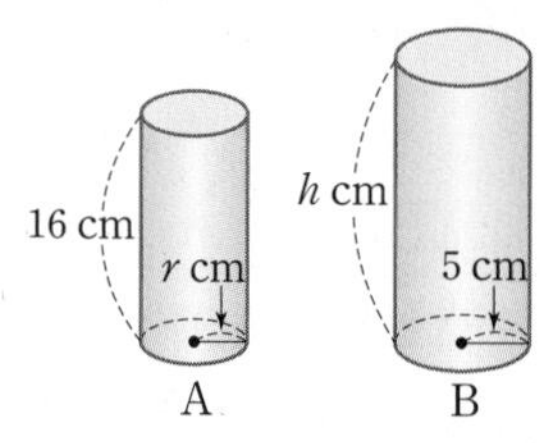

① 20　② 21　③ 22
④ 23　⑤ 24

51 ●●●

오른쪽 그림과 같이 받침대로부터 8 cm의 높이에 반지름의 길이가 3 cm인 원판을 받침대와 평행하게 고정시킨 후 그 원판으로부터 8 cm 위의 지점에서 빛을 원판에 비추었을 때 생기는 그림자의 넓이를 구하시오.

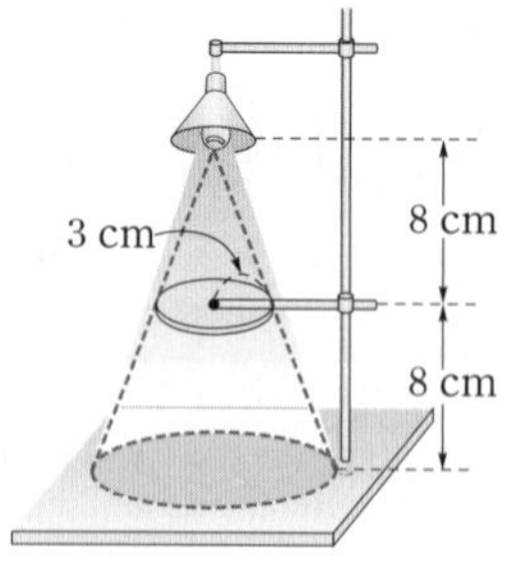

닮은 입체도형의 부피의 비

개념북 147쪽

52 ●●○

오른쪽 그림과 같은 원뿔 모양의 그릇에 전체 높이의 $\frac{1}{3}$ 만큼 물이 채워져 있다. 이 그릇의 부피가 54 cm^3일 때, 채워진 물의 부피를 구하시오.

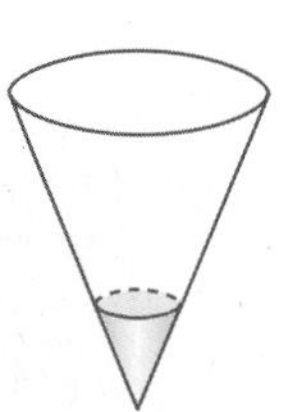

53 ●●○

다음 그림과 같이 닮은 두 직육면체 A, B의 겉넓이의 비가 16 : 25이고, 직육면체 A의 부피가 192 cm^3일 때, 직육면체 B의 부피를 구하시오.

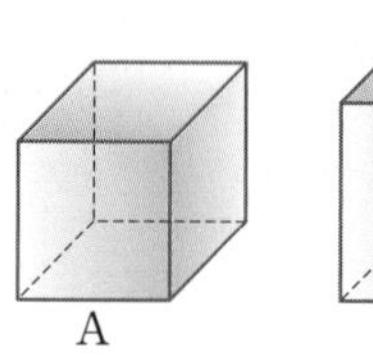

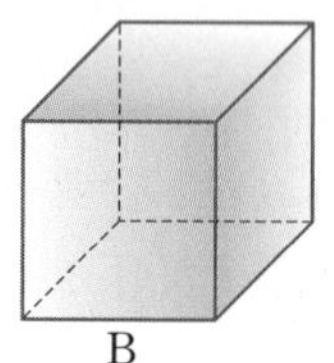

54 ●●●

오른쪽 그림과 같이 사각뿔의 옆면의 한 모서리의 길이를 삼등분하여 밑면에 평행하게 잘랐을 때, 잘려진 세 부분 A, B, C의 부피의 비는?

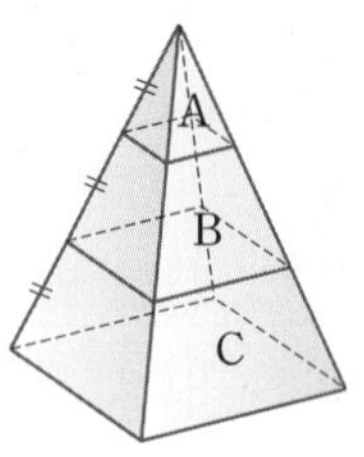

① 1 : 3 : 5　② 1 : 4 : 9
③ 1 : 7 : 19　④ 1 : 8 : 18
⑤ 1 : 8 : 27

축도와 축척

개념북 149쪽

55 ●●○

축척이 $\frac{1}{300000}$인 지도 위에 가로의 길이와 세로의 길이가 각각 2 cm, 3 cm인 직사각형 모양의 땅이 있다. 이 땅의 실제 넓이는 몇 km^2인지 구하시오.

56 ●●○

오른쪽 그림은 강의 폭을 구하기 위하여 $\frac{1}{5000}$인 축도를 그린 것이다. $\overline{BC} /\!/ \overline{DE}$일 때, A 지점에서 B 지점까지의 실제 거리는 몇 m인지 구하시오.

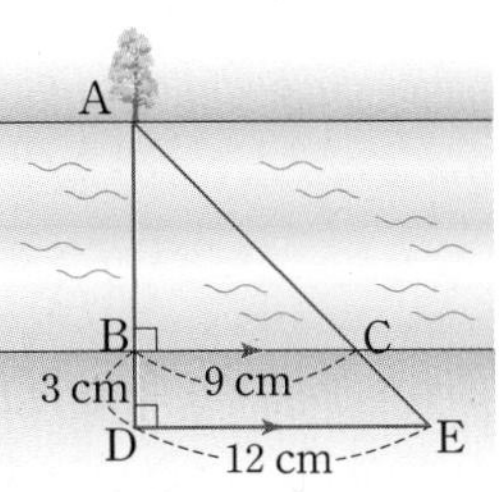

57 ●●●

실제 거리가 20 km인 두 지점 사이의 거리를 5 cm로 표시되는 지도에서 넓이가 15 cm^2로 표시되는 지역의 실제 넓이는?

① 60 km^2 ② 120 km^2 ③ 160 km^2
④ 200 km^2 ⑤ 240 km^2

실생활에서의 닮음의 활용

개념북 149쪽

58 ●○○

문화재 답사를 간 보영이가 탑의 높이를 재기 위해 오른쪽 그림과 같이 탑으로부터 4 m 떨어진 지점에 길이가 1.6 m인 막대를 세웠더니 탑의 그림자의 끝과 막대의 그림자의 끝이 A 지점에서 일치하였다. 막대의 그림자의 길이가 2 m일 때, 탑의 실제 높이는?

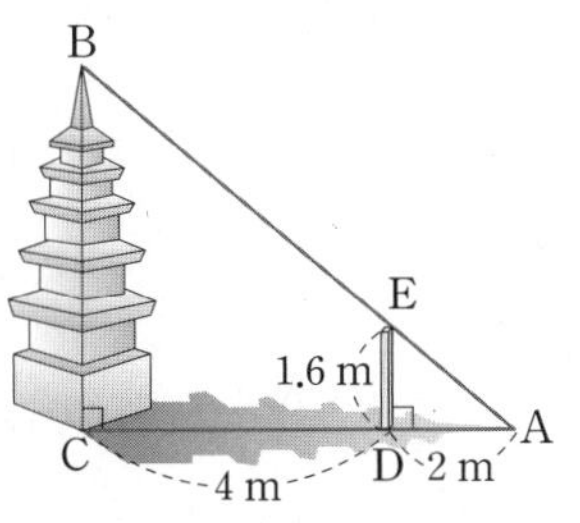

① 3.2 m ② 4 m ③ 4.8 m
④ 5.2 m ⑤ 6.4 m

59 ●●○

오른쪽 그림은 눈높이가 1.5 m인 현선이가 나무의 높이를 알아보기 위하여 측량한 것이다. 이를 축척이 $\frac{1}{500}$인 축도로 나타낼 때, $\overline{AC}$가 4 cm이었다면 나무의 실제 높이는 몇 m인지 구하시오.

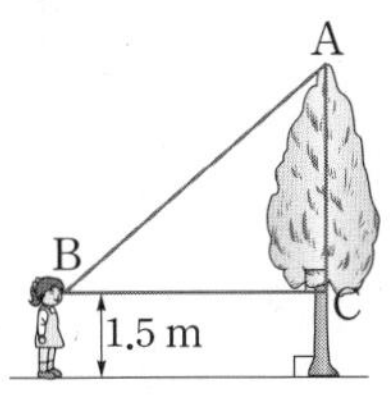

60 ●●●

오른쪽 그림과 같이 나무의 그림자 일부가 담장에 드리워져 있다. $\overline{BC}=1.2$ m, $\overline{CD}=0.5$ m이고, 같은 위치, 같은 시각에 길이가 1 m인 나무 막대기의 그림자 길이가 30 cm일 때, 나무의 실제 높이는 몇 m인지 구하시오.

(단, 나무, 막대기, 담장은 지면과 각각 수직이다.)

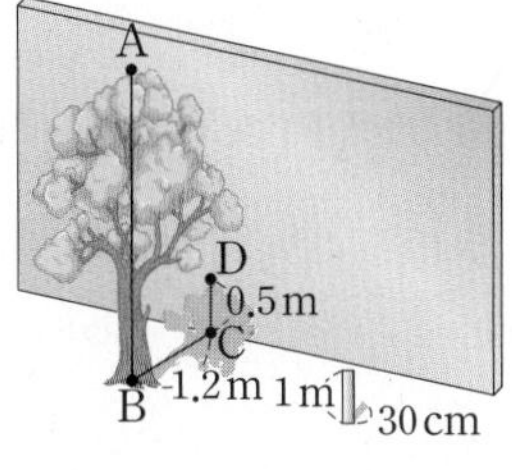

개념완성익힘

1

오른쪽 그림과 같은 $\triangle ABC$에서 $\overline{BC}$, $\overline{CA}$의 중점을 각각 M, N이라 할 때, x, y의 값을 각각 구하시오.

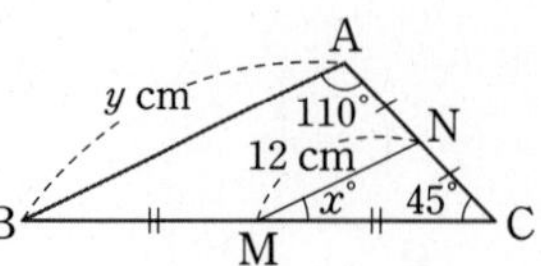

2

오른쪽 그림과 같은 $\triangle ABC$에서 점 D, E, F는 각각 $\overline{AB}$, $\overline{BC}$, $\overline{CA}$의 중점이다. $\triangle DEF$의 둘레의 길이가 15 cm일 때, $\triangle ABC$의 둘레의 길이를 구하시오.

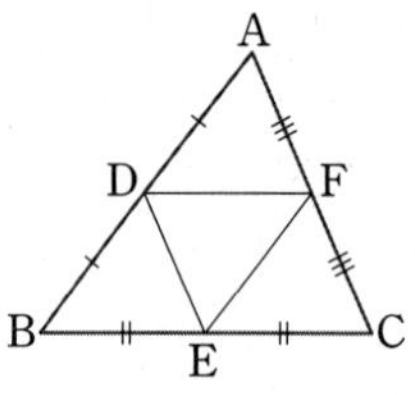

3

오른쪽 그림과 같은 $\triangle ABC$에서 $\overline{AD}=\overline{DE}=\overline{EB}$, $\overline{AF}=\overline{FC}$이고 $\overline{BC}$의 연장선과 $\overline{DF}$의 연장선이 만나는 점을 G라 하자. $\overline{CE}=6$ cm일 때, $\overline{FG}$의 길이를 구하시오,

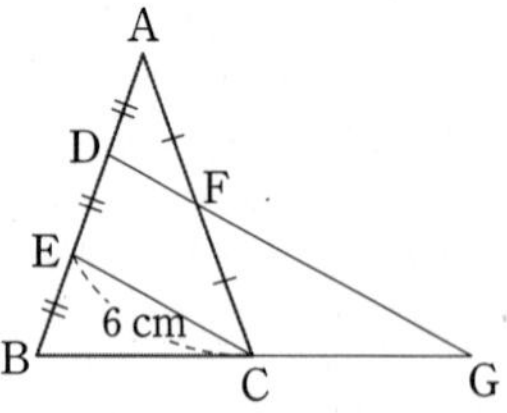

4

오른쪽 그림과 같이 일정한 간격으로 다리가 놓여 있는 사다리에서 아래에서 두 번째 다리가 파손되었다. 이 다리를 새로 만들려고 할 때, 그 길이를 구하시오.
(단, 사다리의 다리들은 서로 평행하고 다리의 두께는 무시한다.)

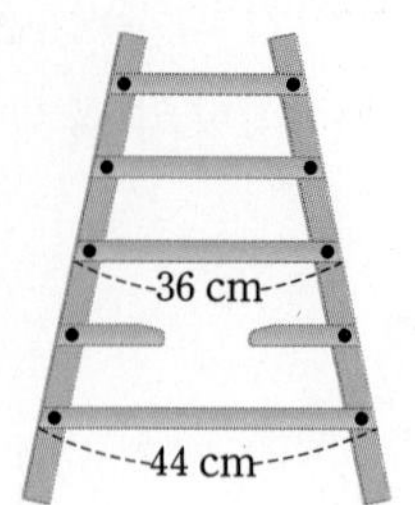

5 실력UP

오른쪽 그림에서 점 G는 $\triangle ABC$의 무게중심이고 $\overline{AH}=18$일 때, $\overline{FG}$의 길이를 구하시오.

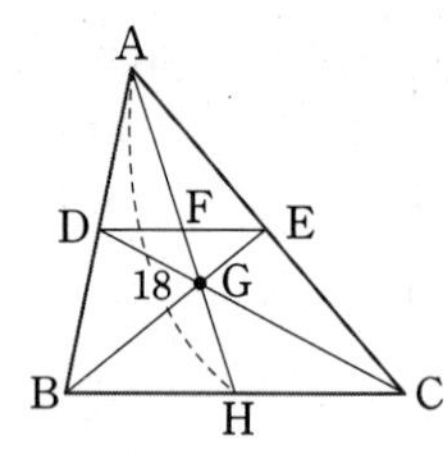

6

오른쪽 그림에서 점 G는 $\angle C=90^{\circ}$인 직각삼각형 ABC의 무게중심이고 $\overline{AC}=8$ cm, $\overline{BC}=6$ cm일 때, $\triangle GDE$의 넓이를 구하시오.

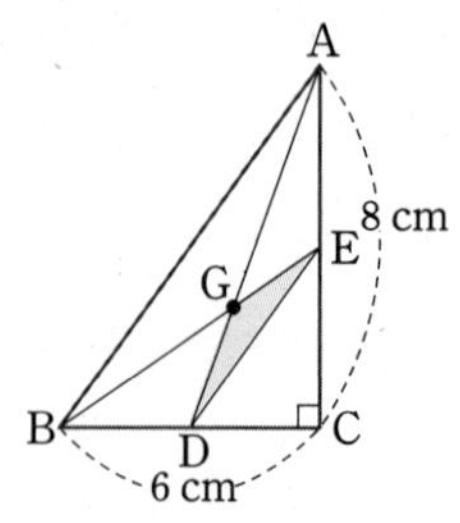

7

오른쪽 그림과 같은 평행사변형 ABCD에서 점 M은 $\overline{AD}$의 중점이고, 점 P는 $\overline{AC}$와 $\overline{BM}$의 교점이다. △ABP의 넓이가 6 cm^2일 때, □ABCD의 넓이를 구하시오.

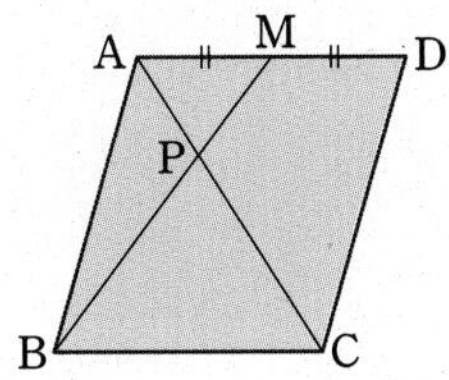

8

어느 커피 판매점에서는 오른쪽 그림과 같이 닮음비가 3 : 4인 두 종류의 컵에 커피를 담아 판매한다. 작은 컵에 담은 커피의 가격이 2700원일 때, 큰 컵에 담은 커피의 가격을 구하시오. (단, 커피의 가격은 커피의 부피에 정비례한다.)

9 실력UP

오른쪽 그림은 강의 폭을 구하기 위해 축척이 $\frac{1}{2000}$인 축도를 그린 것이다. △ADE에서 $\overline{BC} /\!/ \overline{DE}$일 때, 실제 강의 폭은 몇 m인지 구하시오.

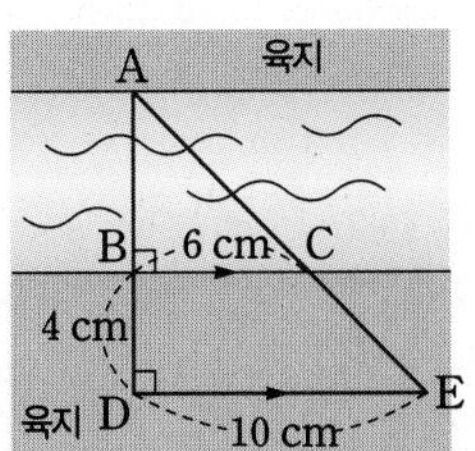

서술형

10

오른쪽 그림에서 $\overline{AD} /\!/ \overline{BC}$이고, 두 점 M, N은 각각 $\overline{BD}$, $\overline{AC}$의 중점이다. $\overline{MN}$의 연장선과 $\overline{AB}$가 만나는 점을 P라 할 때, $\overline{BC}$의 길이를 구하기 위한 풀이 과정을 쓰고 답을 구하시오.

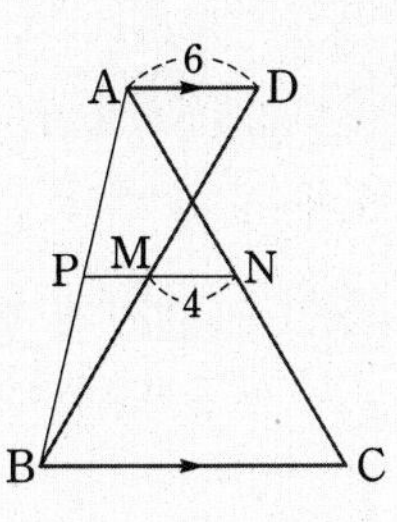

11

오른쪽 그림에서 점 G, G′은 각각 △ABD, △ADC의 무게중심이다. $\overline{BC}$=30 cm일 때, $\overline{GG'}$의 길이를 구하기 위한 풀이 과정을 쓰고 답을 구하시오.

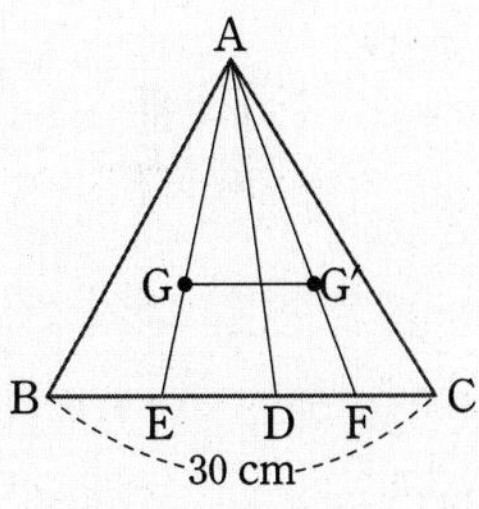

12

오른쪽 그림과 같은 △ABC에서 ∠ABD=∠ACB이고 $\overline{AD}$=3 cm, $\overline{AB}$=6 cm이다. △ABD의 넓이가 8 cm^2일 때, △BCD의 넓이를 구하기 위한 풀이 과정을 쓰고 답을 구하시오.

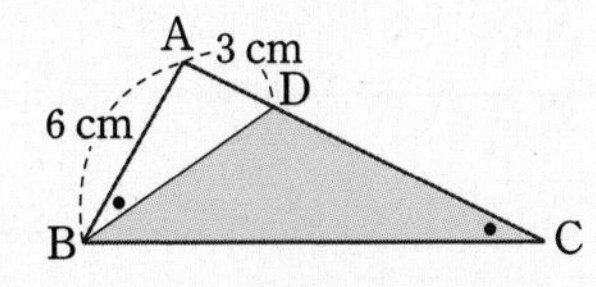

4 피타고라스 정리

개념적용익힘

피타고라스 정리의 이용

개념북 159쪽

1 ●○○

오른쪽 그림과 같은 직각삼각형 ABC에서 x의 값을 구하시오.

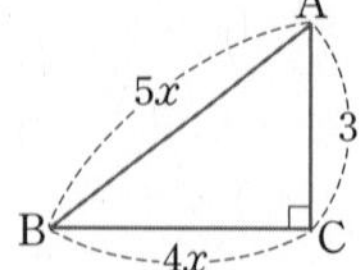

2 ●●○

오른쪽 그림의 직각삼각형 ABC에서 $\overline{AD}=10$ cm, $\overline{BD}=9$ cm, $\overline{DC}=6$ cm일 때, $\overline{AB}$의 길이를 구하시오.

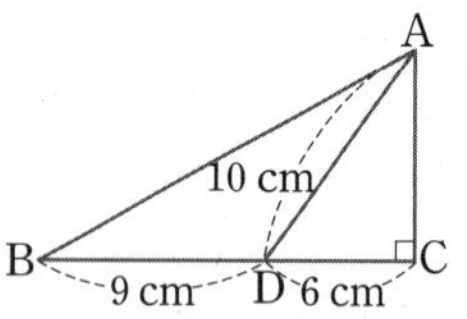

3 ●●●

오른쪽 그림과 같은 사다리꼴 ABCD에서 $\angle C=\angle D=90°$이고, $\overline{AB}=5$, $\overline{AD}=7$, $\overline{BC}=10$일 때, $\overline{BD}^2$의 값을 구하시오.

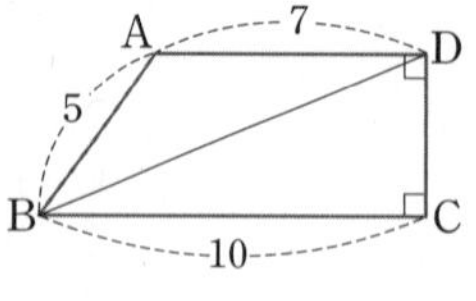

연속된 도형에서 피타고라스 정리

개념북 159쪽

4 ●●○

다음 그림은 점 O를 중심으로 하고, $\overline{OA'}$, $\overline{OB'}$, $\overline{OC'}$을 각각 반지름으로 하는 부채꼴을 그린 것이다. $\overline{OA}=\overline{OO'}=4$일 때, $\overline{OD}$의 길이는?

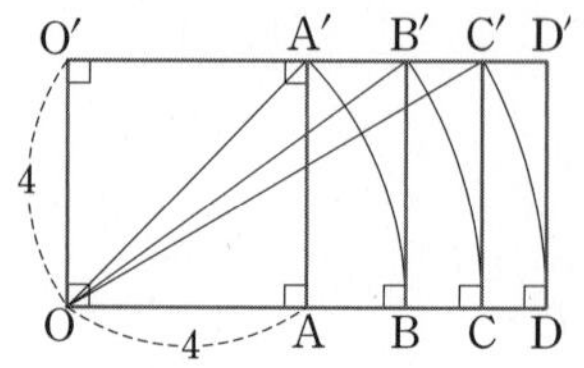

① 6　② 7　③ 8　④ 9　⑤ 10

5 ●●○

오른쪽 그림에서 $\overline{OA}=\overline{AB}=\overline{BC}=\overline{CD}$이고, $\overline{OD}=4$일 때, $\overline{OA}$의 길이를 구하시오.

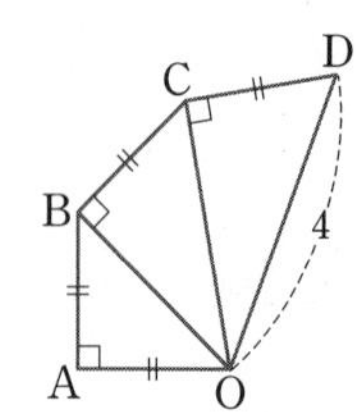

6 ●●○

오른쪽 그림에서 $\overline{AB}=\overline{BC}=\overline{CD}=\overline{DE}=\overline{EF}$이고 $\overline{AB}=3$일 때, $\triangle AFE$의 넓이를 구하시오.

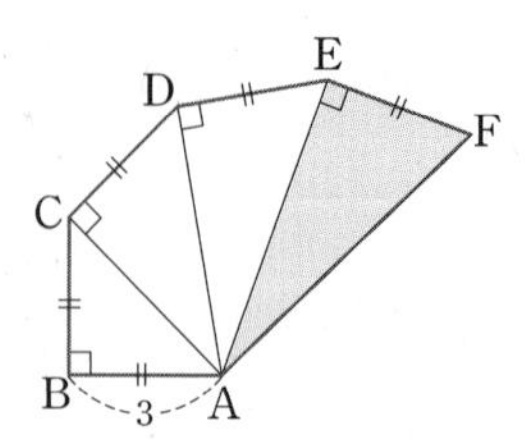

피타고라스 정리 – 유클리드의 설명

개념북 161쪽

7 ●○○

오른쪽 그림은 직각삼각형 ABC의 세 변을 각각 한 변으로 하는 정사각형을 그린 것이다. □BFGC=100 cm^2, □ACHI=36 cm^2일 때, $\overline{AB}$의 길이를 구하시오.

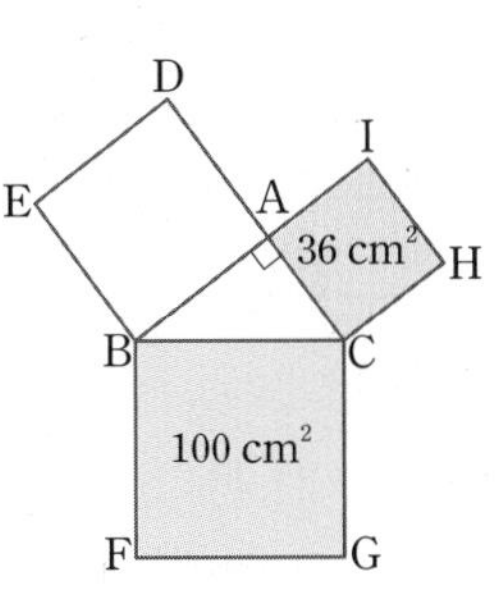

8 ●●○

오른쪽 그림과 같이 ∠A가 직각인 직각삼각형 ABC에서 각 변을 한 변으로 하는 정사각형을 그렸다. 꼭짓점 A에서 $\overline{BC}$에 수선을 그어 $\overline{BC}$와 만나는 점을 J라 하고, 그 연장선과 $\overline{IH}$가 만나는 점을 K라 할 때, 다음 **보기** 중 옳은 것을 모두 고르시오.

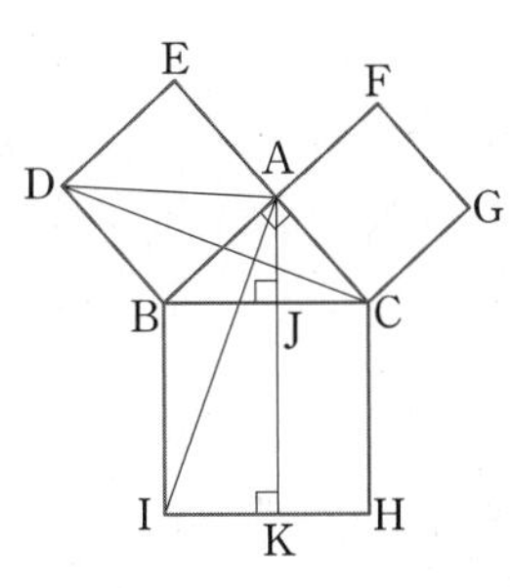

보기

ㄱ. □AEDB+□ACGF=□BIHC
ㄴ. □AEDB=□ADBJ
ㄷ. △DBC=△ABI
ㄹ. △ADB=△AIK
ㅁ. □AEDB=2△ABI

9 ●●○

오른쪽 그림과 같이 직각삼각형 ABC의 세 변을 각각 한 변으로 하는 정사각형을 그렸다. $\overline{AB}$=10 cm, $\overline{AC}$=8 cm이고 $\overline{AK}\perp\overline{FG}$일 때, △BFJ의 넓이를 구하시오.

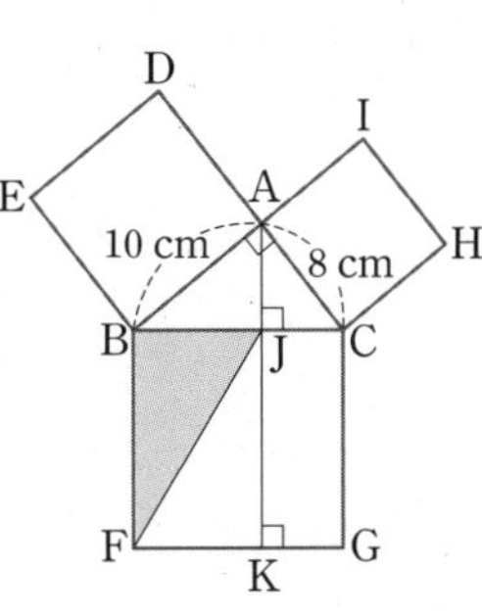

10 ●●●

오른쪽 그림은 직각삼각형 ABC의 세 변을 각각 한 변으로 하는 정사각형을 그린 것이다. $\overline{AC}$=9 cm, $\overline{BC}$=15 cm일 때, 다음을 구하시오.

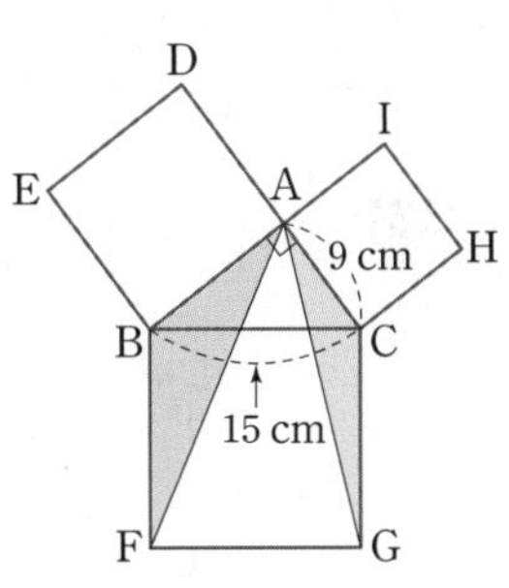

(1) $\overline{AB}$의 길이
(2) △ABF의 넓이
(3) △AGC의 넓이

피타고라스 정리 – 피타고라스의 설명

개념북 163쪽

11 ●●○

오른쪽 그림의 정사각형 ABCD에서 $\overline{AE}=\overline{BF}=\overline{CG}=\overline{DH}=3$ cm이고, □EFGH$=58$ cm^{2}일 때, □ABCD의 넓이를 구하시오.

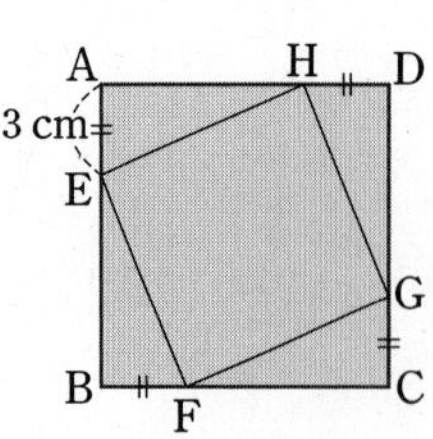

12 ●●○

오른쪽 그림에서 □ABCD는 정사각형이고, $\overline{AE}=\overline{BF}=\overline{CG}=\overline{DH}=6$ cm이다. □ABCD$=100$ cm^{2}일 때, □EFGH의 넓이를 구하시오.

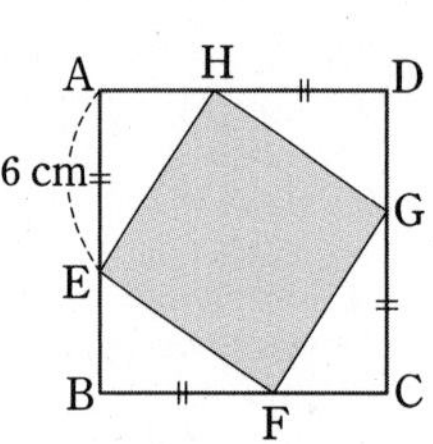

13 ●●●

오른쪽 그림과 같이 정사각형 ABCD의 각 변의 중점을 연결하여 만든 □EFGH의 넓이가 18 cm^{2}일 때, □ABCD의 둘레의 길이는?

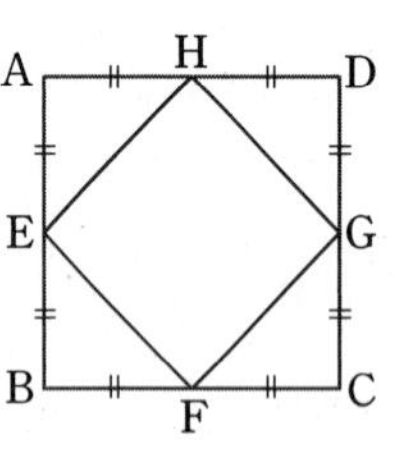

① 20 cm ② 22 cm ③ 24 cm
④ 26 cm ⑤ 28 cm

피타고라스 정리 – 가필드의 설명

개념북 163쪽

14 ●●○

오른쪽 그림에서 $\overline{AB}=\overline{CD}=4$, $\overline{BC}=\overline{DE}=3$, $\angle ABC=\angle CDE=90°$이다. 세 점 B, C, D가 한 직선 위에 있을 때, △ACE의 넓이는?

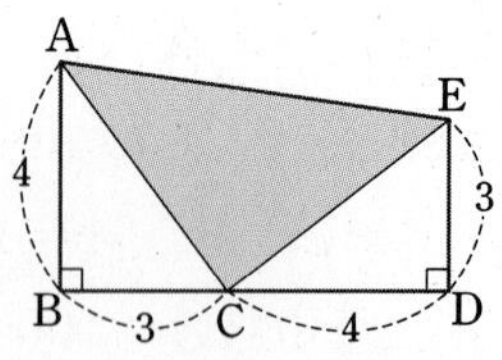

① $\frac{21}{2}$ ② $\frac{23}{2}$ ③ $\frac{25}{2}$
④ $\frac{27}{2}$ ⑤ $\frac{29}{2}$

15 ●●○

오른쪽 그림에서 두 직각삼각형 EAB와 BCD는 합동이고, 세 점 A, B, C는 한 직선 위에 있다. $\overline{AE}=6$, $\overline{CD}=8$일 때, $\overline{DE}^2$의 값을 구하시오.

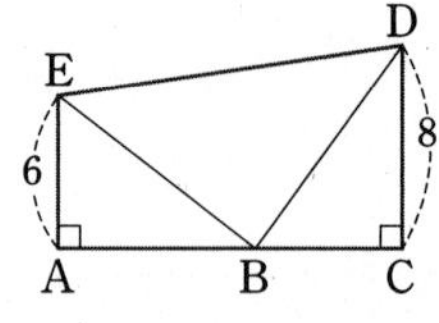

16 ●●●

오른쪽 그림에서 △ABC≡△CDE이고, 세 점 B, C, D는 한 직선 위에 있다. $\overline{AB}=5$, $\overline{AE}^2=338$일 때, □ABDE의 넓이를 구하시오.

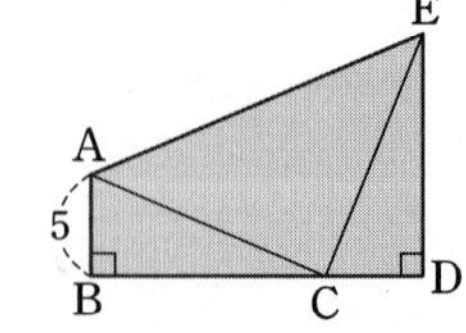

피타고라스 정리 – 바스카라의 설명

개념북 165쪽

17 ●●○

오른쪽 그림은 $\angle C=90^\circ$인 직각삼각형 ABC와 합동인 삼각형 3개를 이용하여 정사각형 ABDE를 만든 것이다. $\overline{AC}=8$ cm이고, $\square CFGH=64\text{ cm}^2$일 때, $\square ABDE$의 넓이를 구하시오.

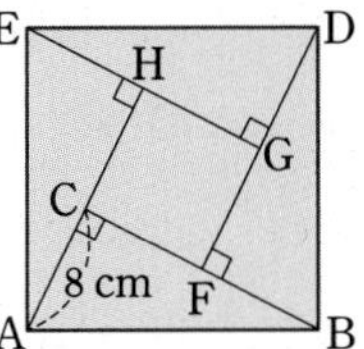

18 ●●●

오른쪽 그림의 $\square ABCD$에서 4개의 직각삼각형은 모두 합동이다. $\overline{AE}=2$ cm, $\overline{BE}=6$ cm일 때, 다음 물음에 답하시오.

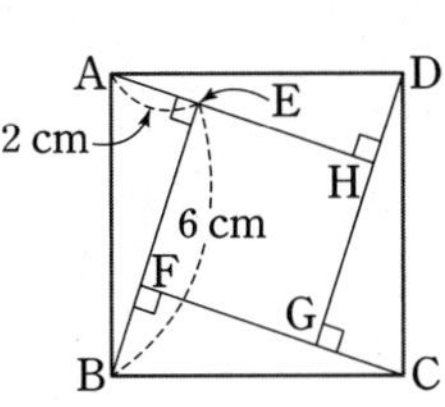

(1) $\square ABCD$의 넓이를 구하시오.

(2) $\square EFGH$의 넓이를 구하시오.

(3) $\square ABCD$와 $\square EFGH$의 넓이의 비를 가장 간단한 자연수의 비로 나타내시오.

직각삼각형이 되는 조건 – 가장 긴 변이 주어진 경우

개념북 167쪽

19 ●○○

오른쪽 그림과 같이 세 변의 길이가 각각 6, $4x$, $5x$인 $\triangle ABC$에서 $\angle C=90^\circ$가 되기 위한 x의 값은?

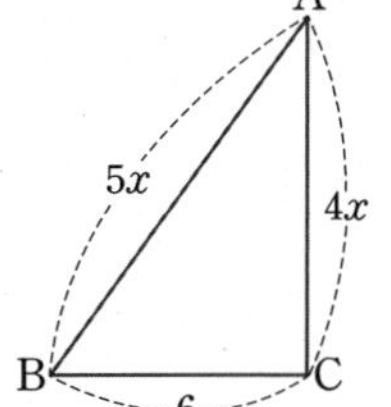

① 1　　② 2
③ 3　　④ 4
⑤ 5

20 ●○○

오른쪽 그림과 같이 세 변의 길이가 각각 10, $12x$, $13x$인 $\triangle ABC$가 $\angle C=90^\circ$인 직각삼각형이 되도록 하는 x의 값을 구하시오.

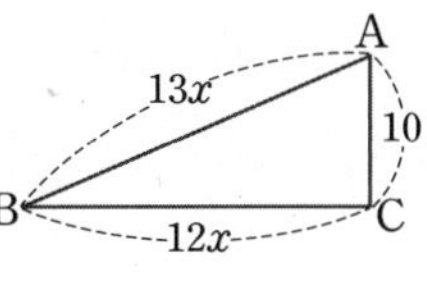

21 ●●○

세 변의 길이가 각각 $3x$, $4x$, 20인 삼각형이 직각삼각형이 되도록 하는 x의 값을 구하시오. (단, $x<5$)

직각삼각형이 되는 조건-가장 긴 변이 주어지지 않은 경우
개념북 167쪽

22 ●●○

세 변의 길이가 각각 4, 5, x인 삼각형이 직각삼각형이 되도록 하는 x의 값에 대하여 x^2의 값을 모두 구하시오.

23 ●●○

세 변의 길이가 각각 6 cm, 8 cm, x cm인 삼각형이 직각삼각형이 되도록 하는 x의 값에 대하여 x^2의 값을 모두 구하시오.

24 ●●○

길이가 각각 8 cm, 15 cm인 막대 2개가 있다. 길이가 x cm인 새로운 막대를 추가하여 직각삼각형을 만들려고 할 때, x^2의 값을 모두 구하시오.

삼각형에서 변의 길이에 대한 각의 크기
개념북 169쪽

25 ●○○

삼각형의 세 변의 길이가 각각 다음과 같을 때, 예각삼각형인 것은?

① 2, 4, 5　　② 3, 6, 8
③ 6, 8, 10　　④ 7, 10, 15
⑤ 9, 12, 14

26 ●●○

세 변의 길이가 각각 다음 **보기**와 같은 삼각형 중에서 예각삼각형인 것을 모두 고른 것은?

보기

ㄱ. 2, 3, 4　　ㄴ. 4, 5, 6
ㄷ. 6, 7, 10　　ㄹ. 9, 12, 15
ㅁ. 8, 8, 10　　ㅂ. 7, 8, 10

① ㄱ, ㄴ, ㄷ　　② ㄱ, ㄷ, ㅁ
③ ㄱ, ㄹ, ㅂ　　④ ㄴ, ㄷ, ㄹ
⑤ ㄴ, ㅁ, ㅂ

27 ●●○

$\triangle ABC$에서 $\overline{AB}=c$, $\overline{BC}=a$, $\overline{CA}=b$일 때, 다음 중 옳지 않은 것은?

① $a^2>b^2+c^2$이면 $\angle A>90°$이다.
② $c^2<a^2+b^2$이면 $\angle C<90°$이다.
③ $b^2<a^2+c^2$이면 $\triangle ABC$는 예각삼각형이다.
④ $a^2=b^2+c^2$이면 $\triangle ABC$는 직각삼각형이다.
⑤ $c^2>a^2+b^2$이면 $\triangle ABC$는 둔각삼각형이다.

직각삼각형의 닮음의 이용

개념북 171쪽

28 ●○○

오른쪽 그림과 같이 $\angle A=90°$인 직각삼각형 ABC에서 $\overline{AD}\perp\overline{BC}$이고 $\overline{AB}=12\text{ cm}$, $\overline{AC}=5\text{ cm}$일 때, $\overline{AD}$의 길이를 구하시오.

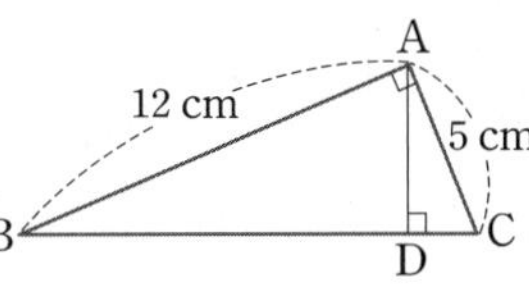

29 ●●○

오른쪽 그림과 같이 $\angle A=90°$인 직각삼각형 ABC에서 $\overline{AD}\perp\overline{BC}$이고 $\overline{AB}=20\text{ cm}$, $\overline{BD}=16\text{ cm}$일 때, $\triangle ADC$의 넓이를 구하시오.

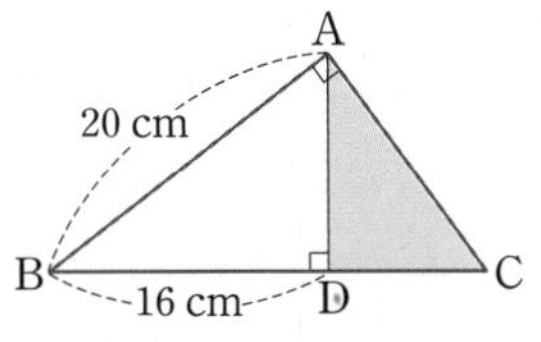

30 ●●●

오른쪽 그림과 같이 $\angle A=90°$인 직각삼각형 ABC에서 $\overline{AH}\perp\overline{BC}$이고, 점 O는 직각삼각형 ABC의 외심일 때, $\overline{OH}$의 길이는?

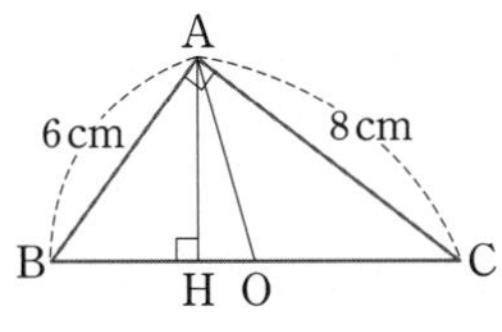

① $\frac{3}{5}$ cm ② 1 cm ③ $\frac{7}{5}$ cm
④ $\frac{9}{5}$ cm ⑤ 2 cm

직각삼각형과 피타고라스 정리

개념북 171쪽

31 ●○○

오른쪽 그림과 같이 $\angle C=90°$인 직각삼각형 ABC에서 $\overline{AC}=6$, $\overline{BC}=8$, $\overline{DE}=3$일 때, $\overline{AD}^2+\overline{BE}^2$의 값을 구하시오.

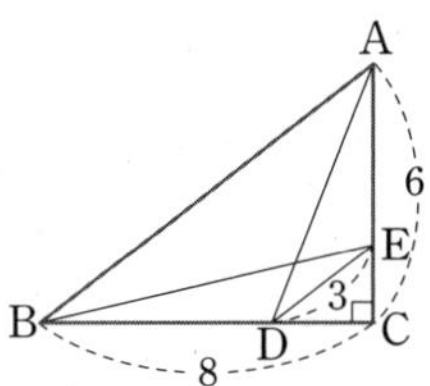

32 ●●○

오른쪽 그림과 같이 $\angle A=90°$인 직각삼각형 ABC에서 $\overline{AD}=3$, $\overline{AE}=2$, $\overline{BC}=7$, $\overline{BE}=5$일 때, $\overline{CD}^2$의 값을 구하시오.

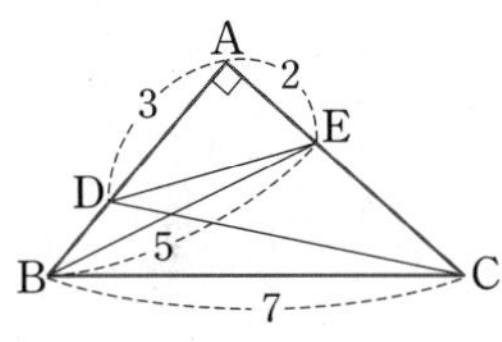

33 ●●○

오른쪽 그림의 직각삼각형 ABC에서 두 점 D, E는 각각 $\overline{AB}$, $\overline{BC}$의 중점이고 $\overline{DE}=5$일 때, $\overline{AE}^2+\overline{CD}^2$의 값은?

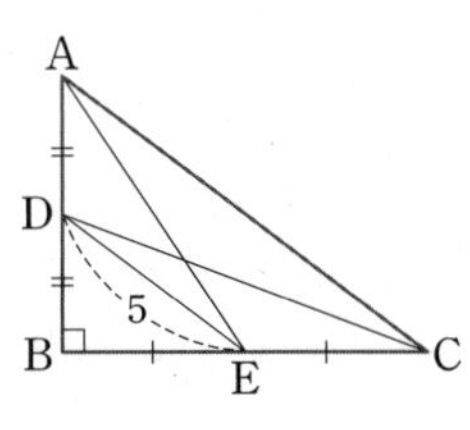

① 105 ② 115 ③ 125
④ 135 ⑤ 145

두 대각선이 직교하는 사각형

개념북 173쪽

34 ●○○

오른쪽 그림과 같이 사각형 ABCD의 두 대각선이 직교할 때, x^2+y^2의 값을 구하시오.

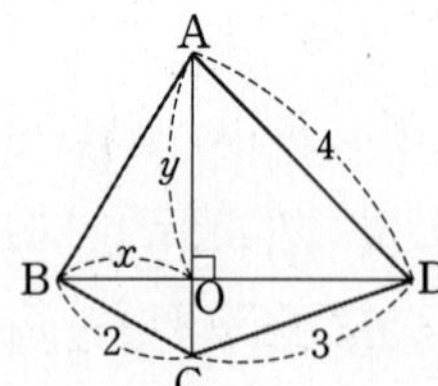

35 ●●○

오른쪽 그림과 같은 □ABCD에서 $\overline{AC}\perp\overline{BD}$이고 점 O는 $\overline{AC}$와 $\overline{BD}$의 교점이다. $\overline{CD}^2=45$일 때, x의 값은?

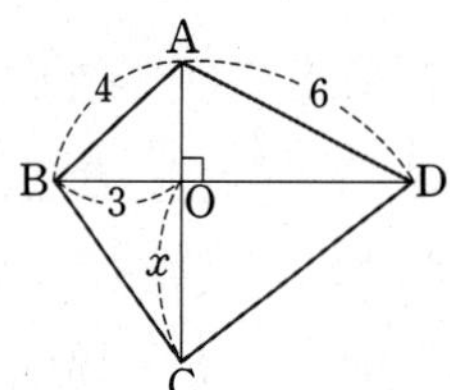

① 4 ② 5 ③ 6 ④ 7 ⑤ 8

36 ●●○

오른쪽 그림과 같이 $\overline{AD}/\!/\overline{BC}$인 등변사다리꼴 ABCD에서 $\overline{AC}\perp\overline{BD}$일 때, $\overline{AB}^2$의 값을 구하시오.

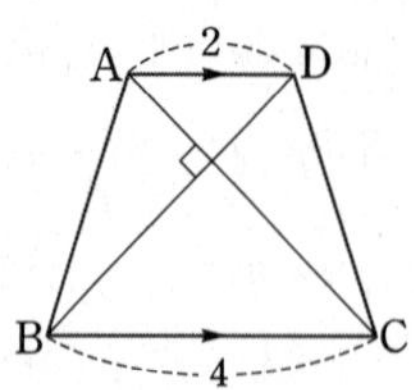

내부에 임의의 한 점이 있는 직사각형

개념북 173쪽

37 ●○○

오른쪽 그림과 같이 직사각형 ABCD의 내부에 한 점 P를 잡았다. $\overline{AP}=5$, $\overline{BP}=6$이고, $\overline{CP}^2=15$일 때, $\overline{DP}$의 길이는?

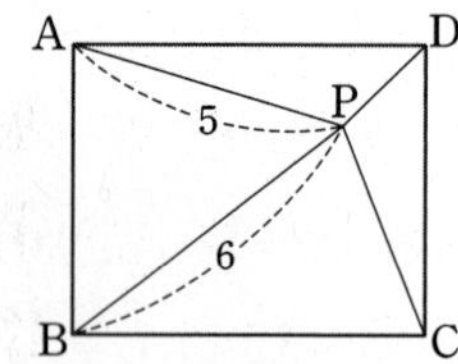

① 1 ② 2 ③ 3 ④ 4 ⑤ 5

38 ●○○

오른쪽 그림과 같이 직사각형 ABCD의 내부의 한 점 P에 대하여 $\overline{BP}=6$, $\overline{DP}=5$일 때, x^2+y^2의 값을 구하시오.

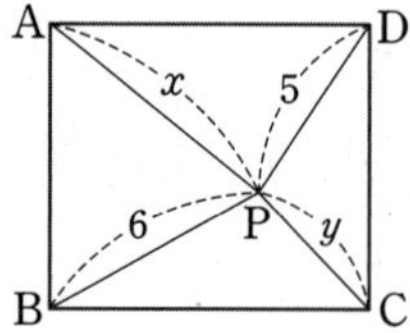

39 ●●○

오른쪽 그림과 같은 직사각형 ABCD의 내부의 한 점 P에 대하여 $\overline{CP}=6$, $\overline{DP}=3$일 때, x^2-y^2의 값을 구하시오.

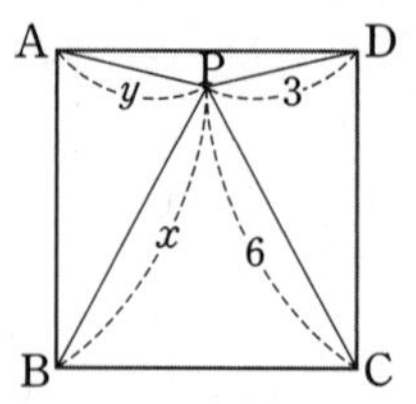

직각삼각형의 세 반원 사이의 관계

개념북 175쪽

40 ●○○

오른쪽 그림과 같이 직각삼각형 ABC의 세 변을 각각 지름으로 하는 반원의 넓이를 P, Q, R라 하자. $\overline{AB}=8$ cm일 때, $P+Q+R$의 값을 구하시오.

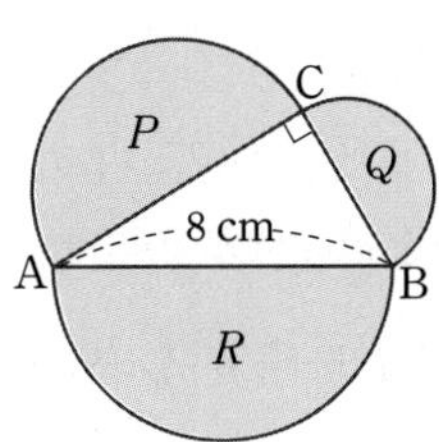

41 ●●○

오른쪽 그림과 같이 직각삼각형 ABC의 세 변을 각각 지름으로 하는 반원의 넓이를 S_1, S_2, S_3라 하자. $S_2=18\pi$ cm^2, $S_3=50\pi$ cm^{2}일 때, $\overline{AB}$의 길이를 구하시오.

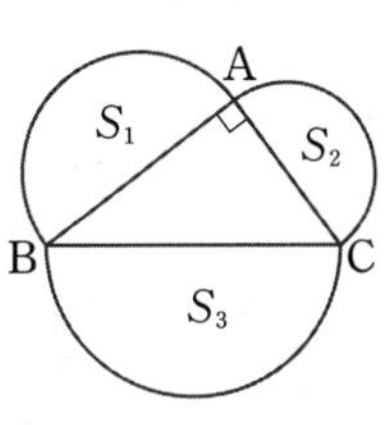

42 ●●○

오른쪽 그림은 $\angle C=90°$이고 $\overline{AC}=4$인 직각삼각형 ABC의 세 변을 각각 지름으로 하는 반원을 그린 것이다. $\overline{BC}$를 지름으로 하는 반원의 넓이가 4π일 때, 세 반원의 넓이의 합은?

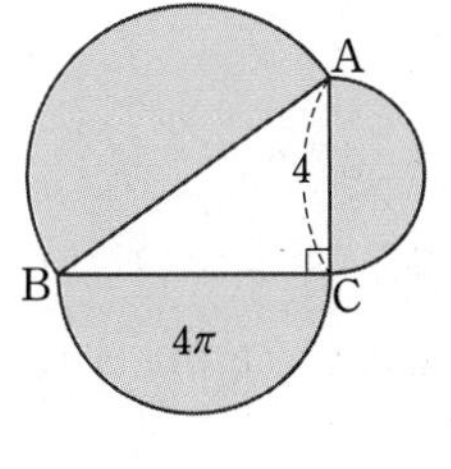

① 12π ② 13π ③ 14π
④ 15π ⑤ 16π

히포크라테스의 원의 넓이

개념북 175쪽

43 ●○○

오른쪽 그림과 같이 $\angle C=90°$인 직각삼각형 ABC의 세 변을 각각 지름으로 하는 반원을 그렸을 때, 색칠한 부분의 넓이를 구하시오.

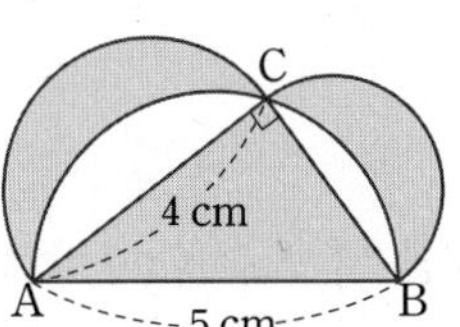

44 ●●○

오른쪽 그림과 같이 $\angle A=90°$인 직각삼각형 ABC에서 세 변을 각각 지름으로 하는 반원을 그렸다. $\overline{AB}$를 지름으로 하는 반원의 넓이가 $\dfrac{25}{2}\pi$ cm^{2}일 때, 색칠한 부분의 넓이를 구하시오.

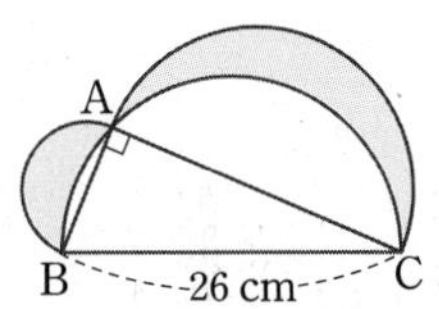

45 ●●●

오른쪽 그림은 가로, 세로의 길이가 각각 9 cm, 24 cm인 직사각형 ABCD의 각 변을 지름으로 하는 네 반원을 그린 후, 네 점 A, B, C, D를 지나는 원을 그린 것이다. 이때 색칠한 부분의 넓이를 구하시오.

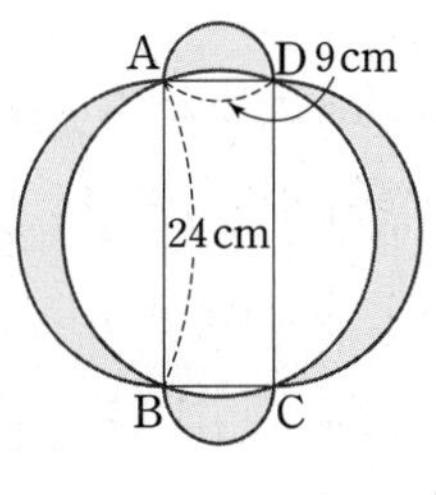

개념완성익힘

1

오른쪽 그림과 같이 $\overline{BD}$ 위에 점 C를 잡고 $\overline{BC}$, $\overline{CD}$를 각각 한 변으로 하는 정사각형을 그렸다.

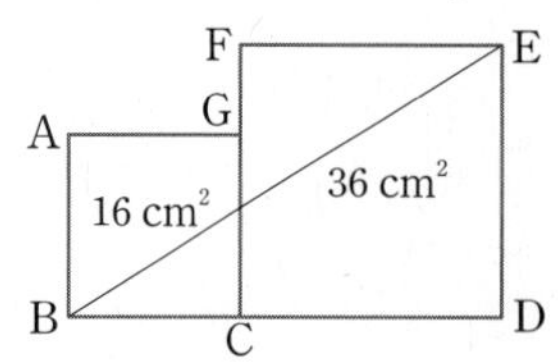

□ABCG$=16\text{ cm}^2$, □CDEF$=36\text{ cm}^2$일 때, $\overline{BE}^2$의 값을 구하시오.

2 실력UP

오른쪽 그림은 직각삼각형 ABC의 세 변을 각각 한 변으로 하는 정사각형을 그린 것이다. $\overline{AC}=12$, $\overline{AB}=13$일 때, △CGB의 넓이를 구하시오.

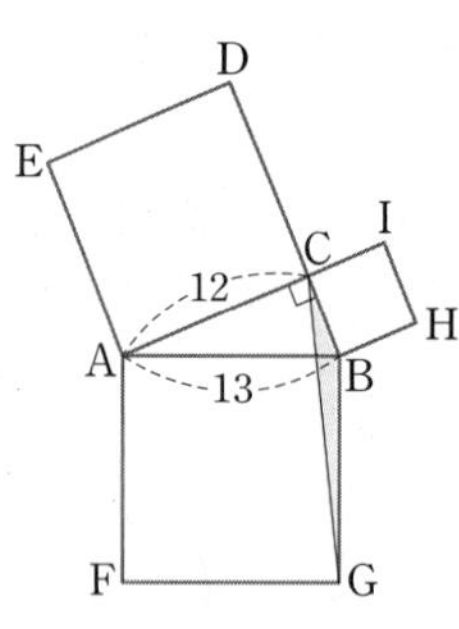

3

오른쪽 그림은 직각삼각형 ABC와 이와 합동인 삼각형 3개를 이용하여 정사각형 FHBD를 만든 것이다. $\overline{AB}=3\text{ cm}$, $\overline{BC}=2\text{ cm}$일 때, 다음을 구하시오.

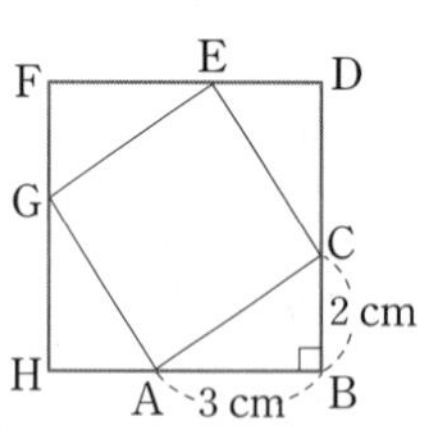

(1) □FHBD의 넓이

(2) □ACEG의 넓이

4

오른쪽 그림의 정사각형 ABCD에서 4개의 직각삼각형은 모두 합동이다. $\overline{AB}=10\text{ cm}$, $\overline{AP}=6\text{ cm}$일 때, □PQRS의 넓이는?

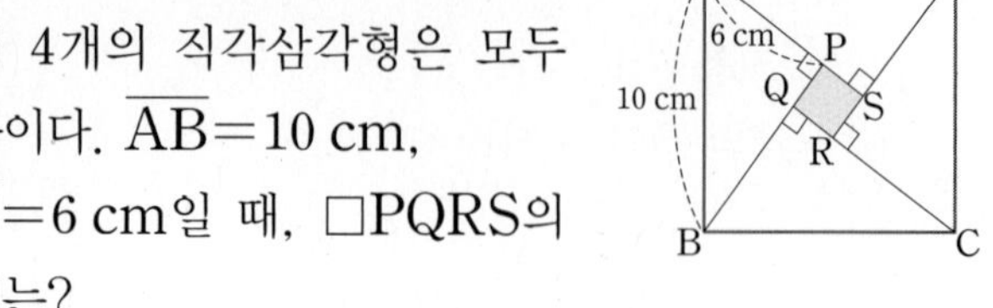

① 1 cm^2 ② 2 cm^2 ③ 3 cm^2
④ 4 cm^2 ⑤ 5 cm^2

5

세 변의 길이가 각각 8 cm, 15 cm, 17 cm인 삼각형의 넓이를 구하시오.

6

오른쪽 그림과 같은 직각삼각형 ABC에서 $\overline{DE}=5$, $\overline{BE}=13$, $\overline{BC}=15$일 때, $\overline{CD}$의 길이를 구하시오.

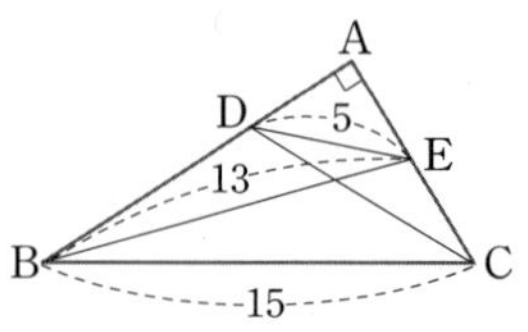

7

오른쪽 그림의 □ABCD에서 $\overline{AC} \perp \overline{BD}$이고 $\overline{AD}=5$, $\overline{AO}=2$, $\overline{BC}=14$, $\overline{CD}=11$일 때, $\overline{BO}^2$의 값을 구하시오.

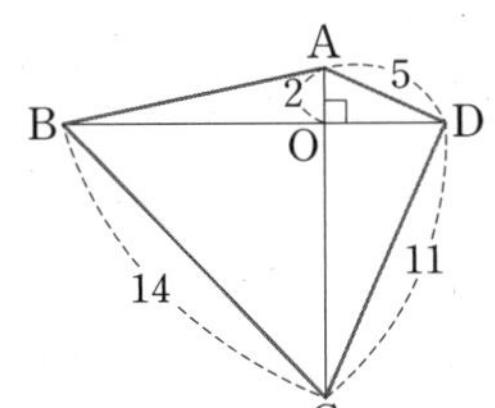

8 실력UP

오른쪽 그림과 같이 $\overline{BC}=5$인 직사각형 ABCD의 내부의 한 점 P에 대하여 $\overline{AP}=2$, $\overline{CP}=4$, $\overline{DP}^2=11$일 때, △PBC의 넓이를 구하시오.

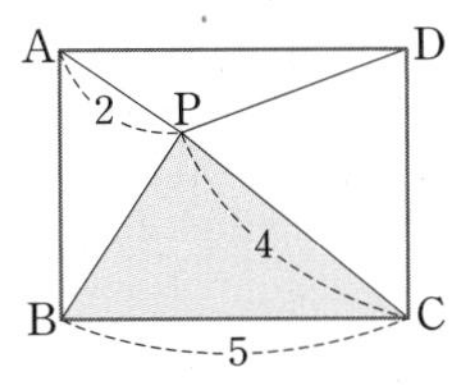

9

오른쪽 그림과 같이 ∠C=90°인 직각삼각형 ABC의 세 변을 각각 지름으로 하는 반원의 넓이를 S_1, S_2, S_3라 하자. $\overline{AC}=12$이고, $S_2=8\pi$일 때, S_1의 값을 구하시오.

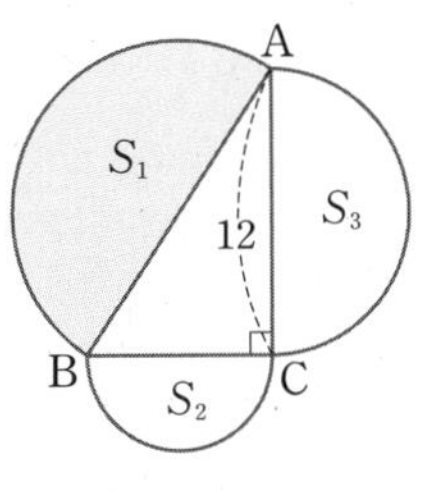

서술형

10

오른쪽 그림과 같이 ∠A=90°인 직각삼각형 ABC의 세 변을 각각 한 변으로 하는 정사각형을 그렸다. 점 A에서 $\overline{BC}$, $\overline{FG}$에 내린 수선의 발을 각각 L, M이라 하고, $\overline{AB}=10$ cm, $\overline{AC}=6$ cm일 때, 색칠한 부분의 넓이를 구하기 위한 풀이 과정을 쓰고 답을 구하시오.

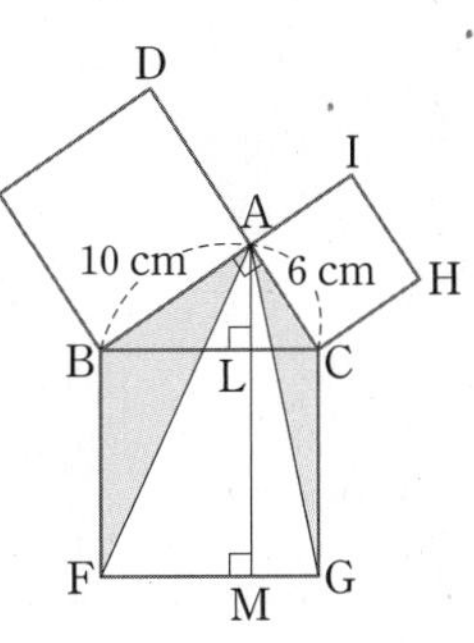

11

오른쪽 그림과 같이 ∠A=90°인 직각삼각형 ABC에서 $\overline{AD} \perp \overline{BC}$이고 $\overline{AB}=10$ cm, $\overline{AD}=6$ cm일 때, △ADC의 넓이를 구하기 위한 풀이 과정을 쓰고 답을 구하시오.

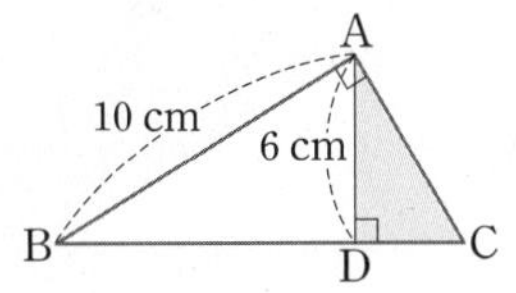

12

오른쪽 그림과 같이 ∠A=90°인 직각삼각형 ABC의 세 변을 각각 지름으로 하는 반원을 그렸다. $\overline{AB}=8$ cm이고, 색칠한 부분의 넓이가 60 cm²일 때, $\overline{AH}$의 길이를 구하기 위한 풀이 과정을 쓰고 답을 구하시오.

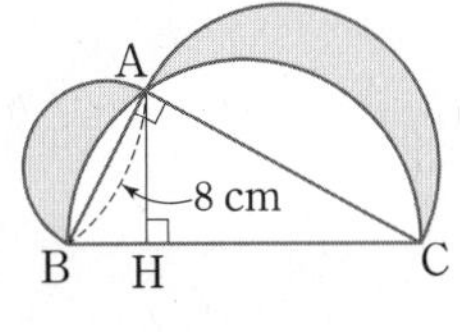

대단원 마무리

III. 도형의 닮음과 피타고라스 정리

1 아래 그림에서 □ABCD∽□EFGH일 때, 다음 중 옳지 않은 것은?

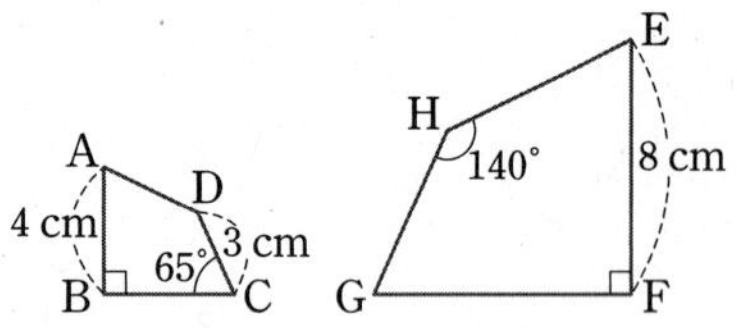

① 닮음비는 1 : 2이다.
② $\angle E=75^\circ$
③ $\overline{GH}=6$ cm
④ ∠D의 대응각은 ∠H이다.
⑤ $\overline{CD}$의 대응변은 $\overline{GH}$이다.

2 오른쪽 그림과 같이 정삼각형 모양의 종이를 $\overline{DE}$를 접는 선으로 하여 꼭짓점 A가 $\overline{BC}$ 위의 점 A′에 오도록 접었다. 이때 $\overline{A'E}$의 길이는?

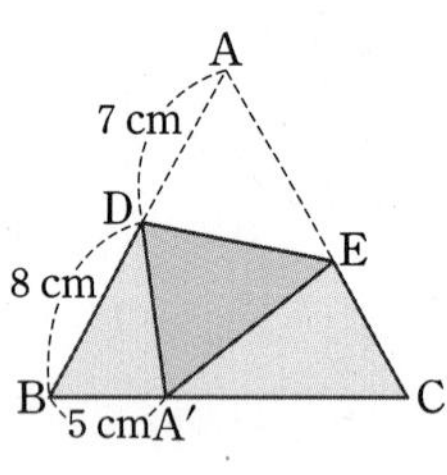

① $\frac{31}{4}$ cm ② $\frac{33}{4}$ cm ③ $\frac{35}{4}$ cm
④ $\frac{37}{4}$ cm ⑤ $\frac{39}{4}$ cm

3 오른쪽 그림에서 $l /\!/ m /\!/ n$일 때, $x+y$의 값은?

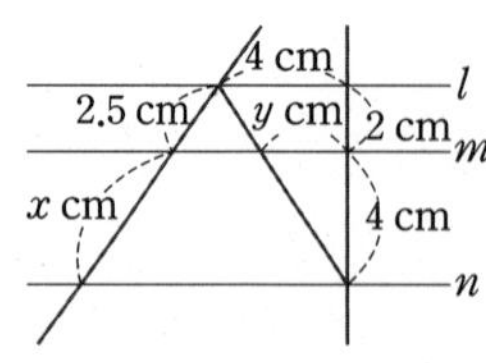

① 7 ② $\frac{23}{3}$
③ 8 ④ $\frac{17}{2}$
⑤ 9

4 오른쪽 그림에서 $\overline{AD} /\!/ \overline{EF} /\!/ \overline{BC}$일 때, x, y의 값을 각각 구하시오.

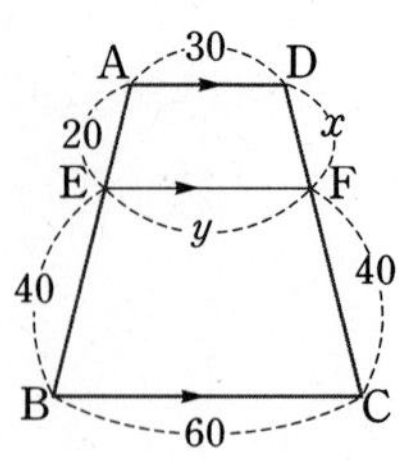

5 오른쪽 그림에서 $\overline{AD}$는 ∠A의 이등분선이다. $\overline{AB} /\!/ \overline{DE}$일 때, $\overline{DE}$의 길이는?

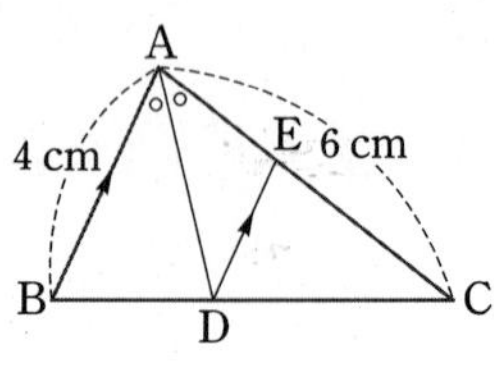

① $\frac{11}{5}$ cm ② $\frac{12}{5}$ cm ③ $\frac{13}{5}$ cm
④ $\frac{14}{5}$ cm ⑤ 3 cm

6 오른쪽 그림의 평행사변형 ABCD에서 $\overline{BC}$, $\overline{AD}$의 중점을 각각 M, N이라 하고, 대각선 AC와 $\overline{BN}$, $\overline{DM}$의 교점을 각각 P, Q라 할 때, 다음 중 옳지 않은 것은? (단, 점 O는 두 대각선의 교점이다.)

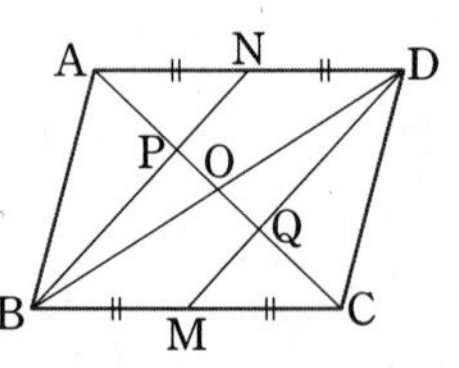

① $\overline{AP} : \overline{PO}=2 : 1$
② $\overline{AP}=\overline{PQ}=\overline{QC}$
③ $\overline{BP}=3\overline{PN}$
④ $\overline{CQ}=\frac{2}{3}\overline{CO}$
⑤ 점 P는 △ABD의 무게중심이다.

7 오른쪽 그림에서 두 점 G, G′은 각각 △ABC, △GBC의 무게중심이고 △ABC의 넓이가 $81\ cm^2$일 때, △GBG′의 넓이를 구하시오.

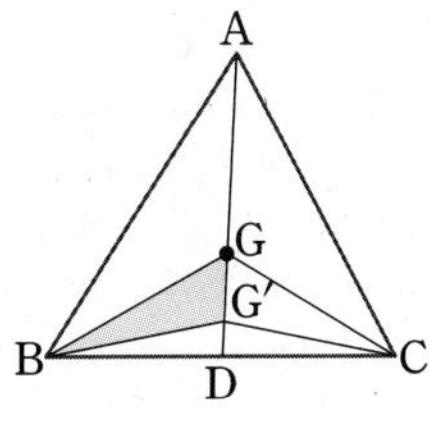

8 오른쪽 그림에서 두 점 O와 O′은 각각 큰 원과 작은 원의 중심이다. 작은 원의 넓이가 $5\pi\ cm^2$일 때, 색칠한 부분의 넓이는?

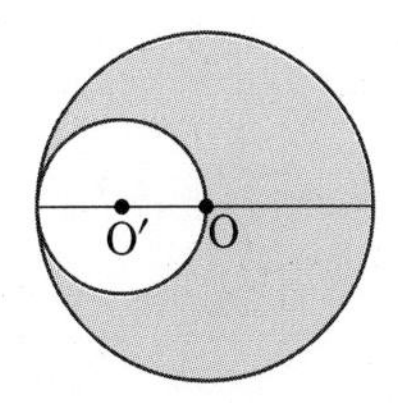

① $11\pi\ cm^2$ ② $12\pi\ cm^2$ ③ $13\pi\ cm^2$
④ $14\pi\ cm^2$ ⑤ $15\pi\ cm^2$

9 오른쪽 그림과 같이 A 지점에서 강 건너 B 지점까지의 거리를 구하기 위해 축척이 $\frac{1}{100}$인 축도를 그렸더니 $\overline{BO}=50$ cm, $\overline{DO}=20$ cm, $\overline{CD}=30$ cm이었다. $\angle BAO=\angle DCO=39.5°$일 때, 두 지점 A, B 사이의 실제 거리는 몇 m인지 구하시오.

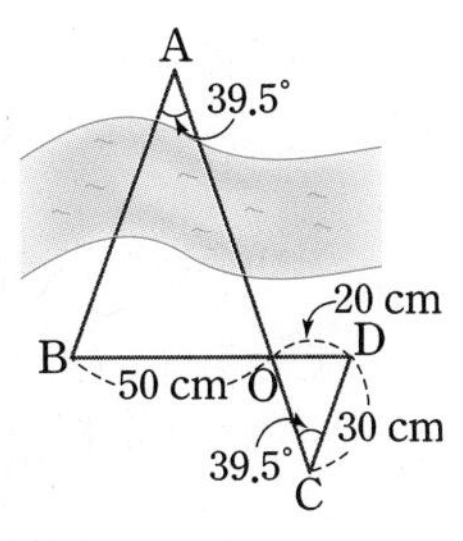

10 오른쪽 그림과 같은 사다리꼴 ABCD에서 $\overline{AD}=12$ cm, $\overline{AB}=10$ cm, $\overline{CD}=8$ cm일 때, $\overline{BC}$의 길이는?

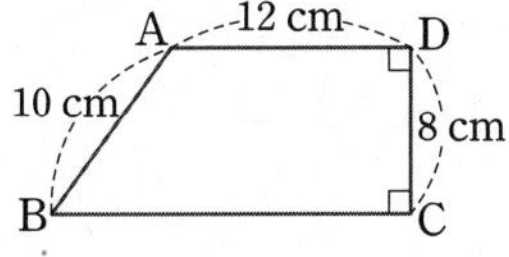

① 16 cm ② 18 cm ③ 20 cm
④ 22 cm ⑤ 24 cm

서술형

11 오른쪽 그림의 정사각형 ABCD에서 4개의 직각삼각형은 모두 합동이고, $\overline{AB}=5$ cm, $\overline{CR}=3$ cm일 때, □PQRS의 넓이를 구하시오.

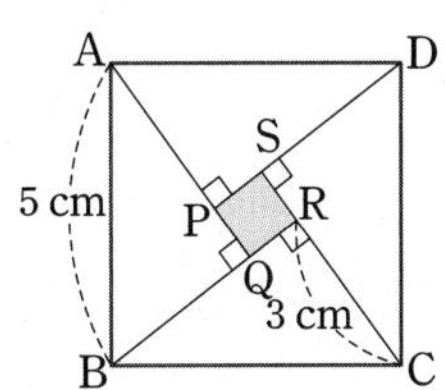

12 오른쪽 그림과 같이 ∠A=90°인 직각삼각형 ABC에서 $\overline{DE}=3$, $\overline{DC}=9$, $\overline{BE}=7$일 때, x의 값은?

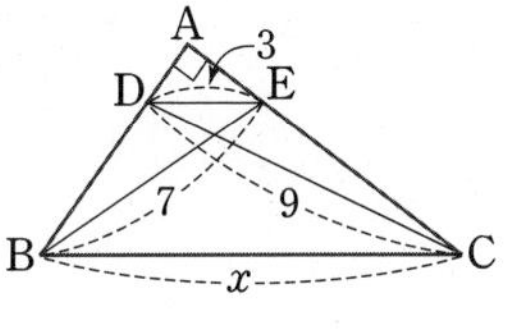

① 7 ② 8 ③ 9
④ 10 ⑤ 11

13 오른쪽 그림과 같은 삼각기둥의 꼭짓점 A에서 겉면을 따라 모서리 BE를 지나 꼭짓점 F에 이르는 최단 거리는?

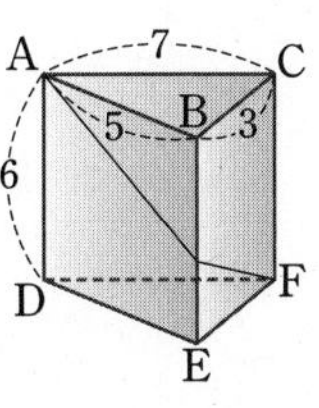

① 8 ② 9 ③ 10
④ 11 ⑤ 12

1 경우의 수

개념적용익힘

사건과 경우의 수 이해하기

개념북 187쪽

1 ●○○

오른쪽 그림과 같이 주머니 속에 1에서 12까지의 자연수가 각각 적힌 12개의 공이 들어 있다. 이 중에서 한 개의 공을 꺼낼 때, 다음을 구하시오.

(1) 두 자리의 자연수가 적힌 공이 나오는 경우의 수

(2) 소수가 적힌 공이 나오는 경우의 수

2 ●●○

두 개의 주사위 A, B를 동시에 던질 때, 다음을 구하시오.

(1) 눈의 수의 합이 7이 되는 경우의 수

(2) 눈의 수의 차가 2가 되는 경우의 수

3 ●●○

오른쪽 그림과 같이 원 위에 5개의 점이 있다. 이 중에서 4개의 점을 연결하여 사각형을 만드는 경우의 수를 구하시오.

돈을 지불하는 경우의 수

개념북 187쪽

4 ●●○

경미는 50원짜리 동전 9개와 100원짜리 동전 7개를 사용하여 700원짜리 아이스크림을 한 개 사려고 한다. 아이스크림 값을 지불할 수 있는 경우의 수는?

① 3 ② 4 ③ 5
④ 6 ⑤ 8

5 ●●○

100원짜리, 50원짜리, 10원짜리 동전이 각각 5개씩 있다. 이 동전을 사용하여 500원을 지불하는 경우의 수를 구하시오.

6 ●●○

100원짜리 동전 2개와 50원짜리 동전 3개가 있다. 두 가지 동전을 각각 1개 이상 사용하여 만들 수 있는 금액의 경우의 수를 구하시오.

사건 A 또는 사건 B가 일어나는 경우의 수－중복된 사건이 없는 경우

개념북 189쪽

7 ●○○

A 지점에서 B 지점으로 가는 지하철 노선은 2가지, 버스 노선은 5가지가 있다. A 지점에서 B 지점까지 지하철 또는 버스를 이용하여 가는 경우의 수를 구하시오.

8 ●○○

검은 공 1개, 흰 공 2개, 파란 공 3개가 들어 있는 주머니에서 한 개의 공을 꺼낼 때, 검은 공 또는 파란 공이 나오는 경우의 수를 구하시오.

9 ●●○

1에서 15까지의 자연수가 각각 적힌 15장의 카드 중에서 한 장을 뽑을 때, 3의 배수 또는 7의 배수가 나오는 경우의 수를 구하시오.

10 ●●○

서로 다른 2개의 주사위를 동시에 던질 때, 나오는 눈의 수의 차가 0 또는 5가 되는 경우의 수를 구하시오.

사건 A 또는 사건 B가 일어나는 경우의 수－중복된 사건이 있는 경우

개념북 189쪽

11 ●●○

오른쪽 그림과 같이 각 면에 1에서 12까지의 자연수가 각각 적힌 정십이면체를 한 번 던질 때, 윗면에 보이는 수가 12의 약수 또는 4의 배수인 경우의 수를 구하시오.

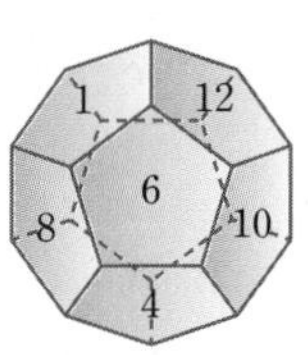

12 ●●○

1에서 30까지의 자연수가 각각 적힌 30장의 카드 중에서 한 장을 뽑을 때, 2의 배수 또는 7의 배수가 나오는 경우의 수를 구하시오.

13 ●●●

1에서 50까지의 자연수가 각각 적힌 50장의 카드가 있다. 이 중에서 한 장의 카드를 뽑을 때, 카드에 적힌 수가 7의 배수이거나 약수의 개수가 홀수인 수가 나오는 경우의 수는?

① 11　② 12　③ 13　④ 14　⑤ 15

사건 A와 사건 B가 동시에 일어나는 경우의 수

개념북 191쪽

14 ●●○

민우는 5종류의 티셔츠와 4종류의 청바지를 가지고 있다. 민우가 외출할 때, 티셔츠와 청바지를 각각 하나씩 짝 지어 입는 경우의 수를 구하시오.

15 ●●○

남자 3명과 여자 3명 중에서 남녀를 각각 한 명씩 뽑아 한 조를 만드는 경우의 수를 구하시오.

16 ●●○

흰 공 2개, 검은 공 3개가 들어 있는 A 주머니와 노란 공 1개, 검은 공 4개가 들어 있는 B 주머니가 있다. 각 주머니에서 공을 한 개씩 꺼낼 때, 둘 다 검은 공이 나오는 경우의 수를 구하시오.

길 또는 교통편을 선택하는 경우의 수

개념북 191쪽

17 ●●○

오른쪽 그림과 같이 A 마을에서 B 마을로 가는 길은 4가지, B 마을에서 C 마을로 가는 길은 2가지가 있다. A 마을에서 B 마을을 거쳐 C 마을로 가는 경우의 수를 구하시오.

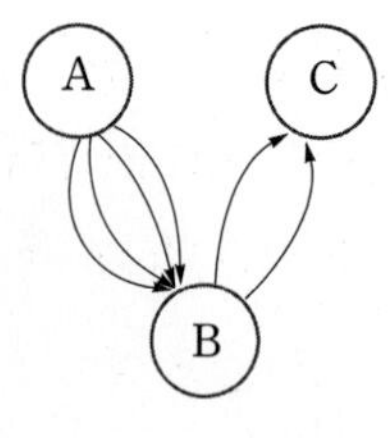

(단, 같은 마을을 두 번 지나지 않는다.)

18 ●●○

서울에서 미국으로 가는 항공편이 7가지, 미국에서 브라질로 가는 항공편이 8가지일 때, 항공편을 이용하여 서울에서 미국을 거쳐 브라질로 가는 경우의 수를 구하시오.

19 ●●●

A, B, C, D의 네 지점 사이에 오른쪽 그림과 같은 도로망이 있다. 같은 지점을 두 번 지나지 않을 때, A 지점에서 D 지점까지 가는 모든 방법의 수를 구하시오.

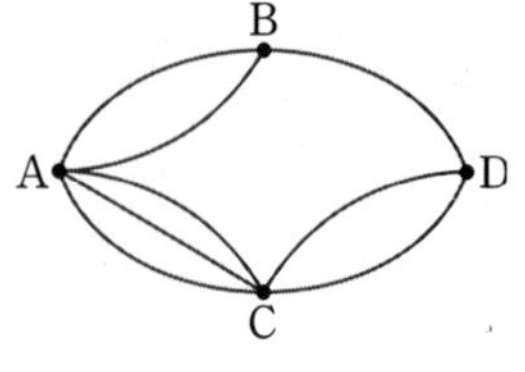

동전과 주사위를 동시에 던질 때의 경우의 수

개념북 193쪽

20 ●●○

동전 한 개와 서로 다른 2개의 주사위를 동시에 던질 때, 동전은 앞면이 나오고 주사위는 모두 6의 약수의 눈이 나오는 경우의 수를 구하시오.

21 ●●○

10원짜리, 50원짜리 동전 각각 1개와 주사위 1개를 동시에 던질 때, 동전은 서로 같은 면이 나오고 주사위는 짝수의 눈이 나오는 경우의 수를 구하시오.

22 ●●●

수직선의 원점 위에 점 P가 있다. 동전 한 개를 던져 앞면이 나오면 오른쪽으로 1만큼 가고, 뒷면이 나오면 왼쪽으로 1만큼 간다고 한다. 동전을 3번 던졌을 때, 점 P가 1에 있게 되는 경우의 수를 구하시오.

동전 던지기의 응용

개념북 193쪽

23 ●●○

서로 다른 4개의 윷가락을 동시에 던질 때, 걸이 나오는 경우의 수를 구하시오.

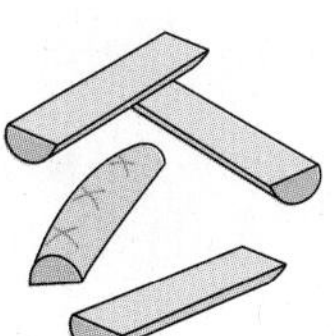

24 ●●○

서로 다른 네 개의 전구를 켜거나 끄는 것으로 신호를 보내는 방법은 모두 몇 가지인지 구하시오.

(단, 모두 꺼진 경우도 신호로 생각한다.)

25 ●●○

A, B, C, D, E 5명이 각각 한 개의 깃발을 들고 있다. 깃발을 올리거나 내려서 신호를 만들 때, 5명이 만드는 신호는 모두 몇 가지인지 구하시오.

전체를 한 줄로 세우는 경우의 수

개념북 195쪽

26 ●○○

다음 □ 안에 알맞은 것을 써넣으시오.

A, B, C 세 명을 한 줄로 세우는 경우는 다음과 같다.

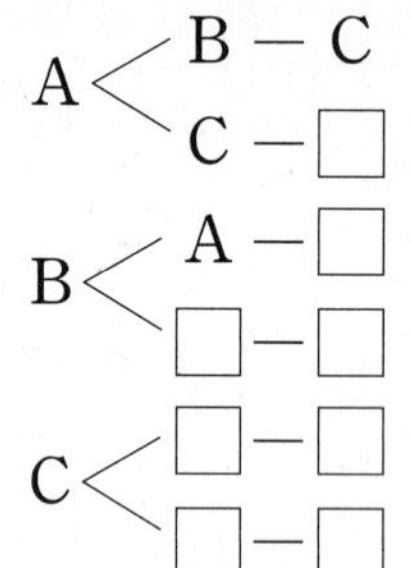

따라서 A, B, C 세 명을 한 줄로 세우는 경우의 수는 □이다.

27 ●●○

운동회에 참가할 이어달리기 선수 4명을 선발하였다. 이 선수들이 달리는 순서를 정하는 경우의 수는?

① 4 ② 8 ③ 16
④ 24 ⑤ 32

28 ●●○

진수, 윤미, 민정, 태은, 희선, 대형 6명이 한 줄로 서서 시력 검사를 하려고 한다. 서는 순서를 정하는 방법은 모두 몇 가지인지 구하시오.

일부를 뽑아서 한 줄로 세우는 경우의 수

개념북 195쪽

29 ●●○

a, b, c, d, e, f, g, h 8개의 알파벳 중에서 2개를 택하여 한 줄로 나열하는 경우의 수를 구하시오.

30 ●●○

A, B, C, D, E 5명 중에서 3명을 뽑아 일렬로 세우는 경우의 수는?

① 20 ② 30 ③ 40
④ 50 ⑤ 60

31 ●●○

서로 다른 5종류의 간식 중에서 2개를 골라 차례로 먹는 방법은 모두 몇 가지인가?

① 16가지 ② 18가지 ③ 20가지
④ 22가지 ⑤ 30가지

32 ●●○

사과, 감, 배, 토마토가 각각 한 개씩 있을 때, A, B 두 사람에게 한 개씩 나누어 주는 방법은 모두 몇 가지인가?

① 4가지 ② 6가지 ③ 8가지
④ 10가지 ⑤ 12가지

색을 선택하여 칠하는 경우의 수

개념북 196쪽

33 ●●○

오른쪽 그림과 같은 A, B, C 세 부분에 빨강, 주황, 노랑, 초록, 파랑, 남색, 보라의 7가지 색을 사용하여 칠하려고 한다. 세 부분에 서로 다른 색을 칠하는 경우의 수를 구하시오.

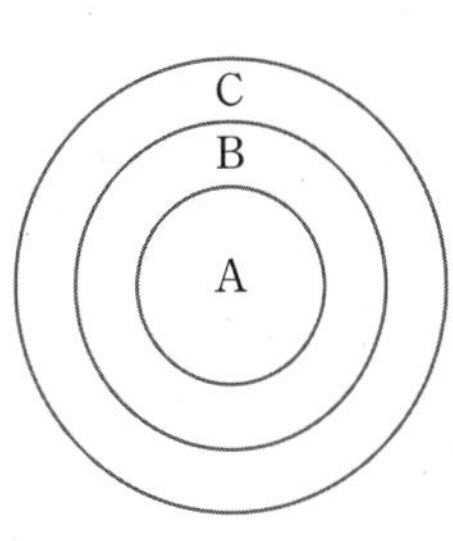

34 ●●○

오른쪽 그림과 같은 A, B, C 세 부분에 노란색, 파란색, 초록색을 칠하여 영역을 구분하려고 한다. 같은 색을 여러 번 사용해도 좋으나 이웃하는 부분을 서로 다른 색이 되도록 할 때, 칠할 수 있는 모든 경우의 수를 구하시오.

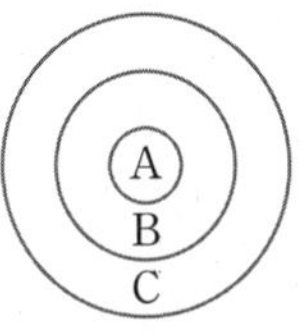

35 ●●●

오른쪽 그림은 5세기 경 고구려가 전성기였을 때 고구려, 백제, 신라, 가야의 경계가 구분되어 있는 지도이다. 이 네 나라를 빨강, 파랑, 노랑, 주황의 4가지 색으로 칠하는 경우의 수를 구하시오. (단, 같은 색을 여러 번 사용해도 되지만 이웃하는 나라는 같은 색으로 칠하지 않는다.)

특정한 사람의 자리를 정하고 한 줄로 세우는 경우의 수

개념북 196쪽

36 ●●○

진우, 범수, 재현, 동현, 범석 5명이 이어달리기를 할 때, 범수 바로 다음에 재현이가 달리는 경우의 수를 구하시오.

37 ●●○

부모님을 포함한 6명의 가족을 한 줄로 세울 때, 부모님이 양 끝에 서는 경우의 수를 구하시오.

38 ●●○

A, B, C, D, E가 각각 하나씩 적힌 카드 5장을 일렬로 배열할 때, A 또는 C가 가장 앞에 오는 경우의 수는?

① 20 ② 24 ③ 36
④ 40 ⑤ 48

39 ●●○

1남 2녀의 자녀를 둔 부부가 사진관에서 가족 사진을 찍으려고 한다. 앞줄은 부부가 의자에 앉고, 뒷줄은 자녀들이 나란히 서서 찍는다고 할 때, 가족 사진을 찍는 방법의 수를 구하시오.

이웃하여 한 줄로 세우는 경우의 수 (1)

개념북 198쪽

40 ●●○

부모님을 포함한 4명의 가족이 나란히 서서 가족 사진을 찍으려고 한다. 이때 부모님이 서로 이웃하여 가족 사진을 찍는 경우의 수를 구하시오.

41 ●●○

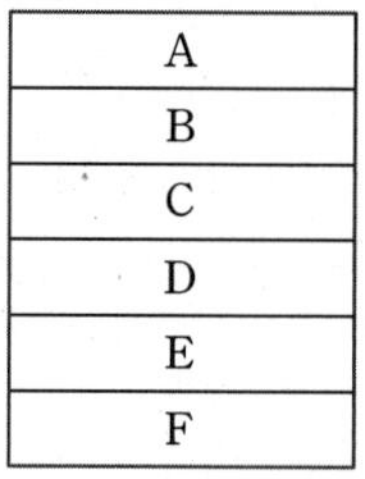

오른쪽 그림과 같은 A, B, C, D, E, F 여섯 부분에 빨간색, 주황색, 노란색, 초록색, 파란색, 보라색을 모두 사용하여 서로 다른 색을 칠하려고 한다. 노란색과 파란색을 이웃하게 칠하는 경우의 수를 구하시오.

A
B
C
D
E
F

42 ●●●

남학생 3명과 여학생 2명을 일렬로 세울 때, 남학생끼리 서로 이웃하여 서는 경우의 수를 구하시오.

이웃하여 한 줄로 세우는 경우의 수 (2)

개념북 198쪽

43 ●●○

여학생 2명, 남학생 4명을 한 줄로 세울 때, 여학생은 여학생끼리, 남학생은 남학생끼리 이웃하여 서는 경우의 수를 구하시오.

44 ●●○

서로 다른 소설책 3권과 만화책 4권을 책꽂이에 일렬로 꽂으려고 한다. 소설책은 소설책끼리, 만화책은 만화책끼리 이웃하도록 꽂는 경우의 수는?

① 12 ② 24 ③ 48
④ 144 ⑤ 288

45 ●●○

남학생 3명과 여학생 3명이 있다. 6명의 학생들을 한 줄로 세울 때, 남학생과 여학생이 서로 이웃하여 서는 경우의 수는?

① 36 ② 72 ③ 120
④ 360 ⑤ 720

46 ●●●

남학생 3명과 여학생 2명이 긴 의자에 일렬로 앉으려고 한다. 여학생 2명이 이웃하지 않도록 앉는 경우의 수를 구하시오.

0을 포함하지 않는 경우의 자연수 만들기

개념북 200쪽

47 ●●○

1, 2, 3, 4, 5, 6의 숫자가 각각 적힌 6장의 카드가 있다. 다음을 구하시오.

(1) 2장을 뽑아 만들 수 있는 두 자리의 자연수의 개수
(2) 3장을 뽑아 만들 수 있는 세 자리의 자연수의 개수

48 ●●○

1에서 6까지의 자연수가 각각 적힌 6장의 카드 중에서 2장을 뽑아 만들 수 있는 두 자리의 자연수 중 30 이하인 수의 개수는?

① 10개 ② 20개 ③ 30개
④ 40개 ⑤ 50개

49 ●●●

1에서 7까지의 자연수가 각각 적힌 7장의 카드 중에서 3장을 뽑아 세 자리의 자연수를 만들어 작은 수부터 차례로 나열할 때, 36번째 수를 구하시오.

0을 포함하는 경우의 자연수 만들기

개념북 201쪽

50 ●○○

0, 1, 2, 3, 4, 5의 숫자가 각각 적힌 6장의 카드 중에서 2장을 뽑아 만들 수 있는 두 자리의 자연수의 개수는?

① 20개 ② 25개 ③ 30개
④ 35개 ⑤ 40개

51 ●●○

0, 1, 2, 3, 4, 5의 숫자가 각각 적힌 6장의 카드 중에서 3장을 뽑아 만들 수 있는 세 자리의 자연수 중 짝수의 개수는?

① 36개 ② 42개 ③ 50개
④ 52개 ⑤ 60개

52 ●●●

0, 1, 2, 3, 4, 5의 숫자가 각각 적힌 6장의 카드 중에서 3장을 뽑아 만들 수 있는 세 자리의 자연수 중 420보다 작은 수의 개수를 구하시오.

자격이 다른 대표를 뽑는 경우의 수

개념북 203쪽

53 ●○○

A, B, C, D, E, F 6명 중에서 다음과 같이 대표를 뽑으려고 한다. □ 안에 알맞은 수를 써넣으시오.

(1) 회장 1명, 부회장 1명

> 회장 1명을 뽑는 경우의 수는 □, 부회장 1명을 뽑는 경우의 수는 □이므로 회장 1명, 부회장 1명을 뽑는 경우의 수는 □×□=□

(2) 회장 1명, 부회장 1명, 총무 1명

> 회장 1명을 뽑는 경우의 수는 □, 부회장 1명을 뽑는 경우의 수는 □, 총무 1명을 뽑는 경우의 수는 □이므로 회장 1명, 부회장 1명, 총무 1명을 뽑는 경우의 수는 □×□×□=□

54 ●○○

A, B, C, D, E 5명 중에서 총무와 서기를 각각 1명씩 뽑는 경우의 수는?

① 5　② 10　③ 15
④ 20　⑤ 25

55 ●●○

연극 동아리 학생 11명 중에서 주연 1명과 조연 1명을 뽑는 경우의 수는?

① 90　② 100　③ 110
④ 120　⑤ 130

특정 조건을 만족하면서 자격이 다른 대표를 뽑는 경우의 수

개념북 203쪽

56 ●○○

A, B, C, D, E 5명 중에서 대표, 부대표를 각각 1명씩 뽑을 때, A가 대표가 되는 경우의 수를 구하시오.

57 ●●○

1번부터 10번까지 10명의 학생 중에서 반장, 부반장, 총무, 서기를 각각 1명씩 뽑으려고 한다. 2번 학생이 반장이 되고, 7번 학생이 서기가 되는 경우의 수를 구하시오.

58 ●●○

회장, 부회장 선거에 남학생 5명, 여학생 3명이 후보로 올라왔다. 회장은 남학생 중에서 1명, 부회장은 남녀 각각 1명씩 뽑는 경우의 수를 구하시오.

자격이 같은 대표를 뽑는 경우의 수
개념북 205쪽

59 ●●○

1번부터 12번까지의 학생 12명 중에서 2번과 4번 학생을 포함하여 4명의 청소 당번을 뽑는 경우의 수를 구하시오.

60 ●●○

남학생 3명과 여학생 3명 중에서 남학생 2명, 여학생 1명을 대표로 뽑는 경우의 수를 구하시오.

61 ●●○

서로 다른 종류의 우유 5개와 요구르트 4개가 있다. 이 중에서 우유와 요구르트를 각각 2개씩 사는 경우의 수를 구하시오.

62 ●●○

6명의 연극반 학생들 중에서 3명을 뽑아 한 조를 만드는 경우의 수는?

① 6　② 10　③ 15　④ 18　⑤ 20

선분 또는 삼각형의 개수
개념북 205쪽

63 ●●○

오른쪽 그림과 같이 원 위에 서로 다른 6개의 점이 찍혀 있다. 이 중에서 두 점을 연결하여 만들 수 있는 선분의 개수를 구하시오.

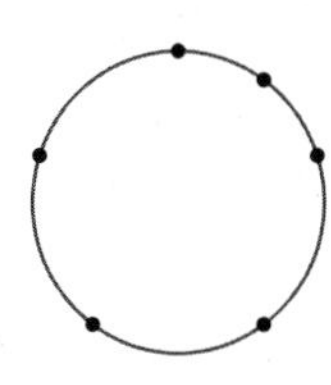

64 ●●○

오른쪽 그림과 같이 한 원 위에 8개의 점이 있을 때, 다음을 구하시오.

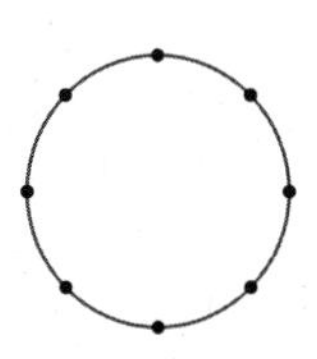

(1) 두 점을 연결하여 만들 수 있는 선분의 개수

(2) 세 점을 연결하여 만들 수 있는 삼각형의 개수

65 ●●●

원 위에 정팔각형의 꼭짓점을 나타내는 8개의 점 A, B, C, D, E, F, G, H 중 세 점을 연결하여 만들 수 있는 이등변삼각형의 개수는?

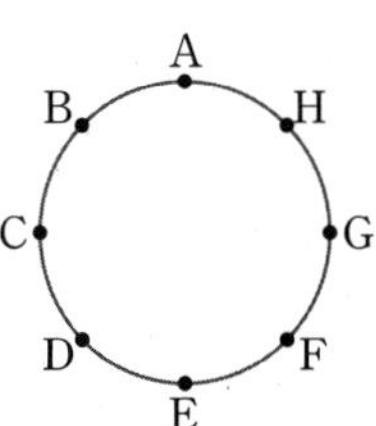

① 12개　② 16개　③ 18개　④ 20개　⑤ 24개

개념완성익힘

1

진희는 100원짜리 동전 6개, 50원짜리 동전 8개, 10원짜리 동전 5개를 가지고 편의점에서 600원짜리 음료수 1개를 사려고 한다. 음료수 값을 지불하는 경우의 수를 구하시오.

2

오른쪽 그림과 같이 A, B, C 세 지점 사이에 길이 있다. A 지점에서 C 지점까지 가는 경우의 수를 구하시오.

(단, 같은 지점을 두 번 지나지 않는다.)

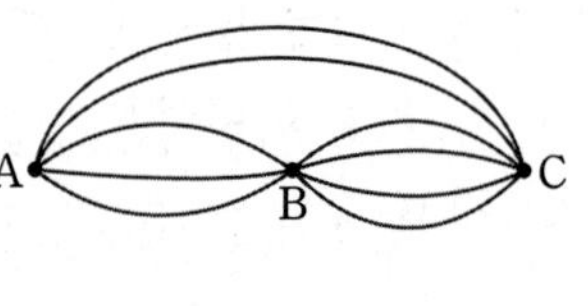

3 실력UP

오른쪽 그림과 같은 모양의 도로가 있다. 도로를 따라 A 지점에서 출발하여 B 지점을 거쳐 C 지점까지 갈 때, 최단 거리로 가는 경우의 수를 구하시오.

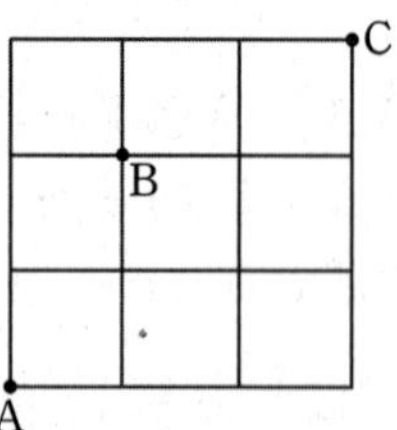

4

다음은 어떤 사건이 일어나는 경우의 수에 대하여 정우, 수정, 세현이가 나눈 대화 내용이다. 잘못 말한 사람을 찾고 바르게 고치시오.

> 정우: 서로 다른 주사위 2개를 던질 때, 일어나는 모든 경우의 수는 12야.
>
> 수정: 서로 다른 동전 3개와 주사위 1개를 동시에 던질 때, 일어나는 모든 경우의 수는 48이야.
>
> 세현: 한 개의 주사위를 던질 때, 소수의 눈이 나오는 경우의 수는 3이야.

5

다음을 구하시오.

(1) 서로 다른 동전 6개를 동시에 던질 때, 일어나는 모든 경우의 수

(2) 100원짜리, 500원짜리 동전 각각 한 개와 주사위 한 개를 동시에 던질 때, 일어나는 모든 경우의 수

6

할머니, 할아버지, 부모님, 현서 5명으로 이루어진 가족이 일렬로 서서 사진을 찍으려고 한다. 할아버지가 가운데 서는 경우의 수를 구하시오.

7

진희, 민정, 윤호, 종민, 수진, 윤희 6명이 급식실에서 배식을 받기 위해 줄을 설 때, 진희, 수진, 윤희 3명이 이웃하여 줄을 서는 경우의 수를 구하시오.

8 실력UP

오른쪽 그림과 같이 가, 나, 다, 라, 마 다섯 부분에 빨강, 노랑, 초록, 파랑, 보라의 5가지 색을 사용하여 칠하려고 한다. 같은 색을 여러 번 사용해도 좋으나 이웃하는 부분은 서로 다른 색이 되도록 할 때, 칠할 수 있는 모든 경우의 수를 구하시오.

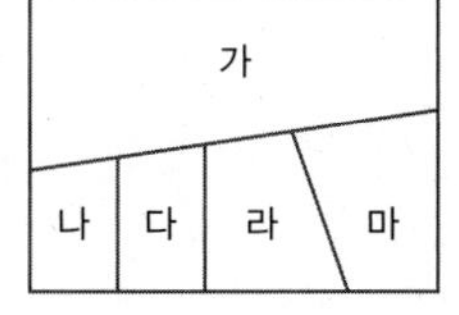

9

0, 1, 2, 3의 숫자가 각각 적힌 4장의 카드 중에서 2장을 뽑아 만들 수 있는 두 자리의 자연수 중 21 이하인 수의 개수를 구하시오.

10

파일럿 4명과 군인 7명 중에서 2명을 뽑을 때, 2명의 직업이 같은 경우의 수를 구하시오.

11

2018 러시아 월드컵에서 대한민국, 스웨덴, 멕시코, 독일은 한 조에 속하게 되었다. 조별 경기에서는 어느 팀도 빠짐없이 서로 한 번씩 시합을 할 때, 모두 몇 번의 시합이 있는지 구하시오.

서술형

12

1에서 9까지의 숫자가 각각 적힌 9장의 카드 중에서 동시에 2장의 카드를 뽑아 각각의 카드에 적힌 수를 더했을 때, 짝수가 되는 경우의 수를 구하기 위한 풀이 과정을 쓰고 답을 구하시오.

(단, 뽑는 순서는 생각하지 않는다.)

13

오른쪽 그림과 같이 반원 위에 7개의 점이 있다. 이 중에서 세 점을 연결하여 만들 수 있는 삼각형의 개수를 구하기 위한 풀이 과정을 쓰고 답을 구하시오.

14

1, 2, 3, 4, 5의 숫자가 각각 적힌 5장의 카드 중에서 3장을 뽑아 만들 수 있는 세 자리의 자연수 중 38번째로 큰 수를 구하기 위한 풀이 과정을 쓰고 답을 구하시오.

2 확률과 그 계산

개념적용익힘

확률

개념북 215쪽

1 ●○○

오른쪽 그림은 어느 해 9월의 달력이다. 이 달력에서 무심코 한 날짜를 선택하였을 때, 토요일일 확률을 구하시오.

9월

일	월	화	수	목	금	토
					1	2
3	4	5	6	7	8	9
10	11	12	13	14	15	16
17	18	19	20	21	22	23
24	25	26	27	28	29	30

2 ●●○

한 개의 주사위를 던질 때, 다음을 구하시오.

(1) 6의 약수의 눈이 나올 확률

(2) 소수의 눈이 나올 확률

3 ●●●

흰 공 4개, 파란 공 5개, 노란 공 몇 개가 들어 있는 주머니에서 공 한 개를 꺼낼 때, 파란 공일 확률이 $\frac{1}{4}$이라고 한다. 이때 노란 공의 개수는?

① 8개　② 9개　③ 10개　④ 11개　⑤ 12개

방정식, 부등식에서의 확률

개념북 215쪽

4 ●●○

A, B 두 개의 주사위를 동시에 던져 A 주사위에서 나온 눈의 수를 x, B 주사위에서 나온 눈의 수를 y라 할 때, 다음을 구하시오.

(1) $x+y=9$일 확률

(2) $2x+3y<8$일 확률

5 ●●○

두 개의 주사위 A, B를 동시에 던져서 나온 눈의 수를 각각 a, b라고 할 때, x에 대한 방정식 $ax=b$의 해가 2일 확률은?

① $\frac{1}{36}$　② $\frac{1}{12}$　③ $\frac{1}{9}$　④ $\frac{1}{6}$　⑤ $\frac{2}{9}$

6 ●●●

한 개의 주사위를 두 번 던져 처음에 나온 눈의 수를 a, 나중에 나온 눈의 수를 b라 할 때, x, y에 대한 연립방정식 $\begin{cases} x+y=a \\ bx+y=6 \end{cases}$의 해가 없을 확률을 구하시오.

확률의 성질

개념북 217쪽

7 ●○○

사건 A가 일어날 확률을 p라고 할 때, 다음 중 옳지 않은 것은?

① $p=\dfrac{(\text{사건 } A\text{가 일어나는 경우의 수})}{(\text{모든 경우의 수})}$
② $0<p<1$
③ (사건 A가 일어나지 않을 확률)$=1-p$
④ 사건 A가 반드시 일어나는 사건이면 $p=1$이다.
⑤ 사건 A가 절대로 일어나지 않는 사건이면 $p=0$이다.

8 ●●○

다음 그림과 같이 1, 3, 5, 7, 9의 숫자가 각각 적힌 5개의 구슬 중에서 2개를 고를 때, 구슬에 적힌 두 수의 합이 짝수가 될 확률을 구하시오.

9

9 ●●○

다음 중 확률이 가장 큰 것은?

① 서로 다른 2개의 주사위를 동시에 던질 때, 두 눈의 수의 합이 13일 확률
② A, B 두 사람이 가위바위보를 할 때, A가 이길 확률
③ 한 개의 주사위를 던질 때, 나온 눈의 수가 6 이하일 확률
④ 서로 다른 2개의 주사위를 동시에 던질 때, 두 눈의 수의 합이 3일 확률
⑤ 서로 다른 2개의 동전을 동시에 던질 때, 2개 모두 앞면이 나올 확률

어떤 사건이 일어나지 않을 확률

개념북 219쪽

10 ●○○

3개의 불량품이 섞여 있는 10개의 물건 중에서 1개를 꺼낼 때, 합격품이 나올 확률을 구하시오.

11 ●●○

서로 다른 2개의 주사위를 동시에 던질 때, 나온 눈의 수의 합이 5가 아닐 확률을 구하시오.

12 ●●○

오른쪽 그림과 같이 각 면에 1부터 12까지의 수가 각각 적힌 정십이면체 모양의 주사위가 있다. 이 주사위를 두 번 던져 바닥에 닿은 면의 수를 읽을 때, 두 수의 합이 18이 아닐 확률을 구하시오.

13 ●●●

두 개의 주사위 A, B를 동시에 던져 나오는 눈의 수를 각각 a, b라 할 때, 직선 $y=ax+b$가 점 $(2,\ 3)$을 지나지 않을 확률은?

① $\dfrac{1}{6}$ ② $\dfrac{1}{3}$ ③ $\dfrac{1}{5}$
④ $\dfrac{1}{36}$ ⑤ $\dfrac{35}{36}$

'적어도 하나는 ~일' 확률

개념북 219쪽

14 ●●○

한 개의 주사위를 두 번 던질 때, 다음을 구하시오.

(1) 적어도 한 번은 짝수의 눈이 나올 확률

(2) 적어도 한 번은 6의 약수의 눈이 나올 확률

15 ●●○

남학생 4명, 여학생 3명 중에서 2명의 총무를 뽑을 때, 적어도 한 명은 여학생이 뽑힐 확률을 구하시오.

16 ●●○

서로 다른 세 개의 동전을 동시에 던질 때, 적어도 한 개는 앞면이 나올 확률을 구하시오.

17 ●●○

치료율이 70 %인 약으로 세 명의 환자를 치료할 때, 적어도 한 명이 치료될 확률을 구하시오.

확률의 덧셈 (1)

개념북 221쪽

18 ●○○

빨간 구슬, 파란 구슬, 노란 구슬이 들어 있는 주머니에서 한 개의 구슬을 꺼낼 때, 빨간 구슬이 나올 확률은 $\frac{2}{5}$, 파란 구슬이 나올 확률은 $\frac{9}{20}$, 노란 구슬이 나올 확률은 $\frac{3}{20}$이다. 이 주머니에서 한 개의 구슬을 꺼낼 때, 빨간 구슬 또는 노란 구슬이 나올 확률을 구하시오.

19 ●●○

오른쪽 그래프는 어느 반 학생 36명을 대상으로 사물함에 대한 만족도를 조사하여 나타낸 것이다. 설문에 답한 학생 중 한 명을 선택했을 때, 그 학생이 만족 또는 보통이라고 응답했을 확률을 구하시오.

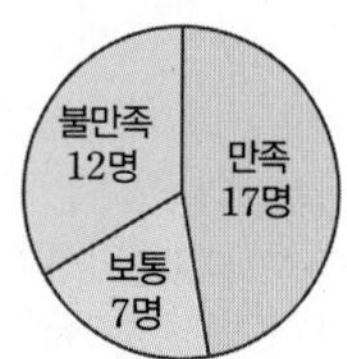

20 ●●○

서로 다른 2개의 주사위를 동시에 던질 때, 나온 눈의 수의 합이 5의 배수가 될 확률을 구하시오.

21 ●●○

0, 1, 2, 3, 4의 숫자가 각각 적힌 5장의 카드 중에서 2장의 카드를 뽑아 두 자리의 자연수를 만들 때, 20보다 작거나 34 이상일 확률을 구하시오.

확률의 덧셈 (2)

개념북 221쪽

22 ●●○

한 개의 주사위를 2번 던져 처음에 나온 눈의 수를 x, 나중에 나온 눈의 수를 y라 할 때, xy의 값이 12의 배수일 확률을 구하시오.

23 ●●○

두 개의 주사위 A, B를 동시에 던져서 나온 눈의 수를 각각 a, b라 할 때, 방정식 $ax-b=1$의 해가 2 또는 5일 확률을 구하시오.

24 ●●●

두 개의 주사위 A, B를 동시에 던져서 나온 눈의 수를 각각 a, b라 할 때, $a+b$가 3의 배수가 될 확률을 구하시오.

확률의 곱셈

개념북 223쪽

25 ●○○

서술형 수학 문제를 용화가 맞힐 확률은 $\frac{2}{3}$, 정신이가 맞힐 확률은 $\frac{1}{4}$일 때, 두 사람 모두 문제를 맞힐 확률을 구하시오.

26 ●○○

오른쪽 그림과 같이 주머니 A에는 빨간 구슬 3개와 파란 구슬 4개가 들어 있고, 주머니 B에는 빨간 구슬 2개와 파란 구슬 5개가 들어 있다. 주머니 A와 주머니 B에서 구슬을 각각 한 개씩 꺼낼 때, 주머니 A에서 빨간 구슬이 나오고 주머니 B에서 파란 구슬이 나올 확률을 구하시오.

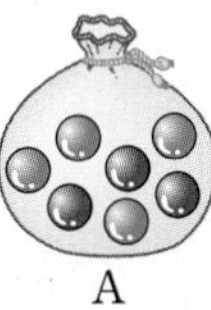

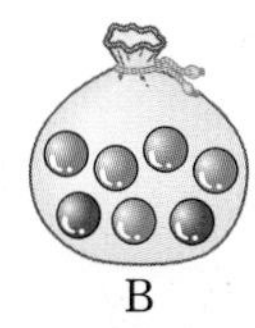

27 ●●○

서로 다른 2개의 주사위를 동시에 던질 때, 나온 눈의 수의 곱이 홀수일 확률을 구하시오.

28 ●●○

남학생과 여학생의 비율이 각각 2 : 3, 2 : 1인 A, B 두 반에서 임의로 학생을 한 명씩 뽑을 때, 두 반 모두 남학생이 뽑힐 확률을 구하시오.

'적어도'가 포함된 확률의 곱셈

개념북 223쪽

29 ●●○

선이가 약속 시간에 늦을 확률은 $\frac{2}{7}$, 지이가 약속 시간에 늦을 확률은 $\frac{3}{8}$이다. 2명 중 적어도 한 명은 약속 시간에 늦을 확률을 구하시오.

30 ●●○

오늘 비가 올 확률은 30 %, 내일 비가 올 확률은 40 %일 때, 다음을 구하시오.

(1) 이틀 중 적어도 하루는 비가 오지 않을 확률

(2) 이틀 중 적어도 하루는 비가 올 확률

31 ●●○

세 학생 A, B, C가 어느 시험에 합격할 확률이 각각 $\frac{2}{3}$, $\frac{3}{5}$, $\frac{1}{2}$일 때, 적어도 한 명은 합격할 확률을 구하시오.

확률의 덧셈과 곱셈의 활용

개념북 224쪽

32 ●●○

A 주머니에는 흰 공 4개, 파란 공 2개가 들어 있고, B 주머니에는 흰 공 4개, 파란 공 4개가 들어 있다. A 주머니와 B 주머니에서 공을 각각 한 개씩 꺼낼 때, 서로 다른 색의 공을 꺼낼 확률을 구하시오.

33 ●●○

어떤 시험에서 민희가 합격할 확률은 $\frac{3}{4}$, 윤희가 합격할 확률은 $\frac{4}{5}$이다. 민희와 윤희 중 한 명만 합격할 확률을 구하시오.

34 ●●○

석민이가 학교에 지각할 확률이 $\frac{1}{4}$일 때, 3일 동안 하루만 지각할 확률을 구하시오.

35 ●●●

진수는 매일 버스 또는 지하철을 이용하여 등교한다. 어느 날 진수가 버스를 탔다면 그 다음날 버스를 탈 확률은 $\frac{2}{3}$이고, 지하철을 탔다면 그 다음날 버스를 탈 확률은 $\frac{3}{4}$이라고 한다. 진수가 이번 주 월요일에 지하철로 등교하였다면 이틀 후인 수요일에 버스를 타고 등교할 확률을 구하시오.

뽑은 것을 다시 넣고 뽑는 경우의 확률 개념북 226쪽

36 ●○○

1, 2, 3, 4의 숫자가 각각 적힌 4장의 카드 중에서 한 장을 뽑아 확인하고 다시 넣은 후 다시 한 장을 뽑을 때, 두 수가 모두 소수일 확률을 구하시오.

37 ●●○

모양과 크기가 같은 빨간 공 3개, 흰 공 2개가 들어 있는 주머니에서 공을 한 개씩 연속하여 두 번 꺼낼 때, 적어도 한 개가 흰 공일 확률을 구하시오.

(단, 꺼낸 공은 다시 넣는다.)

38 ●●○

주머니에 P, Q, R, S가 각각 적힌 네 장의 카드가 들어 있다. 이 중에서 한 장의 카드를 연속하여 세 번 뽑을 때, 모두 같은 문자가 적힌 카드를 뽑을 확률을 구하시오. (단, 뽑은 카드는 다시 넣는다.)

뽑은 것을 다시 넣지 않고 뽑는 경우의 확률 개념북 226쪽

39 ●●○

1에서 6까지의 자연수가 각각 적힌 6장의 카드가 있다. 먼저 무진이가 한 장의 카드를 뽑아 손에 쥐고, 다음에 연아가 한 장의 카드를 뽑을 때, 무진이는 2의 배수가 적힌 카드를, 연아는 5의 배수가 적힌 카드를 뽑을 확률을 구하시오.

40 ●●○

28개의 제비 중 4개의 당첨 제비가 들어 있는 상자에서 2개의 제비를 연속하여 뽑을 때, 2개 모두 당첨 제비일 확률을 구하시오.

(단, 뽑은 제비는 다시 넣지 않는다.)

41 ●●○

10개의 제품 중에 3개의 불량품이 섞여 있다. 이 중에서 3개의 제품을 연속하여 꺼낼 때, 적어도 한 개가 불량품일 확률을 구하시오.

(단, 꺼낸 제품은 다시 넣지 않는다.)

42 ●●●

4개의 당첨 제비를 포함한 6개의 제비가 들어 있는 상자에서 A, B, C가 차례로 1개씩 제비를 뽑을 때, 2명만 당첨되고 1명은 당첨되지 않을 확률을 구하시오.

(단, 뽑은 제비는 다시 넣지 않는다.)

도형에서의 확률

개념북 228쪽

43 ●○○

오른쪽 그림과 같이 9개의 정사각형으로 이루어진 과녁에 화살을 쏠 때, 색칠한 부분을 맞힐 확률을 구하시오. (단, 화살이 과녁을 벗어나거나 경계선을 맞히는 경우는 없다.)

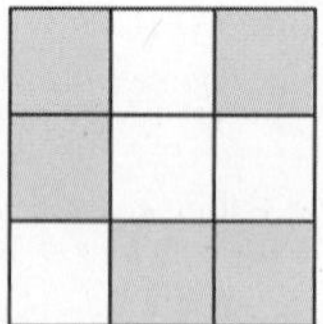

44 ●●○

오른쪽 그림과 같이 10등분된 원판의 한 부분에 색을 칠할 때, 3의 배수 또는 8의 배수가 적힌 부분에 색을 칠할 확률을 구하시오.

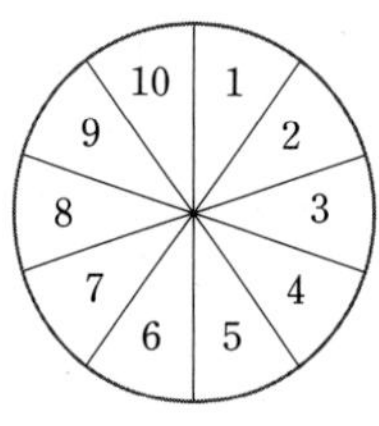

45 ●●○

오른쪽 그림과 같이 8등분된 원판에 1에서 8까지의 자연수가 각각 적혀 있다. A, B 두 사람이 원판을 각각 돌렸을 때, 화살표가 A는 홀수, B는 짝수를 가리킬 확률을 구하시오.

(단, 화살표가 경계선을 가리키는 경우는 없다.)

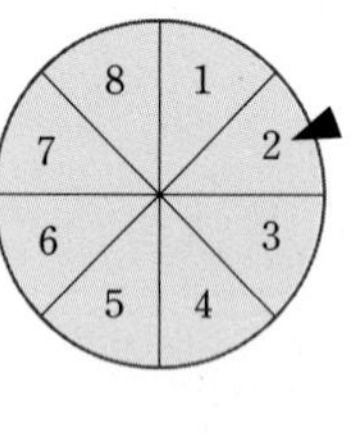

여러 가지 확률

개념북 228쪽

46 ●●○

다음 그림과 같이 점 P가 수직선의 원점 위에 있다. 동전 한 개를 던져 앞면이 나오면 오른쪽으로 2만큼, 뒷면이 나오면 왼쪽으로 1만큼 점 P를 움직이기로 할 때, 동전을 두 번 던져 점 P가 1의 위치에 있을 확률을 구하시오.

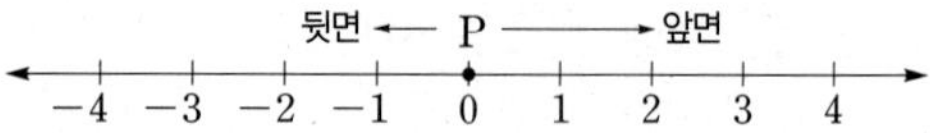

47 ●●○

윤아는 계단 중간 부분에서 주사위를 던져 짝수의 눈이 나오면 그 수만큼 내려가고, 홀수의 눈이 나오면 그 수만큼 올라간다고 할 때, 한 개의 주사위를 두 번 던져 처음 위치보다 한 계단 올라갈 확률을 구하시오.

48 ●●●

오른쪽 그림과 같이 원주를 6등분 하는 점 A, B, C, D, E, F가 있다. 이들 중 네 점을 이어 사각형을 만들 때, 그 사각형이 직사각형이 될 확률을 구하시오.

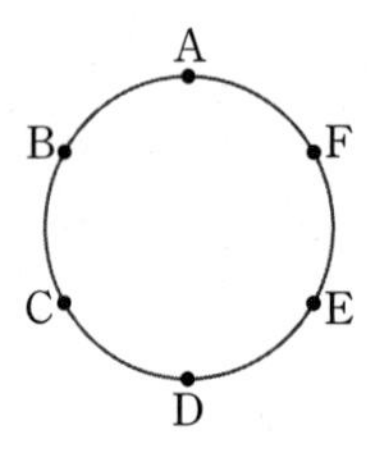

49 ●●●

오른쪽 그림과 같이 이웃하고 있는 점 사이의 거리가 모두 같은 6개의 점이 있다. 이들 점을 이어 삼각형을 만들 때, 정삼각형이 될 확률을 구하시오.

개념완성익힘

1

모양과 크기가 같은 흰 공 6개와 검은 공 5개가 들어 있는 주머니에서 한 개의 공을 꺼낼 때, 다음 중 옳은 것은?

① 흰 공이 나올 확률은 $\frac{5}{11}$이다.
② 파란 공이 나올 확률은 1이다.
③ 검은 공이 나올 확률은 0이다.
④ 흰 공 또는 검은 공이 나올 확률은 1이다.
⑤ 흰 공이 나올 확률은 검은 공이 나올 확률과 같다.

2

A, B, C, D, E 5명의 학생 중에서 당번 2명을 정할 때, A와 B가 당번이 될 확률을 구하시오.

3

윤주가 가족들과 모여서 윷놀이를 하려고 한다. 윤주가 서로 다른 윷가락 4개를 동시에 던질 때, 걸이나 윷이 나올 확률을 구하시오.

(단, 등과 배가 나올 확률은 같다.)

4 실력UP

연재와 미란이가 가위바위보를 할 때, 세 번 이내에 승부가 날 확률을 구하시오.

5

0, 1, 2, 3, 4의 숫자가 각각 적힌 5장의 카드 중에서 3장을 뽑아 세 자리의 자연수를 만들 때, 그 수가 210 이상일 확률을 구하시오.

6

5개의 ○, × 퀴즈 문제를 무심코 답할 때, 적어도 1문제 이상 맞힐 확률을 구하시오.

7

두 개의 주사위를 동시에 던질 때, 나오는 눈의 수의 차가 5이거나 눈의 수의 곱이 5일 확률을 구하시오.

7 1, 2, 3, 4, 5의 숫자가 각각 적힌 5장의 카드 중에서 2장을 뽑아 두 자리의 자연수를 만들 때, 짝수가 될 확률을 구하시오.

8 부모님을 포함한 5명의 가족이 일렬로 줄을 설 때, 부모님이 양 끝에 서게 될 확률은?

① $\frac{1}{10}$　② $\frac{1}{8}$　③ $\frac{1}{5}$
④ $\frac{3}{10}$　⑤ $\frac{2}{3}$

9 2, 4, 6, 8, 10, 12가 각각 적힌 6장의 카드 중에서 한 장을 뽑아 그 카드에 적힌 수를 x라 할 때, 분수 $\frac{1}{x}$이 유한소수로 나타내어질 확률은?

① $\frac{1}{6}$　② $\frac{1}{3}$　③ $\frac{1}{2}$
④ $\frac{2}{3}$　⑤ $\frac{5}{6}$

10 어느 판매장에 진열되어 있는 8개의 제품 가운데 2개의 제품에 경품권이 들어 있다고 한다. A, B 두 사람이 차례로 이 제품을 한 개씩 샀을 때, 이들 중 적어도 한 사람이 경품권을 받을 확률을 구하시오.

11 A, B 두 개의 주사위를 동시에 던져 A 주사위에서 나온 눈의 수를 x, B 주사위에서 나온 눈의 수를 y라 할 때, $2x+y<6$일 확률을 구하시오.

12 다음 그림과 같은 과녁에 화살을 쏠 때, 색칠한 부분을 맞힐 확률이 가장 큰 것은? (단, 한 과녁에 대하여 각 부분의 넓이는 모두 같고, 화살이 과녁을 벗어나거나 경계선을 맞히는 경우는 없다.)

① 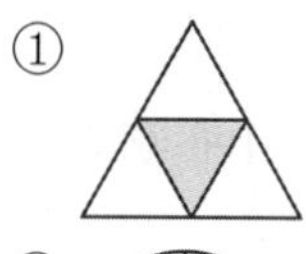　② 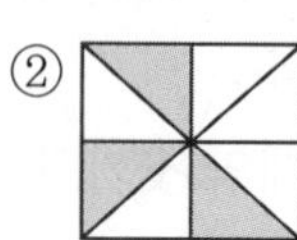　③ 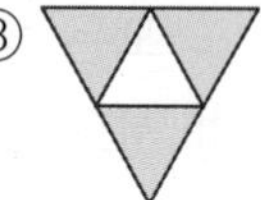
④　⑤

서술형

13 A 주머니에는 흰 공 2개, 검은 공 4개가 들어 있고, B 주머니에는 흰 공 3개, 검은 공 2개가 들어 있다. A, B 두 주머니에서 각각 1개의 공을 꺼낼 때, 두 공의 색깔이 서로 다를 확률을 구하기 위한 풀이 과정을 쓰고 답을 구하시오.

수학은 개념이다!

디딤돌수학

개념기본

중 2 / 2 정답과 풀이

'아! 이걸 묻는거구나' 출제의 의도를
단박에 알게해주는 정답과 풀이

디딤돌

수학은 개념이다!

디딤돌수학

개념기본

중 2 / 2

개념북 정답과 풀이

'아! 이걸 묻는거구나' 출제의 의도를 단박에 알게해주는 정답과 풀이

디딤돌

I 삼각형의 성질

1 이등변삼각형과 직각삼각형

개념 확인 1 이등변삼각형의 성질 (1) 개념북 10쪽

1 $\overline{AC}$, 이등변삼각형, $\angle A$, $\angle B$, $\angle C$

2 (1) 60° (2) 70° (3) 40°

2 (1) $\overline{AB}=\overline{AC}$이므로

$\angle x=\frac{1}{2}\times(180^\circ-60^\circ)=60^\circ$

(2) $\overline{AB}=\overline{AC}$이므로

$\angle B=\angle C=55^\circ$

$\therefore \angle x=180^\circ-2\times55^\circ=70^\circ$

(3) $\overline{AB}=\overline{AC}$이므로

$\angle ABC=\angle ACB$

$=180^\circ-110^\circ=70^\circ$

$\therefore \angle x=180^\circ-2\times70^\circ=40^\circ$

이등변삼각형의 성질 (1) 개념북 11쪽

1 15° **1-1** 90°

1 $\triangle BCD$는 $\overline{BC}=\overline{BD}$인 이등변삼각형이므로

$\angle BDC=\angle BCD=65^\circ$

$\therefore \angle CBD=180^\circ-2\times65^\circ=50^\circ$

$\triangle ABC$는 $\overline{AB}=\overline{AC}$인 이등변삼각형이므로

$\angle ABC=\angle ACB=65^\circ$

$\therefore \angle x=\angle ABC-\angle CBD$

$=65^\circ-50^\circ=15^\circ$

1-1 $\angle DAC=\frac{1}{2}\times(180^\circ-90^\circ)=45^\circ$

$\overline{AD}/\!/\overline{BC}$이므로

$\angle ACB=\angle DAC=45^\circ$(엇각)

$\therefore \angle BAC=180^\circ-2\times45^\circ=90^\circ$

외각의 성질을 이용하여 각의 크기 구하기 개념북 11쪽

2 90° **2-1** ②

2 $\triangle DBC$에서 $\overline{DB}=\overline{DC}$이므로

$\angle DCB=\angle DBC=30^\circ$

$\therefore \angle ADC=\angle DBC+\angle DCB=30^\circ+30^\circ=60^\circ$

$\triangle CAD$에서 $\overline{CD}=\overline{CA}$이므로

$\angle CAD=\angle ADC=60^\circ$

따라서 $\triangle ABC$에서

$\angle x=\angle ABC+\angle BAC=30^\circ+60^\circ=90^\circ$

2-1 $\angle B=\angle x$라 하면

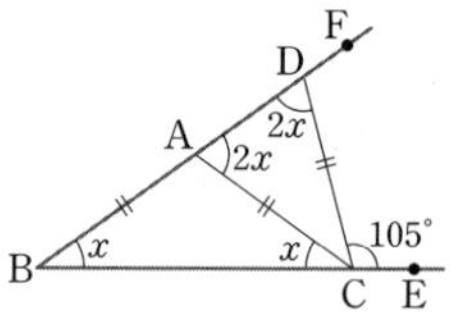

$\triangle ABC$에서 $\overline{AB}=\overline{AC}$이므로

$\angle ACB=\angle B=\angle x$

$\therefore \angle DAC$

$=\angle ABC+\angle ACB=\angle x+\angle x=2\angle x$

$\triangle CDA$에서 $\overline{AC}=\overline{DC}$이므로

$\angle CDA=\angle CAD=2\angle x$

$\triangle DBC$에서

$\angle DCE=\angle DBC+\angle BDC=\angle x+2\angle x=3\angle x$

이므로

$3\angle x=105^\circ$ $\therefore \angle x=35^\circ$

개념 확인 2 이등변삼각형의 성질 (2) 개념북 12쪽

1 (1) $\overline{CD}$ (2) $\perp$ **2** (1) 10 (2) 7

3 $x=3$, $y=55$

2 (1) $\overline{BC}=2\overline{CD}=2\times5=10(\text{cm})$ $\therefore x=10$

(2) $\overline{CD}=\frac{1}{2}\overline{BC}=\frac{1}{2}\times14=7(\text{cm})$ $\therefore x=7$

3 $\overline{BD}=\overline{CD}=3\text{ cm}$ $\therefore x=3$

$\angle BAC=2\times35^\circ=70^\circ$이므로

$\angle ACB=\frac{1}{2}\times(180^\circ-70^\circ)=55^\circ$ $\therefore y=55$

[다른 풀이]

$\overline{AD}\perp\overline{BC}$이므로 $\angle ADB=90^\circ$

$\triangle ADC$에서 $\angle ACD=90^\circ-35^\circ=55^\circ$

$\therefore y=55$

이등변삼각형의 성질 (2) 개념북 13쪽

1 ①, ④ **1-1** ②

1 이등변삼각형에서 꼭지각의 이등분선은 밑변을 수직이등분하므로 $\overline{AD}$가 ∠A의 이등분선이면 $\overline{BD}=\overline{CD}$, $\overline{AD}\perp\overline{BC}$이다.

1-1 이등변삼각형의 꼭지각의 이등분선은 밑변을 수직이등분하므로 $\angle ADB=\angle ADC=90°$
$\angle ACD=\angle ABD=65°$이므로
$\triangle ADC$에서 $\angle CAD=180°-(90°+65°)=25°$

이등변삼각형의 성질 (2)의 활용 개념북 13쪽

2 $\overline{CD}$, ∠PDC, $\overline{PD}$, SAS **2-1** ③

2-1 △ABC가 이등변삼각형이고 $\overline{AD}$가 ∠A의 이등분선이므로 $\overline{BD}=\overline{CD}$, $\overline{AD}\perp\overline{BC}$
△PBD와 △PCD에서 $\overline{BD}=\overline{CD}$,
$\angle PDB=\angle PDC=90°$, $\overline{PD}$는 공통이므로
△PBD≡△PCD(SAS 합동)
∴ ∠PBD=∠PCD

3 이등변삼각형이 되는 조건 개념북 14쪽

1 (1) $\overline{AC}$ (2) $\overline{BC}$ **2** (1) 5 (2) 7
3 $x=45$, $y=6$

1 (1) $\angle C=180°-(56°+62°)=62°$
따라서 △ABC는 $\overline{AB}=\overline{AC}$인 이등변삼각형이다.
(2) $\angle ACB=180°-110°=70°$이고
$\angle A=180°-(40°+70°)=70°$
따라서 △ABC는 $\overline{AB}=\overline{BC}$인 이등변삼각형이다.

2 (1) ∠B=∠C이므로 $\overline{AB}=\overline{AC}=5$ cm ∴ $x=5$
(2) $\angle B=180°-(50°+65°)=65°$이므로 ∠B=∠C
따라서 $\overline{AB}=\overline{AC}=7$ cm이므로 $x=7$

3 $\overline{AB}=\overline{BC}$이므로
$\angle C=\angle A=\frac{1}{2}\times(180°-90°)=45°$
∴ $x=45$
$\angle DBA=\angle A=45°$이므로 △ABD는 $\overline{AD}=\overline{BD}$인 직각이등변삼각형이다.
따라서 $\overline{AD}=\overline{BD}=6$ cm이므로 $y=6$

이등변삼각형이 되는 조건을 이용하여 변의 길이 구하기 개념북 15쪽

1 10 cm **1-1** 18 cm

1 △ABC에서 ∠CAD=∠ABC+∠ACB이므로
$80°=40°+\angle ACB$ ∴ $\angle ACB=40°$
∴ $\overline{AC}=\overline{AB}=10$ cm
△DBC에서 ∠DCE=∠DBC+∠BDC이므로
$120°=40°+\angle BDC$ ∴ $\angle BDC=80°$
∴ $\overline{CD}=\overline{CA}=10$ cm

1-1 △ABC에서
$\angle A=180°-(30°+90°)$
$=60°$
$\overline{DA}=\overline{DC}$이므로
$\angle DCA=\angle A=60°$
∴ $\angle ADC=180°-(60°+60°)=60°$
따라서 △ADC는 정삼각형이므로
$\overline{AD}=\overline{DC}=\overline{AC}=9$ cm
이때 $\angle DCB=90°-60°=30°$이므로
$\overline{DB}=\overline{DC}=9$ cm
∴ $\overline{AB}=\overline{AD}+\overline{DB}=9+9=18$(cm)

폭이 일정한 종이 접기 개념북 15쪽

2 ④ **2-1** 5 cm

2 $\overline{AD}/\!/\overline{BC}$이므로 ∠AEF=∠GFE(엇각),
∠GEF=∠AEF(접은 각)
따라서 ∠GEF=∠GFE이므로 △GEF는 $\overline{GE}=\overline{GF}$인 이등변삼각형이다.

2-1 ∠ABC=∠CBD(접은 각),
∠ACB=∠CBD(엇각)이므로
∠ABC=∠ACB
따라서 △ABC는 $\overline{AB}=\overline{AC}$인 이등변삼각형이므로
$\overline{AC}=\overline{AB}=5$ cm

4 직각삼각형의 합동 조건 개념북 16쪽

1 (1) △ABC≡△EFD, RHA 합동 (2) 5 cm
2 (1) △ABC≡△EFD, RHS 합동 (2) 4 cm

1 (1) $\angle B=\angle F=90^\circ$, $\overline{AC}=\overline{ED}$, $\angle A=\angle E=30^\circ$

$\therefore$ $\triangle ABC\equiv\triangle EFD$(RHA 합동)

(2) 합동인 두 삼각형에서 대응하는 변의 길이가 같으므로

$\overline{BC}=\overline{FD}=5$ cm

2 (1) $\angle B=\angle F=90^\circ$, $\overline{AC}=\overline{ED}$, $\overline{AB}=\overline{EF}$

$\therefore$ $\triangle ABC\equiv\triangle EFD$(RHS 합동)

(2) 합동인 두 삼각형에서 대응하는 변의 길이가 같으므로

$\overline{DF}=\overline{CB}=4$ cm

직각삼각형의 합동 조건의 이해

개념북 17쪽

1 ⑤ 1-1 ③

1 $\triangle ABC$와 $\triangle DEF$에서 $\angle C=\angle F=90^\circ$이므로

① $\overline{AB}=\overline{DE}$, $\overline{AC}=\overline{DF}$이면 RHS 합동

② $\overline{BC}=\overline{EF}$, $\overline{AC}=\overline{DF}$이면 SAS 합동

③ $\overline{AB}=\overline{DE}$, $\angle A=\angle D$이면 RHA 합동

④ $\overline{BC}=\overline{EF}$, $\angle B=\angle E$이면 ASA 합동

⑤ 두 삼각형의 세 내각의 크기가 각각 같으면 모양은 같지만 크기가 다를 수 있으므로 합동이 아니다.

1-1 ① RHS 합동

② ASA 합동

④ RHA 합동

⑤ ASA 합동

합동인 직각삼각형 찾기

개념북 17쪽

2 ㄴ 2-1 ⑤

2 ㄴ. 빗변의 길이가 같고 한 예각의 크기가 같으므로 RHA 합동이다.

따라서 주어진 삼각형과 합동인 삼각형은 ㄴ이다.

2-1 ⑤ 직각삼각형의 빗변의 길이와 다른 한 변의 길이가 각각 같으므로 RHS 합동이다.

개념 확인 5 직각삼각형의 합동 조건의 활용 개념북 18쪽

1 90°, $\overline{BC}$, $\angle CBE$, RHA 2 ②

2 $\triangle DBC$와 $\triangle DBE$에서 $\angle BCD=\angle BED=90^\circ$,

$\overline{BD}$는 공통, $\overline{BC}=\overline{BE}$이므로

$\triangle DBC\equiv\triangle DBE$(RHS 합동)

$\therefore$ $\overline{DC}=\overline{DE}$, $\angle BDC=\angle BDE$, $\angle DBC=\angle DBE$

RHA 합동의 활용

개념북 19쪽

1 13 cm 1-1 50 cm^2 1-2 9 cm

1 $\triangle ADB$와 $\triangle CEA$에서 $\angle ADB=\angle CEA=90^\circ$,

$\overline{AB}=\overline{CA}$, $\angle DAB=90^\circ-\angle CAE=\angle ECA$

따라서 $\triangle ADB\equiv\triangle CEA$(RHA 합동)이므로

$\overline{DE}=\overline{DA}+\overline{AE}=\overline{EC}+\overline{BD}=5+8=13$(cm)

1-1 $\triangle ACD$와 $\triangle BEC$에서

$\angle CAD=\angle EBC=90^\circ$, $\overline{CD}=\overline{EC}$

$\angle ACD=90^\circ-\angle BCE=\angle BEC$

따라서 $\triangle ACD\equiv\triangle BEC$(RHA 합동)이므로

$\overline{AB}=\overline{AC}+\overline{CB}=\overline{BE}+\overline{DA}=4+6=10$(cm)

$\therefore$ (사각형 ABED의 넓이)$=\frac{1}{2}\times(6+4)\times10$

$=50(cm^2)$

1-2 $\triangle ABC$에서 $\overline{AB}=\overline{BC}$이므로 $\angle B=\angle C$

$\triangle BEC$와 $\triangle CDB$에서

$\angle B=\angle C$, $\angle E=\angle D=90^\circ$, $\overline{BC}$는 공통이므로

$\triangle BEC\equiv\triangle CDB$(RHA 합동)

$\therefore$ $\overline{BE}=\overline{CD}=17-8=9$(cm)

RHS 합동의 활용

개념북 19쪽

2 22.5° 2-1 70° 2-2 29°

2 $\triangle ABC$에서 $\overline{AC}=\overline{BC}$이므로

$\angle ABC=\frac{1}{2}\times(180^\circ-90^\circ)=45^\circ$

$\triangle BDE$와 $\triangle BCE$에서 $\angle BDE=\angle BCE=90^\circ$,

$\overline{BE}$는 공통, $\overline{DE}=\overline{CE}$이므로

$\triangle BDE\equiv\triangle BCE$(RHS 합동)

$\therefore$ $\angle DBE=\angle CBE=\frac{1}{2}\angle ABC$

$=\frac{1}{2}\times45^\circ=22.5^\circ$

2-1 $\angle ABC=180^\circ-(50^\circ+90^\circ)=40^\circ$

$\triangle BDE$와 $\triangle BCE$에서 $\angle BDE=\angle BCE=90^\circ$,

$\overline{BE}$는 공통, $\overline{BD}=\overline{BC}$이므로

$\triangle BDE \equiv \triangle BCE$(RHS 합동)

즉, $\angle EBC = \angle EBD = \frac{1}{2}\angle ABC = \frac{1}{2}\times 40^\circ = 20^\circ$

$\triangle EBC$에서 $\angle BEC = 180^\circ - (20^\circ + 90^\circ) = 70^\circ$

2-2 $\triangle BDM$과 $\triangle CEM$에서

$\overline{BM}=\overline{CM}$, $\overline{MD}=\overline{ME}$, $\angle BDM = \angle CEM = 90^\circ$

$\therefore \triangle BDM \equiv \triangle CEM$(RHS 합동)

따라서

$\angle ABM = \angle ACM = \frac{1}{2}\times(180^\circ - 58^\circ) = 61^\circ$

이므로

$\angle BMD = 180^\circ - (90^\circ + 61^\circ) = 29^\circ$

각의 이등분선의 성질의 이해 개념북 20쪽

3 (가) 90° (나) $\overline{OP}$ (다) $\angle DOP$ (라) RHA (마) $\overline{PD}$

3-1 ③

3-1 $\triangle QOP$와 $\triangle ROP$에서

$\angle PQO = \angle PRO = 90^\circ$, $\overline{OP}$는 공통, $\overline{PQ}=\overline{PR}$이므로

$\triangle QOP \equiv \triangle ROP$(RHS 합동)

$\therefore \overline{OQ}=\overline{OR}$, $\angle QOP = \angle ROP$, $\angle QPO = \angle RPO$

각의 이등분선의 성질의 활용 개념북 21쪽

4 40 cm^2

4-1 4 cm **4-2** $\frac{32}{5}$ cm **4-3** 30°

4 오른쪽 그림과 같이 점 D에서 $\overline{AB}$에 내린 수선의 발을 E라 하자.

$\triangle AED$와 $\triangle ACD$에서

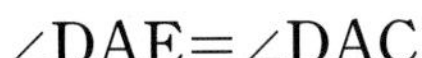
$\angle DAE = \angle DAC$,

$\angle DEA = \angle DCA = 90^\circ$,

$\overline{AD}$는 공통이므로

$\triangle AED \equiv \triangle ACD$(RHA 합동)

$\therefore \overline{DE}=\overline{DC}=5$ cm

$\therefore \triangle ABD = \frac{1}{2}\times 16\times 5 = 40(\text{cm}^2)$

4-1 $\overline{AC}=\overline{BC}$이므로 $\angle ABC = \angle BAC = 45^\circ$

$\triangle EBD$에서

$\angle EDB = 180^\circ - (90^\circ + 45^\circ) = 45^\circ$이므로

$\triangle EBD$는 $\overline{BE}=\overline{DE}$인 직각이등변삼각형이다.

이때 $\triangle AED \equiv \triangle ACD$(RHA 합동)이므로

$\overline{BE}=\overline{DE}=\overline{DC}=4$ cm

4-2 오른쪽 그림과 같이 점 D에서 $\overline{AB}$에 내린 수선의 발을 E라 하면

$\triangle ABD = \frac{1}{2}\times 20\times \overline{ED} = 64$

$\therefore \overline{ED} = \frac{32}{5}$ cm

이때 $\triangle AED \equiv \triangle ACD$(RHA 합동)이므로

$\overline{CD}=\overline{ED}=\frac{32}{5}$ cm

4-3 $\triangle DAM \equiv \triangle DBM$(SAS 합동),

$\triangle DAM \equiv \triangle DAC$(RHA 합동)이므로

$\triangle DAM \equiv \triangle DBM \equiv \triangle DAC$

$\therefore \angle B = \angle DAM = \angle DAC$

이때 $\angle B + \angle DAM + \angle DAC = 90^\circ$이므로

$3\angle B = 90^\circ$

$\therefore \angle B = \frac{1}{3}\times 90^\circ = 30^\circ$

개념 완성 **기본 문제** 개념북 22~23쪽

1 (1) 54° (2) 44°	**2** 105°	**3** 45°	
4 ③	**5** 46°	**6** 20°	**7** 4 cm
8 57	**9** 4 cm	**10** 4 cm	**11** 4 cm
12 48°			

1 (1) $\overline{AB}=\overline{AC}$이므로

$\angle x = \frac{1}{2}\times(180^\circ - 72^\circ) = 54^\circ$

(2) $\angle ACB = 180^\circ - 112^\circ = 68^\circ$

$\overline{AB}=\overline{AC}$이므로 $\angle x = 180^\circ - 2\times 68^\circ = 44^\circ$

2 $\overline{AB}=\overline{AC}$이므로 $\angle ABC = \frac{1}{2}\times(180^\circ - 80^\circ) = 50^\circ$

$\therefore \angle ABD = \frac{1}{2}\times 50^\circ = 25^\circ$

$\triangle ABD$에서 $\angle BDC = 80^\circ + 25^\circ = 105^\circ$

3 $\triangle$ABC는 이등변삼각형이므로 $\angle B=\angle C$

이때 $\angle A : \angle B=2:3$이므로 $\angle B=\frac{3}{2}\angle A$

$\angle A+\angle B+\angle C=\angle A+\frac{3}{2}\angle A+\frac{3}{2}\angle A=180°$

$4\angle A=180°$ $\quad\therefore \angle A=45°$

[다른 풀이]

$\triangle$ABC는 이등변삼각형이므로 $\angle B=\angle C$

이때 $\angle A:\angle B=2:3$이므로

$\angle A:\angle B:\angle C=2:3:3$

$\therefore \angle A=180°\times\frac{2}{2+3+3}=45°$

4 두 직선 l과 m이 서로 평행하므로 $\angle ABC=70°$

$\triangle$ABC는 $\overline{AB}=\overline{AC}$인 이등변삼각형이므로

$\angle ACB=\angle ABC=70°$

정삼각형의 한 내각의 크기는 60°이므로 $\angle ECD=60°$

$\therefore \angle x=180°-\angle ACB-\angle ECD$

$=180°-70°-60°=50°$

5 $\angle DCE=\angle x$(접은 각)이므로 $\angle ACB=\angle x+21°$

$\overline{AB}=\overline{AC}$이므로 $\angle B=\angle ACB=\angle x+21°$

삼각형의 세 내각의 크기의 합은 180°이므로 $\triangle$ABC에서

$\angle x+(\angle x+21°)+(\angle x+21°)=180°$

$3\angle x=138°$ $\quad\therefore \angle x=46°$

6 $\triangle$EAD에서 $\overline{EA}=\overline{ED}$이므로

A, E, C, F, D, B, $2x$, $2x$, $80°$, $3x$, $3x$, x, x

$\angle EDA=\angle EAD=\angle x$

$\therefore \angle CED=\angle EAD+\angle EDA$

$=\angle x+\angle x=2\angle x$

$\triangle$DCE에서 $\overline{DE}=\overline{DC}$이므로

$\angle DCE=\angle DEC=2\angle x$

$\triangle$ADC에서

$\angle CDB=\angle CAD+\angle ACD=\angle x+2\angle x=3\angle x$

$\triangle$CDB에서 $\overline{CD}=\overline{CB}$이므로

$\angle CBD=\angle CDB=3\angle x$

$\triangle$ABC에서 $\angle FCB=\angle CAB+\angle CBA=80°$이므로

$\angle x+3\angle x=80°$, $4\angle x=80°$ $\quad\therefore \angle x=20°$

7 $\triangle$PBD와 $\triangle$PCD에서

A, P, B, C, D, 45°, 45°, 8 cm

$\overline{BD}=\overline{CD}$, $\overline{PD}$는 공통,

$\angle PDB=\angle PDC=90°$이므로

$\triangle PBD\equiv\triangle PCD$(SAS 합동)

따라서 $\overline{PB}=\overline{PC}$이고,

$\angle BPC=90°$이므로

$\angle PBC=\angle PCB=45°$

$\therefore \angle BPD=180°-(90°+45°)=45°$

$\therefore \overline{PD}=\overline{BD}=\overline{CD}=\frac{1}{2}\overline{BC}=4$(cm)

8 $\triangle$ABC는 이등변삼각형이므로

$\angle A=\frac{1}{2}\times(180°-90°)=45°$

$\triangle$ABD에서 $\angle ABD=180°-(90°+45°)=45°$

$\therefore x=45$

$\angle A=\angle ABD=45°$이므로 $\triangle$ABD는 $\overline{AD}=\overline{BD}$인 이등변삼각형이다.

또, $\angle C=\angle CBD=45°$이므로 $\triangle$CBD는 $\overline{BD}=\overline{CD}$인 이등변삼각형이다.

따라서 $\overline{AD}=\overline{CD}=\overline{BD}=6$ cm이므로

$\overline{AC}=\overline{AD}+\overline{CD}=6+6=12$(cm)

$\therefore y=12$

$\therefore x+y=45+12=57$

9 $\angle B=\angle C$이므로 $\overline{AC}=\overline{AB}=5$ cm

$\triangle ABP+\triangle APC=\triangle ABC$이므로

$\frac{1}{2}\times5\times\overline{PD}+\frac{1}{2}\times5\times\overline{PE}=10$

$\therefore \overline{PD}+\overline{PE}=10\times\frac{2}{5}=4$(cm)

10 $\triangle$ABC와 $\triangle$EFD에서

$\angle B=\angle F=90°$, $\overline{AC}=\overline{ED}=5$ cm,

$\angle E=180°-(90°+55°)=35°=\angle A$이므로

$\triangle ABC\equiv\triangle EFD$(RHA 합동)

$\therefore \overline{EF}=\overline{AB}=4$ cm

11 $\triangle$ACP와 $\triangle$BDP에서

$\angle ACP=\angle BDP=90°$, $\overline{AP}=\overline{BP}$,

$\angle APC=\angle BPD$(맞꼭지각)

이므로 $\triangle ACP\equiv\triangle BDP$(RHA 합동)

$\therefore \overline{AC}=\overline{BD}=4$ cm

12 $\triangle ADE \equiv \triangle ACE$(RHS 합동)이므로

$\angle DAE = \angle CAE = 24°$

$\therefore \angle DEA = \angle CEA = 180° - (90° + 24°) = 66°$

$\therefore \angle DEB = 180° - (\angle DEA + \angle CEA)$

$= 180° - (66° + 66°) = 48°$

개념 완성 발전 문제

개념북 24~25쪽

1 57° **2** 136° **3** 30° **4** 7 cm

5 40 cm

6 ① 65°, 32.5° ② 115°, 57.5° ③ $\angle DBC$, 25°

7 ① 6 cm ② 6 cm ③ 18 cm^2

1 $\triangle ABC$에서 $\angle ACB = \frac{1}{2} \times (180° - 30°) = 75°$

$\triangle DCE$에서 $\angle DCE = \angle DEC = 48°$

$\therefore \angle ACD = 180° - (75° + 48°) = 57°$

2 $\triangle ABC$에서 $\overline{AB} = \overline{AC}$이므로

$\angle ABC = \angle ACB = \frac{1}{2} \times (180° - 44°) = 68°$

$\triangle EBC$에서

$\angle EBC = 180° - (90° + 68°)$

$= 22°$

또한, $\triangle DBC$와 $\triangle ECB$에서

$\overline{BC}$는 공통, $\angle DBC = \angle ECB$,

$\overline{DB} = \overline{AB} - \overline{AD} = \overline{AC} - \overline{AE} = \overline{EC}$

이므로 $\triangle DBC \equiv \triangle ECB$(SAS 합동)

$\therefore \angle DCB = \angle EBC = 22°$

$\therefore \angle BFC = 180° - (22° + 22°) = 136°$

3 $\triangle ABE$와 $\triangle ACD$에서

$\overline{AB} = \overline{AC}$, $\overline{BE} = \overline{CD}$, $\angle B = \angle C$이므로

$\triangle ABE \equiv \triangle ACD$(SAS 합동)

따라서 $\overline{AD} = \overline{AE}$이므로 $\triangle ADE$는 이등변삼각형이다.

$\therefore \angle ADE = \angle AED = \frac{1}{2} \times (180° - 40°) = 70°$

또, $\angle CAD = \angle CDA = 70°$이므로

$\angle CAE = \angle CAD - \angle DAE = 70° - 40° = 30°$

4 $\triangle ACD$와 $\triangle CBE$에서 $\angle ADC = \angle CEB = 90°$,

$\overline{AC} = \overline{CB}$, $\angle CAD = 90° - \angle ACD = \angle BCE$이므로

$\triangle ACD \equiv \triangle CBE$(RHA 합동)

따라서 $\overline{CE} = \overline{AD} = 14$ cm, $\overline{CD} = \overline{BE} = 7$ cm이므로

$\overline{DE} = \overline{CE} - \overline{CD} = 14 - 7 = 7$(cm)

5 $\triangle OAE \equiv \triangle OAD$(RHA 합동)

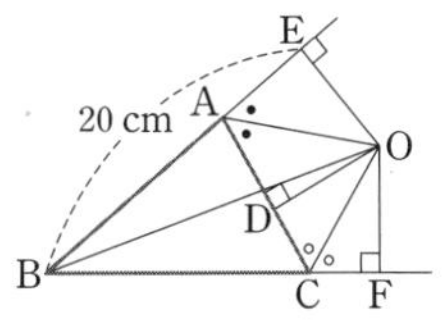

이므로 $\overline{AE} = \overline{AD}$, $\overline{OE} = \overline{OD}$

$\triangle OCD \equiv \triangle OCF$(RHA 합동)

이므로 $\overline{CD} = \overline{CF}$, $\overline{OD} = \overline{OF}$

$\overline{BO}$를 그으면

$\triangle OBE \equiv \triangle OBF$(RHS 합동)이므로 $\overline{BE} = \overline{BF}$

$\therefore$ ($\triangle ABC$의 둘레의 길이)

$= \overline{AB} + \overline{BC} + \overline{AC} = \overline{AB} + \overline{BC} + (\overline{AD} + \overline{CD})$

$= \overline{AB} + \overline{BC} + (\overline{AE} + \overline{CF})$

$= (\overline{AB} + \overline{AE}) + (\overline{BC} + \overline{CF})$

$= \overline{BE} + \overline{BF} = 20 + 20 = 40$(cm)

6 ① $\triangle ABC$에서

$\angle ABC = \angle ACB = \frac{1}{2} \times (180° - 50°) = 65°$

$\therefore \angle DBC = \frac{1}{2} \times 65° = 32.5°$

② $\angle ACE = 180° - 65° = 115°$이므로

$\angle DCE = \frac{1}{2} \times 115° = 57.5°$

③ $\triangle BCD$에서

$\angle BDC = \angle DCE - \angle DBC$

$= 57.5° - 32.5° = 25°$

7 ① $\triangle ABE$와 $\triangle ADE$에서 $\angle ABE = \angle ADE = 90°$,

$\overline{AE}$는 공통, $\angle BAE = \angle DAE$이므로

$\triangle ABE \equiv \triangle ADE$(RHA 합동)

$\therefore \overline{DE} = \overline{BE} = 6$ cm

② $\triangle DEC$에서

$\angle DEC = 180° - (90° + 45°) = 45°$이므로

$\triangle DEC$는 $\overline{DE} = \overline{DC}$인 직각이등변삼각형이다.

$\therefore \overline{DC} = \overline{DE} = 6$ cm

③ $\triangle CDE = \frac{1}{2} \times \overline{DE} \times \overline{DC}$

$= \frac{1}{2} \times 6 \times 6 = 18(cm^2)$

2 삼각형의 외심과 내심

개념 확인 1 삼각형의 외심 개념북 28쪽

1 (1) $\overline{OC}$ (2) $\angle OCE$ (3) $\overline{CF}$ (4) $\triangle OCF$
2 ㄱ, ㄷ **3** (1) 4 (2) 5 (3) 30

2 ㄱ. 삼각형의 외심에서 세 꼭짓점에 이르는 거리는 같다.
ㄷ. 삼각형의 외심은 세 변의 수직이등분선의 교점이다.
따라서 점 O가 $\triangle ABC$의 외심인 것은 ㄱ, ㄷ이다.

3 (1) $\overline{AF}=\overline{CF}$이므로 $x=4$
(2) $\overline{OA}=\overline{OC}$이므로 $x=5$
(3) $\overline{OA}=\overline{OC}$이므로 $\triangle OCA$에서
$\angle OAC=\frac{1}{2}\times(180^\circ-120^\circ)=30^\circ$ $\therefore x=30$

삼각형의 외심의 이해 개념북 29쪽

1 ④ **1-1** ②

1 ④ 삼각형의 외심은 세 변의 수직이등분선의 교점이다. 이때 삼각형에서 두 변의 수직이등분선의 교점은 나머지 한 변의 수직이등분선 위에 있으므로 두 변의 수직이등분선만 작도하여도 외심을 찾을 수 있다.

1-1 점 O가 $\triangle ABC$의 외심이므로
$\triangle OAD\equiv\triangle OBD$(SAS 합동),
$\triangle OBE\equiv\triangle OCE$(SAS 합동),
$\triangle OCF\equiv\triangle OAF$(SAS 합동)
$\therefore \overline{OA}=\overline{OB}=\overline{OC}$, $\angle OBC=\angle OCB$

삼각형의 외심의 성질의 이해 개념북 29쪽

2 23° **2-1** 26 cm

2 점 O가 $\triangle ABC$의 외심이므로 $\overline{OA}=\overline{OB}=\overline{OC}$
따라서 $\triangle OCA$는 $\overline{OA}=\overline{OC}$인 이등변삼각형이므로
$\angle OAC=\frac{1}{2}\times(180^\circ-134^\circ)=23^\circ$

2-1 점 O에서 $\triangle ABC$의 세 꼭짓점에 이르는 거리가 같으므로
$\overline{OC}=\overline{OB}=7$ cm
따라서 $\triangle OBC$의 둘레의 길이는
$7+7+12=26$(cm)

개념 확인 2 삼각형의 외심의 위치 개념북 30쪽

1 (1) 삼각형의 내부 (2) 삼각형의 외부 (3) 빗변의 중점
2 (1) $\overline{OB}$ (2) $\angle OBA$ (3) $\angle OCA$
3 (1) 5 cm (2) 108°

3 $\overline{OA}=\overline{OB}=\overline{OC}$이므로
(1) (외접원의 반지름의 길이)$=\frac{1}{2}\overline{AB}$
$=\frac{1}{2}\times10=5$(cm)
(2) $\triangle OBC$에서 $\angle OCB=\angle OBC=36^\circ$
$\therefore \angle BOC=180^\circ-(36^\circ+36^\circ)=108^\circ$

직각삼각형의 외심 (1) – 변의 길이 구하기 개념북 31쪽

1 10 cm **1-1** 10π cm

1 점 O는 직각삼각형 ABC의 외심이므로 $\overline{OC}$를 그으면
$\overline{OA}=\overline{OB}=\overline{OC}$
$\triangle OBC$에서 $\angle OCB=\angle OBC=30^\circ$이므로
$\angle AOC=30^\circ+30^\circ=60^\circ$
$\triangle OCA$에서
$\angle OAC=\angle OCA=\frac{1}{2}\times(180^\circ-60^\circ)=60^\circ$
따라서 $\triangle OCA$는 정삼각형이므로
$\overline{OB}=\overline{OA}=\overline{AC}=5$ cm
$\therefore \overline{AB}=\overline{OA}+\overline{OB}=5+5=10$(cm)

1-1 직각삼각형의 외심은 빗변의 중점이므로 $\triangle ABC$의 외접원의 반지름의 길이는
$\frac{1}{2}\overline{AB}=\frac{1}{2}\times10=5$(cm)
따라서 $\triangle ABC$의 외접원의 둘레의 길이는
$2\pi\times5=10\pi$(cm)

직각삼각형의 외심 (2) – 각의 크기 구하기 개념북 31쪽

2 84° **2-1** 25°

2 점 O는 직각삼각형 ABC의 외심이므로
$\overline{OA}=\overline{OB}=\overline{OC}$

$\triangle OAB$에서 $\angle OAB=\angle OBA=42°$이므로
$\angle AOC=\angle OBA+\angle OAB=42°+42°=84°$

2-1 점 O는 직각삼각형 ABC의 외심이므로
$\overline{OA}=\overline{OB}=\overline{OC}$
따라서 $\triangle OBC$에서 $\angle C=\angle OBC$이고,
$\angle AOB=\angle C+\angle OBC=2\angle C$이므로
$\angle C=\frac{1}{2}\times 50°=25°$

3 삼각형의 외심의 응용

개념북 32쪽

1 (1) 22° (2) 30° (3) 130° (4) 60°
2 $\angle x=50°$, $\angle y=100°$

1 (1) $\angle x+32°+36°=90°$ $\therefore \angle x=22°$
(2) $40°+\angle x+20°=90°$ $\therefore \angle x=30°$
(3) $\angle x=2\angle A=2\times 65°=130°$
(4) $\angle x=\frac{1}{2}\angle BOC=\frac{1}{2}\times 120°=60°$

2 오른쪽 그림과 같이 $\overline{OA}$를 그으면
$\overline{OA}=\overline{OB}=\overline{OC}$이므로
$\angle OAB=\angle OBA=20°$,
$\angle OAC=\angle OCA=30°$
$\therefore \angle x=\angle OAB+\angle OAC$
$=20°+30°=50°$
$\therefore \angle y=2\angle x=2\times 50°=100°$

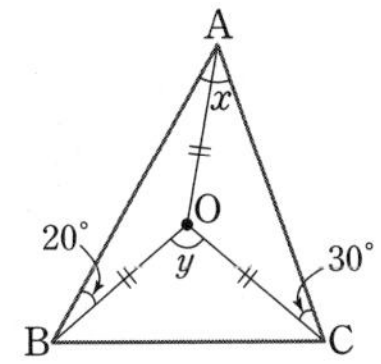

삼각형의 외심의 응용 (1)

개념북 33쪽

1 26° **1-1** 58°

1 $\triangle OBC$에서 $\overline{OB}=\overline{OC}$이므로
$\angle OCB=\frac{1}{2}\times(180°-124°)=28°$
$\angle OAC+\angle OBA+\angle OCB=90°$이므로
$36°+\angle x+28°=90°$, $\angle x+64°=90°$
$\therefore \angle x=26°$

1-1 오른쪽 그림과 같이 $\overline{OB}$를 그으면
$\angle OAB+\angle OCB+\angle OCA=90°$
이므로 $\angle x+32°+\angle y=90°$
$\therefore \angle x+\angle y=58°$

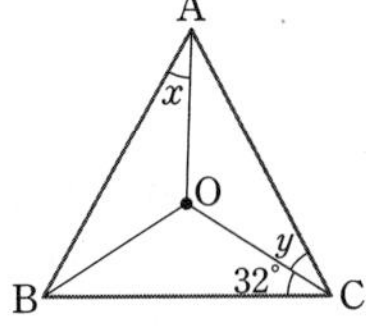

삼각형의 외심의 응용 (2)

개념북 33쪽

2 128° **2-1** 50°

2 점 O는 $\triangle ABC$의 외심이므로 $\overline{OA}=\overline{OB}=\overline{OC}$
$\triangle OAB$에서 $\angle OAB=\angle OBA=30°$
$\therefore \angle BAC=30°+34°=64°$
$\therefore \angle BOC=2\angle BAC=2\times 64°=128°$

2-1 점 O는 $\triangle ABC$의 외심이므로 $\overline{OB}=\overline{OC}$
$\triangle OBC$에서 $\angle OBC=\angle OCB=40°$
$\therefore \angle BOC=180°-2\times 40°=100°$
$\therefore \angle A=\frac{1}{2}\angle BOC=\frac{1}{2}\times 100°=50°$

4 삼각형의 내심

개념북 34쪽

1 (1) $\overline{IF}$ (2) $\angle ICF$ (3) $\overline{AF}$ (4) $\triangle BIE$
2 ㄱ, ㄷ **3** 40°

2 ㄱ. 삼각형의 내심은 세 내각의 이등분선의 교점이다.
ㄷ. 삼각형의 내심에서 세 변에 이르는 거리는 같다.
ㄴ, ㄹ. 점 I는 $\triangle ABC$의 외심이다.
따라서 점 I가 $\triangle ABC$의 내심인 것은 ㄱ, ㄷ이다.

3 $\angle IBC=\angle IBA=20°$, $\angle ICB=\angle ICA=\angle x$
$\triangle IBC$에서 $\angle ICB=180°-(120°+20°)=40°$
$\therefore \angle x=40°$

삼각형의 내심의 이해

개념북 35쪽

1 ②, ⑤ **1-1** ④

1 ① $\angle EBI=\angle DBI$ ③ $\overline{BE}=\overline{BD}$
④ $\angle AIF=\angle AID$

1-1 점 I는 $\triangle ABC$의 내심이므로
$\triangle IAD\equiv\triangle IAF$(RHA 합동),
$\triangle IBD\equiv\triangle IBE$(RHA 합동)
$\therefore \overline{ID}=\overline{IE}=\overline{IF}$
따라서 $\triangle ICE\equiv\triangle ICF$(RHS 합동)이므로
$\angle ICE=\angle ICF$

삼각형의 내심과 평행선

개념북 35쪽

2 18 cm **2-1** 27 cm

2 점 I가 $\triangle ABC$의 내심이므로

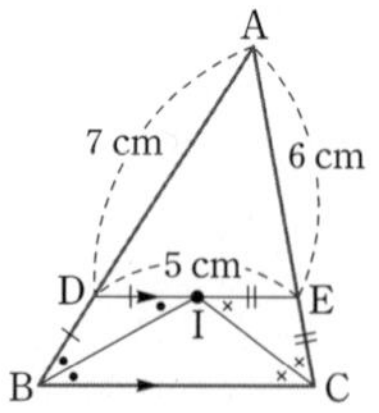

$\angle DBI=\angle IBC$, $\angle ECI=\angle ICB$

$\overline{DE} /\!/ \overline{BC}$이므로

$\angle DIB=\angle IBC$(엇각),

$\angle EIC=\angle ICB$(엇각)

$\therefore \angle DBI=\angle DIB$, $\angle ECI=\angle EIC$

따라서 $\triangle DBI$와 $\triangle EIC$는 각각 $\overline{DB}=\overline{DI}$, $\overline{EI}=\overline{EC}$인 이등변삼각형이므로

$\overline{AB}+\overline{AC}=\overline{AD}+\overline{DB}+\overline{AE}+\overline{EC}$

$=\overline{AD}+\overline{DI}+\overline{AE}+\overline{EI}$

$=\overline{AD}+\overline{DE}+\overline{AE}$

$=7+5+6=18(\text{cm})$

2-1 점 I가 $\triangle ABC$의 내심이므로

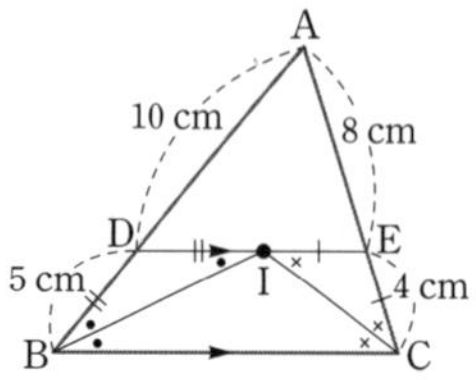

$\angle DBI=\angle IBC$,

$\angle ECI=\angle ICB$

$\overline{DE} /\!/ \overline{BC}$이므로

$\angle DIB=\angle IBC$(엇각),

$\angle EIC=\angle ICB$(엇각)

$\therefore \angle DBI=\angle DIB$, $\angle ECI=\angle EIC$

따라서 $\triangle DBI$와 $\triangle EIC$는 각각 $\overline{DB}=\overline{DI}$, $\overline{EI}=\overline{EC}$인 이등변삼각형이므로

$\overline{DE}=\overline{DI}+\overline{EI}=\overline{DB}+\overline{EC}=5+4=9(\text{cm})$

$\therefore$ ($\triangle ADE$의 둘레의 길이)$=\overline{AD}+\overline{DE}+\overline{EA}$

$=10+9+8=27(\text{cm})$

5 삼각형의 내심의 응용

개념북 36쪽

1 (1) 30° (2) 34° (3) 124° (4) 48°

2 $\angle x=28°$, $\angle y=118°$

1 (1) $\angle x+25°+35°=90°$ $\therefore \angle x=30°$

(2) $30°+\angle x+26°=90°$ $\therefore \angle x=34°$

(3) $\angle x=90°+\frac{1}{2}\times 68°=124°$

(4) $114°=90°+\frac{1}{2}\angle x$, $\frac{1}{2}\angle x=24°$ $\therefore \angle x=48°$

2 $\angle x+30°+32°=90°$ $\therefore \angle x=28°$

$\angle y=90°+\frac{1}{2}\angle A$이고 $\frac{1}{2}\angle A=\angle x$이므로

$\angle y=90°+28°=118°$

삼각형의 내심의 응용 (1)

개념북 37쪽

1 36° **1-1** 26°

1 $\angle IBC=\angle IBA$이므로 $\angle IBC=\frac{1}{2}\times 60°=30°$

$\angle IAB+\angle IBC+\angle ICA=90°$이므로

$24°+30°+\angle x=90°$ $\therefore \angle x=36°$

1-1 $\overline{AC}=\overline{BC}$이므로 $\angle ABC=\angle BAC$

이때 점 I가 $\triangle ABC$의 내심이므로

$\angle IAC=\angle IAB$, $\angle IBA=\angle IBC$

$\therefore \angle IAB=\frac{1}{2}\angle BAC=\frac{1}{2}\angle ABC=\angle IBC=32°$

$\angle IAB+\angle IBC+\angle ICA=90°$이므로

$32°+32°+\angle ICA=90°$ $\therefore \angle ICA=26°$

삼각형의 내심의 응용 (2)

개념북 37쪽

2 22° **2-1** 28°

2 점 I는 $\triangle ABC$의 내심이므로

$\angle AIC=90°+\frac{1}{2}\angle B=90°+\frac{1}{2}\times 76°=128°$,

$\angle IAC=\angle IAB=30°$

따라서 $\triangle IAC$에서

$\angle ICA=180°-(128°+30°)=22°$

2-1 $\angle BIC=90°+\frac{1}{2}\angle A$이므로

$118°=90°+\frac{1}{2}\angle A$ $\therefore \angle A=56°$

이때 $\overline{AI}$는 $\angle A$의 이등분선이므로

$\angle x=\frac{1}{2}\angle A=28°$

6 삼각형의 내접원의 응용

개념북 38쪽

1 (1) $\overline{AF}$ (2) $\overline{CF}$ (3) 2

2 (1) r, $4r$ (2) r, $5r$ (3) r, $6r$ (4) 15, 60, 4

삼각형의 내접원과 접선

개념북 39쪽

1 5 cm **1-1** 9 cm

1 $\overline{BE}=x$ cm라 하면 $\overline{BD}=\overline{BE}=x$ cm,

$\overline{AF}=\overline{AD}=(13-x)$ cm,

$\overline{CF}=\overline{CE}=(9-x)$ cm

$\overline{AC}=\overline{AF}+\overline{CF}$이므로 $12=(13-x)+(9-x)$

$2x=10$ $\therefore x=5$

$\therefore \overline{BE}=5$ cm

1-1 $\overline{BE}=\overline{BD}=9-4=5(\text{cm})$

$\overline{AF}=\overline{AD}=4$ cm이므로

$\overline{CE}=\overline{CF}=8-4=4(\text{cm})$

$\therefore \overline{BC}=\overline{BE}+\overline{CE}=5+4=9(\text{cm})$

삼각형의 내접원의 반지름의 길이와 넓이 개념북 39쪽

2 2 cm **2-1** 18 cm²

2 $\triangle ABC=\frac{1}{2}\times 12\times 5=30(\text{cm}^2)$

$\triangle ABC$의 내접원의 반지름의 길이를 r cm라 하면

$\frac{1}{2}\times r\times(5+12+13)$

$=30$

이므로 $15r=30$ $\therefore r=2$

따라서 $\triangle ABC$의 내접원의 반지름의 길이는 2 cm이다.

2-1 $\triangle ABC$의 내접원의 반지름의 길이를 r cm라 하면

$\frac{1}{2}\times 12\times 9=\frac{1}{2}\times r\times(9+12+15)$

$18r=54$ $\therefore r=3$

$\therefore \triangle IBC=\frac{1}{2}\times 12\times 3=18(\text{cm}^2)$

개념 완성 기본 문제 개념북 42~44쪽

1 ②	**2** ③	**3** ③	**4** ④
5 36π cm²	**6** ③	**7** 34°	**8** ①
9 80°	**10** 60°	**11** ③	**12** 26°
13 60°	**14** ③	**15** 140°	**16** 1 cm
17 20 cm	**18** ③		

1 ② 삼각형의 세 꼭짓점에 이르는 거리가 모두 같다.

2 점 O는 $\triangle ABC$의 외심이므로 $\overline{OA}=\overline{OB}=\overline{OC}$

$\triangle OBC$에서 $\angle OCB=\frac{1}{2}\times(180°-30°)=75°$

$\triangle OCA$에서 $\angle OCA=\frac{1}{2}\times(180°-50°)=65°$

$\therefore \angle BCA=\angle OCB+\angle OCA$

$=75°+65°=140°$

3 점 O는 $\triangle ABC$의 외심이므로 $\overline{OA}=\overline{OB}=\overline{OC}$

$\overline{OA}+\overline{OB}+\overline{OC}=12$에서 $3\overline{OA}=12$

$\therefore \overline{OA}=4$

따라서 $\triangle ABC$의 외접원의 넓이는 $\pi\times 4^2=16\pi$

4 $\triangle OAC$는 $\overline{OA}=\overline{OC}$인 이등변삼각형이므로

$\angle OAC=\angle OCA=25°$

$\triangle OAB$는 $\overline{OA}=\overline{OB}$인 이등변삼각형이므로

$\angle OBA=\angle OAB=25°+30°=55°$

$\triangle OBC$는 $\overline{OB}=\overline{OC}$인 이등변삼각형이므로

$\angle OBC=\angle OCB=25°+\angle x$

$\triangle ABC$에서 $30°+(55°+25°+\angle x)+\angle x=180°$

$2\angle x=70°$ $\therefore \angle x=35°$

5 직각삼각형의 외심은 빗변의 중점과 일치하므로 외접원의 반지름의 길이는

$\frac{1}{2}\overline{AB}=\frac{1}{2}\times 12=6(\text{cm})$

따라서 $\triangle ABC$의 외접원의 넓이는

$\pi\times 6^2=36\pi(\text{cm}^2)$

6 $\overline{AD}=\overline{BD}=\overline{CD}$이고 점 D가 $\overline{BC}$ 위의 점이므로 점 D는 $\angle A=90°$인 직각삼각형 ABC의 외심이다.

$\therefore \angle BAC=90°$

7 오른쪽 그림과 같이 $\overline{OA}$를 그으면

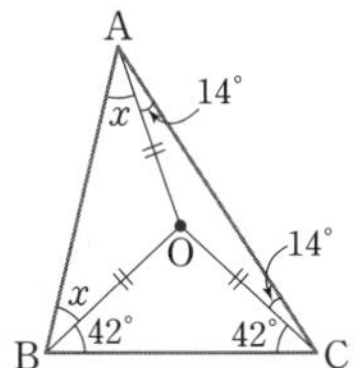

점 O는 $\triangle ABC$의 외심이므로

$\overline{OA}=\overline{OB}=\overline{OC}$

$\triangle OAB$에서

$\angle OAB=\angle OBA=\angle x$

$\angle OAB+\angle OBC+\angle OCA=90°$

이므로 $\angle x+42°+14°=90°$

$\therefore \angle x=34°$

8 $\angle OCB=\angle OBC=25^\circ$이므로
$\angle ACB=\angle OCA+\angle OCB=35^\circ+25^\circ=60^\circ$
$\therefore \angle AOB=2\angle ACB=2\times 60^\circ=120^\circ$

9 $\angle AOC=360^\circ\times\frac{4}{2+3+4}=160^\circ$
$\therefore \angle ABC=\frac{1}{2}\angle AOC=\frac{1}{2}\times 160^\circ=80^\circ$

10 점 I는 $\triangle ABC$의 내심이므로
$\angle ABC=2\angle IBC=2\times 24^\circ=48^\circ$
$\angle CAB=2\angle IAC=2\times 36^\circ=72^\circ$
따라서 $\triangle ABC$에서
$\angle x=180^\circ-(48^\circ+72^\circ)=60^\circ$

11 이등변삼각형의 두 밑각의 크기는 같으므로
$\angle ABC=\frac{1}{2}\times(180^\circ-50^\circ)=65^\circ$
또, 점 I는 $\triangle ABC$의 내심이므로
$\angle IBA=\angle IBC$
$\therefore \angle IBC=\frac{1}{2}\angle ABC=\frac{1}{2}\times 65^\circ=32.5^\circ$

12 점 I는 $\triangle ABC$의 내심이므로
오른쪽 그림과 같이 $\overline{AI}$를 그으면
$\angle IAB=\frac{1}{2}\times 78^\circ=39^\circ$
$\angle IAB+\angle IBA+\angle ICA=90^\circ$이므로
$39^\circ+\angle IBA+25^\circ=90^\circ \qquad \therefore \angle IBA=26^\circ$

13 점 I는 $\triangle ABC$의 내심이므로
$\angle BIC=90^\circ+\frac{1}{2}\angle A$에서 $120^\circ=90^\circ+\frac{1}{2}\angle A$
$\frac{1}{2}\angle A=30^\circ \qquad \therefore \angle A=60^\circ$

14 $\angle AIC=360^\circ\times\frac{13}{11+12+13}=130^\circ$
점 I가 $\triangle ABC$의 내심이므로
$\angle AIC=90^\circ+\frac{1}{2}\angle ABC$에서
$130^\circ=90^\circ+\frac{1}{2}\angle ABC$
$\frac{1}{2}\angle ABC=40^\circ \qquad \therefore \angle ABC=80^\circ$

15 $\angle ICB=\frac{1}{2}\angle ACB=\frac{1}{2}\times 70^\circ=35^\circ$
$\triangle IBC$에서
$\angle x=180^\circ-(30^\circ+35^\circ)=115^\circ$
점 I가 $\triangle ABC$의 내심이므로
$\angle BIC=90^\circ+\frac{1}{2}\angle A$에서
$115^\circ=90^\circ+\frac{1}{2}\times 2\angle y \qquad \therefore \angle y=25^\circ$
$\therefore \angle x+\angle y=115^\circ+25^\circ=140^\circ$

16 $\overline{BD}=x$ cm라 하면
$\overline{BE}=\overline{BD}=x$ cm
$\overline{AF}=\overline{AD}=(3-x)$ cm, $\overline{CF}=\overline{CE}=(4-x)$ cm
$\overline{AC}=\overline{AF}+\overline{CF}$이므로 $(3-x)+(4-x)=5$
$7-2x=5,\ 2x-2 \qquad \therefore x=1$
$\therefore \overline{BD}=1$ cm

17 $\triangle ABC=\triangle IAB+\triangle IBC+\triangle ICA$
이므로
$20=\frac{1}{2}\times\overline{AB}\times 2+\frac{1}{2}\times\overline{BC}\times 2$
$\quad+\frac{1}{2}\times\overline{CA}\times 2$
$20=\overline{AB}+\overline{BC}+\overline{CA}$
$\therefore$ ($\triangle ABC$의 둘레의 길이)$=\overline{AB}+\overline{BC}+\overline{CA}$
$=20$(cm)

18 $\triangle ABC=\frac{1}{2}\times 12\times 5=30(cm^2)$
$\triangle ABC$의 내접원의 반지름의 길이를 r cm라 하면
$30=\frac{1}{2}\times r\times(5+12+13) \qquad \therefore r=2$
$\therefore \triangle IBC=\frac{1}{2}\times 12\times 2=12(cm^2)$

개념완성 발전 문제

개념북 45~46쪽

1 30° **2** π cm^2 **3** 180° **4** 12°
5 2 cm
6 ① 5 , 5 cm, 25π cm^2
② $\frac{1}{2}\times r\times(10+8+6)$, 2, 2 cm, 4π cm^2
③ 21π cm^2
7 ① 8 cm ② 6 cm

1 점 O는 직각삼각형 ABC의 외심이므로 $\overline{OA}=\overline{OB}$

$\therefore \angle ABO=\angle BAO=60^\circ$

$\triangle ABH$에서 $\angle ABH=180^\circ-(60^\circ+90^\circ)=30^\circ$

$\therefore \angle x=\angle ABO-\angle ABH=60^\circ-30^\circ=30^\circ$

2 점 O는 $\triangle ABC$의 외심이므로

$\angle AOB=2\angle ACB=2\times 45^\circ=90^\circ$

$\therefore$ (부채꼴 OAB의 넓이)$=\pi\times 2^2\times\dfrac{90}{360}=\pi(\text{cm}^2)$

3 오른쪽 그림과 같이 $\overline{CI}$를 그으면

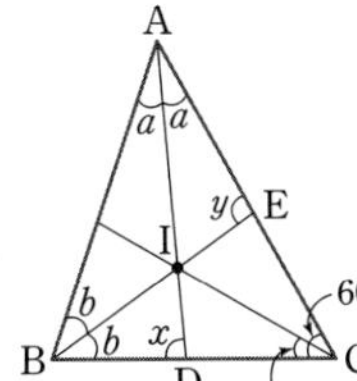

$\angle ICB=\angle ICA=\dfrac{1}{2}\angle C$

$=\dfrac{1}{2}\times 60^\circ=30^\circ$

$\angle CAD=\angle BAD=\angle a$,

$\angle CBE=\angle ABE=\angle b$라 하면

$\angle a+\angle b+30^\circ=90^\circ$에서

$\angle a+\angle b=60^\circ$

$\triangle ADC$에서 $\angle x=\angle a+60^\circ$

$\triangle BCE$에서 $\angle y=\angle b+60^\circ$

$\therefore \angle x+\angle y=(\angle a+60^\circ)+(\angle b+60^\circ)$

$=120^\circ+(\angle a+\angle b)$

$=120^\circ+60^\circ=180^\circ$

4 $\overline{AB}=\overline{AC}$이므로

$\angle ABC=\angle ACB=\dfrac{1}{2}\times(180^\circ-44^\circ)=68^\circ$

$\therefore \angle IBC=\dfrac{1}{2}\angle ABC=\dfrac{1}{2}\times 68^\circ=34^\circ$

$\angle BOC=2\angle A=2\times 44^\circ=88^\circ$

이고 $\overline{OB}=\overline{OC}$이므로

$\triangle OBC$에서

$\angle OBC=\dfrac{1}{2}\times(180^\circ-88^\circ)=46^\circ$

$\therefore \angle OBI=\angle OBC-\angle IBC$

$=46^\circ-34^\circ=12^\circ$

5 $\triangle ABC$의 내접원 I의 반지름의 길이를 r cm라 하면

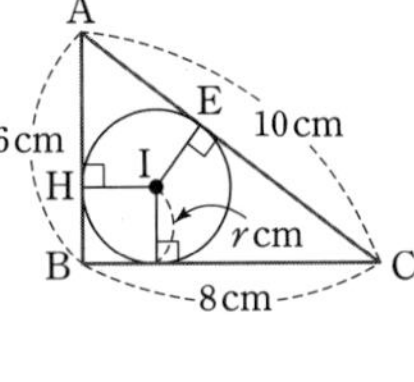

$\triangle ABC=\dfrac{1}{2}\times r\times(6+8+10)$

$=12r(\text{cm}^2)$

이때 $\triangle ABC=\dfrac{1}{2}\times 8\times 6=24(\text{cm}^2)$이므로

$12r=24 \qquad \therefore r=2$

$\overline{AE}=\overline{AH}=\overline{AB}-\overline{BH}=6-2=4(\text{cm})$

같은 방법으로 $\triangle ACD$의 내접원 I′의 반지름의 길이도 2 cm이므로

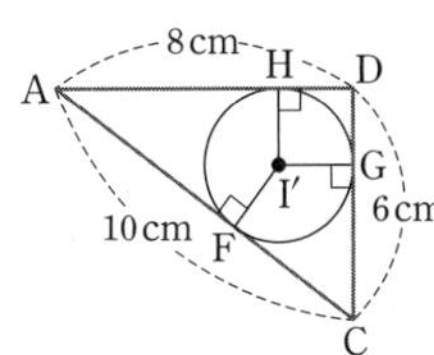

$\overline{CF}=\overline{CG}=\overline{CD}-\overline{DG}$

$=6-2=4(\text{cm})$

$\therefore \overline{EF}=\overline{AC}-(\overline{AE}+\overline{CF})$

$=10-(4+4)=2(\text{cm})$

6 ① 외접원의 반지름의 길이를 R cm라 하면

$R=\dfrac{1}{2}\overline{AB}=\dfrac{1}{2}\times 10=5$

즉, 외접원의 반지름의 길이는 5 cm이므로 외접원의 넓이는

$\pi\times 5^2=25\pi(\text{cm}^2)$

② 내접원의 반지름의 길이를 r cm라 하면

$\dfrac{1}{2}\times 8\times 6=\dfrac{1}{2}\times r\times(10+8+6)$

$12r=24 \qquad \therefore r=2$

즉, 내접원의 반지름의 길이는 2 cm이므로 내접원의 넓이는

$\pi\times 2^2=4\pi(\text{cm}^2)$

③ (색칠한 부분의 넓이)$=25\pi-4\pi=21\pi(\text{cm}^2)$

7 ① 오른쪽 그림과 같이 $\overline{IB}$를 그으면

$\angle DBI=\angle IBC$,

$\angle DIB=\angle IBC$(엇각)이므로

$\therefore \angle DBI=\angle DIB$

즉, $\triangle DBI$는 이등변삼각형이므로

$\overline{DI}=\overline{DB}=8$ cm

② 위의 그림과 같이 $\overline{IC}$를 그으면

$\angle ECI=\angle ICB$, $\angle EIC=\angle ICB$(엇각)이므로

$\angle ECI=\angle EIC$

즉, $\triangle EIC$는 이등변삼각형이므로 $\overline{EI}=\overline{EC}$

$\therefore \overline{CE}=\overline{IE}=\overline{DE}-\overline{DI}=14-8=6(\text{cm})$

1 평행사변형

개념 확인 1 평행사변형의 성질 (1) 개념북 50쪽

1 (1) 50° (2) 80°

2 (1) $x=4$, $y=7$ (2) $x=5$, $y=3$

1 (1) $\overline{AB}/\!/\overline{DC}$이므로 $\angle ACD=\angle CAB=50^\circ$

(2) $\triangle OCD$에서

$\angle BOC=\angle ODC+\angle OCD=30^\circ+50^\circ=80^\circ$

2 (1) $\overline{AB}=\overline{DC}$이므로 $x=4$

$\overline{AD}=\overline{BC}$이므로 $y=7$

(2) $\overline{AB}=\overline{DC}$이므로 $10=2x$ $\quad\therefore x=5$

$\overline{AD}=\overline{BC}$이므로 $9=3y$ $\quad\therefore y=3$

평행사변형의 성질 (1) 개념북 51쪽

1 $x=4$, $y=9$

1-1 32 cm **1-2** $x=5$, $y=10$

1 $\overline{AB}=\overline{DC}$이므로 $x+2=6$ $\quad\therefore x=4$

$\overline{AD}=\overline{BC}$이므로 $10=y+1$ $\quad\therefore y=9$

1-1 $\overline{BC}=\overline{AD}=9$ cm, $\overline{DC}=\overline{AB}=7$ cm이므로

□ABCD의 둘레의 길이는

$2\times(7+9)=32$(cm)

1-2 $\overline{AD}=\overline{BC}$이므로 $3x-2=2x+3$ $\quad\therefore x=5$

$\overline{AB}=\overline{DC}$이므로 $y=x+5=5+5=10$

평행사변형의 성질 (1) 응용 개념북 51쪽

2 4 cm **2-1** 3 cm

2 $\overline{AB}/\!/\overline{EC}$에서 $\angle ABE=\angle BEC$(엇각)이므로

$\angle BEC=\angle EBC$

즉, $\triangle BCE$는 이등변삼각형이므로

$\overline{EC}=\overline{BC}=12$ cm

이때 $\overline{DC}=\overline{AB}=8$ cm이므로

$\overline{ED}=\overline{EC}-\overline{DC}=12-8=4$(cm)

2-1 $\overline{AD}/\!/\overline{BC}$에서 $\angle ADP=\angle DPC$(엇각)이므로

$\angle DPC=\angle PDC$

즉, $\triangle DPC$는 이등변삼각형이므로

$\overline{PC}=\overline{DC}=\overline{AB}=6$ cm

이때 $\overline{BC}=\overline{AD}=9$ cm이므로

$\overline{BP}=\overline{BC}-\overline{PC}=9-6=3$(cm)

개념 확인 2 평행사변형의 성질 (2), (3) 개념북 52쪽

1 (1) $\angle x=120^\circ$, $\angle y=60^\circ$ (2) $\angle x=80^\circ$, $\angle y=80^\circ$

2 $x=7$, $y=5$

1 (1) $\angle A=\angle C$이므로 $\angle x=120^\circ$

$\angle B=\angle D$이므로 $\angle y=60^\circ$

(2) $\angle A+\angle B=180^\circ$이므로 $\angle x=80^\circ$

$\angle B=\angle D$이므로 $\angle y=80^\circ$

2 $\overline{AO}=\overline{CO}$이므로 $x=7$

$\overline{BO}=\overline{DO}=\frac{1}{2}\overline{BD}=\frac{1}{2}\times10=5$이므로 $y=5$

평행사변형의 성질 (2) 개념북 53쪽

1 120° **1-1** 65° **1-2** 135°

1 $\angle A=2\angle B$에서 $\angle A:\angle B=2:1$

$\angle A+\angle B=180^\circ$이므로 $\angle A=180^\circ\times\frac{2}{3}=120^\circ$

$\therefore \angle C=\angle A=120^\circ$

[다른 풀이]

$\angle A=2\angle B$에서 $\angle B=\frac{1}{2}\angle A$

$\angle A+\angle B=180^\circ$이므로

$\angle A+\frac{1}{2}\angle A=180^\circ$, $\frac{3}{2}\angle A=180^\circ$

$\angle A=180^\circ\times\frac{2}{3}=120^\circ$ $\quad\therefore \angle C=\angle A=120^\circ$

1-1 $\triangle ABC$에서 $\angle B=180^\circ-(55^\circ+60^\circ)=65^\circ$

$\therefore \angle D=\angle B=65^\circ$

1-2 $\angle A+\angle B=180^\circ$이므로 $\angle A=180^\circ\times\frac{3}{4}=135^\circ$

$\therefore \angle C=\angle A=135^\circ$

평행사변형의 성질 (2) 응용 개념북 53쪽

2 55° **2-1** 80°

2 $\angle ADC=\angle B=70°$이므로

$\angle ADF=\frac{1}{2}\times 70°=35°$

$\triangle AFD$에서 $\angle FAD=90°-35°=55°$

$\angle BAD=180°-\angle B=180°-70°=110°$이므로

$\angle x=\angle BAD-\angle FAD=110°-55°=55°$

2-1 $\angle DAE=\angle AEB=50°$(엇각)이므로

$\angle DAB=2\times 50°=100°$

$\therefore \angle D=180°-\angle DAB=180°-100°=80°$

[다른 풀이]

$\angle DAE=\angle AEB=50°$(엇각)이고

$\angle BAE=\angle DAE=\angle AEB=50°$이므로

$\triangle ABE$에서 $\angle ABE=180°-2\times 50°=80°$

$\therefore \angle D=\angle ABE=80°$

평행사변형의 성질 (3) 개념북 54쪽

3 19 cm **3-1** 20 cm

3 $\overline{DO}=\frac{1}{2}\overline{BD}=\frac{1}{2}\times 14=7(\text{cm})$,

$\overline{OC}=\frac{1}{2}\overline{AC}=\frac{1}{2}\times 10=5(\text{cm})$,

$\overline{DC}=\overline{AB}=7\text{ cm}$

따라서 $\triangle DOC$의 둘레의 길이는

$\overline{DO}+\overline{OC}+\overline{DC}=7+5+7=19(\text{cm})$

3-1 $\triangle ABO$의 둘레의 길이가 15 cm이고,

$\overline{AB}=\overline{DC}=5\text{ cm}$이므로

$\overline{AO}+\overline{BO}=15-5=10(\text{cm})$

이때 $\overline{AO}=\overline{CO}$, $\overline{BO}=\overline{DO}$이므로 두 대각선의 길이의 합은

$\overline{AC}+\overline{BD}=2(\overline{AO}+\overline{BO})=2\times 10=20(\text{cm})$

평행사변형의 성질 (3) 응용 개념북 54쪽

4 6 cm **4-1** 6

4 $\triangle AOE$와 $\triangle COF$에서

$\overline{AO}=\overline{CO}$, $\angle AOE=\angle COF$(맞꼭지각),

$\angle EAO=\angle FCO$(엇각)이므로

$\triangle AOE\equiv\triangle COF$(ASA 합동)

따라서 $\overline{CF}=\overline{AE}=3\text{ cm}$이므로

$\overline{BF}=\overline{BC}-\overline{CF}=9-3=6(\text{cm})$

4-1 $\triangle AOP$와 $\triangle COQ$에서

$\overline{AO}=\overline{CO}$, $\angle AOP=\angle COQ$(맞꼭지각),

$\angle PAO=\angle QCO$(엇각)이므로

$\triangle AOP\equiv\triangle COQ$(ASA 합동)

따라서 $\overline{QO}=\overline{PO}=4\text{ cm}$, $\overline{CQ}=\overline{AP}=2\text{ cm}$에서

$x=4$, $y=2$

$\therefore x+y=4+2=6$

개념 확인 3 평행사변형이 되는 조건 (1) 개념북 55쪽

1 180°, $\angle CBE$, $\overline{BC}$, 엇각, 두 쌍의 대변이 각각 평행

2 (1) $x=5$, $y=16$ (2) $x=108$, $y=72$

2 (1) 평행사변형이 되려면 $\overline{AB}=\overline{DC}$, $\overline{AD}=\overline{BC}$이어야 하므로

$x+2=7$에서 $x=5$

$y-3=13$에서 $y=16$

(2) 평행사변형이 되려면 $\angle A=\angle C$, $\angle B=\angle D$이어야 하므로

$\angle A=\angle C=108°$에서 $x=108$

$\angle B=180°-\angle C=180°-108°=72°$에서 $y=72$

평행사변형이 되는 조건 (1) 개념북 56쪽

1 $x=3$, $y=5$ **1-1** $\angle x=60°$, $\angle y=75°$

1 평행사변형이 되려면 두 쌍의 대변의 길이가 각각 같아야 한다.

$\overline{AB}=\overline{DC}$이어야 하므로

$2x+3=5x-6$에서 $-3x=-9$

$\therefore x=3$

$\overline{AD}=\overline{BC}$이어야 하므로

$y+8=3y-2$에서 $-2y=-10$

$\therefore y=5$

1-1 평행사변형이 되려면 두 쌍의 대각의 크기가 각각 같아야 한다.

$60°+45°=45°+\angle x$ $\therefore \angle x=60°$

$\angle A+\angle D=180°$이어야 하므로

$\angle y=180°-(45°+60°)=75°$

평행사변형이 되는 조건 (1) 응용 개념북 56쪽

2 $\overline{CF}$, $\overline{GF}$, $\overline{GH}$, 두 쌍의 대변의 길이

2-1 ∠PDQ, ∠BQD, 두 쌍의 대각의 크기

4 평행사변형이 되는 조건 (2) 개념북 57쪽

1 ∠DAC, SAS, $\overline{DC}$, 두 쌍의 대변이 각각 평행

2 (1) $x=6$, $y=9$ (2) $x=35$, $y=11$

2 (1) 평행사변형이 되려면 $\overline{OA}=\overline{OC}$, $\overline{OB}=\overline{OD}$이어야 하므로

$\overline{OC}=\overline{OA}=6$에서 $x=6$

$\overline{OD}=\overline{OB}=9$에서 $y=9$

(2) 평행사변형이 되려면 $\overline{AB}\mathbin{/\!/}\overline{DC}$, $\overline{AB}=\overline{DC}$이어야 하므로

$\angle ABD=\angle CDB=35°$(엇각)에서 $x=35$

$\overline{DC}=\overline{AB}=11$에서 $y=11$

평행사변형이 되는 조건 (2) 개념북 58쪽

1 $x=10$, $y=7$ 1-1 $x=60$, $y=9$

1 평행사변형이 되려면 두 대각선이 서로 다른 것을 이등분해야 한다.

$\overline{OA}=\overline{OC}$이어야 하므로

$\overline{AC}=2\overline{OC}=2\times5=10$에서 $x=10$

$\overline{OB}=\overline{OD}$이어야 하므로

$\overline{OD}=\frac{1}{2}\overline{BD}=\frac{1}{2}\times14=7$에서 $y=7$

1-1 평행사변형이 되려면 한 쌍의 대변이 평행하고, 그 길이가 같아야 한다.

$\overline{AB}\mathbin{/\!/}\overline{DC}$이어야 하므로 $\angle A+\angle D=180°$에서

$\angle D=180°-120°=60°$

$\therefore x=60$

$\overline{AB}=\overline{DC}$이어야 하므로 $\overline{DC}=\overline{AB}=9$에서 $y=9$

평행사변형이 되는 사각형 찾기 개념북 58쪽

2 ④ 2-1 ㄴ, ㄹ

2 ① 두 쌍의 대변의 길이가 각각 같다.

② $\angle D=360°-(130°+50°+130°)=50°$

이므로 두 쌍의 대각의 크기가 각각 같다.

③ 두 대각선이 서로 다른 것을 이등분한다.

④ $\angle D=360°-(100°+80°+80°)=100°$

이므로 두 쌍의 대각의 크기가 같지 않다.

⑤ 한 쌍의 대변이 평행하고, 그 길이가 같다.

평행사변형이 되는 조건 (2) 응용 개념북 59쪽

3 $\overline{OD}$, $\overline{OF}$, 두 대각선이 서로 다른 것을 이등분

3-1 RHA, $\overline{CF}$, $/\!/$, 한 쌍의 대변이 평행하고, 그 길이가 같으므로

3-2 □PQRS는 두 대각선이 서로 다른 것을 이등분하므로 평행사변형이다.

3-2 $\overline{OA}=\overline{OC}$이므로 $\overline{OP}=\overline{OR}$이고

$\overline{OB}=\overline{OD}$이므로 $\overline{OQ}=\overline{OS}$이다.

따라서 □PQRS는 두 대각선이 서로 다른 것을 이등분하므로 평행사변형이다.

5 평행사변형과 넓이 개념북 60쪽

1 (1) 4 cm^2 (2) 8 cm^2 (3) 16 cm^2

2 (1) 30 cm^2 (2) 12 cm^2

1 (1) $\triangle BCO=\triangle ABO=4\text{ cm}^2$

(2) $\triangle ACD=2\triangle ABO=2\times4=8(\text{cm}^2)$

(3) $\square ABCD=4\triangle ABO=4\times4=16(\text{cm}^2)$

2 (1) $\triangle PAB+\triangle PCD=\frac{1}{2}\square ABCD$

$=\frac{1}{2}\times60=30(\text{cm}^2)$

(2) $\triangle PBC+\triangle PDA=\frac{1}{2}\square ABCD$이므로

$18+\triangle PDA=30$

$\therefore \triangle PDA=12\text{ cm}^2$

평행사변형과 넓이 개념북 61쪽

1 48 cm^2

1-1 (1) 22 cm^2 (2) 11 cm^2 1-2 20 cm^2

1 □BFED에서 $\overline{BC}=\overline{EC}$, $\overline{DC}=\overline{FC}$이므로 두 대각선이 서로 다른 것을 이등분한다.

즉, □BFED는 평행사변형이다.

$\therefore$ □BFED$=4\triangle$BCD$=4\times12=48(\text{cm}^2)$

1-1 (1) $\triangle\text{ABC}=\frac{1}{2}\square\text{ABCD}=\frac{1}{2}\times44=22(\text{cm}^2)$

(2) $\triangle\text{OCD}=\frac{1}{4}\square\text{ABCD}=\frac{1}{4}\times44=11(\text{cm}^2)$

1-2 □BFED에서 $\overline{\text{BC}}=\overline{\text{EC}}$, $\overline{\text{DC}}=\overline{\text{FC}}$이므로 두 대각선이 서로 다른 것을 이등분한다.

즉, □BFED는 평행사변형이다.

$\therefore \triangle\text{CFE}=\triangle\text{BCD}=\frac{1}{2}\square\text{ABCD}$

$=\frac{1}{2}\times40=20(\text{cm}^2)$

평행사변형의 내부의 한 점에 의해 나누어진 도형의 넓이 개념북 61쪽

2 18 cm² **2-1** 40 cm²

2 $\triangle\text{ABP}+\triangle\text{DPC}=\triangle\text{APD}+\triangle\text{PBC}$이므로

$14+16=12+\triangle\text{PBC}$ $\therefore \triangle\text{PBC}=18\text{ cm}^2$

2-1 $\square\text{ABCD}=\overline{\text{BC}}\times\overline{\text{DH}}=10\times8=80(\text{cm}^2)$

$\therefore$ (색칠한 부분의 넓이)$=\triangle\text{PAB}+\triangle\text{PCD}$

$=\frac{1}{2}\square\text{ABCD}$

$=\frac{1}{2}\times80=40(\text{cm}^2)$

개념 완성 기본 문제 개념북 62~63쪽

1 0 **2** 13 cm **3** ④ **4** 36°
5 26 **6** $x=7$, $y=40$
7 (가) ㄱ, (나) ㄹ **8** ② **9** ①
10 12 cm² **11** 78 cm²

1 $\overline{\text{AD}}=\overline{\text{BC}}$이므로 $x+7=2y+10$

$\therefore x-2y=3$ ...... ㉠

$\overline{\text{AB}}=\overline{\text{DC}}$이므로 $4-y=3x+2$

$\therefore 3x+y=2$ ...... ㉡

㉠, ㉡을 연립하여 풀면 $x=1$, $y=-1$

$\therefore x+y=1+(-1)=0$

2 $\overline{\text{AB}}/\!/\overline{\text{FE}}$이므로

$\angle\text{CFB}=\angle\text{ABF}$(엇각), $\angle\text{AED}=\angle\text{BAE}$(엇각)

즉, $\triangle$CFB, $\triangle$DAE는 각각 이등변삼각형이므로

$\overline{\text{CF}}=\overline{\text{CB}}=9\text{ cm}$, $\overline{\text{DE}}=\overline{\text{DA}}=9\text{ cm}$

이때 $\overline{\text{DC}}=\overline{\text{AB}}=5\text{ cm}$이므로

$\overline{\text{DF}}=\overline{\text{CF}}-\overline{\text{DC}}=9-5=4(\text{cm})$

$\therefore \overline{\text{EF}}=\overline{\text{DE}}+\overline{\text{DF}}=9+4=13(\text{cm})$

3 $\angle\text{D}+\angle\text{DCB}=180°$이므로

$\angle y+(20°+\angle x)=180°$

$\therefore \angle x+\angle y=160°$

4 $\angle\text{BAD}+\angle\text{D}=180°$에서

$\angle\text{BAD}=180°-72°=108°$

즉, $\angle\text{BAP}=\frac{1}{2}\angle\text{BAD}=\frac{1}{2}\times108°=54°$

$\triangle$ABP에서 $\angle\text{ABP}=180°-(90°+54°)=36°$

이고, $\angle\text{ABC}=\angle\text{D}=72°$이므로

$\angle x=\angle\text{ABC}-\angle\text{ABP}=72°-36°=36°$

5 $\overline{\text{AD}}=\overline{\text{BC}}$이므로

$4x=2x+10$, $2x=10$ $\therefore x=5$

따라서 $\overline{\text{AO}}=3\times5-2=13$이므로

$\overline{\text{AC}}=2\overline{\text{AO}}=2\times13=26$

6 평행사변형이 되려면 한 쌍의 대변이 평행하고, 그 길이가 같아야 하므로

$\overline{\text{AB}}=\overline{\text{DC}}=7\text{ cm}$에서 $x=7$

$\overline{\text{AB}}/\!/\overline{\text{DC}}$이어야 하므로

$\angle\text{DCA}=\angle\text{BAC}=40°$(엇각)

$\therefore y=40$

8 ① 두 쌍의 대변의 길이가 각각 같으므로 평행사변형이다.

② $\overline{\text{OA}}\neq\overline{\text{OC}}$, $\overline{\text{OB}}\neq\overline{\text{OD}}$이므로 평행사변형이 아니다.

③ $\angle\text{DAC}=\angle\text{ACB}$(엇각)이므로 $\overline{\text{AD}}/\!/\overline{\text{BC}}$이다.
즉, 한 쌍의 대변이 평행하고, 그 길이가 같으므로 평행사변형이다.

④ 두 쌍의 대변이 각각 평행하므로 평행사변형이다.

⑤ $\angle\text{D}=360°-(115°+115°+65°)=65°$에서 두 쌍의 대각의 크기가 각각 같으므로 평행사변형이다.

9 □AFCH에서 $\overline{\text{AH}}/\!/\overline{\text{FC}}$, $\overline{\text{AH}}=\overline{\text{FC}}$이므로

□AFCH는 평행사변형이다.

$\therefore \overline{\text{AP}}/\!/\overline{\text{QC}}$

$\square$AECG에서 $\overline{AE}/\!/\overline{GC}$, $\overline{AE}=\overline{GC}$이므로

$\square$AECG는 평행사변형이다.

$\therefore$ $\overline{AQ}/\!/\overline{PC}$

따라서 $\square$APCQ는 두 쌍의 대변이 각각 평행하므로 평행사변형이다.

10 $\square EPFQ=\triangle EPF+\triangle EFQ$

$=\frac{1}{4}\square ABFE+\frac{1}{4}\square EFCD$

$=\frac{1}{4}\times\frac{1}{2}\square ABCD+\frac{1}{4}\times\frac{1}{2}\square ABCD$

$=\frac{1}{4}\square ABCD$

$=\frac{1}{4}\times 48=12(cm^2)$

11 $\triangle PAB+\triangle PCD=\frac{1}{2}\square ABCD$이므로

$\frac{1}{2}\square ABCD=18+21=39(cm^2)$

$\therefore$ $\square ABCD=2\times 39=78(cm^2)$

개념 완성 발전 문제 개념북 64~65쪽

1 8 cm **2** 3 cm **3** 24 cm **4** 9 cm

5 (1) △OBF (2) 60 cm^2

6 ① ∠B, 70°, 180°, 70°, 68°

② ∠ACD, 42°

③ $\frac{1}{2}\times 68°$, 34°, 42°+34°, 76°,

180°−(70°+76°), 34°

7 ① $\overline{BE}$, $\overline{DF}$ ② $\overline{BE}$, $\overline{DF}$ ③ 평행사변형

④ 50°

1 오른쪽 그림과 같이 $\overline{AD}$의 연장선과 $\overline{BE}$의 연장선의 교점을 G라 하면

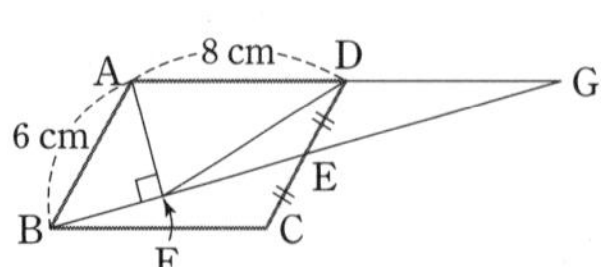

$\triangle EBC\equiv\triangle EGD$(ASA 합동)이므로

$\overline{DG}=\overline{CB}=\overline{AD}=8$ cm

즉, 직각삼각형 AFG에서 점 D가 $\overline{AG}$의 중점이므로

점 D는 △AFG의 외심이다.

$\therefore$ $\overline{DF}=\overline{DG}=\overline{AD}=8$ cm

2 ∠DAF=∠AFB(엇각)이므로

△ABF는 이등변삼각형이다.

$\therefore$ $\overline{BF}=\overline{AB}=6$ cm

∠ADE=∠DEC(엇각)이므로

△DEC는 이등변삼각형이다.

$\therefore$ $\overline{EC}=\overline{DC}=6$ cm

$\therefore$ $\overline{EF}=\overline{BF}+\overline{EC}-\overline{BC}=6+6-9=3(cm)$

3 ∠AEB=∠DAE(엇각)이므로 △ABE는 $\overline{AB}=\overline{BE}$인 이등변삼각형이다.

그런데 ∠B=60°이므로 △ABE는 정삼각형이다.

$\therefore$ $\overline{AE}=\overline{BE}=\overline{AB}=8$ cm

또, $\square$AECF에서 ∠A=∠C이므로 $\frac{1}{2}\angle A=\frac{1}{2}\angle C$

즉, ∠FAE=∠FCE

∠AEB=∠FAE(엇각), ∠DFE=∠FCE(엇각)

이므로

∠AFC=∠AEC

따라서 $\square$AECF는 평행사변형이므로

$\overline{FC}=\overline{AE}=8$ cm,

$\overline{AF}=\overline{EC}=\overline{BC}-\overline{BE}=12-8=4(cm)$

따라서 $\square$AECF의 둘레의 길이는

$2\times(8+4)=24(cm)$

4 $\square$AFDE에서 $\overline{AF}/\!/\overline{ED}$, $\overline{AE}/\!/\overline{FD}$이므로 $\square$AFDE는 평행사변형이다.

$\therefore$ $\overline{AF}=\overline{ED}$

이때 △ABC가 이등변삼각형이므로 ∠B=∠C이고

$\overline{AC}/\!/\overline{FD}$이므로 ∠FDB=∠C(동위각)

즉, △FBD는 ∠B=∠FDB인 이등변삼각형이므로

$\overline{FB}=\overline{FD}$

$\therefore$ $\overline{ED}+\overline{FD}=\overline{AF}+\overline{FB}=\overline{AB}=9$ cm

5 (1) △OBF와 △ODE에서

∠OBF=∠ODE(엇각), $\overline{OB}=\overline{OD}$,

∠BOF=∠DOE(맞꼭지각)

$\therefore$ △OBF≡△ODE(ASA 합동)

(2) $\triangle ODE+\triangle OFC=\triangle OBF+\triangle OFC$

$=\triangle OBC$

$=15(cm^2)$

$\therefore$ $\square ABCD=4\triangle OBC=4\times 15=60(cm^2)$

6 ① □ABCD는 평행사변형이므로 $\angle D=\angle B=70°$
$\triangle ACD$에서 $\angle DAC=180°-(42°+70°)=68°$
② $\overline{AB} /\!/ \overline{DC}$이므로 $\angle BAC=\angle ACD=42°$(엇각)
③ $\angle EAC=\frac{1}{2}\angle DAC=\frac{1}{2}\times 68°=34°$
$\angle BAE=\angle BAC+\angle EAC=42°+34°=76°$
따라서 $\triangle ABE$에서
$\angle x=180°-(70°+76°)=34°$

7 ① $\triangle ABE$와 $\triangle CDF$에서 $\angle BEA=\angle DFC=90°$
$\overline{AB}=\overline{CD}$, $\angle EAB=\angle FCD$(엇각)이므로
$\triangle ABE\equiv\triangle CDF$(RHA 합동)
$\therefore \overline{BE}=\overline{DF}$
② $\angle BEF=\angle DFE$(엇각)이므로 $\overline{BE} /\!/ \overline{DF}$
③ 즉, □EBFD는 한 쌍의 대변이 평행하고, 그 길이가 같으므로 평행사변형이다.
④ 따라서 $\angle EBF=\angle EDF=40°$이므로 $\triangle EBF$에서
$\angle x=180°-(90°+40°)=50°$

2 여러 가지 사각형

개념 확인 1 직사각형 개념북 68쪽

1 (1) 60° (2) 60°
2 (1) 12 cm (2) 12 cm

1 (1) $\angle DAC=\angle ACB=30°$(엇각)이고 $\angle BAD=90°$이므로
$\angle BAC=90°-30°=60°$
(2) $\overline{AO}=\overline{BO}$이므로 $\angle ABO=\angle BAO=60°$

2 (1) $\overline{AC}=2\overline{AO}=2\times 6=12$(cm)
(2) $\overline{BD}=\overline{AC}=12$ cm

직사각형의 성질 개념북 69쪽

1 15 cm **1-1** 32 **1-2** ㄱ, ㄴ, ㄹ

1 $\angle ABD=\angle BDC=60°$(엇각), $\overline{AO}=\overline{BO}$이므로
$\angle BAO=\angle ABO=60°$
따라서 $\triangle ABO$는 정삼각형이고, $\overline{AB}=\overline{CD}=5$ cm이므로 $\triangle ABO$의 둘레의 길이는
$3\times 5=15$(cm)

1-1 □ABCD는 직사각형이므로 $\overline{BO}=\overline{CO}$
$2x+6=5x-9$, $3x=15$ $\therefore x=5$
따라서 $\overline{CO}=5\times 5-9=16$이므로
$\overline{AC}=2\overline{CO}=2\times 16=32$

1-2 ㄹ. $\triangle AOD$와 $\triangle BOC$에서
$\overline{AO}=\overline{BO}$, $\overline{DO}=\overline{CO}$, $\overline{AD}=\overline{BC}$이므로
$\triangle AOD\equiv\triangle BOC$(SSS 합동)
따라서 옳은 것은 ㄱ, ㄴ, ㄹ이다.

평행사변형이 직사각형이 되는 조건 개념북 69쪽

2 ㄴ, ㄷ **2-1** ②, ④

2 □ABCD가 직사각형이 되려면 한 내각이 직각, 즉 $\angle BAD=90°$이거나 두 대각선의 길이, 즉 $\overline{AC}=\overline{BD}=2\overline{BO}=2\times 6=12$(cm)이어야 한다.
따라서 직사각형이 될 조건은 ㄴ, ㄷ이다.

2-1 ② □ABCD가 평행사변형이므로
$\angle BAD+\angle ABC=180°$
이때 $\angle BAD=\angle ABC$이면
$\angle BAD=\angle ABC=90°$
즉, 한 내각의 크기가 직각이므로 □ABCD는 직사각형이 된다.
④ □ABCD가 평행사변형이므로
$\overline{AO}=\overline{CO}$, $\overline{BO}=\overline{DO}$
$\overline{AO}=\overline{BO}$이면 $\overline{AO}=\overline{BO}=\overline{CO}=\overline{DO}$이므로
$\overline{AC}=\overline{BD}$
즉, 두 대각선의 길이가 같으므로 □ABCD는 직사각형이 된다.

개념 확인 2 마름모 개념북 70쪽

1 (1) 5 cm (2) 4 cm
2 (1) 65° (2) 25°

1 (1) 마름모의 네 변의 길이는 모두 같으므로
$\overline{CD}=\overline{AD}=5$ cm

(2) 마름모의 두 대각선은 서로 다른 것을 수직이등분하므로

$\overline{BO}=\overline{DO}=4\text{ cm}$

2 (1) △ABC에서 $\overline{AB}=\overline{BC}$이므로

$\angle BAC=\angle ACB=65^\circ$

(2) 마름모의 두 대각선은 서로 다른 것을 수직이등분하므로 $\angle AOB=90^\circ$

△ABO에서 $\angle ABD=180^\circ-(90^\circ+65^\circ)=25^\circ$

마름모의 성질 개념북 71쪽

1 73 **1-1** 100°

1 $\overline{AO}=\overline{CO}$이므로 $2x=x+3$ $\therefore x=3$

$\angle AOB=90^\circ$이므로 $\angle ABO=90^\circ-55^\circ=35^\circ$

$\triangle ABO\equiv\triangle CBO$(SAS 합동)이므로

$\angle ABO=\angle CBO$

$\therefore \angle ABC=2\angle ABO=2\times35^\circ=70^\circ$

$\therefore y=70$

$\therefore x+y=3+70=73$

1-1 □ABCD는 마름모이므로 $\overline{AB}=\overline{AD}$

즉, △ABD는 이등변삼각형이므로

$\angle ADB=\angle ABD=40^\circ$

△ABD에서 $\angle A=180^\circ-(40^\circ+40^\circ)=100^\circ$

$\therefore \angle C=\angle A=100^\circ$

평행사변형이 마름모가 되는 조건 개념북 71쪽

2 ①, ④ **2-1** 7 **2-2** 37°

2 ① □ABCD가 평행사변형이므로

$\overline{AB}=\overline{DC}$, $\overline{AD}=\overline{BC}$

이때 $\overline{AB}=\overline{AD}$이면 $\overline{AB}=\overline{BC}=\overline{CD}=\overline{DA}$

이므로 □ABCD는 마름모가 된다.

④ □ABCD가 평행사변형이므로

$\overline{AO}=\overline{CO}$, $\overline{BO}=\overline{DO}$

이때 $\angle AOB=\angle AOD$이면

$\angle AOB=\angle AOD=90^\circ$이므로 $\overline{AC}\perp\overline{BD}$

즉, 두 대각선이 서로 다른 것을 수직이등분하므로

□ABCD는 마름모가 된다.

2-1 □ABCD는 평행사변형이므로 $\overline{AB}=\overline{CD}$에서

$2x+5=4x-1$, $2x=6$ $\therefore x=3$

평행사변형 ABCD가 마름모가 되기 위해서는

$\overline{AB}=\overline{AD}$이어야 하므로

$2x+5=3x+y$, $x+y=5$

즉, $3+y=5$ $\therefore y=2$

$\therefore x+2y=3+2\times2=7$

2-2 $\overline{AD}/\!/\overline{BC}$이므로 $\angle ACB=\angle CAD=53^\circ$

△OBC에서 $\angle BOC=180^\circ-(37^\circ+53^\circ)=90^\circ$

$\therefore \overline{AC}\perp\overline{BD}$

즉, 평행사변형 ABCD는 두 대각선이 서로 직교하므로 마름모가 된다.

따라서 $\overline{BC}=\overline{CD}$이므로 △BCD에서

$\angle BDC=\angle DBC=37^\circ$

개념 확인 3 정사각형 개념북 72쪽

1 (1) $x=12$, $y=45$ (2) 직각이등변삼각형

1 (1) $\overline{AC}=\overline{BD}=2\overline{BO}=2\times6=12(\text{cm})$ $\therefore x=12$

$\angle ABD=\frac{1}{2}\angle ABC=\frac{1}{2}\times90^\circ=45^\circ$

$\therefore y=45$

(2) $\angle BOC=90^\circ$, $\overline{OB}=\overline{OC}$이므로 △OBC는 직각이등변삼각형이다.

정사각형의 성질 개념북 73쪽

1 50 cm^2 **1-1** 25°

1 $\overline{AO}=\overline{BO}=\overline{CO}=\overline{DO}$이므로

$\overline{AO}=\frac{1}{2}\overline{BD}=\frac{1}{2}\times10=5(\text{cm})$

이고, $\overline{AC}\perp\overline{BD}$이므로 $\angle AOB=90^\circ$

$\therefore \square ABCD=\triangle ABD+\triangle BCD=2\triangle ABD$

$=2\times\left(\frac{1}{2}\times10\times5\right)=50(\text{cm}^2)$

1-1 △ADE에서 $\overline{AD}=\overline{AE}$이므로

$\angle AED=\angle ADE=70^\circ$

$\therefore \angle EAD=180^\circ-2\times70^\circ=40^\circ$

이때 $\angle EAB=40^\circ+90^\circ=130^\circ$이고

$\overline{AE}=\overline{AD}=\overline{AB}$이므로 $\triangle ABE$는 이등변삼각형이다.

$\therefore \angle ABE=\frac{1}{2}\times(180°-130°)=25°$

정사각형이 되는 조건 개념북 73쪽

2 ①, ⑤ **2-1** ①, ③ **2-2** ㄱ, ㄴ

2 ① □ABCD는 평행사변형이므로
$\overline{AO}=\overline{CO}$, $\overline{BO}=\overline{DO}$
이때 $\overline{AC}=\overline{BD}$, $\overline{AC}\perp\overline{BD}$이면
$\overline{AO}=\overline{CO}=\overline{BO}=\overline{DO}$, $\overline{AC}\perp\overline{BD}$
이므로 □ABCD는 정사각형이 된다.
⑤ □ABCD는 평행사변형이므로
$\overline{AB}=\overline{CD}$, $\overline{AD}=\overline{BC}$,
$\angle A=\angle C$, $\angle B=\angle D$
이때 $\overline{AB}=\overline{AD}$, $\angle A=90°$이면
$\overline{AB}=\overline{BC}=\overline{CD}=\overline{DA}$,
$\angle A=\angle B=\angle C=\angle D=90°$
이므로 □ABCD는 정사각형이 된다.

2-1 ① □ABCD는 직사각형이므로
$\overline{AB}=\overline{DC}$, $\overline{AD}=\overline{BC}$
이때 $\overline{BC}=\overline{CD}$이면 $\overline{AB}=\overline{BC}=\overline{CD}=\overline{DA}$
이므로 직사각형 ABCD는 정사각형이 된다.
③ □ABCD는 직사각형이므로 $\overline{AC}=\overline{BD}$
이때 $\angle DOC=90°$이면 두 대각선이 서로 직교하므로 직사각형 ABCD는 정사각형이 된다.

2-2 ㄱ. 한 내각이 직각인 마름모는 정사각형이다.
ㄴ. 한 내각이 직각인 평행사변형은 직사각형이고, 이웃하는 두 변의 길이가 같은 평행사변형은 마름모이므로 □ABCD는 정사각형이다.
ㄷ. 두 대각선이 서로 직교하고, 이웃하는 두 변의 길이가 같은 평행사변형은 마름모이다.
ㄹ. 직사각형의 성질
따라서 정사각형인 것은 ㄱ, ㄴ이다.

4 사다리꼴 개념북 74쪽

1 (1) 40° (2) 40°
2 (1) 12 cm (2) 14 cm

1 (1) $\angle B=\angle C=70°$이므로 $\angle DBC=70°-30°=40°$
(2) $\overline{AD}/\!/\overline{BC}$이므로 $\angle ADB=\angle DBC=40°$(엇각)

2 (1) $\overline{AB}=\overline{DC}$이므로 $\overline{DC}=\overline{AB}=12$ cm
(2) $\overline{AC}=\overline{BD}$이므로
$\overline{BD}=\overline{AC}=\overline{AO}+\overline{CO}=5+9=14$(cm)

등변사다리꼴의 성질 개념북 75쪽

1 ④ **1-1** 7

1 $\triangle ABC\equiv\triangle DCB$ (SAS 합동)이므로
$\angle BAC=\angle CDB$
$\triangle ABD\equiv\triangle DCB$ (SAS 합동)이므로
$\angle ABD=\angle DCA$
③, ⑤ $\triangle ABO$와 $\triangle DCO$에서 $\angle ABO=\angle DCO$,
$\overline{AB}=\overline{DC}$, $\angle BAO=\angle CDO$이므로
$\triangle ABO\equiv\triangle DCO$(ASA 합동)
$\therefore \overline{OB}=\overline{OC}$

1-1 □ABCD는 등변사다리꼴이므로 $\overline{AC}=\overline{BD}$
즉, $4x-3=2x+5$, $2x=8$ $\therefore x=4$
$\therefore \overline{AD}=2x-1=2\times4-1=7$

등변사다리꼴의 변의 길이 개념북 75쪽

2 ③, ④ **2-1** 11 cm

2 $\overline{AB}/\!/\overline{DE}$이므로 □ABED는 평행사변형이다.

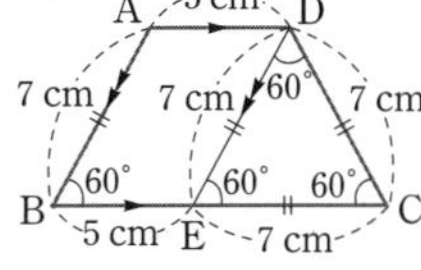

$\therefore \overline{DE}=\overline{AB}=7$ cm(①)
$\overline{AB}/\!/\overline{DE}$이므로
$\angle DEC=\angle B=60°$(②)
□ABCD는 등변사다리꼴이므로 $\angle C=\angle B=60°$
$\triangle DEC$에서 $\angle EDC=180°-(60°+60°)=60°$
즉, $\triangle DEC$는 정삼각형이므로
$\overline{EC}=\overline{DE}=7$ cm(③, ④, ⑤)

2-1 오른쪽 그림과 같이 점 D에서 $\overline{BC}$에 내린 수선의 발을 F라 하면

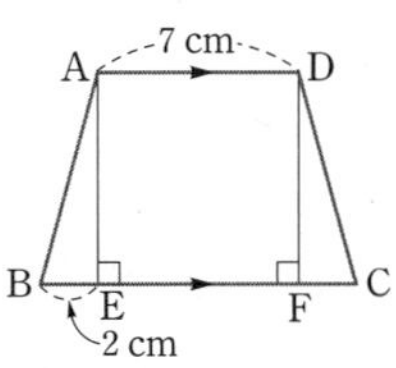

$\triangle ABE$와 $\triangle DCF$에서
$\angle AEB=\angle DFC=90°$,
$\overline{AB}=\overline{DC}$, $\angle B=\angle C$이므로

$\triangle ABE \equiv \triangle DCF$(RHA 합동)

$\therefore \overline{CF}=\overline{BE}=2$ cm

□AEFD는 직사각형이므로 $\overline{EF}=\overline{AD}=7$ cm

$\therefore \overline{BC}=2+7+2=11$(cm)

개념 확인 5 여러 가지 사각형 사이의 관계 개념북 76쪽

1 (1) 직사각형 (2) 마름모 (3) 직사각형 (4) 마름모 (5) 정사각형

2 ㄴ, ㄹ, ㅁ

2 두 대각선의 길이가 같은 것은 ㄴ. 직사각형, ㄹ. 정사각형, ㅁ. 등변사다리꼴이다.

여러 가지 사각형 사이의 관계 (1) 개념북 77쪽

1 (1) ㄹ (2) ㄱ (3) ㄴ (4) ㄷ (5) ㄷ (6) ㄴ

1-1 ㄴ, ㄷ

1-1 ㄱ. $\overline{AC}=\overline{BD}$이면 평행사변형 ABCD는 직사각형이다. 따라서 옳은 것은 ㄴ, ㄷ이다.

여러 가지 사각형 사이의 관계 (2) 개념북 77쪽

2 정사각형 **2-1** 마름모

2 조건 ㈎, ㈏에서 $\overline{AB} /\!/ \overline{DC}$, $\overline{AB}=\overline{DC}$이므로 □ABCD는 평행사변형이다.
평행사변형 ABCD는 조건 ㈐에서 $\overline{AB}=\overline{BC}$, 즉 이웃하는 두 변의 길이가 같으므로 □ABCD는 마름모이다.
마름모 ABCD는 조건 ㈑ $\overline{AC}=\overline{BD}$, 즉 두 대각선의 길이가 같으므로 □ABCD는 정사각형이다.

2-1 조건 ㈎, ㈏에서 $\overline{AB} /\!/ \overline{DC}$, $\overline{AD} /\!/ \overline{BC}$이므로 □ABCD는 평행사변형이다.
평행사변형 ABCD는 조건 ㈐에서 $\overline{AC} \perp \overline{BD}$, 즉 두 대각선이 서로 직교하므로 □ABCD는 마름모이다.

여러 가지 사각형 사이의 관계 (3) 개념북 78쪽

3 ②, ④ **3-1** ⑤

3 ① 두 대각선의 길이가 같은 평행사변형은 직사각형이다.
③ 두 대각선의 길이가 서로 같은 마름모는 정사각형이다.
⑤ 두 대각선이 서로 다른 것을 수직이등분하는 평행사변형은 마름모이다.

3-1 ⑤ 등변사다리꼴은 한 쌍의 대변이 평행하므로 평행사변형이 아니다.

여러 가지 사각형의 대각선의 성질 개념북 78쪽

4 7 **4-1** ③, ⑤

4 두 대각선이 서로 다른 것을 이등분하는 사각형은 ㄴ, ㄷ, ㄹ, ㅁ이므로 $a=4$
두 대각선의 길이가 같은 사각형은 ㄱ, ㄷ, ㅁ이므로 $b=3$
$\therefore a+b=7$

개념 확인 6 사각형의 각 변의 중점을 연결하여 만든 사각형 개념북 79쪽

1 SAS, $\overline{FG}$, SAS, $\overline{GH}$, 평행사변형

2 SAS, $\overline{HG}$, 마름모

사각형의 각 변의 중점을 연결하여 만든 사각형 개념북 80쪽

1 ⑤ **1-1** ②, ③

1 ⑤ 등변사다리꼴－마름모

1-1 마름모의 각 변의 중점을 연결하여 만든 사각형은 직사각형이므로 □EFGH는 직사각형이다.
따라서 직사각형에 대한 설명으로 옳지 않은 것은 ②, ③이다.

사각형의 각 변의 중점을 연결하여 만든 사각형의 활용 개념북 80쪽

2 40 cm^2 **2-1** 49 cm^2

2 □EFGH는 마름모이므로
□EFGH$=\frac{1}{2}\times 10\times 8=40$(cm^2)

2-1 □PQRS는 정사각형이므로
□PQRS$=7\times7=49(\text{cm}^2)$

7 평행선과 삼각형의 넓이 개념북 81쪽

1 15 cm^2
2 (1) 70 cm^2 (2) 40 cm^2
3 (1) △ACE (2) 10 cm^2

1 오른쪽 그림과 같이 $\overline{BD}$를 그으면
$\overline{AD}/\!/\overline{BC}$이므로

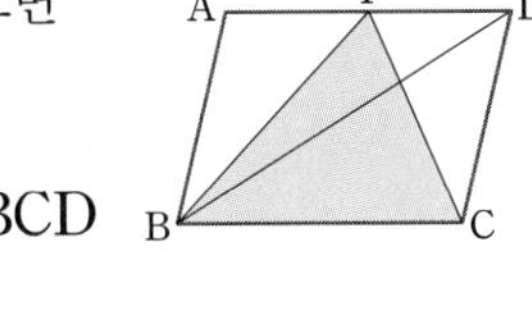

$\triangle PBC=\triangle DBC=\frac{1}{2}\square ABCD$
$=\frac{1}{2}\times30=15(\text{cm}^2)$

2 (1) $\overline{AD}/\!/\overline{BC}$이므로 $\triangle ABC=\triangle DBC=70\text{ cm}^2$
(2) $\triangle OBC=\triangle ABC-\triangle ABO$
$=70-30=40(\text{cm}^2)$

3 (1) $\overline{AC}/\!/\overline{DE}$이므로 $\triangle ACD=\triangle ACE$
(2) $\triangle ABE=\triangle ABC+\triangle ACE=\triangle ABC+\triangle ACD$
$=\square ABCD=10(\text{cm}^2)$

평행선 사이의 넓이가 같은 삼각형 개념북 82쪽

1 22 cm^2 **1-1** 11 cm^2 **1-2** 24 cm^2

1 $\overline{AC}/\!/\overline{DE}$이므로 $\triangle ACD=\triangle ACE$
$\therefore \square ABCD=\triangle ABC+\triangle ACD$
$=\triangle ABC+\triangle ACE$
$=10+12=22(\text{cm}^2)$

1-1 $\overline{AC}/\!/\overline{DE}$이므로 $\triangle ACD=\triangle ACE$
$\therefore \triangle ACD=\triangle ACE=\triangle ABE-\triangle ABC$
$=26-15=11(\text{cm}^2)$

1-2 오른쪽 그림과 같이 $\overline{AE}$를 그으면
$\overline{AC}/\!/\overline{DE}$이므로
$\triangle ACD=\triangle ACE$
$\therefore \square ABCD=\triangle ABC+\triangle ACD$
$=\triangle ABC+\triangle ACE$
$=\triangle ABE$

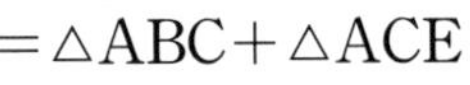

$=\frac{1}{2}\times\overline{BE}\times\overline{AF}$
$=\frac{1}{2}\times(12-4)\times6$
$=24(\text{cm}^2)$

평행사변형에서 평행선 사이의 넓이가 같은 삼각형 개념북 82쪽

2 △DBE, △DBF, △DAF **2-1** 12 cm^2

2 $\overline{AD}/\!/\overline{BC}$이므로 $\triangle ABE=\triangle DBE$
$\overline{BD}/\!/\overline{EF}$이므로 $\triangle DBE=\triangle DBF$
$\overline{AB}/\!/\overline{DC}$이므로 $\triangle DBF=\triangle DAF$
따라서 △ABE와 넓이가 같은 삼각형은
△DBE, △DBF, △DAF이다.

2-1 $\triangle DBE=\triangle DBF(\because \overline{BD}/\!/\overline{EF})$
$=\triangle AFD(\because \overline{AB}/\!/\overline{DC})$
$=12\text{ cm}^2$

8 높이가 같은 삼각형의 넓이의 비 개념북 83쪽

1 40 cm^2
2 (1) 40 cm^2 (2) 24 cm^2
3 (1) 12 cm^2 (2) 24 cm^2 (3) 36 cm^2

1 $\triangle ABP:\triangle APC=\overline{BP}:\overline{PC}=2:1$이고,
$\triangle ABC=60\text{ cm}^2$이므로
$\triangle ABP=\frac{2}{3}\triangle ABC=\frac{2}{3}\times60=40(\text{cm}^2)$

2 (1) $\triangle ABC=\frac{1}{2}\times10\times8=40(\text{cm}^2)$
(2) $\triangle ABP=\frac{3}{5}\triangle ABC=\frac{3}{5}\times40=24(\text{cm}^2)$

3 (1) $\overline{BO}:\overline{DO}=2:1$이므로
$\triangle ABO:\triangle AOD=2:1$
$\therefore \triangle AOD=\frac{1}{2}\triangle ABO=\frac{1}{2}\times24=12(\text{cm}^2)$
(2) $\overline{AD}/\!/\overline{BC}$이므로
$\triangle CDO=\triangle ACD-\triangle AOD$
$=\triangle ABD-\triangle AOD$
$=\triangle ABO=24(\text{cm}^2)$
(3) $\triangle ACD=\triangle AOD+\triangle CDO$
$=12+24=36(\text{cm}^2)$

높이가 같은 삼각형의 넓이의 비

개념북 84쪽

1 (1) 24 cm^2 (2) 8 cm^2

1-1 18 cm^2 1-2 20 cm^2 1-3 60 cm^2

1 (1) $\overline{BQ}:\overline{QC}=1:2$이므로 $\triangle ABQ:\triangle AQC=1:2$

$\therefore \triangle AQC=\frac{2}{3}\triangle ABC=\frac{2}{3}\times 36=24(cm^2)$

(2) $\overline{AP}:\overline{PC}=2:1$이므로 $\triangle AQP:\triangle PQC=2:1$

$\therefore \triangle PQC=\frac{1}{3}\triangle AQC=\frac{1}{3}\times 24=8(cm^2)$

1-1 $\triangle ABM=\frac{1}{2}\triangle ABC=\frac{1}{2}\times 54=27(cm^2)$

$\therefore \triangle PBM=\frac{2}{3}\triangle ABM=\frac{2}{3}\times 27=18(cm^2)$

1-2 $\triangle ADC=\frac{2}{5}\triangle ABC=\frac{2}{5}\times 70=28(cm^2)$

$\therefore \triangle ADE=\frac{5}{7}\triangle ADC=\frac{5}{7}\times 28=20(cm^2)$

1-3 $\overline{AP}:\overline{PC}=3:1$이므로 $\triangle AQP:\triangle PQC=3:1$

$\therefore \triangle AQC=4\triangle PQC=4\times 10=40(cm^2)$

또, $\overline{BQ}:\overline{QC}=1:2$이므로

$\triangle ABQ:\triangle AQC=1:2$

$\therefore \triangle ABC=\frac{3}{2}\triangle AQC=\frac{3}{2}\times 40=60(cm^2)$

사각형에서 높이가 같은 삼각형의 넓이의 비

개념북 85쪽

2 80 cm^2

2-1 10 cm^2 2-2 ① 2-3 5 cm^2

2 $\overline{BP}:\overline{PC}=2:3$이고

$\overline{AD}/\!/\overline{BC}$이므로

$\triangle ABP:\triangle DPC=2:3$에서

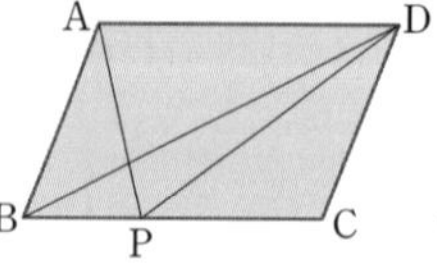

$16:\triangle DPC=2:3$

$\therefore \triangle DPC=24\ cm^2$

위의 그림과 같이 $\overline{BD}$를 그으면 $\overline{AD}/\!/\overline{BC}$이므로

$\triangle DBP=\triangle ABP=16\ cm^2$

$\therefore \triangle DBC=\triangle DBP+\triangle DPC$

$=16+24=40(cm^2)$

$\therefore \square ABCD=2\triangle DBC=2\times 40=80(cm^2)$

2-1 $\overline{AE}/\!/\overline{BC}$이므로 $\triangle DBC=\triangle EBC$

$\therefore \triangle EBC=\triangle DBC=\frac{1}{2}\square ABCD$

$=\frac{1}{2}\times 120=60(cm^2)$

이때 $\triangle FBC=40\ cm^2$이므로

$\triangle EFC=\triangle EBC-\triangle FBC=60-40=20(cm^2)$

$\therefore \triangle DFE=\triangle DCE-\triangle EFC$

$=30-20=10(cm^2)$

2-2 $\overline{OA}:\overline{OC}=1:2$이므로

$\triangle OCD=2\triangle OAD=2\times 3=6(cm^2)$ …… ㉠

$\overline{AD}/\!/\overline{BC}$이므로 $\triangle ABD=\triangle ACD$이고

$\triangle OAB=\triangle ABD-\triangle OAD=\triangle ACD-\triangle OAD$

$=\triangle OCD=6(cm^2)$ …… ㉡

또, $\overline{OA}:\overline{OC}=1:2$이므로

$\triangle OBC=2\triangle OAB=2\times 6=12(cm^2)$ …… ㉢

㉠, ㉡, ㉢에서

$\square ABCD=\triangle OAD+\triangle OCD+\triangle OAB+\triangle OBC$

$=3+6+6+12=27(cm^2)$

2-3 $\triangle ABO=\triangle ABC-\triangle OBC=30-20=10(cm^2)$

$\triangle ABO:\triangle OBC=10:20=1:2$이므로

$\overline{AO}:\overline{OC}=1:2$

$\triangle DOC=\triangle ABO=10\ cm^2$,

$\triangle AOD:\triangle DOC=\overline{AO}:\overline{OC}=1:2$이므로

$\triangle AOD=\frac{1}{2}\triangle DOC=\frac{1}{2}\times 10=5(cm^2)$

개념 완성 기본 문제

개념북 88~90쪽

1 54	2 ②	3 ④	4 ⑤
5 80°	6 ②	7 60°	8 ②
9 ㄷ, ㄴ, ㄹ, ㄱ		10 ③	11 ②
12 ④	13 ②, ⑤	14 116	15 ③
16 22 cm^2	17 14 cm^2	18 6 cm^2	

1 $\overline{AC}=\overline{BD}$이므로

$\overline{CO}=\frac{1}{2}\overline{AC}=\frac{1}{2}\overline{BD}=\frac{1}{2}\times8=4(\text{cm})$

$\therefore x=4$

$\triangle BCD$에서 $\angle BCD=90^\circ$이므로

$\angle BDC=90^\circ-40^\circ=50^\circ$

$\therefore y=50$

$\therefore x+y=4+50=54$

2 조건 (가), (나)에서 두 쌍의 대변의 길이가 각각 같으므로 □ABCD는 평행사변형이다. 그런데 조건 (다)에서 한 내각의 크기가 90°이므로 조건 (가), (나), (다)를 모두 만족하는 □ABCD는 직사각형이다.

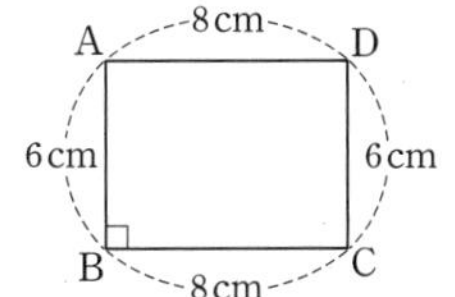

3 $\overline{BC}=\overline{CD}$이므로

$\angle CBD=\angle CDB=\frac{1}{2}\times(180^\circ-110^\circ)=35^\circ$

$\triangle BMP$에서

$\angle x=\angle BPH$ (맞꼭지각)

$=180^\circ-(35^\circ+90^\circ)=55^\circ$

4 ①, ②, ③, ④ 모두 평행사변형이 직사각형이 되도록 하는 조건이다.

5 $\triangle APD$와 $\triangle CPD$에서

$\overline{AD}=\overline{CD}$, $\angle ADP=\angle CDP$, $\overline{DP}$는 공통

$\therefore \triangle APD\equiv\triangle CPD$(SAS 합동)

따라서 $\angle CDP=\angle ADP=45^\circ$,

$\angle PCD=\angle PAD=35^\circ$이므로

$\triangle CDP$에서

$\angle x=\angle CDP+\angle PCD=45^\circ+35^\circ=80^\circ$

6 두 대각선의 길이가 같고, 서로 다른 것을 수직이등분하므로 정사각형이다.

7 오른쪽 그림과 같이 점 D에서 $\overline{AB}$에 평행한 직선을 그어 $\overline{BC}$와 만나는 점을 E라 하면 □ABED는 마름모이므로

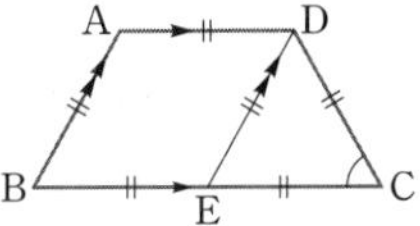

$\overline{AB}=\overline{BE}=\overline{ED}=\overline{DA}$

또한, $\triangle DEC$에서 $\overline{DE}=\overline{EC}=\overline{CD}$이므로 $\triangle DEC$는 정삼각형이다.

$\therefore \angle C=60^\circ$

8 오른쪽 그림과 같이 점 A에서 $\overline{DC}$와 평행한 선분을 그어 $\overline{BC}$와 만나는 점을 E라 하자. 등변사다리꼴의 두 밑각의 크기는 같으므로 $\angle B=\angle C$

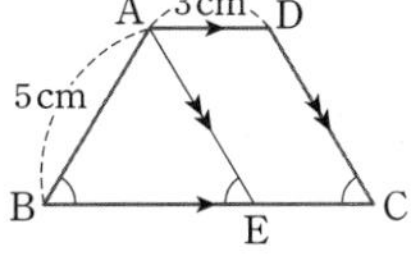

$\overline{AE}/\!/\overline{DC}$이므로 $\angle C=\angle AEB$

즉, $\angle B=\angle AEB$이므로 $\triangle ABE$는 이등변삼각형이다.

이때 $\angle A+\angle B=180^\circ$이고 $\angle A=2\angle B$에서

$\angle B=\frac{1}{3}\times180^\circ=60^\circ$

이므로 $\triangle ABE$는 정삼각형이다.

$\therefore \overline{BE}=\overline{AB}=5\text{ cm}$

또, □AECD가 평행사변형이므로 $\overline{EC}=\overline{AD}=3\text{ cm}$

$\therefore \overline{BC}=\overline{BE}+\overline{EC}=5+3=8(\text{cm})$

10 $\angle OBC=\angle OCB$이면 $\overline{OB}=\overline{OC}$이고 평행사변형의 두 대각선은 서로 다른 것을 이등분하므로 $\overline{AC}=\overline{BD}$이다. 따라서 □ABCD는 직사각형이다.

11 ② 마름모의 네 내각의 크기가 항상 같은 것은 아니므로 정사각형이 아니다.

12 두 대각선의 길이가 같은 사각형은 정사각형, 직사각형, 등변사다리꼴이다.

13 직사각형 ABCD의 각 변의 중점을 연결하여 만든 □EFGH는 마름모이다.
따라서 마름모 EFGH의 성질이 아닌 것은 ②, ⑤이다.

14 □ABCD의 각 변의 중점을 연결하여 만든 □EFGH는 평행사변형이다.

즉, $\angle HEF+\angle EFG=180^\circ$, $\angle HEF+70^\circ=180^\circ$

$\angle HEF=110^\circ$ $\therefore x=110$

$\overline{HG}=\overline{EF}=6\text{ cm}$ $\therefore y=6$

$\therefore x+y=110+6=116$

15 ① $\overline{AC}/\!/\overline{DE}$이므로 $\triangle ACE=\triangle ACD$

② $\overline{AC}/\!/\overline{DE}$이므로 $\triangle AED=\triangle DCE$

④ $\triangle AOD=\triangle ACD-\triangle ACO$

$=\triangle ACE-\triangle ACO$

$=\triangle OCE$

⑤ $\triangle ABE=\triangle ABC+\triangle ACE$

$=\triangle ABC+\triangle ACD$

$=$□ABCD

16 $\overline{AC} /\!/ \overline{DE}$이므로

$\triangle ACD = \triangle ACE = \triangle ABE - \triangle ABC$

$= 54 - 32 = 22(\text{cm}^2)$

17 $\overline{BM} = \overline{CM}$이므로

$\triangle ABM = \frac{1}{2}\triangle ABC = \frac{1}{2} \times 42 = 21(\text{cm}^2)$

$\overline{AP} : \overline{PM} = 1 : 2$이므로

$\triangle PBM = \frac{2}{3}\triangle ABM = \frac{2}{3} \times 21 = 14(\text{cm}^2)$

18 $\overline{AQ} = \overline{DQ} = 2 : 1$이므로

$\triangle APQ : \triangle PDQ = 2 : 1$

$\therefore \triangle PDQ = \frac{1}{3}\triangle APD = \frac{1}{3} \times \frac{1}{2}\square ABCD$

$= \frac{1}{6}\square ABCD$

$= \frac{1}{6} \times 36 = 6(\text{cm}^2)$

개념완성 발전 문제

개념북 91~92쪽

1 ③ **2** $90°$ **3** 25 cm^2 **4** $6\pi\text{ cm}^2$

5 24 cm^2 **6** 풀이 참조

7 ① $60°$, $\angle C$, $60°$, $60°$, $60°$, 정삼각형

② 정삼각형, 12 cm, 평행사변형, 8 cm

③ 20 cm

8 ① $\triangle ACE = \frac{2}{5}\triangle ACD$ ② 10 cm^2 ③ 5 cm^2

1 $\angle A + \angle B = 180°$이므로

$\angle EAB + \angle ABE = 90°$

$\therefore \angle AEB = \angle HEF = 90°$

같은 방법으로 하면

$\square EFGH$에서

$\angle HEF = \angle EFG = \angle FGH = \angle GHE = 90°$

즉, $\square EFGH$는 직사각형이다.

①, ⑤ 직사각형은 평행사변형의 성질을 만족하므로

$\overline{EH} = \overline{FG}$, $\overline{EF} /\!/ \overline{HG}$

② 직사각형은 네 내각이 직각이므로

$\angle HEF = \angle FGH = 90°$

④ 직사각형은 두 대각선의 길이가 같으므로 $\overline{EG} = \overline{HF}$

2 $\triangle ABH$와 $\triangle DFH$에서

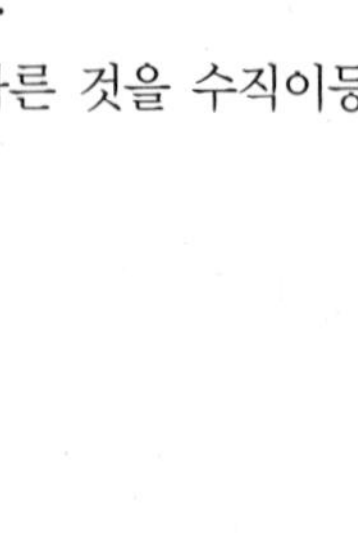

$\overline{AB} = \overline{CD} = \overline{DF}$,

$\angle ABH = \angle DFH$(엇각),

$\angle BAH = \angle FDH$(엇각)

$\therefore \triangle ABH \equiv \triangle DFH$(ASA 합동)

즉, $\overline{AH} = \overline{DH}$이고 $\overline{AD} = 2\overline{AB}$이므로 $\overline{AB} = \overline{AH}$

같은 방법으로 $\overline{AB} = \overline{BG} = \overline{GC}$

이때 $\overline{HG}$를 그으면 $\square ABGH$는 이웃하는 두 변의 길이가 같은 평행사변형이므로 마름모이다.

따라서 마름모의 두 대각선은 서로 다른 것을 수직이등분하므로 $\angle HPG = 90°$

3 $\triangle OBP$와 $\triangle OCQ$에서

$\angle BOP = 90° - \angle POC = \angle COQ$,

$\angle OBP = \angle OCQ$, $\overline{BO} = \overline{CO}$

$\therefore \triangle OBP \equiv \triangle OCQ$(ASA 합동)

$\therefore \square OPCQ = \triangle OPC + \triangle OCQ = \triangle OPC + \triangle OBP$

$= \triangle OBC = \frac{1}{4}\square ABCD$

$= \frac{1}{4} \times (10 \times 10) = 25(\text{cm}^2)$

4 오른쪽 그림과 같이 $\overline{OC}$와 $\overline{OD}$를 그으면 $\overline{AB} /\!/ \overline{CD}$이므로

$\triangle ACD = \triangle OCD$

$\therefore$ (색칠한 부분의 넓이)

$=$(부채꼴 OCD의 넓이)

$= \frac{1}{6} \times \pi \times 6^2 = 6\pi(\text{cm}^2)$

5 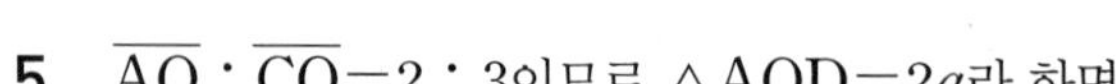

$\overline{AO} : \overline{CO} = 2 : 3$이므로 $\triangle AOD = 2a$라 하면

$\triangle DOC = 3a$이고, $\triangle ABO = \triangle DOC = 3a$

$\triangle ABO : \triangle OBC = 2 : 3$이므로

$\triangle OBC = \frac{3}{2}\triangle ABO = \frac{3}{2} \times 3a = \frac{9}{2}a$

$\square ABCD = 100\text{ cm}^2$이므로

$2a + 3a + 3a + \frac{9}{2}a = 100$

$\frac{25}{2}a = 100 \qquad \therefore a = 8$

$\therefore \triangle DOC = 3a = 3 \times 8 = 24(\text{cm}^2)$

[다른 풀이]

$\triangle DOC = x$라 하면 $\overline{AO} : \overline{OC} = 2 : 3$이므로

$\triangle AOD = \frac{2}{3}x$

$\triangle AOB = \triangle DOC = x$이고, $\overline{AO} : \overline{OC} = 2 : 3$이므로

$\triangle BOC = \frac{3}{2}x$

$\square ABCD = 100\text{ cm}^2$이므로

$x + \frac{2}{3}x + x + \frac{3}{2}x = 100 \quad \therefore x = 24\text{ cm}^2$

6 $\square ABCD$는 직사각형이므로 $\overline{AC} = \overline{BD}$이고 $\overline{AC}$는 반지름의 길이이므로 일정하다.
따라서 $\overline{BD}$의 길이도 일정하다.

7 ① 오른쪽 그림과 같이 점 A에서 $\overline{DC}$에 평행한 직선을 그어 $\overline{BC}$와 만나는 점을 E라 하자.

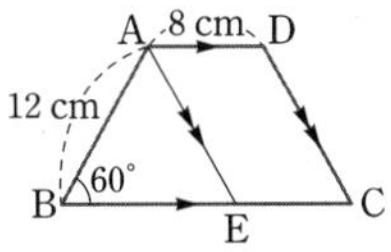

A 8 cm D
12 cm
60°
B E C

등변사다리꼴의 두 밑각의 크기는 같으므로
$\angle C = \angle B = 60°$
$\overline{AE} /\!/ \overline{DC}$이므로 $\angle AEB = \angle C = 60°$(동위각)
따라서 $\triangle ABE$에서
$\angle BAE = 180° - 60° - 60° = 60°$
이므로 $\triangle ABE$는 정삼각형이다.

② $\triangle ABE$는 정삼각형이므로 $\overline{BE} = \overline{AB} = 12\text{ cm}$
$\square AECD$는 평행사변형이므로 $\overline{EC} = \overline{AD} = 8\text{ cm}$

③ $\overline{BC} = \overline{BE} + \overline{EC} = 12 + 8 = 20(\text{cm})$

8 ① $\overline{CE} : \overline{ED} = 2 : 3$이므로
$\triangle ACE : \triangle AED = 2 : 3$
$\therefore \triangle ACE = \frac{2}{5}\triangle ACD$

② 이때 $\triangle ACD = \frac{1}{2}\square ABCD$이므로

$\triangle ACE = \frac{2}{5}\triangle ACD = \frac{2}{5} \times \frac{1}{2}\square ABCD$
$= \frac{1}{5}\square ABCD$
$= \frac{1}{5} \times 50 = 10(\text{cm}^2)$

③ 따라서 $\overline{AO} = \overline{OC}$이므로
$\triangle AOE = \frac{1}{2}\triangle ACE = \frac{1}{2} \times 10 = 5(\text{cm}^2)$

III 도형의 닮음과 피타고라스 정리

1 도형의 닮음

1 닮은 도형 개념북 96쪽

1 (1) 점 D (2) $\overline{EF}$ (3) ∠F
2 (1) 점 C (2) $\overline{HG}$ (3) ∠D

닮은 도형에서 대응점, 대응변, 대응각 구하기 개념북 97쪽

1 ①
1-1 (1) 점 F (2) 모서리 FH (3) 면 EGH

1 △ABC∽△DFE이므로 $\overline{AC}$에 대응하는 변은 $\overline{DE}$, ∠D에 대응하는 각은 ∠A이다.

항상 닮은 도형 찾기 개념북 97쪽

2 ㄷ, ㄹ, ㅁ **2-1** ②, ③

2 보기 중 항상 닮은 도형인 것은 두 정십이면체, 두 정사면체, 두 구이므로 ㄷ, ㄹ, ㅁ이다.

2-1 ② 두 마름모가 항상 닮은 도형인 것은 아니다.
③ 두 부채꼴은 중심각의 크기가 같은 경우에만 닮은 도형이다.

2 평면도형에서의 닮음의 성질 개념북 98쪽

1 (1) 3 : 2 (2) 12 cm (3) 35°
2 (1) 3 : 4 (2) 3 cm (3) 105°

1 (1) 닮음비는 $\overline{AB}:\overline{DE}=9:6=3:2$
(2) 닮음비가 3 : 2이므로 $\overline{AC}:8=3:2$
$\therefore \overline{AC}=12$ cm
(3) ∠D=∠A=90°이므로
∠F=180°−(90°+55°)=35°

2 (1) 닮음비는 $\overline{BC}:\overline{FG}=9:12=3:4$
(2) 닮음비가 3 : 4이므로 $\overline{AB}:4=3:4$
$\therefore \overline{AB}=3$ cm
(3) ∠D=∠H이고
∠H=360°−(105°+90°+60°)=105°이므로
∠D=105°

닮은 평면도형에서 변의 길이, 각의 크기 구하기 개념북 99쪽

1 $x=3$, $y=80$ **1-1** 19 cm

1 □ABCD와 □EFGH의 닮음비는
$\overline{BC}:\overline{FG}=8:4=2:1$이므로 $\overline{CD}:\overline{GH}=2:1$
즉, $6:x=2:1$ $\therefore x=3$
∠A=∠E=140°이므로
∠C=360°−(60°+140°+80°)=80°
$\therefore y=80$

1-1 닮음비가 2 : 3이므로
$\overline{BC}:\overline{EF}=2:3$, $\overline{BC}:12=2:3$
$\therefore \overline{BC}=8$ cm
따라서 △ABC의 둘레의 길이는 5+8+6=19(cm)

평면도형에서 닮음의 성질의 이해 개념북 99쪽

2 ⑤ **2-1** ㄷ, ㄹ

2 닮음비는 $\overline{AC}:\overline{DF}=12:9=4:3$
⑤ $\overline{BC}:\overline{EF}=4:3$이므로 $16:\overline{EF}=4:3$
$\therefore \overline{EF}=12$ cm

2-1 닮음비는 $\overline{AB}:\overline{EF}=2:3$
ㄱ. $\overline{DC}:\overline{HG}=2:3$
ㄴ. ∠G=∠C=65°이므로
∠H=360°−(115°+80°+65°)=100°
ㄷ. $\overline{BC}:\overline{FG}=2:3$이므로 $4:\overline{FG}=2:3$
$\therefore \overline{FG}=6$ cm
따라서 옳은 것은 ㄷ, ㄹ이다.

3 입체도형에서의 닮음의 성질 개념북 100쪽

1 (1) 2 : 3 (2) 면 A′B′F′E′ (3) $x=4$, $y=6$
2 (1) 3 : 4 (2) 면 EGH (3) $\frac{31}{2}$

1 (1) $\overline{FG}:\overline{F'G'}=6:9=2:3$

(3) 닮음비가 $2:3$ 이므로 $x:6=2:3$ $\therefore x=4$

$4:y=2:3$ $\therefore y=6$

2 (1) $\overline{AD}:\overline{EH}=9:12=3:4$

(3) 닮음비가 $3:4$이므로 $x:10=3:4$에서 $x=\frac{15}{2}$

$6:y=3:4$에서 $y=8$

$\therefore x+y=\frac{15}{2}+8=\frac{31}{2}$

닮은 입체도형에서 선분의 길이 구하기 개념북 101쪽

1 $x=10$, $y=18$ **1-1** $3:4$

1 닮음비는 $\overline{DE}:\overline{D'E'}=8:12=2:3$이므로

$x:15=2:3$ $\therefore x=10$

$12:y=2:3$ $\therefore y=18$

1-1 원기둥의 닮음비는 높이의 비와 같으므로

$27:36=3:4$

따라서 원기둥 (가), (나)의 밑면의 둘레의 길이의 비는 $3:4$이다.

입체도형에서 닮음의 성질의 이해 개념북 101쪽

2 ㄱ, ㄴ **2-1** ㄴ, ㄷ

2 ㄱ. 닮음비는 $\overline{AB}:\overline{A'B'}=6:3=2:1$

ㄴ. $x:2=2:1$에서 $x=4$

$8:y=2:1$에서 $y=4$

$\therefore x+y=4+4=8$

따라서 옳지 않은 것은 ㄱ, ㄴ이다.

2-1 ㄱ. 닮음비는 $\overline{FG}:\overline{NO}=9:12=3:4$

ㄴ. $x:8=3:4$에서 $x=6$

$3:y=3:4$에서 $y=4$

$\therefore x+y=6+4=10$

따라서 옳은 것은 ㄴ, ㄷ이다.

4 삼각형의 닮음 조건 개념북 102쪽

1 ㄴ과 ㄹ, SAS 닮음

2 $\triangle ABC \backsim \triangle AED$(AA 닮음)

2 $\triangle ABC$와 $\triangle AED$에서

$\angle A$는 공통, $\angle ABC=\angle AED=70°$

$\therefore \triangle ABC \backsim \triangle AED$(AA 닮음)

삼각형의 닮음 조건 개념북 103쪽

1 ②, ⑤ **1-1** ④ **1-2** ㄴ

1 ② $\triangle ABC$와 $\triangle HIG$에서

$\angle A=\angle H=90°$,

$\angle B=180°-(90°+30°)=60°=\angle I$

$\therefore \triangle ABC \backsim \triangle HIG$(AA 닮음)

⑤ $\triangle ABC$와 $\triangle PQR$에서

$\overline{AB}:\overline{PQ}=\overline{BC}:\overline{QR}=3:2$, $\angle B=\angle Q=60°$

$\therefore \triangle ABC \backsim \triangle PQR$(SAS 닮음)

1-1 ①, ② 두 쌍의 대응각의 크기가 각각 같으므로

$\triangle ABC \backsim \triangle DEF$(AA 닮음)

③ 두 쌍의 대응변의 길이의 비가 같고, 그 끼인각의 크기가 같으므로

$\triangle ABC \backsim \triangle DEF$(SAS 닮음)

④ $\angle B$, $\angle E$는 끼인각이 아니다.

⑤ 세 쌍의 대응변의 길이의 비가 같으므로

$\triangle ABC \backsim \triangle DEF$(SSS 닮음)

1-2 ㄴ. $\triangle ABC$와 $\triangle DEF$에서 $\angle A=70°$이면

$\angle C=180°-(50°+70°)=60°$이므로

$\angle B=\angle E=50°$, $\angle C=\angle F=60°$

$\therefore \triangle ABC \backsim \triangle DEF$(AA 닮음)

따라서 추가로 필요한 조건은 ㄴ이다.

5 삼각형의 닮음 조건의 응용 개념북 104쪽

1 (1) $\triangle ABD \backsim \triangle ACB$, SAS 닮음 (2) 6 cm

2 (1) $\triangle ABC \backsim \triangle EBD$, AA 닮음 (2) 7 cm

1 (1) $\triangle ABD$와 $\triangle ACB$에서

$\overline{AD}:\overline{AB}=\overline{AB}:\overline{AC}=2:3$, $\angle A$는 공통

$\therefore \triangle ABD \backsim \triangle ACB$(SAS 닮음)

(2) 닮음비가 $2:3$이므로

$\overline{BD}:\overline{CB}=2:3$, $\overline{BD}:9=2:3$

$\therefore \overline{BD}=6$ cm

2 (1) △ABC와 △EBD에서

$\angle B$는 공통, $\angle BAC = \angle BED$

$\therefore$ △ABC∽△EBD(AA 닮음)

(2) $\overline{AB} : \overline{EB} = \overline{AC} : \overline{ED}$이므로 $20 : 14 = 10 : \overline{ED}$

$\therefore \overline{DE} = 7$ cm

삼각형의 닮음 조건의 응용 (1)-SAS 닮음 개념북 105쪽

1 (1) 4 (2) 10 **1-1** 15 cm

1 (1) △ABC와 △AED에서

$\overline{AB} : \overline{AE} = \overline{AC} : \overline{AD} = 3 : 1$, $\angle A$는 공통

$\therefore$ △ABC∽△AED(SAS 닮음)

따라서 $\overline{BC} : \overline{ED} = 3 : 1$이므로 $12 : x = 3 : 1$

$\therefore x = 4$

(2) △ABC와 △DBA에서

$\overline{AB} : \overline{DB} = \overline{BC} : \overline{BA} = 3 : 2$, $\angle B$는 공통

$\therefore$ △ABC∽△DBA(SAS 닮음)

따라서 $\overline{AC} : \overline{DA} = 3 : 2$이므로 $15 : x = 3 : 2$

$\therefore x = 10$

1-1 △ABE와 △CDE에서

$\overline{AE} : \overline{CE} = \overline{BE} : \overline{DE} = 3 : 5$,

$\angle AEB = \angle CED$(맞꼭지각)

$\therefore$ △ABE∽△CDE(SAS 닮음)

따라서 $\overline{AB} : \overline{CD} = 3 : 5$이므로 $\overline{AB} : 25 = 3 : 5$

$\therefore \overline{AB} = 15$ cm

삼각형의 닮음 조건의 응용 (2)-AA 닮음 개념북 105쪽

2 (1) 10 (2) 9 **2-1** 4 cm

2 (1) △ABC와 △ADB에서

$\angle A$는 공통, $\angle C = \angle ABD$

$\therefore$ △ABC∽△ADB(AA 닮음)

따라서 $\overline{AB} : \overline{AD} = \overline{AC} : \overline{AB}$이므로

$12 : 8 = (8+x) : 12$

$8(8+x) = 144$, $64 + 8x = 144$

$8x = 80$ $\therefore x = 10$

(2) △ABC와 △DAC에서

$\angle C$는 공통, $\angle ABC = \angle DAC$

$\therefore$ △ABC∽△DAC(AA 닮음)

따라서 $\overline{AC} : \overline{DC} = \overline{BC} : \overline{AC}$이므로

$6 : 3 = (x+3) : 6$

$3(x+3) = 36$, $3x + 9 = 36$

$3x = 27$ $\therefore x = 9$

2-1 △ABC와 △EDA에서

$\overline{AB} /\!/ \overline{DE}$이므로 $\angle BAC = \angle DEA$(엇각)

$\overline{AD} /\!/ \overline{BC}$이므로 $\angle BCA = \angle DAE$(엇각)

$\therefore$ △ABC∽△EDA(AA 닮음)

따라서 $\overline{AB} : \overline{ED} = \overline{AC} : \overline{EA}$이므로

$9 : 6 = (8 + \overline{EC}) : 8$

$6(8 + \overline{EC}) = 72$, $48 + 6\overline{EC} = 72$

$6\overline{EC} = 24$ $\therefore \overline{EC} = 4$ cm

개념 확인 6 직각삼각형의 닮음

개념북 106쪽

1 (1) 3 (2) 6 (3) 8 (4) $\frac{24}{5}$

1 (1) $\overline{AB}^2 = \overline{BH} \times \overline{BC}$이므로 $6^2 = x \times 12$ $\therefore x = 3$

(2) $\overline{AC}^2 = \overline{CH} \times \overline{CB}$이므로 $x^2 = 4 \times (4+5) = 36$

$\therefore x = 6$ ($\because x > 0$)

(3) $\overline{AH}^2 = \overline{HB} \times \overline{HC}$이므로 $4^2 = x \times 2$ $\therefore x = 8$

(4) $\overline{AB} \times \overline{AC} = \overline{BC} \times \overline{AH}$이므로 $6 \times 8 = 10 \times x$

$\therefore x = \frac{24}{5}$

직각삼각형의 닮음 개념북 107쪽

1 4 **1-1** 6 cm

1 △ABD와 △ACE에서

$\angle A$는 공통, $\angle ADB = \angle AEC = 90°$

$\therefore$ △ABD∽△ACE(AA 닮음)

따라서 $\overline{AB} : \overline{AC} = \overline{AD} : \overline{AE}$이므로

$15 : 12 = (12-7) : \overline{AE}$, $15\overline{AE} = 60$

$\therefore \overline{AE} = 4$

1-1 △ABC와 △EBD에서

$\angle B$는 공통, $\angle A = \angle DEB = 90°$

$\therefore$ △ABC∽△EBD(AA 닮음)

따라서 $\overline{AB} : \overline{EB} = \overline{BC} : \overline{BD}$이므로

$(4+8) : \overline{BE} = 16 : 8$, $16\overline{BE} = 96$

$\therefore \overline{BE} = 6$ cm

직각삼각형의 닮음의 응용

개념북 107쪽

2 $x=15$, $y=20$, $z=9$ **2-1** $156\ cm^2$

2 $\overline{AH}^2=\overline{HB}\times\overline{HC}$이므로 $12^2=z\times16$ $\therefore z=9$
$\overline{AB}^2=\overline{BH}\times\overline{BC}$이므로 $x^2=9\times(9+16)=225$
$\therefore x=15\ (\because x>0)$
$\overline{AC}^2=\overline{CH}\times\overline{CB}$이므로 $y^2=16\times(16+9)=400$
$\therefore y=20\ (\because y>0)$

2-1 $\overline{AH}^2=\overline{HB}\times\overline{HC}$이므로 $12^2=\overline{HB}\times8$
$\therefore \overline{HB}=18\ cm$
$\therefore \triangle ABC=\frac{1}{2}\times(18+8)\times12=156(cm^2)$

개념 완성 기본 문제

개념북 108~109쪽

1 ③ **2** ②, ⑤
3 $\overline{EF}=8\ cm$, $\angle H=125°$
4 $486\pi\ cm^3$ **5** ㄱ, ㄷ **6** ③
7 ① **8** ③ **9** $2\ cm$ **10** ④
11 ④ **12** $3\ cm$

1 ③ 도형의 넓이가 같다고 해서 서로 닮은 도형인 것은 아니다.

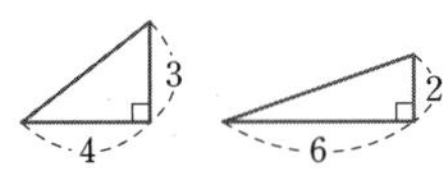

3 닮음비가 $\overline{BC}:\overline{FG}=15:10=3:2$이므로
$\overline{AB}:\overline{EF}=3:2$, $12:\overline{EF}=3:2$
$\therefore \overline{EF}=8\ cm$
$\angle H=\angle D=360°-(85°+80°+70°)=125°$

4 두 원뿔의 높이의 비가 닮음비이므로 닮음비는
$12:18=2:3$
큰 원뿔의 밑면의 반지름의 길이를 x cm라 하면
$6:x=2:3$ $\therefore x=9$
따라서 큰 원뿔의 부피는
$\frac{1}{3}\times\pi\times9^2\times18=486\pi(cm^3)$

5 ㄱ. $\triangle ABC$와 $\triangle DEF$에서
$\overline{AB}:\overline{DE}=\overline{BC}:\overline{EF}=\overline{AC}:\overline{DF}=1:2$
$\therefore \triangle ABC \backsim \triangle DEF$(SSS 닮음)
ㄴ. $\triangle GHI$와 $\triangle JKL$에서 $\angle H=\angle K=70°$이지만
$\overline{HG}:\overline{KJ}\neq\overline{HI}:\overline{KL}$이므로
$\triangle GHI$와 $\triangle JKL$은 서로 닮은 도형이 아니다.
ㄷ. $\triangle MNO$와 $\triangle PQR$에서 $\angle M=\angle P$,
$\angle N=\angle Q=180°-(50°+70°)=60°$
$\therefore \triangle MNO \backsim \triangle PQR$(AA 닮음)
따라서 서로 닮은 도형인 것은 ㄱ, ㄷ이다.

6 $\overline{AE}:\overline{CE}=\overline{BE}:\overline{DE}=1:2$,
$\angle AEB=\angle CED$(맞꼭지각)
$\therefore \triangle ABE \backsim \triangle CDE$(SAS 닮음)
따라서 $\overline{AB}:\overline{CD}=1:2$이므로 $9:\overline{CD}=1:2$
$\therefore \overline{CD}=18\ cm$

7 $\triangle ABC$와 $\triangle DBA$에서
$\overline{AB}:\overline{DB}=\overline{BC}:\overline{BA}=3:2$, $\angle B$는 공통
$\therefore \triangle ABC \backsim \triangle DBA$(SAS 닮음)
따라서 $\overline{AC}:\overline{DA}=3:2$이므로 $8:\overline{DA}=3:2$
$\therefore \overline{AD}=\frac{16}{3}\ cm$

8 $\triangle ABC$와 $\triangle EDC$에서
$\angle C$는 공통, $\angle BAC=\angle DEC$
$\therefore \triangle ABC \backsim \triangle EDC$(AA 닮음)
따라서 $\overline{AC}:\overline{EC}=\overline{BC}:\overline{DC}$이므로
$6:3=\overline{BC}:4$ $\therefore \overline{BC}=8\ cm$
$\therefore \overline{BE}=8-3=5(cm)$

9 $\triangle ABC$와 $\triangle EDA$에서
$\angle BAC=\angle DEA$(엇각), $\angle ACB=\angle EAD$(엇각)
$\therefore \triangle ABC \backsim \triangle EDA$(AA 닮음)
따라서 $\overline{AB}:\overline{ED}=\overline{AC}:\overline{EA}$이므로
$20:16=(8+\overline{CE}):8$, $16(8+\overline{CE})=160$
$8+\overline{CE}=10$ $\therefore \overline{CE}=2\ cm$

10 $\triangle ACB$와 $\triangle AFE$에서
$\angle A$는 공통, $\angle ACB=\angle AFE$이므로
$\triangle ACB \backsim \triangle AFE$(AA 닮음)
$\triangle AFE$와 $\triangle DCE$에서
$\angle AFE=\angle DCE$, $\angle AEF=\angle DEC$(맞꼭지각)이므로
$\triangle AFE \backsim \triangle DCE$(AA 닮음)
$\triangle DCE$와 $\triangle DFB$에서

$\angle$D는 공통, $\angle$DCE$=\angle$DFB이므로

$\triangle$DCE$\backsim\triangle$DFB(AA 닮음)

$\therefore$ $\triangle$ACB$\backsim\triangle$AFE$\backsim\triangle$DCE$\backsim\triangle$DFB

11 ④ $\overline{AC}^2=\overline{CH}\times\overline{CB}$

12 $\overline{AC}^2=\overline{CH}\times\overline{CB}$이므로 $5^2=4\times\overline{CB}$

$\therefore$ $\overline{CB}=\frac{25}{4}$ cm

$\therefore$ $\overline{BH}=\frac{25}{4}-4=\frac{9}{4}$(cm)

$\overline{AH}^2=\overline{HB}\times\overline{HC}$이므로 $\overline{AH}^2=\frac{9}{4}\times4=9$

이때 $\overline{AH}>0$이므로 $\overline{AH}=3$ cm

개념완성 발전 문제

개념북 110~111쪽

1 ② **2** 6 : 7 : 5 **3** $\frac{32}{5}$ cm **4** 9 cm

5 4 cm

6 ① $\angle$CDB′, 90°, $\angle$CB′D, AA

② 4 : 8=3 : $\overline{DB'}$, 6 cm

7 ① 2 cm ② 1 cm ③ 3 cm

1 A4 용지의 가로의 길이를 a라 하면

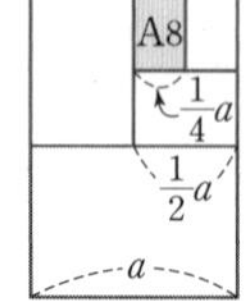

A4 용지와 A8 용지의 닮음비는

$a : \frac{1}{4}a=4 : 1$

2 $\angle$BAE$=\angle$CBF$=\angle$ACD$=\angle a$,

$\angle$ABE$=\angle b$, $\angle$CAD$=\angle c$

라 하면

$\angle$ABC$=\angle a+\angle b$,

$\angle$DEF$=\angle a+\angle b$이므로

$\angle$ABC$=\angle$DEF

마찬가지 방법으로

$\angle$BAC$=\angle$EDF$=\angle a+\angle c$

$\therefore$ $\triangle$ABC$\backsim\triangle$DEF(AA 닮음)

$\therefore$ $\overline{DE} : \overline{EF} : \overline{FD}=\overline{AB} : \overline{BC} : \overline{CA}=6 : 7 : 5$

3 $\triangle$AEB′과 $\triangle$CB′D에서

$\angle$EAB′$=\angle$B′CD$=60°$

$\angle$AEB′$=180°-(60°+\angle$AB′E$)=\angle$CB′D

$\therefore$ $\triangle$AEB′$\backsim\triangle$CB′D(AA 닮음)

따라서 $\overline{AE} : \overline{CB'}=\overline{AB'} : \overline{CD}$이므로

$\overline{AE} : (12-4)=4 : (12-7)$, $5\overline{AE}=32$

$\therefore$ $\overline{AE}=\frac{32}{5}$ cm

4 $\triangle$CBE와 $\triangle$CAD에서

$\angle$CEB$=\angle$CDA, $\angle$C는 공통이므로

$\triangle$CBE$\backsim\triangle$CAD(AA 닮음)

즉, $\angle$CBE$=\angle$CAD

이때 $\triangle$OBD와 $\triangle$CAD에서

$\angle$OBD$=\angle$CAD, $\angle$ODB$=\angle$CDA

$\therefore$ $\triangle$OBD$\backsim\triangle$CAD(AA 닮음)

따라서 $\overline{OD} : \overline{CD}=\overline{BD} : \overline{AD}$이므로

$3 : 6=6 : \overline{AD}$ $\quad\therefore$ $\overline{AD}=12$ cm

$\therefore$ $\overline{AO}=\overline{AD}-\overline{OD}=12-3=9$(cm)

5 $\triangle$ABE와 $\triangle$FCE에서 $\overline{AB}/\!/\overline{DF}$이므로

$\angle$BAE$=\angle$CFE(엇각),

$\angle$AEB$=\angle$FEC(맞꼭지각)

$\therefore$ $\triangle$ABE$\backsim\triangle$FCE(AA 닮음)

따라서 $\overline{BE} : \overline{CE}=\overline{AB} : \overline{FC}$이므로 $3 : 2=6 : \overline{FC}$

$\therefore$ $\overline{CF}=4$ cm

6 ① $\triangle$AEB′과 $\triangle$DB′C에서

$\angle$B′AE$=\angle$CDB′$=90°$

$\angle$B′EA$+\angle$AB′E$=90°$이고

$\angle$CB′D$+\angle$AB′E$=90°$이므로

$\angle$B′EA$=\angle$CB′D

$\therefore$ $\triangle$AEB′$\backsim\triangle$DB′C(AA 닮음)

② $\overline{AB'} : \overline{DC}=\overline{AE} : \overline{DB'}$이므로

$4 : 8=3 : \overline{DB'}$

$\therefore$ $\overline{B'D}=6$ cm

7 ① 직각삼각형의 빗변의 중점

M은 $\triangle$ABC의 외심이므로

$\overline{AM}=\overline{BM}=\overline{CM}$

$=4$ cm

$\therefore$ $\overline{MD}=\overline{BD}-\overline{BM}=6-4=2$(cm)

② $\triangle$AMD는 직각삼각형이므로

$\overline{DM}^2=\overline{ME}\times\overline{MA}$에서 $2^2=\overline{ME}\times4$

$\therefore$ $\overline{ME}=1$ cm

③ $\overline{AE}=\overline{AM}-\overline{ME}=4-1=3$(cm)

2 평행선과 선분의 길이의 비

1 삼각형에서 평행선과 선분의 길이의 비 개념북 114쪽

1 (1) 6 (2) 3
2 (1) 5 (2) 15

1 (1) $\overline{AB}:\overline{AD}=\overline{BC}:\overline{DE}$이므로
$9:6=9:x \quad \therefore x=6$
(2) $\overline{AB}:\overline{AD}=\overline{BC}:\overline{DE}$이므로
$9:x=12:4 \quad \therefore x=3$

2 (1) $\overline{AD}:\overline{DB}=\overline{AE}:\overline{EC}$이므로
$10:x=6:3 \quad \therefore x=5$
(2) $\overline{AD}:\overline{DB}=\overline{AE}:\overline{EC}$이므로
$5:x=4:12 \quad \therefore x=15$

삼각형에서 평행선과 선분의 길이의 비 개념북 115쪽

1 (1) $x=6$, $y=6$ (2) $x=15$, $y=9$
1-1 8

1 (1) $\overline{AD}:\overline{DB}=\overline{AE}:\overline{EC}$이므로 $4:6=x:9$
$\therefore x=6$
또, $\overline{AB}:\overline{AD}=\overline{BC}:\overline{DE}$이므로
$10:4=15:y$
$\therefore y=6$
(2) $\overline{AC}:\overline{AE}=\overline{BC}:\overline{DE}$이므로
$(16-4):4=x:5$
$\therefore x=15$
또, $\overline{AC}:\overline{AE}=\overline{AB}:\overline{AD}$이므로
$12:4=y:3 \quad \therefore y=9$

1-1 $\overline{AB}:\overline{BD}=\overline{AC}:\overline{CE}$이므로
$8:x=10:5 \quad \therefore x=4$
$\overline{AF}:\overline{AB}=\overline{AG}:\overline{AC}$이므로
$y:8=5:10 \quad \therefore y=4$
$\therefore x+y=4+4=8$

삼각형에서 평행선과 선분의 길이의 비의 응용 개념북 115쪽

2 $\dfrac{20}{3}$ **2-1** 14

2 $\overline{AD}:\overline{AB}=\overline{DF}:\overline{BG}=\overline{FE}:\overline{GC}$이므로
$4:6=\overline{FE}:10 \quad \therefore \overline{FE}=\dfrac{20}{3}$

2-1 $\overline{DG}:\overline{BF}=\overline{GE}:\overline{FC}$이므로
$6:x=8:12 \quad \therefore x=9$
$\overline{AD}:\overline{AB}=\overline{DG}:\overline{BF}$이므로
$10:(10+y)=6:9$
$6(10+y)=90,\ 6y=30 \quad \therefore y=5$
$\therefore x+y=9+5=14$

선분의 길이의 비를 이용하여 평행선 찾기 개념북 116쪽

3 ③ **3-1** (1) 1 (2) 5 **3-2** ②, ④

3 ① $10:6\neq6:4$이므로 $\overline{BC}$와 $\overline{DE}$는 평행하지 않다.
② $6:8\neq4:12$이므로 $\overline{BC}$와 $\overline{DE}$는 평행하지 않다.
③ $14:4=(20+8):8$이므로 $\overline{BC}/\!/\overline{DE}$
④ $4:12\neq(16-12):16$이므로 $\overline{BC}$와 $\overline{DE}$는 평행하지 않다.
⑤ $(3+1):1\neq6:2$이므로 $\overline{BC}$와 $\overline{DE}$는 평행하지 않다.

3-1 (1) $\overline{AD}:\overline{DB}=\overline{AE}:\overline{EC}$이어야 하므로
$6:2=3:x \quad \therefore x=1$
(2) $\overline{AB}:\overline{AD}=\overline{AC}:\overline{AE}$이어야 하므로
$9:6=3:(x-3)$
$9(x-3)=18 \quad \therefore x=5$

3-2 ① $6:8\neq5:4$이므로 $\overline{DE}$와 $\overline{AC}$는 평행하지 않다.
② $8:6=6:4.5$이므로 $\overline{DF}/\!/\overline{BC}$
③ $4.5:6\neq4:5$이므로 $\overline{EF}$와 $\overline{AB}$는 평행하지 않다.
④ $\overline{DF}/\!/\overline{BC}$이므로 $\angle ADF=\angle ABC$(동위각)
⑤ $\overline{DE}$와 $\overline{AC}$가 평행하지 않으므로
$\angle BED\neq\angle BCA$

2 삼각형의 각의 이등분선 개념북 117쪽

1 (1) 16 (2) 14 (3) 3 (4) 15

1 $\overline{AB}:\overline{AC}=\overline{BD}:\overline{CD}$이므로

(1) $x:12=8:6 \quad \therefore x=16$

(2) $9:12=(x-8):8,\ 12(x-8)=72$

$x-8=6 \quad \therefore x=14$

(3) $6:x=8:4 \quad \therefore x=3$

(4) $9:6=x:(x-5),\ 9(x-5)=6x,\ 9x-45=6x$

$3x=45 \quad \therefore x=15$

삼각형의 내각의 이등분선

개념북 118쪽

1 ④ **1-1** $\frac{16}{5}$ cm

1 $\overline{CD}=x$ cm라 하면 $\overline{AB}:\overline{AC}=\overline{BD}:\overline{CD}$이므로

$12:9=(14-x):x,\ 9(14-x)=12x$

$126-9x=12x,\ 21x=126 \quad \therefore x=6$

$\therefore \overline{CD}=6$ cm

1-1 $\overline{AB}:\overline{AC}=\overline{BD}:\overline{CD}$이므로

$8:10=\overline{BD}:4 \quad \therefore \overline{BD}=\frac{16}{5}$ cm

삼각형의 외각의 이등분선

개념북 118쪽

2 6 cm **2-1** 26 cm

2 $\overline{CD}=x$ cm라 하면 $\overline{AB}:\overline{AC}=\overline{BD}:\overline{CD}$이므로

$5:3=(4+x):x,\ 3(4+x)=5x,\ 12+3x=5x$

$2x=12 \quad \therefore x=6$

$\therefore \overline{CD}=6$ cm

2-1 $\overline{BC}=x$ cm라 하면 $\overline{AB}:\overline{AC}=\overline{BD}:\overline{CD}$이므로

$10:6=(x+15):15,\ 6(x+15)=150$

$x+15=25 \quad \therefore x=10$

따라서 $\triangle ABC$의 둘레의 길이는

$10+6+10=26(\text{cm})$

삼각형의 각의 이등분선과 넓이

개념북 119쪽

3 32 cm^2 **3-1** 84 cm^2

3 $\overline{AB}:\overline{AC}=\overline{BD}:\overline{CD}$이므로

$\overline{BD}:\overline{CD}=12:16=3:4$

높이가 같은 두 삼각형의 넓이의 비는 밑변의 길이의 비와 같으므로 $\triangle ABD:\triangle ADC=3:4$

$\therefore \triangle ADC=\frac{4}{7}\triangle ABC=\frac{4}{7}\times 56=32(\text{cm}^2)$

3-1 $\overline{AB}:\overline{AC}=\overline{BD}:\overline{CD}$이므로

$\overline{BD}:\overline{CD}=18:12=3:2$

$\therefore \overline{BC}:\overline{CD}=1:2$

높이가 같은 두 삼각형의 넓이의 비는 밑변의 길이의 비와 같으므로

$\triangle ABC:\triangle ACD=1:2$에서 $42:\triangle ACD=1:2$

$\therefore \triangle ACD=42\times 2=84(\text{cm}^2)$

삼각형의 내각과 외각의 이등분선

개념북 119쪽

4 $\frac{96}{7}$ cm **4-1** ②

4 $\overline{AB}:\overline{AC}=\overline{BE}:\overline{CE}$이므로

$8:6=(4+\overline{CE}):\overline{CE},\ 24+6\overline{CE}=8\overline{CE}$

$2\overline{CE}=24 \quad \therefore \overline{CE}=12$ cm

또, $\overline{AB}:\overline{AC}=\overline{BD}:\overline{CD}$이므로

$8:6=(4-\overline{CD}):\overline{CD},\ 24-6\overline{CD}=8\overline{CD}$

$14\overline{CD}=24 \quad \therefore \overline{CD}=\frac{12}{7}$ cm

$\therefore \overline{DE}=\overline{CD}+\overline{CE}=\frac{12}{7}+12=\frac{96}{7}(\text{cm})$

4-1 $\overline{CD}=x$라 하면 $\overline{AB}:\overline{AC}=\overline{BD}:\overline{CD}$이므로

$10:8=(3+x):x$

$10x=24+8x,\ 2x=24 \quad \therefore x=12$

$\overline{BD}=3+12=15$이고 $\overline{BE}$는 $\angle B$의 이등분선이므로

$\overline{DE}:\overline{AE}=\overline{BD}:\overline{BA}=15:10=3:2$

개념 확인 3 평행선 사이의 선분의 길이의 비 개념북 120쪽

1 (1) 3 : 4 (2) 4 : 5

2 (1) 4 (2) 3 (3) 15 (4) 3

1 (1) $a:b=9:12=3:4$

(2) $a:b=8:10=4:5$

2 (1) $3:6=2:x \quad \therefore x=4$

(2) $x:5=9:15 \quad \therefore x=3$

(3) $12:4=x:5 \quad \therefore x=15$

(4) $6:x=4:2 \quad \therefore x=3$

평행선 사이의 선분의 길이의 비 개념북 121쪽

1 (1) $x=\frac{11}{2}$, $y=\frac{22}{3}$ (2) $x=3$, $y=6$

1-1 (1) $\frac{65}{4}$ (2) $\frac{38}{3}$ **1-2** $x=10$, $y=\frac{12}{5}$

1-3 $x=8$, $y=6$

1 (1) $11:6=x:3$ $\therefore x=\frac{11}{2}$

$11:6=y:4$ $\therefore y=\frac{22}{3}$

(2) $x:2=6:4$ $\therefore x=3$

$9:y=6:4$ $\therefore y=6$

1-1 (1) $5:4=x:5$ $\therefore x=\frac{25}{4}$

$5:4=y:8$ $\therefore y=10$

$\therefore x+y=\frac{25}{4}+10=\frac{65}{4}$

(2) $9:6=10:x$ $\therefore x=\frac{20}{3}$

$9:6=y:4$ $\therefore y=6$

$\therefore x+y=\frac{20}{3}+6=\frac{38}{3}$

1-2 $5:x=4:8$ $\therefore x=10$

$5:3=4:y$ $\therefore y=\frac{12}{5}$

1-3 $20:x=15:6$ $\therefore x=8$

$8:20=y:15$ $\therefore y=6$

개념 확인 4 사다리꼴에서 평행선과 선분의 길이의 비 개념북 122쪽

1 (1) 6 (2) 6 (3) 2 (4) 8

2 (1) 3 (2) 2 : 3 (3) 4 (4) 7

1 (1) $\overline{GF}=\overline{AD}=6$

(2) $\overline{CH}=\overline{AD}=6$이므로 $\overline{BH}=12-6=6$

(3) $\overline{AE}:\overline{AB}=\overline{EG}:\overline{BH}$이므로 $2:6=\overline{EG}:6$

$\therefore \overline{EG}=2$

(4) $\overline{EF}=\overline{EG}+\overline{GF}=2+6=8$

2 (1) $\overline{AE}:\overline{AB}=\overline{EG}:\overline{BC}$이므로

$3:9=\overline{EG}:9$ $\therefore \overline{EG}=3$

(2) $\overline{CF}:\overline{CD}=\overline{BE}:\overline{BA}=6:9=2:3$

(3) $\overline{CF}:\overline{CD}=\overline{GF}:\overline{AD}$이므로

$2:3=\overline{GF}:6$ $\therefore \overline{GF}=4$

(4) $\overline{EF}=\overline{EG}+\overline{GF}=3+4=7$

사다리꼴에서 평행선과 선분의 길이의 비 개념북 123쪽

1 7 **1-1** 10

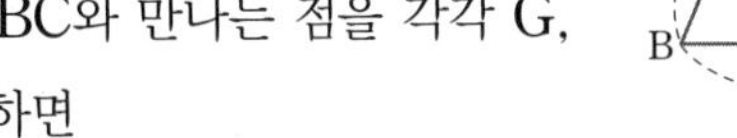

1 오른쪽 그림과 같이 점 A에서 $\overline{CD}$와 평행한 직선을 그었을 때, $\overline{EF}$, $\overline{BC}$와 만나는 점을 각각 G, H라 하면

$\overline{AD}=\overline{GF}=\overline{HC}=4$이므로

$\overline{BH}=12-4=8$

이때 $\overline{AE}:\overline{AB}=\overline{EG}:\overline{BH}$이므로 $3:8=\overline{EG}:8$

$\therefore \overline{EG}=3$

$\therefore \overline{EF}=\overline{EG}+\overline{GF}=3+4=7$

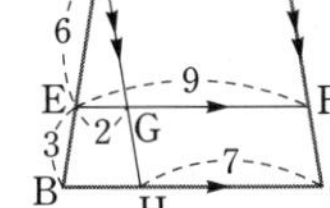

1-1 오른쪽 그림과 같이 점 A에서 $\overline{CD}$와 평행한 직선을 그었을 때, $\overline{EF}$, $\overline{BC}$와 만나는 점을 각각 G, H라 하면 $\overline{AD}=\overline{GF}=\overline{HC}=7$이므로

$\overline{EG}=9-7=2$

이때 $\overline{AE}:\overline{AB}=\overline{EG}:\overline{BH}$이므로

$6:9=2:\overline{BH}$ $\therefore \overline{BH}=3$

$\therefore \overline{BC}=\overline{BH}+\overline{HC}=3+7=10$

사다리꼴에서 평행선과 대각선 개념북 123쪽

2 $x=3$, $y=4$ **2-1** 10 cm

2 $\triangle ABC$에서 $\overline{AE}:\overline{AB}=\overline{EG}:\overline{BC}$이므로

$2:8=x:12$ $\therefore x=3$

$\triangle ACD$에서 $\overline{CF}:\overline{CD}=\overline{GF}:\overline{AD}$이므로

$6:8=3:y$ $\therefore y=4$

2-1 $\triangle ABC$에서 $\overline{AE}:\overline{AB}=\overline{EN}:\overline{BC}$이므로

$2:3=\overline{EN}:24$

$\therefore \overline{EN}=16$ cm

$\triangle ABD$에서 $\overline{BE}:\overline{BA}=\overline{EM}:\overline{AD}$이므로

$1:3=\overline{EM}:18$ $\therefore \overline{EM}=6$ cm

$\therefore \overline{MN}=\overline{EN}-\overline{EM}=16-6=10$(cm)

5 평행선과 선분의 길이의 비의 응용 개념북 124쪽

1 (1) 2 : 3 (2) 2 : 5 (3) 6 cm

2 (1) $x=2$, $y=\frac{8}{3}$ (2) $x=\frac{24}{5}$, $y=8$

1 (1) △ABE∽△CDE(AA 닮음)이므로

$\overline{BE}:\overline{DE}=\overline{AB}:\overline{CD}=10:15=2:3$

(2) △BFE∽△BCD(AA 닮음)이므로

$\overline{BF}:\overline{BC}=\overline{BE}:\overline{BD}=2:5$

(3) $\overline{BF}:\overline{BC}=\overline{EF}:\overline{DC}$이므로 $2:5=\overline{EF}:15$

$\therefore \overline{EF}=6$ cm

2 (1) $\overline{BE}:\overline{DE}=\overline{AB}:\overline{DC}=3:6=1:2$

즉, △EBF와 △DBC의 닮음비는 1 : 3이다.

$\overline{BE}:\overline{BD}=\overline{EF}:\overline{DC}$이므로

$1:3=x:6$ $\therefore x=2$

$\overline{BE}:\overline{BD}=\overline{BF}:\overline{BC}$이므로

$1:3=y:8$ $\therefore y=\frac{8}{3}$

(2) $\overline{BE}:\overline{DE}=\overline{AB}:\overline{DC}=8:12=2:3$

즉, △BEF와 △BDC의 닮음비는 2 : 5이다.

$\overline{BE}:\overline{BD}=\overline{EF}:\overline{DC}$이므로

$2:5=x:12$ $\therefore x=\frac{24}{5}$

$\overline{BE}:\overline{BD}=\overline{BF}:\overline{BC}$이므로

$2:5=y:20$ $\therefore y=8$

평행선과 선분의 길이의 비의 응용 개념북 125쪽

1 $\frac{96}{5}$

1-1 ⑤ **1-2** $\frac{48}{7}$ cm **1-3** 18 cm^2

1 △ABE∽△CDE(AA 닮음)이므로

$\overline{BE}:\overline{DE}=12:18=2:3$

$\therefore \overline{BE}:\overline{BD}=2:5$

$\overline{BE}:\overline{BD}=\overline{BF}:\overline{BC}$이므로 $2:5=x:30$

$\therefore x=12$

$\overline{BE}:\overline{BD}=\overline{EF}:\overline{DC}$이므로 $2:5=y:18$

$\therefore y=\frac{36}{5}$

$\therefore x+y=12+\frac{36}{5}=\frac{96}{5}$

1-1 ⑤ $\overline{EF}:\overline{DC}=\overline{BF}:\overline{BC}=a:(a+b)$

1-2 $\overline{BE}:\overline{DE}=12:16=3:4$이므로

△EBF와 △DBC의 닮음비는 3 : 7이다.

$\overline{BE}:\overline{BD}=\overline{EF}:\overline{DC}$이므로 $3:7=\overline{EF}:16$

$\therefore \overline{EF}=\frac{48}{7}$ cm

1-3 오른쪽 그림과 같이 점 E에서 $\overline{BC}$에 내린 수선의 발을 F라 하면

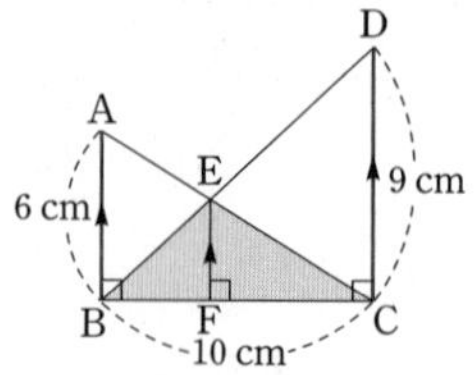

$\overline{AB}/\!/\overline{EF}/\!/\overline{DC}$

이때 △ABE∽△CDE(AA 닮음)이므로

$\overline{BE}:\overline{DE}=6:9=2:3$

$\therefore \overline{BE}:\overline{BD}=2:5$

$\overline{BE}:\overline{BD}=\overline{EF}:\overline{DC}$이므로 $2:5=\overline{EF}:9$

$\therefore \overline{EF}=\frac{18}{5}$ cm

$\therefore △EBC=\frac{1}{2}\times10\times\frac{18}{5}=18(\text{cm}^2)$

개념 완성 기본 문제 개념북 126~127쪽

1 8	**2** 9 cm	**3** ㄷ, ㄹ	**4** ㄱ, ㄴ, ㄷ
5 $\frac{32}{7}$	**6** 28 cm^2	**7** ③	**8** ①
9 75	**10** ⑤	**11** ①	**12** 24 cm

1 $\overline{AE}:\overline{AC}=\overline{AD}:\overline{AB}$이므로

$6:9=x:12$, $9x=72$

$\therefore x=8$

2 △AGE∽△AFC(AA 닮음)이므로

$\overline{GE}:\overline{FC}=\overline{AE}:\overline{AC}$

△ADE∽△ABC(AA 닮음)이므로

$\overline{DE}:\overline{BC}=\overline{AE}:\overline{AC}$

즉, $\overline{GE}:\overline{FC}=\overline{DE}:\overline{BC}$이므로

$\overline{GE}:15=15:(10+15)$

$25\overline{GE}=225$ $\therefore \overline{GE}=9$ cm

3 ㄱ. $3:10\neq5:7$이므로 $\overline{BC}$와 $\overline{DE}$는 평행하지 않다.

ㄴ. $15:5\neq16:4$이므로 $\overline{BC}$와 $\overline{DE}$는 평행하지 않다.

ㄷ. $8:10=4:5$이므로 $\overline{BC} /\!/ \overline{DE}$

ㄹ. $3:6=5:10$이므로 $\overline{BC} /\!/ \overline{DE}$

따라서 $\overline{BC} /\!/ \overline{DE}$인 것은 ㄷ, ㄹ이다.

4 ㄱ. $\overline{AD}:\overline{DB}=\overline{AE}:\overline{EC}$에서

$\overline{AD}:\overline{AB}=\overline{AE}:\overline{AC}$, $\angle A$는 공통이므로

$\triangle ABC \backsim \triangle ADE$(SAS 닮음)

ㄴ. $\triangle ABC \backsim \triangle ADE$이므로 $\angle ABC=\angle ADE$

$\therefore \overline{BC} /\!/ \overline{DE}$

ㄷ, ㄹ. $\overline{DE}:\overline{BC}=\overline{AD}:\overline{AB}=3:5$

$\overline{DE}:8=3:5$이므로 $\overline{DE}=\frac{24}{5}$ cm

따라서 옳은 것은 ㄱ, ㄴ, ㄷ이다.

5 $\overline{AB}:\overline{AC}=\overline{BD}:\overline{CD}$이므로

$6:\overline{AC}=3:4$ $\quad\therefore \overline{AC}=8$ cm

$\overline{AB} /\!/ \overline{ED}$이므로 $\overline{CE}:\overline{CA}=\overline{CD}:\overline{CB}$

$x:8=4:7$ $\quad\therefore x=\frac{32}{7}$

6 $\overline{BD}:\overline{CD}=\overline{AB}:\overline{AC}=12:9=4:3$

$\triangle ABD:\triangle ADC=4:3$이므로

$16:\triangle ADC=4:3$

$\therefore \triangle ADC=12\text{ cm}^2$

$\therefore \triangle ABC=16+12=28(\text{cm}^2)$

7 $\overline{PC}=x$ cm라 하면

$\overline{AB}:\overline{AC}=\overline{BP}:\overline{PC}$이므로

$6:4=3:x$ $\quad\therefore x=2$

또, $\overline{AB}:\overline{AC}=\overline{BQ}:\overline{CQ}$이므로

$\overline{CQ}=y$ cm라 하면

$6:4=(5+y):y$, $6y=20+4y$, $2y=20$

$\therefore y=10$ $\quad\therefore \overline{CQ}=10$ cm

8 $2:8=(x-5):5$이므로

$8(x-5)=10$, $8x-40=10$, $8x=50$

$\therefore x=\frac{25}{4}$

9 $4:6=5:x$, $4x=30$ $\quad\therefore x=\frac{15}{2}$

$4:6=y:15$, $6y=60$ $\quad\therefore y=10$

$\therefore xy=\frac{15}{2}\times 10=75$

10 오른쪽 그림과 같이 점 A에서 $\overline{CD}$와 평행한 직선을 그었을 때, $\overline{PQ}$, $\overline{BC}$와 만나는 점을 각각 G, H라 하면

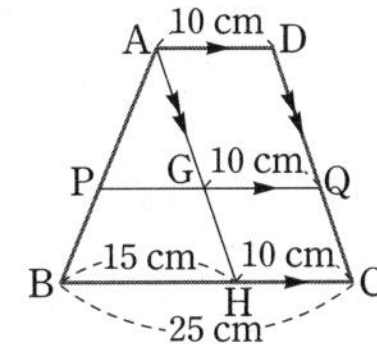

$\overline{AD}=\overline{GQ}=\overline{HC}=10$ cm이므로

$\overline{BH}=25-10=15$(cm)

이때 $\overline{AP}:\overline{AB}=\overline{PG}:\overline{BH}$이므로

$3:5=\overline{PG}:15$ $\quad\therefore \overline{PG}=9$ cm

$\therefore \overline{PQ}=\overline{PG}+\overline{GQ}=9+10=19$(cm)

11 오른쪽 그림과 같이 $\overline{AC}$를 그어 $\overline{MN}$과 만나는 점을 E라 하면

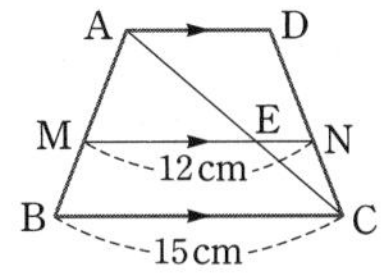

$\triangle ABC$에서

$\overline{AM}:\overline{AB}=\overline{ME}:\overline{BC}$이므로

$3:5=\overline{ME}:15$, $5\overline{ME}=45$

$\therefore \overline{ME}=9$ cm

$\therefore \overline{EN}=12-9=3$(cm)

$\triangle CDA$에서 $\overline{CN}:\overline{CD}=\overline{EN}:\overline{AD}$이므로

$2:5=3:\overline{AD}$, $2\overline{AD}=15$ $\quad\therefore \overline{AD}=\frac{15}{2}$ cm

12 $\overline{CF}:\overline{CB}=\overline{EF}:\overline{AB}=8:12=2:3$

$\therefore \overline{BF}:\overline{BC}=1:3$

$\overline{BF}:\overline{BC}=\overline{EF}:\overline{CD}$이므로 $1:3=8:\overline{CD}$

$\therefore \overline{CD}=24$ cm

개념 완성 발전 문제 개념북 128~129쪽

1 ③ **2** ① **3** $\frac{34}{3}$ **4** $\frac{48}{5}$ cm

5 3

6 ① $\overline{CD}$, 14, 4, 3, $\frac{21}{2}$ cm ② $\overline{CE}$, $\overline{CE}$, 7 cm

7 ① $1:4$ ② 2 cm

1 $\overline{AE}:\overline{EF}=\overline{AD}:\overline{DB}=\overline{AF}:\overline{FC}$

$=21:28=3:4$

$\therefore \overline{AE}=\frac{3}{7}\times 21=9$(cm)

2 $l /\!/ m$이므로 $\angle ABE=\angle ACD$ (동위각),

$\angle AEB=\angle ADC$ (동위각)

$\therefore \triangle ABE \backsim \triangle ACD$ (AA 닮음)

$\overline{AB}:\overline{BC}=1:2$에서 $\overline{AB}:\overline{AC}=1:3$이므로
$\triangle ABE$와 $\triangle ACD$에서
$4:\overline{CD}=1:3$ $\therefore \overline{CD}=12$
□BCDE의 둘레의 길이가 34이므로
$4+8+12+\overline{BC}=34$ $\therefore \overline{BC}=10$
$\overline{AB}:\overline{BC}=1:2$에서
$\overline{AB}:10=1:2$ $\therefore \overline{AB}=5$
$\therefore \overline{AC}=\overline{AB}+\overline{BC}=5+10=15$

3 오른쪽 그림과 같이 $m /\!/ m'$인 직선 m'을 그으면

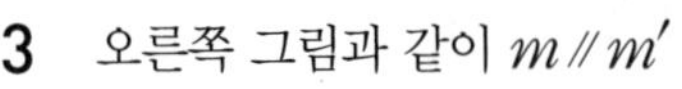

$4:6=8:(a+3)$
$4(a+3)=48$
$a+3=12$ $\therefore a=9$
$2:x=3:(a+8)$에서
$2:x=3:17$ $\therefore x=\frac{34}{3}$

4 $\triangle AOD \backsim \triangle COB$(AA 닮음)이므로
$\overline{OA}:\overline{OC}=\overline{OD}:\overline{OB}=\overline{AD}:\overline{CB}$
$=8:12=2:3$
$\triangle ABC$에서 $2:5=\overline{EO}:12$이므로
$\overline{EO}=\frac{24}{5}$ cm
$\triangle CDA$에서 $3:5=\overline{OF}:8$이므로
$\overline{OF}=\frac{24}{5}$ cm
$\therefore \overline{EF}=\overline{EO}+\overline{OF}=\frac{24}{5}+\frac{24}{5}=\frac{48}{5}$(cm)

5 오른쪽 그림과 같이 점 E에서 $\overline{BD}$에 수직인 직선을 그어 $\overline{AD}$와 만나는 점을 H라 하면

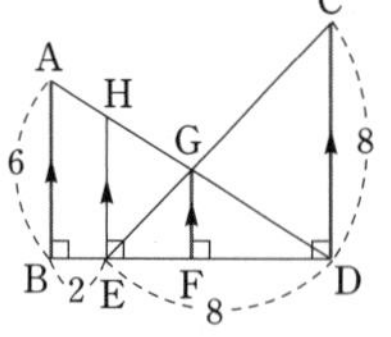

$\triangle DHE \backsim \triangle DAB$(AA 닮음)이므로
$\overline{HE}:\overline{AB}=\overline{DE}:\overline{DB}$
$\overline{HE}:6=8:10$ $\therefore \overline{HE}=\frac{24}{5}$
$\triangle GHE \backsim \triangle GDC$(AA 닮음)이고 닮음비는
$\overline{HE}:\overline{DC}=\frac{24}{5}:8=3:5$이므로
$\overline{EG}:\overline{EC}=\overline{GF}:\overline{CD}$, $3:8=\overline{GF}:8$
$\therefore \overline{GF}=3$

6 ① $\overline{AD}$가 $\angle A$의 이등분선이므로
$\overline{AB}:\overline{AC}=\overline{BD}:\overline{CD}$, $14:\overline{AC}=4:3$
$\therefore \overline{AC}=\frac{21}{2}$ cm
② $\overline{BE}$가 $\angle B$의 이등분선이므로
$\overline{BA}:\overline{BC}=\overline{AE}:\overline{CE}$, $14:7=2:1=\overline{AE}:\overline{CE}$
$\therefore \overline{AE}=\frac{2}{3}\times\overline{AC}=\frac{2}{3}\times\frac{21}{2}=7$(cm)

7 ① $\triangle AEP$와 $\triangle ABC$에서
$\angle BAC$는 공통, $\angle AEP=\angle ABC$(동위각)이므로
$\triangle AEP \backsim \triangle ABC$(AA 닮음)
$\overline{AP}:\overline{AC}=\overline{EP}:\overline{BC}=9:12=3:4$이므로
$\overline{CP}:\overline{CA}=1:4$
② $\triangle CFP$와 $\triangle CDA$에서
$\angle ACD$는 공통, $\angle CFP=\angle CDA$(동위각)이므로
$\triangle CFP \backsim \triangle CDA$(AA 닮음)
$\overline{CP}:\overline{CA}=\overline{PF}:\overline{AD}$이므로 $1:4=\overline{PF}:8$
$\therefore \overline{PF}=2$ cm

3 삼각형의 무게중심과 닮음의 활용

개념 확인 1 삼각형의 두 변의 중점을 연결한 선분의 성질 (1) 개념북 132쪽

1 (1) 4 (2) 12
2 (1) 18 cm (2) 9 cm (3) 3 cm

1 (1) $\overline{MN}=\frac{1}{2}\overline{BC}=\frac{1}{2}\times 8=4$ $\therefore x=4$
(2) $\overline{BC}=2\overline{MN}=2\times 6=12$ $\therefore x=12$

2 (1) $\overline{BC}=2\overline{MN}=2\times 9=18$(cm)
(2) $\overline{PQ}=\frac{1}{2}\overline{BC}=\frac{1}{2}\times 18=9$(cm)
(3) $\overline{PR}=\overline{PQ}-\overline{RQ}=9-6=3$(cm)

삼각형의 두 변의 중점을 연결한 선분의 성질 (1)

개념북 133쪽

1 $x=10$, $y=50$ **1-1** 19 cm

1 $\overline{MN}=\frac{1}{2}\overline{BC}=\frac{1}{2}\times 20=10$(cm) $\therefore x=10$
$\overline{MN} /\!/ \overline{BC}$이므로
$\angle ABC=\angle AMN=50°$ $\therefore y=50$

1-1 $\overline{DE}=\frac{1}{2}\overline{AC}=\frac{1}{2}\times12=6(cm)$

$\overline{FE}=\frac{1}{2}\overline{AB}=\frac{1}{2}\times10=5(cm)$

$\overline{DF}=\frac{1}{2}\overline{BC}=\frac{1}{2}\times16=8(cm)$

$\therefore$ (△DEF의 둘레의 길이)$=6+5+8=19(cm)$

사각형의 각 변의 중점을 연결한 선분의 성질 개념북 133쪽

2 (1) 평행사변형 (2) 14 cm **2-1** 40 cm^2

2 (1) △ABD에서 $\overline{PS}/\!/\overline{BD}$, $\overline{PS}=\frac{1}{2}\overline{BD}$

△CDB에서 $\overline{QR}/\!/\overline{BD}$, $\overline{QR}=\frac{1}{2}\overline{BD}$

따라서 $\overline{PS}/\!/\overline{QR}$, $\overline{PS}=\overline{QR}$이므로 □PQRS는 평행사변형이다.

(2) $\overline{PS}=\overline{QR}=\frac{1}{2}\overline{BD}=\frac{1}{2}\times8=4(cm)$

$\overline{PQ}=\overline{SR}=\frac{1}{2}\overline{AC}=\frac{1}{2}\times6=3(cm)$

$\therefore$ (□PQRS의 둘레의 길이)

$=2\times(3+4)=14(cm)$

2-1 마름모의 두 대각선은 서로 수직이므로 $\overline{AC}\perp\overline{BD}$이고

$\overline{PQ}/\!/\overline{AC}$, $\overline{PS}/\!/\overline{BD}$이므로 $\overline{PQ}\perp\overline{PS}$

즉, $\angle SPQ=90°$이다.

따라서 □PQRS는 직사각형이다.

$\overline{PQ}=\frac{1}{2}\overline{AC}=\frac{1}{2}\times10=5(cm)$

$\overline{PS}=\frac{1}{2}\overline{BD}=\frac{1}{2}\times16=8(cm)$

$\therefore$ □PQRS$=\overline{PS}\times\overline{PQ}=8\times5=40(cm^2)$

개념 확인 2 삼각형의 두 변의 중점을 연결한 선분의 성질 (2) 개념북 134쪽

1 (1) 8 (2) 14 **2** $x=12$, $y=6$

1 (1) 점 N은 $\overline{AC}$의 중점이므로 $x=2\overline{AN}=2\times4=8$

(2) $\overline{MN}=\frac{1}{2}\overline{BC}$이므로 $x=2\times7=14$

2 $\overline{AC}=2\overline{AN}=2\times6=12$ $\therefore x=12$

$\overline{MN}=\frac{1}{2}\overline{BC}=\frac{1}{2}\times18=9$이므로

$y+3=9$ $\therefore y=6$

삼각형의 두 변의 중점을 연결한 선분의 성질 (2) 개념북 135쪽

1 $x=7$, $y=6$ **1-1** 5 cm

1 점 D가 $\overline{AB}$의 중점이고 $\overline{AC}/\!/\overline{DE}$이므로 점 E는 $\overline{BC}$의 중점이다.

$\therefore \overline{BE}=\overline{EC}=7$ cm $\therefore x=7$

또한, $\overline{AC}=2\overline{DE}=2\times3=6(cm)$ $\therefore y=6$

1-1 점 D가 $\overline{AB}$의 중점이고 $\overline{BC}/\!/\overline{DE}$이므로 점 E는 $\overline{AC}$의 중점이다.

또한, $\overline{BC}=2\overline{DE}=2\times5=10(cm)$

점 E가 $\overline{AC}$의 중점이고 $\overline{AB}/\!/\overline{EF}$이므로 점 F는 $\overline{BC}$의 중점이다.

$\therefore \overline{FC}=\frac{1}{2}\overline{BC}=\frac{1}{2}\times10=5(cm)$

삼각형의 두 변의 중점을 연결한 선분의 성질의 응용 개념북 135쪽

2 12 cm **2-1** 3 cm

2 △ABF에서 $\overline{AD}=\overline{DB}$, $\overline{DE}/\!/\overline{BF}$이므로

$\overline{BF}=2\overline{DE}=2\times8=16(cm)$

△DCE에서 $\overline{DG}=\overline{GC}$, $\overline{DE}/\!/\overline{GF}$이므로

$\overline{GF}=\frac{1}{2}\overline{DE}=\frac{1}{2}\times8=4(cm)$

$\therefore \overline{BG}=\overline{BF}-\overline{GF}=16-4=12(cm)$

2-1 $\overline{EG}=\frac{1}{2}\overline{BC}=\frac{1}{2}\times6=3(cm)$

△EFG와 △DFC에서 $\angle GEF=\angle CDF$(엇각),

$\angle EFG=\angle DFC$(맞꼭지각), $\overline{EF}=\overline{DF}$이므로

△EFG≡△DFC(ASA 합동)

$\therefore \overline{CD}=\overline{EG}=3$ cm

개념 확인 3 사다리꼴의 두 변의 중점을 연결한 선분의 성질 개념북 136쪽

1 (1) $x=4$, $y=8$ (2) $x=5$, $y=14$

2 (1) 4 cm (2) 3 cm (3) 7 cm (4) 1 cm

1 (1) $\overline{MP}=\frac{1}{2}\overline{AD}=\frac{1}{2}\times8=4(cm)$ $\therefore x=4$

$\overline{PN}=\frac{1}{2}\overline{BC}=\frac{1}{2}\times16=8(cm)$ $\therefore y=8$

(2) $\overline{PN}=\frac{1}{2}\overline{AD}=\frac{1}{2}\times10=5(cm)$ $\quad\therefore x=5$

$\overline{MP}=12-5=7(cm)$이므로

$\overline{BC}=2\overline{MP}=2\times7=14(cm)$ $\quad\therefore y=14$

2 (1) $\overline{MQ}=\frac{1}{2}\overline{BC}=\frac{1}{2}\times8=4(cm)$

(2) $\overline{QN}=\frac{1}{2}\overline{AD}=\frac{1}{2}\times6=3(cm)$

(3) $\overline{MN}=\overline{MQ}+\overline{QN}=4+3=7(cm)$

(4) $\overline{MP}=\frac{1}{2}\overline{AD}=\frac{1}{2}\times6=3(cm)$이므로

$\overline{PQ}=\overline{MQ}-\overline{MP}=4-3=1(cm)$

사다리꼴의 두 변의 중점을 연결한 선분의 성질 개념북 137쪽

1 18 cm **1-1** 8 cm

1 $\triangle ABC$에서 $\overline{MP}=\frac{1}{2}\overline{BC}=\frac{1}{2}\times20=10(cm)$

$\triangle ACD$에서 $\overline{PN}=\frac{1}{2}\overline{AD}=\frac{1}{2}\times16=8(cm)$

$\therefore \overline{MN}=\overline{MP}+\overline{PN}=10+8=18(cm)$

1-1 오른쪽 그림과 같이 $\overline{AC}$를 그어 $\overline{MN}$과 만나는 점을 P라 하면

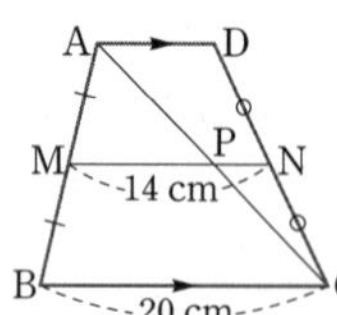

$\triangle ABC$에서

$\overline{MP}=\frac{1}{2}\overline{BC}$

$=\frac{1}{2}\times20=10(cm)$

$\therefore \overline{PN}=14-10=4(cm)$

따라서 $\triangle ACD$에서

$\overline{AD}=2\overline{PN}=2\times4=8(cm)$

사다리꼴의 두 변의 중점을 연결한 선분의 성질의 응용 개념북 137쪽

2 11 cm **2-1** 24 cm

2 $\triangle ABD$에서 $\overline{MP}=\frac{1}{2}\overline{AD}=\frac{1}{2}\times7=\frac{7}{2}(cm)$

$\overline{MQ}=\overline{MP}+\overline{PQ}=\frac{7}{2}+2=\frac{11}{2}(cm)$

따라서 $\triangle ABC$에서

$\overline{BC}=2\overline{MQ}=2\times\frac{11}{2}=11(cm)$

2-1 $\triangle ABD$에서 $\overline{MP}=\frac{1}{2}\overline{AD}=\frac{1}{2}\times12=6(cm)$

$\overline{MQ}=2\overline{MP}=2\times6=12(cm)$

따라서 $\triangle ABC$에서

$\overline{BC}=2\overline{MQ}=2\times12=24(cm)$

개념 확인 4 삼각형의 중선과 무게중심 개념북 138쪽

1 (1) 6 cm^2 (2) 6 cm^2

2 (1) $x=6$, $y=8$ (2) $x=7$, $y=4$

1 (1) $\triangle PDC=\triangle PBD=6\ cm^2$

(2) $\triangle ADC=\triangle ABD=\frac{1}{2}\triangle ABC$

$=\frac{1}{2}\times24=12(cm^2)$

$\therefore \triangle APC=\triangle ADC-\triangle PDC$

$=12-6=6(cm^2)$

2 (1) $\overline{CD}=\overline{BD}=6$ cm $\quad\therefore x=6$

$\overline{AG}:\overline{GD}=2:1$이므로

$\overline{AG}=\frac{2}{3}\overline{AD}=\frac{2}{3}\times12=8(cm)$ $\quad\therefore y=8$

(2) $\overline{CD}=\frac{1}{2}\overline{BC}=\frac{1}{2}\times14=7(cm)$ $\quad\therefore x=7$

$\overline{BG}:\overline{GE}=2:1$이므로

$\overline{GE}=\frac{1}{2}\overline{BG}=\frac{1}{2}\times8=4(cm)$ $\quad\therefore y=4$

삼각형의 중선의 성질을 이용하여 삼각형의 넓이 구하기 개념북 139쪽

1 12 cm^2 **1-1** 15 cm^2

1 $\overline{AD}$가 $\triangle ABC$의 중선이고 $\overline{BE}$가 $\triangle ABD$의 중선이므로

$\triangle BDE=\triangle CED=\triangle AEC=\triangle ABE$

$\therefore \triangle ABC=4\triangle BDE=4\times3=12(cm^2)$

1-1 $\triangle APM=\frac{1}{2}\triangle ABM=\frac{1}{2}\times\frac{1}{2}\triangle ABC$

$=\frac{1}{4}\triangle ABC=\frac{1}{4}\times60=15(cm^2)$

삼각형의 무게중심의 성질을 이용하여 선분의 길이 구하기 개념북 139쪽

2 $\frac{20}{3}$ cm **2-1** 18 cm

2 점 G는 △ABC의 무게중심이므로

$\overline{GD}=\frac{1}{3}\overline{AD}=\frac{1}{3}\times 30=10(\text{cm})$

점 G′은 △GBC의 무게중심이므로

$\overline{GG'}=\frac{2}{3}\overline{GD}=\frac{2}{3}\times 10=\frac{20}{3}(\text{cm})$

2-1 점 G′은 △GBC의 무게중심이므로

$\overline{GD}=\frac{3}{2}\overline{GG'}=\frac{3}{2}\times 4=6(\text{cm})$

점 G는 △ABC의 무게중심이므로

$\overline{AD}=3\overline{GD}=3\times 6=18(\text{cm})$

삼각형의 무게중심과 평행선 (1)

개념북 140쪽

3 $x=6$, $y=\frac{8}{3}$　　**3-1** 8 cm

3 $\overline{AG}:\overline{GD}=2:1$에서 $12:x=2:1$　　$\therefore x=6$

점 D는 $\overline{BC}$의 중점이므로 $\overline{CD}=\overline{BD}=4$ cm

△AGF∽△ADC(AA 닮음)이므로

$\overline{AG}:\overline{AD}=\overline{GF}:\overline{DC}$

즉, $2:3=y:4$　　$\therefore y=\frac{8}{3}$

3-1 $\overline{AG}:\overline{GF}=2:1$이므로 $\overline{AD}:\overline{DB}=2:1$

△ABC에서 $\overline{AD}:\overline{AB}=\overline{DE}:\overline{BC}$이므로

$2:3=\overline{DE}:12$　　$\therefore \overline{DE}=8$ cm

삼각형의 무게중심과 평행선 (2)

개념북 140쪽

4 (1) 16 cm　(2) $\frac{32}{3}$ cm　　**4-1** 8 cm

4 (1) △BCE에서 $\overline{BD}=\overline{CD}$, $\overline{BE}/\!/\overline{DF}$이므로

$\overline{BE}=2\overline{DF}=2\times 8=16(\text{cm})$

(2) 점 G가 △ABC의 무게중심이므로

$\overline{BG}=\frac{2}{3}\overline{BE}=\frac{2}{3}\times 16=\frac{32}{3}(\text{cm})$

4-1 △ADC에서 점 E는 $\overline{AC}$의 중점이고 $\overline{DF}=\overline{FC}$이므로

$\overline{AD}=2\overline{EF}=2\times 6=12(\text{cm})$

점 G는 △ABC의 무게중심이므로

$\overline{AG}=\frac{2}{3}\overline{AD}=\frac{2}{3}\times 12=8(\text{cm})$

직각삼각형의 무게중심

개념북 141쪽

5 6 cm　　**5-1** 24π cm

5 점 D는 직각삼각형 ABC의 빗변의 중점이므로 외심이다.

즉, $\overline{BD}=\overline{AD}=\overline{CD}=\frac{1}{2}\times 18=9(\text{cm})$

$\therefore \overline{BG}=\frac{2}{3}\overline{BD}=\frac{2}{3}\times 9=6(\text{cm})$

5-1 $\overline{CD}=\frac{3}{2}\overline{CG}=\frac{3}{2}\times 8=12(\text{cm})$

점 D는 △ABC의 외심이므로

$\overline{AD}=\overline{BD}=\overline{CD}=12$ cm

따라서 △ABC의 외접원의 반지름의 길이는 12 cm이므로 둘레의 길이는

$2\pi\times 12=24\pi(\text{cm})$

평행사변형에서 삼각형의 무게중심

개념북 141쪽

6 7 cm　　**6-1** 8 cm

6 오른쪽 그림과 같이 $\overline{AC}$를 그어 두 대각선 AC, BD의 교점을 O라 하면 평행사변형의 두 대각선은 서로 다른 것을 이등분하므로

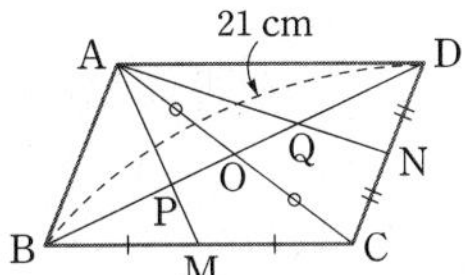

$\overline{AO}=\overline{CO}$, $\overline{BO}=\overline{DO}$

따라서 점 P, Q는 각각 △ABC, △ACD의 무게중심이므로 $\overline{PO}=\overline{QO}=a$라 하면

$\overline{BP}=\overline{DQ}=2a$이고 $\overline{BP}=\overline{PQ}=\overline{QD}$

$\therefore \overline{PQ}=\frac{1}{3}\overline{BD}=\frac{1}{3}\times 21=7(\text{cm})$

6-1 △BCD에서 $\overline{BD}=2\overline{MN}=2\times 12=24(\text{cm})$

오른쪽 그림과 같이 $\overline{AC}$를 그으면 점 P, Q는 각각 △ABC, △ACD의 무게중심이므로

$\overline{BP}=\overline{PQ}=\overline{QD}$

$\therefore \overline{PQ}=\frac{1}{3}\overline{BD}=\frac{1}{3}\times 24=8(\text{cm})$

개념 확인 5 삼각형의 무게중심과 넓이

개념북 142쪽

1 (1) 12 cm²　(2) 12 cm²

2 (1) 10 cm²　(2) 16 cm²

1 (1) $\triangle ABG=\frac{1}{3}\triangle ABC=\frac{1}{3}\times 36=12(cm^2)$

(2) $\square GDCE=\triangle GDC+\triangle GCE=\frac{1}{3}\triangle ABC$

$=\frac{1}{3}\times 36=12(cm^2)$

2 (1) $\triangle ABG=\triangle BCG=20\ cm^2$이므로

$\triangle AEG=\frac{1}{2}\triangle ABG$

$=\frac{1}{2}\times 20=10(cm^2)$

(2) $\triangle ABD=\triangle ACD=48\ cm^2$이고

$\overline{AE}=\overline{EG}=\overline{GD}$이므로

$\triangle BGE=\frac{1}{3}\triangle ABD$

$=\frac{1}{3}\times 48=16(cm^2)$

삼각형의 무게중심을 이용하여 넓이 구하기 개념북 143쪽

1 $9\ cm^2$ **1-1** $48\ cm^2$

1 (색칠한 부분의 넓이)

$=\triangle AEG+\triangle AGF$

$=\frac{1}{2}\triangle ABG+\frac{1}{2}\triangle AGC$

$=\frac{1}{2}\times\frac{1}{3}\triangle ABC+\frac{1}{2}\times\frac{1}{3}\triangle ABC$

$=\frac{1}{6}\triangle ABC+\frac{1}{6}\triangle ABC$

$=\frac{1}{3}\triangle ABC$

$=\frac{1}{3}\times 27=9(cm^2)$

1-1 $\triangle ABC=2\triangle BCE=2\times 3\triangle BGE$

$=6\times 2\triangle EFG$

$=12\times 4=48(cm^2)$

평행사변형에서 삼각형의 무게중심을 이용하여 넓이 구하기 개념북 143쪽

2 $42\ cm^2$ **2-1** $12\ cm^2$

2 점 N은 $\triangle ACD$의 무게중심이므로

$\triangle ACD=3\square OCMN=3\times 7=21(cm^2)$

$\therefore \square ABCD=2\triangle ACD=2\times 21=42(cm^2)$

2-1 점 P는 $\triangle ABC$의 무게중심이므로

$\square PMCO=\frac{1}{3}\triangle ABC=\frac{1}{6}\square ABCD$

$=\frac{1}{6}\times 36=6(cm^2)$

점 Q는 $\triangle ACD$의 무게중심이므로

$\square QOCN=\frac{1}{3}\triangle ACD=\frac{1}{6}\square ABCD$

$=\frac{1}{6}\times 36=6(cm^2)$

$\therefore$ (색칠한 부분의 넓이)$=\square PMCO+\square QOCN$

$=6+6=12(cm^2)$

개념 확인 6 닮은 평면도형의 넓이의 비 개념북 144쪽

1 (1) 2 : 5 (2) 2 : 5 (3) 4 : 25 (4) $75\ cm^2$

2 (1) 3 : 4 (2) 3 : 4 (3) 9 : 16

1 (1) 4 : 10=2 : 5

(3) $2^2 : 5^2=4 : 25$

(4) $12 : \triangle DEF=4 : 25$

$\therefore \triangle DEF=75\ cm^2$

2 (1) 6 : 8=3 : 4

(3) $3^2 : 4^2=9 : 16$

닮은 평면도형의 넓이의 비 개념북 145쪽

1 $27\ cm^2$

1-1 $36\ cm^2$ **1-2** $27\ cm^2$ **1-3** $96\ cm^2$

1 $\triangle ADB\infty\triangle ABC$ (AA 닮음)이고

닮음비는 $\overline{AD} : \overline{AB}=6 : 9=2 : 3$이므로

넓이의 비는 $2^2 : 3^2=4 : 9$

따라서 $12 : \triangle ABC=4 : 9$이므로

$\triangle ABC=27\ cm^2$

1-1 $\triangle ODA\infty\triangle OBC$(AA 닮음)이고

닮음비는 $\overline{AD} : \overline{BC}=4 : 6=2 : 3$이므로

넓이의 비는 $2^2 : 3^2=4 : 9$

따라서 $16 : \triangle OBC=4 : 9$이므로

$\triangle OBC=36\ cm^2$

1-2 $\triangle ADE\infty\triangle ABC$(AA 닮음)이고

닮음비는 $\overline{AE} : \overline{AC}=8 : 10=4 : 5$이므로

넓이의 비는 $4^2 : 5^2 = 16 : 25$
따라서
$\triangle ADE : \square DBCE = 16 : (25-16)$
$= 16 : 9$
이므로 $48 : \square DBCE = 16 : 9$
$\therefore \square DBCE = 27 \text{ cm}^2$

1-3 $\triangle ABC \backsim \triangle DAC$(AA 닮음)

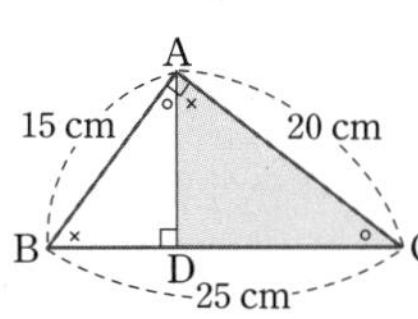

이고 닮음비가
$\overline{BC} : \overline{AC} = 25 : 20 = 5 : 4$
이므로 넓이의 비는
$5^2 : 4^2 = 25 : 16$
$\triangle ABC = \frac{1}{2} \times 15 \times 20 = 150(\text{cm}^2)$이므로
$150 : \triangle ADC = 25 : 16$
$\therefore \triangle ADC = 96 \text{ cm}^2$

7 닮은 입체도형의 부피의 비 개념북 146쪽

1 (1) 36 cm^2 (2) 625 cm^3
2 (1) $3 : 4$ (2) $27 : 64$

1 (1) 겉넓이의 비는 $3^2 : 5^2 = 9 : 25$이므로
(가)의 겉넓이$) : 100 = 9 : 25$
$\therefore$ ((가)의 겉넓이$) = 36 \text{ cm}^2$
(2) 부피의 비는 $3^3 : 5^3 = 27 : 125$이므로
$135 :$ ((나)의 부피$) = 27 : 125$
$\therefore$ ((나)의 부피$) = 625 \text{ cm}^3$

2 (1) $45 : 80 = 9 : 16 = 3^2 : 4^2$이므로
닮음비는 $3 : 4$
(2) 닮음비가 $3 : 4$이므로 부피의 비는
$3^3 : 4^3 = 27 : 64$

닮은 입체도형의 겉넓이의 비 개념북 147쪽

1 $200\pi \text{ cm}^2$ **1-1** 270 cm^2

1 두 원기둥의 닮음비는 높이의 비와 같으므로
$15 : 25 = 3 : 5$
따라서 두 원기둥의 옆넓이의 비는 $3^2 : 5^2 = 9 : 25$이므로
$72\pi :$ (원기둥 B의 옆넓이$) = 9 : 25$
$\therefore$ (원기둥 B의 옆넓이$) = 200\pi \text{ cm}^2$

1-1 두 정육면체의 닮음비가 $1 : 3$이므로 겉넓이의 비는
$1^2 : 3^2 = 1 : 9$
큰 상자를 포장하는 데 필요한 포장지의 양을 $x \text{ cm}^2$라 하면
$30 : x = 1 : 9$ $\therefore x = 270$
따라서 큰 상자를 포장하려면 270 cm^2의 포장지가 필요하다.

닮은 입체도형의 부피의 비 개념북 147쪽

2 3.5 L **2-1** 8개

2 물이 채워진 부분과 그릇 전체의 닮음비는 $1 : 2$이므로 부피의 비는
$1^3 : 2^3 = 1 : 8$
즉, 물이 채워진 부분과 채워지지 않은 부분의 부피의 비는
$1 : (8-1) = 1 : 7$
이므로 더 부어야 하는 물의 양을 x L라 하면
$0.5 : x = 1 : 7$ $\therefore x = 3.5$
따라서 3.5 L의 물을 더 부어야 한다.

2-1 작은 쇠구슬과 큰 쇠구슬의 닮음비가 $8 : 4 = 1 : 2$이므로 부피의 비는
$1^3 : 2^3 = 1 : 8$
따라서 큰 쇠구슬 1개로 작은 쇠구슬을 최대 8개 만들 수 있다.

8 닮음의 활용 개념북 148쪽

1 (1) 5 km (2) 20 cm (3) 5000 m^2
2 3 m

1 (1) $100(\text{cm}) \times 5000 = 500000(\text{cm}) = 5(\text{km})$
(2) $1(\text{km}) \times \frac{1}{5000} = 100000(\text{cm}) \times \frac{1}{5000}$
$= 20(\text{cm})$
(3) 닮음비가 $1 : 5000$이므로 넓이의 비는 $1 : 5000^2$
$\therefore$ (실제 넓이$) = 2(\text{cm}^2) \times 25000000$
$= 50000000(\text{cm}^2) = 5000(\text{m}^2)$

2 오른쪽 그림과 같이 나무와 막대를 나타내면

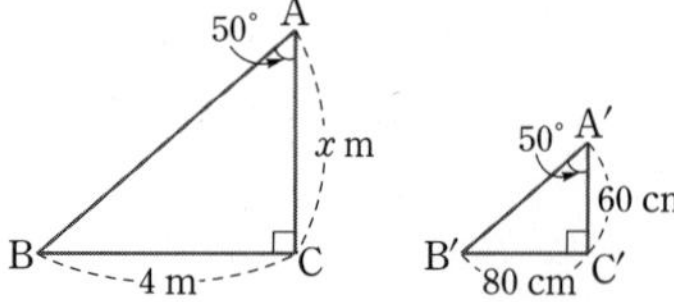

$\triangle ABC \backsim \triangle A'B'C'$ (AA 닮음)이므로

나무의 실제 높이를 x m라 하면

$4 : 0.8 = x : 0.6$ $\quad \therefore x=3$

따라서 나무의 실제 높이는 3 m이다.

축도와 축척 개념북 149쪽

1 240 m **1-1** 2시간

1 $(\text{축척}) = \dfrac{8(\text{cm})}{320(\text{m})} = \dfrac{8(\text{cm})}{32000(\text{cm})} = \dfrac{1}{4000}$

따라서 축척이 $\dfrac{1}{4000}$인 지도에서 거리가 6 cm인 두 지점 사이의 실제 거리는

$6(\text{cm}) \times 4000 = 24000(\text{cm}) = 240(\text{m})$

1-1 축척이 $1 : 10000$이므로 지도에서 거리가 140 cm인 두 지점 사이의 실제 거리는

$140(\text{cm}) \times 10000 = 1400000(\text{cm}) = 14000(\text{m})$
$= 14(\text{km})$

따라서 14 km의 거리를 시속 7 km로 자전거를 타고 가는 데 걸리는 시간은 $\dfrac{14}{7} = 2$(시간)

실생활에서의 닮음의 활용 개념북 149쪽

2 12 m **2-1** 50 m

2 $\triangle AOB$와 $\triangle DOC$에서 $\angle OAB = \angle ODC$(엇각), $\angle AOB = \angle DOC$(맞꼭지각)이므로

$\triangle AOB \backsim \triangle DOC$(AA 닮음)

따라서 $\overline{BO} : \overline{CO} = \overline{AB} : \overline{DC}$이므로

$8 : 6 = \overline{AB} : 9$ $\quad \therefore \overline{AB} = 12$

따라서 두 지점 사이의 거리는 12 m이다.

2-1 $\triangle ABC \backsim \triangle A'B'C'$이고 닮음비가

$3200 : 1.6 = 2000 : 1$이므로

$\overline{BC} : 2.5 = 2000 : 1$

$\therefore \overline{BC} = 5000(\text{cm}) = 50(\text{m})$

따라서 두 지점 B, C 사이의 거리는 50 m이다.

개념완성 기본 문제 개념북 152~153쪽

1 $x=55$, $y=10$ **2** 32 cm, 16 cm **3** 25 cm **4** 2 cm **5** 60 **6** 22 **7** ② **8** 3 cm^2 **9** 5 cm^2 **10** 25 : 11 **11** 130분 **12** 43.6 m

1 $\overline{CN} = \overline{NA}$, $\overline{CM} = \overline{MB}$이므로 $\overline{NM} /\!/ \overline{AB}$

따라서 $\angle MNC = \angle BAC = 70°$ (동위각)이므로

$\angle NCM = 180° - (70° + 55°) = 55°$ $\quad \therefore x=55$

또, $\overline{MN} = \dfrac{1}{2}\overline{AB} = \dfrac{1}{2} \times 20 = 10(\text{cm})$ $\quad \therefore y=10$

2 $\overline{AB} = 2\overline{EF} = 2 \times 5 = 10(\text{cm})$,

$\overline{EC} = \overline{BE} = 7$ cm, $\overline{AF} = \overline{CF} = 4$ cm이므로

($\triangle ABC$의 둘레의 길이)$= 10 + 14 + 8 = 32(\text{cm})$

또, $\overline{DE} = \dfrac{1}{2}\overline{AC} = \dfrac{1}{2} \times 8 = 4(\text{cm})$,

$\overline{DF} = \dfrac{1}{2}\overline{BC} = \dfrac{1}{2} \times 14 = 7(\text{cm})$이므로

($\triangle DEF$의 둘레의 길이)$= 4 + 5 + 7 = 16(\text{cm})$

3 $\overline{HG} = \overline{EF} = \dfrac{1}{2}\overline{AC}$, $\overline{EH} = \overline{FG} = \dfrac{1}{2}\overline{BD}$

$\therefore$ ($\square EFGH$의 둘레의 길이)

$= \overline{EF} + \overline{FG} + \overline{GH} + \overline{HE}$

$= \overline{AC} + \overline{BD} = 25(\text{cm})$

4 $\overline{AB} /\!/ \overline{MP} /\!/ \overline{CD}$이므로

$\triangle ADB$에서

$\overline{MP} = \dfrac{1}{2}\overline{AB} = \dfrac{1}{2} \times 12 = 6(\text{cm})$

$\triangle BCD$에서

$\overline{NP} = \dfrac{1}{2}\overline{CD} = \dfrac{1}{2} \times 8 = 4(\text{cm})$

$\therefore \overline{MN} = \overline{MP} - \overline{NP} = 6 - 4 = 2(\text{cm})$

5 오른쪽 그림과 같이 $\overline{AC}$를 그어 $\overline{EF}$와 만나는 점을 P라 하면

$\triangle ABC$에서

$\overline{EP} = \dfrac{1}{2}\overline{BC}$

$= \dfrac{1}{2} \times 72 = 36(\text{cm})$

$\triangle ACD$에서 $\overline{PF} = \dfrac{1}{2}\overline{AD} = \dfrac{1}{2} \times 48 = 24(\text{cm})$

$\therefore \overline{EF} = \overline{EP} + \overline{PF} = 36 + 24 = 60(\text{cm})$

$\therefore x=60$

6 점 G가 △ABC의 무게중심이므로

$\overline{AD}=3\overline{GD}=3\times4=12(\text{cm})$ $\therefore x=12$

$\overline{AD}$는 △ABC의 중선이므로

$\overline{BD}=\frac{1}{2}\overline{BC}=\frac{1}{2}\times20=10(\text{cm})$ $\therefore y=10$

$\therefore x+y=12+10=22$

7 △AGG′과 △AEF에서

$\overline{AG}:\overline{AE}=2:3$, $\overline{AG'}:\overline{AF}=2:3$,

∠EAF는 공통

∴ △AGG′∽△AEF(SAS 닮음)

$\overline{BE}=\overline{ED}$, $\overline{DF}=\overline{FC}$이므로

$\overline{EF}=\frac{1}{2}\overline{BC}=\frac{1}{2}\times24=12(\text{cm})$

따라서 $\overline{GG'}:\overline{EF}=2:3$이므로 $\overline{GG'}:12=2:3$

$\therefore \overline{GG'}=8\text{ cm}$

8 $\triangle GDE=\frac{1}{2}\triangle GDC=\frac{1}{2}\times\frac{1}{2}\triangle GBC$

$=\frac{1}{2}\times\frac{1}{2}\times\frac{1}{3}\triangle ABC$

$=\frac{1}{12}\triangle ABC=\frac{1}{12}\times36=3(\text{cm}^2)$

9 오른쪽 그림과 같이 $\overline{AC}$를 그어 $\overline{BD}$가 만나는 점을 O라 하면 $\overline{AO}=\overline{CO}$이므로 점 P는 △ABC의 무게중심이다.

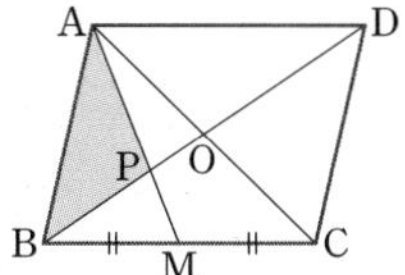

$\therefore \triangle ABP=\frac{1}{3}\triangle ABC$

$=\frac{1}{3}\times\frac{1}{2}\square ABCD$

$=\frac{1}{6}\square ABCD$

$=\frac{1}{6}\times30=5(\text{cm}^2)$

10 △ABD와 △ACB에서

∠A는 공통, ∠ABD=∠ACB이므로

△ABD∽△ACB(AA 닮음)이고 닮음비는

$\overline{BD}:\overline{CB}=5:6$

따라서 넓이의 비는 $5^2:6^2=25:36$이므로

$\triangle ABD:\triangle BCD=25:(36-25)=25:11$

11 물이 채워진 부분과 그릇 전체의 닮음비는 $3:9=1:3$이므로 부피의 비는 $1^3:3^3=1:27$

따라서 물이 채워진 부분과 채워지지 않은 부분의 부피의 비는

$1:(27-1)=1:26$

이므로 그릇에 물을 가득 채우기 위해 더 필요한 시간은

$5\times26=130$(분)

12 $(\text{축척})=\frac{3.6(\text{cm})}{72(\text{m})}=\frac{3.6(\text{cm})}{7200(\text{cm})}=\frac{1}{2000}$

$\therefore \overline{DF}=2.1(\text{cm})\times2000=4200(\text{cm})=42(\text{m})$

따라서 건물의 실제 높이는 $1.6+42=43.6(\text{m})$

개념완성 발전 문제

개념북 154~155쪽

1 20 cm **2** 2 cm **3** 5 cm^2 **4** $\frac{3}{7}$ cm^2

5 76 cm^3 **6** 7500원

7 ① 1 cm ② 4 cm ③ 3 cm

8 ① $\overline{DP}:\overline{PM}=2:1$, $\overline{DQ}:\overline{QN}=2:1$

② $4:9$ ③ $4:5$ ④ 30 cm^2

1 오른쪽 그림과 같이 $\overline{AC}$를 그으면

$\overline{SR}=\overline{PQ}=\frac{1}{2}\overline{AC}$,

$\overline{PS}=\overline{QR}=\frac{1}{2}\overline{BD}$

이때 $\overline{AC}=\overline{BD}$이므로 □PQRS의 둘레의 길이는

$\overline{PQ}+\overline{QR}+\overline{SR}+\overline{PS}=(\overline{PQ}+\overline{SR})+(\overline{QR}+\overline{PS})$

$=\overline{AC}+\overline{BD}=2\overline{BD}$

$=2\times10=20(\text{cm})$

2 $\overline{AF}=\overline{BF}$, $\overline{AE}=\overline{CE}$이므로 $\overline{FE}\,/\!/\,\overline{BC}$이고

$\overline{AH}:\overline{AD}=\overline{AF}:\overline{AB}=1:2$이므로

$\overline{AH}=\frac{1}{2}\overline{AD}=\frac{1}{2}\times12=6(\text{cm})$

점 G는 △ABC의 무게중심이므로

$\overline{AG}=\frac{2}{3}\overline{AD}=\frac{2}{3}\times12=8(\text{cm})$

$\therefore \overline{HG}=\overline{AG}-\overline{AH}=8-6=2(\text{cm})$

3 △DBE에서 $\overline{BE}:\overline{GE}=3:1$이므로

$\triangle DGE=\frac{1}{3}\triangle DBE=\frac{1}{3}\times\frac{1}{2}\triangle ABE$

$=\frac{1}{6}\times\frac{1}{2}\triangle ABC=\frac{1}{12}\triangle ABC$

$=\frac{1}{12}\times60=5(\text{cm}^2)$

4 점 G는 △ABC의 무게중심이므로 $\overline{BD}=\overline{DC}$이고
점 I는 내심이므로 ∠BAE=∠CAE
즉, $\overline{BE}:\overline{EC}=\overline{AB}:\overline{AC}=4:3$
따라서 $\overline{BD}:\overline{DE}:\overline{EC}=7:1:6$이므로
$\triangle ADE=\frac{1}{14}\triangle ABC$
$=\frac{1}{14}\times\left(\frac{1}{2}\times4\times3\right)=\frac{3}{7}(\text{cm}^2)$

5 원뿔 A, A+B, A+B+C는 서로 닮은 도형이고, 닮음비는 1 : 2 : 3이므로
세 원뿔의 부피의 비는 $1^3:2^3:3^3=1:8:27$
즉, 원래 원뿔과 원뿔대 C의 부피의 비는
$27:(27-8)=27:19$
이므로 원뿔대 C의 부피를 $x\text{ cm}^3$라 하면
$108:x=27:19$ $\quad\therefore x=76$
따라서 원뿔대 C의 부피는 76 cm^3이다.

6 두 컵은 서로 닮은 도형이고 닮음비가 3 : 5이므로
부피의 비는 $3^3:5^3=27:125$
큰 종이컵에 담은 음료수의 가격을 x원이라 하면
$1620:x=27:125$ $\quad\therefore x=7500$
따라서 큰 종이컵에 담은 음료수의 가격은 7500원이다.

7 ① △AEC에서 두 점 D, F는 각각 $\overline{AE}$, $\overline{AC}$의 중점이므로 $\overline{DF}/\!/\overline{EC}$이고
$\overline{DF}=\frac{1}{2}\overline{EC}=\frac{1}{2}\times2=1(\text{cm})$
② △BGD에서 점 E는 $\overline{BD}$의 중점이고, $\overline{EC}/\!/\overline{DG}$이므로
$\overline{DG}=2\overline{EC}=2\times2=4(\text{cm})$
③ $\therefore \overline{FG}=\overline{DG}-\overline{DF}=4-1=3(\text{cm})$

8 ① 대각선 BD를 그어 $\overline{AC}$와 만나는 점을 O라 하면
$\overline{BO}=\overline{DO}$이므로 점 P는 △DAB의 무게중심이다.

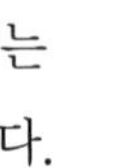

$\therefore \overline{DP}:\overline{PM}=2:1$
또, 점 Q는 △DBC의 무게중심이므로
$\overline{DQ}:\overline{QN}=2:1$
② 따라서 △DPQ∽△DMN (SAS 닮음)이고, 닮음비는 2 : 3이므로 넓이의 비는 $2^2:3^2=4:9$
③ 즉, △DPQ와 □PMNQ의 넓이의 비는
$4:(9-4)=4:5$
④ △DPQ의 넓이가 24 cm^2이므로
$24:\square PMNQ=4:5$
$\therefore \square PMNQ=30\text{ cm}^2$

4 피타고라스 정리

1 피타고라스 정리

개념북 158쪽

1 (1) 5 (2) 8
2 (위에서부터) 144, 21, 2, 9
3 (1) $x=6$, $y=17$ (2) $x=15$, $y=12$

1 (1) $x^2=4^2+3^2=25$
이때 $x>0$이므로 $x=5$
(2) $10^2=6^2+x^2$, $x^2=10^2-6^2=64$
이때 $x>0$이므로 $x=8$

2

a^2	1	4	3	169−25=144
b^2	1	25−4=21	6	25
c^2	1+1=2	25	3+6=9	169

3 (1) $10^2=8^2+x^2$, $x^2=10^2-8^2=36$
이때 $x>0$이므로 $x=6$
$y^2=15^2+8^2=289$
이때 $y>0$이므로 $y=17$
(2) $17^2=8^2+x^2$, $x^2=17^2-8^2=225$
이때 $x>0$이므로 $x=15$
$15^2=9^2+y^2$, $y^2=15^2-9^2=144$
이때 $y>0$이므로 $y=12$

피타고라스 정리의 이용

개념북 159쪽

1 $x=12$, $y=13$ **1-1** 7 cm

1 △ABD에서 $9^2+x^2=15^2$이므로
$x^2=15^2-9^2=144$
이때 $x>0$이므로 $x=12$
△ADC에서 $y^2=5^2+12^2=169$
이때 $y>0$이므로 $y=13$

1-1 오른쪽 그림과 같이 $\overline{BD}$를 그으면

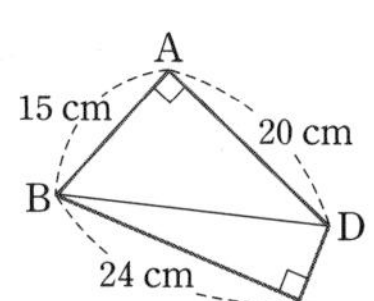

$\triangle ABD$에서

$\overline{BD}^2=15^2+20^2=625$

이때 $\overline{BD}>0$이므로 $\overline{BD}=25$ cm

$\triangle BCD$에서

$\overline{CD}^2=\overline{BD}^2-24^2=25^2-24^2=49$

이때 $\overline{CD}>0$이므로 $\overline{CD}=7$ cm

연속된 도형에서 피타고라스 정리 개념북 159쪽

2 4 **2-1** 2

2 $\triangle ABC$에서 $\overline{AC}^2=\overline{AB}^2+\overline{BC}^2=2^2+2^2=8$

$\triangle ACD$에서 $\overline{AD}^2=\overline{AC}^2+\overline{CD}^2=8+2^2=12$

$\triangle ADE$에서 $\overline{AE}^2=\overline{AD}^2+\overline{DE}^2=12+2^2=16$

이때 $\overline{AE}>0$이므로 $\overline{AE}=4$

2-1 $\triangle OAA'$에서 $\overline{OA'}^2=\overline{OA}^2+\overline{AA'}^2=1^2+1^2=2$

$\triangle OBB'$에서 $\overline{OA'}=\overline{OB}$이므로

$\overline{OB'}^2=\overline{OB}^2+\overline{BB'}^2=2+1^2=3$

$\triangle OCC'$에서 $\overline{OB'}=\overline{OC}$이므로

$\overline{OC'}^2=\overline{OC}^2+\overline{CC'}^2=3+1^2=4$

이때 $\overline{OC'}>0$이므로 $\overline{OC'}=2$

$\therefore \overline{OD}=\overline{OC'}=2$

2 피타고라스 정리의 설명 (1) 개념북 160쪽

1 (1) 9 cm^2 (2) 16 cm^2 (3) 25 cm^2

2 (1) 144 cm^2 (2) 12 cm

1 (1) $\square BFKJ=\square ADEB=9$ cm^2

(2) $\square JKGC=\square ACHI=16$ cm^2

(3) $\square BFGC=\square BFKJ+\square JKGC$

$=9+16=25(\text{cm}^2)$

2 (1) (정사각형 R의 넓이)

$=$(정사각형 P의 넓이)$-$(정사각형 Q의 넓이)

$=169-25=144(\text{cm}^2)$

(2) $\overline{AC}^2=144$이고

$\overline{AC}>0$이므로 $\overline{AC}=12$ cm

피타고라스 정리 – 유클리드의 설명 개념북 161쪽

1 32

1-1 40 cm^2 **1-2** ⑤ **1-3** 26 cm^2

1 $\triangle ABC$에서 $\overline{AB}^2=10^2-6^2=64$

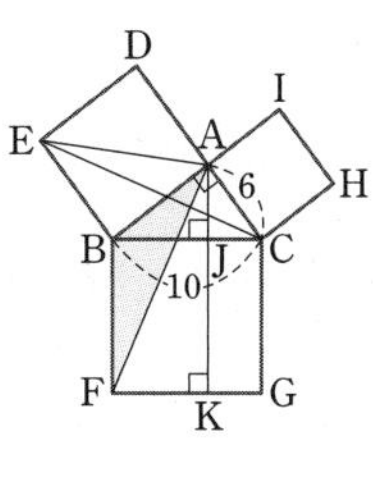

이때 $\overline{AB}>0$이므로 $\overline{AB}=8$

$\therefore \triangle ABF=\triangle EBC=\triangle EBA$

$=\frac{1}{2}\square ADEB$

$=\frac{1}{2}\times 8^2=32$

1-1 $\triangle ABC$에서 $\overline{BC}^2=8^2+4^2=80$이므로

$\square BDEC=80$ cm^2

$\therefore \triangle FDE=\frac{1}{2}\square BDEC$

$=\frac{1}{2}\times 80=40(\text{cm}^2)$

1-2 ⑤ $\triangle ACH=\triangle GCJ$이므로 $\square ACHI=\square JKGC$

1-3 $\triangle ABC$에서

$\overline{BC}^2=4^2+6^2=52$이므로

$\square BFGC=52$ cm^2

오른쪽 그림과 같이 점 A에서 $\overline{BC}$, $\overline{FG}$에 내린 수선의 발을 각각 J, K라 하면

$\triangle ABF=\triangle JBF$, $\triangle ACG=\triangle JCG$

$\therefore$ (색칠한 부분의 넓이)$=\triangle ABF+\triangle ACG$

$=\triangle JBF+\triangle JCG$

$=\frac{1}{2}\square BFGC$

$=\frac{1}{2}\times 52=26(\text{cm}^2)$

[다른 풀이]

$\triangle ABF=\triangle EBC=\triangle EBA$

$=\frac{1}{2}\square ADEB$

$=\frac{1}{2}\times 4^2=8(\text{cm}^2)$

$\triangle ACG=\triangle HCB=\triangle HCA$

$=\frac{1}{2}\square ACHI$

$=\frac{1}{2}\times 6^2=18(\text{cm}^2)$

$\therefore$ (색칠한 부분의 넓이)$=\triangle ABF+\triangle ACG$

$=8+18=26(\text{cm}^2)$

3 피타고라스 정리의 설명(2) 개념북 162쪽

1 (1) 5 cm (2) 25 cm²

1 (1) $\overline{AB}^2=4^2+3^2=25$

이때 $\overline{AB}>0$이므로 $\overline{AB}=5$ cm

(2) □AGHB는 정사각형이므로

□AGHB$=\overline{AB}^2=5^2=25(\text{cm}^2)$

피타고라스 정리 – 피타고라스의 설명 개념북 163쪽

1 289 **1-1** 64 cm²

1 △AEH에서 $\overline{EH}^2=15^2+8^2=289$

이때 $\overline{EH}>0$이므로 $\overline{EH}=17$

따라서 □EFGH는 한 변의 길이가 17인 정사각형이므로

□EFGH$=17^2=289$

1-1 □EFGH는 정사각형이고, 넓이가 40 cm²이므로

$\overline{EF}^2=40$

△AFE에서

$\overline{AE}^2=\overline{EF}^2-6^2=40-36=4$

이때 $\overline{AE}>0$이므로 $\overline{AE}=2$

따라서 □ABCD의 한 변의 길이는 $6+2=8(\text{cm})$이므로

□ABCD$=8^2=64(\text{cm}^2)$

피타고라스 정리 – 가필드의 설명 개념북 163쪽

2 ⑤ **2-1** (1) 6 cm (2) 50 cm²

2 □ABDE에서

△ABC≡△CDE (SAS 합동)

이므로

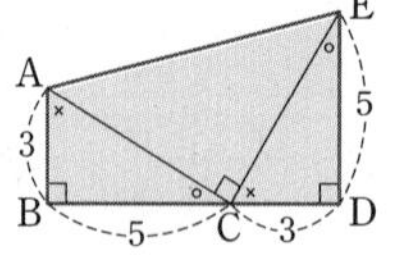

△ACE는 ∠ACE=90°인 직각이등변삼각형이다.

③ $\overline{AC}^2=3^2+5^2=34$

④ $\overline{AC}=\overline{CE}$이므로

$\triangle ACE=\frac{1}{2}\times\overline{AC}\times\overline{CE}=\frac{1}{2}\overline{AC}^2$

$=\frac{1}{2}\times34=17$

⑤ $\square ABDE=\frac{1}{2}\times(\overline{AB}+\overline{DE})\times\overline{BD}$

$=\frac{1}{2}\times(3+5)\times8=32$

2-1 (1) △ABE≡△CDB이므로 △BDE는

∠DBE=90°인 직각이등변삼각형이다.

이때 넓이가 26 cm²이므로

$\frac{1}{2}\times\overline{BE}\times\overline{BD}=\frac{1}{2}\overline{BE}^2=26$

$\therefore \overline{BE}^2=52$

△ABE에서 $\overline{AB}^2=\overline{BE}^2-4^2=52-16=36$

이때 $\overline{AB}>0$이므로 $\overline{AB}=6$ cm

(2) $\overline{CD}=\overline{AB}=6$ cm, $\overline{BC}=\overline{EA}=4$ cm이므로

$\square ACDE=\frac{1}{2}\times(4+6)\times10$

$=50(\text{cm}^2)$

4 피타고라스 정리의 설명(3) 개념북 164쪽

1 (1) 16 cm (2) 4 cm (3) 16 cm²

1 (1) △ABC에서 $\overline{BC}^2=20^2-12^2=256$

이때 $\overline{BC}>0$이므로 $\overline{BC}=16$ cm

(2) $\overline{BF}=\overline{AC}=12$ cm이므로

$\overline{CF}=\overline{BC}-\overline{BF}=16-12=4(\text{cm})$

(3) □CFGH는 한 변의 길이가 4 cm인 정사각형이므로

□CFGH$=4^2=16(\text{cm}^2)$

피타고라스 정리 – 바스카라의 설명 개념북 165쪽

1 9 cm²

1-1 ④ **1-2** 49 cm² **1-3** 25 : 1

1 △BCG에서 $\overline{BG}^2=15^2-9^2=144$

이때 $\overline{BG}>0$이므로 $\overline{BG}=12$ cm

$\overline{BF}=\overline{CG}=9$ cm이므로

$\overline{FG}=\overline{BG}-\overline{BF}=12-9=3(\text{cm})$

이때 □EFGH는 정사각형이므로

□EFGH$=3^2=9(\text{cm}^2)$

1-1 ④ □EFGH는 정사각형이므로

□EFGH$=\overline{EF}^2$

1-2 정사각형 ABCD의 넓이가 289 cm²이므로

$\overline{AD}^2=289$

이때 $\overline{AD}>0$이므로 $\overline{AD}=17$ cm

△AED에서 $\overline{ED}^2=17^2-8^2=225$

이때 $\overline{ED}>0$이므로 $\overline{ED}=15$ cm

$\overline{DH}=\overline{AE}=8$ cm이므로

$\overline{EH}=\overline{ED}-\overline{DH}=15-8=7$(cm)

이때 □EFGH는 정사각형이므로

□EFGH$=7^2=49$(cm^2)

1-3 4개의 직각삼각형이 모두 합동이므로 □ABCD는 정사각형이다.

∴ □ABCD$=\overline{BC}^2=25^2=625$(cm^2)

△BCF에서 $\overline{CF}^2=25^2-15^2=400$

이때 $\overline{CF}>0$이므로 $\overline{CF}=20$ cm

$\overline{CG}=\overline{BF}=15$ cm이므로

$\overline{FG}=\overline{CF}-\overline{CG}=20-15=5$(cm)

이때 □EFGH는 정사각형이므로

□EFGH$=\overline{FG}^2=5^2=25$(cm^2)

따라서 □ABCD와 □EFGH의 넓이의 비는

□ABCD : □EFGH$=625:25=25:1$

[다른 풀이]

$\overline{BC}=25$ cm, $\overline{FG}=5$ cm이므로

$\overline{BC}:\overline{FG}=25:5=5:1$

따라서 □ABCD와 □EFGH의 넓이의 비를 닮음비를 이용하여 구하면

□ABCD : □EFGH$=5^2:1^2=25:1$

개념 확인 5 직각삼각형이 되는 조건 개념북 166쪽

1 (1) C (2) A (3) B

2 ㄱ, ㄹ

3 (1) 직각삼각형이다. (2) 직각삼각형이 아니다.

2 ㄱ. $5^2=3^2+4^2$ (직각삼각형)

ㄴ. $7^2\neq3^2+5^2$ (직각삼각형이 아니다.)

ㄷ. $5^2\neq2^2+4^2$ (직각삼각형이 아니다.)

ㄹ. $13^2=5^2+12^2$ (직각삼각형)

따라서 직각삼각형인 것은 ㄱ, ㄹ이다.

3 (1) $26^2=10^2+24^2$이므로 △ABC는 ∠A$=90°$인 직각삼각형이다.

(2) $7^2\neq4^2+4^2$이므로 △ABC는 직각삼각형이 아니다.

직각삼각형이 되는 조건 – 가장 긴 변이 주어진 경우 개념북 167쪽

1 5 **1-1** ②

1 $x<6$이므로 가장 긴 변의 길이는 25이다.

이때 직각삼각형이 되려면 $25^2=(3x)^2+(4x)^2$

$625=9x^2+16x^2$, $625=25x^2$, $25=x^2$

이때 $x>0$이므로 $x=5$

1-1 ∠C$=90°$인 직각삼각형이 되려면 가장 긴 변의 길이가 $17x$이므로

$(17x)^2=(15x)^2+16^2$, $289x^2=225x^2+256$

$64x^2=256$, $x^2=4$

이때 $x>0$이므로 $x=2$

직각삼각형이 되는 조건 – 가장 긴 변이 주어지지 않은 경우 개념북 167쪽

2 7, 25 **2-1** ②, ④

2 (i) 가장 긴 변의 길이가 x cm일 때,

$x^2=3^2+4^2=25$

(ii) 가장 긴 변의 길이가 4 cm일 때,

$4^2=3^2+x^2$ ∴ $x^2=7$

(i), (ii)에서 x^2의 값을 모두 구하면 7, 25이다.

2-1 (i) 가장 긴 변의 길이가 x cm일 때,

$x^2=1^2+3^2=10$

(ii) 가장 긴 변의 길이가 3 cm일 때,

$3^2=1^2+x^2$ ∴ $x^2=8$

(i), (ii)에서 x^2의 값을 모두 구하면 8, 10이다.

개념 확인 6 삼각형의 변과 각 사이의 관계 개념북 168쪽

1 (1) 예각삼각형 (2) 직각삼각형 (3) 둔각삼각형

1 (1) 가장 긴 변의 길이가 6이고, $6^2<4^2+5^2$이므로 예각삼각형

(2) 가장 긴 변의 길이가 13이고, $13^2=5^2+12^2$이므로 직각삼각형

(3) 가장 긴 변의 길이가 11이고, $11^2>7^2+8^2$이므로 둔각삼각형

삼각형에서 변의 길이에 대한 각의 크기 개념북 169쪽

1 ⑤　　1-1 ⑤　　1-2 2개

1 ① $5^2>2^2+4^2$이므로 둔각삼각형
② $13^2=5^2+12^2$이므로 직각삼각형
③ $8^2<4^2+7^2$이므로 예각삼각형
④ $4^2<3^2+3^2$이므로 예각삼각형
⑤ $6^2>3^2+5^2$이므로 둔각삼각형

1-1 ① 가장 긴 변의 길이는 8 cm이고, $8^2>5^2+6^2$이므로 $\triangle ABC$는 둔각삼각형이다.
② 가장 긴 변의 길이는 8 cm이고, $8^2<6^2+6^2$이므로 $\triangle ABC$는 예각삼각형이다.
③ 가장 긴 변의 길이는 9 cm이고, $9^2<6^2+8^2$이므로 $\triangle ABC$는 예각삼각형이다.
④ 가장 긴 변의 길이는 10 cm이고, $10^2=6^2+8^2$이므로 $\triangle ABC$는 직각삼각형이다.
⑤ 가장 긴 변의 길이는 12 cm이고, $12^2>6^2+8^2$이므로 $\triangle ABC$는 둔각삼각형이다.

1-2 10 이하의 자연수 중에서 피타고라스 정리를 만족하는 세 자연수는 3, 4, 5와 6, 8, 10뿐이다.
즉, $3^2+4^2=5^2$, $6^2+8^2=10^2$이 성립한다.
따라서 세 변의 길이가 각각 3, 4, 5와 6, 8, 10인 2개의 직각삼각형을 만들 수 있다.

7 직각삼각형과 피타고라스 정리 개념북 170쪽

1 (1) 15 cm　(2) 20 cm　(3) 12 cm
2 (1) 52　(2) 125

1 (1) $\overline{AB}^2=\overline{BD}\times\overline{BC}=9\times(9+16)=225$
이때 $\overline{AB}>0$이므로 $\overline{AB}=15$ cm
(2) $\overline{AC}^2=\overline{CD}\times\overline{CB}=16\times(9+16)=400$
이때 $\overline{AC}>0$이므로 $\overline{AC}=20$ cm
(3) $\overline{AD}^2=\overline{DB}\times\overline{DC}=9\times16=144$
이때 $\overline{AD}>0$이므로 $\overline{AD}=12$ cm

2 (1) $\overline{BC}^2+\overline{DE}^2=\overline{BE}^2+\overline{CD}^2$
$=4^2+6^2=52$
(2) $\overline{BE}^2+\overline{CD}^2=\overline{BC}^2+\overline{DE}^2$
$=10^2+5^2=125$

직각삼각형의 닮음의 이용 개념북 171쪽

1 $\frac{864}{25}$ cm^2　　1-1 $\frac{63}{5}$

1 $\overline{AC}^2=\overline{CH}\times\overline{CB}$이므로
$12^2=20\overline{CH}$　$\therefore \overline{CH}=\frac{36}{5}$ cm
$\overline{AB}^2=20^2-12^2=256$
이때 $\overline{AB}>0$이므로 $\overline{AB}=16$ cm
$\overline{AB}\times\overline{AC}=\overline{AH}\times\overline{BC}$이므로
$16\times12=\overline{AH}\times20$　$\therefore \overline{AH}=\frac{48}{5}$ cm
$\therefore \triangle AHC=\frac{1}{2}\times\overline{CH}\times\overline{AH}$
$=\frac{1}{2}\times\frac{36}{5}\times\frac{48}{5}=\frac{864}{25}$(cm^2)

1-1 $\triangle ABC$에서 $\overline{BC}^2=15^2-12^2=81$
이때 $\overline{BC}>0$이므로 $\overline{BC}=9$
$\overline{BC}^2=\overline{CD}\times\overline{CA}$이므로
$9^2=y\times15$　$\therefore y=\frac{27}{5}$
$\overline{AB}\times\overline{BC}=\overline{AC}\times\overline{BD}$이므로
$12\times9=15\times x$　$\therefore x=\frac{36}{5}$
$\therefore x+y=\frac{36}{5}+\frac{27}{5}=\frac{63}{5}$

직각삼각형과 피타고라스 정리 개념북 171쪽

2 115　　2-1 80

2 $\triangle ADE$에서 $\overline{DE}^2=3^2+5^2=34$
$\therefore \overline{BE}^2+\overline{CD}^2=\overline{BC}^2+\overline{DE}^2$
$=9^2+34=115$

2-1 삼각형의 두 변의 중점을 연결한 선분의 성질에 의하여
$\overline{DE}=\frac{1}{2}\overline{AC}=\frac{1}{2}\times8=4$
$\therefore \overline{AE}^2+\overline{CD}^2=\overline{DE}^2+\overline{AC}^2$
$=4^2+8^2=80$

8 사각형과 피타고라스 정리 개념북 172쪽

1 (1) 18 (2) 5
2 (1) 20 (2) 10

1 (1) $4^2+x^2=3^2+5^2$ $\quad\therefore x^2=18$
(2) $4^2+5^2=x^2+6^2$ $\quad\therefore x^2=5$

2 (1) $6^2+3^2=5^2+x^2$ $\quad\therefore x^2=20$
(2) $5^2+7^2=x^2+8^2$ $\quad\therefore x^2=10$

두 대각선이 직교하는 사각형 개념북 173쪽

1 50 **1-1** 14

1 □ABCD는 $\overline{AD}/\!/\overline{BC}$인 등변사다리꼴이므로
$\overline{AB}=\overline{CD}=x$라 하면
$\overline{AB}^2+\overline{CD}^2=\overline{AD}^2+\overline{BC}^2$이므로
$x^2+x^2=6^2+8^2$, $x^2=50$
$\therefore \overline{AB}^2=50$

1-1 △OCD에서 $\overline{CD}^2=2^2+7^2=53$
$\overline{AB}^2+\overline{CD}^2=\overline{AD}^2+\overline{BC}^2$이므로
$5^2+53=\overline{AD}^2+8^2$ $\quad\therefore \overline{AD}^2=14$

내부에 임의의 한 점이 있는 직사각형 개념북 173쪽

2 5 **2-1** 70 m

2 $\overline{AP}^2+\overline{CP}^2=\overline{BP}^2+\overline{DP}^2$이므로
$2^2+y^2=3^2+x^2$
$\therefore y^2-x^2=9-4=5$

2-1 $\overline{AP}^2+\overline{CP}^2=\overline{BP}^2+\overline{DP}^2$이므로
$\overline{BP}=x$ m라 하면
$80^2+10^2=x^2+40^2$, $6500=x^2+1600$, $x^2=4900$
이때 $x>0$이므로 $x=70$
따라서 B 지점과 진희 사이의 거리는 70 m이다.

9 반원과 피타고라스 정리 개념북 174쪽

1 (1) 20 cm² (2) 25 cm²
2 (1) 9 cm² (2) 4 cm²

1 (1) (색칠한 부분의 넓이) $=32-12=20(\text{cm}^2)$
(2) (색칠한 부분의 넓이) $=9+16=25(\text{cm}^2)$

2 (1) (색칠한 부분의 넓이) $=\triangle ABC$
$=\frac{1}{2}\times6\times3=9(\text{cm}^2)$
(2) (색칠한 부분의 넓이) $=\triangle ABC$
$=\frac{1}{2}\times2\times4=4(\text{cm}^2)$

직각삼각형의 세 반원 사이의 관계 개념북 175쪽

1 20 cm **1-1** 36π

1 $\overline{BC}=2r$ cm라 하면 $\overline{BC}$를 지름으로 하는 반원의 넓이는 $32\pi+18\pi=50\pi(\text{cm}^2)$
즉, $\frac{1}{2}\pi\times r^2=50\pi$, $r^2=100$
이때 $r>0$이므로 $r=10$
$\therefore \overline{BC}=2r=2\times10=20(\text{cm})$

1-1 $R=\frac{1}{2}\pi\times\left(\frac{12}{2}\right)^2=18\pi$
$P+Q=R$이므로 $P+Q=18\pi$
$\therefore P+Q+R=18\pi+18\pi=36\pi$

히포크라테스의 원의 넓이 개념북 175쪽

2 30 cm² **2-1** 25 cm²

2 △ABC에서 $\overline{AC}^2=13^2-12^2=25$
이때 $\overline{AC}>0$이므로 $\overline{AC}=5$ cm
$\therefore$ (색칠한 부분의 넓이) $=\triangle ABC$
$=\frac{1}{2}\times12\times5=30(\text{cm}^2)$

2-1 △ABC에서 $\overline{AB}^2+\overline{AC}^2=10^2$
이때 $\overline{AB}=\overline{AC}$이므로
$2\overline{AB}^2=100$ $\quad\therefore \overline{AB}^2=50$
색칠한 부분의 넓이는 △ABC의 넓이와 같으므로
$\frac{1}{2}\times\overline{AB}^2=\frac{1}{2}\times50=25(\text{cm}^2)$

개념 완성 기본 문제

개념북 178~180쪽

1 60 cm²	**2** ③	**3** 3 cm	**4** ④
5 ③	**6** ②	**7** $\frac{225}{17}$ cm	**8** 18 cm²
9 (1) 90° (2) 53 cm²		**10** 4	**11** 4
12 24 cm²	**13** ⑤	**14** $\frac{16}{5}$ cm	**15** 50
16 14	**17** 14π	**18** $\left(\frac{61}{2}\pi-60\right)$ cm²	

1 $\overline{BC}^2=17^2-8^2=225$
이때 $\overline{BC}>0$이므로 $\overline{BC}=15$ cm
$\therefore \triangle ABC=\frac{1}{2}\times\overline{AC}\times\overline{BC}$
$=\frac{1}{2}\times8\times15=60(\text{cm}^2)$

2 $\square ABCG=25\text{ cm}^2$이므로 $\overline{BC}^2=25$
이때 $\overline{BC}>0$이므로 $\overline{BC}=5$ cm
$\square CDEF=49\text{ cm}^2$이므로 $\overline{CD}^2=49$
이때 $\overline{CD}>0$이므로 $\overline{CD}=7$ cm
즉, $\triangle ABD$는 $\overline{AB}=5$ cm, $\overline{BD}=5+7=12(\text{cm})$인 직각삼각형이므로
$\overline{AD}^2=5^2+12^2=169$
이때 $\overline{AD}>0$이므로 $\overline{AD}=13$ cm

3 $\triangle DEC$에서 $\overline{DE}=\overline{AD}=15$ cm이므로
$\overline{EC}^2=15^2-9^2=144$
이때 $\overline{EC}>0$이므로 $\overline{EC}=12$ cm
$\therefore \overline{BE}=15-12=3(\text{cm})$

4 오른쪽 그림과 같이 점 A에서 $\overline{BC}$에 내린 수선의 발을 H라 하면 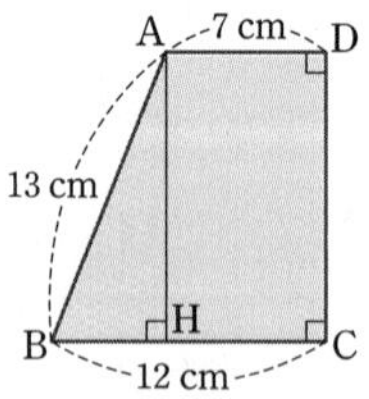
$\overline{CH}=\overline{AD}=7$ cm이므로
$\overline{BH}=12-7=5(\text{cm})$
따라서 직각삼각형 ABH에서 피타고라스 정리에 의하여
$\overline{AH}^2=13^2-5^2=144$
이때 $\overline{AH}>0$이므로 $\overline{AH}=12$ cm
$\therefore \square ABCD=\frac{1}{2}\times(7+12)\times12$
$=114(\text{cm}^2)$

A 7 cm D
13 cm
B H C
12 cm

5 $\triangle OAB'$에서 $\overline{OB'}^2=\overline{OA}^2+\overline{AB'}^2=3^2+3^2=18$
$\triangle OBC'$에서 $\overline{OB}=\overline{OB'}$이므로
$\overline{OC'}^2=\overline{OB}^2+\overline{BC'}^2=18+3^2=27$
$\triangle OCD'$에서 $\overline{OC}=\overline{OC'}$이므로
$\overline{OD'}^2=\overline{OC}^2+\overline{CD'}^2=27+3^2=36$
이때 $\overline{OD'}>0$이므로 $\overline{OD}=\overline{OD'}=6$

6 $\triangle EBA=\triangle EBC=\triangle ABF=\triangle JBF=\triangle JFK$
따라서 $\triangle EBA$와 넓이가 같은 삼각형이 아닌 것은 ② $\triangle ABC$이다.

7 $\triangle ABC$에서 $\overline{BC}^2=15^2+8^2=289$
이때 $\overline{BC}>0$이므로 $\overline{BC}=17$ cm
$\overline{BF}=\overline{BC}=17$ cm이고, $\square ADEB=\square BFML$이므로 $15^2=17\times\overline{FM}$
$\therefore \overline{FM}=\frac{225}{17}$ cm

8 $\triangle EBF$에서 $\overline{BE}=\overline{BF}=\frac{1}{2}\times6=3(\text{cm})$이므로
$\overline{EF}^2=3^2+3^2=18$
이때 $\square EFGH$는 정사각형이므로
$\square EFGH=\overline{EF}^2=18\text{ cm}^2$

9 (1) $\triangle ABC\equiv\triangle CDE$이므로 $\angle CAB=\angle ECD$이고
$\triangle ABC$에서
$\angle CAB+\angle ACB=\angle ECD+\angle ACB=90°$
$\therefore \angle ACE=90°$
(2) $\overline{BC}=\overline{DE}=9$ cm이므로
$\triangle ABC$에서 $\overline{AC}^2=5^2+9^2=106$
$\therefore \triangle ACE=\frac{1}{2}\times\overline{AC}\times\overline{CE}=\frac{1}{2}\overline{AC}^2$
$=\frac{1}{2}\times106=53(\text{cm}^2)$

10 $\triangle ABF$에서 $\overline{BF}^2=10^2-8^2=36$
이때 $\overline{BF}>0$이므로 $\overline{BF}=6$
4개의 직각삼각형이 모두 합동이므로 $\overline{AE}=\overline{BF}=6$
$\therefore \overline{EF}=\overline{AF}-\overline{AE}=8-6=2$
이때 $\square EFGH$는 정사각형이므로
$\square EFGH=2^2=4$

11 4개의 직각삼각형이 모두 합동이므로 □ABCD는 정사각형이다.

□ABCD의 넓이가 25이므로 $\overline{AB}^2=25$

이때 $\overline{AB}>0$이므로 $\overline{AB}=5$

△ABE에서 $\overline{BE}^2=5^2-3^2=16$

이때 $\overline{BE}>0$이므로 $\overline{BE}=4$

$\overline{BF}=\overline{AE}=3$이므로 $\overline{EF}=4-3=1$이고, □EFGH가 정사각형이므로 □EFGH의 둘레의 길이는

$4\times1=4$

12 $6^2+8^2=10^2$이므로 세 변의 길이가 각각 6 cm, 8 cm, 10 cm인 삼각형은 오른쪽 그림과 같이 빗변의 길이가 10 cm인 직각삼각형이다.

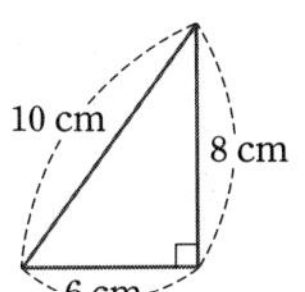

따라서 구하는 삼각형의 넓이는

$\frac{1}{2}\times6\times8=24(\text{cm}^2)$

13 △ABC에서 $\overline{AC}^2=15^2-12^2=81$

이때 $\overline{AC}>0$이므로 $\overline{AC}=9$

△ACD에서 $9^2>5^2+6^2$이므로 △ACD는 둔각삼각형이다.

14 직각삼각형의 빗변의 중점은 외심이므로

$\overline{AM}=\overline{BM}=\overline{CM}$

$\therefore \overline{AM}=\frac{1}{2}\overline{BC}=\frac{1}{2}\times(8+2)=5(\text{cm})$

$\overline{MH}=5-2=3(\text{cm})$이므로 직각삼각형 AMH에서

$\overline{AH}^2=5^2-3^2=16$

이때 $\overline{AH}>0$이므로 $\overline{AH}=4$ cm

$\overline{AH}^2=\overline{AQ}\times\overline{AM}$이므로 $4^2=\overline{AQ}\times5$

$\therefore \overline{AQ}=\frac{16}{5}$ cm

15 △ABC에서 $\overline{AB}^2=4^2+5^2=41$

$\therefore \overline{AD}^2+\overline{BE}^2=\overline{AB}^2+\overline{DE}^2$

$=41+3^2=50$

16 □ABCD의 두 대각선이 직교하므로

$\overline{AB}^2+13^2=\overline{AD}^2+14^2$

$90+169=\overline{AD}^2+196$

$\therefore \overline{AD}^2=63$

따라서 △AOD에서

$x^2=\overline{AD}^2-7^2=63-49=14$

17 $S_1=\frac{1}{2}\pi\times\left(\frac{8}{2}\right)^2=8\pi$

$\therefore S_3=S_1+S_2=8\pi+6\pi=14\pi$

18 오른쪽 그림에서

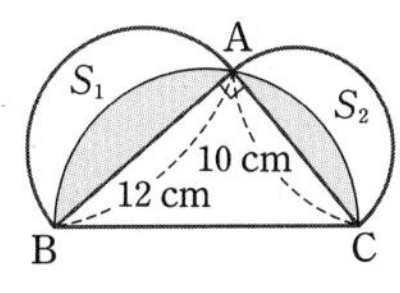

$S_1+S_2=\triangle ABC$

$=\frac{1}{2}\times12\times10$

$=60(\text{cm}^2)$

따라서 색칠한 부분의 넓이는

$\frac{1}{2}\times\pi\times\left(\frac{12}{2}\right)^2+\frac{1}{2}\times\pi\times\left(\frac{10}{2}\right)^2-(S_1+S_2)$

$=18\pi+\frac{25}{2}\pi-60$

$=\frac{61}{2}\pi-60(\text{cm}^2)$

[다른 풀이]

△ABC에서 $\overline{BC}^2=12^2+10^2=244$

따라서 색칠한 부분의 넓이는

$\frac{1}{2}\times\pi\times\left(\frac{\overline{BC}}{2}\right)^2-\frac{1}{2}\times12\times10$

$=\frac{1}{2}\times\pi\times\frac{244}{4}-60=\frac{61}{2}\pi-60(\text{cm}^2)$

개념 완성 발전 문제

개념북 181~182쪽

1 60 cm² **2** 16 **3** $\frac{8}{3}$ cm **4** $\frac{75}{4}$ cm²

5 17 cm

6 ① 144, 12 cm

② △ABC, △ABC, 12^2, $\frac{1}{2}\times5\times12$, 139 cm²

7 ① 4 cm ② $\frac{25}{3}$ cm ③ $\frac{50}{3}$ cm²

1 주어진 직각삼각형을 직선 l을 회전축으로 하여 1회전 시킬 때 생기는 입체도형은 오른쪽 그림과 같은 원뿔이다.

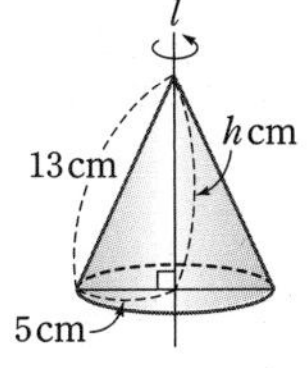

원뿔의 높이를 h cm라 하면

$h^2=13^2-5^2=144$

이때 $h>0$이므로 $h=12$

따라서 구하는 단면의 넓이는

$\frac{1}{2}\times 10\times 12=60(\text{cm}^2)$

2 $\triangle \text{JFK}=\frac{1}{2}\square \text{BFKJ}=\frac{1}{2}\square \text{ADEB}$

$=\frac{1}{2}\times 9^2=\frac{81}{2}(\text{cm}^2)$

$\triangle \text{JKG}=\frac{1}{2}\square \text{JKGC}=\frac{1}{2}\square \text{ACHI}$

$=\frac{1}{2}\times 7^2=\frac{49}{2}(\text{cm}^2)$

따라서 $P=\frac{81}{2}$, $Q=\frac{49}{2}$이므로

$P-Q=\frac{81}{2}-\frac{49}{2}=16$

3 $\overline{\text{BC}}^2=6^2+8^2=100$

이때 $\overline{\text{BC}}>0$이므로 $\overline{\text{BC}}=10\text{ cm}$

점 D가 직각삼각형 △ABC의 외심이므로

$\overline{\text{AD}}=\overline{\text{BD}}=\overline{\text{CD}}=\frac{1}{2}\overline{\text{BC}}=5(\text{cm})$

점 G가 △ABC의 무게중심이므로

$\overline{\text{AG}}=\frac{2}{3}\overline{\text{AD}}=\frac{2}{3}\times 5=\frac{10}{3}(\text{cm})$

$\triangle \text{AGC}=\frac{1}{3}\triangle \text{ABC}$

$=\frac{1}{3}\times\frac{1}{2}\times 6\times 8=8(\text{cm}^2)$

또, $\triangle \text{AGC}=\frac{1}{2}\times\overline{\text{AC}}\times\overline{\text{GH}}$이므로

$\frac{1}{2}\times 8\times\overline{\text{GH}}=8\qquad \therefore \overline{\text{GH}}=2\text{ cm}$

따라서 △AGH에서

$\overline{\text{AH}}^2=\overline{\text{AG}}^2-\overline{\text{GH}}^2=\left(\frac{10}{3}\right)^2-2^2=\frac{64}{9}$

이때 $\overline{\text{AH}}>0$이므로 $\overline{\text{AH}}=\frac{8}{3}\text{ cm}$

4 오른쪽 그림에서

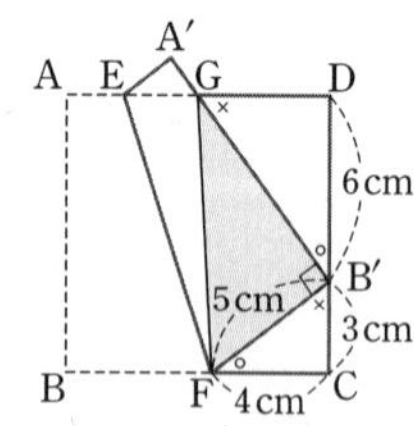

$\overline{\text{B'F}}=\overline{\text{BF}}=9-4=5(\text{cm})$

이므로 △B′FC에서

$\overline{\text{B'C}}^2=5^2-4^2=9$

이때 $\overline{\text{B'C}}>0$이므로 $\overline{\text{B'C}}=3\text{ cm}$

$\overline{\text{DB'}}=9-3=6(\text{cm})$

$\triangle \text{B'FC}\backsim\triangle \text{GB'D}$ (AA 닮음)이므로

$\overline{\text{GB'}}=x\text{ cm}$라 하면

$5:x=4:6,\ 4x=30\qquad \therefore x=\frac{15}{2}$

△GFB′은 $\angle \text{B'}=\angle \text{B}=90^\circ$인 직각삼각형이므로

$\triangle \text{GFB'}=\frac{1}{2}\times 5\times\frac{15}{2}=\frac{75}{4}(\text{cm}^2)$

5 오른쪽 그림의 전개도에서 구하는 최단 거리는 $\overline{\text{BE}}$의 길이이므로

$\overline{\text{BE}}^2=15^2+8^2=289$

이때 $\overline{\text{BE}}>0$이므로 $\overline{\text{BE}}=17\text{ cm}$

6 ① 피타고라스 정리에 의하여

$\overline{\text{AC}}^2=13^2-5^2=144$

이때 $\overline{\text{AC}}>0$이므로 $\overline{\text{AC}}=12\text{ cm}$

② 히포크라테스의 원의 넓이를 이용하면 색칠한 부분의 넓이는 정사각형 AFGB와 정사각형 ACDE의 넓이의 합에서 △ABC의 넓이를 뺀 것과 같으므로

(색칠한 부분의 넓이)

$=\square \text{AFGB}+\square \text{ACDE}-\triangle \text{ABC}$

$=5^2+12^2-\frac{1}{2}\times 5\times 12$

$=25+144-30$

$=139(\text{cm}^2)$

7 ① △ABH에서 피타고라스 정리에 의하여

$\overline{\text{AH}}^2=5^2-3^2=16$

이때 $\overline{\text{AH}}>0$이므로 $\overline{\text{AH}}=4\text{ cm}$

② △ABC에서 $\overline{\text{AB}}^2=\overline{\text{BH}}\times\overline{\text{BC}}$이므로

$5^2=3\times\overline{\text{BC}}\qquad \therefore \overline{\text{BC}}=\frac{25}{3}\text{ cm}$

③ $\triangle \text{ABC}=\frac{1}{2}\times\overline{\text{BC}}\times\overline{\text{AH}}$

$=\frac{1}{2}\times\frac{25}{3}\times 4=\frac{50}{3}(\text{cm}^2)$

1 경우의 수

1 사건과 경우의 수 개념북 186쪽

1 풀이 참조
2 (1) 7 (2) 3
3 (1) 10 (2) 7 (3) 6

1

사건	경우	경우의 수
6의 눈이 나온다.	6	1
홀수의 눈이 나온다.	1, 3, 5	3
6의 약수의 눈이 나온다.	1, 2, 3, 6	4

2 (1) 4 이상인 수는 4, 5, 6, 7, 8, 9, 10이므로 경우의 수는 7이다.
(2) 3의 배수는 3, 6, 9이므로 경우의 수는 3이다.

3 (1) 10 이하인 수는 1, 2, 3, 4, ⋯, 10이므로 경우의 수는 10이다.
(2) 짝수는 2, 4, 6, 8, 10, 12, 14이므로 경우의 수는 7이다.
(3) 소수는 2, 3, 5, 7, 11, 13이므로 경우의 수는 6이다.

사건과 경우의 수 이해하기 개념북 187쪽

1 ③ **1-1** ②

1 ① 소수는 2, 3, 5, 7이므로 경우의 수는 4이다.
② 4의 배수는 4, 8이므로 경우의 수는 2이다.
③ 7보다 큰 수는 8, 9, 10이므로 경우의 수는 3이다.
④ 두 자리의 자연수는 10이므로 경우의 수는 1이다.
⑤ 10보다 작은 수는 1, 2, 3, ⋯, 9이므로 경우의 수는 9이다.

1-1 12의 약수는 1, 2, 3, 4, 6, 12이므로 경우의 수는 6이다.

돈을 지불하는 경우의 수 개념북 187쪽

2 ③ **2-1** 5

2 두 가지 동전을 각각 1개 이상 사용하여 지불할 수 있는 금액을 표로 나타내면 다음과 같다.

500원(개)	1	1	2	2	3	3
100원(개)	1	2	1	2	1	2
금액(원)	600	700	1100	1200	1600	1700

따라서 지불할 수 있는 금액이 아닌 것은 ③이다.

2-1 액수가 큰 1000원짜리 지폐의 수를 정한 다음 500원짜리 동전의 개수를 정한다.

1000원(장)	7	6	5	4	3
500원(개)	0	2	4	6	8

따라서 7000원을 지불하는 경우의 수는 5이다.

2 사건 A 또는 사건 B가 일어나는 경우의 수 개념북 188쪽

1 (1) 3 (2) 2 (3) 5 **2** 8 **3** 6

1 (1) 3 이하의 눈은 1, 2, 3이므로 경우의 수는 3이다.
(2) 5 이상의 눈은 5, 6이므로 경우의 수는 2이다.
(3) 3 이하 또는 5 이상의 눈이 나오는 경우의 수는
$3+2=5$

2 버스를 이용하는 방법은 3가지, 지하철을 이용하는 방법은 5가지이므로 구하는 경우의 수는 $3+5=8$

3 빨간 공이 나오는 경우의 수는 4, 파란 공이 나오는 경우의 수는 2이므로 구하는 경우의 수는 $4+2=6$

사건 A 또는 사건 B가 일어나는 경우의 수–중복된 사건이 없는 경우 개념북 189쪽

1 ① **1-1** 7

1 (i) 눈의 수의 합이 5인 경우
(1, 4), (2, 3), (3, 2), (4, 1)의 4가지
(ii) 눈의 수의 합이 7인 경우
(1, 6), (2, 5), (3, 4), (4, 3), (5, 2), (6, 1)의 6가지
(i), (ii)의 두 사건은 동시에 일어나지 않으므로 구하는 경우의 수는 $4+6=10$

1-1 김밥을 주문하는 경우의 수는 4, 라면을 주문하는 경우의 수는 3이고, 이 두 사건은 동시에 일어나지 않으므로 구하는 경우의 수는 $4+3=7$

사건 A 또는 사건 B가 일어나는 경우의 수–중복된 사건이 있는 경우
개념북 189쪽

2 10　　**2-1** 7

2 2의 배수가 적힌 카드가 나오는 경우는
2, 4, 6, 8, 10, 12, 14의 7가지
3의 배수가 적힌 카드가 나오는 경우는
3, 6, 9, 12, 15의 5가지
그런데 6, 12는 2의 배수이면서 3의 배수이므로 구하는 경우의 수는 $7+5-2=10$

2-1 20의 약수인 경우는 1, 2, 4, 5, 10, 20의 6가지
5의 배수인 경우는 5, 10, 15, 20의 4가지
그런데 5, 10, 20은 20의 약수이면서 5의 배수이므로 구하는 경우의 수는 $6+4-3=7$

개념 확인 3 사건 A와 사건 B가 동시에 일어나는 경우의 수
개념북 190쪽

1 (1) 3　(2) 2　(3) 6　　**2** 8
3 (1) 3　(2) 3　(3) 9

1 (3) 빵과 음료수를 각각 1개씩 고르는 경우의 수는
$3\times2=6$

2 빨간색 꽃을 고르는 경우의 수는 4, 흰색 꽃을 고르는 경우의 수는 2이므로 구하는 경우의 수는
$4\times2=8$

3 (3) 집에서 문구점을 거쳐 학교까지 가는 경우의 수는
$3\times3=9$

사건 A와 사건 B가 동시에 일어나는 경우의 수
개념북 191쪽

1 12개　　**1-1** 24

1 자음이 적힌 카드를 뽑는 경우의 수는 3, 모음이 적힌 카드를 뽑는 경우의 수는 4이므로 각각 한 장씩 뽑아 만들 수 있는 글자의 개수는 $3\times4=12$(개)

1-1 수학 문제집을 사는 경우의 수는 6, 영어 문제집을 사는 경우의 수는 4이므로 각각 한 권씩 사는 경우의 수는
$6\times4=24$

길 또는 교통편을 선택하는 경우의 수
개념북 191쪽

2 8　　**2-1** 10

2 (i) 집에서 공원을 거쳐 수영장까지 가는 경우의 수는
$3\times2=6$
(ii) 집에서 수영장까지 바로 가는 경우의 수는 2
(i), (ii)의 두 사건은 동시에 일어나지 않으므로 구하는 경우의 수는 $6+2=8$

2-1 (i) A 지점에서 B 지점을 거쳐 C 지점까지 가는 경우의 수는 $3\times3=9$
(ii) A 지점에서 C 지점까지 바로 가는 경우의 수는 1
(i), (ii)의 두 사건은 동시에 일어나지 않으므로 구하는 경우의 수는 $9+1=10$

개념 확인 4 동전 또는 주사위를 던질 때의 경우의 수
개념북 192쪽

1 (1) 앞, 뒤, 뒤, 4　(2) 앞, 뒤, 뒤, 2, 앞, 뒤, 앞, 2
2 (1) 36　(2) 9　　**3** 12

2 (1) $6\times6=36$
(2) 홀수의 눈이 나오는 경우는 1, 3, 5의 3가지, 짝수의 눈이 나오는 경우는 2, 4, 6의 3가지이므로 구하는 경우의 수는 $3\times3=9$

3 동전 한 개를 던질 때 일어나는 모든 경우의 수는 2, 주사위 한 개를 던질 때 일어나는 모든 경우의 수는 6이므로 구하는 경우의 수는 $2\times6=12$

동전과 주사위를 동시에 던질 때의 경우의 수
개념북 193쪽

1 6　　**1-1** 6

1 동전이 앞면이 나오는 경우는 1가지이고, 2개의 주사위가 서로 같은 눈이 나오는 경우는 (1, 1), (2, 2), (3, 3), (4, 4), (5, 5), (6, 6)의 6가지이다.
따라서 구하는 경우의 수는 $1\times6=6$

1-1 2개의 동전이 서로 다른 면이 나오는 경우는 (앞, 뒤), (뒤, 앞)의 2가지이고, 주사위가 소수의 눈이 나오는 경우는 2, 3, 5의 3가지이다.
따라서 구하는 경우의 수는 $2\times3=6$

동전 던지기의 응용 개념북 193쪽

2 (1) 16 (2) 4 **2-1** 8가지 **2-2** 27

2 (1) 윷가락 1개는 등, 배의 2가지 경우가 있으므로 윷가락 4개를 던질 때 일어나는 모든 경우의 수는 $2^4=16$

(2) 도가 나오는 경우는 다음과 같이 등이 3개, 배가 1개 나올 때이다.

따라서 도가 나오는 경우의 수는 4이다.

2-1 전구 한 개는 켜진 경우와 꺼진 경우의 2가지이므로 전구 3개로 신호를 보내는 방법은 $2^3=8$(가지)

2-2 한 사람이 낼 수 있는 경우는 가위, 바위, 보의 3가지이므로 세 명이 가위바위보를 할 때 일어나는 경우의 수는 $3^3=27$

5 한 줄로 세우는 경우의 수 개념북 194쪽

1 6 **2** (1) 120 (2) 20 **3** 24

1 $3\times2\times1=6$

2 (1) $5\times4\times3\times2\times1=120$

(2) $5\times4=20$

3 A를 세 번째에 고정시키면 □□A□□
따라서 나머지 4명을 일렬로 세우는 경우의 수와 같으므로 $4\times3\times2\times1=24$

전체를 한 줄로 세우는 경우의 수 개념북 195쪽

1 120가지 **1-1** 24가지

1 5명을 한 줄로 세우는 경우와 같으므로 나란히 서는 순서를 정하는 방법은 $5\times4\times3\times2\times1=120$(가지)

1-1 4개의 장소를 한 줄로 세우는 경우와 같으므로 방문 순서를 정하는 방법은 $4\times3\times2\times1=24$(가지)

일부를 뽑아서 한 줄로 세우는 경우의 수 개념북 195쪽

2 120 **2-1** 60 **2-2** 840

2 6장의 카드 중에서 3장을 뽑아 일렬로 배열하는 경우의 수는 $6\times5\times4=120$

2-1 서로 다른 5개의 음료수 중 3개를 뽑아 일렬로 세우는 경우의 수와 같으므로 구하는 경우의 수는 $5\times4\times3=60$

2-2 7명의 학생 중 4명을 뽑아 일렬로 세우는 경우의 수와 같으므로 구하는 경우의 수는 $7\times6\times5\times4=840$

색을 선택하여 칠하는 경우의 수 개념북 196쪽

3 24가지 **3-1** 120

3 4가지 색 중에서 3가지 색을 골라 A, B, C 세 부분에 칠하는 경우의 수는 4명 중에서 3명을 뽑아 한 줄로 세우는 경우의 수와 같다.
따라서 A, B, C 세 부분에 색을 칠할 수 있는 방법은 $4\times3\times2=24$(가지)

3-1 5가지 색 중에서 4가지 색을 골라 A, B, C, D 네 부분에 칠하는 경우의 수는 5명 중에서 4명을 뽑아 한 줄로 세우는 경우의 수와 같으므로 $5\times4\times3\times2=120$

특정한 사람의 자리를 정하고 한 줄로 세우는 경우의 수 개념북 196쪽

4 ② **4-1** ②

4 진희가 맨 앞에 서는 경우의 수는 나머지 2명을 일렬로 세우는 경우의 수와 같으므로 $2\times1=2$
맨 뒤에 서는 경우의 수도 마찬가지로 $2\times1=2$
따라서 구하는 경우의 수는 $2+2=4$

4-1 부모님의 자리는 운전석과 조수석으로 고정되어 있으므로 나머지 식구 3명이 뒷좌석에 앉을 수 있는 경우의 수는 $3\times2\times1=6$
이때 부모님이 서로 자리를 바꾸어 앉는 경우의 수는 2이므로 구하는 경우의 수는 $6\times2=12$

[다른 풀이]
부모님이 운전석과 조수석에 앉는 경우의 수는 2명을 일렬로 세우는 경우의 수와 같으므로 $2\times1=2$
나머지 식구가 뒷자리에 앉는 경우의 수는 3명을 일렬로 세우는 경우의 수와 같으므로 $3\times2\times1=6$
따라서 구하는 경우의 수는 $2\times6=12$

개념확인 6 이웃하여 한 줄로 세우는 경우의 수 개념북 197쪽

1 5, 4, 3, 2, 1, 120, 2, 120, 2, 240
2 3, 3, 2, 1, 6, 3, 2, 1, 6, 6, 6, 36

이웃하여 한 줄로 세우는 경우의 수 (1) 개념북 198쪽

1 48　　**1-1** ④

1 시집 2권을 한 권으로 생각하여 4권을 한 줄로 꽂는 경우의 수는 $4\times3\times2\times1=24$
이때 시집 2권끼리 서로 자리를 바꾸어 꽂는 경우의 수는 2
따라서 구하는 경우의 수는 $24\times2=48$

1-1 여학생 3명을 1명으로 생각하여 4명을 일렬로 세우는 경우의 수는 $4\times3\times2\times1=24$
이때 여학생끼리 자리를 바꾸는 경우의 수는 $3\times2\times1=6$
따라서 구하는 경우의 수는 $24\times6=144$

이웃하여 한 줄로 세우는 경우의 수 (2) 개념북 198쪽

2 24　　**2-1** ②

2 A와 E, B와 D를 각각 1명으로 생각하여 3명을 한 줄로 세우는 경우의 수는 $3\times2\times1=6$
이때 A와 E가 자리를 바꾸어 서는 경우의 수는 2, B와 D가 자리를 바꾸어 서는 경우의 수도 2
따라서 구하는 경우의 수는 $6\times2\times2=24$

2-1 어른 3명과 어린이 2명을 각각 1명으로 생각하여 2명을 한 줄로 세우는 경우의 수는 $2\times1=2$
이때 어른끼리 자리를 바꾸어 서는 경우의 수는 $3\times2\times1=6$, 어린이끼리 자리를 바꾸어 서는 경우의 수는 2
따라서 구하는 경우의 수는 $2\times6\times2=24$

개념확인 7 자연수의 개수 개념북 199쪽

1 (1) 12개 (2) 24개　　**2** (1) 9개 (2) 18개

1 (1) 십의 자리에 올 수 있는 숫자는 4개, 일의 자리에 올 수 있는 숫자는 십의 자리에 온 숫자를 제외한 3개이므로 구하는 자연수의 개수는 $4\times3=12$(개)
(2) 백의 자리에 올 수 있는 숫자는 4개, 십의 자리에 올 수 있는 숫자는 백의 자리에 온 숫자를 제외한 3개, 일의 자리에 올 수 있는 숫자는 백의 자리와 십의 자리에 온 숫자를 제외한 2개이므로 구하는 자연수의 개수는 $4\times3\times2=24$(개)

2 (1) 십의 자리에 올 수 있는 숫자는 0을 제외한 3개, 일의 자리에 올 수 있는 숫자는 십의 자리에 온 숫자를 제외한 3개이므로 구하는 자연수의 개수는 $3\times3=9$(개)
(2) 백의 자리에 올 수 있는 숫자는 0을 제외한 3개, 십의 자리에 올 수 있는 숫자는 백의 자리에 온 숫자를 제외한 3개, 일의 자리에 올 수 있는 숫자는 백의 자리와 십의 자리에 온 숫자를 제외한 2개이므로 구하는 자연수의 개수는 $3\times3\times2=18$(개)

0을 포함하지 않는 경우의 자연수 만들기 개념북 200쪽

1 ⑤
1-1 6개　**1-2** 15개　**1-3** 10개　**1-4** ②

1 백의 자리에 올 수 있는 숫자는 5개, 십의 자리에 올 수 있는 숫자는 백의 자리에 온 숫자를 제외한 4개, 일의 자리에 올 수 있는 숫자는 백의 자리와 십의 자리에 온 숫자를 제외한 3개이므로 구하는 자연수의 개수는 $5\times4\times3=60$(개)

1-1 일의 자리의 숫자가 1이므로 백의 자리에 올 수 있는 숫자는 1을 제외한 3개, 십의 자리에 올 수 있는 숫자는 백의 자리에 온 숫자와 1을 제외한 2개이다.
따라서 구하는 자연수의 개수는 $3\times2=6$(개)

1-2 짝수가 되려면 일의 자리에 2 또는 4 또는 6이 와야 한다.
□2, □4, □6의 경우에 십의 자리에 올 수 있는 숫자는 각각 5개씩이므로 짝수의 개수는 $3\times5=15$(개)

1-3 (i) 백의 자리의 숫자가 3인 경우 314보다 큰 수는 32□, 34□인 경우이다.
이때 일의 자리에 올 수 있는 숫자는 3과 십의 자리에 온 숫자를 제외한 2개씩이므로 그 개수는 $2\times2=4$(개)

(ii) 백의 자리의 숫자가 4인 경우 십의 자리에 올 수 있는 숫자는 4를 제외한 3개, 일의 자리에 올 수 있는 숫자는 4와 십의 자리에 온 숫자를 제외한 2개이므로 그 개수는

$3\times2=6$(개)

(i), (ii)에 의해 314보다 큰 수의 개수는 $4+6=10$(개)

1-4 십의 자리의 숫자가 1, 2, 3일 때, 일의 자리에 올 수 있는 숫자는 각각 4개씩이므로 그 개수는 $3\times4=12$(개)
십의 자리의 숫자가 4일 때, 만들 수 있는 두 자리의 자연수를 작은 수부터 차례로 나열하면 41, 42, 43, 45
따라서 41은 $12+1=13$(번째) 수이다.

0을 포함하는 경우의 자연수 만들기 개념북 201쪽

2 (1) 16개 (2) 48개
2-1 10개 **2-2** 36개 **2-3** 30개
2-4 (1) 11개 (2) 13개

2 (1) 십의 자리에 올 수 있는 숫자는 0을 제외한 4개, 일의 자리에 올 수 있는 숫자는 십의 자리에 온 숫자를 제외한 4개이므로 구하는 자연수의 개수는

$4\times4=16$(개)

(2) 백의 자리에 올 수 있는 숫자는 0을 제외한 4개, 십의 자리에 올 수 있는 숫자는 백의 자리에 온 숫자를 제외한 4개, 일의 자리에 올 수 있는 숫자는 백의 자리와 십의 자리에 온 숫자를 제외한 3개이므로 구하는 자연수의 개수는 $4\times4\times3=48$(개)

2-1 짝수가 되려면 일의 자리에 0 또는 2가 와야 한다.
(i) □□0인 경우: $3\times2=6$(개)
(ii) □□2인 경우: $2\times2=4$(개)
(i), (ii)에 의해 짝수의 개수는 $6+4=10$(개)

2-2 5의 배수가 되려면 일의 자리에 0 또는 5가 와야 한다.
(i) □□0인 경우: $5\times4=20$(개)
(ii) □□5인 경우: $4\times4=16$(개)
(i), (ii)에 의해 5의 배수의 개수는 $20+16=36$(개)

2-3 십의 자리에 올 수 있는 숫자는 0을 제외한 5개, 일의 자리에 올 수 있는 숫자는 같은 숫자를 여러 번 사용해도 되므로 6개이다.
따라서 만들 수 있는 두 자리의 자연수의 개수는

$5\times6=30$(개)

2-4 (1) (i) 2□인 경우: 21, 23, 24의 3개
(ii) 3□인 경우: 30, 31, 32, 34의 4개
(iii) 4□인 경우: 40, 41, 42, 43의 4개
(i), (ii), (iii)에 의해 21 이상인 자연수의 개수는
$3+4+4=11$(개)

(2) 2장을 뽑아 만들 수 있는 두 자리의 자연수의 개수는
$4\times4=16$(개)
이때 40보다 큰 자연수는 41, 42, 43의 3개이므로 40 이하인 자연수의 개수는 $16-3=13$(개)

개념 확인 8 자격이 다른 대표를 뽑는 경우의 수 개념북 202쪽

1 (1) 4, 3, 4, 3, 12 (2) 4, 3, 2, 4, 3, 2, 24

자격이 다른 대표를 뽑는 경우의 수 개념북 203쪽

1 30 **1-1** 60 **1-2** 42

1 투수 1명을 뽑는 경우의 수는 6, 포수 1명을 뽑는 경우의 수는 투수로 뽑힌 사람을 제외한 5이므로 구하는 경우의 수는 $6\times5=30$

1-1 회장 1명을 뽑는 경우의 수는 5, 부회장 1명을 뽑는 경우의 수는 회장으로 뽑힌 사람을 제외한 4, 총무 1명을 뽑는 경우의 수는 회장, 부회장으로 뽑힌 사람을 제외한 3이므로 구하는 경우의 수는 $5\times4\times3=60$

1-2 전체 7명 중에서 주장 1명을 뽑는 경우의 수는 7, 부주장 1명을 뽑는 경우의 수는 주장으로 뽑힌 선수를 제외한 6이므로 구하는 경우의 수는
$7\times6=42$

특정 조건을 만족하면서 자격이 다른 대표를 뽑는 경우의 수 개념북 203쪽

2 (1) 6 (2) 12 **2-1** 80

2 (1) 여학생 2명 중에서 회장 1명을 뽑는 경우의 수는 2, 남학생 3명 중에서 부회장 1명을 뽑는 경우의 수는 3이므로 구하는 경우의 수는 $2\times3=6$

(2) 남학생 3명 중에서 회장 1명을 뽑는 경우의 수는 3, 나머지 남학생 2명 중에서 부회장 1명을 뽑는 경우의 수는 2, 여학생 2명 중에서 부회장 1명을 뽑는 경우의 수는 2이므로 구하는 경우의 수는
$3\times2\times2=12$

2-1 여학생 5명 중에서 대표 1명을 뽑는 경우의 수는 5, 나머지 여학생 4명 중에서 부대표 1명을 뽑는 경우의 수는 4, 남학생 4명 중에서 부대표 1명을 뽑는 경우의 수는 4이므로 구하는 경우의 수는 $5\times4\times4=80$

9 자격이 같은 대표를 뽑는 경우의 수 개념북 204쪽

1 6 **2** (1) 10 (2) 10

1 주번 2명을 뽑을 때, (A, B)의 순서로 뽑는 것과 (B, A)의 순서로 뽑는 경우가 같다.
즉, 4명 중에서 순서에 관계없이 2명을 뽑는 경우의 수이므로 $\frac{4\times3}{2}=6$

2 (1) 5명 중에서 순서에 관계없이 2명을 뽑는 경우의 수이므로 $\frac{5\times4}{2}=10$
(2) 5명 중에서 순서에 관계없이 3명을 뽑는 경우의 수이므로 $\frac{5\times4\times3}{3\times2\times1}=10$

자격이 같은 대표를 뽑는 경우의 수 개념북 205쪽

1 15 **1-1** 120 **1-2** ⑤

1 6명 중에서 줄을 돌릴 2명을 선택하는 경우의 수는 6명 중에서 순서에 관계없이 2명을 뽑는 경우의 수와 같으므로
$\frac{6\times5}{2}=15$

1-1 10명 중에서 순서에 관계없이 3명을 뽑는 경우의 수와 같으므로
$\frac{10\times9\times8}{3\times2\times1}=120$

1-2 A와 B가 악수하는 경우와 B와 A가 악수하는 경우는 같다. 즉, 9명 중에서 순서에 관계없이 2명을 뽑는 경우의 수와 같으므로 $\frac{9\times8}{2}=36$(번)

선분 또는 삼각형의 개수 개념북 205쪽

2 10개 **2-1** 35개

2 $\overline{AB}$와 $\overline{BA}$는 같은 선분이므로 5개의 점 중에서 순서에 관계없이 2개의 점을 뽑는 경우의 수와 같다.
$\therefore \frac{5\times4}{2}=10$(개)

2-1 △ABC, △ACB, △BAC, △BCA, △CAB, △CBA는 모두 같은 삼각형이므로 7개의 점 중에서 순서에 관계없이 3개의 점을 뽑는 경우의 수와 같다.
$\therefore \frac{7\times6\times5}{3\times2\times1}=35$(개)

개념 완성 기본 문제 개념북 208~209쪽

1 3 **2** 11 **3** 6개 **4** ③
5 연화, 풀이 참조 **6** 120 **7** 360
8 ② **9** 720 **10** 10개 **11** 90
12 28번

1 액수가 큰 500원짜리 동전의 개수를 정한 다음 100원, 50원짜리 동전의 개수를 구한다. 따라서 1600원을 지불할 수 있는 방법을 표로 나타내면 위와 같으므로 1600원을 지불하는 경우의 수는 3이다.

500원(개)	3	3	2
100원(개)	1	0	4
50원(개)	0	2	4

2 소설책을 고르는 경우의 수는 6, 만화책을 고르는 경우의 수는 5이므로 소설책 또는 만화책을 한 권 고르는 경우의 수는 $6+5=11$

3 자음은 ㄱ, ㅁ, ㅇ의 3가지, 모음은 ㅏ, ㅗ의 2가지이므로 만들 수 있는 글자의 개수는 $3\times2=6$(개)

4 (i) A → B → C → D로 가는 경우의 수는
$3\times2\times2=12$
(ii) B 지점을 거치지 않고 A → C → D로 가는 경우의 수는 $1\times2=2$
(i), (ii)에서 구하는 경우의 수는 $12+2=14$

5 서로 다른 동전 3개를 동시에 던질 때, 일어나는 모든 경우의 수는 $2^3=8$이므로 잘못 말한 사람은 연화이고 이를 바르게 고치면 다음과 같다.

연화: 서로 다른 동전 3개를 동시에 던질 때, 일어나는 모든 경우의 수는 8이야.

6 앞줄에 3명, 뒷줄에 2명이 서는 경우의 수는 5명을 한 줄로 세우는 경우의 수와 같다.
따라서 구하는 경우의 수는 $5\times4\times3\times2\times1=120$

7 6명 중에서 4명을 뽑아 일렬로 세우는 경우의 수와 같으므로 $6\times5\times4\times3=360$

8 부모님의 자리가 정해졌으므로 나머지 3명을 일렬로 세우는 경우의 수는 $3\times2\times1=6$
이때 부모님이 자리를 서로 바꾸는 경우의 수는 $2\times1=2$
따라서 구하는 경우의 수는 $6\times2=12$

9 여학생 3명을 1명으로 생각하여 5명을 일렬로 세우는 경우의 수는 $5\times4\times3\times2\times1=120$
이때 여학생 3명이 자리를 바꾸는 경우의 수는 $3\times2\times1=6$
따라서 구하는 경우의 수는 $120\times6=720$

10 짝수가 되려면 일의 자리에 0 또는 2 또는 4가 와야 한다.
(i) □0인 경우: 10, 20, 30, 40의 4개
(ii) □2인 경우: 12, 32, 42의 3개
(iii) □4인 경우: 14, 24, 34의 3개
(i)~(iii)에 의해 짝수의 개수는 $4+3+3=10$(개)

11 주장을 뽑는 경우의 수는 10, 부주장을 뽑는 경우의 수는 주장으로 뽑힌 사람을 제외한 9이므로 구하는 경우의 수는 $10\times9=90$

12 8명 중에서 순서에 관계없이 2명을 뽑는 경우의 수와 같으므로 모두 $\frac{8\times7}{2}=28$(번)의 악수를 한 것이다.

개념 완성 발전 문제 개념북 210~211쪽

1 12 **2** 48 **3** 25 **4** 26
5 19개
6 ① 15 ② 20 ③ 35
7 ① 12개 ② 12개 ③ 240

1 A 지점에서 B 지점까지 가는 경우는
$A\to a\to b\to e\to B$,
$A\to a\to d\to e\to B$,
$A\to a\to d\to g\to B$, $A\to c\to d\to e\to B$,
$A\to c\to d\to g\to B$, $A\to c\to f\to g\to B$
이므로 경우의 수는 6
B 지점에서 C 지점까지 가는 경우는 $B\to h\to C$, $B\to i\to C$이므로 경우의 수는 2
따라서 A 지점에서 출발하여 B 지점을 거쳐 C 지점까지 가는 경우의 수는 $6\times2=12$

2 A에 칠할 수 있는 색은 4가지
B에 칠할 수 있는 색은 A에 칠한 색을 제외한 3가지
C에 칠할 수 있는 색은 A, B에 칠한 색을 제외한 2가지
D에 칠할 수 있는 색은 A, C에 칠한 색을 제외한 2가지
따라서 구하는 경우의 수는 $4\times3\times2\times2=48$

3 (i) 경찰관 6명 중에서 2명을 뽑는 경우의 수는
$\frac{6\times5}{2}=15$
(ii) 소방관 5명 중에서 2명을 뽑는 경우의 수는 =10
$\frac{5\times4}{2}=10$
(i), (ii)에서 구하는 경우의 수는 $15+10=25$

4 1에서 9까지의 숫자 중 짝수는 2, 4, 6, 8이고 홀수는 1, 3, 5, 7, 9이다.
이때 두 수의 곱이 짝수가 되는 경우는 뽑는 순서는 생각하지 않으므로
(i) (짝수)×(짝수)인 경우: $\frac{4\times3}{2}=6$
(ii) (짝수)×(홀수)인 경우: $4\times5=20$
(i), (ii)에서 구하는 경우의 수는 $6+20=26$
[다른 풀이]
9장의 카드 중에서 순서에 관계없이 2장의 카드를 뽑는 경우의 수는 $\frac{9\times8}{2}=36$
2장의 카드에 적힌 수의 곱이 홀수가 되는 경우의 수는 1, 3, 5, 7, 9가 적힌 5장의 카드 중에서 순서에 관계없이 2장의 카드를 뽑는 경우의 수이므로 $\frac{5\times4}{2}=10$
따라서 짝수가 되는 경우의 수는 $36-10=26$

5 6개의 점 중에서 순서에 관계없이 3개의 점을 뽑는 경우의 수는 $\frac{6\times5\times4}{3\times2\times1}=20$

이때 삼각형을 그릴 수 없는 경우의 수는 반원의 지름 위에 있는 3개의 점을 뽑는 경우의 수이므로 1

따라서 만들 수 있는 삼각형의 개수는 $20-1=19$(개)

6 ① 만들 수 있는 선분의 개수는 6개의 점 중에서 순서에 관계없이 2개의 점을 뽑는 경우의 수와 같으므로

$a=\frac{6\times5}{2}=15$

② 만들 수 있는 삼각형의 개수는 6개의 점 중에서 순서에 관계없이 3개의 점을 뽑는 경우의 수와 같으므로

$b=\frac{6\times5\times4}{3\times2\times1}=20$

③ $a+b=15+20=35$

7 ① 4□□인 경우: $4\times3=12$(개)

② 3□□인 경우: $4\times3=12$(개)

③ 백의 자리의 숫자가 4, 3인 수는 모두 $12+12=24$(개)이므로 25번째로 큰 수는 243, 26번째로 큰 수는 241, 27번째로 큰 수는 240이다.

2 확률과 그 계산

1 확률

개념북 214쪽

1 (1) 6 (2) 2 (3) $\frac{1}{3}$

2 (1) 4 (2) 1 (3) $\frac{1}{4}$

1 (1) 일어나는 모든 경우의 수는 1, 2, 3, 4, 5, 6의 6

(2) 3의 배수의 눈이 나오는 경우의 수는 3, 6의 2

(3) (3의 배수의 눈이 나올 확률) $=\frac{2}{6}=\frac{1}{3}$

2 (1) 일어나는 모든 경우의 수는

(앞, 앞), (앞, 뒤), (뒤, 앞), (뒤, 뒤)의 4

(2) 모두 앞면이 나오는 경우의 수는 (앞, 앞)의 1

(3) (모두 앞면이 나올 확률) $=\frac{1}{4}$

확률

개념북 215쪽

1 (1) $\frac{1}{4}$ (2) $\frac{1}{6}$ **1-1** $\frac{2}{5}$ **1-2** $\frac{1}{9}$

1 일어나는 모든 경우의 수는 12이다.

(1) 두 자리의 자연수가 나오는 경우의 수는 10, 11, 12의 3이므로 구하는 확률은 $\frac{3}{12}=\frac{1}{4}$

(2) 5의 배수가 나오는 경우의 수는 5, 10의 2이므로 구하는 확률은 $\frac{2}{12}=\frac{1}{6}$

1-1 일어나는 모든 경우의 수는 $4+5+6=15$이고, 노란 공이 나오는 경우의 수는 6이므로 노란 공이 나올 확률은 $\frac{6}{15}=\frac{2}{5}$

1-2 A, B 두 개의 주사위를 동시에 던질 때, 일어나는 모든 경우의 수는 $6\times6=36$

눈의 수의 합이 5인 경우의 수는

(1, 4), (2, 3), (3, 2), (4, 1)의 4

따라서 구하는 확률은 $\frac{4}{36}=\frac{1}{9}$

방정식, 부등식에서의 확률

개념북 215쪽

2 $\frac{1}{12}$ **2-1** $\frac{1}{6}$

2 일어나는 모든 경우의 수는 $6\times6=36$

$2x+y=8$을 만족하는 순서쌍 (x, y)는

(1, 6), (2, 4), (3, 2)의 3가지

따라서 구하는 확률은 $\frac{3}{36}=\frac{1}{12}$

2-1 일어나는 모든 경우의 수는 $6\times6=36$

$x+y\geq10$을 만족하는 순서쌍 (x, y)는 (4, 6), (5, 5), (5, 6), (6, 4), (6, 5), (6, 6)의 6가지

따라서 구하는 확률은 $\frac{6}{36}=\frac{1}{6}$

개념 확인 2 확률의 성질 개념북 216쪽

1 (1) 0, 1 (2) 1 (3) 0 **2** (1) $\frac{3}{5}$ (2) 1 (3) 0

3 (1) $\frac{1}{6}$ (2) 0 (3) 1

2 (1) 모든 경우의 수는 $2+3=5$이고 파란 구슬을 꺼내는 경우의 수가 3이므로 구하는 확률은 $\frac{3}{5}$이다.

(2) 주머니 속의 구슬은 모두 노란 구슬 또는 파란 구슬이므로 구하는 확률은 1이다.

(3) 검은 구슬은 없으므로 구하는 확률은 0이다.

3 (1) 6의 배수의 눈이 나오는 경우는 6의 1가지이므로 구하는 확률은 $\frac{1}{6}$이다.

(2) 7의 배수의 눈이 나오는 경우는 없으므로 구하는 확률은 0이다.

(3) 주사위를 던지면 항상 7 미만의 눈이 나오므로 구하는 확률은 1이다.

확률의 성질 개념북 217쪽

1 ②, ⑤

1-1 (1) 1 (2) 0 **1-2** 1 **1-3** ②

1 ② 확률은 0 이상 1 이하이므로 $0 \leq p \leq 1$

⑤ 확률은 1보다 클 수 없다.

1-1 (1) 바구니 속에는 모두 귤 또는 오렌지이므로 구하는 확률은 1이다.

(2) 바구니 속에 사과는 없으므로 구하는 확률은 0이다.

1-2 1에서 6까지의 자연수가 각각 적힌 6장의 카드로 두 자리의 정수를 만들면 항상 70 미만이다.

따라서 구하는 확률은 1이다.

1-3 각각의 확률을 구하면

① $\frac{1}{2}$ ② 0의 눈은 없으므로 0

③ 모두 10 이하의 수의 눈이므로 1 ④ $\frac{1}{2}$ ⑤ $\frac{1}{36}$

따라서 확률이 가장 작은 것은 ②이다.

개념 확인 3 어떤 사건이 일어나지 않을 확률 개념북 218쪽

1 (1) $\frac{2}{3}$, $\frac{1}{3}$ (2) $\frac{1}{10}$, $\frac{9}{10}$

2 (1) 4 (2) $\frac{2}{5}$ (3) $\frac{3}{5}$

3 (1) 1 (2) $\frac{1}{4}$ (3) $\frac{3}{4}$

2 (1) 카드에 적힌 수가 소수인 경우의 수는 2, 3, 5, 7의 4이다.

(2) $\frac{4}{10}=\frac{2}{5}$

(3) (구하는 확률)$=1-$(소수일 확률)$=1-\frac{2}{5}=\frac{3}{5}$

3 (1) 2번 모두 뒷면이 나오는 경우의 수는 (뒤, 뒤)의 1이다.

(2) 한 개의 동전을 2번 던질 때, 일어나는 모든 경우의 수는 $2\times2=4$이고, 2번 모두 뒷면이 나오는 경우의 수는 1이므로 구하는 확률은 $\frac{1}{4}$이다.

(3) (구하는 확률)$=1-$(2번 모두 뒷면이 나올 확률)

$=1-\frac{1}{4}=\frac{3}{4}$

어떤 사건이 일어나지 않을 확률 개념북 219쪽

1 $\frac{5}{6}$ **1-1** $\frac{4}{5}$ **1-2** $\frac{11}{12}$

1 일어나는 모든 경우의 수는 $6\times6=36$

눈의 수가 같은 경우는 (1, 1), (2, 2), (3, 3), (4, 4), (5, 5), (6, 6)의 6가지이므로 눈의 수가 같을 확률은 $\frac{6}{36}=\frac{1}{6}$

∴ (눈의 수가 서로 다를 확률)

$=1-$(눈의 수가 서로 같을 확률)$=1-\frac{1}{6}=\frac{5}{6}$

1-1 당첨 제비일 확률은 $\frac{4}{20}=\frac{1}{5}$이므로 당첨 제비가 아닐 확률은 $1-\frac{1}{5}=\frac{4}{5}$

1-2 일어나는 모든 경우의 수는 $6\times6=36$

주사위의 눈의 수의 합이 10이 되는 경우는

(4, 6), (5, 5), (6, 4)의 3가지

이므로 눈의 수의 합이 10이 될 확률은 $\frac{3}{36}=\frac{1}{12}$

$\therefore$ (눈의 수의 합이 10이 되지 않을 확률)

$=1-$(눈의 수의 합이 10이 될 확률)

$=1-\frac{1}{12}=\frac{11}{12}$

'적어도 하나는 ~일' 확률 개념북 219쪽

2 $\frac{7}{10}$ **2-1** $\frac{7}{8}$

2 5명 중 대표 2명을 뽑는 경우의 수는 $\frac{5\times4}{2}=10$

여학생 3명 중 대표 2명을 뽑는 경우의 수는 $\frac{3\times2}{2}=3$

이므로 2명 모두 여학생이 뽑힐 확률은 $\frac{3}{10}$

$\therefore$ (적어도 한 명은 남학생이 뽑힐 확률)

$=1-$(2명 모두 여학생이 뽑힐 확률)

$=1-\frac{3}{10}=\frac{7}{10}$

2-1 일어나는 모든 경우의 수는 $2\times2\times2=8$

세 문제 모두 틀릴 경우의 수는 1이므로 세 문제 모두 틀릴 확률은 $\frac{1}{8}$

$\therefore$ (적어도 한 문제는 맞힐 확률)

$=1-$(세 문제 모두 틀릴 확률)$=1-\frac{1}{8}=\frac{7}{8}$

4 사건 A 또는 사건 B가 일어날 확률 개념북 220쪽

1 (1) $\frac{3}{10}$ (2) $\frac{1}{10}$ (3) $\frac{2}{5}$

2 (1) $\frac{1}{5}$ (2) $\frac{1}{2}$ (3) $\frac{7}{10}$

1 (1) (A형일 확률)$=\frac{12}{40}=\frac{3}{10}$

(2) (AB형일 확률)$=\frac{4}{40}=\frac{1}{10}$

(3) (A형 또는 AB형일 확률)

$=$(A형일 확률)$+$(AB형일 확률)

$=\frac{3}{10}+\frac{1}{10}=\frac{4}{10}=\frac{2}{5}$

2 (1) (빨간 공을 꺼낼 확률)$=\frac{2}{2+3+5}=\frac{2}{10}=\frac{1}{5}$

(2) (노란 공을 꺼낼 확률)$=\frac{5}{2+3+5}=\frac{5}{10}=\frac{1}{2}$

(3) (빨간 공 또는 노란 공을 꺼낼 확률)

$=$(빨간 공을 꺼낼 확률)$+$(노란 공을 꺼낼 확률)

$=\frac{1}{5}+\frac{1}{2}=\frac{7}{10}$

확률의 덧셈 (1) 개념북 221쪽

1 (1) $\frac{1}{9}$ (2) $\frac{5}{36}$ (3) $\frac{1}{4}$ **1-1** $\frac{1}{25}$ **1-2** $\frac{2}{9}$

1 일어나는 모든 경우의 수는 $6\times6=36$

(1) 눈의 수의 합이 5가 되는 경우는 (1, 4), (2, 3), (3, 2), (4, 1)이므로 그 확률은 $\frac{4}{36}=\frac{1}{9}$

(2) 눈의 수의 합이 8이 되는 경우는 (2, 6), (3, 5), (4, 4), (5, 3), (6, 2)이므로 그 확률은 $\frac{5}{36}$

(3) $\frac{1}{9}+\frac{5}{36}=\frac{9}{36}=\frac{1}{4}$

1-1 1등 경품권을 뽑을 확률은 $\frac{1}{100}$, 2등 경품권을 뽑을 확률은 $\frac{3}{100}$이므로

(1등 또는 2등 경품권을 뽑을 확률)$=\frac{1}{100}+\frac{3}{100}$

$=\frac{4}{100}=\frac{1}{25}$

1-2 일어나는 모든 경우의 수는 $6\times6=36$

눈의 수의 합이 3인 경우는 (1, 2), (2, 1)의 2가지이므로 그 확률은 $\frac{2}{36}=\frac{1}{18}$

눈의 수의 차가 3인 경우는 (1, 4), (2, 5), (3, 6), (4, 1), (5, 2), (6, 3)의 6가지이므로 그 확률은 $\frac{6}{36}=\frac{1}{6}$

따라서 구하는 확률은 $\frac{1}{18}+\frac{1}{6}=\frac{4}{18}=\frac{2}{9}$

확률의 덧셈 (2) 개념북 221쪽

2 $\frac{1}{12}$ **2-1** $\frac{2}{9}$

2 일어나는 모든 경우의 수는 $6\times6=36$

$x-y=4$를 만족하는 순서쌍 (x, y)는

(6, 2), (5, 1)의 2가지이므로 그 확률은 $\frac{2}{36}=\frac{1}{18}$

$x-y=5$를 만족하는 순서쌍 (x, y)는 $(6, 1)$의 1가지이므로 그 확률은 $\frac{1}{36}$

$\therefore$ ($x-y$의 값이 4 또는 5일 확률)$=\frac{1}{18}+\frac{1}{36}$

$=\frac{3}{36}=\frac{1}{12}$

2-1 일어나는 모든 경우의 수는 $6\times6=36$

$ax-b=0$에서

$x=1$일 때, 즉 $a=b$를 만족하는 순서쌍 (a, b)는

$(1, 1)$, $(2, 2)$, $(3, 3)$, $(4, 4)$, $(5, 5)$, $(6, 6)$의 6가지이므로 그 확률은 $\frac{6}{36}=\frac{1}{6}$

$x=3$일 때, 즉 $b=3a$를 만족하는 순서쌍 (a, b)는

$(1, 3)$, $(2, 6)$의 2가지이므로 그 확률은 $\frac{2}{36}=\frac{1}{18}$

따라서 구하는 확률은 $\frac{1}{6}+\frac{1}{18}=\frac{4}{18}=\frac{2}{9}$

개념확인 5 사건 A와 사건 B가 동시에 일어날 확률 개념북 222쪽

1 (1) $\frac{1}{3}$ (2) $\frac{1}{2}$ (3) $\frac{1}{6}$

2 $\frac{8}{15}$

1 (1) 3의 배수의 눈이 나오는 경우는 3, 6의 2가지이므로 3의 배수의 눈이 나올 확률은 $\frac{2}{6}=\frac{1}{3}$

(2) 4의 약수의 눈이 나오는 경우는 1, 2, 4의 3가지이므로 4의 약수의 눈이 나올 확률은 $\frac{3}{6}=\frac{1}{2}$

(3) (A 주사위는 3의 배수의 눈이 나오고 B 주사위는 4의 약수의 눈이 나올 확률)

=(A 주사위에서 3의 배수의 눈이 나올 확률)

×(B 주사위에서 4의 약수의 눈이 나올 확률)

$=\frac{1}{3}\times\frac{1}{2}=\frac{1}{6}$

2 (정훈이와 예슬이가 모두 합격할 확률)

=(정훈이가 합격할 확률)×(예슬이가 합격할 확률)

$=\frac{4}{5}\times\frac{2}{3}=\frac{8}{15}$

확률의 곱셈 개념북 223쪽

1 $\frac{1}{42}$ **1-1** $\frac{5}{18}$ **1-2** $\frac{4}{9}$

1 (세 명 모두 목표물에 명중할 확률)

$=\frac{1}{3}\times\frac{1}{4}\times\frac{2}{7}=\frac{1}{42}$

1-1 A 주머니에서 빨간 공을 꺼낼 확률은 $\frac{4}{9}$

B 주머니에서 빨간 공을 꺼낼 확률은 $\frac{5}{8}$

따라서 2개 모두 빨간 공일 확률은 $\frac{4}{9}\times\frac{5}{8}=\frac{5}{18}$

1-2 꼬마 전구에 불이 켜지려면 스위치 두 개가 모두 닫혀야 하므로

(꼬마 전구에 불이 켜질 확률)$=\frac{2}{3}\times\frac{2}{3}=\frac{4}{9}$

'적어도'가 포함된 확률의 곱셈 개념북 223쪽

2 $\frac{9}{25}$ **2-1** $\frac{7}{8}$

2 안타를 칠 확률이 $\frac{2}{10}=\frac{1}{5}$이므로 안타를 못 칠 확률은

$1-\frac{1}{5}=\frac{4}{5}$

따라서 적어도 한 번은 안타를 칠 확률은

$1-$(2번 모두 안타를 못 칠 확률)

$=1-\left(\frac{4}{5}\times\frac{4}{5}\right)=1-\frac{16}{25}=\frac{9}{25}$

2-1 A, B, C 세 사람이 시험에 불합격할 확률은 각각

$1-\frac{1}{4}=\frac{3}{4}$, $1-\frac{1}{2}=\frac{1}{2}$, $1-\frac{2}{3}=\frac{1}{3}$이므로

세 사람 모두 불합격할 확률은 $\frac{3}{4}\times\frac{1}{2}\times\frac{1}{3}=\frac{1}{8}$

따라서 3명 중 적어도 1명은 시험에 합격할 확률은

$1-$(3명 모두 불합격할 확률)$=1-\frac{1}{8}=\frac{7}{8}$

확률의 덧셈과 곱셈의 활용 개념북 224쪽

3 $\frac{11}{25}$

3-1 $\frac{1}{2}$ **3-2** $\frac{15}{28}$ **3-3** $\frac{5}{24}$ **3-4** $\frac{1}{2}$

3 A 주머니에서 흰 공을 꺼낼 확률은 $\frac{2}{5}$, 노란 공을 꺼낼 확률은 $\frac{3}{5}$이고, B 주머니에서 흰 공을 꺼낼 확률은 $\frac{1}{5}$, 노란 공을 꺼낼 확률은 $\frac{4}{5}$이다.

따라서 서로 다른 색의 공을 꺼낼 확률은
(A 주머니에서 흰 공, B 주머니에서 노란 공을 꺼낼 확률)
+(A 주머니에서 노란 공, B 주머니에서 흰 공을 꺼낼 확률)
$=\left(\frac{2}{5}\times\frac{4}{5}\right)+\left(\frac{3}{5}\times\frac{1}{5}\right)=\frac{8}{25}+\frac{3}{25}=\frac{11}{25}$

3-1 동전의 앞면과 주사위의 짝수의 눈이 나올 확률은
$\frac{1}{2}\times\frac{3}{6}=\frac{1}{4}$
동전의 뒷면과 주사위의 홀수의 눈이 나올 확률은
$\frac{1}{2}\times\frac{3}{6}=\frac{1}{4}$
따라서 구하는 확률은 $\frac{1}{4}+\frac{1}{4}=\frac{1}{2}$

3-2 A 주머니에서 흰 공을 꺼낼 확률은 $\frac{1}{4}$, 검은 공을 꺼낼 확률은 $\frac{3}{4}$이고, B 주머니에서 흰 공을 꺼낼 확률은 $\frac{3}{7}$, 검은 공을 꺼낼 확률은 $\frac{4}{7}$이다.
따라서 같은 색의 공을 꺼낼 확률은
(2개 모두 흰 공을 꺼낼 확률)
+(2개 모두 검은 공을 꺼낼 확률)
$=\left(\frac{1}{4}\times\frac{3}{7}\right)+\left(\frac{3}{4}\times\frac{4}{7}\right)=\frac{3}{28}+\frac{12}{28}=\frac{15}{28}$

3-3 (수지는 지각하고 윤희는 지각하지 않을 확률)
$=\frac{1}{9}\times\left(1-\frac{1}{8}\right)=\frac{1}{9}\times\frac{7}{8}=\frac{7}{72}$
(수지는 지각하지 않고 윤희는 지각할 확률)
$=\left(1-\frac{1}{9}\right)\times\frac{1}{8}=\frac{8}{9}\times\frac{1}{8}=\frac{1}{9}$
따라서 두 사람 중 한 사람만 지각할 확률은
$\frac{7}{72}+\frac{1}{9}=\frac{15}{72}=\frac{5}{24}$

3-4 $a+b$가 짝수이려면 a, b 모두 짝수이거나 a, b 모두 홀수이어야 하므로
(a, b 모두 짝수일 확률)$=\frac{2}{3}\times\frac{1}{2}=\frac{1}{3}$
(a, b 모두 홀수일 확률)$=\left(1-\frac{2}{3}\right)\times\left(1-\frac{1}{2}\right)$
$=\frac{1}{3}\times\frac{1}{2}=\frac{1}{6}$
따라서 $a+b$가 짝수일 확률은 $\frac{1}{3}+\frac{1}{6}=\frac{3}{6}=\frac{1}{2}$

개념 확인 6 연속하여 뽑는 경우의 확률 개념북 225쪽

1 (1) $\frac{2}{5}$, $\frac{2}{5}$, $\frac{4}{25}$ (2) $\frac{2}{5}$, $\frac{1}{4}$, $\frac{1}{10}$

뽑은 것을 다시 넣고 뽑는 경우의 확률 개념북 226쪽

1 $\frac{4}{9}$ **1-1** $\frac{9}{100}$

1 주머니 속에 6개의 공이 들어 있고 꺼낸 공을 다시 넣으므로 A와 B가 파란 공을 꺼낼 확률은 각각 $\frac{4}{6}=\frac{2}{3}$로 같다.
따라서 A, B 모두 파란 공을 꺼낼 확률은
(A가 파란 공을 꺼낼 확률)×(B가 파란 공을 꺼낼 확률)
$=\frac{2}{3}\times\frac{2}{3}=\frac{4}{9}$

1-1 지아가 당첨될 확률은 $\frac{10}{100}=\frac{1}{10}$
성민이가 당첨되지 않을 확률은
$1-\frac{10}{100}=1-\frac{1}{10}=\frac{9}{10}$
따라서 지아는 당첨되고 성민이는 당첨되지 않을 확률은
$\frac{1}{10}\times\frac{9}{10}=\frac{9}{100}$

뽑은 것을 다시 넣지 않고 뽑는 경우의 확률 개념북 226쪽

2 $\frac{2}{5}$ **2-1** $\frac{1}{10}$ **2-2** $\frac{2}{91}$

2 주머니 속에 6개의 구슬이 들어 있고 꺼낸 구슬을 다시 넣지 않으므로 처음에 노란 구슬을 꺼낼 확률은 $\frac{4}{6}=\frac{2}{3}$, 두 번째에 노란 구슬을 꺼낼 확률은 $\frac{3}{5}$
따라서 두 번 모두 노란 구슬을 꺼낼 확률은
$\frac{2}{3}\times\frac{3}{5}=\frac{2}{5}$

2-1 5장의 카드 중 짝수가 적힌 카드는 2장이고 뽑은 카드는 다시 넣지 않으므로 첫 번째에 짝수가 적힌 카드를 뽑을 확률은 $\frac{2}{5}$, 두 번째에 짝수가 적힌 카드를 뽑을 확률은 $\frac{1}{4}$

따라서 2장 모두 짝수가 적힌 카드를 뽑을 확률은

$\frac{2}{5}\times\frac{1}{4}=\frac{1}{10}$

2-2 첫 번째에 불량품을 꺼낼 확률은 $\frac{5}{15}=\frac{1}{3}$

두 번째에 불량품을 꺼낼 확률은 $\frac{4}{14}=\frac{2}{7}$

세 번째에 불량품을 꺼낼 확률은 $\frac{3}{13}$

따라서 세 개 모두 불량품일 확률은

$\frac{1}{3}\times\frac{2}{7}\times\frac{3}{13}=\frac{2}{91}$

개념 확인 7 도형에서의 확률

개념북 227쪽

1 B, $\frac{1}{4}$ **2** 4, 4, $\frac{1}{2}$

도형에서의 확률

개념북 228쪽

1 $\frac{8}{25}$ **1-1** $\frac{3}{16}$

1 (가장 큰 원의 넓이)$=\pi\times5^2=25\pi$,

(두 번째로 큰 원의 넓이)$=\pi\times3^2=9\pi$,

(가장 작은 원의 넓이)$=\pi\times1^2=\pi$이므로

(B 부분의 넓이)

=(두 번째로 큰 원의 넓이)−(가장 작은 원의 넓이)

$=9\pi-\pi=8\pi$

따라서 구하는 확률은 $\frac{8\pi}{25\pi}=\frac{8}{25}$

1-1 전체 8칸 중에서 4의 약수는 1, 2, 4의 3칸이고 소수는 2, 3, 5, 7의 4칸이므로 4의 약수를 가리킬 확률은 $\frac{3}{8}$,

소수를 가리킬 확률은 $\frac{4}{8}=\frac{1}{2}$

따라서 구하는 확률은 $\frac{3}{8}\times\frac{1}{2}=\frac{3}{16}$

여러 가지 확률

개념북 228쪽

2 $\frac{5}{18}$ **2-1** $\frac{3}{8}$

2 주사위를 두 번 던졌을 때, 일어나는 모든 경우의 수는 $6\times6=36$이고 점 P가 꼭짓점 D에 있을 경우는 나온 눈의 수의 합이 3 또는 7 또는 11일 때이다.

눈의 수의 합이 3인 경우는 (1, 2), (2, 1)의 2가지, 눈의 수의 합이 7인 경우는 (1, 6), (2, 5), (3, 4), (4, 3), (5, 2), (6, 1)의 6가지, 눈의 수의 합이 11인 경우는 (5, 6), (6, 5)의 2가지이므로 구하는 확률은

$\frac{2}{36}+\frac{6}{36}+\frac{2}{36}=\frac{10}{36}=\frac{5}{18}$

2-1 동전을 세 번 던졌을 때, 일어나는 모든 경우의 수는 $2\times2\times2=8$이고 점 P가 -1의 위치에 있으려면 앞면이 한 번, 뒷면이 두 번 나와야 한다.

따라서 앞면이 한 번, 뒷면이 두 번 나오는 경우는 (앞, 뒤, 뒤), (뒤, 앞, 뒤), (뒤, 뒤, 앞)의 3가지이므로 구하는 확률은 $\frac{3}{8}$

개념 완성 기본 문제

개념북 229~230쪽

1 B 회사 **2** ⑤ **3** $\frac{4}{5}$

4 (1) $\frac{1}{3}$ (2) $\frac{11}{12}$ **5** $\frac{15}{16}$ **6** $\frac{3}{10}$

7 $\frac{1}{3}$ **8** ⑤ **9** ② **10** $\frac{1}{66}$

11 $\frac{5}{8}$ **12** $\frac{1}{9}$

1 A 회사의 경품이 표시된 음료수 중에서 노트북이 표시된 것이 나올 확률은 $\frac{6}{45}=\frac{2}{15}$

B 회사의 경품이 표시된 음료수 중에서 노트북이 표시된 것이 나올 확률은 $\frac{12}{60}=\frac{1}{5}$

따라서 B 회사의 것이 노트북이 나올 가능성이 더 높다.

2 ③ 흰 공이 나올 확률은 $\frac{2}{10}=\frac{1}{5}$이므로 흰 공이 나오지 않을 확률은 $1-\frac{1}{5}=\frac{4}{5}$

⑤ 빨간 공 또는 흰 공이 나올 확률은 $\frac{5}{10}+\frac{2}{10}=\frac{7}{10}$

3 만들 수 있는 두 자리의 정수의 개수는 $5\times4=20$(개)이고 만들 수 있는 두 자리의 정수 중 50보다 큰 수는 51, 52, 53, 54의 4개이다.
따라서 50보다 큰 수일 확률은 $\frac{4}{20}=\frac{1}{5}$이므로 50 이하일 확률은 $1-\frac{1}{5}=\frac{4}{5}$

4 일어나는 모든 경우의 수는 $6\times6=36$
(1) x가 짝수인 경우는 2, 4, 6의 3가지, y가 6의 약수인 경우는 1, 2, 3, 6의 4가지이므로 x는 짝수이고, y는 6의 약수인 경우의 수는 $3\times4=12$
따라서 구하는 확률은 $\frac{12}{36}=\frac{1}{3}$
(2) $x+y<4$를 만족하는 순서쌍은 (1, 1), (1, 2), (2, 1)의 3가지이므로
$x+y<4$일 확률은 $\frac{3}{36}=\frac{1}{12}$
따라서 $x+y\geq4$일 확률은 $1-\frac{1}{12}=\frac{11}{12}$

5 일어나는 모든 경우의 수는 $2\times2\times2\times2=16$이고 네 개 모두 앞면이 나오는 경우의 수는 1이므로 네 개 모두 앞면이 나올 확률은 $\frac{1}{16}$이다.
∴ (적어도 하나는 뒷면이 나올 확률)
$=1-$(네 개 모두 앞면이 나올 확률)
$=1-\frac{1}{16}=\frac{15}{16}$

6 일어나는 모든 경우의 수는 20이고, 5의 배수는 5, 10, 15, 20이므로 5의 배수가 적힌 카드를 뽑을 확률은
$\frac{4}{20}=\frac{1}{5}$
7의 배수는 7, 14이므로 7의 배수가 적힌 카드를 뽑을 확률은 $\frac{2}{20}=\frac{1}{10}$
따라서 구하는 확률은 $\frac{1}{5}+\frac{1}{10}=\frac{3}{10}$

7 6의 약수는 1, 2, 3, 6이므로 6의 약수의 눈이 나올 확률은 $\frac{4}{6}=\frac{2}{3}$
소수는 2, 3, 5이므로 소수의 눈이 나올 확률은 $\frac{3}{6}=\frac{1}{2}$
따라서 구하는 확률은 $\frac{2}{3}\times\frac{1}{2}=\frac{1}{3}$

8 A, B, C 세 선수가 목표물을 맞히지 못할 확률은 각각
$1-\frac{3}{4}=\frac{1}{4}$, $1-\frac{1}{3}=\frac{2}{3}$, $1-\frac{5}{6}=\frac{1}{6}$이므로
(적어도 한 선수는 목표물을 맞힐 확률)
$=1-$(세 선수 모두 목표물을 맞히지 못할 확률)
$=1-\left(\frac{1}{4}\times\frac{2}{3}\times\frac{1}{6}\right)=1-\frac{1}{36}=\frac{35}{36}$

9 동전은 앞면이 나오고, 주사위의 눈이 홀수일 확률은
$\frac{1}{2}\times\frac{3}{6}=\frac{1}{4}$
동전은 뒷면이 나오고, 주사위의 눈이 소수일 확률은
$\frac{1}{2}\times\frac{3}{6}=\frac{1}{4}$
따라서 구하는 확률은 $\frac{1}{4}+\frac{1}{4}=\frac{1}{2}$

10 처음 뽑은 제품이 불량품일 확률은 $\frac{2}{12}=\frac{1}{6}$
두 번째 뽑은 제품이 불량품일 확률은 $\frac{1}{11}$
따라서 2개 모두 불량품일 확률은 $\frac{1}{6}\times\frac{1}{11}=\frac{1}{66}$

11 전체 8칸 중에서 홀수가 적힌 부분은 1, 3, 7이 적힌 5칸이므로 구하는 확률은 $\frac{5}{8}$

12 일어나는 모든 경우의 수는 $6\times6=36$
$\overline{OP}\times\overline{OR}=ab=6$을 만족하는 순서쌍 (a, b)는 (1, 6), (2, 3), (3, 2), (6, 1)의 4가지이므로
구하는 확률은 $\frac{4}{36}=\frac{1}{9}$

개념 완성 발전 문제

개념북 231~232쪽

1 5개 **2** $\frac{5}{8}$ **3** $\frac{1}{3}$ **4** $\frac{3}{10}$

5 $\frac{1}{72}$

6 ① $\frac{1}{2}$, 1, $\frac{1}{2}$ ② $\frac{1}{2}$, $\frac{2}{5}$, $\frac{1}{5}$ ③ $\frac{7}{10}$

7 ① $\frac{1}{25}$ ② $\frac{1}{5}$ ③ $\frac{6}{25}$

1 주머니에 x개의 구슬이 들어 있고 그 중 4개는 파란 구슬이므로 구슬 1개를 꺼낼 때, 파란 구슬일 확률은

$\frac{4}{x}=\frac{1}{3}$ $\therefore x=12$

따라서 전체 구슬의 개수는 12개이므로 노란 구슬의 개수는 $12-(3+4)=5$(개)

2 윷놀이는 서로 다른 동전 4개를 던지는 것과 같으므로 모든 경우의 수는 $2\times2\times2\times2=16$

도가 나오는 경우는 (배, 등, 등, 등), (등, 배, 등, 등), (등, 등, 배, 등), (등, 등, 등, 배)의 4가지이므로 그 확률은 $\frac{4}{16}=\frac{1}{4}$

개가 나오는 경우는 (배, 배, 등, 등), (배, 등, 배, 등), (배, 등, 등, 배), (등, 배, 배, 등), (등, 배, 등, 배), (등, 등, 배, 배)의 6가지이므로 그 확률은 $\frac{6}{16}=\frac{3}{8}$

따라서 도나 개가 나올 확률은 $\frac{1}{4}+\frac{3}{8}=\frac{5}{8}$

3 일어나는 모든 경우의 수는 $3\times3\times3=27$

A만 이길 경우는 (가위, 보, 보), (바위, 가위, 가위), (보, 바위, 바위)의 3가지이므로 그 확률은 $\frac{3}{27}=\frac{1}{9}$

A와 B가 같이 이길 경우는 (가위, 가위, 보), (바위, 바위, 가위), (보, 보, 바위)의 3가지이므로 그 확률은 $\frac{3}{27}=\frac{1}{9}$

A와 C가 같이 이길 경우는 (가위, 보, 가위), (바위, 가위, 바위), (보, 바위, 보)의 3가지이므로 그 확률은 $\frac{3}{27}=\frac{1}{9}$

$\therefore$ (A가 이길 확률)

=(A만 이길 확률)+(A와 B가 같이 이길 확률)
+(A와 C가 같이 이길 확률)

$=\frac{1}{9}+\frac{1}{9}+\frac{1}{9}=\frac{3}{9}=\frac{1}{3}$

4 정안, 준이, 혜리가 불합격할 확률은 각각

$1-\frac{2}{3}=\frac{1}{3}$, $1-\frac{1}{2}=\frac{1}{2}$, $1-\frac{3}{5}=\frac{2}{5}$이므로

정안이만 합격할 확률은 $\frac{2}{3}\times\frac{1}{2}\times\frac{2}{5}=\frac{2}{15}$

준이만 합격할 확률은 $\frac{1}{3}\times\frac{1}{2}\times\frac{2}{5}=\frac{1}{15}$

혜리만 합격할 확률은 $\frac{1}{3}\times\frac{1}{2}\times\frac{3}{5}=\frac{1}{10}$

따라서 한 사람만 합격할 확률은

$\frac{2}{15}+\frac{1}{15}+\frac{1}{10}=\frac{9}{30}=\frac{3}{10}$

5 일어나는 모든 경우의 수는 $6\times6\times6=216$이고, 바둑돌이 x축의 양의 방향과 y축의 양의 방향으로 모두 옮겨져야 하므로 짝수의 눈과 홀수의 눈이 각각 한 번 이상 나와야 한다.

(i) 짝수의 눈이 한 번, 홀수의 눈이 두 번 나오는 경우
짝수의 눈은 4, 홀수의 눈은 1, 1이 나와야 한다.
즉, 4, 1, 1이 나오는 경우는 (4, 1, 1), (1, 4, 1), (1, 1, 4)의 3가지

(ii) 짝수의 눈이 두 번, 홀수의 눈이 한 번 나오는 경우
홀수의 눈이 한 번 나와서 y축의 양의 방향으로 2만큼 움직이는 경우는 없다.

(i), (ii)에서 구하는 확률은 $\frac{3}{216}=\frac{1}{72}$

6 ① A 주머니를 택할 확률은 $\frac{1}{2}$, A 주머니에서 검은 공을 꺼낼 확률은 1이므로 A 주머니를 택하여 검은 공을 꺼낼 확률은 $\frac{1}{2}\times1=\frac{1}{2}$

② B 주머니를 택할 확률은 $\frac{1}{2}$, B 주머니에서 검은 공을 꺼낼 확률은 $\frac{2}{5}$이므로 B 주머니를 택하여 검은 공을 꺼낼 확률은 $\frac{1}{2}\times\frac{2}{5}=\frac{1}{5}$

③ (A 주머니를 택하여 검은 공을 꺼낼 확률)
+(B 주머니를 택하여 검은 공을 꺼낼 확률)
$=\frac{1}{2}+\frac{1}{5}=\frac{7}{10}$

7 비가 올 경우를 ○, 비가 오지 않을 경우를 ×라 놓고 조건을 만족하도록 표로 만들면 다음과 같다.

금	토	일
○	○	○
○	×	○

① 금요일에 비가 온 후 토요일에도 비가 오고, 일요일에도 비가 올 확률은

$\frac{1}{5}\times\frac{1}{5}=\frac{1}{25}$

② 금요일에 비가 온 후 토요일에 비가 오지 않고, 일요일에 비가 올 확률은

$\left(1-\frac{1}{5}\right)\times\frac{1}{4}=\frac{1}{5}$

③ $\frac{1}{25}+\frac{1}{5}=\frac{6}{25}$

수학은 개념이다!

디딤돌수학

개념기본

중 2-2

익힘북 정답과 풀이

'아! 이걸 묻는거구나' 출제의 의도를 단박에 알게해주는 정답과 풀이

I 삼각형의 성질

1 이등변삼각형과 직각삼각형

개념적용익힘

익힘북 4~9쪽

1 ③ **2** 65° **3** 55° **4** 36°
5 26° **6** 60° **7** $x=40$, $y=10$
8 10 cm **9** 8 cm **10** ② **11** 8
12 ④ **13** 6 cm **14** 3 cm **15** 7 cm
16 10 cm **17** 67° **18** ② **19** ①
20 ① **21** ④ **22** ㄱ, ㄹ
23 ㄱ과 ㅂ: SAS 합동, ㄴ과 ㄹ: RHS 합동,
ㄷ과 ㅁ: RHA 합동
24 8 cm **25** (1) 12 cm (2) 72 cm^2 **26** 6 cm
27 67.5° **28** 69° **29** 29° **30** 35°
31 ④ **32** ④ **33** 3 cm **34** 26 cm^2
35 6 cm

1 $\angle C=\angle B=2\angle x+10^\circ$이므로
$\angle x+(2\angle x+10^\circ)+(2\angle x+10^\circ)=180^\circ$
$5\angle x+20^\circ=180^\circ$, $5\angle x=160^\circ$
$\therefore \angle x=32^\circ$

2 $\overline{AE}/\!/\overline{BC}$이므로 $\angle B=\angle DAE=50^\circ$(동위각)
$\overline{AB}=\overline{BC}$이므로 $\angle C=\frac{1}{2}\times(180^\circ-50^\circ)=65^\circ$
$\therefore \angle EAC=\angle C=65^\circ$(엇각)

3 $\triangle BAD$는 $\overline{AB}=\overline{BD}$인 이등변삼각형이므로
$\angle ADB=\frac{1}{2}\times(180^\circ-80^\circ)=50^\circ$
$\triangle CED$는 $\overline{CD}=\overline{CE}$인 이등변삼각형이므로
$\angle EDC=\frac{1}{2}\times(180^\circ-30^\circ)=75^\circ$
$\therefore \angle ADE=180^\circ-(50^\circ+75^\circ)=55^\circ$

4 $\angle B=\angle x$라 하면 $\triangle DBC$에서 $\overline{DB}=\overline{DC}$이므로
$\angle DCB=\angle B=\angle x$
$\therefore \angle ADC=\angle B+\angle DCB=2\angle x$
$\triangle CAD$에서 $\overline{CA}=\overline{CD}$이므로 $\angle A=\angle CDA=2\angle x$
$\triangle ABC$에서 $\overline{AB}=\overline{BC}$이므로 $\angle BCA=\angle A=2\angle x$
$\angle A+\angle B+\angle BCA=180^\circ$이므로
$2\angle x+\angle x+2\angle x=180^\circ$
$5\angle x=180^\circ$, $\angle x=36^\circ$ $\therefore \angle B=36^\circ$

5 $\angle B=\angle x$라 하면
$\triangle ABC$에서 $\overline{AB}=\overline{AC}$이므로
$\angle ACB=\angle B=\angle x$
$\therefore \angle DAC=\angle ABC+\angle ACB=2\angle x$
$\triangle CAD$에서 $\overline{CA}=\overline{CD}$이므로
$\angle CDA=\angle CAD=2\angle x$
$\therefore \angle DCE=\angle B+\angle BDC=\angle x+2\angle x=3\angle x$
$\triangle DCE$에서 $\overline{DC}=\overline{DE}$이므로
$\angle DCE=\angle DEC=78^\circ$
즉, $3\angle x=78^\circ$이므로 $\angle x=26^\circ$ $\therefore \angle B=26^\circ$

6 $\triangle DBE$에서 $\overline{DB}=\overline{DE}$이므로
$\angle DEB=\angle DBE=15^\circ$
$\therefore \angle ADE$
$=\angle DBE+\angle DEB=15^\circ+15^\circ=30^\circ$
$\triangle EDA$에서 $\overline{ED}=\overline{EA}$이므로
$\angle EAD=\angle EDA=30^\circ$
$\therefore \angle AEC=\angle ABE+\angle BAE=15^\circ+30^\circ=45^\circ$
$\triangle AEC$에서 $\overline{AE}=\overline{AC}$이므로
$\angle ACE=\angle AEC=45^\circ$
$\therefore \angle x=\angle ABC+\angle ACB=15^\circ+45^\circ=60^\circ$

7 $\angle A$의 이등분선은 밑변을 수직이등분하므로
$\overline{AD}\perp\overline{BC}$, $\overline{BD}=\overline{DC}$
$\triangle ADC$에서
$\angle CAD=180^\circ-(90^\circ+50^\circ)=40^\circ$이므로
$\angle BAD=\angle CAD=40^\circ$ $\therefore x=40$
$\overline{BC}=2\overline{BD}=2\times5=10(\text{cm})$ $\therefore y=10$

8 $\overline{AD}\perp\overline{BC}$이고 $\overline{BD}=\frac{1}{2}\overline{BC}=\frac{1}{2}\times6=3(\text{cm})$이므로
$\triangle ABD=\frac{1}{2}\times3\times\overline{AD}=15$ $\therefore \overline{AD}=10\text{ cm}$

9 $\triangle ABC$는 이등변삼각형이므로 $\angle C=\angle B=60^\circ$
$\therefore \angle A=180^\circ-(60^\circ+60^\circ)=60^\circ$
즉, $\triangle ABC$는 정삼각형이므로
$\overline{AB}=\overline{BC}=\overline{CA}=16\text{ cm}$
이때 $\angle A$의 이등분선인 $\overline{AD}$는 밑변 BC를 수직이등분

하므로 $\overline{BC}\perp\overline{AD}$, $\overline{BD}=\overline{CD}$
$\therefore \overline{CD}=\frac{1}{2}\overline{BC}=\frac{1}{2}\times16=8(\mathrm{cm})$

10 $\overline{AD}$는 이등변삼각형 ABC의 꼭지각의 이등분선이므로
$\triangle PBD$와 $\triangle PCD$에서
$\overline{BD}=\overline{CD}$, $\angle PDB=\angle PDC=90°$, $\overline{PD}$는 공통
따라서 $\triangle PBD\equiv\triangle PCD$(SAS 합동)이므로
$\overline{PB}=\overline{PC}$
즉, $\triangle PBC$는 $\overline{PB}=\overline{PC}$인 직각이등변삼각형이므로
$\angle PBC=\angle PCB=45°$
또, $\triangle PBD$와 $\triangle PCD$에서 $\angle BPD=\angle CPD=45°$
이므로 $\triangle PBD$와 $\triangle PCD$는 직각이등변삼각형이다.
따라서 $\overline{BD}=\overline{CD}=\overline{PD}=3$ cm이므로
$\overline{BC}=3+3=6(\mathrm{cm})$

11 $\overline{AD}\perp\overline{BC}$이고 $\overline{CD}=\frac{1}{2}\overline{BC}=\frac{1}{2}\times10=5$이므로
$\triangle APC=\frac{1}{2}\times\overline{AP}\times5=20$ $\therefore \overline{AP}=8$

12 ① $\triangle APB\equiv\triangle APC$(SAS 합동)
② $\overline{BD}=\overline{CD}$, $\angle PDB=\angle PDC=90°$, $\overline{PD}$는 공통이므로 $\triangle PBD\equiv\triangle PCD$(SAS 합동)
③ $\overline{BD}=\overline{CD}=\overline{PD}$이면 $\angle BPD=\angle CPD=45°$이므로 $\angle BPC=45°+45°=90°$
⑤ $\triangle PBD\equiv\triangle PCD$(SAS 합동)이므로 $\angle BPD=\angle CPD$

13 $\angle C=180°-(86°+47°)=47°$이므로
$\triangle ABC$는 $\overline{AB}=\overline{AC}$인 이등변삼각형이다.
$\therefore \overline{BD}=\frac{1}{2}\overline{BC}=\frac{1}{2}\times12=6(\mathrm{cm})$

14 $\triangle ADC$에서 $\overline{CA}=\overline{CD}$이므로
$\angle CDA=\angle CAD=60°$
$\angle ACD=180°-(60°+60°)=60°$이므로
$\triangle ACD$는 정삼각형이다.
$\angle ADC=\angle DBC+\angle DCB$이므로
$\angle DCB=60°-30°=30°$
따라서 $\triangle DBC$는 이등변삼각형이므로 $\overline{DB}=\overline{DC}$
$\therefore \overline{BD}=\overline{DC}=\overline{AD}=3$ cm

15 $\triangle ABC$에서 $29°+\angle ACB=58°$
$\therefore \angle ACB=29°$
따라서 $\triangle ABC$는 $\overline{AB}=\overline{AC}$인 이등변삼각형이다.
또, $\triangle CDA$에서 $\angle CDA=180°-122°=58°$
따라서 $\triangle CDA$는 $\overline{CA}=\overline{CD}$인 이등변삼각형이다.
$\therefore \overline{CD}=\overline{CA}=\overline{AB}=7$ cm

16 $\angle ABC=\angle CBD$(접은 각), $\angle ACB=\angle CBD$(엇각)
이므로 $\angle ABC=\angle ACB$
따라서 $\triangle ABC$는 $\overline{AB}=\overline{AC}$인 이등변삼각형이므로
$\overline{AB}=\overline{AC}=10$ cm

17 $\angle BAC=\angle x$(접은 각), $\angle ABC=\angle x$(엇각)이므로
$\angle ABC=\angle BAC=\angle x$
따라서 $\triangle ABC$는 $\overline{AC}=\overline{BC}$인 이등변삼각형이므로
$\angle x=\frac{1}{2}\times(180°-46°)=67°$

18 $\angle DAC=\angle BAC$(접은 각)
$\overline{AD}\,/\!/\,\overline{BC}$이므로 $\angle DAC=\angle BCA$(엇각)
따라서 $\angle BAC=\angle BCA$이므로
$\triangle ABC$는 $\overline{AB}=\overline{BC}$인 이등변삼각형이다.

19 ① 모양은 같지만 크기가 다를 수 있다.
② SAS 합동 ③ RHA 합동
④ RHS 합동 ⑤ ASA 합동

20 ②, ④ ASA 합동 ③ RHS 합동 ⑤ SAS 합동

21 ① RHS 합동 ② RHA 합동
③ ASA 합동 ⑤ ASA 합동

22 ㄱ. 빗변의 길이가 같고 다른 한 변의 길이가 같으므로 RHS 합동이다.
ㄹ. 빗변의 길이가 같고 한 예각의 크기가 같으므로 RHA 합동이다.
따라서 주어진 삼각형과 합동인 삼각형은 ㄱ, ㄹ이다.

24 $\triangle ADB$와 $\triangle CEA$에서

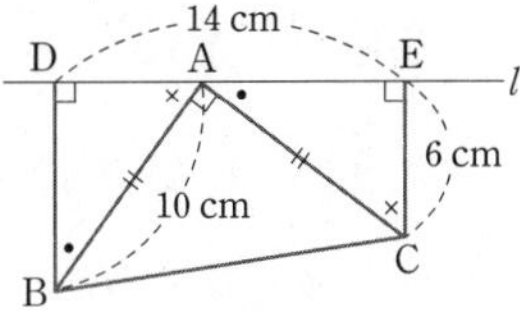

$\angle ADB=\angle CEA=90°$,
$\overline{AB}=\overline{CA}$,
$\angle DAB=90°-\angle CAE$
$=\angle ECA$
$\therefore \triangle ADB\equiv\triangle CEA$(RHA 합동)
따라서 $\overline{AD}=\overline{CE}=6$ cm이므로
$\overline{AE}=14-6=8(\mathrm{cm})$
$\therefore \overline{BD}=\overline{AE}=8$ cm

익힘북

25 (1) $\triangle ADB \equiv \triangle CEA$
(RHA 합동)이므로
$\overline{AD}=\overline{CE}=7$ cm,
$\overline{AE}=\overline{BD}=5$ cm
$\therefore \overline{DE}=\overline{AD}+\overline{AE}=7+5=12$(cm)
(2) $\square DBCE=\frac{1}{2}\times(5+7)\times12=72(\text{cm}^2)$

26 $\triangle ABD$와 $\triangle CAE$에서
$\overline{AB}=\overline{CA}$, $\angle ADB=\angle CEA=90°$
$\angle ABD=90°-\angle BAD=\angle CAE$
$\therefore \triangle ABD \equiv \triangle CAE$(RHA 합동)
$\therefore \overline{DE}=\overline{AE}-\overline{AD}=\overline{BD}-\overline{CE}=15-9=6$(cm)

27 $\triangle ABC$는 직각이등변삼각형이므로
$\angle A=\angle ACB=45°$
$\triangle CBE$와 $\triangle CDE$에서
$\angle CBE=\angle CDE=90°$, $\overline{CE}$는 공통, $\overline{BC}=\overline{DC}$
따라서 $\triangle CBE \equiv \triangle CDE$(RHS 합동)이므로
$\angle BCE=\angle DCE=\frac{1}{2}\angle ACB=\frac{1}{2}\times45°=22.5°$
$\therefore \angle CED=90°-22.5°=67.5°$

28 $\triangle BDE$와 $\triangle BCE$에서
$\angle BDE=\angle BCE=90°$, $\overline{BE}$는 공통, $\overline{DE}=\overline{CE}$
따라서 $\triangle BDE \equiv \triangle BCE$(RHS 합동)이므로
$\angle DBE=\angle CBE=\frac{1}{2}\angle ABC$
$=\frac{1}{2}\times(90°-48°)=21°$
$\therefore \angle BED=90°-21°=69°$

29 $\triangle EBC$와 $\triangle DCB$에서
$\angle BEC=\angle CDB=90°$, $\overline{BC}$는 공통, $\overline{EB}=\overline{DC}$
따라서 $\triangle EBC \equiv \triangle DCB$(RHS 합동)이므로
$\angle EBC=\angle DCB=\frac{1}{2}\times(180°-58°)=61°$
$\therefore \angle ECB=90°-\angle EBC=90°-61°=29°$

30 $\triangle PAO$와 $\triangle PBO$에서
$\angle PAO=\angle PBO=90°$, $\overline{OP}$는 공통, $\overline{PA}=\overline{PB}$
이므로 $\triangle PAO \equiv \triangle PBO$(RHS 합동)
$\therefore \angle AOP=\angle BOP=35°$

31 $\triangle AOP$와 $\triangle BOP$에서 $\angle PAO=\angle PBO=90°$,
$\angle AOP=\angle BOP$, $\overline{OP}$는 공통이므로
$\triangle AOP \equiv \triangle BOP$(RHA 합동)
$\therefore \overline{AO}=\overline{BO}$, $\angle APO=\angle BPO$, $\overline{AP}=\overline{BP}$

32 $\triangle ABD$와 $\triangle AED$에서
$\angle ABD=\angle AED=90°$, $\overline{AD}$는 공통,
$\angle BAD=\angle EAD$
따라서 $\triangle ABD \equiv \triangle AED$(RHA 합동)이므로
$\angle BDA=\angle EDA$, $\overline{BD}=\overline{ED}$, $\overline{AE}=\overline{AB}=\overline{BC}$
$\triangle EDC$는 $\angle EDC=\angle ECD=45°$인 직각이등변삼각형이므로
$\overline{EC}=\overline{ED}=\overline{BD}$

33 $\triangle ABE \equiv \triangle ADE$(RHA 합동)
$\therefore \overline{DE}=\overline{BE}=3$ cm

34 오른쪽 그림과 같이 점 D에서 $\overline{AB}$에 내린 수선의 발을 E라 하면
$\triangle AED \equiv \triangle ACD$(RHA 합동)
이므로 $\overline{DE}=\overline{DC}=4$ cm
$\therefore \triangle ABD=\frac{1}{2}\times13\times4=26(\text{cm}^2)$

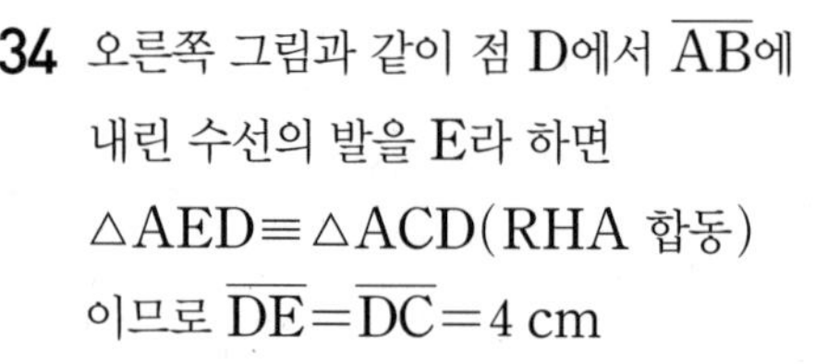
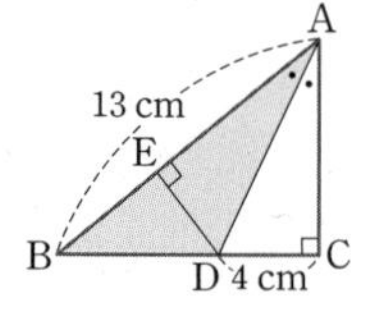

35 $\overline{AB}=\overline{BC}$이므로 $\angle BAC=\angle BCA=45°$
$\triangle EDC$에서
$\angle EDC=180°-(90°+45°)=45°$이므로
$\triangle EDC$는 $\overline{EC}=\overline{ED}$인 직각이등변삼각형이다.
이때 $\triangle ABD \equiv \triangle AED$(RHA 합동)이므로
$\overline{BD}=\overline{ED}$
$\therefore \overline{CE}=\overline{ED}=\overline{BD}=6$ cm

개념완성익힘

익힘북 10~11쪽

1 78°	**2** 40°	**3** 40°	**4** 36°
5 134°	**6** 25 cm^2	**7** 59	**8** 32 cm^2
9 3 cm	**10** 45°	**11** 19°	**12** 12 cm

1 $\overline{AB}=\overline{AC}$이므로 $\angle ACB=\angle ABC=52°$
$\therefore \angle DCB=\frac{1}{2}\times52°=26°$
$\triangle DBC$에서 $\angle ADC=52°+26°=78°$

2 $\triangle ABC$는 이등변삼각형이므로 $\angle B=\angle C$

이때 $\angle A:\angle B=5:2$이므로 $\angle A=\frac{5}{2}\angle B$

$\angle A+\angle B+\angle C=\frac{5}{2}\angle B+\angle B+\angle B=180^\circ$

$\frac{9}{2}\angle B=180^\circ$ $\quad\therefore \angle B=40^\circ$

3 $\angle DBE=\angle x$(접은 각)이므로 $\angle ABC=\angle x+30^\circ$

$\overline{AB}=\overline{AC}$이므로 $\angle C=\angle ABC=\angle x+30^\circ$

삼각형의 세 내각의 크기의 합은 180°이므로

$\triangle ABC$에서

$\angle x+(\angle x+30^\circ)+(\angle x+30^\circ)=180^\circ$

$3\angle x=120^\circ$ $\quad\therefore \angle x=40^\circ$

4 $\triangle ABD$에서 $\angle ABD=\angle BAD=\angle x$

$\therefore \angle BDC=\angle BAD+\angle ABD$

$=\angle x+\angle x=2\angle x$

$\triangle BCD$에서 $\angle BCD=\angle BDC=2\angle x$이므로

$\angle ABC=\angle ACB=2\angle x$

삼각형의 세 내각의 크기의 합은 180°이므로

$\angle A+\angle ABC+\angle C=\angle x+2\angle x+2\angle x$

$=5\angle x=180^\circ$

$\therefore \angle x=36^\circ$

5 $\triangle ABC$는 $\overline{AB}=\overline{AC}$인 이등변삼각형이므로

$\angle ABC=\angle ACB$

$=\frac{1}{2}\times(180^\circ-46^\circ)=67^\circ$

$\triangle DBC$에서

$\angle DCB=180^\circ-(90^\circ+67^\circ)=23^\circ$

$\triangle DBC$와 $\triangle ECB$에서

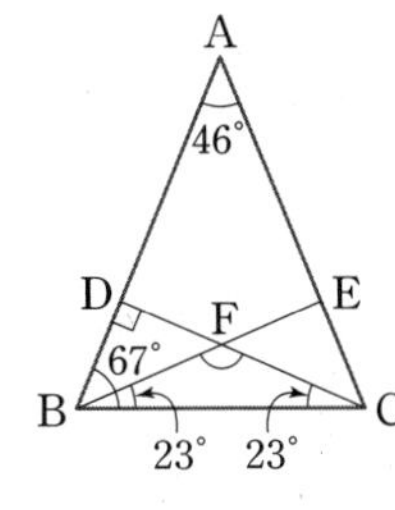

$\overline{BC}$는 공통, $\angle DBC=\angle ECB$,

$\overline{DB}=\overline{AB}-\overline{AD}$

$=\overline{AC}-\overline{AE}=\overline{EC}$

이므로

$\triangle DBC\equiv\triangle ECB$(SAS 합동)

$\therefore \angle EBC=\angle DCB=23^\circ$

$\therefore \angle BFC=180^\circ-(23^\circ+23^\circ)=134^\circ$

6 $\triangle PBD$와 $\triangle PCD$에서

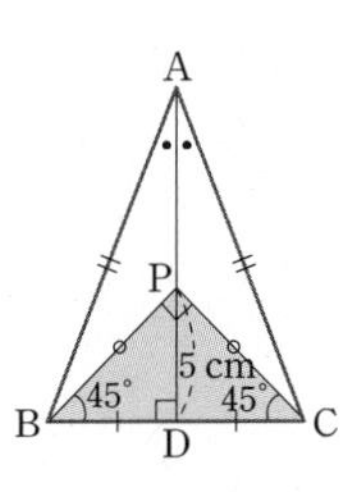

$\overline{BD}=\overline{CD}$, $\overline{PD}$는 공통,

$\angle PDB=\angle PDC=90^\circ$이므로

$\triangle PBD\equiv\triangle PCD$(SAS 합동)

즉, $\overline{PB}=\overline{PC}$이고 $\angle BPC=90^\circ$이므로

$\angle PBC=\angle PCB=45^\circ$

$\therefore \angle BPD=180^\circ-(90^\circ+45^\circ)=45^\circ$

즉, $\overline{PD}=\overline{BD}=\overline{CD}=5$ cm이므로

$\overline{BC}=2\times5=10$(cm)

$\therefore \triangle PBC=\frac{1}{2}\times\overline{BC}\times\overline{PD}$

$=\frac{1}{2}\times10\times5=25(\text{cm}^2)$

7 $\triangle ABC$에서 $\angle C=\frac{1}{2}\times(180^\circ-90^\circ)=45^\circ$

$\therefore x=45$

$\angle CBD=\frac{1}{2}\angle B=45^\circ$이므로 $\triangle BCD$는 $\overline{CD}=\overline{BD}$인 이등변삼각형이다.

$\therefore \overline{CD}=7$ cm

이때 점 D는 $\overline{AC}$의 중점이므로

$\overline{AC}=2\overline{CD}=2\times7=14$(cm) $\quad\therefore y=14$

$\therefore x+y=45+14=59$

8 $\triangle ABC$에서 $\overline{AC}=\overline{BC}$이므로

$\angle BAC=\angle ABC=45^\circ$

$\triangle AED$에서

$\angle EDA=180^\circ-(90^\circ+45^\circ)=45^\circ$이므로

$\triangle AED$는 $\overline{AE}=\overline{DE}$인 직각이등변삼각형이다.

이때 $\triangle DEB\equiv\triangle DCB$(RHS 합동)이므로

$\overline{DE}=\overline{DC}=8$ cm

$\therefore \triangle AED=\frac{1}{2}\times\overline{AE}\times\overline{DE}$

$=\frac{1}{2}\times8\times8=32(\text{cm}^2)$

9 $\triangle ABD$와 $\triangle BCE$에서

$\angle ADB=\angle BEC=90^\circ$, $\overline{AB}=\overline{BC}$,

$\angle ABD=90^\circ-\angle CBE=\angle BCE$

따라서 $\triangle ABD\equiv\triangle BCE$(RHA 합동)이므로

$\overline{BE}=\overline{AD}=8$ cm, $\overline{BD}=\overline{CE}=5$ cm

$\therefore \overline{DE}=\overline{BE}-\overline{BD}=8-5=3$(cm)

10 △ABC에서

$\angle ACB = \frac{1}{2} \times (180° - 34°) = 73°$ …… ①

△DCE에서 $\angle DCE = \angle DEC = 62°$ …… ②

$\therefore \angle ACD = 180° - (73° + 62°) = 45°$ …… ③

단계	채점 기준	비율
①	∠ACB의 크기 구하기	40 %
②	∠DCE의 크기 구하기	40 %
③	∠ACD의 크기 구하기	20 %

11 △BCD와 △BED에서

$\angle BCD = \angle BED = 90°$, $\overline{BD}$는 공통,

$\overline{BC} = \overline{BE}$이므로

△BCD≡△BED(RHS 합동) …… ①

$\therefore \angle CBD = \angle EBD = \frac{1}{2}\angle ABC$

$= \frac{1}{2} \times (90° - 52°)$

$= \frac{1}{2} \times 38° = 19°$ …… ②

단계	채점 기준	비율
①	△BCD≡△BED임을 알기	60 %
②	∠CBD의 크기 구하기	40 %

12 △OAE≡△OAD(RHA 합동)이므로

$\overline{OE} = \overline{OD}$ …… ①

△OCD≡△OCF(RHA 합동)이므로

$\overline{OD} = \overline{OF}$ …… ②

즉, $\overline{OE} = \overline{OF}$

오른쪽 그림과 같이 $\overline{BO}$를 그으면

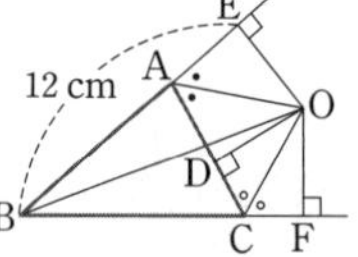

△OBE와 △OBF에서

$\angle OEB = \angle OFB = 90°$,

$\overline{OB}$는 공통, $\overline{OE} = \overline{OF}$

이므로 △OBE≡△OBF(RHS 합동) …… ③

$\therefore \overline{BF} = \overline{BE} = 12$ cm …… ④

단계	채점 기준	비율
①	$\overline{OE} = \overline{OD}$임을 알기	25 %
②	$\overline{OD} = \overline{OF}$임을 알기	25 %
③	△OBE≡△OBF임을 알기	30 %
④	$\overline{BF}$의 길이 구하기	20 %

2 삼각형의 외심과 내심

개념적용익힘

익힘북 12~17쪽

1 ② **2** $\overline{OC}$, ∠OEC, $\overline{OE}$, △OCE, $\overline{CE}$
3 17 cm **4** 36 cm **5** 96°
6 25π cm^2 **7** 9 cm **8** ④ **9** 56°
10 30° **11** ③ **12** 90° **13** 25°
14 ∠B=60°, ∠C=70° **15** ④ **16** 150°
17 ④ **18** ①, ③
19 $\overline{IE}$, $\overline{CI}$, ∠CFI, $\overline{IF}$, ∠C **20** ③
21 28 cm **22** 20 cm **23** 70° **24** 23°
25 195° **26** 31° **27** 166° **28** 180°
29 12 cm **30** ① **31** 2 cm **32** 3 cm
33 88 cm^2 **34** $(16-4\pi)$ cm^2

1 ② $\angle BAO = \angle ABO$, $\angle CAO = \angle ACO$

3 $\overline{OA} = \overline{OC} = \overline{OB} = 5$ cm이므로

(△OCA의 둘레의 길이)$=5+5+7=17$(cm)

4 $\overline{BD} = \overline{AD} = 6$ cm, $\overline{CE} = \overline{BE} = 7$ cm,

$\overline{CF} = \overline{AF} = 5$ cm

따라서 △ABC의 둘레의 길이는

$2 \times (6+7+5) = 36$(cm)

5 $\overline{OB} = \overline{OC}$이므로 $\angle OCB = \angle OBC = 28°$

$\therefore \angle y = 28°$

$\angle x = 180° - (28° + 28°) = 124°$

$\therefore \angle x - \angle y = 124° - 28° = 96°$

6 점 O는 △ABC의 외심이므로

$\overline{AO} = \overline{BO} = 5$ cm

$\therefore$ (△ABC의 외접원의 넓이)$= \pi \times 5^2$

$= 25\pi$(cm^2)

7 점 M은 △ABC의 외심이므로

$\overline{AM} = \overline{BM} = \overline{CM} = \frac{1}{2}\overline{BC} = \frac{1}{2} \times 6 = 3$(cm)

$\overline{AM} = \overline{BM}$이므로 $\angle BAM = \angle ABM = 30°$

△ABM에서

$\angle AMC = \angle ABM + \angle BAM = 30° + 30° = 60°$

$\overline{AM}=\overline{CM}$이므로 $\angle MAC=\angle MCA=60°$
즉, $\triangle AMC$는 한 변의 길이가 3 cm인 정삼각형이므로
$(\triangle AMC$의 둘레의 길이$)=\overline{AM}+\overline{MC}+\overline{CA}$
$=3+3+3=9(cm)$

8 $\triangle OCA$와 $\triangle OBC$에서 $\overline{OA}=\overline{OB}$이고, $\overline{OA}$, $\overline{OB}$가 밑변일 때 두 삼각형의 높이가 같으므로
$\triangle OCA=\triangle OBC=15\ cm^2$
$\triangle ABC=\triangle OCA+\triangle OBC=15+15=30(cm^2)$
이므로
$\frac{1}{2}\times 10\times \overline{AC}=30 \qquad \therefore \overline{AC}=6\ cm$

9 점 O는 $\triangle ABC$의 외심이므로
$\overline{OA}=\overline{OB}=\overline{OC}$
$\triangle OBC$에서 $\angle OCB=\angle B=28°$
이므로 $\angle x=28°+28°=56°$

10 점 O는 $\triangle ABC$의 외심이므로 $\overline{OA}=\overline{OB}=\overline{OC}$
따라서 $\triangle AOC$에서 $\angle C=\angle OAC=\frac{1}{2}\times 60°=30°$

11 $\angle OCA=90°\times\frac{2}{5}=36°$이고,
점 O는 $\triangle ABC$의 외심이므로 $\overline{OA}=\overline{OC}$
따라서 $\angle OAC=\angle OCA=36°$이므로
$\angle BOC=\angle OCA+\angle OAC=36°+36°=72°$

12 오른쪽 그림과 같이 $\overline{OA}$를 그으면
$\angle OAB=\angle OBA=\angle a$,
$\angle OBC=\angle OCB=\angle b$,
$\angle OCA=\angle OAC=\angle c$이므로
$\angle A+\angle OBC=\angle a+\angle c+\angle b=90°$

13 점 O가 $\triangle ABC$의 외심이므로 $\overline{OB}=\overline{OC}$에서
$\angle OBC=\frac{1}{2}\times(180°-110°)=35°$
또한, $\angle OBA+\angle OBC+\angle OCA=90°$이므로
$\angle OBA+35°+30°=90°$
$\therefore \angle OBA=25°$

14 오른쪽 그림과 같이
$\overline{BO}$, $\overline{CO}$를 그으면
$\angle ABO=\angle BAO=20°$
$\angle ACO=\angle CAO=30°$

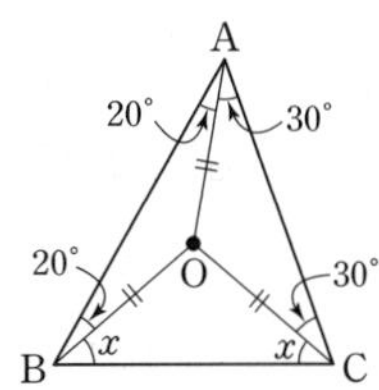

$\angle BCO=\angle CBO=\angle x$라 하면
$20°+30°+\angle x=90° \qquad \therefore \angle x=40°$
$\therefore \angle B=20°+40°=60°$, $\angle C=40°+30°=70°$

15 오른쪽 그림과 같이 $\overline{OC}$를 그으면
$\angle OCB=\angle OBC=20°$이므로
$\angle BOC=180°-2\times 20°=140°$
$\therefore \angle A=\frac{1}{2}\angle BOC$
$=\frac{1}{2}\times 140°=70°$

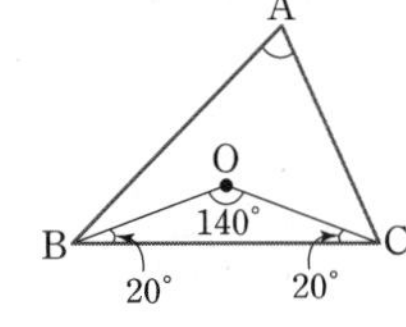

16 $\angle A=180°\times\frac{5}{5+4+3}=75°$
$\therefore \angle BOC=2\angle A=2\times 75°=150°$

17 오른쪽 그림과 같이 $\overline{OC}$를 그으면
$\angle BOC=2\angle BAC$
$=2\times 65°=130°$
$\triangle OBC$는 $\overline{OB}=\overline{OC}$인 이등변삼각형이므로
$\angle x=\frac{1}{2}\times(180°-130°)=25°$

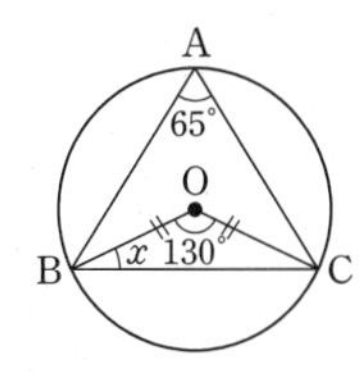

20 $\angle DPB=\angle CBP$(엇각)$=\angle DBP$,
$\angle EPC=\angle BCP$(엇각)$=\angle ECP$
이므로 $\triangle DBP$와 $\triangle EPC$는 이등변삼각형이다.
즉, $\overline{DB}=\overline{DP}$, $\overline{EP}=\overline{EC}$
$\therefore$ $(\triangle ADE$의 둘레의 길이$)$
$=\overline{AD}+\overline{DE}+\overline{AE}=\overline{AD}+(\overline{DP}+\overline{EP})+\overline{AE}$
$=\overline{AD}+\overline{DB}+\overline{EC}+\overline{AE}=\overline{AB}+\overline{AC}$

21 $\angle DIB=\angle CBI$(엇각)$=\angle DBI$,
$\angle EIC=\angle BCI$(엇각)$=\angle ECI$
이므로 $\triangle DBI$와 $\triangle EIC$는 이등변삼각형이다.

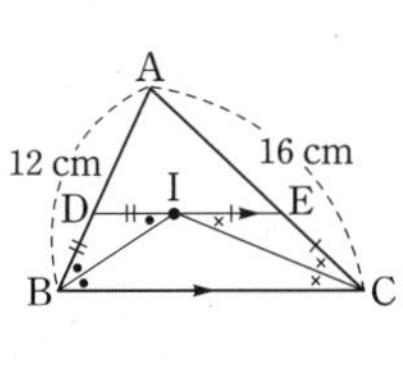

$\therefore (\triangle ADE$의 둘레의 길이$)$
$=\overline{AD}+\overline{DE}+\overline{AE}=\overline{AD}+(\overline{DI}+\overline{EI})+\overline{AE}$
$=\overline{AD}+\overline{DB}+\overline{EC}+\overline{AE}=\overline{AB}+\overline{AC}$
$=12+16=28(cm)$

22 점 I가 $\triangle ABC$의 내심이므로
$\angle DBI=\angle IBC$, $\angle ECI=\angle ICB$
또, $\overline{DE}/\!/\overline{BC}$이므로
$\angle DIB=\angle IBC$(엇각), $\angle EIC=\angle ICB$(엇각)
$\therefore \angle DBI=\angle DIB$, $\angle ECI=\angle EIC$

즉, $\triangle DBI$, $\triangle EIC$는 이등변삼각형이므로

$\overline{DB}=\overline{DI}$, $\overline{EC}=\overline{EI}$

$\therefore$ ($\triangle ADE$의 둘레의 길이)

$=\overline{AD}+\overline{DE}+\overline{AE}$

$=\overline{AD}+\overline{DI}+\overline{IE}+\overline{AE}$

$=\overline{AD}+\overline{DB}+\overline{EC}+\overline{AE}$

$=\overline{AB}+\overline{AC}=40$

이때 $\overline{AB}=\overline{AC}$이므로 $\overline{AB}=\frac{1}{2}\times 40=20(\text{cm})$

23 점 I는 내심이므로 $\angle IBC=\angle IBA=30^\circ$

$\angle IAB+\angle IBC+\angle ICA=90^\circ$이므로

$25^\circ+30^\circ+\angle ICA=90^\circ$

$\therefore \angle ICA=35^\circ$

$\angle ICB=\angle ICA=35^\circ$이므로

$\angle BCA=35^\circ+35^\circ=70^\circ$

24 오른쪽 그림과 같이 $\overline{AI}$를 그으면

점 I는 $\triangle ABC$의 내심이므로

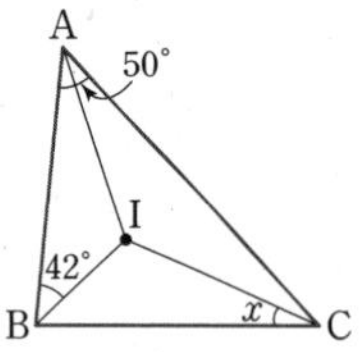

$\angle IAC=\frac{1}{2}\times 50^\circ=25^\circ$

$\angle IAC+\angle IBA+\angle ICB=90^\circ$

이므로 $25^\circ+42^\circ+\angle x=90^\circ$ $\quad\therefore \angle x=23^\circ$

25 점 I가 내심이므로 $\frac{1}{2}\angle A+\frac{1}{2}\angle B+\frac{1}{2}\angle C=90^\circ$

즉, $\angle CAD+\angle CBE+35^\circ=90^\circ$이므로

$\angle CAD+\angle CBE=55^\circ$

$\triangle ADC$에서 $\angle x=70^\circ+\angle CAD$

$\triangle BCE$에서 $\angle y=70^\circ+\angle CBE$

$\therefore \angle x+\angle y=140^\circ+(\angle CAD+\angle CBE)$

$=140^\circ+55^\circ=195^\circ$

26 $\angle BIC=90^\circ+\frac{1}{2}\angle A=90^\circ+\frac{1}{2}\times 58^\circ=119^\circ$

$\triangle IBC$에서 $\angle x=180^\circ-(119^\circ+30^\circ)=31^\circ$

27 $\angle ABI=\angle IBC=\frac{1}{2}\angle ABC=\frac{1}{2}\times 56^\circ=28^\circ$

$\angle BCI=\angle ICA=\angle y$, $\angle IAB=\angle IAC=24^\circ$이므로

$28^\circ+\angle y+24^\circ=90^\circ$ $\quad\therefore \angle y=38^\circ$

$\therefore \angle x=90^\circ+\frac{1}{2}\angle ACB=90^\circ+\angle y$

$=90^\circ+38^\circ=128^\circ$

$\therefore \angle x+\angle y=128^\circ+38^\circ=166^\circ$

28 $\angle BIC=90^\circ+\frac{1}{2}\times 60^\circ=120^\circ$

$\angle IBE=\angle IBC=\angle a$, $\angle ICB=\angle ICD=\angle b$라 하면

$\triangle IBC$에서 $\angle a+\angle b+120^\circ=180^\circ$이므로

$\angle a+\angle b=60^\circ$

$\triangle ACE$에서 $\angle x=60^\circ+\angle b$

$\triangle ABD$에서 $\angle y=60^\circ+\angle a$

$\therefore \angle x+\angle y=(60^\circ+\angle b)+(60^\circ+\angle a)$

$=120^\circ+\angle a+\angle b$

$=120^\circ+60^\circ=180^\circ$

29 점 I는 내심이므로 $\overline{AF}=\overline{AD}=4\text{ cm}$,

$\overline{CF}=\overline{CE}=8\text{ cm}$

$\therefore \overline{AC}=\overline{AF}+\overline{CF}=4+8=12(\text{cm})$

30 $\overline{AF}=\overline{AD}=3\text{ cm}$

$\overline{BE}=\overline{BD}=5\text{ cm}$이므로 $\overline{FC}=\overline{EC}=9-5=4(\text{cm})$

$\therefore \overline{AC}=\overline{AF}+\overline{FC}=3+4=7(\text{cm})$

$\therefore x=7$

31 $\overline{AD}=x\text{ cm}$라 하면

$\overline{AF}=\overline{AD}=x\text{ cm}$

$\overline{BE}=\overline{BD}=(5-x)\text{ cm}$, $\overline{CE}=\overline{CF}=(6-x)\text{ cm}$

$\overline{BC}=\overline{BE}+\overline{EC}$이므로 $7=(5-x)+(6-x)$

$2x=4$ $\quad\therefore x=2$

$\therefore \overline{AD}=2\text{ cm}$

32 $\triangle ABC$의 내접원의 반지름의 길이를 r cm라 하면

$\triangle ABC=\frac{1}{2}\times r\times(\overline{AB}+\overline{BC}+\overline{CA})$이므로

$\frac{1}{2}\times r\times 18=27$ $\quad\therefore r=3$

따라서 $\triangle ABC$의 내접원의 반지름의 길이는 3 cm이다.

33 $\triangle ABC$의 내접원의 반지름의 길이를 r cm라 하고,

점 I에서 $\overline{AB}$에 내린 수선의 발을 D라 하면

$\overline{ID}=r\text{ cm}$이므로

$\triangle ABI=\frac{1}{2}\times 16\times r=32$ $\quad\therefore r=4$

$\therefore \triangle ABC=\frac{1}{2}\times 4\times(\overline{AB}+\overline{BC}+\overline{AC})$

$=\frac{1}{2}\times 4\times(16+28)$

$=88(\text{cm}^2)$

34 오른쪽 그림과 같이 점 I에서 $\overline{BC}$, $\overline{AC}$에 내린 수선의 발을 각각 D, E라 하고, △ABC의 내접원의 반지름의 길이를 r cm라 하면

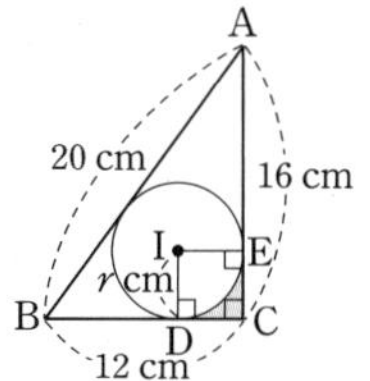

$\frac{1}{2}\times12\times16=\frac{1}{2}\times r\times(12+16+20)$

$96=24r$ $\quad\therefore r=4$

∴ (색칠한 부분의 넓이)

$=$(정사각형 IDCE의 넓이)$-$(부채꼴 IDE의 넓이)

$=(4\times4)-\left(\frac{1}{4}\times\pi\times4^2\right)$

$=16-4\pi(\text{cm}^2)$

개념완성익힘

익힘북 18~19쪽

1 ③	**2** 7°	**3** 26°	**4** 20°
5 12π cm^2	**6** 28°	**7** 50°	**8** 12 cm
9 4 cm	**10** 13π cm	**11** 116°	**12** 7 cm

1 ㄱ. 삼각형의 세 내각의 이등분선의 교점은 삼각형의 내심이다.

ㄹ. 예각삼각형의 외심은 삼각형의 내부에 있다.

따라서 옳은 것은 ㄴ, ㄷ이다.

2 오른쪽 그림과 같이 $\overline{OA}$, $\overline{OB}$를 그으면 $\overline{OA}=\overline{OB}=\overline{OC}$이므로

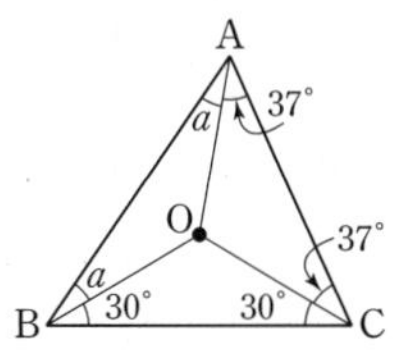

$\angle OAC=\angle OCA=37°$,

$\angle OBC=\angle OCB=30°$

$\angle OAB=\angle OBA=\angle a$라 하면

$\angle A-\angle B=(\angle a+37°)-(\angle a+30°)$

$=7°$

3 점 E는 직각삼각형 ABC의 외심이므로 $\overline{EA}=\overline{EB}$

$\therefore \angle EAB=\angle EBA=32°$

△ABD에서 $\angle BAD=180°-(32°+90°)=58°$

$\therefore \angle EAD=\angle BAD-\angle BAE$

$=58°-32°=26°$

4 오른쪽 그림과 같이 $\overline{OC}$를 그으면

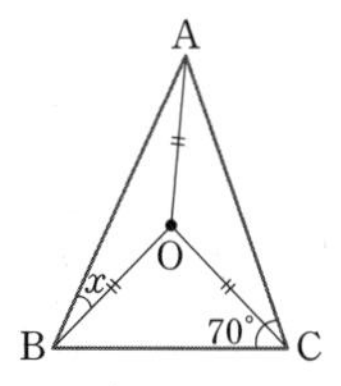

$\overline{AO}=\overline{BO}=\overline{CO}$

$\angle x+\angle BCO+\angle OCA=90°$이므로

$\angle x+70°=90°$ $\quad\therefore \angle x=20°$

5 점 O는 △ABC의 외심이므로

$\angle BOC=2\angle A=2\times60°=120°$

∴ (부채꼴 BOC의 넓이)$=\pi\times6^2\times\frac{120}{360}$

$=12\pi(\text{cm}^2)$

6 점 I는 △ABC의 내심이므로

$\angle ABC=2\angle IBC=2\times34°=68°$

$\angle ACB=2\angle ICB=2\times42°=84°$

△ABC에서

$\angle x=180°-(68°+84°)=28°$

[다른 풀이]

$\angle BIC=180°-(34°+42°)=104°$

$\angle BIC=90°+\frac{1}{2}\angle A$이므로

$90°+\frac{1}{2}\angle x=104°$, $\frac{1}{2}\angle x=14°$

$\therefore \angle x=28°$

7 $\angle ABD=\angle DBC=\angle a$,

$\angle ACE=\angle ECB=\angle b$라 하면

△EBC에서 $2\angle a+\angle b+80°=180°$에서

$2\angle a+\angle b=100°$ $\quad\cdots\cdots$ ㉠

△DBC에서 $\angle a+2\angle b+85°=180°$에서

$\angle a+2\angle b=95°$ $\quad\cdots\cdots$ ㉡

㉠, ㉡을 연립하여 풀면 $\angle a=35°$, $\angle b=30°$

△ABC에서 $\angle A+\angle B+\angle C=180°$이므로

$\angle A+2\angle a+2\angle b=180°$

$\angle A+2\times35°+2\times30°=180°$

$\therefore \angle A=50°$

8 △ABC=△IAB+△IBC+△ICA이므로

$6=\frac{1}{2}\times\overline{AB}\times1+\frac{1}{2}\times\overline{BC}\times1+\frac{1}{2}\times\overline{CA}\times1$

$6=\frac{1}{2}(\overline{AB}+\overline{BC}+\overline{CA})$

$\therefore \overline{AB}+\overline{BC}+\overline{CA}=12$ cm

∴ (△ABC의 둘레의 길이)$=\overline{AB}+\overline{BC}+\overline{CA}$

$=12$ cm

9 $\overline{BE}=x$ cm라 하면

$\overline{BD}=\overline{BE}=x$ cm

$\overline{CF}=\overline{CE}=(9-x)$ cm, $\overline{AF}=\overline{AD}=(6-x)$ cm

$\overline{AC}=\overline{AF}+\overline{CF}$이므로 $7=(6-x)+(9-x)$

$2x=8 \quad \therefore x=4$

$\therefore \overline{BE}=4$ cm

10 직각삼각형의 외심은 빗변의 중점이므로 점 M은 △ABC의 외심이다. …… ①

$\therefore$ (외접원의 반지름의 길이)$=\frac{1}{2}\overline{AC}=\frac{1}{2}\times 13$

$=\frac{13}{2}$(cm) …… ②

따라서 외접원의 둘레의 길이는

$2\pi\times\frac{13}{2}=13\pi$(cm) …… ③

단계	채점 기준	비율
①	점 M이 △ABC의 외심임을 알기	40 %
②	외접원의 반지름의 길이 구하기	30 %
③	외접원의 둘레의 길이 구하기	30 %

11 점 O는 △ABC의 외심이므로

$\angle A=\frac{1}{2}\angle BOC=\frac{1}{2}\times 104°=52°$ …… ①

점 I는 △ABC의 내심이므로

$\angle BIC=90°+\frac{1}{2}\angle A=90°+\frac{1}{2}\times 52°=116°$

…… ②

단계	채점 기준	비율
①	∠A의 크기 구하기	40 %
②	∠BIC의 크기 구하기	60 %

12 오른쪽 그림과 같이 $\overline{IB}$를 그으면

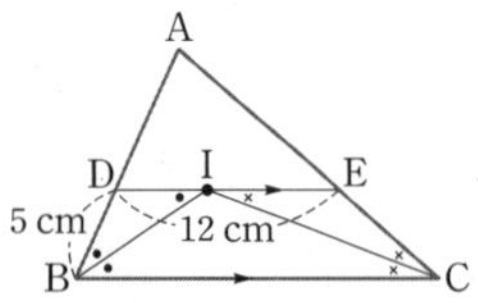

A, D, I, E, 5 cm, 12 cm, B, C

$\angle DBI=\angle IBC$,

$\angle DIB=\angle IBC$(엇각)

$\therefore \angle DBI=\angle DIB$ …… ①

즉, △DBI는 이등변삼각형이므로 $\overline{DI}=\overline{DB}=5$ cm

$\overline{IC}$를 그으면 $\angle ECI=\angle ICB$,

$\angle EIC=\angle ICB$(엇각)

$\therefore \angle ECI=\angle EIC$ …… ②

즉, △EIC는 이등변삼각형이므로 $\overline{EI}=\overline{EC}$

$\therefore \overline{CE}=\overline{EI}=\overline{DE}-\overline{DI}=12-5=7$(cm) …… ③

단계	채점 기준	비율
①	∠DBI=∠DIB임을 알기	40 %
②	∠ECI=∠EIC임을 알기	40 %
③	$\overline{CE}$의 길이 구하기	20 %

대단원 마무리

익힘북 20~21쪽

1 ④	**2** ②	**3** ⑤	**4** ③
5 3π cm^2	**6** ④	**7** ③	**8** ③
9 40 cm^2	**10** ⑤	**11** ①	**12** 20°

1 $\angle B=\angle C=\frac{1}{2}\times(180°-84°)=48°$

△BED에서 $\overline{BD}=\overline{BE}$이므로

$\angle BED=\frac{1}{2}\times(180°-48°)=66°$

△CEF에서 $\overline{CE}=\overline{CF}$이므로

$\angle CEF=\frac{1}{2}\times(180°-48°)=66°$

$\therefore \angle x=180°-(66°+66°)=48°$

2 △DBE에서 ∠DEB=∠DBE=28°이므로

$\angle EDA=\angle DBE+\angle DEB=28°+28°=56°$

△ADE에서 ∠EAD=∠EDA=56°

△ABE에서

$\angle AEC=\angle ABE+\angle EAB=28°+56°=84°$

△AEC에서 ∠ACE=∠AEC=84°

$\therefore \angle x=180°-(\angle AEC+\angle ACE)$

$=180°-(84°+84°)=12°$

3 △ACD에서 $\overline{AD}=\overline{DC}$이므로

$\angle DAC=\frac{1}{2}\times(180°-96°)=42°$

$\overline{AD}/\!/\overline{BC}$이므로 ∠ACB=∠DAC=42°(엇각)

△ABC에서 $\overline{AC}=\overline{BC}$이므로

$\angle B=\frac{1}{2}\times(180°-42°)=69°$

4 ∠FEG=∠FEC=∠x(접은 각),

∠GFE=∠FEC=∠x(엇각)

이므로 ∠GFE=∠FEG

△GEF에서 $\angle x=\frac{1}{2}\times(180°-52°)=64°$

5 $\angle ABM=\angle ACM=\frac{1}{2}\times(180°-30°)=75°$
또, $\overline{BM}=\overline{DM}=\overline{CM}=\overline{EM}=3$ cm이므로
△MDB와 △MCE는 이등변삼각형이다.
$\therefore \angle BMD=\angle CME=180°-2\times75°=30°$
따라서 $\angle DME=180°-2\times30°=120°$이므로
(부채꼴 MDE의 넓이)$=\pi\times3^2\times\frac{120}{360}$
$=3\pi(\text{cm}^2)$

6 △BED와 △CFD에서
$\angle BED=\angle CFD=90°$, $\overline{BD}=\overline{CD}$,
$\angle DBE=\angle DCF$ ($\because \overline{AB}=\overline{AC}$)
$\therefore$ △BED≡△CFD(RHA 합동)
즉, $\overline{BE}=\overline{CF}$이므로
$\overline{AE}=\overline{AB}-\overline{BE}=\overline{AC}-\overline{CF}=\overline{AF}$
또, $\overline{DE}=\overline{DF}$, $\angle BDE=\angle CDF$

7 점 M은 △ABC의 외심이므로 $\overline{AM}=\overline{BM}=\overline{CM}$
이때 $\angle ACB=180°-(90°+30°)=60°$이므로
$\angle CAM=60°$ $\therefore \angle AMC=60°$
즉, △AMC는 정삼각형이다.
따라서 $\overline{CM}=\frac{1}{2}\overline{BC}=\frac{1}{2}\times12=6$(cm)이므로
△AMC의 둘레의 길이는
$6+6+6=18$(cm)

8 $\angle AIB : \angle BIC : \angle AIC=5:6:7$이므로
$\angle AIC=360°\times\frac{7}{5+6+7}=140°$
점 I가 △ABC의 내심이므로 $\angle AIC=90°+\frac{1}{2}\angle ABC$
즉, $140°=90°+\frac{1}{2}\angle ABC$, $\frac{1}{2}\angle ABC=50°$
$\therefore \angle ABC=100°$

9 $\overline{IC}$를 긋고 △ABC의 내접원의 반지름의 길이를 r cm 라 하면
△ABC=△IAB+△IBC+△ICA이므로
$\frac{1}{2}\times16\times12$
$=\frac{1}{2}\times20\times r+\frac{1}{2}\times16\times r+\frac{1}{2}\times12\times r$
$96=24r$ $\therefore r=4$
$\therefore \triangle IAB=\frac{1}{2}\times20\times4=40(\text{cm}^2)$

10 점 I는 △ABC의 내심이므로 $\overline{ID}=\overline{IE}=\overline{IF}$
즉, 점 I는 △DEF의 외심이다.
$\therefore \angle DIF=2\angle DEF=2(\angle IED+\angle IEF)$
$=2\times(35°+25°)=120°$

11 점 O는 직각삼각형 ABC의 외심이므로
$\overline{OA}=\overline{OB}=\overline{OC}$
△OCA에서 $\angle OCA=\angle OAC=60°$이므로
$\angle BOC=60°+60°=120°$
$\angle ABC=180°-(60°+90°)=30°$이고 점 I가
△ABC의 내심이므로
$\angle OBI=\angle IBC=\frac{1}{2}\angle ABC=\frac{1}{2}\times30°=15°$
$\therefore \angle x=180°-(120°+15°)=45°$

12 오른쪽 그림과 같이 점 A에서 $\overline{BC}$에 내린 수선의 발을 D라 하면 △ABC는 이등변삼각형이므로 두 점 O, I는 꼭지각의 이등분선인 $\overline{AD}$ 위에 있다.

내심의 성질에 의하여
$\angle BAC=2\times20°=40°$
외심의 성질에 의하여 $\angle OBA=\angle OAB=20°$
$\angle ABC=\angle ACB=\frac{1}{2}\times(180°-40°)=70°$이므로
$\angle x=\frac{1}{2}\angle ACB=35°$ …… ①
$\angle y=\angle IBA-\angle OBA=\frac{1}{2}\angle ABC-\angle OBA$
$=35°-20°=15°$ …… ②
$\therefore \angle x-\angle y=35°-15°=20°$ …… ③

단계	채점 기준	비율
①	$\angle x$의 크기 구하기	50 %
②	$\angle y$의 크기 구하기	40 %
④	$\angle x-\angle y$의 크기 구하기	10 %

Ⅱ 사각형의 성질

1 평행사변형

개념적용익힘 익힘북 22~29쪽

1 ② **2** $x=4$, $y=4$ **3** 6 cm
4 3 cm **5** 8 cm **6** 6 cm
7 $\angle DCA$, $\angle BCA$, $\overline{AC}$, ASA, $\angle A=\angle C$
8 40° **9** 10° **10** 57° **11** 183
12 70° **13** ④ **14** 145° **15** ③
16 14 **17** $x=65$, $y=16$ **18** 12 cm
19 ③ **20** ⑤ **21** 10 cm^2
22 $\overline{BC}$, SSS, $\overline{DC}$, $\overline{AD}$, 두 쌍의 대변이 각각 평행
23 $x=5$, $y=2$ **24** $\angle x=70^{\circ}$, $\angle y=70^{\circ}$
25 ① **26** 두 쌍의 대변의 길이가 각각 같다.
27 5 cm
28 SAS, $\overline{DC}$, SAS, $\overline{BC}$, 두 쌍의 대변이 각각 평행
29 $x=6$, $y=10$ **30** $x=4$, $y=35$
31 ㄴ, ㄹ **32** ②, ④ **33** ①, ④
34 $\overline{DF}$, $\overline{DF}$, 한 쌍의 대변이 평행하고, 그 길이가 같으므로
35 ④ **36** ④ **37** ④ **38** 8
39 60 cm^2 **40** $\frac{15}{2}$ cm^2 **41** 7 cm^2 **42** 20 cm^2
43 ③ **44** 4 cm^2

1 ② $\angle CBD$

2 $\overline{AB}=\overline{DC}$이므로 $x+5=2x+1$ $\therefore x=4$
$\overline{AD}=\overline{BC}$이므로 $4y-4=2y+4$
$2y=8$ $\therefore y=4$

3 $\overline{AB}=\overline{DC}$, $\overline{AD}=\overline{BC}$이고 □ABCD의 둘레의 길이가 26 cm이므로
$\overline{AB}+\overline{AD}=\frac{1}{2}\times 26=13(cm)$
$\therefore \overline{AB}=13-7=6(cm)$

4 $\angle BFC=\angle ABE$(엇각)이므로 $\triangle FBC$는 이등변삼각형이다.
따라서 $\overline{FC}=\overline{BC}=\overline{AD}=9$ cm이고
$\overline{DC}=\overline{AB}=6$ cm이므로
$\overline{FD}=\overline{FC}-\overline{DC}=9-6=3(cm)$

5 $\angle AEB=\angle EBF$(엇각)이므로 $\triangle ABE$는 이등변삼각형이다.
즉, $\overline{AE}=\overline{AB}=6$ cm이므로 $\overline{ED}=10-6=4(cm)$
$\angle DFC=\angle EDF$(엇각)이므로 $\triangle CDF$는 이등변삼각형이다.
즉, $\overline{CF}=\overline{CD}=6$ cm이므로 $\overline{BF}=10-6=4(cm)$
$\therefore \overline{ED}+\overline{BF}=4+4=8(cm)$

6 $\triangle ABE$와 $\triangle DFE$에서
$\overline{AE}=\overline{DE}$, $\angle AEB=\angle DEF$(맞꼭지각)
$\overline{AB}/\!/\overline{CF}$이므로 $\angle BAE=\angle FDE$(엇각)
$\therefore \triangle ABE\equiv\triangle DFE$(ASA 합동)
따라서 $\overline{FD}=\overline{AB}=\overline{DC}=3$ cm이므로
$\overline{CF}=\overline{CD}+\overline{FD}=3+3=6(cm)$

8 $\angle C=\angle A=100^{\circ}$이므로
$\triangle BCD$에서 $40^{\circ}+100^{\circ}+\angle x=180^{\circ}$
$\therefore \angle x=40^{\circ}$

9 $\angle BAD=\angle C=110^{\circ}$이므로 $\angle x=110^{\circ}-30^{\circ}=80^{\circ}$
$\angle C+\angle D=180^{\circ}$이므로 $\angle y=180^{\circ}-110^{\circ}=70^{\circ}$
$\therefore \angle x-\angle y=80^{\circ}-70^{\circ}=10^{\circ}$

10 $\angle BAD=180^{\circ}-\angle D=180^{\circ}-66^{\circ}=114^{\circ}$
$\angle DAE=\frac{1}{2}\angle BAD=\frac{1}{2}\times 114^{\circ}=57^{\circ}$
$\therefore \angle x=\angle DAE=57^{\circ}$(엇각)

11 $x=\overline{EF}-\overline{EP}=\overline{AD}-\overline{BH}=8-5=3$
$\angle EPG=180^{\circ}-80^{\circ}=100^{\circ}$이고,
□AEPG는 평행사변형이므로
$\angle EAG=\angle EPG=100^{\circ}$ $\therefore y=100$
$\angle PHC=\angle EPH=80^{\circ}$(엇각)이므로 $z=80$
$\therefore x+y+z=3+100+80=183$

12 $\angle ADC=\angle B=60^{\circ}$이므로
$\triangle DFE$에서 $\angle FDE=\frac{1}{3}\angle ADC=\frac{1}{3}\times 60^{\circ}=20^{\circ}$
$\therefore \angle x=180^{\circ}-(90^{\circ}+20^{\circ})=70^{\circ}$

13 $\angle DAE=\angle BAE=\angle a$,
$\angle ABE=\angle CBE=\angle b$라 하면

$\angle A+\angle B=180^\circ$이므로 $\angle a+\angle b=90^\circ$
따라서 $\triangle ABE$에서
$\angle AEB=180^\circ-(\angle a+\angle b)$
$=180^\circ-90^\circ=90^\circ$

14 $\angle HCD=\angle BHC=55^\circ$(엇각)이므로
$\angle BCD=2\times 55^\circ=110^\circ$
$\angle ABC=180^\circ-110^\circ=70^\circ$이므로
$\angle EBC=\frac{1}{2}\angle ABC=\frac{1}{2}\times 70^\circ=35^\circ$
$\overline{AD}/\!/\overline{BC}$이므로 $\angle AEB=\angle EBC=35^\circ$(엇각)
$\therefore \angle BED=180^\circ-35^\circ=145^\circ$

15 ③ $\overline{CD}$

16 평행사변형의 두 대각선은 서로 다른 것을 이등분하므로
$\overline{BO}=\overline{DO}=9$ cm, $\overline{CO}=\overline{AO}=5$ cm
따라서 $x=9$, $y=5$이므로 $x+y=9+5=14$

17 $\triangle ACD$에서 $\angle ADC=180^\circ-(60^\circ+55^\circ)=65^\circ$
$\angle ABC=\angle ADC=65^\circ$ $\quad\therefore x=65$
$\overline{BD}=2\overline{OD}=2\times 8=16$(cm) $\quad\therefore y=16$

18 $\overline{DC}=\overline{AB}=4$ cm이고
$\overline{OC}+\overline{OD}=\frac{1}{2}(\overline{AC}+\overline{BD})=\frac{1}{2}\times 16=8$(cm)
$\therefore$ ($\triangle DOC$의 둘레의 길이)$=(\overline{OC}+\overline{OD})+\overline{DC}$
$=8+4=12$(cm)

19 ③ 평행사변형의 두 대각선은 서로 다른 것을 이등분하지만 그 길이가 항상 같은 것은 아니다.

20 ①, ②, ③ $\triangle APO$와 $\triangle CQO$에서
$\overline{OA}=\overline{OC}$, $\angle OAP=\angle OCQ$(엇각),
$\angle AOP=\angle COQ$(맞꼭지각)이므로
$\triangle APO\equiv\triangle CQO$(ASA 합동) $\quad\therefore \overline{OP}=\overline{OQ}$
④ $\triangle PBO$와 $\triangle QDO$에서
$\overline{OB}=\overline{OD}$, $\angle OBP=\angle ODQ$(엇각),
$\angle POB=\angle QOD$(맞꼭지각)이므로
$\triangle PBO\equiv\triangle QDO$(ASA 합동)

21 $\triangle APO$와 $\triangle CQO$에서
$\overline{AO}=\overline{CO}$, $\angle APO=\angle CQO=90^\circ$,
$\angle AOP=\angle COQ$(맞꼭지각)이므로
$\triangle APO\equiv\triangle CQO$(RHA 합동)
따라서 $\overline{CQ}=\overline{AP}=9-5=4$(cm),
$\overline{OQ}=\overline{OP}=5$ cm이므로
$\triangle OCQ=\frac{1}{2}\times 4\times 5=10(\text{cm}^2)$

23 $\square ABCD$가 평행사변형이 되려면 두 쌍의 대변의 길이가 각각 같아야 하므로
$\overline{AD}=\overline{BC}$에서 $15=3x$ $\quad\therefore x=5$
$\overline{AB}=\overline{DC}$에서 $6y=y+10$, $5y=10$ $\quad\therefore y=2$

24 $\square ABCD$가 평행사변형이 되려면 두 쌍의 대각의 크기가 각각 같아야 하므로
$\angle x=\angle C=70^\circ$
$\angle ABC+\angle C=180^\circ$이므로
$\angle ABC=180^\circ-70^\circ=110^\circ$
$\therefore \angle y=110^\circ-40^\circ=70^\circ$

25 $\square ABCD$가 평행사변형이 되려면 두 쌍의 대변이 각각 평행해야 한다.
엇각의 크기가 같으면 평행하므로
$\angle DAE=\angle AEB=65^\circ$
$\therefore \angle DAB=2\angle DAE=2\times 65^\circ=130^\circ$
따라서 $\angle DAB+\angle D=180^\circ$이므로
$\angle D=180^\circ-130^\circ=50^\circ$

26 $\triangle AEH$와 $\triangle CGF$에서 $\overline{AE}=\overline{CG}$, $\angle A=\angle C$,
$\overline{AH}=\overline{AD}-\overline{DH}=\overline{BC}-\overline{BF}=\overline{CF}$이므로
$\triangle AEH\equiv\triangle CGF$(SAS 합동)
$\therefore \overline{EH}=\overline{GF}$ …… ㉠
같은 방법으로 하면
$\triangle EBF\equiv\triangle GDH$(SAS 합동)
$\therefore \overline{EF}=\overline{GH}$ …… ㉡
㉠, ㉡에 의해 $\square EFGH$는 두 쌍의 대변의 길이가 각각 같으므로 평행사변형이다.

27 $\angle EBF=\frac{1}{2}\angle ABC=\frac{1}{2}\angle ADC=\angle EDF$이고
$\angle EDF=\angle DFC$(엇각)이므로
$\angle EBF=\angle DFC$(동위각)
$\therefore \overline{EB}/\!/\overline{DF}$

따라서 □EBFD는 두 쌍의 대변이 각각 평행하므로 평행사변형이다.

$\therefore \overline{BF}=\overline{ED}=2\text{ cm}$

$\therefore \overline{FC}=\overline{BC}-\overline{BF}=\overline{BC}-\overline{ED}$

$=7-2=5(\text{cm})$

29 평행사변형이 되려면 두 대각선이 서로 다른 것을 이등분해야 하므로

$\overline{DO}=\frac{1}{2}\overline{BD}=\frac{1}{2}\times 12=6(\text{cm})$ $\quad\therefore x=6$

$\overline{AC}=2\overline{AO}=2\times 5=10(\text{cm})$ $\quad\therefore y=10$

30 평행사변형이 되려면 한 쌍의 대변이 평행하고 그 길이가 같아야 하므로

$\overline{AD}=\overline{BC}$에서 $x+3=7$ $\quad\therefore x=4$

엇각의 크기가 같으면 평행하므로

$\angle DBC=\angle ADB=35°$

$\therefore y=35$

31 ㄱ. 두 쌍의 대변의 길이가 각각 같으므로 평행사변형이다.

ㄴ. 나머지 한 각의 크기는

$360°-(115°+60°+60°)=125°$

가 되어 대각의 크기가 서로 같지 않다.

ㄷ, ㅁ. 한 쌍의 대변이 평행하고, 그 길이가 같으므로 평행사변형이다.

ㄹ. 두 대각선이 서로 다른 것을 이등분하지 않는다.

ㅂ. 두 대각선이 서로 다른 것을 이등분하므로 평행사변형이다.

따라서 평행사변형이 아닌 것은 ㄴ, ㄹ이다.

32 ② $\overline{AB}/\!/\overline{DC}$, $\overline{AB}=\overline{DC}$

(또는 $\overline{AD}/\!/\overline{BC}$, $\overline{AD}=\overline{BC}$)

일 때 평행사변형이 된다.

④ $\overline{OA}=\overline{OC}$, $\overline{OB}=\overline{OD}$일 때, 평행사변형이 된다.

33 ① 두 대각선이 서로 다른 것을 이등분하므로 평행사변형이다.

④ $\angle ADB=\angle DBC$(엇각)이므로 $\overline{AD}/\!/\overline{BC}$

즉, 한 쌍의 대변이 평행하고 그 길이가 같으므로 평행사변형이다.

⑤ $\angle ABD=\angle CDB$, $\angle BAC=\angle DCA$는

모두 $\overline{AB}/\!/\overline{DC}$이기 위한 조건이다.

즉, 한 쌍의 대변이 평행하므로 평행사변형이 아니다.

35 $\overline{AO}=\overline{CO}$, $\overline{AP}=\overline{CR}$이므로 $\overline{PO}=\overline{RO}$

$\overline{BO}=\overline{DO}$, $\overline{BQ}=\overline{DS}$이므로 $\overline{QO}=\overline{SO}$

따라서 □PQRS는 두 대각선이 서로 다른 것을 이등분하므로 평행사변형이다.

36 △ABE와 △CDF에서

$\overline{AB}=\overline{CD}$, $\angle AEB=\angle CFD=90°$,

$\angle ABE=\angle CDF$(엇각)이므로

$\triangle ABE\equiv\triangle CDF$(RHA 합동) $\quad\therefore \overline{AE}=\overline{CF}$

또, $\angle AEF=\angle CFE=90°$(엇각)이므로 $\overline{AE}/\!/\overline{CF}$

따라서 □AECF는 한 쌍의 대변이 평행하고, 그 길이가 같으므로 평행사변형이다.

따라서 옳지 않은 것은 ④이다.

37 □AQCS, □APCR는 한 쌍의 대변이 평행하고, 그 길이가 같으므로 평행사변형이다.

즉, $\overline{AQ}/\!/\overline{CS}$이고 $\overline{AR}/\!/\overline{PC}$이므로 □ATCU는 두 쌍의 대변이 각각 평행하므로 평행사변형이다.

따라서 평행사변형은 □ABCD, □AQCS, □APCR, □ATCU의 4개이다.

38 □EOCD는 평행사변형이므로

$\overline{OC}=\overline{ED}$, $\overline{OC}/\!/\overline{ED}$ …… ㉠

□ABCD도 평행사변형이므로

$\overline{AO}=\overline{CO}$ …… ㉡

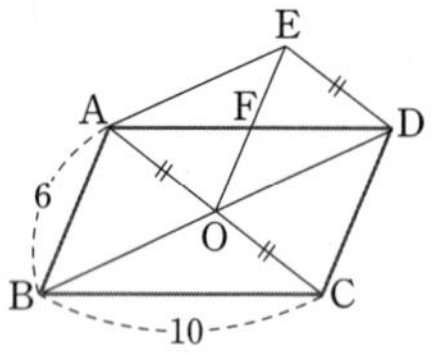

위의 그림과 같이 $\overline{AE}$를 그으면 ㉠, ㉡에서 $\overline{AO}=\overline{ED}$, $\overline{AO}/\!/\overline{ED}$이므로

□AODE도 평행사변형이다.

이때 $\overline{AD}=\overline{BC}=10$, $\overline{EO}=\overline{DC}=\overline{AB}=6$이므로

$\overline{AF}+\overline{FO}=\frac{1}{2}\overline{AD}+\frac{1}{2}\overline{EO}$

$=\frac{1}{2}\times 10+\frac{1}{2}\times 6=5+3=8$

39 $\square ABCD=4\triangle ABO$

$=4\times 15=60(\text{cm}^2)$

40 $\square ABFE=\frac{1}{2}\square ABCD$

$=\frac{1}{2}\times 30=15(\text{cm}^2)$

$\therefore \square EPFQ=2\triangle EPF$

$=2\times\frac{1}{4}\square ABFE$

$=\frac{1}{2}\times 15=\frac{15}{2}(\text{cm}^2)$

41 오른쪽 그림과 같이 $\overline{MN}$을 그으면

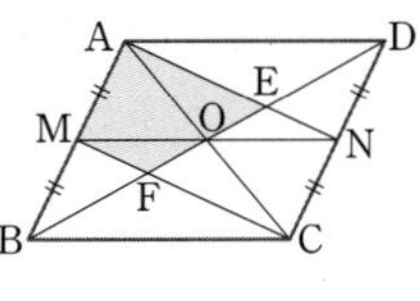

$\square AMCN=\frac{1}{2}\square ABCD$

$=\frac{1}{2}\times 28$

$=14(cm^2)$

$\square AMCN$이 평행사변형이므로 $\overline{AC}$를 그으면

$\triangle AOE\equiv\triangle COF$(ASA 합동)

$\therefore\ \square AMFE=\square AMFO+\triangle AOE$

$=\square AMFO+\triangle COF=\triangle AMC$

$=\frac{1}{2}\square AMCN$

$=\frac{1}{2}\times 14=7(cm^2)$

42 $\triangle PDA+\triangle PBC=\frac{1}{2}\square ABCD$

$=\frac{1}{2}\times 40=20(cm^2)$

43 $\triangle PAB+\triangle PCD=\triangle PDA+\triangle PBC$이므로

$x+4=y+10$

$\therefore\ x-y=10-4=6$

44 $\square ABCD=8\times 5=40(cm^2)$

$\triangle PAB+\triangle PCD=\frac{1}{2}\square ABCD$

$=\frac{1}{2}\times 40=20(cm^2)$

$\therefore\ \triangle PCD=20-\triangle PAB=20-16=4(cm^2)$

개념완성익힘 익힘북 30~31쪽

1 35° **2** 18 **3** ④, ⑤ **4** ⑤
5 11 cm **6** 4 cm **7** 36 cm^2 **8** 13 cm^2
9 5 cm **10** 20 cm **11** 11 cm^2

1 $\angle D=\angle B=85°$이므로 $\triangle ABC$에서

$\angle x=180°-(60°+85°)=35°$

2 $\overline{AD}=\overline{BC}$이므로 $3a+1=5a-7$

$2a=8\quad \therefore\ a=4$

따라서 $\overline{AO}=2a+1=2\times 4+1=9$이므로

$\overline{AC}=2\overline{AO}=2\times 9=18$

3 ④ 오른쪽 그림에서

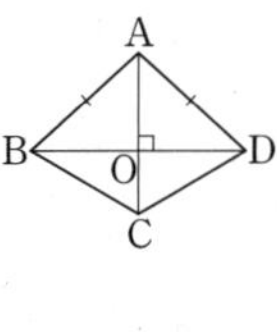

$\triangle ABO\equiv\triangle ADO$(RHS 합동)이지만 $\square ABCD$는 평행사변형이 아니다.

⑤ 오른쪽 그림과 같은 $\square ABCD$는 평행사변형이 아니다.

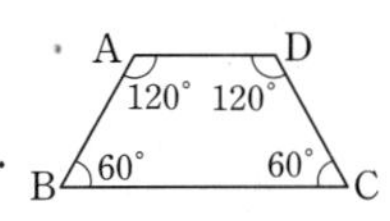

4 ⑤ 두 대각선이 서로 다른 것을 이등분하므로

5 $\square AFDE$에서 $\overline{AF}/\!/\overline{ED}$, $\overline{AE}/\!/\overline{FD}$이므로

$\square AFDE$는 평행사변형이다.

$\therefore\ \overline{AF}=\overline{ED}$

이때 $\triangle ABC$가 이등변삼각형이므로 $\angle B=\angle C$이고

$\overline{AC}/\!/\overline{FD}$이므로 $\angle FDB=\angle C$(동위각)

즉, $\triangle FBD$는 $\angle B=\angle FDB$인 이등변삼각형이므로

$\overline{FB}=\overline{FD}$

$\therefore\ \overline{ED}+\overline{FD}=\overline{AF}+\overline{FB}=\overline{AB}=11(cm)$

6 오른쪽 그림과 같이 $\overline{AD}$의 연장선과 $\overline{BE}$의 연장선의 교점을 G라 하면

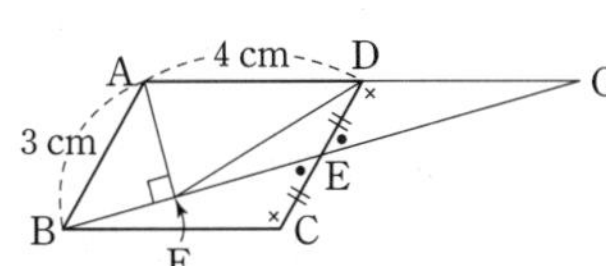

$\triangle EBC\equiv\triangle EGD$(ASA 합동)이므로

$\overline{DG}=\overline{CB}=\overline{AD}=4$ cm

즉, 직각삼각형 AFG에서 점 D가 $\overline{AG}$의 중점이므로

점 D는 $\triangle AFG$의 외심이다.

$\therefore\ \overline{DF}=\overline{DG}=\overline{AD}=4$ cm

7 $\square EPFQ=\triangle EPF+\triangle EFQ$

$=\frac{1}{4}\square ABFE+\frac{1}{4}\square EFCD$

$=\frac{1}{4}\times\frac{1}{2}\square ABCD+\frac{1}{4}\times\frac{1}{2}\square ABCD$

$=\frac{1}{4}\square ABCD$

$\therefore\ \square ABCD=4\square EPFQ=4\times 9=36(cm^2)$

8 $\triangle ABP+\triangle PCD=\frac{1}{2}\square ABCD$

$=\frac{1}{2}\times 48=24(cm^2)$

$\therefore\ \triangle PCD=24-\triangle ABP$

$=24-11=13(cm^2)$

9 $\overline{AB} /\!/ \overline{FE}$이므로
$\angle BFC = \angle ABF$(엇각), $\angle AED = \angle BAE$(엇각)
즉, $\triangle CFB$와 $\triangle DAE$는 이등변삼각형이므로
$\overline{DE} = \overline{AD} = \overline{BC} = \overline{FC} = 13$ cm …… ①
따라서 $\overline{DC} = \overline{AB} = 8$ cm이므로 …… ②
$\overline{CE} = \overline{DE} - \overline{DC} = 13 - 8 = 5$(cm) …… ③

단계	채점 기준	비율
①	$\overline{DE} = \overline{AD} = \overline{BC} = \overline{FC}$임을 알기	50 %
②	$\overline{DC}$의 길이 구하기	20 %
③	$\overline{CE}$의 길이 구하기	30 %

10 $\angle AEB = \angle DAE$(엇각)이므로
$\triangle ABE$는 $\overline{AB} = \overline{BE}$인 이등변삼각형이다. …… ①
그런데 $\angle B = 60°$이므로 $\triangle ABE$는 정삼각형이다.
$\therefore \overline{AE} = \overline{BE} = \overline{AB} = 7$ cm …… ②
또, □AECF는 평행사변형이므로
$\overline{AF} = \overline{EC} = \overline{BC} - \overline{BE} = 10 - 7 = 3$(cm) …… ③
따라서 □AECF의 둘레의 길이는
$2 \times (7+3) = 20$(cm) …… ④

단계	채점 기준	비율
①	$\triangle ABE$가 이등변삼각형임을 알기	30 %
②	$\overline{AE}$의 길이 구하기	20 %
③	$\overline{AF}$의 길이 구하기	20 %
④	□AECF의 둘레의 길이 구하기	30 %

11 $\triangle APO$와 $\triangle CQO$에서 $\overline{AO} = \overline{CO}$,
$\angle PAO = \angle QCO$(엇각),
$\angle AOP = \angle COQ$(맞꼭지각)
즉, $\triangle APO \equiv \triangle CQO$(ASA 합동)이므로
$\triangle CQO = \triangle APO = 5\text{ cm}^2$ …… ①
따라서 $\triangle DOC = \frac{1}{4}\square ABCD = \frac{1}{4} \times 64 = 16(\text{cm}^2)$
이므로
$\triangle DOQ = \triangle DOC - \triangle CQO$
$= 16 - 5 = 11(\text{cm}^2)$ …… ②

단계	채점 기준	비율
①	$\triangle COQ$의 넓이 구하기	60 %
②	$\triangle DOQ$의 넓이 구하기	40 %

2 여러 가지 사각형

개념적용익힘

익힘북 32~41쪽

1 $x=14$, $y=60$ **2** 60° **3** 60°
4 ㄱ, ㄷ **5** ②, ④ **6** ②
7 (가) $\overline{DB}$ (나) $\angle DCB$ (다) $\angle ADC$ (라) $\angle BAD$
8 직사각형 **9** 56 **10** 4 cm **11** 120°
12 ㄱ, ㄷ **13** ㄱ, ㄹ **14** ② **15** ③
16 마름모 **17** $x=8$, $y=90$, $z=45$ **18** 162 cm^2
19 150° **20** ㄱ, ㄷ **21** ② **22** ④
23 ③ **24** 10 **25** ① **26** 8 cm
27 28 cm **28** 110 cm^2
29 ① ㄱ ② ㄴ, ㄹ ③ ㄷ, ㅁ ④ ㄷ, ㅁ ⑤ ㄴ, ㄹ
30 ④ **31** (1) 직사각형 (2) 정사각형
32 ④ **33** ②, ⑤
34 (1) ㄱ, ㄹ, ㅁ, ㅂ (2) ㄴ, ㅁ, ㅂ (3) ㄹ, ㅂ
35 ④ **36** ②, ④ **37** ④ **38** ㄴ, ㄹ
39 5 **40** ②, ④ **41** ㄴ, ㄹ **42** ㄴ, ㄹ
43 40 cm **44** 9 cm^2 **45** 50 cm^2 **46** 12 cm^2
47 ② **48** 21 cm^2 **49** 50 cm^2 **50** ④
51 2 cm^2 **52** 24 cm^2 **53** 24 cm^2 **54** ④
55 24 cm^2 **56** 27 cm^2 **57** 16 cm^2 **58** 16 cm^2

1 $\overline{AO} = \overline{BO} = \overline{CO} = \overline{DO}$이므로
$\overline{BD} = \overline{AC} = 2\overline{AO} = 14$(cm)
$\therefore x = 14$
$\angle ABO = \angle CDO = 60°$(엇각), $\overline{OC} = \overline{OD}$이므로
$\triangle OCD$에서 $\angle OCD = \angle CDO = 60°$
$\therefore y = 60$

2 $\overline{AE} = \overline{EC}$이므로
$\angle EAC = \angle ECA$
또, $\angle DAC = \angle ECA$(엇각)
즉, $\angle BAE = \angle EAC = \angle DAC$이므로
$\angle BAE = \frac{1}{3}\angle A = \frac{1}{3} \times 90° = 30°$
$\therefore \angle AEB = \angle DAE$
$= 30° + 30° = 60°$

3 △ABE에서

$\angle AEB = 180° - (90° + 30°)$

$= 60°$

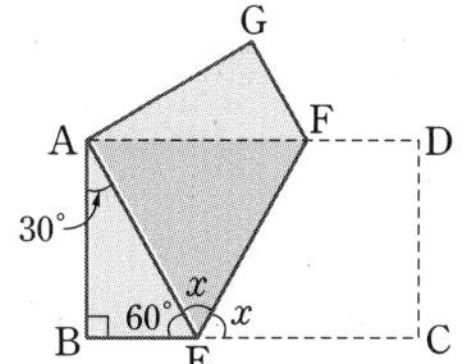

겹쳐진 부분의 각의 크기는 같으므로 $\angle x = \angle FEC$

따라서 $60° + 2\angle x = 180°$에서 $\angle x = 60°$

4 평행사변형이 직사각형이 되려면 한 내각이 직각이거나 두 대각선의 길이가 같아야 한다.

ㄱ. 한 내각이 직각이다.

ㄷ. $\overline{AO} = \overline{BO}$이면 $\overline{AC} = \overline{BD}$이다.

따라서 직사각형이 되는 조건은 ㄱ, ㄷ이다.

5 평행사변형이 직사각형이 되려면 한 내각이 직각이거나 두 대각선의 길이가 같아야 한다.

② $\overline{AC} = 8$ cm이면 $\overline{BD} = 2\overline{BO} = 2 \times 4 = 8$(cm)이므로 $\overline{AC} = \overline{BD}$

④ 한 내각이 직각이다.

따라서 직사각형이 되는 조건은 ②, ④이다.

6 ① $\angle A + \angle B = 180°$이므로 $\angle A = \angle B$이면 $\angle A = 90°$이다.

③ $\overline{AO} = \overline{DO}$이면 $\overline{AC} = \overline{BD}$이다.

④ $\angle B = 90°$이면 $\angle A = 90°$이므로 $\angle C = \angle D = 90°$이다.

⑤ $\angle OAB = \angle OBA$이면 △OAB는 이등변삼각형이 되어 $\overline{OA} = \overline{OB}$이다. 즉, $\overline{AC} = \overline{BD}$이다.

따라서 직사각형이 되지 않는 것은 ②이다.

8 △ABM과 △DCM에서

$\overline{AM} = \overline{DM}$, $\overline{AB} = \overline{DC}$, $\overline{MB} = \overline{MC}$이므로

△ABM≡△DCM(SSS 합동)

□ABCD가 평행사변형이므로 $\angle A + \angle D = 180°$

$\therefore \angle A = \angle D = 90°$

따라서 한 내각이 직각인 평행사변형이므로 □ABCD는 직사각형이다.

9 $\overline{AB} = \overline{BC}$이므로 $2x - 3 = 9$, $2x = 12$ $\therefore x = 6$

$\overline{AD} = \overline{DC}$이므로 $\angle DAC = \angle DCA = 50°$

$\therefore y = 50$

$\therefore x + y = 6 + 50 = 56$

10 $\triangle ABP = \frac{1}{2} \times \overline{BP} \times 10 = 20$이므로 $\overline{BP} = 4$ cm

△ABP≡△ADQ(RHA 합동)이므로

$\overline{DQ} = \overline{BP} = 4$ cm

11 □EBFD는 마름모이므로 $\overline{BE} = \overline{ED} = \overline{BF} = \overline{FD}$

$\therefore \angle EBD = \angle EDB$

$\overline{AD} /\!/ \overline{BC}$이므로 $\angle EDB = \angle DBF$(엇각)

즉, $\angle EBD = \angle DBF$이므로

$\angle DBF = \frac{1}{3} \times 90° = 30°$

따라서 △BFD에서 $\angle BDF = \angle DBF = 30°$이므로

$\angle x = 180° - (30° + 30°) = 120°$

12 두 대각선이 서로 직교하는 평행사변형은 마름모이다.

따라서 마름모에 대한 설명으로 옳은 것은 ㄱ, ㄷ이다.

13 평행사변형 ABCD가 마름모가 되려면 이웃하는 두 변의 길이가 같거나 두 대각선이 서로 수직이어야 한다.

ㄱ. 이웃하는 두 변의 길이가 같다.

ㄹ. 두 대각선이 서로 수직이다.

따라서 마름모가 되는 조건은 ㄱ, ㄹ이다.

14 $\overline{AC} \perp \overline{BD}$이므로 두 대각선이 직교하는 평행사변형 ABCD는 마름모이다.

따라서 $16 = 5x - 4$이므로

$5x = 20$ $\therefore x = 4$

15 ③ $\overline{OD}$

16 $\overline{AF} /\!/ \overline{BE}$이므로

$\angle AFB = \angle EBF$(엇각), $\angle BEA = \angle FAE$(엇각)

△ABF와 △ABE에서 $\overline{AB} = \overline{AF}$, $\overline{AB} = \overline{BE}$이므로

$\overline{AF} = \overline{BE}$

즉, □ABEF는 평행사변형이다.

따라서 □ABEF는 이웃하는 두 변의 길이가 같은 평행사변형이므로 마름모이다.

17 □ABCD가 정사각형이므로

$\overline{AO} = \frac{1}{2}\overline{AC} = \frac{1}{2}\overline{BD} = \frac{1}{2} \times 16 = 8$ $\therefore x = 8$

$\overline{AC} \perp \overline{BD}$이므로 $\angle AOD = 90°$ $\therefore y = 90$

$\overline{OB} = \overline{OC}$이므로 $\angle OCB = 45°$ $\therefore z = 45$

18 □ABCD가 정사각형이므로

$\overline{OA} = \frac{1}{2}\overline{BD} = \frac{1}{2} \times 18 = 9$(cm)이고

$\angle AOB = 90°$이므로

익힘북

$\square ABCD = \triangle ABD + \triangle BCD = 2\triangle ABD$

$= 2\times\left(\frac{1}{2}\times 18\times 9\right) = 162(\text{cm}^2)$

19 $\triangle PBC$가 정삼각형이므로

$\angle ABP = \angle PCD = 90^\circ - 60^\circ = 30^\circ$

$\triangle BPA$에서 $\overline{BA} = \overline{BP}$이므로

$\angle BPA = \frac{1}{2}\times(180^\circ - 30^\circ) = 75^\circ$

$\triangle CDP$에서 $\overline{CP} = \overline{CD}$이므로

$\angle CPD = \frac{1}{2}\times(180^\circ - 30^\circ) = 75^\circ$

따라서 $\angle BPC = 60^\circ$이므로

$\angle APD = 360^\circ - (75^\circ + 60^\circ + 75^\circ) = 150^\circ$

20 ㄱ. 정사각형　ㄴ. 마름모　ㄷ. 정사각형　ㄹ. 직사각형

따라서 정사각형이 되는 조건은 ㄱ, ㄷ이다.

21 ② $\overline{AB} = \overline{AD}$인 평행사변형은 네 변의 길이가 모두 같으므로 마름모이고, $\overline{AC} = \overline{BD}$인 마름모는 두 대각선의 길이가 같으므로 정사각형이 된다.

22 $\square ABCD$가 마름모이므로 $\triangle ABC$에서 $\angle BCA = \angle BAC$

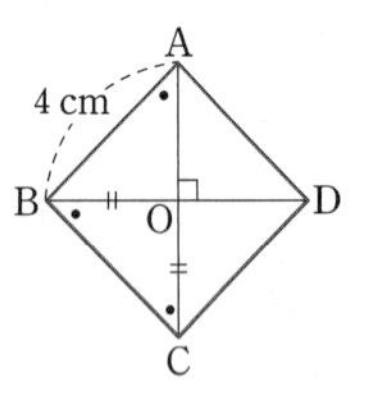

이때 $\triangle BOC$에서 $\overline{OB} = \overline{OC}$이므로

$\overline{AC} = \overline{BD}$

따라서 $\square ABCD$는 두 대각선의 길이가 같고 직교하므로 정사각형이다.

④ $\triangle AOD = \frac{1}{4}\square ABCD$

$= \frac{1}{4}\times(4\times 4) = 4(\text{cm}^2)$

23 ⑤ $\triangle ABD$와 $\triangle DCA$에서

$\overline{AB} = \overline{DC}$, $\overline{AD}$는 공통인 변, $\overline{BD} = \overline{CA}$이므로

$\triangle ABD \equiv \triangle DCA$(SSS 합동)

24 $\overline{AC} = \overline{BD}$이므로

$5x - 4 = 3x + 4$, $2x = 8$　$\therefore x = 4$

$\therefore \overline{AB} = 3x - 2 = 3\times 4 - 2 = 10$

25 $\overline{AC} = \overline{BD}$이므로

$3x + 2 = 14$, $3x = 12$　$\therefore x = 4$

$\angle ABC = 180^\circ - \angle BAD = 180^\circ - 120^\circ = 60^\circ$

이므로 $y = 60$

$\therefore x + y = 4 + 60 = 64$

26 $\square ABCD$는 등변사다리꼴이므로 $\angle BCD = \angle B = 60^\circ$

$\overline{AD} /\!/ \overline{BC}$이므로

$\angle BCA = \angle DAC = 30^\circ$(엇각)

$\therefore \angle DCA = 60^\circ - 30^\circ = 30^\circ$

따라서 $\triangle DAC$는 이등변삼각형이므로

$\overline{AD} = \overline{DC} = \overline{AB} = 8$ cm

27 오른쪽 그림과 같이 점 D에서 $\overline{AB}$에 평행한 직선을 그어 $\overline{BC}$와 만나는 점을 E라 하면

$\triangle DEC$는 정삼각형이고,

$\square ABED$는 평행사변형이므로

$\overline{EC} = \overline{CD} = \overline{AB} = 6$ cm,

$\overline{AD} = \overline{BE} = 11 - 6 = 5$(cm)

따라서 $\square ABCD$의 둘레의 길이는

$6 + 11 + 6 + 5 = 28$(cm)

28 오른쪽 그림과 같이 점 D에서 $\overline{BC}$에 내린 수선의 발을 F라 하면 $\square AEFD$는 직사각형이므로

$\overline{EF} = \overline{AD} = 8$ cm

$\triangle ABE \equiv \triangle DCF$(RHA 합동)이므로

$\overline{CF} = \overline{BE} = 3$ cm

$\therefore \overline{BC} = 3 + 8 + 3 = 14$(cm)

$\therefore \square ABCD = \frac{1}{2}\times(8 + 14)\times 10 = 110(\text{cm}^2)$

30 ④ $\angle AOD = \angle COD$ ➡ 마름모

31 (1) $\overline{AD} = \overline{BC}$, $\overline{AB} = \overline{DC}$이므로 $\square ABCD$는 평행사변형이고, 평행사변형 ABCD에서 $\overline{AC} = \overline{BD}$이므로 직사각형이다.

(2) $\overline{AO} = \overline{CO}$, $\overline{BO} = \overline{DO}$를 만족하는 $\square ABCD$는 평행사변형이고, $\overline{AC} = \overline{BD}$, $\overline{AC} \perp \overline{BD}$를 만족하는 평행사변형 ABCD는 정사각형이다.

32 ①, ② 두 대각선이 서로 다른 것을 이등분하므로 평행사변형이다.

③ 한 쌍의 대변이 평행하고, 그 길이가 같으므로 평행사변형이다.

④ $\angle A + \angle B = 180^\circ$이므로 $\frac{1}{2}\times(\angle A + \angle B) = 90^\circ$

즉, 두 대각선이 직교하므로 마름모이다.

⑤ □AECG에서 한 쌍의 대변이 평행하고 그 길이가 같으므로 평행사변형이다.

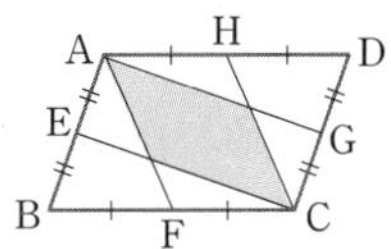

□AFCH에서 한 쌍의 대변이 평행하고 그 길이가 같으므로 평행사변형이다.

따라서 색칠한 사각형은 두 쌍의 대변이 각각 평행하므로 평행사변형이다.

33 △ABG와 △DFG에서

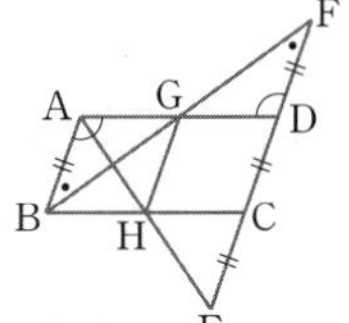

$\overline{AB}=\overline{DF}$, $\overline{AB}/\!/\overline{EF}$이므로

$\angle ABG=\angle DFG$(엇각),

$\angle BAG=\angle FDG$(엇각)

따라서 △ABG≡△DFG(ASA 합동)

이므로 $\overline{AG}=\overline{DG}$

또, $\overline{AD}=2\overline{AB}$이므로 $\overline{AB}=\overline{AG}=\overline{DG}$

마찬가지 방법으로

△ABH≡△ECH(ASA 합동)이므로

$\overline{AB}=\overline{BH}=\overline{HC}$

따라서 $\overline{AG}=\overline{BH}=\overline{AB}$이고 $\overline{AG}/\!/\overline{BH}$이므로

□ABHG는 마름모이다.

그러므로 옳지 않은 것은 ②, ⑤이다.

35 ① 두 대각선의 길이가 같은 평행사변형은 직사각형이다.

② 두 대각선이 직교하는 평행사변형은 마름모이다.

③ 이웃하는 두 변의 길이가 같은 평행사변형은 마름모이다.

⑤ 평행하지 않은 한 쌍의 대변의 길이가 같은 사다리꼴은 등변사다리꼴이다.

36 ② 직사각형은 두 쌍의 대변이 각각 평행하므로 평행사변형이다.

④ 정사각형은 네 변의 길이가 모두 같으므로 마름모이다.

37 ④ 마름모의 두 대각선은 서로 다른 것을 수직이등분하지만 길이가 항상 같은 것은 아니다.

38 ㄱ. 두 대각선이 서로 다른 것을 이등분한다.

ㄷ. 두 대각선이 서로 다른 것을 수직이등분한다.

ㅁ. 두 대각선은 길이가 같다.

39 두 대각선이 내각을 이등분하는 사각형은 ㄷ. 정사각형, ㄹ. 마름모이므로 $a=2$

두 대각선의 길이가 같은 사각형은 ㄱ. 등변사다리꼴, ㄷ. 정사각형, ㅁ. 직사각형이므로 $b=3$

$\therefore a+b=2+3=5$

40 직사각형의 각 변의 중점을 연결하여 만든 사각형은 마름모이므로 □EFGH는 마름모이다.

따라서 마름모에 대한 설명으로 옳지 않은 것은 ②, ④이다.

41 ㄱ. 평행사변형 ➡ 평행사변형

ㄴ. 직사각형 ➡ 마름모

ㄷ. 마름모 ➡ 직사각형

ㄹ. 등변사다리꼴 ➡ 마름모

따라서 마름모가 되는 것은 ㄴ, ㄹ이다.

42 ㄱ. 평행사변형 ➡ 평행사변형

ㄴ. 직사각형 ➡ 마름모

ㄷ. 마름모 ➡ 직사각형

ㄹ. 정사각형 ➡ 정사각형

따라서 두 대각선이 서로 직교하는 사각형은 마름모와 정사각형이므로 ㄴ, ㄹ이다.

43 등변사다리꼴 ABCD의 각 변의 중점을 연결한 □EFGH는 마름모이므로 □EFGH의 둘레의 길이는

$4\times 10=40$(cm)

44 정사각형 ABCD의 각 변의 중점을 연결하여 만든 □PQRS는 정사각형이다.

따라서 □PQRS의 넓이는 $3\times 3=9(\text{cm}^2)$

45 □EFGH는 정사각형이고 $\overline{EG}$, $\overline{HF}$를 각각 그으면 △AEH와 합동인 삼각형이 8개가 생긴다.

$\therefore$ □ABCD=2□EFGH

$=2\times(5\times 5)=50(\text{cm}^2)$

46 $\overline{AD}/\!/\overline{BC}$이므로 △ABC=△DBC

$\therefore$ △OBC=△ABC−△ABO

=△DBC−△ABO

$=18-6=12(\text{cm}^2)$

47 $\overline{AC}/\!/\overline{DE}$이므로 △ACD=△ACE

$\therefore$ □ABCD=△ABC+△ACD

=△ABC+△ACE

=△ABE

$=\frac{1}{2}\times(6+3)\times 4=18(\text{cm}^2)$

48 오른쪽 그림과 같이 $\overline{BD}$, $\overline{CE}$를 그으면 $\overline{AD} /\!/ \overline{BC}$이므로

$\triangle ABC = \triangle BCD$

또, $\overline{BE} /\!/ \overline{CD}$이므로

$\triangle BCD = \triangle ECD$

$\therefore \triangle ABC = \triangle ECD = \frac{1}{2} \times 7 \times 6 = 21(\text{cm}^2)$

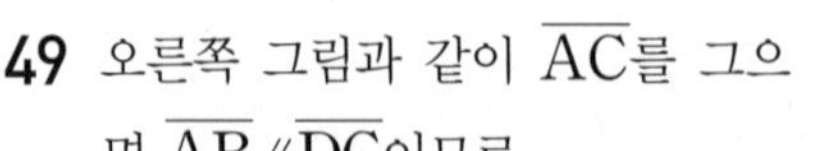

49 오른쪽 그림과 같이 $\overline{AC}$를 그으면 $\overline{AB} /\!/ \overline{DC}$이므로

$\triangle PCD = \triangle ACD$

$\therefore \square ABCD = 2\triangle ACD$

$= 2\triangle PCD = 2 \times 25 = 50(\text{cm}^2)$

50 $\overline{AD} /\!/ \overline{BC}$이므로 $\triangle CDF = \triangle FBD$

$\overline{BD} /\!/ \overline{EF}$이므로 $\triangle FBD = \triangle EBD$

$\overline{AB} /\!/ \overline{DC}$이므로 $\triangle EBD = \triangle EBC$

$\therefore \triangle CDF = \triangle FBD = \triangle EBD = \triangle EBC$

51 $\overline{AB} /\!/ \overline{DC}$이므로 $\triangle ABD = \triangle ABE$

$\therefore \triangle AFD = \triangle BEF$ ...... ㉠

$\triangle ABD = \triangle ABF + \triangle AFD = 20 + \triangle AFD$

$\triangle BCD = \triangle DFE + \triangle BEF + \triangle BCE$

$= \triangle DFE + \triangle BEF + 18$

이때 $\triangle ABD = \triangle BCD$이므로

$20 + \triangle AFD = \triangle DFE + \triangle BEF + 18$

$20 = \triangle DFE + 18$ ($\because$ ㉠)

$\therefore \triangle DFE = 20 - 18 = 2(\text{cm}^2)$

52 $\overline{AD} : \overline{DB} = 4 : 3$이므로 $\triangle ADC : \triangle BCD = 4 : 3$

$\therefore \triangle BCD = \frac{3}{7}\triangle ABC = \frac{3}{7} \times 84 = 36(\text{cm}^2)$

또, $\overline{CF} : \overline{FD} = 2 : 1$이므로 $\triangle BCF : \triangle BFD = 2 : 1$

$\therefore \triangle BCF = \frac{2}{3}\triangle BCD = \frac{2}{3} \times 36 = 24(\text{cm}^2)$

53 $\triangle APQ : \triangle PCQ = \overline{AQ} : \overline{CQ} = 4 : 1$이므로

$16 : \triangle PCQ = 4 : 1$

$\therefore \triangle PCQ = 4\text{ cm}^2$

$\triangle APC = \triangle APQ + \triangle PCQ = 16 + 4 = 20(\text{cm}^2)$

$\triangle ABP : \triangle APC = \overline{BP} : \overline{PC} = 1 : 5$이므로

$\triangle ABP = \frac{1}{5}\triangle APC = \frac{1}{5} \times 20 = 4(\text{cm}^2)$

$\therefore \triangle ABC = \triangle ABP + \triangle APC = 4 + 20 = 24(\text{cm}^2)$

54 오른쪽 그림과 같이 $\overline{FC}$를 그으면

$\triangle AFC = 3\triangle AFE$

$= 3 \times 4 = 12(\text{cm}^2)$

또, $\triangle ABD = \triangle ADC$,

$\triangle FBD = \triangle FDC$이므로

$\triangle ABF = \triangle AFC = 12\text{ cm}^2$

$\triangle ABE = \triangle ABF + \triangle AFE = 12 + 4 = 16(\text{cm}^2)$

$\therefore \triangle ABC = 3\triangle ABE = 3 \times 16 = 48(\text{cm}^2)$

55 $\triangle ABO : \triangle AOD = \overline{OB} : \overline{OD} = 2 : 1$이므로

$\triangle ABO = 2\triangle AOD = 2 \times 8 = 16(\text{cm}^2)$

$\therefore \triangle ABD = \triangle ABO + \triangle AOD$

$= 16 + 8 = 24(\text{cm}^2)$

56 오른쪽 그림과 같이 $\overline{AE}$를 그으면

$\overline{AC} /\!/ \overline{DE}$이므로

$\triangle ACD = \triangle ACE$

$\overline{BC} : \overline{CE} = 2 : 1$이므로

$\triangle ABC : \triangle ACE = 2 : 1$

즉, $\triangle ACE = \frac{1}{2}\triangle ABC = \frac{1}{2} \times 18 = 9(\text{cm}^2)$

$\therefore \square ABCD = \triangle ABC + \triangle ACD$

$= \triangle ABC + \triangle ACE$

$= 18 + 9 = 27(\text{cm}^2)$

57 $\triangle ABD = \frac{1}{2} \times 10 \times 8 = 40(\text{cm}^2)$

$\overline{AP} : \overline{PD} = 2 : 3$이므로

$\triangle ABP = \frac{2}{5}\triangle ABD = \frac{2}{5} \times 40 = 16(\text{cm}^2)$

58 $\triangle ABC = \frac{1}{2}\square ABCD = \frac{1}{2} \times 64 = 32(\text{cm}^2)$

$\overline{AP} : \overline{PC} = 3 : 1$이므로

$\triangle BCP = \frac{1}{4}\triangle ABC = \frac{1}{4} \times 32 = 8(\text{cm}^2)$

같은 방법으로 $\triangle DPC = 8\text{ cm}^2$이므로 색칠한 부분의 넓이는 $2 \times 8 = 16(\text{cm}^2)$

개념완성익힘

익힘북 42~43쪽

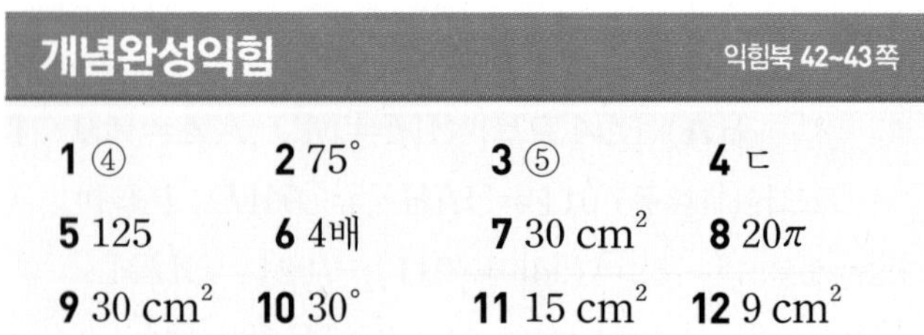

1 ④ **2** 75° **3** ⑤ **4** ㄷ
5 125 **6** 4배 **7** 30 cm^2 **8** 20π
9 30 cm^2 **10** 30° **11** 15 cm^2 **12** 9 cm^2

1 △ABF에서

$\angle ABF = \angle AFD - \angle BAF = 65^\circ - 26^\circ = 39^\circ$

$\angle CBD = \angle ABD = 39^\circ$이므로 △ABE에서

$\angle x = \angle BAE + \angle ABE = 26^\circ + 2 \times 39^\circ = 104^\circ$

2 △AED와 △CDE에서

$\overline{AD} = \overline{CD}$, $\angle ADE = \angle CDE = 45^\circ$,

$\overline{DE}$는 공통이므로

△AED≡△CDE (SAS 합동)

$\therefore \angle DAE = \angle DCE = 30^\circ$

△AED에서

$\angle AEB = \angle EAD + \angle EDA = 30^\circ + 45^\circ = 75^\circ$

3 $\angle ADB = \angle DBC$(엇각)이므로 $\overline{AB} = \overline{AD}$가 되어 이웃하는 두 변의 길이가 같고, $\angle OAB = \angle OBA$이므로 $\overline{AO} = \overline{BO}$가 되어 두 대각선의 길이가 같다.

따라서 □ABCD는 정사각형이다.

4 $\angle A + \angle B = 180^\circ$이므로 $\frac{1}{2}(\angle A + \angle B) = 90^\circ$

즉, △ABE에서 $\angle AEB = 90^\circ$

마찬가지 방법으로

$\angle BHC = \angle CGD = \angle AFD = 90^\circ$이므로

□EFGH에서

$\angle HEF = \angle EFG = \angle FGH = \angle GHE = 90^\circ$

즉, □EFGH는 직사각형이다.

따라서 직사각형에 대한 설명으로 옳지 않은 것은 ㄷ이다.

5 □ABCD의 각 변의 중점을 연결하여 만든 □EFGH는 평행사변형이므로

$\angle HEF + \angle EFG = 180^\circ$, 즉 $\angle HEF + 60^\circ = 180^\circ$

이므로 $\angle HEF = 120^\circ$ $\therefore x = 120$

$\overline{GH} = \overline{EF} = 5$ cm $\therefore y = 5$

$\therefore x + y = 120 + 5 = 125$

6 △OBE와 △OCF에서

$\overline{OB} = \overline{OC}$, $\angle OBE = \angle OCF = 45^\circ$

$\angle BOE = 90^\circ - \angle EOC = \angle COF$이므로

△OBE≡△OCF(ASA 합동)

$\therefore$ □OECF = △OEC + △OCF

= △OEC + △OBE

= △OBC = $\frac{1}{4}$□ABCD

따라서 □ABCD의 넓이는 □OECF의 넓이의 4배이다.

7 오른쪽 그림과 같이 $\overline{AC}$를 그으면

△ABC $= \frac{1}{2}$□ABCD

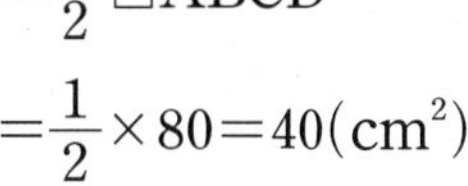

$= \frac{1}{2} \times 80 = 40(\text{cm}^2)$

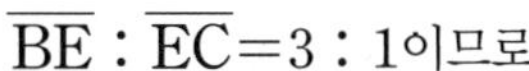

$\overline{BE} : \overline{EC} = 3 : 1$이므로

△ABE : △AEC = 3 : 1

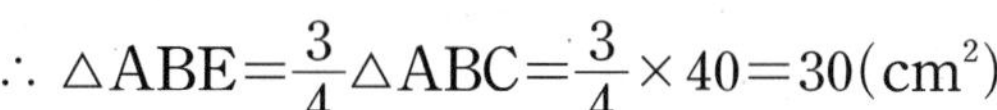

$\therefore$ △ABE $= \frac{3}{4}$△ABC $= \frac{3}{4} \times 40 = 30(\text{cm}^2)$

8 오른쪽 그림과 같이 $\overline{OA}$, $\overline{OB}$를 그으면 $\overline{AB} /\!/ \overline{CD}$이므로

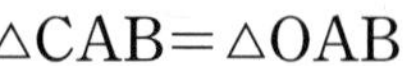

△CAB = △OAB

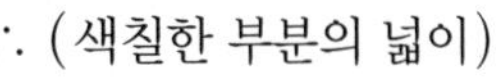

$\therefore$ (색칠한 부분의 넓이)

=(부채꼴 OAB의 넓이)

$= \frac{1}{5} \times \pi \times 10^2 = 20\pi$

9 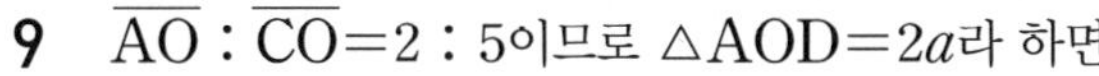

$\overline{AO} : \overline{CO} = 2 : 5$이므로 △AOD $= 2a$라 하면

△DOC $= 5a$, △ABO = △DOC $= 5a$

△ABO : △OBC $= \overline{AO} : \overline{CO} = 2 : 5$이므로

△OBC $= \frac{5}{2}$△ABO $= \frac{5}{2} \times 5a = \frac{25}{2}a$

즉, □ABCD $= 2a + 5a + 5a + \frac{25}{2}a = 147$이므로

$\frac{49}{2}a = 147$ $\therefore a = 6$

$\therefore$ △DOC $= 5a = 5 \times 6 = 30(\text{cm}^2)$

10 오른쪽 그림과 같이 점 A에서 $\overline{DC}$에 평행한 직선을 그어 $\overline{BC}$와 만나는 점을 E라 하면 □AECD는 마름모이므로

$\overline{AE} = \overline{EC} = \overline{CD} = \overline{DA}$ …… ①

또한, $\overline{AD} = \frac{1}{2}\overline{BC}$이므로 $\overline{BE} = \overline{EC}$ …… ②

즉, △ABE는 정삼각형이므로

$\angle AEC = 120^\circ$ …… ③

따라서 $\angle D = \angle AEC = 120^\circ$이고 $\overline{AD} = \overline{DC}$이므로

$\angle ACD = \angle CAD$

$= \frac{1}{2} \times (180^\circ - 120^\circ) = 30^\circ$ …… ④

단계	채점 기준	비율
①	$\overline{AE} = \overline{EC} = \overline{CD} = \overline{DA}$임을 알기	20 %
②	$\overline{BE} = \overline{EC}$임을 알기	20 %
③	$\angle AEC$의 크기 구하기	20 %
④	$\angle ACD$의 크기 구하기	40 %

11 $\overline{BD}/\!/\overline{AE}$이므로 $\triangle ABD=\triangle BDE$

$\therefore \square ABCD=\triangle BCD+\triangle ABD$
$=\triangle BCD+\triangle BDE$
$=\triangle BCE$ …… ①

이때 $\overline{BD}$가 $\square ABCD$의 넓이를 이등분하므로

$\triangle BCD=\triangle ABD=\frac{1}{2}\square ABCD=\frac{1}{2}\triangle BCE$
$=\frac{1}{2}\times 70=35(\text{cm}^2)$ …… ②

$\therefore \triangle BDE=\triangle ABD=35\text{ cm}^2$

$\therefore \triangle BDO=\triangle BDE-\triangle DEO$
$=35-20=15(\text{cm}^2)$ …… ③

단계	채점 기준	비율
①	$\square ABCD=\triangle BCE$임을 알기	30 %
②	$\triangle BCD$의 넓이 구하기	30 %
③	$\triangle BDO$의 넓이 구하기	40 %

12 $\overline{CE}:\overline{ED}=3:4$이므로 $\triangle ACE:\triangle AED=3:4$

$\therefore \triangle ACE=\frac{3}{7}\triangle ACD$ …… ①

이때 $\triangle ACD=\frac{1}{2}\square ABCD$이므로

$\triangle ACE=\frac{3}{7}\triangle ACD=\frac{3}{7}\times\frac{1}{2}\square ABCD$
$=\frac{3}{14}\square ABCD$
$=\frac{3}{14}\times 84=18(\text{cm}^2)$ …… ②

따라서 $\overline{AO}=\overline{OC}$이므로

$\triangle AOE=\frac{1}{2}\triangle ACE=\frac{1}{2}\times 18=9(\text{cm}^2)$ …… ③

단계	채점 기준	비율
①	$\triangle ACE=\frac{3}{7}\triangle ACD$임을 알기	40 %
②	$\triangle ACE$의 넓이 구하기	30 %
③	$\triangle AOE$의 넓이 구하기	30 %

대단원 마무리

익힘북 **44~45쪽**

1 ④	**2** 50°	**3** ③	**4** ③
5 ①, ④	**6** ⑤	**7** ④	**8** ⑤
9 ③	**10** 주원, 풀이 참조		**11** 10 cm^2

1 $\angle BAF=\angle DAF=\angle AFB$(엇각)이므로 $\triangle ABF$는 이등변삼각형이다.

$\therefore \overline{BF}=\overline{AB}=4\text{ cm}$, $\overline{AD}=\overline{BC}=4+3=7(\text{cm})$

$\angle DAE=\angle BAE=\angle AED$(엇각)이므로 $\triangle AED$는 이등변삼각형이다.

$\therefore \overline{DE}=\overline{AD}=7\text{ cm}$

따라서 $x=7$, $y=7$이므로 $x+y=7+7=14$

2 $\angle D=\angle B=80°$이므로

$\angle ADP=\frac{1}{2}\angle D=\frac{1}{2}\times 80°=40°$

$\triangle APD$에서 $\angle DAP=180°-(90°+40°)=50°$

이때 $\angle A+\angle B=180°$이므로

$(50°+\angle x)+80°=180°$ $\quad\therefore \angle x=50°$

3 $\angle B=\angle D$이므로

$\angle ABE=\angle EBF=\angle CDF=\angle FDE$ (②)

$\overline{AD}/\!/\overline{BC}$이므로 $\angle AEB=\angle EBF$

즉, $\angle AEB=\angle ABE$에서 $\triangle ABE$는 이등변삼각형이므로 $\overline{AB}=\overline{AE}$ (①)

마찬가지로 $\angle CDF=\angle CFD$에서 $\triangle CDF$는 이등변삼각형이므로 $\overline{CD}=\overline{CF}$

따라서 $\triangle ABE\equiv\triangle CDF$이므로

$\overline{BE}=\overline{DF}$, $\overline{AE}=\overline{CF}$, $\overline{BF}=\overline{DE}$ (⑤)

$\angle EBF=\angle DFC$, $\angle AEB=\angle FDC$ (④)

4 $\square ABCD$는 마름모이므로 $\overline{AB}=\overline{AD}$

$\triangle ABD$에서

$\angle ABD=\frac{1}{2}\times(180°-120°)=30°$

$\triangle HBP$에서

$\angle HPB=90°-30°=60°$

$\therefore \angle x=\angle HPB=60°$ (맞꼭지각)

5 평행사변형 ABCD가 마름모가 되려면

① 이웃하는 두 변의 길이가 같다.
($\overline{AD}=\overline{CD}=6\text{ cm}$)

④ 두 대각선이 직교한다. ($\angle AOB=90°$)

6 $\triangle ABE$와 $\triangle BCF$에서

$\overline{AB}=\overline{BC}$, $\angle ABE=\angle C=90°$,

$\overline{BE}=\overline{CF}$이므로

$\triangle ABE\equiv\triangle BCF$(SAS 합동)

$\therefore \angle BAE=\angle CBF$, $\angle AEB=\angle BFC$

이때 $\angle BAE+\angle AEB=90°$이므로

$\angle CBF+\angle AEB=90°$

따라서 $\triangle BEG$에서 $\angle GBE+\angle BEG=90°$이므로

$\angle AGF=\angle BGE=180°-90°=90°$

7 $\triangle$ABC와 $\triangle$DCB에서
$\overline{AB}=\overline{DC}$, $\angle ABC=\angle DCB$,
$\overline{BC}$는 공통이므로
$\triangle ABC \equiv \triangle DCB$(SAS 합동)
$\therefore \angle ACB=\angle DBC=\angle x$
$\triangle$OBC에서 $\angle AOB=\angle OBC+\angle OCB$이므로
$70^\circ=2\angle x \quad \therefore \angle x=35^\circ$

8 두 대각선의 길이가 같은 평행사변형은 직사각형이고, 직사각형의 각 변의 중점을 연결하여 만든 사각형은 마름모이다.

9 $\triangle ODB : \triangle OBC=\overline{DO} : \overline{OC}=1:3$이므로
$\triangle OBC=3\triangle ODB=3\times12=36(\text{cm}^2)$
즉, $\triangle BCD=36+12=48(\text{cm}^2)$
$\triangle BCD : \triangle ADC=\overline{DB} : \overline{AD}=3:2$이므로
$3:2=48:\triangle ADC \quad \therefore \triangle ADC=32\text{ cm}^2$
$\therefore \triangle ABC=\triangle ADC+\triangle BCD$
$=32+48=80(\text{cm}^2)$

10 잘못 말한 학생은 주원이고, 이를 바르게 고치면
이웃하는 두 변의 길이가 같은 평행사변형은 네 변의 길이가 같아지니까 마름모가 돼.

11 오른쪽 그림과 같이 $\overline{AQ}$와 $\overline{PC}$를 그으면 $\overline{AB}/\!/\overline{DC}$이므로 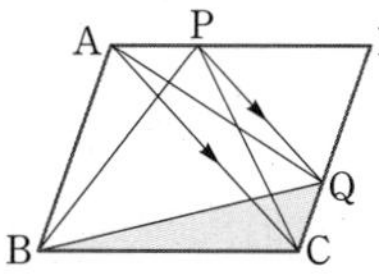
$\triangle BCQ=\triangle ACQ$
$\overline{AC}/\!/\overline{PQ}$이므로
$\triangle ACQ=\triangle ACP$
$\therefore \triangle BCQ=\triangle ACP$ ······ ①
$\overline{AP} : \overline{PD}=1:2$이므로
$\triangle ACP : \triangle PCD=1:2$
$\triangle ACD=\frac{1}{2}\square ABCD$
$=\frac{1}{2}\times60=30(\text{cm}^2)$ ······ ②
$\therefore \triangle BCQ=\triangle ACP=\frac{1}{3}\triangle ACD$
$=\frac{1}{3}\times30=10(\text{cm}^2)$ ······ ③

단계	채점 기준	비율
①	$\triangle BCQ=\triangle ACP$임을 알기	50 %
②	$\triangle$ACD의 넓이 구하기	20 %
③	$\triangle$BCQ의 넓이 구하기	30 %

1 도형의 닮음

개념적용익힘

익힘북 46~51쪽

1 (1) 점 H (2) $\overline{GH}$ (3) $\angle E$
2 (1) $\angle BCD$ 또는 $\angle DCB$ (2) $\overline{CD}$ (3) 점 C
3 모서리 C′F′, □ADEB 4 ②, ⑤ 5 ④
6 ㄷ, ㄹ 7 24 cm 8 124 9 ①
10 ①, ③ 11 ③ 12 ①, ③ 13 ③
14 42.2 15 14 cm 16 ② 17 ④
18 ②, ③ 19 ③ 20 ① 21 ④
22 6 cm 23 9 cm 24 10 cm 25 6 cm
26 $\frac{3}{2}$ cm 27 3 : 4 28 $\frac{26}{5}$ 29 ④
30 ⑤ 31 12 32 20 cm^2
33 $x=9$, $y=16$ 34 ③ 35 6 cm

5 ④ 다음 그림과 같은 두 평행사변형은 한 내각의 크기가 같지만 닮은 도형이 아니다.

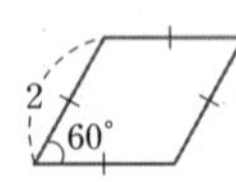

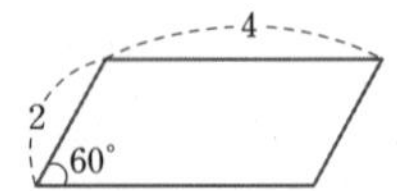

6 ㄱ. 다음 그림과 같은 두 원뿔은 닮은 도형이 아니다.

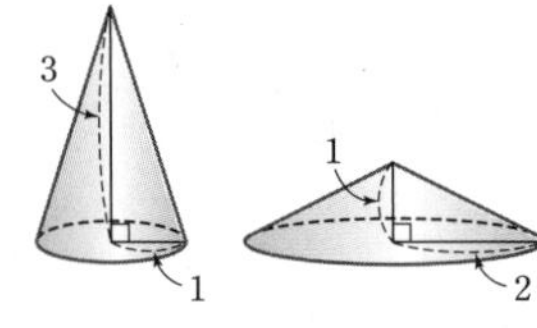

ㄴ. 다음 그림과 같은 두 직육면체는 닮은 도형이 아니다.

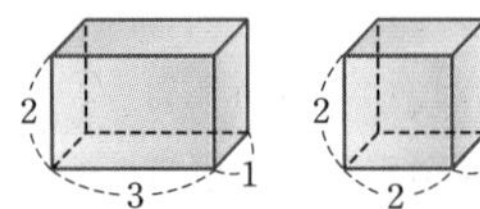

7 닮음비는 $\overline{AC}:\overline{DF}=8:16=1:2$
$\overline{BC}:\overline{EF}=1:2$이므로 $\overline{BC}:20=1:2$
$\therefore \overline{BC}=10$ cm
따라서 △ABC의 둘레의 길이는
$6+8+10=24$(cm)

8 닮음비는 $\overline{BC}:\overline{GF}=8:4=2:1$이므로
$\overline{AB}:\overline{HG}=2:1$, $x:2=2:1$ $\therefore x=4$
$\angle H=\angle A=120^\circ$이므로 $y=120$
$\therefore x+y=4+120=124$

9 $\triangle ABC \backsim \triangle CBD$이므로 닮음비는
$\overline{BC}:\overline{BD}=6:4=3:2$
즉, $\overline{AB}:\overline{CB}=3:2$이므로
$\overline{AB}:6=3:2$ $\therefore \overline{AB}=9$ cm
$\therefore \overline{AD}=\overline{AB}-\overline{BD}=9-4=5$(cm)

10 ① 닮은 두 평면도형은 대응변의 길이의 비가 일정하다.
③ 닮은 두 평면도형이 항상 합동인 것은 아니므로 넓이가 항상 같은 것은 아니다.

11 ③ 대응각의 크기는 같으므로 $\angle C=\angle F$
④ $\overline{AC}:\overline{DF}=2:3$이므로 $4:\overline{DF}=2:3$
$\therefore \overline{DF}=6$ cm

12 ① $\angle A$의 크기는 알 수 없다.
② $\angle B=\angle F=60^\circ$
③ $\overline{AD}:\overline{EH}=\overline{BC}:\overline{FG}=3:8$
④ $\overline{AB}:\overline{EF}=3:8$이므로 $\overline{AB}:6=3:8$
$\therefore \overline{AB}=\frac{9}{4}$ cm

13 두 원기둥의 닮음비는 $3:6=1:2$이므로
$6:h=1:2$ $\therefore h=12$

14 닮음비는 $\overline{AB}:\overline{A'B'}=6:8=3:4$이므로
$x:4.8=3:4$ $\therefore x=3.6$
$2.7:z=3:4$ $\therefore z=3.6$
$\angle D'B'C'=\angle DBC=35^\circ$이므로 $y=35$
$\therefore x+y+z=3.6+35+3.6=42.2$

15 처음 원뿔의 밑면의 반지름의 길이를 x cm라 하면
두 원뿔의 닮음비는 $12:(12+9)=4:7$이므로
$8:x=4:7$ $\therefore x=14$
따라서 처음 원뿔의 밑면의 반지름의 길이는 14 cm이다.

16 ④ 닮음비는 $\overline{CF}:\overline{C'F'}=6:8=3:4$
② $3:4=\overline{EF}:10$ $\therefore \overline{EF}=\frac{15}{2}$ cm
③ $3:\overline{D'E'}=3:4$ $\therefore \overline{D'E'}=4$ cm

17 ④ $\triangle$ABC가 정삼각형이면 $\triangle$A′B′C′은 정삼각형이지만 □B′E′F′C′이 반드시 정사각형인 것은 아니다.

18 ① SSS 닮음 ④ SAS 닮음 ⑤ AA 닮음

19 보기의 삼각형의 나머지 한 내각의 크기는
$180^\circ-(65^\circ+45^\circ)=70^\circ$
③ 두 쌍의 대응각의 크기가 각각 70°, 45°로 같으므로 AA 닮음이다.

20 ① $\triangle$ABC에서 $\angle A=75^\circ$이면
$\angle B=180^\circ-(75^\circ+40^\circ)=65^\circ$
$\triangle$DEF에서 $\angle F=40^\circ$이면 $\angle B=\angle E$, $\angle C=\angle F$이므로 $\triangle ABC \backsim \triangle DEF$ (AA 닮음)

21 $\triangle$ABC와 $\triangle$DAC에서
$\overline{AC}:\overline{DC}=\overline{BC}:\overline{AC}=3:2$, $\angle$C는 공통이므로
$\triangle ABC \backsim \triangle DAC$ (SAS 닮음)
따라서 $\overline{AB}:\overline{DA}=3:2$이므로 $24:\overline{DA}=3:2$
$\therefore \overline{AD}=16$ cm

22 $\triangle$ABC와 $\triangle$EBD에서
$\overline{AB}:\overline{EB}=\overline{BC}:\overline{BD}=3:2$, $\angle$B는 공통이므로
$\triangle ABC \backsim \triangle EBD$ (SAS 닮음)
따라서 $\overline{AC}:\overline{ED}=3:2$이므로
$\overline{AC}:4=3:2 \quad \therefore \overline{AC}=6$ cm

23 $\overline{AE}=\overline{BE}=\overline{DE}=6$ cm이므로
$\triangle$ABC와 $\triangle$DBE에서
$\overline{AB}:\overline{DB}=12:8=3:2$,
$\overline{BC}:\overline{BE}=9:6=3:2$, $\angle$B는 공통이므로
$\triangle ABC \backsim \triangle DBE$(SAS 닮음)
따라서 $\overline{AC}:\overline{DE}=3:2$이므로 $\overline{AC}:6=3:2$
$\therefore \overline{AC}=9$ cm

24 $\triangle$ABC와 $\triangle$AED에서
$\angle ABC=\angle AED$(엇각),
$\angle ACB=\angle ADE$(엇각)
$\therefore \triangle ABC \backsim \triangle AED$ (AA 닮음)
따라서 $\overline{AB}:\overline{AE}=\overline{BC}:\overline{ED}$이므로
$\overline{AB}:5=16:8 \quad \therefore \overline{AB}=10$ cm

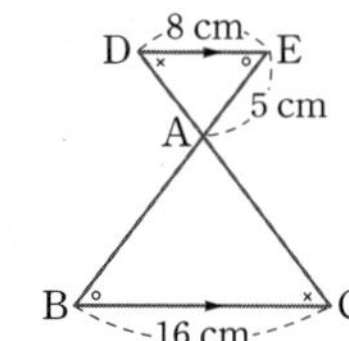

25 $\triangle$ABE와 $\triangle$CDB에서
$\angle ABE=\angle CDB$,
$\angle AEB=\angle CBD$
$\therefore \triangle ABE \backsim \triangle CDB$ (AA 닮음)
따라서 $\overline{AE}:\overline{CB}=\overline{BE}:\overline{DB}$이므로
$4:\overline{CB}=6:(3+6) \quad \therefore \overline{BC}=6$ cm

26 $\triangle$ABD와 $\triangle$DCE에서
$\angle ADB+\angle BAD=180^\circ-60^\circ$
$=120^\circ$
$\angle ADB+\angle CDE=180^\circ-60^\circ$
$=120^\circ$
이므로 $\angle BAD=\angle CDE$
또한, $\angle B=\angle C=60^\circ$이므로
$\triangle ABD \backsim \triangle DCE$ (AA 닮음)
따라서 $\overline{AB}:\overline{DC}=\overline{BD}:\overline{CE}$이므로
$8:2=6:\overline{CE} \quad \therefore \overline{CE}=\frac{3}{2}$ cm

27 $\triangle$ABE와 $\triangle$ADF에서
$\angle B=\angle D$ (평행사변형의 성질),
$\angle AEB=\angle AFD=90^\circ$이므로
$\triangle ABE \backsim \triangle ADF$ (AA 닮음)
$\therefore \overline{AB}:\overline{AD}=\overline{AE}:\overline{AF}=6:8=3:4$

28 $\triangle ABD \backsim \triangle ACE$ (AA 닮음)이므로
$\overline{AB}:\overline{AC}=\overline{AD}:\overline{AE}$
$10:(6+2)=6:\overline{AE} \quad \therefore \overline{AE}=\frac{24}{5}$
$\therefore \overline{BE}=\overline{AB}-\overline{AE}=10-\frac{24}{5}=\frac{26}{5}$

29 $\triangle$ABD에서 $\angle BAD=\angle a$,
$\angle ABD=\angle b$라 하고
$\angle a$, $\angle b$와 크기가 같은 각을 찾으면 오른쪽 그림과 같다.
$\therefore \triangle ABD \backsim \triangle AHF \backsim \triangle CHD \backsim \triangle CBF$ (AA 닮음)

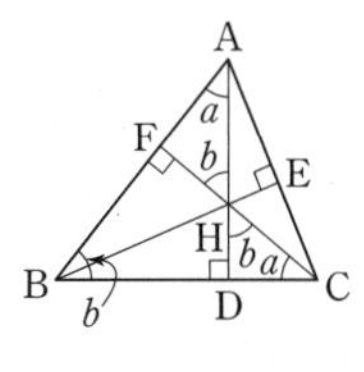

30 $\triangle$ABC와 $\triangle$HBA에서
$\angle BAC=\angle BHA=90^\circ$, $\angle$B는 공통이므로
$\triangle ABC \backsim \triangle HBA$ (AA 닮음) (①)

$\triangle$ABH와 $\triangle$CAH에서

$\angle BHA=\angle AHC=90^\circ$,

$\angle HBA=90^\circ-\angle BAH=\angle HAC$이므로

$\triangle ABH \backsim \triangle CAH$ (AA 닮음) (②)

$\therefore \angle BAH=\angle ACH$ (③),

$\overline{AH}:\overline{CH}=\overline{BH}:\overline{AH}$ (④)

$\overline{AB}:\overline{CA}=\overline{BH}:\overline{AH}=12:9=4:3$ (⑤)

31 $5^2=3\times(3+y)$, $3+y=\frac{25}{3}$ $\quad\therefore y=\frac{16}{3}$

$x^2=y\times(y+3)=\frac{16}{3}\times\left(\frac{16}{3}+3\right)=\frac{400}{9}$

이때 $x>0$이므로 $x=\frac{20}{3}$

$\therefore x+y=\frac{20}{3}+\frac{16}{3}=12$

32 $\overline{BD}^2=2\times8=16$

이때 $\overline{BD}>0$이므로 $\overline{BD}=4$ cm

$\therefore \triangle ABC=\frac{1}{2}\times10\times4=20(\text{cm}^2)$

33 $\overline{AB}\times\overline{AC}=\overline{AD}\times\overline{BC}$이므로

$15\times20=12\times\overline{BC}$ $\quad\therefore \overline{BC}=25$

$\overline{AB}^2=\overline{BD}\times\overline{BC}$이므로

$15^2=x\times25$ $\quad\therefore x=9$

$\therefore y=25-9=16$

34 $\triangle$ABC에서 $\overline{AB}^2=\overline{AD}\times\overline{AC}$이므로

$3^2=\overline{AD}\times5$ $\quad\therefore \overline{AD}=\frac{9}{5}$ cm

$\triangle$ABD에서 $\overline{AD}^2=\overline{AE}\times\overline{AB}$이므로

$\left(\frac{9}{5}\right)^2=\overline{AE}\times3$ $\quad\therefore \overline{AE}=\frac{27}{25}$ cm

35 $\overline{BM}=\overline{CM}=\frac{25}{2}$ cm이므로

$\overline{DM}=\overline{BM}-\overline{BD}=\frac{25}{2}-5=\frac{15}{2}$(cm)

또, $\overline{AM}=\overline{BM}=\overline{CM}=\frac{25}{2}$ cm

$\triangle$ABC에서 $\overline{AD}^2=\overline{BD}\times\overline{DC}$이므로

$\overline{AD}^2=5\times20=100$

이때 $\overline{AD}>0$이므로 $\overline{AD}=10$ cm

$\triangle$ADM에서 $\overline{AD}\times\overline{DM}=\overline{AM}\times\overline{DE}$이므로

$10\times\frac{15}{2}=\frac{25}{2}\times\overline{DE}$ $\quad\therefore \overline{DE}=6$ cm

개념완성익힘

익힘북 52~53쪽

1 ㄱ, ㄷ	**2** ③	**3** 6 cm	**4** 5 cm
5 $\frac{25}{4}$ cm	**6** 8 cm	**7** 8	**8** $\frac{15}{4}$
9 ⑤	**10** 가로: $\frac{105}{2}$ mm, 세로: $\frac{297}{4}$ mm		
11 6	**12** 6 cm		

1 ㄴ. 대응변의 길이의 비는 일정하다.

ㄹ. 닮음비는 두 닮은 도형에서 대응변의 길이의 비이다.

따라서 옳은 것은 ㄱ, ㄷ이다.

2 두 원뿔의 높이의 비가 닮음비이므로 닮음비는

$8:10=4:5$

큰 원뿔의 밑면의 반지름의 길이를 x cm라 하면

$4:x=4:5$ $\quad\therefore x=5$

따라서 큰 원뿔의 밑면의 반지름의 길이는 5 cm이므로

밑면의 넓이는 $\pi\times5^2=25\pi(\text{cm}^2)$

3 $\triangle$ABC와 $\triangle$DAC에서

$\overline{AC}:\overline{DC}=\overline{BC}:\overline{AC}=3:2$, $\angle C$는 공통

$\therefore \triangle ABC \backsim \triangle DAC$(SAS 닮음)

따라서 $\overline{AB}:\overline{DA}=3:2$이므로 $9:\overline{DA}=3:2$

$\therefore \overline{AD}=6$ cm

4 $\angle BAE=\angle CBF=\angle ACD$

$=\angle a$

$\angle ABE=\angle b$, $\angle CAD=\angle c$

라 하면

$\angle ABC=\angle a+\angle b$, $\angle DEF=\angle a+\angle b$이므로

$\angle ABC=\angle DEF$ …… ㉠

마찬가지로

$\angle BAC=\angle a+\angle c=\angle EDF$ …… ㉡

㉠, ㉡에서 $\triangle ABC \backsim \triangle DEF$(AA 닮음)

따라서 $\overline{AB}:\overline{DE}=\overline{AC}:\overline{DF}$이므로

$10:\overline{DE}=8:4$

$\therefore \overline{DE}=5$ cm

5 $\overline{AB}=\overline{AD}+\overline{DB}$

$=7+8=15$(cm)

이므로

$\overline{EC}=\overline{BC}-\overline{BE}=15-5$

$=10$(cm)

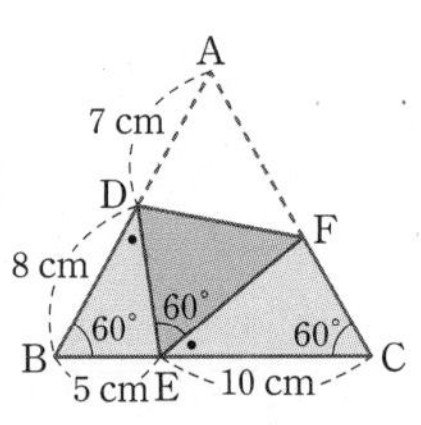

$\triangle BDE$와 $\triangle CEF$에서

$\angle B=\angle C=60^\circ$이고,

$\angle DEF=60^\circ$에서 $\angle BDE=\angle CEF$이므로

$\triangle BDE \backsim \triangle CEF$(AA 닮음)

따라서 $\overline{BE} : \overline{CF}=\overline{BD} : \overline{CE}$이므로 $5 : \overline{CF}=8 : 10$

$\therefore \overline{CF}=\dfrac{25}{4}$ cm

6 $\triangle AED$와 $\triangle FEC$에서

$\angle ADE=\angle FCE$(엇각),

$\angle AED=\angle FEC$(맞꼭지각)

$\therefore \triangle AED \backsim \triangle FEC$(AA 닮음)

따라서 $\overline{DE} : \overline{CE}=\overline{AD} : \overline{FC}$이므로

$\overline{DE} : 3=16 : 6$

$\therefore \overline{DE}=8$ cm

7 $\triangle AFD$와 $\triangle CDE$에서

$\angle A=\angle C$(평행사변형의 대각)

$\angle AFD=\angle CDE$(엇각)이므로

$\triangle AFD \backsim \triangle CDE$(AA 닮음)

따라서 $\overline{AF} : \overline{CD}=\overline{AD} : \overline{CE}$이므로

$(6+3) : 6=12 : \overline{CE}$ $\quad \therefore \overline{CE}=8$

8 $\triangle AOE$와 $\triangle ADC$에서

$\angle CAD$는 공통, $\angle AOE=\angle ADC=90^\circ$이므로

$\triangle AOE \backsim \triangle ADC$(AA 닮음)

따라서 $\overline{AO} : \overline{AD}=\overline{OE} : \overline{DC}$이므로

$5 : 8=\overline{OE} : 6$ $\quad \therefore \overline{OE}=\dfrac{15}{4}$

9 $\triangle ABC$와 $\triangle AFD$에서

$\angle A$는 공통, $\angle ACB=\angle ADF=90^\circ$이므로

$\triangle ABC \backsim \triangle AFD$(AA 닮음)

$\triangle ABC$와 $\triangle EBD$에서

$\angle B$는 공통, $\angle ACB=\angle EDB=90^\circ$이므로

$\triangle ABC \backsim \triangle EBD$(AA 닮음)

$\triangle EBD$와 $\triangle EFC$에서

$\angle E$는 공통, $\angle BDE=\angle FCE=90^\circ$이므로

$\triangle EBD \backsim \triangle EFC$(AA 닮음)

10 A4 용지의 가로의 길이를 a라 하면

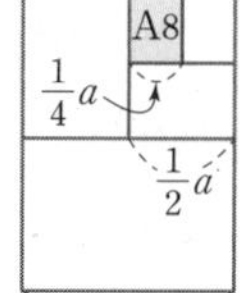

A4 용지와 A8 용지는 서로 닮음이고

닮음비는

$a : \dfrac{1}{4}a=4 : 1$ ...... ①

A8 용지의 가로의 길이를 x mm, 세로의 길이를 y mm라 하면

$210 : x=4 : 1$이므로 $x=\dfrac{105}{2}$

$297 : y=4 : 1$이므로 $y=\dfrac{297}{4}$

따라서 A8 용지의 가로의 길이는 $\dfrac{105}{2}$ mm, 세로의 길이는 $\dfrac{297}{4}$ mm이다. ...... ②

단계	채점 기준	비율
①	A4 용지와 A8 용지의 닮음비 구하기	60 %
②	A8 용지의 가로, 세로의 길이 구하기	40 %

11 $\triangle ADE$와 $\triangle ACB$에서

$\angle A$는 공통, $\angle ADE=\angle ACB$이므로

$\triangle ADE \backsim \triangle ACB$ (AA 닮음) ...... ①

따라서 $\overline{AD} : \overline{AC}=\overline{DE} : \overline{CB}$이므로

$5 : 10=\overline{DE} : 12$

$\therefore \overline{DE}=6$ ...... ②

단계	채점 기준	비율
①	$\triangle ADE \backsim \triangle ACB$임을 알기	50 %
②	$\overline{DE}$의 길이 구하기	50 %

12 $\overline{AB}^2=\overline{BD}\times\overline{BC}$이므로 $8^2=\overline{BD}\times 10$

$\therefore \overline{BD}=\dfrac{32}{5}$ cm ...... ①

$\overline{CD}=\overline{BC}-\overline{BD}=10-\dfrac{32}{5}=\dfrac{18}{5}$(cm) ...... ②

$\overline{AC}^2=\overline{CD}\times\overline{CB}=\dfrac{18}{5}\times 10=36$

이때 $\overline{AC}>0$이므로 $\overline{AC}=6$ cm ...... ③

단계	채점 기준	비율
①	$\overline{BD}$의 길이 구하기	40 %
②	$\overline{CD}$의 길이 구하기	30 %
③	$\overline{AC}$의 길이 구하기	30 %

2 평행선과 선분의 길이의 비

개념적용익힘

익힘북 54~59쪽

1 9 cm　**2** 14　**3** ④　**4** ①
5 9　**6** 12　**7** ②　**8** $\overline{FE}$
9 ③
10 (가) $\angle AEC$　(나) $\angle ACE$　(다) $\overline{AC}$　(라) BD
11 $\frac{27}{4}$　**12** 3 cm　**13** $\frac{5}{3}$ cm　**14** ③
15 $\frac{24}{5}$　**16** ③　**17** 24 cm^2　**18** ④
19 6 cm　**20** ④　**21** 12 cm　**22** 3
23 ⑤　**24** $\frac{21}{2}$　**25** $x=\frac{15}{2}$, $y=\frac{16}{5}$
26 $x=18$, $y=9$, $z=24$　**27** 5　**28** 22 cm
29 4　**30** 2　**31** ②　**32** 20
33 $\frac{24}{5}$ cm　**34** 28　**35** 36 cm　**36** ⑤
37 4

1 □DFCE가 평행사변형이므로 $\overline{FC}=\overline{DE}=6$ cm
$\overline{AE}:\overline{AC}=\overline{DE}:\overline{BC}$이므로
$8:20=6:(\overline{BF}+6)$, $8(\overline{BF}+6)=120$
$8\overline{BF}+48=120$　$\therefore \overline{BF}=9$ cm

2 $\overline{AB}:\overline{AD}=\overline{BC}:\overline{DE}$이므로
$x:(x+5)=10:15$, $10(x+5)=15x$
$5x=50$　$\therefore x=10$
$\overline{AB}:\overline{BD}=\overline{AC}:\overline{CE}$이므로
$10:5=8:y$, $10y=40$　$\therefore y=4$
$\therefore x+y=10+4=14$

3 $\triangle OAB \backsim \triangle ONM$이므로
$\overline{AO}:\overline{NO}=\overline{AB}:\overline{NM}=6:4=3:2$
이때 $\overline{AN}=\overline{ND}$이므로 $\overline{NO}:\overline{ND}=2:5$
$\triangle OCD$에서 $\overline{ON}:\overline{OD}=\overline{MN}:\overline{CD}$이므로
$2:7=4:\overline{CD}$　$\therefore \overline{CD}=14$ cm

4 $\overline{AC}:\overline{AF}=\overline{AB}:\overline{AE}=9:(9+6)=3:5$
$\overline{CD}:\overline{FG}=\overline{AC}:\overline{AF}$이므로
$\overline{CD}:10=3:5$　$\therefore \overline{CD}=6$ cm

5 $\overline{AD}:\overline{DB}=\overline{AE}:\overline{EC}$이므로
$9:6=6:x$, $9x=36$　$\therefore x=4$
$\overline{AE}:\overline{AC}=\overline{FE}:\overline{GC}$이므로
$6:(6+4)=3:y$
$6y=30$　$\therefore y=5$
$\therefore x+y=4+5=9$

6 $\overline{AE}:\overline{AC}=\overline{DE}:\overline{BC}=14:21=2:3$
따라서 $\overline{EF}:\overline{CG}=2:3$이므로
$8:\overline{CG}=2:3$　$\therefore \overline{CG}=12$

7 ① $3:2\neq4:3$　② $4:2=6:3$
③ $10:5\neq11:6$　④ $3:10\neq4:12$
⑤ $3:6\neq2:5$
따라서 $\overline{BC}/\!/\overline{DE}$인 것은 ②이다.

8 $\overline{CF}:\overline{FA}=\overline{CE}:\overline{EB}=1:1$이므로 $\overline{AB}/\!/\overline{FE}$
따라서 $\triangle ABC$의 한 변에 평행한 선분은 $\overline{FE}$이다.

9 ㄱ. $\overline{CE}:\overline{EB}\neq\overline{CF}:\overline{FA}$이므로 $\overline{AB}$와 $\overline{FE}$는 평행하지 않다.
ㄴ, ㄷ. $\overline{AD}:\overline{DB}=\overline{AF}:\overline{FC}=2:3$이므로
$\overline{BC}/\!/\overline{DF}$이고, $\triangle ABC \backsim \triangle DEF$ (AA 닮음)
ㄹ. $\overline{BD}:\overline{DA}\neq\overline{BE}:\overline{EC}$이므로 $\overline{AC}$와 $\overline{DE}$는 평행하지 않다.　$\therefore \angle A\neq\angle BDE$
따라서 옳은 것은 ㄴ, ㄷ이다.

11 $4:5=3:(x-3)$이므로
$4(x-3)=15$, $4x-12=15$
$4x=27$　$\therefore x=\frac{27}{4}$

12 $\overline{AB}:\overline{AC}=\overline{BD}:\overline{CD}$이므로
$\overline{BD}:\overline{CD}=9:12=3:4$
$\triangle BDE \backsim \triangle CDF$(AA 닮음)이므로
$\overline{BD}:\overline{CD}=\overline{BE}:\overline{CF}$, $3:4=\overline{BE}:4$
$\therefore \overline{BE}=3$ cm

13 $\overline{AC}:\overline{AB}=\overline{CD}:\overline{BD}$이므로 $4:3=(\overline{BC}+5):5$
$3(\overline{BC}+5)=20$, $3\overline{BC}+15=20$
$\therefore \overline{BC}=\frac{5}{3}$ cm

14 $\overline{AB}:\overline{AC}=\overline{BD}:\overline{CD}$이므로 $6:\overline{AC}=(4+6):6$
$10\overline{AC}=36$　$\therefore \overline{AC}=\frac{18}{5}$ cm

15 △ABD에서 $\overline{BC}:\overline{BD}=\overline{EC}:\overline{AD}$이므로
$\overline{BC}:15=4:10$
$\therefore \overline{BC}=6$
△ABC에서 $\overline{AB}:\overline{AC}=\overline{BD}:\overline{CD}$이므로
$8:x=15:(15-6)$
$15x=72 \qquad \therefore x=\frac{24}{5}$

16 $\overline{AB}:\overline{AC}=\overline{BD}:\overline{CD}$이므로
$\overline{BD}:\overline{CD}=4:6=2:3$
$\triangle ABD:\triangle ADC=2:3$이므로
$\triangle ADC=\frac{3}{5}\triangle ABC=\frac{3}{5}\times 15=9(\text{cm}^2)$

17 $\overline{AB}:\overline{AC}=\overline{BD}:\overline{CD}$이므로
$\overline{BD}:\overline{CD}=9:6=3:2$
즉, $\overline{BC}:\overline{CD}=1:2$이므로
$\triangle ABC:\triangle ACD=1:2$
$\therefore \triangle ACD=2\triangle ABC=2\times 12=24(\text{cm}^2)$

18 $\overline{AD}$가 ∠A의 이등분선이므로
$8:5=4:\overline{CD} \qquad \therefore \overline{CD}=\frac{5}{2}\text{ cm}$
$\overline{AE}$가 ∠A의 외각의 이등분선이므로
$8:5=\left(4+\frac{5}{2}+\overline{CE}\right):\overline{CE}$
$8\overline{CE}=\frac{65}{2}+5\overline{CE},\ 3\overline{CE}=\frac{65}{2}$
$\therefore \overline{CE}=\frac{65}{6}\text{ cm}$
따라서 $\triangle ABD:\triangle ACE=\overline{BD}:\overline{CE}$이므로
$\frac{120}{13}:\triangle ACE=4:\frac{65}{6} \qquad \therefore \triangle ACE=25\text{ cm}^2$

19 $\overline{AB}:\overline{AC}=\overline{BD}:\overline{CD}$이므로 $8:4=4:\overline{CD}$
$\therefore \overline{CD}=2\text{ cm}$
$\overline{AB}:\overline{AC}=\overline{BE}:\overline{CE}$이므로
$8:4=(6+\overline{CE}):\overline{CE}$
$8\overline{CE}=24+4\overline{CE} \qquad \therefore \overline{CE}=6\text{ cm}$

20 $\overline{BC}:\overline{AC}=\overline{BD}:\overline{DA}$이므로 $12:6=\overline{BD}:3$
$6\overline{BD}=36 \qquad \therefore \overline{BD}=6\text{ cm}$
$\overline{BC}:\overline{AC}=\overline{BE}:\overline{AE}$이므로
$12:6=(9+\overline{AE}):\overline{AE}$
$12\overline{AE}=54+6\overline{AE} \qquad \therefore \overline{AE}=9\text{ cm}$

21 $\overline{AB}:\overline{AC}=\overline{BD}:\overline{CD}$이므로 $10:6=5:\overline{CD}$
$\therefore \overline{CD}=3\text{ cm}$
또, $\overline{AB}:\overline{AC}=\overline{BE}:\overline{CE}$이므로
$10:6=(8+\overline{CE}):\overline{CE},\ 10\overline{CE}=48+6\overline{CE}$
$\therefore \overline{CE}=12\text{ cm}$

22 $x:6=4:8,\ 8x=24$
$\therefore x=3$

23 $5:5=x:7 \qquad \therefore x=7$
$5:5=8:y \qquad \therefore y=8$
$\therefore x+y=7+8=15$

24 오른쪽 그림과 같이 $l \,/\!/\, l'$인 직선 l'을 그으면
$2:x=3:9,\ 3x=18$
$\therefore x=6$
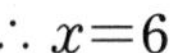
$y:3=3:2,\ 2y=9 \qquad \therefore y=\frac{9}{2}$
$\therefore x+y=6+\frac{9}{2}=\frac{21}{2}$

25 $5:x=4:6 \qquad \therefore x=\frac{15}{2}$
$5:4=4:y \qquad \therefore y=\frac{16}{5}$

26 $x:27=20:30 \qquad \therefore x=18$
$30:10=27:y \qquad \therefore y=9$
$30:10=z:8 \qquad \therefore z=24$

27 오른쪽 그림과 같이 $l \,/\!/\, l'$인 직선 l'을 그으면
$8:10=6:(y+4.5)$이므로
$8(y+4.5)=60$
$8y+36=60 \qquad \therefore y=3$
$x:10=4.5:(6+3)$이므로
$9x=45 \qquad \therefore x=5$

28 점 D에서 $\overline{AB}$에 평행한 선분을 그어 $\overline{EF}$, $\overline{BC}$와 만나는 점을 각각 P, Q라 하면

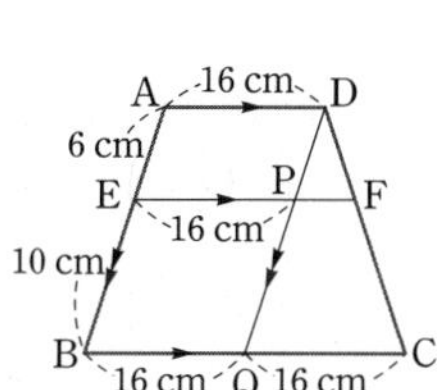

$\overline{EP}=\overline{BQ}=\overline{AD}=16\text{ cm}$
$\therefore \overline{QC}=32-16=16(\text{cm})$
$\overline{DP}:\overline{DQ}=\overline{PF}:\overline{QC}$이므로
$6:16=\overline{PF}:16 \qquad \therefore \overline{PF}=6\text{ cm}$
$\therefore \overline{EF}=\overline{EP}+\overline{PF}=16+6=22(\text{cm})$

29 오른쪽 그림과 같이 점 A에서 $\overline{DC}$에 평행한 직선을 그어 $\overline{EF}$, $\overline{BC}$와 만나는 점을 각각 G, H라 하면

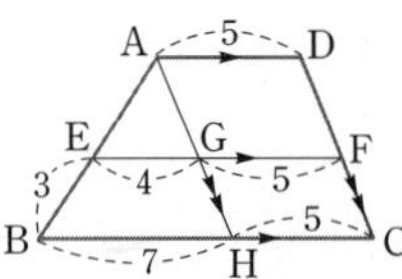

$\overline{GF}=\overline{HC}=\overline{AD}=5$이므로

$\overline{EG}=9-5=4$, $\overline{BH}=12-5=7$

$\overline{AE}:\overline{AB}=\overline{EG}:\overline{BH}$ 이므로

$\overline{AE}:(\overline{AE}+3)=4:7$

$4\overline{AE}+12=7\overline{AE}$ $\quad\therefore \overline{AE}=4$

30 점 D에서 $\overline{AB}$에 평행한 선분을 그어 $\overline{EF}$, $\overline{GH}$, $\overline{BC}$와 만나는 점을 각각 I, J, K라 하면

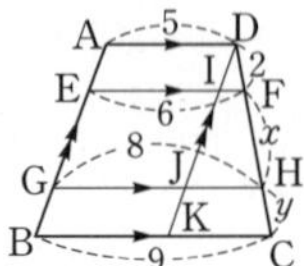

$\overline{AD}=\overline{EI}=\overline{GJ}=\overline{BK}=5$

$\therefore \overline{IF}=1$, $\overline{JH}=3$, $\overline{KC}=4$

$\triangle DJH$에서 $\overline{IF}:\overline{JH}=\overline{DF}:\overline{DH}$이므로

$1:3=2:(2+x)$, $2+x=6$ $\quad\therefore x=4$

또, $\triangle DKC$에서 $\overline{IF}:\overline{KC}=\overline{DF}:\overline{DC}$이므로

$1:4=2:(2+4+y)$, $6+y=8$ $\quad\therefore y=2$

$\therefore x-y=4-2=2$

31 $\triangle ABC$에서 $\overline{AE}:\overline{AB}=\overline{EQ}:\overline{BC}$이므로

$6:(6+4)=\overline{EQ}:15$, $10\overline{EQ}=90$

$\therefore \overline{EQ}=9\text{ cm}$

$\triangle BDA$에서 $\overline{BE}:\overline{BA}=\overline{EP}:\overline{AD}$이므로

$4:(4+6)=\overline{EP}:10$, $10\overline{EP}=40$

$\therefore \overline{EP}=4\text{ cm}$

$\therefore \overline{PQ}=\overline{EQ}-\overline{EP}=9-4=5(\text{cm})$

32 $2\overline{AE}=3\overline{EB}$에서 $\overline{AE}:\overline{EB}=3:2$

$\triangle ABD$에서

$\overline{BE}:\overline{BA}=\overline{EG}:\overline{AD}$이므로

$2:5=\overline{EG}:10$ $\quad\therefore \overline{EG}=4$

또, $2\overline{EG}=\overline{GH}$이므로 $\overline{GH}=8$

$\therefore \overline{EH}=\overline{EG}+\overline{GH}=4+8=12$

따라서 $\triangle ABC$에서 $\overline{AE}:\overline{AB}=\overline{EH}:\overline{BC}$ 이므로

$3:5=12:\overline{BC}$ $\quad\therefore \overline{BC}=20$

33 $\overline{AD}/\!/\overline{BC}$이므로 $\triangle AOD \backsim \triangle COB$(AA 닮음)

$\therefore \overline{AO}:\overline{CO}=\overline{AD}:\overline{CB}=4:6=2:3$

$\triangle ABC$에서 $\overline{EO}:\overline{BC}=\overline{AO}:\overline{AC}=2:5$

즉, $\overline{EO}:6=2:5$, $5\overline{EO}=12$ $\quad\therefore \overline{EO}=\frac{12}{5}\text{ cm}$

$\triangle CDA$에서 $3:5=\overline{OF}:4$

$\therefore \overline{OF}=\frac{12}{5}\text{ cm}$

$\therefore \overline{EF}=\overline{EO}+\overline{OF}=\frac{12}{5}+\frac{12}{5}=\frac{24}{5}(\text{cm})$

34 $\overline{BE}:\overline{ED}=14:7=2:1$이므로

$\overline{BF}:\overline{FC}=2:1$ $\quad\therefore x=\frac{1}{3}\times18=6$

$\overline{BE}:\overline{BD}=\overline{EF}:\overline{CD}$이므로 $2:3=y:7$

$\therefore y=\frac{14}{3}$

$\therefore xy=6\times\frac{14}{3}=28$

35 $\overline{CF}:\overline{CB}=\overline{EF}:\overline{AB}=12:18=2:3$

따라서 $\triangle BCD$에서 $\overline{BF}:\overline{BC}=\overline{EF}:\overline{CD}$

$1:3=12:\overline{CD}$ $\quad\therefore \overline{CD}=36\text{ cm}$

36 ⑤ $\overline{BH}:\overline{BC}=\overline{BP}:\overline{BD}=\overline{PH}:\overline{DC}$

37 $\overline{AB}$, $\overline{EF}$, $\overline{DC}$가 모두 $\overline{BC}$에 수직이므로

$\overline{AB}/\!/\overline{EF}/\!/\overline{DC}$

$\overline{BE}:\overline{DE}=\overline{AB}:\overline{CD}=1:2$이므로

$\overline{BE}:\overline{BD}=1:3$

$\overline{BE}:\overline{BD}=\overline{EF}:\overline{DC}$이므로

$1:3=x:12$ $\quad\therefore x=4$

개념완성익힘

익힘북 60~61쪽

1 6	**2** $\frac{20}{3}$ cm	**3** ㄱ, ㄷ	**4** ④
5 $\frac{54}{5}$ cm	**6** $x=4$, $y=\frac{21}{2}$		**7** 20
8 $\frac{36}{5}$	**9** 6	**10** $\frac{96}{7}$ cm	**11** 11
12 3			

1 $\overline{AC}:\overline{CE}=\overline{AB}:\overline{BD}$이므로

$4:12=2:x$ $\quad\therefore x=6$

2 $\overline{AE}:\overline{AC}=\overline{DE}:\overline{BC}=10:(4+8)=5:6$

$\overline{GE}:\overline{FC}=\overline{AE}:\overline{AC}$이므로 $\overline{GE}:8=5:6$

$\therefore \overline{GE}=\frac{20}{3}\text{ cm}$

3 ㄱ. $5:2=10:4$이므로 $\overline{BC}/\!/\overline{DE}$

ㄴ. $5:15\neq4:10$이므로 $\overline{BC}$와 $\overline{DE}$는 평행하지 않다.

ㄷ. $12:6=8:4$이므로 $\overline{BC}/\!/\overline{DE}$

ㄹ. $5:12\neq7:15$이므로 $\overline{BC}$와 $\overline{DE}$는 평행하지 않다.

따라서 $\overline{BC}/\!/\overline{DE}$인 것은 ㄱ, ㄷ이다.

4 $\overline{AD}:\overline{DB}=\overline{AE}:\overline{EC}$이면 $\overline{BC}/\!/\overline{DE}$

④ $\overline{DE}:\overline{BC}=\overline{AE}:\overline{AC}$, $\overline{DE}:12=5:8$

$\therefore \overline{DE}=\frac{15}{2}$ cm

5 $\overline{BD}:\overline{CD}=\overline{AB}:\overline{AC}=12:18=2:3$

$\overline{CE}:\overline{EA}=\overline{CD}:\overline{DB}=3:2$이므로

$\overline{CE}=\frac{3}{5}\times18=\frac{54}{5}$(cm)

6 $3:6=x:8$ $\quad\therefore x=4$

$3:6=(y-7):7$, $6y-42=21$

$6y=63$ $\quad\therefore y=\frac{21}{2}$

7 $6:x=4:8$ $\quad\therefore x=12$

$8:(8+4)=y:12$

$12y=96$ $\quad\therefore y=8$

$\therefore x+y=12+8=20$

8 $\triangle AOD\backsim\triangle COB$(AA 닮음)이므로

$\overline{OA}:\overline{OC}=\overline{OD}:\overline{OB}=\overline{AD}:\overline{CB}=6:9=2:3$

$\triangle ABC$에서 $2:5=\overline{EO}:9$ $\quad\therefore \overline{EO}=\frac{18}{5}$

$\triangle CDA$에서 $3:5=\overline{OF}:6$ $\quad\therefore \overline{OF}=\frac{18}{5}$

$\therefore \overline{EF}=\overline{EO}+\overline{OF}=\frac{18}{5}+\frac{18}{5}=\frac{36}{5}$

9 $\overline{FC}:\overline{BC}=\overline{EF}:\overline{AB}=2:3$이므로

$\overline{BF}:\overline{BC}=1:3$

$\overline{BF}:\overline{BC}=\overline{FE}:\overline{CD}$이므로

$1:3=2:\overline{CD}$ $\quad\therefore \overline{CD}=6$

10 $\overline{AE}:\overline{EF}=\overline{AD}:\overline{DB}=\overline{AF}:\overline{FC}$

$=24:18=4:3$ …… ①

$\therefore \overline{AE}=\frac{4}{7}\times24=\frac{96}{7}$(cm) …… ②

단계	채점 기준	비율
①	$\overline{AE}:\overline{EF}$의 닮음비 구하기	60 %
②	$\overline{AE}$의 길이 구하기	40 %

11 오른쪽 그림과 같이 점 A에서 $\overline{DC}$에 평행한 직선을 그어 $\overline{EF}$, $\overline{BC}$와 만나는 점을 각각 G, H라 하면

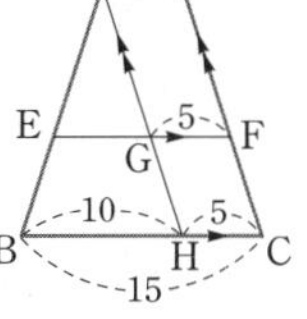

$\overline{GF}=\overline{HC}=\overline{AD}=5$이므로

$\overline{BH}=15-5=10$ …… ①

이때 $\overline{AE}:\overline{AB}=\overline{EG}:\overline{BH}$이므로

$3:5=\overline{EG}:10$ $\quad\therefore \overline{EG}=6$ …… ②

$\therefore \overline{EF}=\overline{EG}+\overline{GF}=6+5=11$ …… ③

단계	채점 기준	비율
①	$\overline{BH}$의 길이 구하기	40 %
②	$\overline{EG}$의 길이 구하기	40 %
③	$\overline{EF}$의 길이 구하기	20 %

12 점 E에서 $\overline{BD}$에 수직인 직선을 그어 $\overline{AD}$와 만나는 점을 H라 하면 $\triangle DHE\backsim\triangle DAB$ (AA 닮음)이므로 $\overline{HE}:\overline{AB}=\overline{DE}:\overline{DB}$

$\overline{HE}:6=9:12$

$\therefore \overline{HE}=\frac{9}{2}$ …… ①

$\triangle GHE\backsim\triangle GDC$ (AA 닮음)이고 닮음비는

$\overline{HE}:\overline{DC}=\frac{9}{2}:9=1:2$이므로

$\overline{EG}:\overline{EC}=1:3$ …… ②

$\triangle EFG\backsim\triangle EDC$ (AA 닮음)이므로

$\overline{EG}:\overline{EC}=\overline{GF}:\overline{CD}$, $1:3=\overline{GF}:9$

$\therefore \overline{GF}=3$ …… ③

단계	채점 기준	비율
①	$\overline{HE}$의 길이 구하기	40 %
②	$\overline{EG}:\overline{EC}$의 닮음비 구하기	30 %
③	$\overline{GF}$의 길이 구하기	30 %

3 삼각형의 무게중심과 닮음의 활용

개념적용익힘

익힘북 62~71쪽

1 ③	**2** $x=4$, $y=50$		**3** 4 cm
4 12 cm	**5** ③	**6** 24 cm^2	**7** 48 cm
8 20	**9** ③	**10** ④	**11** 17
12 7 cm	**13** 6 cm	**14** 15 cm	**15** ②
16 14 cm	**17** 7	**18** (1) 3 cm	(2) 36 cm^2
19 ③	**20** 12 cm	**21** 23 : 27	**22** 8 cm^2
23 ①	**24** 7 cm^2	**25** 4	**26** 54 cm
27 3	**28** 6 cm	**29** ②	**30** ⑤
31 $x=6$, $y=\frac{9}{2}$		**32** 6 cm	**33** 17
34 $\frac{25}{6}$ cm	**35** 18	**36** ③	**37** ③
38 6	**39** ⑤	**40** 1 cm^2	**41** ⑤
42 6 cm^2	**43** 72 cm^2	**44** 14 cm^2	**45** 4 : 3
46 (1) 48 cm^2	(2) 21 cm^2	**47** 30 cm^2	**48** 15π cm^2
49 $\frac{80}{3}$	**50** ⑤	**51** 36π cm^2	**52** 2 cm^3
53 375 cm^3	**54** ③	**55** 54 km^2	**56** 450 m
57 ⑤	**58** ③	**59** 21.5 m	**60** 4.5 m

1 $\overline{DE}=\frac{1}{2}\overline{BC}=\frac{1}{2}\times10=5(cm)$

2 $\overline{DE}=\frac{1}{2}\overline{BC}=\frac{1}{2}\times8=4(cm)$ $\quad\therefore x=4$

또, $\overline{DE}/\!/\overline{BC}$이므로 $\angle ADE=\angle ABC=50^\circ$(동위각)

$\therefore y=50$

3 $\overline{MN}=\frac{1}{2}\overline{BC}=\frac{1}{2}\times12=6(cm)$이므로

$\overline{PN}=\overline{MN}-\overline{MP}=6-2=4(cm)$

4 $\overline{DE}=\frac{1}{2}\overline{AC}=\frac{1}{2}\times7=\frac{7}{2}(cm)$

$\overline{FE}=\frac{1}{2}\overline{AB}=\frac{1}{2}\times9=\frac{9}{2}(cm)$

$\overline{DF}=\frac{1}{2}\overline{BC}=\frac{1}{2}\times8=4(cm)$

$\therefore$ ($\triangle$DEF의 둘레의 길이)$=\frac{7}{2}+\frac{9}{2}+4=12(cm)$

5 $\triangle$DBC에서 $\overline{MN}=\frac{1}{2}\overline{BC}$ ······ ㉠

$\triangle$ABC에서 $\overline{PQ}=\frac{1}{2}\overline{BC}$ ······ ㉡

㉠, ㉡에 의하여 $\overline{PQ}=\overline{MN}=9$ cm

$\overline{RQ}=5$ cm이므로 $\overline{PR}=9-5=4(cm)$

6 $\overline{DF}=\frac{1}{2}\overline{BC}=\frac{1}{2}\times12=6(cm)$

$\overline{DE}=\frac{1}{2}\overline{AC}=\frac{1}{2}\times16=8(cm)$

$\overline{DF}/\!/\overline{BC}$, $\overline{DE}/\!/\overline{AC}$, $\angle C=90^\circ$이므로 $\angle EDF=90^\circ$

$\therefore \triangle DEF=\frac{1}{2}\times6\times8=24(cm^2)$

7 $\overline{EH}=\overline{FG}=\frac{1}{2}\overline{BD}$, $\overline{EF}=\overline{HG}=\frac{1}{2}\overline{AC}$

$\therefore \overline{AC}+\overline{BD}=\overline{EF}+\overline{HG}+\overline{EH}+\overline{FG}$

$=$($\square$EFGH의 둘레의 길이)

$=48(cm)$

8 오른쪽 그림과 같이 대각선 BD를 그으면 등변사다리꼴의 두 대각선의 길이는 같으므로

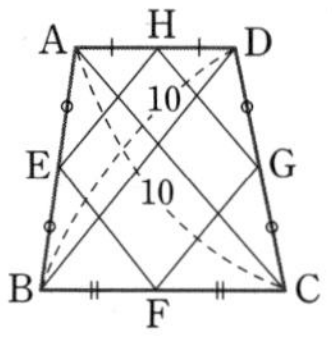

$\overline{BD}=\overline{AC}=10$

$\overline{EF}=\overline{HG}=\frac{1}{2}\overline{AC}=\frac{1}{2}\times10=5$

$\overline{EH}=\overline{FG}=\frac{1}{2}\overline{BD}=\frac{1}{2}\times10=5$

따라서 $\square$EFGH의 둘레의 길이는 $4\times5=20$

9 $\overline{EH}=\frac{1}{2}\overline{BD}=\frac{1}{2}\times14=7(cm)$

$\overline{EF}=\frac{1}{2}\overline{AC}=\frac{1}{2}\times12=6(cm)$

마름모의 네 변의 중점을 연결한 $\square$EFGH는 직사각형이므로

$\square EFGH=\overline{EH}\times\overline{EF}=7\times6=42(cm^2)$

10 $\overline{DE}=\frac{1}{2}\overline{AC}=\frac{1}{2}\times10=5(cm)$

11 $\overline{MN}=\frac{1}{2}\overline{BC}$이므로 $x=2\times6=12$

점 N은 $\overline{AC}$의 중점이므로 $y=5$

$\therefore x+y=12+5=17$

12 점 D가 $\overline{AB}$의 중점이고, $\overline{BC}/\!/\overline{DE}$이므로 점 E는 $\overline{AC}$의 중점이다.

$\therefore \overline{BC}=2\overline{DE}=2\times7=14(cm)$

점 E가 $\overline{AC}$의 중점이고, $\overline{AB} /\!/ \overline{EF}$이므로 점 F는 $\overline{BC}$의 중점이다.

$\therefore \overline{FC}=\frac{1}{2}\overline{BC}=\frac{1}{2}\times 14=7(\text{cm})$

13 $\triangle AEM$에서 $\overline{DN}=\frac{1}{2}\overline{EM}=\frac{1}{2}\times 4=2(\text{cm})$

$\triangle BCD$에서 $\overline{CD}=2\overline{EM}=2\times 4=8(\text{cm})$

$\therefore \overline{CN}=\overline{CD}-\overline{DN}=8-2=6(\text{cm})$

14 $\triangle DCE$와 $\triangle DNM$에서

$\overline{MN} /\!/ \overline{CE}$이므로 $\angle CED=\angle NMD$ (엇각)

$\angle CDE=\angle NDM$ (맞꼭지각), $\overline{DE}=\overline{DM}$이므로

$\triangle DCE \equiv \triangle DNM$ (ASA 합동)

$\therefore \overline{CE}=\overline{NM}=5\text{ cm}$

또, $\overline{BC}=2\overline{MN}=2\times 5=10(\text{cm})$

$\therefore \overline{BE}=\overline{BC}+\overline{CE}=10+5=15(\text{cm})$

15 $\triangle ADG$에서 $\overline{DG}=2\overline{EF}$

$\triangle FBC$에서 $\overline{BF}=2\overline{DG}=2\times 2\overline{EF}=4\overline{EF}$이므로

$12+\overline{EF}=4\overline{EF}$ $\quad\therefore \overline{EF}=4\text{ cm}$

16 $\triangle DQC$에서 $\overline{QC}=2\overline{PN}=2\times 3=6(\text{cm})$

□ABQD는 평행사변형이므로 $\overline{BQ}=\overline{AD}=8\text{ cm}$

$\therefore \overline{BC}=8+6=14(\text{cm})$

17 오른쪽 그림과 같이 대각선 AC를 그어 $\overline{MN}$과의 교점을 E라 하면

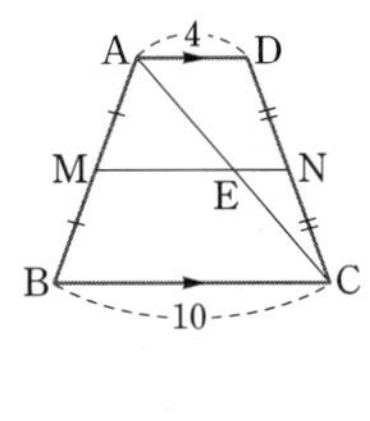

$\overline{ME}=\frac{1}{2}\overline{BC}=\frac{1}{2}\times 10=5$

$\overline{EN}=\frac{1}{2}\overline{AD}=\frac{1}{2}\times 4=2$

$\therefore \overline{MN}=5+2=7$

18 (1) $\triangle DBC$에서 $\overline{PN}=\frac{1}{2}\overline{BC}=\frac{1}{2}\times 18=9(\text{cm})$

$\therefore \overline{MP}=\overline{MN}-\overline{PN}=12-9=3(\text{cm})$

(2) $\triangle ABD$에서 $\overline{AD}=2\overline{MP}=2\times 3=6(\text{cm})$

□AMPD$=\frac{1}{2}\times(6+3)\times 8=36(\text{cm}^2)$

19 ① $\overline{GF}=\overline{EH}=\frac{1}{2}\overline{BC}=\frac{1}{2}\times 16=8$

② $\overline{GE}=\overline{FH}=\frac{1}{2}\overline{AD}=\frac{1}{2}\times 10=5$

③ $\overline{BE}=\overline{ED}$, $\overline{CF}=\overline{FA}$

⑤ $\overline{EF}=\overline{GF}-\overline{GE}=8-5=3$

20 $\overline{ME}=\overline{EF}=\overline{FN}=\frac{1}{2}\overline{AD}=\frac{1}{2}\times 6=3(\text{cm})$

$\therefore \overline{MF}=2\overline{ME}=2\times 3=6(\text{cm})$

$\therefore \overline{BC}=2\overline{MF}=2\times 6=12(\text{cm})$

21 $\overline{BG}:\overline{BA}=\overline{GJ}:\overline{AD}$에서

$1:3=\overline{GJ}=12$ $\quad\therefore \overline{GJ}=4\text{ cm}$

$\overline{CH}:\overline{CD}=\overline{KH}:\overline{AD}$에서

$1:3=\overline{KH}:12$ $\quad\therefore \overline{KH}=4\text{ cm}$

$\overline{EI}=\overline{FI}=2\overline{GJ}=2\times 4=8(\text{cm})$

$(\triangle EBI$의 둘레의 길이$)=\overline{EB}+\overline{BI}+\overline{IE}$

$=(8+8)+(11+11)+8$

$=46(\text{cm})$

$(\triangle ICF$의 둘레의 길이$)=\overline{IC}+\overline{CF}+\overline{FI}$

$=(13+13)+(10+10)+8$

$=54(\text{cm})$

따라서 $\triangle EBI$와 $\triangle ICF$의 둘레의 길이의 비는

$46:54=23:27$

22 $\triangle BMN=\frac{1}{2}\triangle ABM=\frac{1}{2}\times\frac{1}{2}\triangle ABC$

$=\frac{1}{4}\triangle ABC=\frac{1}{4}\times 32$

$=8(\text{cm}^2)$

23 $\triangle PBQ:\triangle PQC=\overline{BQ}:\overline{QC}=1:2$이고

$\triangle PBQ$의 넓이가 3 cm^2이므로 $\triangle PQC=6\text{ cm}^2$

$\triangle PBC=\triangle PBQ+\triangle PQC=3+6=9(\text{cm}^2)$이므로

$\triangle ABC=2\triangle PBC=2\times 9=18(\text{cm}^2)$

24 $\triangle ABM=\triangle CBM$, $\triangle APM=\triangle CPM$이므로

$\triangle BCP=\triangle ABP=6\text{ cm}^2$

$\therefore \triangle PCM=\triangle BCM-\triangle BCP$

$=\frac{1}{2}\triangle ABC-\triangle BCP$

$=\frac{1}{2}\times 26-6=7(\text{cm}^2)$

25 $\overline{GD}=\frac{1}{3}\overline{AD}=\frac{1}{3}\times 18=6$

$\therefore \overline{GG'}=\frac{2}{3}\overline{GD}=\frac{2}{3}\times 6=4$

26 $\overline{GD}=3\overline{G'D}=3\times 6=18(\text{cm})$

$\therefore \overline{AD}=3\overline{GD}=3\times 18=54(\text{cm})$

27 점 G는 $\triangle ABC$의 무게중심이므로 $\overline{AG} : \overline{GE} = 2 : 1$
점 G′는 $\triangle DBC$의 무게중심이므로 $\overline{DG'} : \overline{G'E} = 2 : 1$
$\triangle EDA$에서 $\overline{GG'} : \overline{AD} = \overline{EG} : \overline{EA} = 1 : 3$
$\therefore \dfrac{\overline{AD}}{\overline{GG'}} = 3$

28 점 M은 $\overline{BC}$의 중점이므로 $\overline{BM} = \overline{CM} = 9\text{ cm}$
점 G는 $\triangle ABC$의 무게중심이므로 $\overline{AG} : \overline{GM} = 2 : 1$
$\triangle ABM$에서 $\overline{DG} : \overline{BM} = \overline{AG} : \overline{AM}$이므로
$\overline{DG} : 9 = 2 : 3 \qquad \therefore \overline{DG} = 6\text{ cm}$

29 $\triangle ADF \backsim \triangle GDE$(AA 닮음)이므로
$\overline{AF} : \overline{GE} = \overline{AD} : \overline{GD} = 3 : 1$

30 $\triangle ABM$과 $\triangle AMC$의 무게중심이 각각 점 G와 점 G′이므로
$\overline{AG} : \overline{GD} = \overline{AG'} : \overline{G'E} = 2 : 1$
$\triangle ADE$에서 $\overline{GG'} : \overline{DE} = \overline{AG} : \overline{AD} = 2 : 3$이므로
$8 : \overline{DE} = 2 : 3 \qquad \therefore \overline{DE} = 12\text{ cm}$
$\therefore \overline{BC} = 2\overline{DE} = 2 \times 12 = 24(\text{cm})$

31 $\overline{BG} = 2\overline{GE} = 2 \times 3 = 6 \qquad \therefore x = 6$
$\triangle CBE$에서 $\overline{BD} = \overline{CD}$, $\overline{BE} /\!/ \overline{DF}$이므로
$\overline{DF} = \frac{1}{2}\overline{BE} = \frac{1}{2} \times 9 = \frac{9}{2} \qquad \therefore y = \frac{9}{2}$

32 $\overline{AD} = \frac{3}{2}\overline{AG} = \frac{3}{2} \times 8 = 12(\text{cm})$
$\triangle ABD$에서 $\overline{AE} = \overline{BE}$, $\overline{AD} /\!/ \overline{EF}$이므로
$\overline{EF} = \frac{1}{2}\overline{AD} = \frac{1}{2} \times 12 = 6(\text{cm})$

33 $\triangle BCE$에서 $\overline{BD} = \overline{CD}$, $\overline{BE} /\!/ \overline{DF}$이므로
$\overline{DF} = \frac{1}{2}\overline{BE} = \frac{1}{2} \times 10 = 5(\text{cm}) \qquad \therefore x = 5$
$\overline{FC} = \overline{EF} = 3\text{ cm}$이므로
$\overline{EC} = \overline{EF} + \overline{FC} = 3 + 3 = 6(\text{cm})$
$\overline{AE} = \overline{EC} = 6\text{ cm}$이므로
$\overline{AC} = \overline{AE} + \overline{EC} = 6 + 6 = 12(\text{cm})$
즉, $\overline{AB} = \overline{AC} = 12\text{ cm}$이므로 $y = 12$
$\therefore x + y = 5 + 12 = 17$

34 점 D는 직각삼각형 ABC의 빗변의 중점이므로 외심이다.
즉, $\overline{BD} = \overline{AD} = \overline{CD} = \frac{25}{2}\text{ cm}$
$\therefore \overline{GD} = \frac{1}{3}\overline{BD} = \frac{1}{3} \times \frac{25}{2} = \frac{25}{6}(\text{cm})$

35 점 D가 $\overline{BC}$의 중점이므로 점 D는 $\triangle GBC$의 외심이다.
즉, $\overline{BD} = \overline{CD} = \overline{GD} = \frac{1}{2}\overline{BC} = \frac{1}{2} \times 12 = 6$
$\therefore \overline{AD} = 3\overline{GD} = 3 \times 6 = 18$

36 점 M은 직각삼각형 GBC의 외심이므로
$\overline{GM} = \overline{BM} = \overline{CM} = \frac{1}{2}\overline{BC} = \frac{1}{2} \times 30 = 15(\text{cm})$
점 G′은 $\triangle GBC$의 무게중심이므로
$\overline{GG'} = \frac{2}{3}\overline{GM} = \frac{2}{3} \times 15 = 10(\text{cm})$
또, 점 G는 $\triangle ABC$의 무게중심이므로
$\overline{AG} = 2\overline{GM} = 2 \times 15 = 30(\text{cm})$
$\therefore \overline{AG'} = \overline{AG} + \overline{GG'}$
$= 30 + 10 = 40(\text{cm})$

37 $\overline{AO} = \overline{CO}$, $\overline{BO} = \overline{DO}$이므로
두 점 P, Q는 각각 $\triangle ABC$, $\triangle ACD$의 무게중심이다.
$\therefore \overline{BP} = \overline{PQ} = \overline{QD}$
③ $\overline{PQ} = a$라 하면 $\overline{BD} = 3a$이므로
$\overline{MN} = \frac{1}{2}\overline{BD} = \frac{3}{2}a$
$\therefore \overline{PQ} : \overline{MN} = a : \frac{3}{2}a = 2 : 3$

38 오른쪽 그림과 같이 $\overline{BD}$를 그어 두 대각선의 교점을 O라 하면 점 P, Q는 각각 $\triangle ABD$, $\triangle DBC$의 무게중심이므로
$\overline{AP} = \overline{PQ} = \overline{QC}$
$\therefore \overline{PQ} = \frac{1}{3}\overline{AC} = \frac{1}{3} \times 18 = 6$

39 $\overline{AC}$를 그으면 점 P, Q는 각각 $\triangle ABC$, $\triangle ACD$의 무게중심이므로
$\overline{AP} : \overline{AM} = \overline{AQ} : \overline{AN} = 2 : 3$
$\therefore \triangle APQ \backsim \triangle AMN$ (SAS 닮음)
따라서 $\overline{PQ} : \overline{MN} = 2 : 3$이므로
$\overline{PQ} : 9 = 2 : 3 \qquad \therefore \overline{PQ} = 6\text{ cm}$

40 $\triangle G'BC = \frac{1}{3}\triangle GBC = \frac{1}{3} \times \frac{1}{3}\triangle ABC$
$= \frac{1}{9}\triangle ABC$
$= \frac{1}{9} \times 9 = 1(\text{cm}^2)$

41 점 G가 $\triangle ABC$의 무게중심이므로

$\triangle AGC=\frac{1}{3}\triangle ABC=\frac{1}{3}\times 36=12(cm^2)$

$\therefore\ \triangle AMC=\frac{1}{2}\triangle AGC=\frac{1}{2}\times 12=6(cm^2)$

$\triangle GDC=\frac{1}{6}\triangle ABC=\frac{1}{6}\times 36=6(cm^2)$

$\therefore\ \triangle MDC=\frac{1}{2}\triangle GDC=\frac{1}{2}\times 6=3(cm^2)$

따라서 색칠한 부분의 넓이는

$\triangle AMC+\triangle MDC=6+3=9(cm^2)$

42 $\overline{BD}=\overline{CD}$이고 $\overline{EC}\,/\!/\,\overline{FD}$이므로

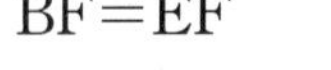

$\overline{BF}=\overline{EF}$

오른쪽 그림과 같이 $\overline{ED}$를 그으면

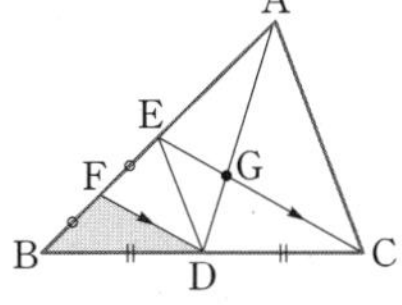

$\triangle FBD=\frac{1}{2}\triangle EBD$

$=\frac{1}{2}\times\frac{1}{2}\triangle ABD$

$=\frac{1}{4}\triangle ABD=\frac{1}{4}\times\frac{1}{2}\triangle ABC=\frac{1}{8}\triangle ABC$

$=\frac{1}{8}\times 48=6(cm^2)$

43 두 점 P, Q는 각각 $\triangle ABC$, $\triangle ACD$의 무게중심이므로

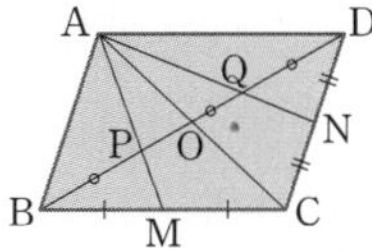

$\overline{BP}=\overline{PQ}=\overline{QD}$

$\therefore\ \square ABCD=2\triangle ABD$

$=2\times 3\triangle APQ=6\triangle APQ$

$=6\times 12=72(cm^2)$

44 점 P는 $\triangle ABC$의 무게중심이므로

$\square PMCO=\frac{1}{3}\triangle ABC=\frac{1}{3}\times\frac{1}{2}\square ABCD$

$=\frac{1}{6}\square ABCD=\frac{1}{6}\times 42=7(cm^2)$

또, 점 Q는 $\triangle ACD$의 무게중심이므로

$\square QOCN=\frac{1}{3}\triangle ACD=\frac{1}{3}\times\frac{1}{2}\square ABCD$

$=\frac{1}{6}\square ABCD=\frac{1}{6}\times 42=7(cm^2)$

$\therefore$ (색칠한 부분의 넓이)$=\square PMCO+\square QOCN$

$=7+7=14(cm^2)$

45 오른쪽 그림과 같이 $\overline{AC}$를 그으면 두 점 P, Q는 각각 $\triangle ABC$, $\triangle ACD$의 무게중심이므로

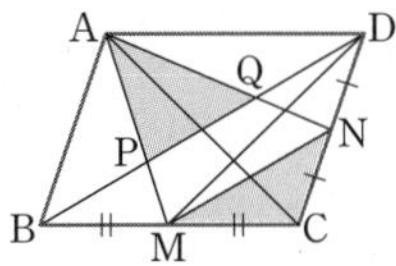

$\overline{BP}=\overline{PQ}=\overline{QD}$

즉, 두 점 P, Q는 대각선 BD의 삼등분점이므로

$\triangle APQ=\frac{1}{3}\triangle ABD=\frac{1}{3}\times\frac{1}{2}\square ABCD$

$=\frac{1}{6}\square ABCD$

또, 위의 그림과 같이 $\overline{DM}$을 그으면

$\triangle NMC=\frac{1}{2}\triangle MCD=\frac{1}{2}\times\frac{1}{2}\triangle BCD=\frac{1}{4}\triangle BCD$

$=\frac{1}{4}\times\frac{1}{2}\square ABCD=\frac{1}{8}\square ABCD$

$\therefore\ \triangle APQ:\triangle NMC=\frac{1}{6}\square ABCD:\frac{1}{8}\square ABCD$

$=4:3$

46 (1) $\triangle DBE\backsim\triangle ABC$(AA 닮음)이고 닮음비는 $9:12=3:4$이므로 넓이의 비는 $3^2:4^2=9:16$

즉, $27:\triangle ABC=9:16$

$\therefore\ \triangle ABC=48\ cm^2$

(2) $\square ADEC=\triangle ABC-\triangle DBE$

$=48-27=21(cm^2)$

47 $\triangle ABD\backsim\triangle ACB$(AA 닮음)이고 닮음비는

$\overline{AB}:\overline{AC}=8:12=2:3$이므로 넓이의 비는

$2^2:3^2=4:9$

따라서 $\triangle ABD:\triangle DBC=4:(9-4)=4:5$이므로

$24:\triangle DBC=4:5$

$\therefore\ \triangle DBC=30\ cm^2$

48 세 원의 반지름의 길이의 비가 $1:2:3$이므로

넓이의 비는 $1^2:2^2:3^2=1:4:9$

색칠한 부분의 넓이를 $x\ cm^2$라 하면

$x:45\pi=(4-1):9$이므로 $x=15\pi$

따라서 색칠한 부분의 넓이는 $15\pi\ cm^2$이다.

49 큰 정사면체와 작은 정사면체의 닮음비는 $3:2$이므로

겉넓이의 비는 $3^2:2^2=9:4$

정사면체 A−EFG의 겉넓이를 x라 하면

$60:x=9:4\qquad\therefore\ x=\frac{80}{3}$

따라서 정사면체 A−EFG의 겉넓이는 $\frac{80}{3}$이다.

50 두 원기둥의 옆넓이의 비가 $16:25=4^2:5^2$이므로

A와 B의 닮음비는 $4:5$이다.

$r:5=4:5$에서 $r=4$

$16:h=4:5$에서 $h=20$

$\therefore\ r+h=4+20=24$

51 원판을 기준으로 생기는 닮음인 두 원뿔의 높이의 비가 1 : 2이므로 원판과 그림자의 닮음비는 1 : 2이고 넓이의 비는 $1^2 : 2^2 = 1 : 4$
원판의 넓이는 $\pi \times 3^2 = 9\pi(\text{cm}^2)$이므로
9π : (그림자의 넓이) $= 1 : 4$
$\therefore$ (그림자의 넓이) $= 36\pi \text{ cm}^2$

52 물이 채워진 부분과 그릇 전체의 닮음비는 1 : 3이므로 부피의 비는 $1^3 : 3^3 = 1 : 27$
채워진 물의 부피를 $x \text{ cm}^3$라 하면
$x : 54 = 1 : 27 \qquad \therefore x = 2$
따라서 채워진 물의 부피는 2 cm^3이다.

53 두 직육면체 A, B의 겉넓이의 비가 $16 : 25 = 4^2 : 5^2$이므로 닮음비는 4 : 5이다.
따라서 두 직육면체 A, B의 부피의 비는
$4^3 : 5^3 = 64 : 125$이므로 B의 부피를 $x \text{ cm}^3$라 하면
$192 : x = 64 : 125 \qquad \therefore x = 375$
따라서 B의 부피는 375 cm^3이다.

54 세 사각뿔의 닮음비는 1 : 2 : 3이므로 부피의 비는
$1^3 : 2^3 : 3^3 = 1 : 8 : 27$
$\therefore$ (A의 부피) : (B의 부피) : (C의 부피)
$= 1 : (8-1) : (27-8) = 1 : 7 : 19$

55 땅의 실제 가로의 길이는
$2 \times 300000 = 600000(\text{cm}) = 6000(\text{m}) = 6(\text{km})$
땅의 실제 세로의 길이는
$3 \times 300000 = 900000(\text{cm}) = 9000(\text{m}) = 9(\text{km})$
따라서 땅의 실제 넓이는 $6 \times 9 = 54(\text{km}^2)$

56 $\overline{AB} : \overline{AD} = \overline{BC} : \overline{DE} = 9 : 12 = 3 : 4$이므로
$\overline{AB} : (\overline{AB}+3) = 3 : 4$
$4\overline{AB} = 3\overline{AB}+9 \qquad \therefore \overline{AB} = 9 \text{ cm}$
따라서 실제 거리는
$9 \times 5000 = 45000(\text{cm}) = 450(\text{m})$

57 $20 \text{ km} = 20 \times 10^5 \text{cm}$이므로 지도의 축척은
$(20 \times 10^5) : 5 = (4 \times 10^5) : 1$
지도에서 넓이가 15 cm^2로 표시되는 실제 지역의 넓이를 $x \text{ cm}^2$라 하면 넓이의 비는 닮음비의 제곱이므로
$x : 15 = (4 \times 10^5)^2 : 1^2$
$\therefore x = 4^2 \times 10^{10} \times 15 = 240 \times 10^{10}$
따라서 $240 \times 10^{10}(\text{cm}^2) = 240 \times 10^6(\text{m}^2) = 240(\text{km}^2)$이므로 실제 넓이는 240 km^2이다.

58 $\triangle AED \backsim \triangle ABC$(AA 닮음)이므로
$\overline{AD} : \overline{AC} = \overline{ED} : \overline{BC}$
$2 : 6 = 1.6 : \overline{BC} \qquad \therefore \overline{BC} = 4.8 \text{ m}$
따라서 탑의 높이는 4.8 m이다.

59 $\overline{AC}$의 실제 길이는
$4 \times 500 = 2000(\text{cm}) = 20(\text{m})$
따라서 나무의 실제 높이는 $1.5 + 20 = 21.5$ (m)

60 다음 그림과 같이 $\overline{AD}$와 $\overline{BC}$의 연장선의 교점을 E라고 하면

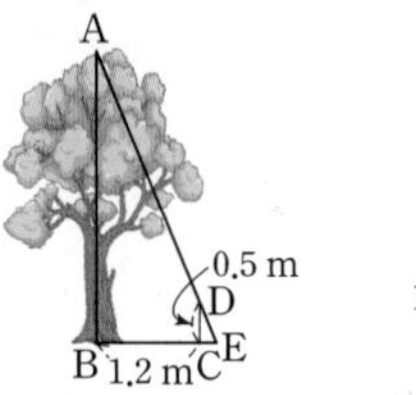

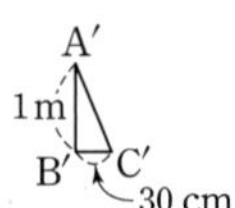

$\triangle DCE \backsim \triangle A'B'C'$(AA 닮음)이므로
$\overline{DC} : \overline{A'B'} = \overline{CE} : \overline{B'C'}$
$50 : 100 = \overline{CE} : 30 \qquad \therefore \overline{CE} = 15 \text{ cm}$
$\therefore \overline{BE} = \overline{BC} + \overline{CE} = 120 + 15 = 135(\text{cm})$
또한, $\triangle ABE \backsim \triangle A'B'C'$(AA 닮음)이므로
$\overline{AB} : \overline{A'B'} = \overline{BE} : \overline{B'C'}$, $\overline{AB} : 100 = 135 : 30$
$\therefore \overline{AB} = 450 \text{ cm} = 4.5 \text{ m}$
따라서 나무의 높이는 4.5 m이다.

개념완성익힘

익힘북 72~73쪽

1 $x=25$, $y=24$ **2** 30 cm **3** 9 cm
4 40 cm **5** 3 **6** 2 cm^2 **7** 36 cm^2
8 6400원 **9** 120 m **10** 14 **11** 10 cm
12 24 cm^2

1 $\overline{CN} = \overline{NA}$, $\overline{CM} = \overline{MB}$이므로 $\overline{NM} /\!/ \overline{AB}$
따라서 $\angle MNC = \angle BAC = 110°$(동위각)이므로
$\angle NMC = 180° - (110° + 45°) = 25° \qquad \therefore x = 25$
또, $\overline{AB} = 2\overline{MN} = 2 \times 12 = 24(\text{cm}) \qquad \therefore y = 24$

2 $\overline{AB}=2\overline{EF}$, $\overline{BC}=2\overline{DF}$, $\overline{AC}=2\overline{DE}$

∴ (△ABC의 둘레의 길이)

$=\overline{AB}+\overline{BC}+\overline{CA}$

$=2(\overline{EF}+\overline{DF}+\overline{DE})$

$=2\times$(△DEF의 둘레의 길이)

$=2\times 15=30$(cm)

3 △AEC에서 두 점 D, F는 각각 $\overline{AE}$, $\overline{AC}$의 중점이므로

$\overline{DF}/\!/\overline{EC}$

즉, $\overline{DF}=\frac{1}{2}\overline{EC}=\frac{1}{2}\times 6=3$(cm)

△BGD에서 점 E는 $\overline{BD}$의 중점이고, $\overline{EC}/\!/\overline{DG}$이므로

$\overline{DG}=2\overline{EC}=2\times 6=12$(cm)

∴ $\overline{FG}=\overline{DG}-\overline{DF}=12-3=9$(cm)

4 오른쪽 그림에서 $\overline{EF}$와 $\overline{AC}$의 교점을 P라 하면

△ABC에서

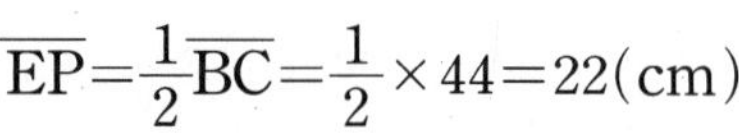
$\overline{EP}=\frac{1}{2}\overline{BC}=\frac{1}{2}\times 44=22$(cm)

△ACD에서

$\overline{PF}=\frac{1}{2}\overline{AD}=\frac{1}{2}\times 36=18$(cm)

∴ $\overline{EF}=\overline{EP}+\overline{PF}=22+18=40$(cm)

따라서 구하는 다리의 길이는 40 cm이다.

5 점 G는 △ABC의 무게중심이므로 점 D, E는 각각 $\overline{AB}$, $\overline{AC}$의 중점이다.

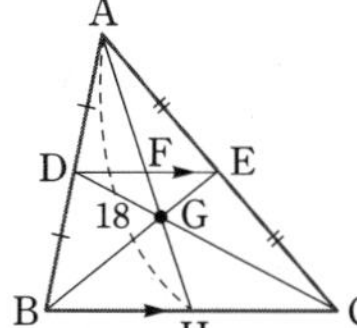

∴ $\overline{DE}/\!/\overline{BC}$

$\overline{AD}:\overline{AB}=\overline{AF}:\overline{AH}=1:2$이므로

$\overline{AF}=\frac{1}{2}\overline{AH}=\frac{1}{2}\times 18=9$

$\overline{AG}=\frac{2}{3}\overline{AH}=\frac{2}{3}\times 18=12$

∴ $\overline{FG}=\overline{AG}-\overline{AF}=12-9=3$

6 △ADE에서 $\overline{AD}:\overline{GD}=3:1$이므로

$\triangle GDE=\frac{1}{3}\triangle ADE=\frac{1}{3}\times\frac{1}{2}\triangle ADC$

$=\frac{1}{6}\times\frac{1}{2}\triangle ABC=\frac{1}{12}\triangle ABC$

$=\frac{1}{12}\times\left(\frac{1}{2}\times 6\times 8\right)=2(\text{cm}^2)$

7 오른쪽 그림과 같이 $\overline{BD}$를 그어 $\overline{AC}$와 만나는 점을 O라 하면

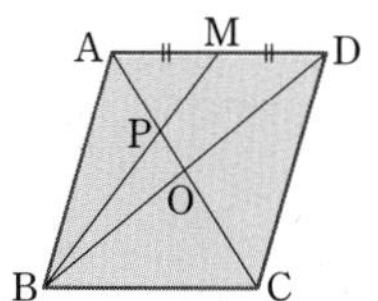

$\overline{BO}=\overline{DO}$이므로

점 P는 △ABD의 무게중심이다.

∴ □ABCD=2△ABD

=2×3△ABP

=6△ABP

$=6\times 6=36(\text{cm}^2)$

8 두 컵은 서로 닮은 도형이고 닮음비가 3 : 4이므로 부피의 비는 $3^3:4^3=27:64$

큰 컵에 담은 커피의 가격을 x원이라 하면

$2700:x=27:64$ ∴ $x=6400$

따라서 큰 컵에 담은 커피의 가격은 6400원이다.

9 $\overline{AB}:\overline{AD}=\overline{BC}:\overline{DE}$이므로

$\overline{AB}:(\overline{AB}+4)=6:10$, $10\overline{AB}=6\overline{AB}+24$

∴ $\overline{AB}=6$ cm

따라서 실제 강의 폭은

$6\times 2000=12000$(cm)$=120$(m)

10 $\overline{PM}/\!/\overline{AD}$, $\overline{BM}=\overline{DM}$이므로 △BDA에서

$\overline{PM}=\frac{1}{2}\overline{AD}=\frac{1}{2}\times 6=3$ …… ①

∴ $\overline{PN}=\overline{PM}+\overline{MN}=3+4=7$ …… ②

$\overline{PN}/\!/\overline{BC}$, $\overline{AN}=\overline{CN}$이므로

△ABC에서 $\overline{BC}=2\overline{PN}=2\times 7=14$ …… ③

단계	채점 기준	비율
①	$\overline{PM}$의 길이 구하기	40 %
②	$\overline{PN}$의 길이 구하기	30 %
③	$\overline{BC}$의 길이 구하기	30 %

11 $\overline{AG}:\overline{AE}=2:3$, $\overline{AG'}:\overline{AF}=2:3$,

∠EAF는 공통이므로

△AGG′∽△AEF (SAS 닮음) …… ①

$\overline{BE}=\overline{ED}$, $\overline{DF}=\overline{FC}$이므로

$\overline{EF}=\overline{ED}+\overline{DF}=\frac{1}{2}\overline{BD}+\frac{1}{2}\overline{DC}$

$=\frac{1}{2}\overline{BC}=\frac{1}{2}\times 30=15$(cm) …… ②

따라서 $\overline{GG'}:\overline{EF}=2:3$이므로 $\overline{GG'}:15=2:3$

∴ $\overline{GG'}=10$ cm …… ③

단계	채점 기준	비율
①	$\triangle AGG' \backsim \triangle AEF$임을 알기	30 %
②	$\overline{EF}$의 길이 구하기	40 %
③	$\overline{GG'}$의 길이 구하기	30 %

12 $\triangle ABD$와 $\triangle ACB$에서

$\angle A$는 공통, $\angle ABD = \angle ACB$이므로

$\triangle ABD \backsim \triangle ACB$ (AA 닮음)이고 닮음비는

$\overline{AD} : \overline{AB} = 3 : 6 = 1 : 2$ …… ①

따라서 넓이의 비는 $1^2 : 2^2 = 1 : 4$이므로

$8 : \triangle ACB = 1 : 4$

$\therefore \triangle ACB = 32\text{ cm}^2$ …… ②

$\therefore \triangle BCD = \triangle ABC - \triangle ABD$

$= 32 - 8 = 24(\text{cm}^2)$ …… ③

단계	채점 기준	비율
①	$\overline{AD} : \overline{AB}$의 닮음비 구하기	40 %
②	$\triangle ACB$의 넓이 구하기	30 %
③	$\triangle BCD$의 넓이 구하기	30 %

4 피타고라스 정리

개념적용익힘

익힘북 74~81쪽

1 1 **2** 17 cm **3** 116 **4** ③
5 2 **6** 9 **7** 8 cm **8** ㄱ, ㄷ, ㅁ
9 50 cm^2 **10** (1) 12 cm (2) 72 cm^2 (3) $\frac{81}{2}\text{ cm}^2$
11 100 cm^2 **12** 52 cm^2 **13** ③ **14** ③
15 200 **16** $\frac{289}{2}$ **17** 320 cm^2
18 (1) 40 cm^2 (2) 16 cm^2 (3) 5 : 2 **19** ②
20 2 **21** 4 **22** 9, 41
23 28, 100 **24** 161, 289 **25** ⑤ **26** ⑤
27 ③ **28** $\frac{60}{13}$ cm **29** 54 cm^2 **30** ③
31 109 **32** 37 **33** ③ **34** 11
35 ① **36** 10 **37** ② **38** 61
39 27 **40** $16\pi\text{ cm}^2$ **41** 16 cm **42** ①
43 12 cm^2 **44** 120 cm^2 **45** 216 cm^2

1 $(5x)^2 = (4x)^2 + 3^2$

$25x^2 = 16x^2 + 9$, $9x^2 = 9$, $x^2 = 1$

이때 $x > 0$이므로 $x = 1$

2 $\triangle ADC$에서 $6^2 + \overline{AC}^2 = 10^2$, $\overline{AC}^2 = 64$

이때 $\overline{AC} > 0$이므로 $\overline{AC} = 8$ cm

$\overline{BC} = 9 + 6 = 15(\text{cm})$이므로

$\triangle ABC$에서 $\overline{AB}^2 = 15^2 + 8^2 = 289$

이때 $\overline{AB} > 0$이므로 $\overline{AB} = 17$ cm

3 오른쪽 그림과 같이 꼭짓점 A에서 $\overline{BC}$에 내린 수선의 발을 H라 하면

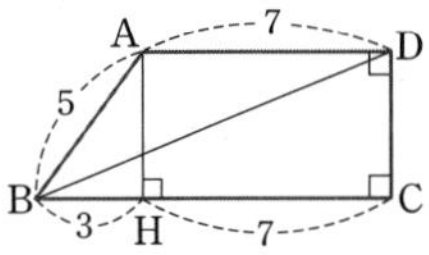

$\overline{HC} = \overline{AD} = 7$이므로

$\overline{BH} = \overline{BC} - \overline{HC} = 10 - 7 = 3$

$\triangle ABH$에서 $3^2 + \overline{AH}^2 = 5^2$, $\overline{AH}^2 = 16$

이때 $\overline{AH} > 0$이므로 $\overline{AH} = 4$

$\therefore \overline{DC} = \overline{AH} = 4$

따라서 $\triangle BCD$에서 $\overline{BD}^2 = 10^2 + 4^2 = 116$

4 $\triangle OAA'$에서 $\overline{OA'}^2=4^2+4^2=32$

$\triangle OBB'$에서

$\overline{OB'}^2=\overline{OB}^2+4^2=\overline{OA'}^2+4^2=32+16=48$

$\triangle OCC'$에서

$\overline{OC'}^2=\overline{OC}^2+4^2=\overline{OB'}^2+4^2=48+16=64$

이때 $\overline{OC'}>0$이므로 $\overline{OC'}=8$

$\therefore \overline{OD}=\overline{OC'}=8$

5 $\overline{OA}=\overline{AB}=\overline{BC}=\overline{CD}=x$라 하면

$\triangle OAB$에서 $\overline{OB}^2=x^2+x^2=2x^2$

$\triangle OBC$에서 $\overline{OC}^2=\overline{OB}^2+x^2=2x^2+x^2=3x^2$

$\triangle OCD$에서 $\overline{OD}^2=\overline{OC}^2+x^2=3x^2+x^2=4x^2$

즉, $4x^2=16$, $x^2=4$이고, $x>0$이므로 $x=2$

$\therefore \overline{OA}=2$

6 $\triangle ABC$에서 $\overline{AC}^2=3^2+3^2=18$

$\triangle ACD$에서 $\overline{AD}^2=\overline{AC}^2+3^2=18+9=27$

$\triangle ADE$에서 $\overline{AE}^2=\overline{AD}^2+3^2=27+9=36$

이때 $\overline{AE}>0$이므로 $\overline{AE}=6$

$\therefore \triangle AFE=\frac{1}{2}\times\overline{EF}\times\overline{AE}$

$=\frac{1}{2}\times3\times6=9$

7 $\square BFGC=\square ADEB+\square ACHI$이므로

$100=\square ADEB+36$

$\therefore \square ADEB=64\text{ cm}^2$

$\overline{AB}^2=64$이고 $\overline{AB}>0$이므로 $\overline{AB}=8\text{ cm}$

8 ㄱ. $\overline{AB}^2+\overline{AC}^2=\overline{BC}^2$

$\therefore \square AEDB+\square ACGF=\square BIHC$

ㄴ. $\square AEDB\neq\square ADBJ$

ㄷ. $\triangle DBC$와 $\triangle ABI$에서 $\overline{DB}=\overline{AB}$, $\overline{BC}=\overline{BI}$이고

$\angle DBC=90^\circ+\angle ABC=\angle ABI$이므로

$\triangle DBC\equiv\triangle ABI$ (SAS 합동)

$\therefore \triangle DBC=\triangle ABI$

ㄹ. $\triangle ADB\neq\triangle AIK$

ㅁ. $\square AEDB=2\triangle DBA=2\triangle DBC=2\triangle ABI$

따라서 옳은 것은 ㄱ, ㄷ, ㅁ이다.

9 오른쪽 그림과 같이 보조선 EC, AF를 그으면

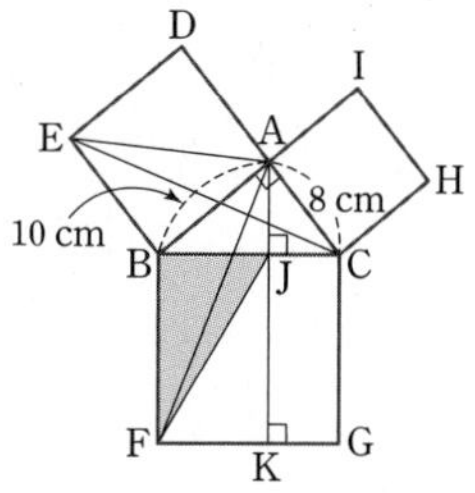

$\triangle BFJ=\triangle ABF=\triangle EBC$

$=\triangle EBA$

$=\frac{1}{2}\square ADEB$

$=\frac{1}{2}\times10^2=50(\text{cm}^2)$

10 (1) $\triangle ABC$에서 $15^2=\overline{AB}^2+9^2$, $\overline{AB}^2=144$

이때 $\overline{AB}>0$이므로 $\overline{AB}=12\text{ cm}$

(2) 오른쪽 그림과 같이 점 A에서 $\overline{BC}$, $\overline{FG}$에 내린 수선의 발을 각각 J, K라 하면

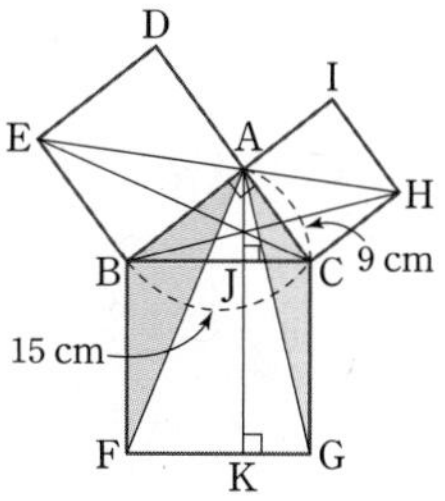

$\triangle ABF=\triangle EBC=\triangle EBA$

$=\frac{1}{2}\square ADEB$

$=\frac{1}{2}\times12^2=72(\text{cm}^2)$

(3) $\triangle AGC=\triangle HBC=\triangle HAC$

$=\frac{1}{2}\square ACHI$

$=\frac{1}{2}\times9^2=\frac{81}{2}(\text{cm}^2)$

11 $\square EFGH$는 정사각형이고, 넓이가 58 cm^2이므로

$\overline{EH}^2=58$

$\triangle AEH$에서 $\overline{EH}^2=\overline{AH}^2+3^2$

$58=\overline{AH}^2+9$, $\overline{AH}^2=49$

이때 $\overline{AH}>0$이므로 $\overline{AH}=7\text{ cm}$

따라서 $\square ABCD$의 한 변의 길이는 $7+3=10(\text{cm})$이므로

$\square ABCD=10^2=100(\text{cm}^2)$

12 $\square ABCD$는 정사각형이고, 넓이가 100 cm^2이므로

$\overline{AD}^2=100$

이때 $\overline{AD}>0$이므로 $\overline{AD}=10\text{ cm}$

$\therefore \overline{AH}=10-6=4(\text{cm})$

$\triangle AEH$에서 $\overline{EH}^2=4^2+6^2=52$

따라서 $\square EFGH$는 정사각형이므로

$\square EFGH=\overline{EH}^2=52\text{ cm}^2$

13 $\square EFGH$는 정사각형이므로 $\overline{EH}^2=18$

$\triangle AEH$에서 $\overline{AE}=x\text{ cm}$라 하면

$x^2+x^2=\overline{EH}^2=18$, $2x^2=18$, $x^2=9$

이때 $x>0$이므로 $x=3$

따라서 □ABCD의 둘레의 길이는

$8\overline{AE}=8\times3=24$(cm)

14 △ABC에서 $\overline{AC}^2=3^2+4^2=25$

이때 $\overline{AC}>0$이므로 $\overline{AC}=5$이고

△ABC≡△CDE(SAS 합동)이므로 $\overline{CE}=\overline{AC}=5$

또한, $\angle ACB+\angle CAB=90°=\angle ACB+\angle ECD$

이므로 $\angle ACE=90°$

따라서 △ACE는 직각이등변삼각형이므로

△ACE의 넓이는

$\frac{1}{2}\times\overline{AC}\times\overline{CE}=\frac{1}{2}\times\overline{AC}^2=\frac{1}{2}\times25=\frac{25}{2}$

15 △EAB≡△BCD이므로 $\overline{AB}=\overline{CD}=8$

△ABE에서 $\overline{BE}^2=8^2+6^2=100$

이때 $\overline{BE}>0$이므로 $\overline{BE}=10$

따라서 △BDE는 $\overline{BD}=\overline{BE}$이고 $\angle DBE=90°$인

직각이등변삼각형이므로

$\overline{DE}^2=10^2+10^2=200$

16 △ABC≡△CDE이므로 $\overline{AC}=\overline{CE}$

$\overline{AC}=x$라 하면 △ACE는 $\angle ACE=90°$인 직각이등변삼각형이므로

$x^2+x^2=\overline{AE}^2=338$, $2x^2=338$, $x^2=169$

이때 $x>0$이므로 $x=13$

△ABC에서

$13^2=5^2+\overline{BC}^2$, $\overline{BC}^2=144$

이때 $\overline{BC}>0$이므로 $\overline{BC}=12$

즉, $\overline{DE}=\overline{BC}=12$, $\overline{CD}=\overline{AB}=5$

$\therefore$ □ABDE$=\frac{1}{2}\times(5+12)\times(5+12)=\frac{289}{2}$

17 □CFGH는 정사각형이고, 넓이는 64 cm^{2}이므로

$\overline{CF}^2=64$

이때 $\overline{CF}>0$이므로 $\overline{CF}=8$ cm

$\overline{BF}=\overline{AC}=8$ cm이므로 $\overline{BC}=8+8=16$(cm)

△ABC에서 $\overline{AB}^2=8^2+16^2=320$

따라서 □ABDE의 넓이는 $\overline{AB}^2=320$ cm^2

18 (1) △ABE에서 $\overline{AB}^2=2^2+6^2=40$

4개의 직각삼각형이 모두 합동이므로 □ABCD는 정사각형이다.

$\therefore$ □ABCD$=\overline{AB}^2=40$ cm^2

(2) $\overline{BF}=\overline{AE}=2$ cm이므로 $\overline{EF}=6-2=4$(cm)

이때 □EFGH는 정사각형이므로

□EFGH$=4^2=16$(cm^2)

(3) □ABCD와 □EFGH의 넓이의 비는

□ABCD : □EFGH$=40:16=5:2$

19 주어진 △ABC가 $\angle C=90°$인 직각삼각형이 되려면

$(5x)^2=6^2+(4x)^2$, $25x^2=36+16x^2$

$9x^2=36$, $x^2=4$

이때 $x>0$이므로 $x=2$

20 △ABC가 $\angle C=90°$인 직각삼각형이 되려면

$(13x)^2=(12x)^2+10^2$

$169x^2=144x^2+100$, $25x^2=100$, $x^2=4$

이때 $x>0$이므로 $x=2$

21 $x<5$이므로 가장 긴 변의 길이는 20이다.

이때 직각삼각형이 되려면

$20^2=(3x)^2+(4x)^2$, $400=9x^2+16x^2$

$25x^2=400$, $x^2=16$

이때 $x>0$이므로 $x=4$

22 (i) 가장 긴 변의 길이가 x일 때,

$x^2=4^2+5^2=41$

(ii) 가장 긴 변의 길이가 5일 때,

$5^2=4^2+x^2$ $\therefore x^2=9$

(i), (ii)에서 $x^2=9$ 또는 $x^2=41$

23 (i) 가장 긴 변의 길이가 x cm일 때

$x^2=6^2+8^2=100$

(ii) 가장 긴 변의 길이가 8 cm일 때

$8^2=6^2+x^2$ $\therefore x^2=28$

(i), (ii)에서 $x^2=28$ 또는 $x^2=100$

24 (i) 가장 긴 막대의 길이가 x cm일 때

$x^2=8^2+15^2=289$

(ii) 가장 긴 막대의 길이가 15 cm일 때

$x^2+8^2=15^2$ $\therefore x^2=161$

(i), (ii)에서 $x^2=161$ 또는 $x^2=289$

25 ① $5^2>2^2+4^2$이므로 둔각삼각형

② $8^2>3^2+6^2$이므로 둔각삼각형

③ $10^2=6^2+8^2$이므로 직각삼각형

④ $15^2>7^2+10^2$이므로 둔각삼각형

⑤ $14^2<9^2+12^2$이므로 예각삼각형

26 ㄱ. $2^2+3^2<4^2$ (둔각삼각형)

ㄴ. $4^2+5^2>6^2$ (예각삼각형)

ㄷ. $6^2+7^2<10^2$ (둔각삼각형)

ㄹ. $9^2+12^2=15^2$ (직각삼각형)

ㅁ. $8^2+8^2>10^2$ (예각삼각형)

ㅂ. $7^2+8^2>10^2$ (예각삼각형)

따라서 예각삼각형인 것은 ㄴ, ㅁ, ㅂ이다.

27 ③ $\overline{AB}$ 또는 $\overline{BC}$가 가장 긴 변인 경우에는 △ABC는 직각삼각형 또는 둔각삼각형이 될 수 있다.

28 △ABC에서 $\overline{BC}^2=12^2+5^2=169$

이때 $\overline{BC}>0$이므로 $\overline{BC}=13$ cm

$\overline{AB}\times\overline{AC}=\overline{BC}\times\overline{AD}$이므로

$12\times5=13\times\overline{AD}$

$\therefore \overline{AD}=\frac{60}{13}$ cm

29 $\overline{CD}=x$ cm라 하면

$\overline{AB}^2=\overline{BD}\times\overline{BC}$이므로 $20^2=16\times(16+x)$

$400=256+16x$, $16x=144$

$\therefore x=9$

△ABD에서 $20^2=\overline{AD}^2+16^2$, $\overline{AD}^2=144$

이때 $\overline{AD}>0$이므로 $\overline{AD}=12$ cm

$\therefore \triangle ADC=\frac{1}{2}\times\overline{CD}\times\overline{AD}$

$=\frac{1}{2}\times9\times12=54(\text{cm}^2)$

30 △ABC에서 $\overline{BC}^2=6^2+8^2=100$

이때 $\overline{BC}>0$이므로 $\overline{BC}=10$ cm

$\overline{AB}^2=\overline{BH}\times\overline{BC}$이므로

$6^2=\overline{BH}\times10$ $\quad\therefore \overline{BH}=\frac{18}{5}$ cm

직각삼각형의 외심은 빗변의 중점이므로 $\overline{BO}=5$ cm

$\therefore \overline{OH}=\overline{BO}-\overline{BH}=5-\frac{18}{5}=\frac{7}{5}(\text{cm})$

31 △ABC에서 $\overline{AB}^2=8^2+6^2=100$

이때 $\overline{AB}>0$이므로 $\overline{AB}=10$

$\therefore \overline{AD}^2+\overline{BE}^2=\overline{AB}^2+\overline{DE}^2$

$=10^2+3^2=109$

32 △ADE에서 $\overline{DE}^2=3^2+2^2=13$

$\overline{DE}^2+\overline{BC}^2=\overline{BE}^2+\overline{CD}^2$이므로

$13+7^2=5^2+\overline{CD}^2$

$\therefore \overline{CD}^2=37$

33 △ABC에서 두 점 D, E는 각각 $\overline{AB}$, $\overline{BC}$의 중점이므로 삼각형의 두 변의 중점을 연결한 선분의 성질에 의하여

$\overline{AC}=2\overline{DE}=2\times5=10$

$\therefore \overline{AE}^2+\overline{CD}^2=\overline{DE}^2+\overline{AC}^2=5^2+10^2=125$

34 $\overline{AB}^2+\overline{CD}^2=\overline{BC}^2+\overline{AD}^2$이므로

$\overline{AB}^2+3^2=2^2+4^2$

$\therefore \overline{AB}^2=11$

따라서 △ABO에서 $x^2+y^2=\overline{AB}^2=11$

35 $\overline{AB}^2+\overline{CD}^2=\overline{AD}^2+\overline{BC}^2$이므로

$4^2+45=6^2+\overline{BC}^2$, $\overline{BC}^2=25$

△BOC에서 $\overline{BC}^2=\overline{BO}^2+\overline{CO}^2$이므로

$25=3^2+x^2$, $x^2=16$

이때 $x>0$이므로 $x=4$

36 □ABCD는 등변사다리꼴이므로 $\overline{AB}=\overline{CD}=x$라 하면

$\overline{AB}^2+\overline{CD}^2=\overline{AD}^2+\overline{BC}^2$이므로

$x^2+x^2=2^2+4^2$

$2x^2=20$, $x^2=10$

$\therefore \overline{AB}^2=10$

37 $\overline{AP}^2+\overline{CP}^2=\overline{BP}^2+\overline{DP}^2$이므로

$5^2+15=6^2+\overline{DP}^2$, $\overline{DP}^2=4$

이때 $\overline{DP}>0$이므로 $\overline{DP}=2$

38 $\overline{AP}^2+\overline{CP}^2=\overline{BP}^2+\overline{DP}^2$이므로

$x^2+y^2=6^2+5^2=61$

39 $\overline{AP}^2+\overline{CP}^2=\overline{BP}^2+\overline{DP}^2$이므로

$y^2+6^2=x^2+3^2$

$\therefore x^2-y^2=36-9=27$

40 $R=\frac{1}{2}\times\pi\times\left(\frac{8}{2}\right)^2=8\pi(\text{cm}^2)$
$P+Q=R$이므로 $P+Q=8\pi\text{ cm}^2$
$\therefore P+Q+R=8\pi+8\pi=16\pi(\text{cm}^2)$

41 $S_1+S_2=S_3$이므로 $S_1+18\pi=50\pi$
$\therefore S_1=32\pi\text{ cm}^2$
$S_1=\frac{1}{2}\times\pi\times\left(\frac{\overline{AB}}{2}\right)^2=32\pi$이므로 $\overline{AB}^2=256$
이때 $\overline{AB}>0$이므로 $\overline{AB}=16\text{ cm}$

42 $\overline{AC}$를 지름으로 하는 반원의 넓이는
$\frac{1}{2}\times\pi\times\left(\frac{4}{2}\right)^2=2\pi$
따라서 $\overline{AB}$를 지름으로 하는 반원의 넓이는
$2\pi+4\pi=6\pi$
$\therefore$ (세 반원의 넓이의 합)$=2\pi+4\pi+6\pi=12\pi$

43 $\triangle ABC$에서 $5^2=4^2+\overline{BC}^2$, $\overline{BC}^2=9$
이때 $\overline{BC}>0$이므로 $\overline{BC}=3\text{ cm}$
$\therefore$ (색칠한 부분의 넓이)$=2\triangle ABC$
$=2\times\left(\frac{1}{2}\times4\times3\right)$
$=12(\text{cm}^2)$

44 $\frac{25}{2}\pi=\frac{1}{2}\times\pi\times\left(\frac{\overline{AB}}{2}\right)^2$, $\overline{AB}^2=100$
이때 $\overline{AB}>0$이므로 $\overline{AB}=10\text{ cm}$
$\triangle ABC$에서 $26^2=10^2+\overline{AC}^2$, $\overline{AC}^2=576$
이때 $\overline{AC}>0$이므로 $\overline{AC}=24\text{ cm}$
$\therefore$ (색칠한 부분의 넓이)$=\triangle ABC$
$=\frac{1}{2}\times10\times24=120(\text{cm}^2)$

45 오른쪽 그림과 같이 $\overline{AC}$를 그으면 $\triangle ABC$는 $\angle B=90°$인 직각삼각형이고, $\triangle ADC$는 $\angle D=90°$인 직각삼각형이므로
$S_1+S_2=\triangle ABC$, $S_3+S_4=\triangle ADC$
$\therefore S_1+S_2+S_3+S_4=\triangle ABC+\triangle ADC$
$=\square ABCD$
$=9\times24=216(\text{cm}^2)$

개념완성익힘

익힘북 82~83쪽

1 136　**2** $\frac{25}{2}$　**3** (1) 25 cm^2 (2) 13 cm^2
4 ④　**5** 60 cm^2　**6** 9　**7** 96
8 6　**9** 26π　**10** 68 cm^2　**11** $\frac{27}{2}\text{ cm}^2$
12 $\frac{120}{17}\text{ cm}$

1 $\square ABCG=16\text{ cm}^2$이므로 $\overline{BC}^2=16$
이때 $\overline{BC}>0$이므로 $\overline{BC}=4\text{ cm}$
$\square CDEF=36\text{ cm}^2$이므로 $\overline{CD}^2=36$
이때 $\overline{CD}>0$이므로 $\overline{CD}=6\text{ cm}$
$\triangle BDE$는 $\overline{BD}=4+6=10(\text{cm})$, $\overline{DE}=6\text{ cm}$인 직각삼각형이므로
$\overline{BE}^2=10^2+6^2=136$

2 $\triangle ABC$에서 $13^2=12^2+\overline{BC}^2$, $\overline{BC}^2=25$
이때 $\overline{BC}>0$이므로 $\overline{BC}=5$
$\therefore \triangle CGB=\triangle HAB=\triangle HCB$
$=\frac{1}{2}\square CBHI$
$=\frac{1}{2}\times5^2=\frac{25}{2}$

3 (1) 4개의 직각삼각형이 합동이므로
$\overline{AH}=\overline{CB}=2\text{ cm}$
$\therefore \overline{HB}=2+3=5(\text{cm})$
$\square FHBD$는 정사각형이므로
$\square FHBD=5^2=25\text{ cm}^2$
(2) $\triangle ABC$에서
$\overline{AC}^2=3^2+2^2=13$이고
$\square ACEG$는 정사각형이므로
$\square ACEG=\overline{AC}^2=13\text{ cm}^2$

4 $\triangle ABP$에서 $10^2=6^2+\overline{BP}^2$, $\overline{BP}^2=64$
이때 $\overline{BP}>0$이므로 $\overline{BP}=8\text{ cm}$
$\overline{BQ}=\overline{AP}=6\text{ cm}$이므로
$\overline{PQ}=\overline{BP}-\overline{BQ}=8-6=2(\text{cm})$
$\therefore \square PQRS=2^2=4\text{ cm}^2$

5 $8^2+15^2=17^2$이므로 세 변의 길이가 8 cm, 15 cm, 17 cm인 삼각형은 오른쪽 그림과 같이 빗변의 길이가 17 cm인 직각삼각형이다.

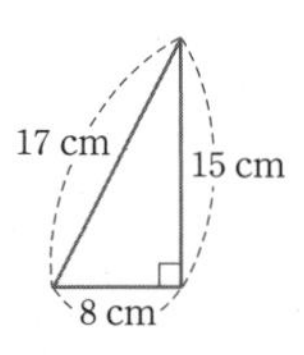

따라서 구하는 삼각형의 넓이는

$\frac{1}{2}\times 8\times 15=60(\text{cm}^2)$

6 $5^2+15^2=13^2+\overline{CD}^2$이므로 $\overline{CD}^2=81$

이때 $\overline{CD}>0$이므로 $\overline{CD}=9$

7 □ABCD의 두 대각선이 직교하므로

$\overline{AB}^2+11^2=5^2+14^2$, $\overline{AB}^2=100$

이때 $\overline{AB}>0$이므로 $\overline{AB}=10$

따라서 직각삼각형 ABO에서

$10^2=2^2+\overline{BO}^2 \quad \therefore \overline{BO}^2=96$

8 $\overline{AP}^2+\overline{CP}^2=\overline{BP}^2+\overline{DP}^2$이므로

$2^2+4^2=\overline{BP}^2+11$, $\overline{BP}^2=9$

이때 $\overline{BP}>0$이므로 $\overline{BP}=3$

△PBC에서 $\overline{BC}^2=\overline{PB}^2+\overline{PC}^2$이므로

△PBC는 ∠BPC=90°인 직각삼각형이다.

$\therefore \triangle PBC=\frac{1}{2}\times\overline{PB}\times\overline{PC}$

$=\frac{1}{2}\times 3\times 4=6$

9 $S_3=\frac{1}{2}\times\pi\times\left(\frac{12}{2}\right)^2=18\pi$

$\therefore S_1=S_2+S_3=8\pi+18\pi=26\pi$

10 $\triangle ABF=\triangle EBC=\triangle EBA$

$=\frac{1}{2}\square ADEB$

$=\frac{1}{2}\times 10^2=50(\text{cm}^2)$ …… ①

$\triangle AGC=\triangle HBC=\triangle HAC$

$=\frac{1}{2}\square ACHI$

$=\frac{1}{2}\times 6^2=18(\text{cm}^2)$ …… ②

∴ (색칠한 부분의 넓이) $=\triangle ABF+\triangle AGC$

$=50+18$

$=68(\text{cm}^2)$ …… ③

단계	채점 기준	비율
①	△ABF의 넓이 구하기	40 %
②	△AGC의 넓이 구하기	40 %
③	색칠한 부분의 넓이 구하기	20 %

11 △ABD에서 $10^2=\overline{BD}^2+6^2$, $\overline{BD}^2=64$

이때 $\overline{BD}>0$이므로 $\overline{BD}=8$ cm …… ①

$\overline{AB}^2=\overline{BD}\times\overline{BC}$이므로

$10^2=8\times\overline{BC} \quad \therefore \overline{BC}=\frac{25}{2}$ cm …… ②

즉, $\overline{CD}=\overline{BC}-\overline{BD}=\frac{25}{2}-8=\frac{9}{2}(\text{cm})$ …… ③

$\therefore \triangle ADC=\frac{1}{2}\times\overline{CD}\times\overline{AD}$

$=\frac{1}{2}\times\frac{9}{2}\times 6=\frac{27}{2}(\text{cm}^2)$ …… ④

단계	채점 기준	비율
①	$\overline{BD}$의 길이 구하기	30 %
②	$\overline{BC}$의 길이 구하기	30 %
③	$\overline{CD}$의 길이 구하기	20 %
④	△ADC의 넓이 구하기	20 %

12 색칠한 부분의 넓이는 △ABC의 넓이와 같으므로

$\frac{1}{2}\times 8\times\overline{AC}=60$

$\therefore \overline{AC}=15$ cm …… ①

△ABC에서 $\overline{BC}^2=8^2+15^2=289$

이때 $\overline{BC}>0$이므로 $\overline{BC}=17$ cm …… ②

$\overline{AB}\times\overline{AC}=\overline{BC}\times\overline{AH}$이므로

$8\times 15=17\times\overline{AH}$

$\therefore \overline{AH}=\frac{120}{17}$ cm …… ③

단계	채점 기준	비율
①	$\overline{AC}$의 길이 구하기	30 %
②	$\overline{BC}$의 길이 구하기	30 %
③	$\overline{AH}$의 길이 구하기	40 %

대단원 마무리

익힘북 84~85쪽

1 ② **2** ③ **3** ②
4 $x=20$, $y=40$ **5** ② **6** ③
7 9 cm² **8** ⑤ **9** 75 m **10** ②
11 1 cm² **12** ⑤ **13** ③

1 ① 닮음비는 $\overline{AB}:\overline{EF}=4:8=1:2$

② ∠G=∠C=65°이므로

∠E=360°−(140°+90°+65°)=65°

③ $\overline{CD}:\overline{GH}=1:2$이므로

$3:\overline{GH}=1:2 \quad \therefore \overline{GH}=6$ cm

2 $\overline{DA'}=\overline{AD}=7$ cm이고
$\overline{BC}=\overline{AB}=15$ cm이므로
$\overline{A'C}=15-5=10$(cm)
$\angle B=\angle C$, $\angle DA'B=\angle A'EC$
이므로
$\triangle DBA' \backsim \triangle A'CE$(AA 닮음)
따라서 $\overline{DA'}:\overline{A'E}=\overline{DB}:\overline{A'C}$이므로
$7:\overline{A'E}=8:10$
$\therefore \overline{A'E}=\frac{35}{4}$ cm

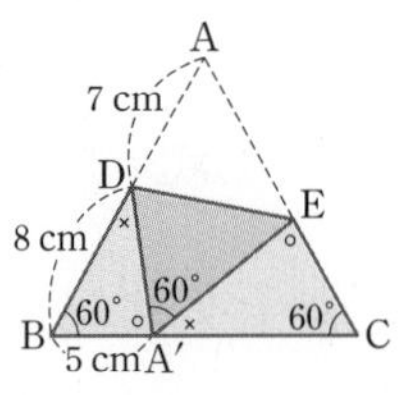

3 $2.5:x=2:4 \quad \therefore x=5$
$4:6=y:4 \quad \therefore y=\frac{8}{3}$
$\therefore x+y=5+\frac{8}{3}=\frac{23}{3}$

4 $\overline{AE}:\overline{EB}=\overline{DF}:\overline{FC}$이므로
$20:40=x:40 \quad \therefore x=20$
오른쪽 그림과 같이 점 D에서 $\overline{AB}$에
평행한 직선을 그으면
$\overline{DF}:\overline{DC}=\overline{GF}:\overline{HC}$이므로
$20:60=\overline{GF}:(60-30) \quad \therefore \overline{GF}=10$
$\therefore \overline{EF}=\overline{EG}+\overline{GF}=30+10=40$
$\therefore y=40$

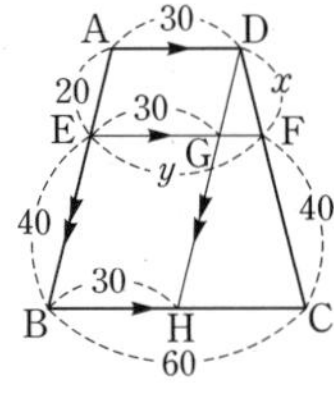

5 $\overline{AB}:\overline{AC}=\overline{BD}:\overline{CD}=4:6=2:3$
$\triangle CED$와 $\triangle CAB$에서 $\overline{CD}:\overline{CB}=\overline{DE}:\overline{AB}$이므로
$3:5=\overline{DE}:4 \quad \therefore \overline{DE}=\frac{12}{5}$ cm

6 $\overline{BO}=\overline{DO}$이므로 점 P, Q는 각각 $\triangle ABD$와 $\triangle BCD$의 무게중심이다.
③ $\overline{BP}:\overline{PN}=2:1 \quad \therefore \overline{BP}=2\overline{PN}$

7 $\overline{GG'}:\overline{G'D}=2:1$이고 $\triangle GBD=\frac{1}{6}\triangle ABC$이므로
$\triangle GBG'=\frac{2}{3}\triangle GBD=\frac{2}{3}\times\frac{1}{6}\triangle ABC=\frac{1}{9}\triangle ABC$
$=\frac{1}{9}\times 81=9(\text{cm}^2)$

8 큰 원과 작은 원의 닮음비가 $2:1$이므로 넓이의 비는
$2^2:1^2=4:1$
작은 원의 넓이가 5π cm^{2}이므로 큰 원의 넓이는
$4\times 5\pi=20\pi(\text{cm}^2)$
$\therefore$ (색칠한 부분의 넓이)
$=$(큰 원의 넓이)$-$(작은 원의 넓이)
$=20\pi-5\pi=15\pi(\text{cm}^2)$

9 $\triangle ABO$와 $\triangle CDO$에서
$\angle BAO=\angle DCO=39.5°$
$\angle AOB=\angle COD$ (맞꼭지각)
$\therefore \triangle ABO \backsim \triangle CDO$ (AA 닮음)
$\overline{BO}:\overline{DO}=\overline{AB}:\overline{CD}$이므로
$50:20=\overline{AB}:30 \quad \therefore \overline{AB}=75$ cm
따라서 두 지점 A, B 사이의 실제 거리는
$75(\text{cm})\times 100=7500(\text{cm})=75(\text{m})$

10 오른쪽 그림과 같이 점 A에서 $\overline{BC}$에 내린 수선의 발을 H라 하면

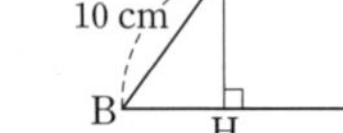

$\overline{AH}=8$ cm, $\overline{CH}=12$ cm
직각삼각형 ABH에서
$\overline{BH}^2=10^2-8^2=36$
이때 $\overline{BH}>0$이므로 $\overline{BH}=6$ cm
$\therefore \overline{BC}=\overline{BH}+\overline{CH}=6+12=18(\text{cm})$

11 $\overline{BQ}=\overline{CR}=3$ cm이므로
$\triangle ABQ$에서 $\overline{AQ}^2=5^2-3^2=16$
이때 $\overline{AQ}>0$이므로 $\overline{AQ}=4$ cm …… ①
$\overline{AP}=\overline{CR}=3$ cm이므로
$\overline{PQ}=\overline{AQ}-\overline{AP}=4-3=1(\text{cm})$ …… ②
이때 □PQRS는 정사각형이므로
□PQRS$=1^2=1$ cm^2 …… ③

단계	채점 기준	비율
①	$\overline{AQ}$의 길이 구하기	50 %
②	$\overline{PQ}$의 길이 구하기	30 %
③	□PQRS의 넓이 구하기	20 %

12 $x^2+3^2=7^2+9^2$이므로 $x^2=121$
이때 $x>0$이므로 $x=11$

13 오른쪽 그림의 전개도에서 구하는 최단 거리는 $\overline{AF}$의 길이와 같으므로
$\overline{AF}^2=8^2+6^2=100$
이때 $\overline{AF}>0$이므로 $\overline{AF}=10$

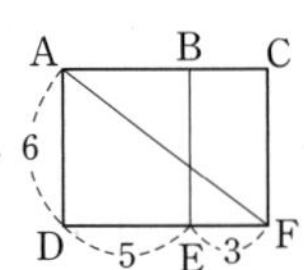

IV 확률

1 경우의 수

개념적용익힘

익힘북 86~95쪽

1 (1) 3 (2) 5　2 (1) 6 (2) 8
3 5　4 ③　5 6　6 5
7 7　8 4　9 7　10 8
11 7　12 17　13 ③　14 20
15 9　16 12　17 8　18 56
19 8　20 16　21 6　22 3
23 4　24 16가지　25 32가지
26 (순서대로) B, C, C, A, A, B, B, A, 6
27 ④　28 720가지　29 56　30 ⑤
31 ③　32 ⑤　33 210　34 12
35 48　36 24　37 48　38 ⑤
39 12　40 12　41 240　42 36
43 96　44 ⑤　45 ②　46 72
47 (1) 30개 (2) 120개　48 ①　49 231
50 ②　51 ④　52 68개
53 (1) 6, 5, 6, 5, 30 (2) 6, 5, 4, 6, 5, 4, 120
54 ④　55 ③　56 4　57 56
58 60　59 45　60 9　61 60
62 ⑤　63 15개　64 (1) 28개 (2) 56개
65 ⑤

1 (1) 두 자리의 자연수가 적힌 공이 나오는 경우는 10, 11, 12이므로 경우의 수는 3이다.
(2) 소수가 적힌 공이 나오는 경우는 2, 3, 5, 7, 11이므로 경우의 수는 5이다.

2 (1) 눈의 수의 합이 7인 경우는 (1, 6), (2, 5), (3, 4), (4, 3), (5, 2), (6, 1)이므로 경우의 수는 6이다.
(2) 눈의 수의 차가 2인 경우는 (1, 3), (2, 4), (3, 1), (3, 5), (4, 2), (4, 6), (5, 3), (6, 4)이므로 경우의 수는 8이다.

3 4개의 점을 연결하여 각각의 경우의 사각형을 그려 보면 다음 그림과 같다.

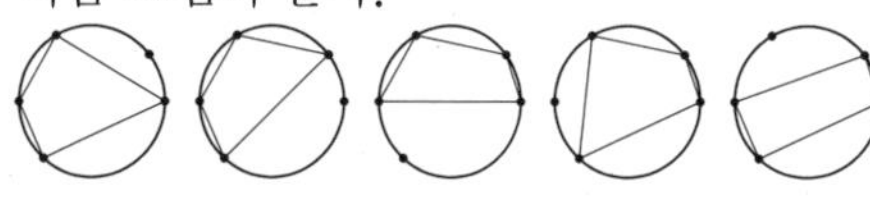

따라서 구하는 경우의 수는 5이다.

[다른 풀이]
5개의 점 중에서 4개의 점을 선택하여 사각형을 그리는 경우의 수는 5개의 점 중에서 1개의 점을 택하지 않는 경우의 수와 같으므로 5이다.

4

100원(개)	7	6	5	4	3
50원(개)	0	2	4	6	8

따라서 700원을 지불할 수 있는 경우의 수는 5이다.

5

100원(개)	5	4	4	3	3	2
50원(개)	0	2	1	4	3	5
10원(개)	0	0	5	0	5	5

따라서 500원을 지불하는 경우의 수는 6이다.

6 만들 수 있는 금액을 표로 나타내면 다음과 같다.

100원(개)	1	1	1	2	2	2
50원(개)	1	2	3	1	2	3
금액(원)	150	200	250	250	300	350

따라서 만들 수 있는 금액은 150원, 200원, 250원, 300원, 350원이므로 구하는 경우의 수는 5이다.

7 A 지점에서 B 지점까지 지하철로 가는 방법이 2가지, 버스로 가는 방법이 5가지이므로 지하철 또는 버스를 이용하여 가는 경우의 수는 $2+5=7$

8 검은 공이 나오는 경우의 수는 1, 파란 공이 나오는 경우의 수는 3이므로 구하는 경우의 수는 $1+3=4$

9 3의 배수가 나오는 경우는 3, 6, 9, 12, 15의 5가지
7의 배수가 나오는 경우는 7, 14의 2가지
따라서 3의 배수 또는 7의 배수가 나오는 경우의 수는
$5+2=7$

10 눈의 수의 차가 0이 되는 경우는 (1, 1), (2, 2), (3, 3), (4, 4), (5, 5), (6, 6)의 6가지
눈의 수의 차가 5가 되는 경우는 (1, 6), (6, 1)의 2가지
따라서 구하는 경우의 수는 $6+2=8$

11 12의 약수가 나오는 경우는 1, 2, 3, 4, 6, 12의 6가지
4의 배수가 나오는 경우는 4, 8, 12의 3가지
그런데 4, 12는 12의 약수이면서 4의 배수이므로 구하는 경우의 수는 $6+3-2=7$

12 2의 배수가 나오는 경우는 2, 4, 6, 8, 10, 12, 14, 16, 18, 20, 22, 24, 26, 28, 30의 15가지
7의 배수가 나오는 경우는 7, 14, 21, 28의 4가지
그런데 14, 28은 2의 배수이면서 7의 배수이므로 구하는 경우의 수는 $15+4-2=17$

13 1에서 50까지의 자연수 중 7의 배수는
7, 14, 21, 28, 35, 42, 49의 7개
약수의 개수가 홀수인 수는 자연수의 제곱인 수이므로
$1^2=1$, $2^2=4$, $3^3=9$, $4^2=16$, $5^2=25$, $6^2=36$, $7^2=49$의 7개
이때 49는 7의 배수이면서 약수의 개수가 홀수인 수이므로 구하는 경우의 수는 $7+7-1=13$

14 티셔츠를 하나 고르는 경우의 수는 5, 청바지를 하나 고르는 경우의 수는 4이므로 구하는 경우의 수는
$5\times4=20$

15 남자 3명 중에서 1명을 뽑는 경우의 수는 3, 여자 3명 중에서 1명을 뽑는 경우의 수는 3이므로 구하는 경우의 수는 $3\times3=9$

16 A 주머니에서 검은 공을 꺼내는 경우의 수는 3, B 주머니에서 검은 공을 꺼내는 경우의 수는 4이므로 구하는 경우의 수는 $3\times4=12$

17 A 마을에서 B 마을로 가는 경우의 수는 4, B 마을에서 C 마을로 가는 경우의 수는 2이므로 A 마을에서 B 마을을 거쳐 C 마을로 가는 경우의 수는 $4\times2=8$

18 서울에서 미국으로 가는 경우의 수는 7, 미국에서 브라질로 가는 경우의 수는 8이므로 구하는 경우의 수는
$7\times8=56$

19 (i) A → B → D로 가는 방법의 수는 $2\times1=2$(가지)
(ii) A → C → D로 가는 방법의 수는 $3\times2=6$(가지)
따라서 구하는 방법의 수는 $2+6=8$

20 동전의 앞면이 나오는 경우는 1가지이고, 주사위의 6의 약수의 눈이 나오는 경우는 1, 2, 3, 6의 4가지이므로 구하는 경우의 수는 $1\times4\times4=16$

21 10원짜리, 50원짜리 동전이 서로 같은 면이 나오는 경우는 (앞면, 앞면), (뒷면, 뒷면)의 2가지
주사위에서 짝수의 눈이 나오는 경우는 2, 4, 6의 3가지
따라서 구하는 경우의 수는 $2\times3=6$

22 점 P가 1에 있으려면 앞면이 2번, 뒷면이 1번 나와야 하므로 구하는 경우의 수는 (앞면, 앞면, 뒷면), (앞면, 뒷면, 앞면), (뒷면, 앞면, 앞면)의 3이다.

23 걸은 윷가락 3개는 배,1개는 등이 나와야 하므로 서로 다른 윷가락 4개를 각각 A, B, C, D라고 하면 다음 표와 같이 4가지 경우가 나온다.

(배: ○, 등: ×)

윷가락	A	B	C	D
걸	○	○	○	×
	○	○	×	○
	○	×	○	○
	×	○	○	○

따라서 구하는 경우의 수는 4이다.

24 전구 한 개는 켜지는 경우와 꺼지는 경우의 2가지가 있으므로 네 개의 전구로 신호를 보내는 방법은
$2\times2\times2\times2=16$(가지)

25 깃발 한 개가 만드는 신호는 올린 경우와 내린 경우의 2가지이므로 깃발 5개로 만드는 신호는
$2\times2\times2\times2\times2=32$(가지)

26 A, B, C 세 명을 한 줄로 세우는 경우는 다음과 같다.

A < B − C
A < C − $\boxed{B}$
B < A − $\boxed{C}$
B < $\boxed{C}$ − $\boxed{A}$
C < $\boxed{A}$ − $\boxed{B}$
C < $\boxed{B}$ − $\boxed{A}$

따라서 경우의 수는 $\boxed{6}$이다.

27 $4\times3\times2\times1=24$

28 $6\times5\times4\times3\times2\times1=720$(가지)

29 $8\times7=56$

30 $5\times4\times3=60$

31 5종류의 간식 중에서 2개를 골라 일렬로 세우는 방법과 같으므로 $5\times4=20$(가지)

32 사과, 감, 배, 토마토 중에서 2개를 뽑아 일렬로 세우는 방법과 같으므로 $4\times3=12$(가지)

33 $7\times6\times5=210$

34 A 부분에 3가지의 색을 칠할 수 있고, B 부분에는 A 부분에 칠한 색을 제외한 2가지의 색을 칠할 수 있다. 또한 C 부분에는 B 부분에 칠한 색을 제외한 2가지의 색을 칠할 수 있다.
따라서 구하는 경우의 수는 $3\times2\times2=12$

35 고구려를 칠하는 4가지 경우 각각에 대하여 백제를 칠하는 경우가 3가지 있고, 그 각각에 대하여 신라를 칠하는 경우가 2가지이다. 또한 그 각각에 대하여 가야를 칠하는 경우는 백제와 신라를 칠한 색을 제외한 2가지이다.
따라서 구하는 경우의 수는 $4\times3\times2\times2=48$

36 범수와 재현이를 1명으로 생각하여 4명을 한 줄로 세우는 경우의 수와 같으므로 $4\times3\times2\times1=24$

37 부모님을 제외한 나머지 4명을 한 줄로 세우는 경우의 수는 $4\times3\times2\times1=24$
부모님이 양 끝에 서는 경우의 수는 $2\times1=2$
따라서 구하는 경우의 수는 $24\times2=48$

38 A가 가장 앞에 오는 경우의 수는 $4\times3\times2\times1=24$
C가 가장 앞에 오는 경우의 수는 $4\times3\times2\times1=24$
따라서 구하는 경우의 수는 $24+24=48$

39 앞줄에 부부가 앉는 경우의 수는 $2\times1=2$
뒷줄에 1남 2녀의 3명이 나란히 서는 경우의 수는
$3\times2\times1=6$
따라서 구하는 경우의 수는 $2\times6=12$

40 아버지와 어머니를 한 사람으로 생각하여 3명을 일렬로 세우는 경우의 수는 $3\times2\times1=6$
이때 아버지와 어머니가 자리를 바꾸어 서는 경우가 2가지이므로 구하는 경우의 수는 $6\times2=12$

41 노란색과 파란색을 한 묶음으로 생각하여 5가지 색을 한 줄로 칠하는 경우의 수는 $5\times4\times3\times2\times1=120$
이때 노란색과 파란색의 자리를 바꾸어 칠하는 경우의 수는 2
따라서 구하는 경우의 수는 $120\times2=240$

42 남학생 3명을 1명으로 생각하여 3명을 일렬로 세우는 경우의 수는 $3\times2\times1=6$
이때 남학생끼리 자리를 바꾸어 서는 경우의 수는
$3\times2\times1=6$
따라서 구하는 경우의 수는 $6\times6=36$

43 여학생과 남학생을 각각 1명으로 생각하여 2명을 한 줄로 세우는 경우의 수는 $2\times1=2$
이때 여학생끼리 자리를 바꾸어 서는 경우의 수는
$2\times1=2$
남학생끼리 자리를 바꾸어 서는 경우의 수는
$4\times3\times2\times1=24$
따라서 구하는 경우의 수는 $2\times2\times24=96$

44 소설책과 만화책을 각각 한 권으로 생각하여 2권을 일렬로 꽂는 경우의 수는 $2\times1=2$
소설책 3권끼리 자리를 바꾸어 꽂는 경우의 수는
$3\times2\times1=6$
만화책 4권끼리 자리를 바꾸어 꽂는 경우의 수는
$4\times3\times2\times1=24$
따라서 구하는 경우의 수는 $2\times6\times24=288$

45 남학생과 여학생이 서로 이웃하여야 하므로 '남여남여남여' 또는 '여남여남여남'의 순서로 줄을 세우는 경우의 수는 2
남학생 3명을 한 줄로 세우는 경우의 수는 $3\times2\times1=6$
여학생 3명을 한 줄로 세우는 경우의 수는 $3\times2\times1=6$
따라서 구하는 경우의 수는 $2\times6\times6=72$

46 5명이 일렬로 앉는 경우의 수는
$5\times4\times3\times2\times1=120$
여학생 2명을 한 명으로 생각하여 4명이 일렬로 앉는 경우의 수는 $4\times3\times2\times1=24$
이때 여학생끼리 자리를 바꾸는 경우의 수는 $2\times1=2$
즉, 여학생 2명이 이웃하여 앉는 경우의 수는
$24\times2=48$
∴ (여학생 2명이 이웃하지 않도록 앉는 경우의 수)
=(5명이 일렬로 앉는 경우의 수)
−(여학생 2명이 이웃하여 앉는 경우의 수)
$=120-48=72$

47 (1) 십의 자리에 올 수 있는 숫자는 6개, 일의 자리에 올 수 있는 숫자는 십의 자리에 온 숫자를 제외한 5개이므로 구하는 자연수의 개수는 $6\times5=30$(개)

(2) 백의 자리에 올 수 있는 숫자는 6개, 십의 자리에 올 수 있는 숫자는 백의 자리에 온 숫자를 제외한 5개, 일의 자리에 올 수 있는 숫자는 백의 자리와 십의 자리에 온 숫자를 제외한 4개이므로 구하는 자연수의 개수는 $6\times5\times4=120$(개)

48 30 이하인 자연수가 되려면 십의 자리에 1 또는 2가 와야 한다.
1□, 2□인 경우 일의 자리에 올 수 있는 숫자는 각각 십의 자리에 온 숫자를 제외한 5개씩이므로 30 이하인 수의 개수는
$5+5=10$(개)

49 1□□인 경우: $6\times5=30$(개)
21□인 경우: 213, 214, 215, 216, 217의 5개
따라서 36번째 수는 231이다.

50 십의 자리에 올 수 있는 숫자는 1, 2, 3, 4, 5의 5가지이고, 일의 자리에 올 수 있는 숫자는 십의 자리에 있는 숫자를 제외한 5가지이므로 $5\times5=25$(개)

51 짝수가 되려면 일의 자리에 0 또는 2 또는 4가 와야 한다.
□□0인 경우: $5\times4=20$(개)
□□2인 경우: $4\times4=16$(개)
□□4인 경우: $4\times4=16$(개)
따라서 짝수의 개수는 $20+16+16=52$(개)

52 백의 자리의 숫자가 1, 2, 3인 경우 백의 자리의 숫자를 제외한 5개의 숫자 중에서 2개를 뽑아 나열한 것과 같으므로 각각 $5\times4=20$(개)
40□인 경우: 401, 402, 403, 405의 4개
41□인 경우: 410, 412, 413, 415의 4개
따라서 420보다 작은 수의 개수는
$20\times3+4+4=68$(개)

54 $5\times4=20$

55 주연 1명을 뽑는 경우의 수는 11, 조연 1명을 뽑는 경우의 수는 주연으로 뽑힌 사람을 제외한 10이므로
구하는 경우의 수는 $11\times10=110$

56 A를 제외한 4명 중에서 부대표 1명을 뽑는 경우의 수와 같으므로 4이다.

57 2번, 7번 학생을 제외한 8명의 학생 중에서 부반장과 총무를 각각 1명씩 뽑으면 된다.
따라서 8명 중 부반장 1명을 뽑는 경우의 수는 8, 총무 1명을 뽑는 경우의 수는 7이므로 구하는 경우의 수는
$8\times7=56$

58 남학생 5명 중에서 회장 1명을 뽑는 경우의 수는 5
나머지 남학생 4명 중에서 부회장 1명을 뽑는 경우의 수는 4
여학생 3명 중에서 부회장 1명을 뽑는 경우의 수는 3
따라서 구하는 경우의 수는 $5\times4\times3=60$

59 2번, 4번 학생을 제외한 10명의 학생 중에서 순서에 관계없이 2명을 더 뽑는 경우의 수이므로 $\dfrac{10\times9}{2}=45$

60 남학생 3명 중에서 순서에 관계없이 2명을 뽑는 경우의 수는 $\dfrac{3\times2}{2}=3$
여학생 3명 중에서 대표 1명을 뽑는 경우의 수는 3
따라서 구하는 경우의 수는 $3\times3=9$

61 우유 5개 중에서 2개를 사는 경우의 수는 $\dfrac{5\times4}{2}=10$
요구르트 4개 중에서 2개를 사는 경우의 수는
$\dfrac{4\times3}{2}=6$
따라서 구하는 경우의 수는 $10\times6=60$

62 6명 중에서 순서에 관계없이 3명을 뽑는 경우의 수이므로 $\dfrac{6\times5\times4}{3\times2\times1}=20$

63 6개의 점 중에서 순서를 생각하지 않고 2개를 선택하는 경우와 같으므로 $\dfrac{6\times5}{2}=15$(개)

64 (1) 8개의 점 중에서 순서에 관계없이 2개의 점을 뽑는 경우의 수와 같으므로 $\dfrac{8\times7}{2}=28$(개)

(2) 8개의 점 중에서 순서에 관계없이 3개의 점을 뽑는 경우의 수와 같으므로 $\frac{8\times7\times6}{3\times2\times1}=56$(개)

65 ∠A를 이등변삼각형의 꼭지각으로 하는 이등변삼각형은 △ABH, △ACG, △ADF로 3개이다. 나머지 각에서도 같은 방법으로 생각하면 각각의 경우에 대해 이등변삼각형이 3개씩 생긴다.
따라서 세 점을 연결하여 만들 수 있는 이등변삼각형의 개수는 $3\times8=24$(개)

개념완성익힘

익힘북 96~97쪽

1 9 **2** 14 **3** 9
4 정우, 풀이 참조 **5** (1) 64 (2) 24
6 24 **7** 144 **8** 540 **9** 5개
10 27 **11** 6번 **12** 16 **13** 31개
14 253

1 액수가 큰 100원짜리 동전의 개수를 정한 다음 50원짜리, 10원짜리 동전의 개수를 정하면 다음 표와 같다.

100원(개)	6	5	5	4	4	3	3	2	2
50원(개)	0	2	1	4	3	6	5	8	7
10원(개)	0	0	5	0	5	0	5	0	5

따라서 600원을 지불하는 경우의 수는 9이다.

2 A 지점에서 C 지점까지 바로 가는 경우의 수는 2
A 지점에서 B 지점을 거쳐 C 지점까지 가는 경우의 수는 $3\times4=12$
따라서 A 지점에서 C 지점까지 가는 경우의 수는
$2+12=14$

3 A 지점에서 B 지점까지 가는 경우는 $A\rightarrow a\rightarrow b\rightarrow B$, $A\rightarrow a\rightarrow d\rightarrow B$, $A\rightarrow c\rightarrow d\rightarrow B$
이므로 경우의 수는 3
B 지점에서 C 지점까지 가는 경우는
$B\rightarrow e\rightarrow g\rightarrow C$, $B\rightarrow f\rightarrow g\rightarrow C$, $B\rightarrow f\rightarrow h\rightarrow C$
이므로 경우의 수는 3
따라서 A 지점에서 출발하여 B 지점을 거쳐 C 지점까지 가는 경우의 수는 $3\times3=9$

4 서로 다른 주사위 2개를 던질 때, 일어나는 모든 경우의 수는 $6^2=36$이므로 잘못 말한 사람은 정우이고, 이를 바르게 고치면 다음과 같다.
정우: 서로 다른 주사위 2개를 던질 때, 일어나는 모든 경우의 수는 36이야.

5 (1) $2^6=64$
(2) $2\times2\times6=24$

6 할아버지의 자리는 가운데로 정해져 있으므로 나머지 4명을 일렬로 세우는 경우의 수와 같다.
따라서 구하는 경우의 수는 $4\times3\times2\times1=24$

7 진희, 수진, 윤희를 1명으로 생각하여 4명을 한 줄로 세우는 경우의 수는
$4\times3\times2\times1=24$
이때 진희, 수진, 윤희가 서로 자리를 바꾸는 경우의 수는 $3\times2\times1=6$
따라서 구하는 경우의 수는 $24\times6=144$

8 가에 칠할 수 있는 색은 5가지
나에 칠할 수 있는 색은 가에 칠한 색을 제외한 4가지
다에 칠할 수 있는 색은 가, 나에 칠한 색을 제외한 3가지
라에 칠할 수 있는 색은 가, 다에 칠한 색을 제외한 3가지
마에 칠할 수 있는 색은 가, 라에 칠한 색을 제외한 3가지
따라서 구하는 경우의 수는 $5\times4\times3\times3\times3=540$

9 1□인 경우: 10, 12, 13의 3개
2□인 경우: 20, 21의 2개
따라서 21 이하인 수의 개수는 $3+2=5$(개)

10 (i) 파일럿 4명 중에서 2명을 뽑는 경우의 수는
$\frac{4\times3}{2}=6$
(ii) 군인 7명 중에서 2명을 뽑는 경우의 수는
$\frac{7\times6}{2}=21$
(i), (ii)에서 구하는 경우의 수는 $6+21=27$

11 4팀 중에서 순서에 관계없이 2팀을 뽑는 경우의 수와 같으므로 $\frac{4\times3}{2}=6$(번)의 시합이 있다.

12 2장의 카드에 적힌 수의 합이 짝수이려면 2장의 카드에 적힌 수가 모두 홀수이거나 모두 짝수이면 된다.

(i) 모두 홀수인 경우의 수는 1, 3, 5, 7, 9가 적힌 5장의 카드 중에서 순서에 관계없이 2장의 카드를 뽑는 경우의 수이므로 $\frac{5\times4}{2}=10$ ······ ①

(ii) 모두 짝수인 경우의 수는 2, 4, 6, 8이 적힌 4장의 카드 중에서 순서에 관계없이 2장의 카드를 뽑는 경우의 수이므로 $\frac{4\times3}{2}=6$ ······ ②

따라서 짝수가 되는 경우의 수는 $10+6=16$ ······ ③

단계	채점 기준	비율
①	모두 홀수인 경우의 수 구하기	40 %
②	모두 짝수인 경우의 수 구하기	40 %
③	두 수의 합이 짝수가 되는 경우의 수 구하기	20 %

13 7개의 점 중에서 순서에 관계없이 3개의 점을 뽑는 경우의 수는 $\frac{7\times6\times5}{3\times2\times1}=35$ ······ ①

이때 삼각형을 그릴 수 없는 경우는 반원의 지름 위에 있는 4개의 점 중에서 순서에 관계없이 3개의 점을 뽑는 경우이므로 그 수는 $\frac{4\times3\times2}{3\times2\times1}=4$ ······ ②

따라서 만들 수 있는 삼각형의 개수는

$35-4=31$(개) ······ ③

단계	채점 기준	비율
①	7개의 점 중에서 3개의 점을 뽑는 경우의 수	40 %
②	4개의 점 중에서 3개의 점을 뽑는 경우의 수	40 %
③	만들 수 있는 삼각형의 개수	20 %

14 (i) 5□□인 경우: $4\times3=12$(개)

(ii) 4□□인 경우: $4\times3=12$(개)

(iii) 3□□인 경우: $4\times3=12$(개) ······ ①

(i), (ii), (iii)에서 백의 자리의 숫자가 5, 4, 3인 수는 모두 36개이므로 37번째로 큰 수는 254, 38번째로 큰 수는 253이다. ······ ②

단계	채점 기준	비율
①	백의 자리의 숫자가 5, 4, 3인 수의 경우의 수	60 %
②	38번째로 큰 수 구하기	40 %

2 확률과 그 계산

개념적용익힘

익힘북 98~104쪽

1 $\frac{1}{6}$ **2** (1) $\frac{2}{3}$ (2) $\frac{1}{2}$ **3** ④
4 (1) $\frac{1}{9}$ (2) $\frac{1}{18}$ **5** ② **6** $\frac{5}{36}$
7 ② **8** 1 **9** ③ **10** $\frac{7}{10}$
11 $\frac{8}{9}$ **12** $\frac{137}{144}$ **13** ⑤
14 (1) $\frac{3}{4}$ (2) $\frac{8}{9}$ **15** $\frac{5}{7}$ **16** $\frac{7}{8}$
17 $\frac{973}{1000}$ **18** $\frac{11}{20}$ **19** $\frac{2}{3}$ **20** $\frac{7}{36}$
21 $\frac{9}{16}$ **22** $\frac{7}{36}$ **23** $\frac{1}{9}$ **24** $\frac{1}{3}$
25 $\frac{1}{6}$ **26** $\frac{15}{49}$ **27** $\frac{1}{4}$ **28** $\frac{4}{15}$
29 $\frac{31}{56}$ **30** (1) $\frac{22}{25}$ (2) $\frac{29}{50}$ **31** $\frac{14}{15}$
32 $\frac{1}{2}$ **33** $\frac{7}{20}$ **34** $\frac{27}{64}$ **35** $\frac{11}{16}$
36 $\frac{1}{4}$ **37** $\frac{16}{25}$ **38** $\frac{1}{16}$ **39** $\frac{1}{10}$
40 $\frac{1}{63}$ **41** $\frac{17}{24}$ **42** $\frac{3}{5}$ **43** $\frac{5}{9}$
44 $\frac{2}{5}$ **45** $\frac{1}{4}$ **46** $\frac{1}{2}$ **47** $\frac{1}{9}$
48 $\frac{1}{5}$ **49** $\frac{5}{17}$

1 모든 경우의 수는 30이고, 토요일인 경우는 2일, 9일, 16일, 23일, 30일의 5가지이므로 구하는 확률은

$\frac{5}{30}=\frac{1}{6}$

2 일어나는 모든 경우의 수는 6

(1) 6의 약수의 눈이 나오는 경우는 1, 2, 3, 6의 4가지이므로 구하는 확률은 $\frac{4}{6}=\frac{2}{3}$

(2) 소수의 눈이 나오는 경우는 2, 3, 5의 3가지이므로 구하는 확률은 $\frac{3}{6}=\frac{1}{2}$

3 노란 공의 개수를 x개라고 하면 파란 공을 꺼낼 확률은

$\frac{(\text{파란 공의 개수})}{(\text{전체 공의 개수})}=\frac{5}{4+5+x}=\frac{1}{4}$

$4+5+x=20 \qquad \therefore x=11$

따라서 노란 공의 개수는 11개이다.

4 일어나는 모든 경우의 수는 $6\times6=36$

(1) $x+y=9$를 만족하는 순서쌍 (x, y)는

$(3, 6)$, $(4, 5)$, $(5, 4)$, $(6, 3)$의 4가지

따라서 구하는 확률은 $\frac{4}{36}=\frac{1}{9}$

(2) $2x+3y<8$을 만족하는 순서쌍 (x, y)는

$(1, 1)$, $(2, 1)$의 2가지

따라서 구하는 확률은 $\frac{2}{36}=\frac{1}{18}$

5 일어나는 모든 경우의 수는 $6\times6=36$

이때 $2a=b$를 만족하는 순서쌍 (a, b)는

$(1, 2)$, $(2, 4)$, $(3, 6)$의 3가지

따라서 구하는 확률은 $\frac{3}{36}=\frac{1}{12}$

6 일어나는 모든 경우의 수는 $6\times6=36$

연립방정식의 해가 없으려면 $\frac{1}{b}=\frac{1}{1}\neq\frac{a}{6}$

$\therefore a\neq6,\ b=1$

이를 만족하는 순서쌍 (a, b)는

$(1, 1)$, $(2, 1)$, $(3, 1)$, $(4, 1)$, $(5, 1)$의 5가지

따라서 구하는 확률은 $\frac{5}{36}$이다.

7 ② $0\le p\le1$

8 두 수의 합이 짝수가 되려면

(짝수)+(짝수) 또는 (홀수) +(홀수)가 되어야 한다.

주어진 수는 모두 홀수이므로 어느 두 수를 고르던지 그 두 수의 합은 짝수가 된다.

따라서 구하는 확률은 1이다.

9 ① 0 ② $\frac{1}{3}$ ③ 1 ④ $\frac{1}{18}$ ⑤ $\frac{1}{4}$

따라서 확률이 가장 큰 것은 ③이다.

10 불량품이 나올 확률은 $\frac{3}{10}$이므로

합격품이 나올 확률은 $1-\frac{3}{10}=\frac{7}{10}$

11 일어나는 모든 경우의 수는 $6\times6=36$

눈의 수의 합이 5가 되는 경우는 $(1, 4)$, $(2, 3)$, $(3, 2)$, $(4, 1)$의 4가지이므로 그 확률은 $\frac{4}{36}=\frac{1}{9}$

$\therefore$ (눈의 수의 합이 5가 아닐 확률)

$=1-$(눈의 수의 합이 5일 확률)$=1-\frac{1}{9}=\frac{8}{9}$

12 일어나는 모든 경우의 수는 $12\times12=144$

두 수의 합이 18인 경우는 $(6, 12)$, $(7, 11)$, $(8, 10)$, $(9, 9)$, $(10, 8)$, $(11, 7)$, $(12, 6)$의 7가지

따라서 두 수의 합이 18이 아닐 확률은

$1-\frac{7}{144}=\frac{137}{144}$

13 일어나는 모든 경우의 수는 $6\times6=36$

직선 $y=ax+b$가 점 $(2, 3)$을 지나면 $3=2a+b$

이를 만족하는 순서쌍 (a, b)는 $(1, 1)$의 1가지이므로

점 $(2, 3)$을 지날 확률은 $\frac{1}{36}$

따라서 점 $(2, 3)$을 지나지 않을 확률은 $1-\frac{1}{36}=\frac{35}{36}$

14 일어나는 모든 경우의 수는 $6\times6=36$

(1) 두 번 모두 홀수의 눈이 나오는 경우의 수는

$3\times3=9$이므로 그 확률은 $\frac{9}{36}=\frac{1}{4}$

따라서 구하는 확률은

$1-$(두 번 모두 홀수의 눈이 나올 확률)

$=1-\frac{1}{4}=\frac{3}{4}$

(2) 두 번 모두 6의 약수의 눈이 나오지 않을 경우의 수는

$2\times2=4$이므로 그 확률은 $\frac{4}{36}=\frac{1}{9}$

따라서 구하는 확률은

$1-$(두 번 모두 6의 약수의 눈이 나오지 않을 확률)

$=1-\frac{1}{9}=\frac{8}{9}$

15 일어나는 모든 경우의 수는 $\frac{7\times6}{2}=21$

2명 모두 남학생이 뽑히는 경우의 수는 $\frac{4\times3}{2}=6$이므로 그 확률은 $\frac{6}{21}=\frac{2}{7}$

따라서 구하는 확률은

$1-$(2명 모두 남학생이 뽑힐 확률)$=1-\frac{2}{7}=\frac{5}{7}$

16 일어나는 모든 경우의 수는 $2\times2\times2=8$

세 개 모두 뒷면이 나오는 경우의 수는 1이므로 그 확률은 $\frac{1}{8}$

$\therefore$ (적어도 한 개는 앞면이 나올 확률)

$=1-$(세 개 모두 뒷면이 나올 확률)

$=1-\frac{1}{8}=\frac{7}{8}$

17 환자 한 명이 치료되지 않을 확률은

$1-\frac{70}{100}=\frac{30}{100}=\frac{3}{10}$

세 명 모두 치료되지 않을 확률은

$\frac{3}{10}\times\frac{3}{10}\times\frac{3}{10}=\frac{27}{1000}$

따라서 구하는 확률은 $1-\frac{27}{1000}=\frac{973}{1000}$

18 (빨간 구슬이 나올 확률)+(노란 구슬이 나올 확률)

$=\frac{2}{5}+\frac{3}{20}=\frac{11}{20}$

19 (만족이라고 응답했을 확률)

+(보통이라고 응답했을 확률)

$=\frac{17}{36}+\frac{7}{36}=\frac{2}{3}$

20 일어나는 모든 경우의 수는 $6\times6=36$

눈의 수의 합이 5인 경우는 (1, 4), (2, 3), (3, 2), (4, 1)의 4가지이므로 그 확률은 $\frac{4}{36}=\frac{1}{9}$

눈의 수의 합이 10인 경우는 (4, 6), (5, 5), (6, 4)의 3가지이므로 그 확률은 $\frac{3}{36}=\frac{1}{12}$

따라서 구하는 확률은 $\frac{1}{9}+\frac{1}{12}=\frac{7}{36}$

21 일어나는 모든 경우의 수는 $4\times4=16$

20보다 작은 경우는 1□일 때의 4가지이므로 그 확률은 $\frac{4}{16}=\frac{1}{4}$

34 이상인 경우는 34일 때와 4□일 때의 4가지이므로 그 확률은 $\frac{5}{16}$

따라서 구하는 확률은 $\frac{1}{4}+\frac{5}{16}=\frac{9}{16}$

22 일어나는 모든 경우의 수는 $6\times6=36$

(i) $xy=12$인 순서쌍 (x, y)는 (2, 6), (3, 4), (4, 3), (6, 2)의 4가지이므로 그 확률은 $\frac{4}{36}=\frac{1}{9}$

(ii) $xy=24$인 순서쌍 (x, y)는 (4, 6), (6, 4)의 2가지이므로 그 확률은 $\frac{2}{36}=\frac{1}{18}$

(iii) $xy=36$인 순서쌍 (x, y)는 (6, 6)의 1가지이므로 그 확률은 $\frac{1}{36}$

따라서 구하는 확률은 $\frac{1}{9}+\frac{1}{18}+\frac{1}{36}=\frac{7}{36}$

23 일어나는 모든 경우의 수는 $6\times6=36$

방정식 $ax-b=1$에서

(i) $x=2$일 때, 즉 $2a=1+b$를 만족하는 순서쌍 (a, b)는 (1, 1), (2, 3), (3, 5)의 3가지이므로 그 확률은 $\frac{3}{36}=\frac{1}{12}$

(ii) $x=5$일 때, 즉 $5a=1+b$를 만족하는 순서쌍 (a, b)는 (1, 4)의 1가지이므로 그 확률은 $\frac{1}{36}$

따라서 구하는 확률은 $\frac{1}{12}+\frac{1}{36}=\frac{1}{9}$

24 일어나는 모든 경우의 수는 $6\times6=36$

$a+b$가 3의 배수가 되는 경우는 다음과 같다.

(i) $a+b=3$인 경우: 순서쌍 (a, b)는 (1, 2), (2, 1)의 2가지

(ii) $a+b=6$인 경우: 순서쌍 (a, b)는 (1, 5), (2, 4), (3, 3), (4, 2), (5, 1)의 5가지

(iii) $a+b=9$인 경우: 순서쌍 (a, b)는 (3, 6), (4, 5), (5, 4), (6, 3)의 4가지

(iv) $a+b=12$인 경우: 순서쌍 (a, b)는 (6, 6)의 1가지

따라서 구하는 확률은

$\frac{2}{36}+\frac{5}{36}+\frac{4}{36}+\frac{1}{36}=\frac{12}{36}=\frac{1}{3}$

25 (두 사람 모두 문제를 맞힐 확률)

=(용화가 문제를 맞힐 확률)×(정신이가 문제를 맞힐 확률)

$=\frac{2}{3}\times\frac{1}{4}=\frac{1}{6}$

26 주머니 A에서 빨간 구슬이 나올 확률은 $\frac{3}{7}$이고, 주머니 B에서 파란 구슬이 나올 확률은 $\frac{5}{7}$이다. 이때 두 사건은 서로 영향을 끼치지 않으므로 구하는 확률은

$\frac{3}{7}\times\frac{5}{7}=\frac{15}{49}$

27 눈의 수의 곱이 홀수가 되는 경우는 (홀수)×(홀수)일 때이다.

한 개의 주사위를 던져 홀수의 눈이 나올 확률은 $\frac{3}{6}=\frac{1}{2}$

이므로 구하는 확률은 $\frac{1}{2}\times\frac{1}{2}=\frac{1}{4}$

28 A, B 두 반에서 남학생이 뽑힐 확률은 각각 $\frac{2}{5}$, $\frac{2}{3}$이므로 구하는 확률은 $\frac{2}{5}\times\frac{2}{3}=\frac{4}{15}$

29 선이와 지이가 약속 시간에 늦지 않을 확률은 각각

$1-\frac{2}{7}=\frac{5}{7}$, $1-\frac{3}{8}=\frac{5}{8}$이므로 두 명 모두 약속 시간에 늦지 않을 확률은 $\frac{5}{7}\times\frac{5}{8}=\frac{25}{56}$

따라서 적어도 한 명은 약속 시간에 늦을 확률은

1−(두 명 모두 약속 시간에 늦지 않을 확률)

$=1-\frac{25}{56}=\frac{31}{56}$

30 (1) (구하는 확률)=1−(이틀 모두 비가 올 확률)

$=1-\left(\frac{3}{10}\times\frac{4}{10}\right)$

$=1-\frac{3}{25}=\frac{22}{25}$

(2) (구하는 확률)

=1−(이틀 모두 비가 오지 않을 확률)

$=1-\left\{\left(1-\frac{3}{10}\right)\times\left(1-\frac{4}{10}\right)\right\}$

$=1-\left(\frac{7}{10}\times\frac{6}{10}\right)=1-\frac{21}{50}=\frac{29}{50}$

31 A, B, C가 불합격할 확률은 각각

$1-\frac{2}{3}=\frac{1}{3}$, $1-\frac{3}{5}=\frac{2}{5}$, $1-\frac{1}{2}=\frac{1}{2}$이므로

세 명 모두 불합격할 확률은 $\frac{1}{3}\times\frac{2}{5}\times\frac{1}{2}=\frac{1}{15}$

따라서 적어도 한 명은 합격할 확률은

1−(모두 불합격할 확률)$=1-\frac{1}{15}=\frac{14}{15}$

32 A 주머니에서 흰 공, B 주머니에서 파란 공을 꺼낼 확률은 $\frac{4}{6}\times\frac{4}{8}=\frac{1}{3}$

A 주머니에서 파란 공, B 주머니에서 흰 공을 꺼낼 확률은 $\frac{2}{6}\times\frac{4}{8}=\frac{1}{6}$

따라서 서로 다른 색의 공을 꺼낼 확률은 $\frac{1}{3}+\frac{1}{6}=\frac{1}{2}$

33 민희는 합격하고 윤희는 불합격할 확률은

$\frac{3}{4}\times\left(1-\frac{4}{5}\right)=\frac{3}{4}\times\frac{1}{5}=\frac{3}{20}$

민희는 불합격하고 윤희는 합격할 확률은

$\left(1-\frac{3}{4}\right)\times\frac{4}{5}=\frac{1}{4}\times\frac{4}{5}=\frac{1}{5}$

따라서 구하는 확률은 $\frac{3}{20}+\frac{1}{5}=\frac{7}{20}$

34 첫째 날에만 지각할 확률은

$\frac{1}{4}\times\left(1-\frac{1}{4}\right)\times\left(1-\frac{1}{4}\right)=\frac{1}{4}\times\frac{3}{4}\times\frac{3}{4}=\frac{9}{64}$

둘째 날에만 지각할 확률은

$\left(1-\frac{1}{4}\right)\times\frac{1}{4}\times\left(1-\frac{1}{4}\right)=\frac{3}{4}\times\frac{1}{4}\times\frac{3}{4}=\frac{9}{64}$

셋째 날에만 지각할 확률은

$\left(1-\frac{1}{4}\right)\times\left(1-\frac{1}{4}\right)\times\frac{1}{4}=\frac{3}{4}\times\frac{3}{4}\times\frac{1}{4}=\frac{9}{64}$

따라서 구하는 확률은 $\frac{9}{64}+\frac{9}{64}+\frac{9}{64}=\frac{27}{64}$

35 다음 표에서 구하는 확률은

월요일	화요일	수요일	확률
지하철	버스	버스	$\frac{3}{4}\times\frac{2}{3}=\frac{1}{2}$
지하철	지하철	버스	$\left(1-\frac{3}{4}\right)\times\frac{3}{4}=\frac{3}{16}$

$\frac{1}{2}+\frac{3}{16}=\frac{11}{16}$

36 소수는 2, 3이고 뽑은 카드를 다시 넣으므로 첫 번째와 두 번째 모두 소수가 적힌 카드를 뽑을 확률은 각각 $\frac{2}{4}=\frac{1}{2}$로 같다.

따라서 구하는 확률은 $\frac{1}{2}\times\frac{1}{2}=\frac{1}{4}$

37 (적어도 한 개가 흰 공일 확률)

=1−(두 개 모두 빨간 공일 확률)

$=1-\left(\frac{3}{5}\times\frac{3}{5}\right)=1-\frac{9}{25}=\frac{16}{25}$

38 모두 P가 적힌 카드를 뽑을 확률은 $\frac{1}{4}\times\frac{1}{4}\times\frac{1}{4}=\frac{1}{64}$

마찬가지로 Q, R, S가 적힌 카드를 뽑을 확률도 각각 $\frac{1}{64}$이므로 구하는 확률은

$\frac{1}{64}+\frac{1}{64}+\frac{1}{64}+\frac{1}{64}=\frac{4}{64}=\frac{1}{16}$

39 2의 배수는 2, 4, 6이고 5의 배수는 5이므로

무진이가 먼저 2의 배수가 적힌 카드를 뽑을 확률은

$\frac{3}{6}=\frac{1}{2}$

그 다음 연아가 5의 배수가 적힌 카드를 뽑을 확률은 $\frac{1}{5}$이다.

따라서 구하는 확률은 $\frac{1}{2}\times\frac{1}{5}=\frac{1}{10}$

40 첫 번째 제비를 뽑았을 때 당첨 제비일 확률은 $\frac{4}{28}=\frac{1}{7}$

뽑은 제비는 다시 넣지 않으므로 두 번째 제비를 뽑을 때 당첨 제비일 확률은 $\frac{3}{27}=\frac{1}{9}$

따라서 2개 모두 당첨 제비일 확률은 $\frac{1}{7}\times\frac{1}{9}=\frac{1}{63}$

41 (적어도 한 개가 불량품일 확률)

$=1-$(3개 모두 불량품이 아닐 확률)

$=1-\left(\frac{7}{10}\times\frac{6}{9}\times\frac{5}{8}\right)=1-\frac{7}{24}=\frac{17}{24}$

42 A만 당첨되지 않을 확률은 $\frac{2}{6}\times\frac{4}{5}\times\frac{3}{4}=\frac{1}{5}$

B만 당첨되지 않을 확률은 $\frac{4}{6}\times\frac{2}{5}\times\frac{3}{4}=\frac{1}{5}$

C만 당첨되지 않을 확률은 $\frac{4}{6}\times\frac{3}{5}\times\frac{2}{4}=\frac{1}{5}$

따라서 구하는 확률은 $\frac{1}{5}+\frac{1}{5}+\frac{1}{5}=\frac{3}{5}$

43 (색칠한 부분을 맞힐 확률)$=\frac{(\text{색칠한 부분의 넓이})}{(\text{도형 전체의 넓이})}$

$=\frac{5}{9}$

44 3의 배수는 3, 6, 9이므로 3의 배수가 적힌 부분에 색을 칠할 확률은 $\frac{3}{10}$, 8의 배수는 8이므로 8의 배수가 적힌 부분에 색을 칠할 확률은 $\frac{1}{10}$이다.

따라서 구하는 확률은 $\frac{3}{10}+\frac{1}{10}=\frac{2}{5}$

45 홀수는 1, 3, 5, 7이므로 화살표가 홀수를 가리킬 확률은 $\frac{4}{8}=\frac{1}{2}$

짝수는 2, 4, 6, 8이므로 화살표가 짝수를 가리킬 확률은 $\frac{4}{8}=\frac{1}{2}$

따라서 화살표가 A는 홀수, B는 짝수를 가리킬 확률은 $\frac{1}{2}\times\frac{1}{2}=\frac{1}{4}$

46 일어나는 모든 경우의 수는 $2\times2=4$

점 P가 1의 위치에 있으려면 앞면이 한 번, 뒷면이 한 번 나와야 한다.

따라서 앞면이 한 번, 뒷면이 한 번 나오는 경우는 (앞면, 뒷면), (뒷면, 앞면)의 2가지이므로 구하는 확률은 $\frac{2}{4}=\frac{1}{2}$

47 일어나는 모든 경우의 수는 $6\times6=36$

처음 위치보다 한 계단 올라가는 경우는 짝수의 눈이 홀수의 눈보다 1만큼 작아야 한다.

즉, 순서쌍으로 나타내면

(2, 3), (3, 2), (4, 5), (5, 4)의 4가지이다.

따라서 구하는 확률은 $\frac{4}{36}=\frac{1}{9}$

48 일어나는 모든 경우의 수는 $\frac{6\times5\times4\times3}{4\times3\times2\times1}=15$

이때 직사각형이 되는 경우는 (A, B, D, E), (B, C, E, F), (C, D, F, A)의 3가지이므로

구하는 확률은 $\frac{3}{15}=\frac{1}{5}$

49 6개의 점 중에서 3개의 점을 선택하는 경우의 수는 $\frac{6\times5\times4}{3\times2\times1}=20$

A B F C D E

여기에서 삼각형이 만들어지지 않는 한 줄로 나열되어 있는

(A, B, C), (C, D, E), (A, F, E)

의 3가지를 제외하면 $20-3=17$(가지)

이 중 정삼각형이 되는 경우는 (A, B, F), (A, C, E), (B, C, D), (B, D, F), (D, E, F)의 5가지이므로 구하는 확률은 $\frac{5}{17}$

개념완성익힘

익힘북 105~106쪽

1 ④	**2** $\frac{1}{10}$	**3** $\frac{5}{16}$	**4** $\frac{26}{27}$
5 $\frac{11}{16}$	**6** $\frac{31}{32}$	**7** $\frac{1}{9}$	**8** $\frac{1}{4}$
9 (1) $\frac{8}{35}$ (2) $\frac{2}{35}$ (3) $\frac{33}{35}$			**10** $\frac{13}{30}$
11 ④	**12** $\frac{2}{5}$	**13** $\frac{28}{75}$	**14** $\frac{2}{5}$

1 ①, ③, ⑤ 흰 공이 나올 확률은 $\frac{6}{11}$, 검은 공이 나올 확률은 $\frac{5}{11}$이다.
② 파란 공은 없으므로 파란 공이 나올 확률은 0이다.

2 5명의 학생 중에서 당번 2명을 정하는 경우의 수는 $\frac{5\times4}{2}=10$이고, A와 B가 당번이 되는 경우의 수는 1이므로 구하는 확률은 $\frac{1}{10}$이다.

3 일어나는 모든 경우의 수는 $2\times2\times2\times2=16$
걸이 나오는 경우는 (배, 배, 배, 등), (배, 배, 등, 배), (배, 등, 배, 배), (등, 배, 배, 배)의 4가지이므로 그 확률은 $\frac{4}{16}=\frac{1}{4}$
윷이 나오는 경우는 (배, 배, 배, 배)의 1가지이므로 그 확률은 $\frac{1}{16}$
따라서 구하는 확률은 $\frac{1}{4}+\frac{1}{16}=\frac{5}{16}$

4 가위바위보를 한 번 할 때, 비길 확률은 $\frac{3}{9}=\frac{1}{3}$, 승부가 날 확률은 $1-\frac{1}{3}=\frac{2}{3}$
(i) 첫 번째에 승부가 날 확률은 $\frac{2}{3}$
(ii) 첫 번째는 비기고 두 번째에 승부가 날 확률은
$\frac{1}{3}\times\frac{2}{3}=\frac{2}{9}$
(iii) 첫 번째, 두 번째는 비기고 세 번째에 승부가 날 확률은 $\frac{1}{3}\times\frac{1}{3}\times\frac{2}{3}=\frac{2}{27}$
(i), (ii), (iii)에서 구하는 확률은 $\frac{2}{3}+\frac{2}{9}+\frac{2}{27}=\frac{26}{27}$

5 만들 수 있는 세 자리의 자연수의 개수는
$4\times4\times3=48$(개)
210보다 작은 수는 1□□에서 $4\times3=12$(개),
20□에서 201, 203, 204의 3개로 모두
$12+3=15$(개)
따라서 210보다 작은 수일 확률은 $\frac{15}{48}=\frac{5}{16}$이므로
210 이상일 확률은 $1-\frac{5}{16}=\frac{11}{16}$

6 5문제에 답하는 모든 경우의 수는
$2\times2\times2\times2\times2=32$
5문제 모두 틀리는 경우의 수는 1이므로 5문제 모두 틀릴 확률은 $\frac{1}{32}$이다.
따라서 적어도 1문제 이상 맞힐 확률은 $1-\frac{1}{32}=\frac{31}{32}$

7 일어나는 모든 경우의 수는 $6\times6=36$
눈의 수의 차가 5인 경우는 (1, 6), (6, 1)의 2가지이므로 그 확률은 $\frac{2}{36}=\frac{1}{18}$
눈의 수의 곱이 5인 경우는 (1, 5), (5, 1)의 2가지이므로 그 확률은 $\frac{2}{36}=\frac{1}{18}$
따라서 구하는 확률은 $\frac{1}{18}+\frac{1}{18}=\frac{1}{9}$

8 동전을 던져 뒷면이 나올 확률은 $\frac{1}{2}$
주사위를 던져 4의 약수의 눈이 나오는 경우의 수는 1, 2, 4의 3이므로 그 확률은 $\frac{3}{6}=\frac{1}{2}$
따라서 구하는 확률은 $\frac{1}{2}\times\frac{1}{2}=\frac{1}{4}$

9 (1) $\frac{4}{7}\times\frac{3}{5}\times\frac{2}{3}=\frac{8}{35}$
(2) $\left(1-\frac{4}{7}\right)\times\left(1-\frac{3}{5}\right)\times\left(1-\frac{2}{3}\right)$
$=\frac{3}{7}\times\frac{2}{5}\times\frac{1}{3}=\frac{2}{35}$
(3) $1-$(3명 모두 불합격할 확률)$=1-\frac{2}{35}=\frac{33}{35}$

10 A, B, C가 맞히지 못할 확률은 각각
$1-\frac{1}{2}=\frac{1}{2}$, $1-\frac{1}{3}=\frac{2}{3}$, $1-\frac{2}{5}=\frac{3}{5}$이므로
A만 맞힐 확률은 $\frac{1}{2}\times\frac{2}{3}\times\frac{3}{5}=\frac{1}{5}$
B만 맞힐 확률은 $\frac{1}{2}\times\frac{1}{3}\times\frac{3}{5}=\frac{1}{10}$
C만 맞힐 확률은 $\frac{1}{2}\times\frac{2}{3}\times\frac{2}{5}=\frac{2}{15}$
따라서 한 사람만 맞힐 확률은
$\frac{1}{5}+\frac{1}{10}+\frac{2}{15}=\frac{13}{30}$

11 첫 번째에 흰 공을 뽑을 확률은 $\frac{4}{9}$, 두 번째에도 흰 공을 뽑을 확률은 $\frac{3}{8}$, 세 번째에 빨간 공을 뽑을 확률은 $\frac{5}{7}$이다.
따라서 구하는 확률은 $\frac{4}{9}\times\frac{3}{8}\times\frac{5}{7}=\frac{5}{42}$

12 A 주머니를 택할 확률은 $\frac{1}{2}$, A 주머니에서 흰 공을 꺼낼 확률은 $\frac{3}{5}$이므로 A 주머니를 택하여 흰 공을 꺼낼 확률은

$\frac{1}{2}\times\frac{3}{5}=\frac{3}{10}$ …… ①

B 주머니를 택할 확률은 $\frac{1}{2}$, B 주머니에서 흰 공을 꺼낼 확률은 $\frac{1}{5}$이므로 B 주머니를 택하여 흰 공을 꺼낼 확률은

$\frac{1}{2}\times\frac{1}{5}=\frac{1}{10}$ …… ②

따라서 구하는 확률은 $\frac{3}{10}+\frac{1}{10}=\frac{2}{5}$ …… ③

단계	채점 기준	비율
①	A 주머니를 택하여 흰 공을 꺼낼 확률	40 %
②	B 주머니를 택하여 흰 공을 꺼낼 확률	40 %
③	확률 구하기	20 %

13 (i) 첫째 날에 진 후 둘째 날에 이기고 마지막 날에도 이길 확률은

이길 경우: W, 질 경우: L

첫째 날	둘째 날	마지막 날
L	W	W
L	L	W

$\frac{2}{5}\times\frac{1}{3}=\frac{2}{15}$ …… ①

(ii) 첫째 날에 진 후 둘째 날에도 지고 마지막 날에 이길 확률은

$\left(1-\frac{2}{5}\right)\times\frac{2}{5}=\frac{3}{5}\times\frac{2}{5}=\frac{6}{25}$ …… ②

(i), (ii)에서 구하는 확률은 $\frac{2}{15}+\frac{6}{25}=\frac{28}{75}$ …… ③

단계	채점 기준	비율
①	첫째 날 지고 둘째 날, 마지막 날 이길 확률	40 %
②	첫째 날, 둘째 날 지고 마지막 날 이길 확률	40 %
③	확률 구하기	20 %

14 전체 10칸 중에서 짝수가 적힌 부분은 2, 4가 각각 적힌 4칸이다. …… ①

따라서 구하는 확률은 $\frac{4}{10}=\frac{2}{5}$ …… ②

단계	채점 기준	비율
①	경우의 수 구하기	60 %
②	확률 구하기	40 %

대단원 마무리

익힘북 107~108쪽

1 ② **2** ③ **3** ⑤ **4** 6
5 ② **6** ⑤ **7** $\frac{2}{5}$ **8** ①
9 ④ **10** $\frac{13}{28}$ **11** $\frac{1}{9}$ **12** ③
13 $\frac{8}{15}$

1 돈을 지불할 수 있는 방법을 표로 나타내면 다음과 같다.

100원(개)	3	2	1
50원(개)	0	2	4

따라서 구하는 방법은 3가지이다.

2 ① 6
② $2\times2\times2=8$
③ $2\times2\times2\times2=16$
④ $3\times3=9$
⑤ (1, 5), (2, 4), (3, 3), (4, 2), (5, 1)의 5
따라서 경우의 수가 가장 큰 것은 ③이다.

3 A → B → C인 경우: $2\times3=6$(가지)
A → D → C인 경우: $4\times1=4$(가지)
따라서 A 지점에서 C 지점으로 가는 방법은 모두
$6+4=10$(가지)

4 열람실에서 복도로 가는 경우의 수는 3, 복도에서 화장실로 가는 경우의 수는 2이므로 열람실을 나와 화장실로 가는 경우의 수는
$3\times2=6$

5 5명을 한 줄로 세우는 경우의 수는
$5\times4\times3\times2\times1=120$
여자 2명을 1명으로 보고 4명을 한 줄로 세우는 경우의 수는
$4\times3\times2\times1=24$
이때 여자 2명이 자리를 바꾸는 경우의 수는 2
따라서 여자끼리 이웃하여 한 줄로 세우는 경우의 수는
$24\times2=48$
∴ (여자끼리 서로 이웃하지 않도록 세우는 경우의 수)
=(모든 경우의 수)
−(여자끼리 서로 이웃하는 경우의 수)
$=120-48=72$

6 남학생 중에서 대표 1명을 뽑는 경우의 수는 3

여학생 중에서 대표 2명을 뽑는 경우의 수는

$\frac{5\times4}{2}=10$

따라서 구하는 경우의 수는 $3\times10=30$

7 일어나는 모든 경우의 수는 $5\times4=20$

짝수가 되는 경우는

□2인 경우: 4가지,

□4인 경우: 4가지

의 모두 8가지므로 구하는 확률은

$\frac{8}{20}=\frac{2}{5}$

8 일어나는 모든 경우의 수는 $5\times4\times3\times2\times1=120$

부모님이 양 끝에 서는 경우는 부모님을 제외한 3명의 가족이 일렬로 서고, 부모님의 위치가 바뀌는 경우이므로 경우의 수는

$(3\times2\times1)\times2=12$

따라서 구하는 확률은 $\frac{12}{120}=\frac{1}{10}$

9 기약분수가 유한소수로 나타내어지려면 분모의 소인수가 2나 5뿐이어야 한다.

따라서 x의 값은 2, 4, 8, 10의 4가지이므로 구하는 확률은

$\frac{4}{6}=\frac{2}{3}$

10 경품권이 들어 있는 제품은 2개이므로 A가 경품권을 받지 못할 확률은 $\frac{6}{8}=\frac{3}{4}$이고, A가 제품을 산 후 남은 7개의 제품 중에서 B가 경품권을 받지 못할 확률은 $\frac{5}{7}$이다.

∴ (적어도 한 사람이 경품권을 받을 확률)

$=1-$(두 사람 모두 경품권을 받지 못할 확률)

$=1-\left(\frac{3}{4}\times\frac{5}{7}\right)=\frac{13}{28}$

11 일어나는 모든 경우의 수는 $6\times6=36$

$2x+y<6$에서 $y<6-2x$

(i) $x=1$일 때, $y<4$이므로 $y=1, 2, 3$

즉, 순서쌍 (x, y)는 $(1, 1)$, $(1, 2)$, $(1, 3)$의 3가지

(ii) $x=2$일 때, $y<2$이므로 $y=1$

즉, 순서쌍 (x, y)는 $(2, 1)$의 1가지

(i), (ii)에서 $2x+y<6$인 경우의 수는 $3+1=4$이므로

구하는 확률은 $\frac{4}{36}=\frac{1}{9}$

12 과녁 전체의 넓이에 대한 색칠한 부분의 넓이의 비는 각각

① $\frac{1}{4}$ ② $\frac{3}{8}$ ③ $\frac{3}{4}$ ④ $\frac{1}{2}$ ⑤ $\frac{2}{5}$

이므로 확률이 가장 큰 것은 ③이다.

13 A 주머니에서 흰 공, B 주머니에서 검은 공을 꺼낼 확률은

$\frac{2}{6}\times\frac{2}{5}=\frac{2}{15}$ …… ①

A 주머니에서 검은 공, B 주머니에서 흰 공을 꺼낼 확률은

$\frac{4}{6}\times\frac{3}{5}=\frac{2}{5}$ …… ②

따라서 구하는 확률은 $\frac{2}{15}+\frac{2}{5}=\frac{8}{15}$ …… ③

단계	채점 기준	비율
①	A 주머니에서 흰 공, B 주머니에서 검은 공을 꺼낼 확률 구하기	40 %
②	A 주머니에서 검은 공, B 주머니에서 흰 공을 꺼낼 확률 구하기	40 %
③	A, B 두 주머니에서 각각 1개의 공을 꺼낼 때, 두 공의 색깔이 서로 다를 확률 구하기	20 %

개념 확장

최상위수학

수학적 사고력 확장을 위한
심화 학습 교재

심화 완성

개념부터 심화까지

수학은 개념이다